刘国新 贺耀敏 刘晓 武力 主编

第二卷 1956-1966

中华人民共和国史长编

HISTORY OF THE PEOPLE'S REPUBLIC OF CHINA

天津人民出版社

图书在版编目（ＣＩＰ）数据

中华人民共和国史长编. 第 2 卷，1956～1966／刘国
新等主编. —天津：天津人民出版社，2010.2
ISBN 978-7-201-06468-0

Ⅰ. ①中… Ⅱ. ①刘… Ⅲ. ①中国—现代史—1956～
1966 Ⅳ. ①K27

中国版本图书馆CIP数据核字(2010)第 017620 号

天津人民出版社出版

出版人：刘晓津

（天津市西康路 35 号 邮政编码：300051）

邮购部电话：(022) 23332469

网址：http://www.tjrmcbs.com.cn

电子信箱：tjrmcbs@126.com

山东新华印刷厂德州厂印刷 新华书店经销

2010 年 2 月第 1 版 2010 年 2 月第 1 次印刷

787×1092 毫米 16 开本 34.75 印张 5 插页

字数：720 千字

定 价：187.00 元

总　编　委　会

第 二 卷

（1956 — 1966）

第二卷　编委会

前　言

《中华人民共和国史长编》在中华人民共和国成立 60 周年之际由天津人民出版社出版，这是作者与编者共同努力的结晶。

写这本书的初衷就是"存史"。至于怎么存？却是有些说道的。

就共和国史而言，以单一的体裁述说历史，有时会显得力不从心。因为人类社会一旦搭上现代化这趟快车，就不太可能是一个直线的轨迹了，社会的整体性和网络化以及与外部世界的关联程度都决定了历史面貌的立体化结构。为了能对此有一个很好的表达，《中华人民共和国史长编》由"总论"、"重大事件"、"文献资料"、"人物"及"大事记"五部分组成。五个部分既是独立的，又能互为补充。

"总论"，顾名思义，是史论，是论说本阶段历史概貌。这部分内容侧重分析历史发展的阶段性，每个阶段有哪些不同的特点。此外，对主要成就的归纳和经验教训的总结，也是"总论"的题中之义。在写作方法上，不是就事论事，而是以事引论。在对成败的判断上虽然不可能用太多的笔墨，但也不是浅尝辄止。读者通过"总论"会得到一个总括性的印象。

"重大事件"就是按照中国传统史学纪事本末体的写法，尽可能完整地揭示重要事件的起因、过程和结局。哪些属于"重大事件"呢？首先是政治运动和社会变革，比如"三反"、"五反"运动，新中国成立初期的"禁毒运动"；接下来是重要的事件、决策和会议，比如抗美援朝战争、国民经济五年计划、全国人大和全国政协会议；再接下来就是治国理念和方略、重要的思想、重要成就，比如"三步走"发展战略、"三个代表"重要思想、科学发展观、中国成功举办奥运会等；还有主要的社会现象、社会思潮、社会习俗、突发公共事件以及重大自然灾害，比如知识青年上山下乡、防治"非典"、抗震救灾等等。大体说来，前30年因为政治运动较多，一个事件基本上就是一次运动，比较容易独立成篇；后30年国家各项工作的重点转到经济建设，不再搞运动，所以，"事件"更多的是表现为某个领域的发展、某项政策的贯彻、某一方略的提出。不管是政治运动也好，还是发展方略也罢，它们都是历史的关节点，点点相连，就组成共和国历史的脉络主线。我们在这部分里面还安排了"港澳台"专题，对于1997年前的香港和1999年前的澳门，为了照顾历史的完整性，也作了简单的引述性记载。在编排上，依照政治、经济、文化、军事、外交几大板块排列，每个板块内按时间的先后为序。

"人物"吸收了传统史学纪传体的长处，简述人物的经历。传主为在共和国创立、建设和改革过程中建功立业的人物，也适当地收录了其他方面的代表人物。这里有两个具体的标准，首先是已经去世的，仍然健在的不收。其次是凡党政军系统人物一般按正部级以上出条，其他方面如教育界、科技界、文艺界、学术界的人物则以其学术成就和社会影响为依据，这里面虽然很难定出一个明确的标准，但从约定俗成或公众认可的角度看，还是能够画出一个杠杠的。人

物按姓氏音序排列。

"大事记"是学习传统史学编年史体例，以年、月、日为经，以事件为纬。在遵守通常的编写大事记体例的基础上，本书还有自己的考虑。其一，从史学定位看，本书的"大事记"是中观史学，甚至包括一点点微观事件。因为以全书的互补关系，"重大事件"主要反映宏观史学，那么，"大事记"定位于中观带点微观就是恰如其分的，这充分体现本书各个部分所代表的不同层次。其二，从收录的领域看，"大事记"除了政治、经济、文化、军事、外交以外，还有教育、科技、新闻、出版、学术、卫生、体育、民族、宗教、国土、人口、气象等林林总总的事，它编织的是一幅更为细密的网络。"大事记"有部分内容同"重大事件"相重复，本书的处理办法是，凡"重大事件"已有的，"大事记"一概从简。

"文献资料"包括从中央到地方各级党、政、军、民主党派、人民团体的组织沿革和职官，以及研究成果总目。

本书的九卷分别是"重大事件"六卷：第一卷（1949—1956）、第二卷（1956—1966）、第三卷（1966—1978）、第四卷（1978—1991）、第五卷（1992—2002）、第六卷（2002—2009）。这种分法，不是本书的独创，完全是参照近些年学术界，包括党史学界和国史学界关于阶段的划分法，同时也自觉这六卷的编排无论从其所呈现出来明显的阶段性，还是从国

家最高层级的对应上也还说得过去。第七卷为"人物"卷，第八卷和第九卷为"大事记"卷。

　　粗粗算来，国内对于共和国史研究有近30年了，出版著作百十来部，时间和数量能不能成为一个标志，还很难说，因为绝大多数著作都是教材。我们认为，共和国史若真正成为一门学科，按史书范式写出一批论著是基本条件。本书不敢妄谈水平多高，但宽领域、多视角的记述，多多少少还是做到了存史的目的。把过去发生的事情娓娓道来，写清楚它们的来龙去脉，应了孔子所说的"物有本末，事有始终，知所先后，则近道矣"和刘知几所强调的"良史以实录直书为贵"的要求。如果条件允许，本书每隔10年重新补充修订一次，长此下去，也会成为一个可观的文化建设。

中华人民共和国史长编

（第二卷 1956—1966）

目 录

附录

总　论

在探索中曲折
发展的十年

从 1956 年中国共产党的第八次全国代表大会到 1965 年底"文化大革命"爆发，是中华人民共和国历史上非常重要的时期。国家在基本完成对生产资料的社会主义改造之后，开始转入全面的大规模的社会主义建设。在探索建设社会主义道路的过程中，既积累了重要的经验，也存在着严重的失误；既取得了巨大的成就，也遭到过严重的挫折。这是中国共产党领导的中国社会主义建设在探索中曲折发展的十年。

一

中共八大前后建设中国
社会主义道路的探索

对生产资料的社会主义改造的基本完成，标志着社会主义制度在中国已经建立起来，党和国家也就面临着建设和发展社会主义的政治、经济、文化的全新课题，中华人民共和国已经进入了一个新的历史阶段。

在中国建设社会主义，这是中国历史上前所未有的重大课题。新中国成立之初，国家在外交上实行"一边倒"的政策，在社会主义建设上，也以苏联的社会主义政治、经济与文化作为自己的发展模式。由于中国共产党人缺乏经验，又缺乏理论与思想上的准备，而苏联社会主义建设的辉煌成就，必然为中国共产党人和广大人民群众所仰慕、向往，在这种情况下，党号召学习苏联，有历史的必然性，也有积极的意义。

　　但是，新中国成立初年的学习苏联，也产生了一定的负面作用。如在学习苏联的口号下，出现了盲目照搬苏联经验的做法，在政治宣传上，过多地宣传苏联"老大哥"，片面地宣传苏联的成就，宣传"苏联的今天就是我们的明天"，这无益于辩证地看待苏联经验，在一些地方和一些场合，甚至将苏联经验奉为神圣，不容怀疑与讨论。

　　1953 年 3 月，斯大林逝世，国际共产主义运动的一个时代结束，开始了向新方针、新格局的转变，苏联在社会主义建设过程中出现的问题也逐渐暴露出来。1956 年 2 月，苏联共产党举行第二十次代表大会，尖锐地揭露了斯大林在领导苏联社会主义建设中的严重错误，特别是个人崇拜、个人专断和严重破坏社会主义民主与法制的错误。暴露和纠正斯大林的错误，给国际共产主义运动带来了强烈的震动，同时也具有解放思想的意义。对于中国共产党来说，破除对斯大林和苏联经验的迷信，解放被新的教条主义绳索束缚的思想，探索一条适合中国实际的社会主义革命和社会主义建设道路，具有转折性的意义。

　　从 1956 年开始，党和国家的主要领导人比较多地注意以苏联社会主义建设的经验教训为鉴戒，总结新中国成立以来自己的经验，考虑中国社会主义建设的道路问题。毛泽东的《论十大关系》，是探索中国自己的建设社会主义道路的开始，而中国共产党第八次全国代表大会的召开，是这个探索取得的初步成果。

　　为起草八大政治报告，刘少奇从 1955 年 12 月开始听取中央各部委的汇报，接着，毛泽东也找了 34 个部委听取了汇报，周恩来、陈云、邓小平等政治局和书记处的成员也听取了汇报，1956 年 4 月开始，又听取了各省、市、自治区党委的汇报。在此期间，工业、交通部门的 900 个重要的工厂和建设工地也向中央作了书面汇报。中共中央和国务院的主要领导人这样大规模地听取汇报，进行调查研究，其目的就是要总结经验，调动国内外一切积极因素，寻找一条比苏联、东欧各国搞得更快、更好地适合中国情况的社会主义建设道路。

　　34 个部委汇报结束后，中共中央政治局举行了几次会议，对汇报和讨论中提出的问题进行讨论和归纳，概括出中国社会主义建设的十大关系。1956 年 4 月 25 日到 28 日，中共中央政治局召开扩大会议，先由毛泽东讲《论十大关系》，而后进行了深入的讨论，经政治局赞同后，毛泽东在 5 月 2 日的最高国务会议上作了正式报告。这个报告的主要精神，就是"以苏联为鉴戒，总结我国已有的经验"，把国内外一切积极因素调动起来，为社会主义建设服务。

　　毛泽东的讲话，主要谈的是经济问题，前三条讲的是重工业和轻工业、农业的关系，沿海工业和内地工业的关系，经济建设和国防建设的关系。毛泽东指出，重工业是国家建设的重点，但是决不可以因此而忽视生活资料尤其是粮食的生产。苏联和一些东欧国家由于轻重工业发展不平衡、轻视农业而发生了严重的问题，中国在这方面没有犯原则性错误，今后还要适当调整重工业和农业、轻工业的投资比例，更多地发展农业、轻工业，用多发展一些农业、轻工业的办法来发展重工业。过去因朝鲜战争和国际局势的紧张，对沿海工业重视不够，我们必须充分利用和发展沿海工业的生产能力和技术力量，只有沿海新建工业更多更快地积累，才能更有力地支持内地工业。在国防建设和经济建设关系上，毛泽东说，国防建设必须建立在经济建设的基础上，应把军政费用降低到一个适当的比例，增加经济建设费用，多搞经济建设，国防建设才能有更大的进步。这些问题涉及了开辟一条与苏联、东欧不同的建设社会主义工业化道路的问题。毛泽东讲话的第四、第五条，是关于国家、生产单位和生产者个人的关系，中央和地方的关系。毛泽东指出要兼顾国家、集体、个人三方面的利益，要在巩固中央统一领导的前提下，扩大一点地方的权力，给地方更多的独立性，发挥中央和地方两个积极性。后五条是关于汉族和少数民族的关系，党和非党的关系，革命和反革命的关系，是非关系，中国和外国的关系。毛泽东指出，要搞好汉族和少数民族的关系，巩固各民族的团结。在党和非党关系问题上，毛泽东指出，究竟是一个党好，还是几个党好，现在看来，恐怕是几个党好。不但过去如此，而且将来也如此，长期共存，互相监督。在这一点上，我们和苏联不同，我们有意识地留下民主党派，让他们有发表意见的机会，对他们采取又团结又斗争的方针。在中国和外国关系上，毛泽东指出，我们要坚持两点论，我们的方针是，学习一切民族、一切国家的长处，但是必须有分析有批判地学，不能盲目地学，不能一切照抄、照搬。这些都涉及在国家的政治生活和思想文化生活中调动各种积极因素的问题。

毛泽东《论十大关系》的讲话，是中国共产党在社会主义建设道路问题上摆脱苏联模式，探索适合中国国情的社会主义建设道路的开始。毛泽东的探索，在党内和理论界产生了良好的影响，因此在1956年到1957年上半年，出现了一股调查和探索的风气。1956年7月21日，周恩来在上海市党代表大会上发表讲话，强调现在我们的人民民主专政应该是：专政要继续，民主要扩大。周恩来认为，在我们还不能普遍直接选举人民代表的时候，扩大民主的办法：一是使人大代表经常接触人民；二是把人民代表在人代会上的发言，包括批评政府工作的发言，不管是错的对的都发表出来，这有利于揭露政府工作中的缺点；三是使人民代表检查政府工作，一直到检查公安、司法工作。周恩来提出，社会主义民主的长期任务及其近期扩大的办法，有着很重要的意义。

在探索中国自己的建设社会主义道路的背景下，1956年9月15日至27日，中国共产党第八次全国代表大会在北京举行。这是中华人民共和国成立以后，作为执政党和中国社会主义事业领导核心的中国共产党的第一次全国代表大会。这次大会的基本任务是，总结中国共产党第七次全国代表大会以来的经验，团结全党，团结国内外一切可能团结的力量，为了建设一个伟大的社会主义的中国而奋斗。

中国共产党第八次全国代表大会上展示出一大批探索的成果，主要的是：

第一，关于对国内主要矛盾问题的分析。中央委员会的政治报告指出，中国共产党已经领导人民取得了对农业、手工业和资本主义工商业的社会主义改造的全面的决定性胜利，这就表明，我国无产阶级和资产阶级之间的矛盾已经基本上解决，几千年来剥削制度的历史已基本结束，社会主义的社会制度在我国已经基本上建立起来了。我国人民还必须为解放台湾、为最后消灭剥削制度、为彻底肃清反革命残余势力而斗争，但是，我国国内的主要矛盾，已经是人民对于建立先进的工业国的要求同落后的农业国现实之间的矛盾,已经是人民对于经济文化迅速发展的需要同当前经济文化不能满足人民需要的状况之间的矛盾。这些矛盾的实质,在我国社会主义制度已经建立的情况下,也就是先进的社会主义制度同落后的社会生产力之间的矛盾。党和全国人民当前的主要任务,就是要集中力量来解决这个矛盾,把我国尽快地从落后的农业国变成先进的工业国。关于国内主要矛盾问题的分析,突出了我国生产力发展还很落后这一基本国情,强调在生产资料私有制的社会主义改造已经基本完成的情况下,国家的主要任务已经由解放生产力变为在新的生产关系下保护和发展生产力,集中力量去发展生产力。这些论述,是社会主义制度在我国建立起来以后中国共产党确定自己的正确路线的政治基础。

第二,既反保守又反冒进,即在综合平衡中稳步前进的经济建设方针。周恩来的报告就近年来党领导经济工作中所感到的比较突出的问题强调指出,应该根据需要和可能,合理地规定国民经济的发展速度,把计划放在既积极又稳妥可靠的基础上,以保证国民经济比较均衡地发展。大会认为,如果对凭借有利条件较快地发展我国生产力的可能性估计不足,那就是保守主义的错误;如果不估计到各种客观限制而规定一种过高的速度,那就是冒险主义的错误,必须随时注意防止和纠正这两种错误倾向。陈云在发言中提出了著名的"三主体三补充"方针,即国营经济和集体经济是主体,一定数量的个体经济是补充,计划生产是主体,在计划许可范围内按市场变化的自由生产是补充;国家市场是主体,一定范围内的自由市场是补充。这个意见对于克服社会主义高潮中给经济体制带来的一些弊病和出现的盲目求纯(即公有制)的思想,有重要的

意义。

第三,在国家工作方面,规定了在国家政治生活中必须扩大民主、健全法制的基本原则,进一步扩大国家的民主生活,开展反对官僚主义的斗争;加强国内各民族的团结,继续巩固人民民主统一战线。在这个方面,董必武在会上作了重要发言。他认为,在废除旧的《六法全书》之后,要逐步完备中华人民共和国的法制,写出自己的《六法全书》,要制定刑法、民法、诉讼法、劳动法、土地使用法等一系列法律。董必武还明确提出了党政职能分开的原则,认为加强民主与法制建设,可以使党和政府的活动做到"有法可依"、"有法必依"。

第四,党的工作。邓小平关于修改党章的报告,提出了在全国执政的情况下加强党的建设的主要方针,要求重视党内思想教育,提高全党的马克思主义思想水平,坚持全心全意为人民服务的宗旨,发扬党的实事求是、群众路线的优良传统,开展党内民主生活,健全民主集中制,加强对党的组织和党员的监督。大会提出反对突出个人和对个人的歌功颂德行为的方针,继续坚持集体领导和个人负责相结合的制度。

中国共产党第八次全国代表大会第一次会议确定的党的路线是正确的,会议中提出的许多新方针和设想都富有创新精神,对中国自己的社会主义建设道路的探索,取得了初步的成果。八大一次会议后,进一步的探索和对八大精神的落实集中在两个问题上:一是按照八大的方针,编制1957年经济建设计划和调整若干方面的经济关系;二是准备全党整风,正确处理日渐突出的各种人民内部的矛盾。

对1957年的经济建设计划,当时出现了重要的争论。毛泽东认为,1956年财政

开支和基本建设投资中不正确的部分不到"一个指头",主张1957年预算指标可以高一点。周恩来等人则主张宁肯慢一点,稳当一点,1957年的预算指标应当压低一点。1956年11月召开的八届二中全会上,周恩来提出了"保证重点,适当收缩"的方针,得到大会的赞成。毛泽东对此有不同意见,后来成为批判反冒进的由来之一。

在全党整风问题上,主题是正确处理人民内部矛盾问题。1956年秋冬,经济生活和政治生活的紧张,导致一些地方发生工人罢工、学生罢课和农民闹退社、闹缺粮的风潮。在"双百"方针提出来后,知识分子思想日趋活跃,出现了在文化、教育、科学等问题上的不同意见以及对党和政府工作、干部作风等问题上的批评。这些人民群众同他们的领导者即人民政府和执政的中国共产党之间的矛盾,是一个新的问题,全党整风,就是解决这一问题的重要措施。

1957年2月,毛泽东在最高国务会议上发表《关于正确处理人民内部矛盾的问题》的讲话,提出社会主义社会也充满了矛盾。社会主义社会的基本矛盾仍然是生产力和生产关系、经济基础和上层建筑之间的矛盾,不过社会主义社会的这些矛盾同旧社会的这些矛盾具有根本不同的性质和情况,它不是对抗性的矛盾,可以经过社会主义制度本身不断地得到解决。毛泽东指出,社会主义社会存在着敌我之间和人民内部两类性质的矛盾,前者是对抗性的矛盾,需要用强制的、专政的方法去解决,后者是非对抗性的,只能用民主的、说服教育的、"团结——批评——团结"的方法去解决。这样,就把正确处理人民内部矛盾作为社会主义国家政治生活的主题。毛泽东认为,提出划分敌我和人民内部两类矛盾的界限,提出正确处理人民内部矛盾的问题,以便于团结全国各族人民,发展社会主义经济与文化,巩固社会主义制度和建设社会主义的新国家。这是在探索社会主义建设问题上的一个新的成果,有着重大的历史意义。

1957年3月,毛泽东在全国宣传工作会议上发表讲话,论述了党对知识分子的估计,宣布百花齐放、百家争鸣,是一个基本性的也是长期性的方针,并且提出了"放"的方针,放手让大家提意见,敢于说话,敢于批评,敢于争论。

在正确处理人民内部矛盾理论和政策的基础上,1957年4月,中共中央发出《关于整风运动的指示》,发动全党整风,揭露和检查、纠正各个方面人民内部矛盾的问题,在全党进行一次普遍深入地反对官僚主义、宗派主义和主观主义的运动。这是探索社会主义国家政治生活方式和扩大民主形式的重大举措,但是,由于党的领导人对政治形势的估计的错误和由此采取的错误政策,历史的发展出现了巨大回流,并且导致在理论上的失误,"左"的错误思想给国家造成的严重影响越来越大。

整风指示发布后,各党政机构和党组织纷纷召开各种形式的座谈会,鼓励"鸣"、"放",听取意见,得到广大干部、群众的积极响应,许多人对党和政府的工作,对党政干部的思想作风、工作作风提出了意见和批评,揭露了各方面的矛盾。在此过程中,出现了复杂的情况,极少数资产阶级右派利用这个机会向中国共产党和社会主义制度发动了进攻,企图改变中国共产党的领导,改变社会主义制度。由于在整风中出现的这些问题被不适当地夸大了,1957年5月中旬,毛泽东写了《事情正在起变化》一文,改变了运动的主题,将揭露与处理人民内部矛盾转向对敌斗争,由党内整风转向反击资产阶级右派。毛泽东还采取"引蛇出洞"的"阳谋",允许发表错误言论,暂不加批驳,以暴露右派的面目。6月8日,中共中央发出反击右派分子进攻的党内指示,同日,《人民日报》发表《这是为什么?》的社论,一场有组织、有领导的大规模的群众性的急风暴雨式的反右斗争在全国范围展开。

在社会主义改造基本完成后的中华人民共和国,反对社会主义和反对共产党领导的右派确实存在,但毕竟是极少数,多数人在党的号召下提意见,出自真心,出于善意,对于社会主义国家的社会政治生活有积极的意义,但是,由于对阶级斗争和右派进攻的形势作了过于严重的估计,将反右斗争大大扩大了,许多批评意见都被当做"反党反社会主义"的言论,并且断定,右派的性质是敌我矛盾,这样就把大量的人民内部矛盾变成了敌我矛盾,一大批党内干部、爱国民主人士和知识分子受到了严重打击。反右斗争的扩大化和在这个斗争中采取的"引蛇出洞"、"大鸣、大放、大字报、大辩论"的方式,划定右派的"热处理"、长官意志等等,严重破坏了正常的社会主义的民主与法制,将共和国的社会政治生活引入了一个不正常的轨道。

反右斗争严重扩大化,打断了对建设中国自己的社会主义道路探索的正确方向。1957年9月,毛泽东在中国共产党第八届三中全会上发表讲话,改变了八大一次会议关于国内主要矛盾问题的基本分析,毛泽东说:"'八大'决议上有那么一段,讲主要矛盾是先进的社会主义制度同落后的社会生产力之间的矛盾,这种提法是不对的。"毛泽东提出:"无产阶级和资产阶级的矛盾,社会主义道路和资本主

道路的矛盾,毫无疑问,这是当前我国社会主义的主要矛盾","现在是社会主义革命,革命的锋芒是对着资产阶级"。毛泽东的看法改变了八大一次会议的基本论断,到八大二次会议,则肯定了毛泽东的主张,认为:"整风运动和反右派斗争的经验再一次表明,在整个过渡时期,也就是说,在社会主义社会建成以前,无产阶级同资产阶级的斗争,社会主义道路同资本主义道路的斗争,始终是我国内部的主要矛盾。"会议还认为,中国社会存在着两个剥削阶级和两个劳动阶级,一个剥削阶级是右派分子同被打倒了的地主买办阶级和其他反动派,另一个剥削阶级是正在逐步地接受社会主义改造的民族资产阶级和它的知识分子;两个劳动阶级是工人和农民。这样,知识分子实际上被列入第二个剥削阶级的范围。

反右派斗争扩大化的实践反映到理论上,改变了八大一次会议关于我国社会主要矛盾的科学论断,成为后来在阶级斗争问题上一次又一次扩大化错误的理论根源。

二

"大跃进",探索社会主义建设道路的挫折

反右派运动在国家的社会政治生活和社会主要矛盾问题上改变了在1956年底1957年初开始探索的正确方面,"大跃进"运动则是在国家经济建设方面,将对社会主义建设的探索引向了歧路。

在社会主义经济建设上,如何发展我国的社会主义生产力,是稳定前进,还是不顾条件地加快速度,在党内存在着不同意见。1956年初,在经济建设上出现了不

顾客观条件的急于求成、盲目冒进的现象，引起经济的失调和人民生活的紧张，刘少奇、周恩来、陈云等为制止经济建设中的冒进倾向作了很大努力，八大一次会议正确地确定了既反保守，又反冒进的经济建设的方针。八大以后，周恩来、陈云进一步领导了纠正冒进倾向的工作，在八届二中全会上，周恩来的"保证重点，适当收缩"的主张，就是纠正冒进的一个结果。这个指导方针的确立保证了1957年经济建设的健康发展。

对1956年的反冒进，毛泽东是不赞同的。毛泽东一贯认为，人的主观能动性如果能够调动起来，就能够创造人间的奇迹，他常常将对客观制约条件的考虑与"右倾"、"保守"联系起来，将人的意志摆在了一个不恰当的位置。1957年经济建设发展的好形势，虽然是由对发展速度的适当控制而来，但毛泽东并不承认这一点，反而由此得出相反结论，对反冒进进行了批评。

1957年9月到10月，中共中央召开了八届三中全会，毛泽东在会上发表讲话。他说，1956年经济文化有了一个很大的跃进，可是有些同志低估了成绩，夸大了缺点，说冒进了，吹起了一股风，把多快好省、农业纲要四十条、促进会几个东西都吹掉了，影响了今年的经济建设特别是农业的进展，给群众泼了凉水。他认为必须恢复多快好省、四十条、促进会，他希望避开苏联走过的弯路，比苏联的速度更快一点，比苏联的质量更好一点。八届三中全会以后，八大肯定的综合平衡、积极稳步发展的"既反保守，又反冒进"的方针被否定，取而代之的是毛泽东的高指标、高速度的跃进发展的经济建设方针。

1958年1月和3月，中共中央先后在南宁和成都召开工作会议，毛泽东继续严厉批评反冒进，指责周恩来、陈云、李先念等反冒进是"攻其一点，不及其余"。毛泽东说，反冒进是非马克思主义的，冒进是马克思主义的，反冒进没有摆对一个指头与九个指头的关系。毛泽东说，反冒进离右派只有50米远了，认为这是政治方向的结论。毛泽东还将反冒进与右派进攻联系起来，认为它给右派进攻以相当的影响。

在对反冒进的连续的、严厉的批评中，毛泽东否定了综合平衡稳步发展的方针，并且提出了"鼓足干劲，力争上游，多快好省地建设社会主义"的总路线。

反冒进和跃进方针的提出，与对中国自己的社会主义道路的探索是有关联的。毛泽东在成都会议上就批评过去的经济工作是教条主义，认为是在外国经验的压力下，不能独立思考，没有吸取王明教条主义的教训。毛泽东在这里混淆了吸取外国经验与教条主义的界限，将独立性绝对化了，将自己带有情绪化的主观臆断当做是破除迷信、解放思想的东西，加以神圣化。同样地，对于苏联的经验，亦采取另一种非理性的态度，盲目地加以排斥。因此，探索中国自己的社会主义道路在这里已经不是一种解放，反而成为一种包袱了，"自己的"不再有利于探索，反倒使这种探索受到了各种限制，同时，它还助长了否定党的集体领导原则和民主集中制原则的个人专断的倾向。

在此基础上，1958年5月召开了中国共产党八大二次会议，对反冒进负有责任的周恩来、陈云、李先念、薄一波作了公开检讨。会议通过了"鼓足干劲，力争上游，多快好省地建设社会主义"的总路线。这条总路线虽然反映了广大人民群众迫切要求改变经济文化落后状况的普遍愿望，但是它忽视了客观的经济规律，否定国民经济计划的综合平衡,夸大了人的主观意志和主观努力的作用,把发展经济极片面地归结为一个速度,强调"用最高的速度来发展我国的社会生产力","速度是总路线的灵魂","快,是多快好省的中心环节",不顾客观条件和经济规律的高速度,便是其核心。

为达到高速度,八大二次会议通过了大大超过八大一次会议建议的高指标,工业指标普遍提高了一倍,农业方面提高20%—50%。毛泽东提出7年赶英国,再加8年或者10年赶上美国。八大二次会议认为:"只要鼓足6亿人民的干劲,动员6亿多人民力争上游,我们就一定能够高速度地进行建设,一定能够在一个比较短的时间内赶上一切资本主义国家,成为世界上最先进、最富强的国家之一。"

八大二次会议后,"大跃进"运动在全国范围内开展起来,为追求高速度,不断地大幅度提高计划指标,农业提出以粮为纲的口号,要求三五年甚至一二年达到12年农业发展纲要规定的粮食产量指标;工业提出以钢为纲的口号,要求7年、5年甚至3年内实现原定15年钢产量赶上或者超过英国的目标。

高指标带来高估产,在1958年入夏以后,出现了竞放"卫星"的浮夸风,各地报刊大肆宣传,粮食"亩产"迅速攀升至几千斤、几万斤甚至几十万斤,这些离奇的"高产"得到鼓励,《人民日报》以通栏标题宣传"人有多大胆,地有多大产",一些高级领导人著文批判"粮食增产有限论",亦有著名科学家论证粮食高产的"科学依据",浮夸风吹遍中国大地。

生产上的"高速度",推动着生产关系向所谓更高级形式的过渡。1958年3月,毛泽东在成都会议上提出将小型农业生产合作社合并为大社的问题,为会议所通过,于是开始了小社并大社的热潮。7月1日,陈伯达发表《全新的社会,全新的人》,提出"农业和工业相结合的人民公社",7月16日,陈伯达又发表《在毛泽东的旗帜下》,传达了毛泽东新的社会基层组织的构想,即把工、农、商、学、兵组成为一个大公社。在毛泽东号召下,人民公社化运动随之轰然而起,并且作为"向共产主义过渡"的重要措施,"共产风"又在全国范围内愈刮愈烈。

在一片浮夸声中,1958年8月召开了中共中央政治局的北戴河会议。会议正式作出《关于在农村建立人民公社问题的决议》,乐观地估计"共产主义在我国的实现,已经不是什么遥远将来的事情了",会议为进一步推进高速度,决定1958年钢产量要比1957年翻一番,达到1070万吨,1959年则要达到2700万吨—3000万吨,会议还通过1959年度国民经济计划主要指标和第二个五年计划指标,比八大二次会议通过的指标又普遍翻了一番。

北戴河会议后,全国迅速掀起了大规模的人民公社化运动和大炼钢铁运动,一个多月就在全国基本实现了公社化,人民公社"一大二公",农民的私有房基、牲畜、林木等生产资料转归社有,实际上是对农民的剥夺,社内统一核算统一分配,办食堂,实行"共产主义"的供给制试验。

在工业上,实现钢产量的翻番,到年底只有4个月时间,于是各地组织"大兵团作战",动员全民"大炼钢铁",各级党委第一书记挂帅,组织9000万人上山砍树挖煤。找矿炼铁,建起上百万个小高炉,炼焦炼铁炼钢,耗费了大量的人力物力,浪费了大量的资源,为了钢产量指标,许多地方砸锅炼铁,将人民的生活用具和生产工具投进火炉,许多珍贵的铁质历史文物也不能幸免,而大量的人力的投入,破坏了正常的社会秩序和生产秩序,农业劳动力抽去炼钢铁,使大量的农作物无人管理,造成严重的损失。

"大跃进"的狂潮,造成了社会生产力的极大破坏,高指标带来浮夸风、高估产,高估产又带来"吃饭不要钱"和高征购,一些地方农村迅速出现了严重缺粮,大炼钢铁造成了严重的经济失调,电力、交通和生活日用品的生产出现严重的紧张,并且开始出现通货膨胀。

"大跃进"运动,是探索中国自己的社会主义建设道路中的一次失败的尝试。中华人民共和国的历史还不长,党和国家领导人还缺乏经济理论,亦缺乏经济建设的经验,在如何开展社会主义的经济建设上,既不重视旧中国和西方的经济理论和经济运行方式,又急于摆脱苏联和东欧的经济建设模式,因而采取革命战争和政治斗争的群众运动的方法,盲目地相信群众运动不仅是搞政治的有力工具,同时亦是搞经济的良方,以军事组织的方式组织经济运行,以军事战役的方式来组织经济建设,幻想用这种方式,像解放战争的"三大战役"一样,取得经济建设的大战役的胜利,使国家的社会主义经济建设迅速走在世界的前列,这就不能不遭到严重的挫折。

从纠"左"到"反右倾"的庐山会议

"大跃进"运动不是单纯的经济运动,它与国家的政治生活是紧密联系在一起的。在"大跃进"之前,中国共产党的高级领导人中,对于经济建设方针就有综合平衡稳步发展与积极冒进之争,"大跃进"运动是毛泽东严厉批评反冒进、积极推进自己的经济建设主张的结果。毛泽东在严厉批评反冒进以后,又在党内建立起了不正常的绝对权威,在这种情形之下,纠正失败了的"大跃进"运动的错误,常常与对毛泽东的权威的态度联系起来,这就带来许多困难。而党和国家政治生活的不正常所带来的在政策制定、检查、调整上的问题,又容易触到政治上敏感的神经,导致政治局势的进一步复杂化。

1958年底,"大跃进"和人民公社的"左"倾错误带来的混乱对整个国民经济产生的冲击已经明显地暴露出来,为纠正已经觉察到的问题,1958年11月,在郑州召开了工作会议,接着又召开了武昌会议、八届六中全会,以纠正急于向共产主义过渡、搞产品无偿调拨、否定商品经济等问题,确定了人民公社仍然是集体所有制的经济组织,肯定了人民公社社员生活资料仍归社员所有。八届六中全会后,各地开始对人民公社进行整顿,1959年3月第二次郑州会议后,进一步确定了整顿和建设人民公社的方针是:"统一领导,队为基础;分级管理,权力下放;三级核算,各计盈亏;分配计划,由社决定;适当积累,合理调剂;物质劳动,等价交换;按劳分配,承认差别。"

第一次郑州会议主要是对"共产风"和人民公社运动出现的问题进行纠正,但在指导思想上并没有根本的改变,因此八届六中全会高度评价了"大跃进",认为是一条多快好省地建设社会主义的康庄大道,并且确定1959年的方针是"继续大跃进",继续采取高指标的办法来促进经济的高速度发展。毛泽东的态度是,总路线、"大跃进"、人民公社是一条能够以最高速度建设社会主义、早日实现向全民所有制过渡和向共产主义过渡的道路和组织形式,这个大前提是确定无疑的、不容否定的,所要纠正的是在这个工作过程中出现的问题,目的是更好地"大跃进"和为向共产主义过渡早作准备。

与毛泽东态度不同的,是党内一些领导人开始以谨慎的方式提出对于"大跃进"、人民公社的一些根本问题的不同意见,社会上一些干部与群众也对"大跃进"、人民公社的一些问题表示怀疑,有人尖锐地指出已经犯了"左"倾冒险主义的错误。

1959年的庐山会议,是在第一次郑州会议以后对于"共产风"、浮夸风等"大跃进"的"左"倾错误不断进行纠正的形势下进行的。毛泽东认为,总的形势是成绩很大,问题不少,前途光明。总的思想,是在充分肯定八大二次会议的总路线、肯定"大跃进"、人民公社运动的成绩的大前提下,认真总结经验,进一步统一思想认识,动员全党完成1959年的"大跃进"任务。

为认真总结经验,庐山会议前期为"神仙会",畅所欲言,各抒己见,在讨论中,大家在原则上都拥护总路线、"大跃进"和人民公社,在此前提下有两种不同倾向的意见:一种意见是强调"大跃进"以来问题的严重性,认为前一段纠"左"还不够,要求更深入一些进行;另一种意见认为应以肯定成绩为主,不愿意多讲缺点,认为多讲缺点、纠"左"过头,会使干部群众泄气。

7月14日,彭德怀给毛泽东写信,着重指出了"大跃进"以来存在的问题及其原因。毛泽东将信印发与会成员,围绕这封信,两种不同的意见更加明朗,外交部副部长张闻天、总参谋长黄克诚、湖南省委第一书记周小舟等明确表示支持彭德怀的看法,张闻天还发表了长篇发言,对"大跃进"以来的问题作了系统的分析,并且提出了党内政治生活不那么正常的问题。彭德怀的信与张闻天的发言,引起了毛泽东的强烈不满,毛泽东作出了激烈的反应,指责彭德怀等人结成了"军事俱乐部",反对总路线、"大跃进"和人民公社,对党发动进攻。7月23日,毛泽东发动反击,在大会上发表讲话,严厉批判彭德怀等人,形势急转直下,庐山会议也由原先的纠"左"变成了反右,矛头直指彭德怀、张闻天、黄克诚、周小舟等人,在党内政治生活严重不正常的情况下,会议通过了《关于以彭德怀同志为首的反党集团的错误的决议》和《为保卫党的总路线、反对右倾机会主义而斗争》等文件,将彭德怀等定为"反党集团",号召"保卫总路线,击退右倾机会主义的进攻"。

庐山会议把党内的不同意见变成了向党的进攻,会后,又在全国范围内开展了大规模的反右倾斗争,被重点批判和划为右倾机会主义分子的党员和干部达300多万人。反右倾斗争压制了对于总路线、"大跃进"、人民公社的"左"倾错误的怀疑和不满,打断了在经济建设上纠正"左"倾错误的进程,使"大跃进"和人民公社化运动中的错误继续发展,造成工农业生产的巨大破坏,导致国民经济的严重困难,人民生活水平急剧下降,粮食、副食品、日用消费品极度紧缺,许多地方发生饥荒,出现了大量的非正常死亡。三年"大跃进"使国家付出了沉重的代价。

四

国民经济的调整

国民经济的严重困难和普遍发生的饥荒,造成了强大的压力,迫使党和国家领导者不得不面对现实,考虑经济政策的问题。1960年11月,中共中央发出《关于农村人民公社当前政策问题的紧急指示信》。次年1月,中共八届九中全会决定对国民经济实行"调整、巩固、充实、提高"的方针,"大跃进"的政策在实际上停止运作。在周恩来等人主持下,开展了肃清"共产风"、浮夸风、强迫命令风、生产瞎指挥风和干部特殊化风的运动,调整了农村政策,确定了把工业生产和基本建设指标降到切实可靠、留有余地的水平上的方针,调整了国民经济计划,整顿企业秩序。对于科学、教育、文化等领域,也相应地作了调整。这些调整的核心就是改变在"大跃进"中施行的一套"左"的政策,使之更为适应现实。

为进一步贯彻调整的方针,中共中央在1962年1月11日至2月7日召开了县以上负责人的工作会议,参加会议的共7000余人,故称"七千人大会"。讨论刘少奇代表党中央作的书面报告,是会议第一阶段的主要论题。刘少奇的报告肯定总路线、"大跃进"、人民公社这"三面红旗"的基本方向和主要原则是正确的,在列举了几年来社会主义建设的成就后,着重指出工作中发生的主要缺点和错误:①生产计划指标过高,基本战线过长,国民经济发生严重不协调,农业上高估产、高征购;②在人民公社工作中,混淆集体所有制和全民所有制的界限,急于过渡,违反按劳分配和等价交换原则,犯了刮"共产风"和其他平均主义的错误;③不适当地要在全国范围内建立许多完整的工业体系,权力下放过多,分散主义的倾向有了严重的滋长;④对农业增产的速度估计过高,对建设事业的发展要求过急,因而使城市人口不适当地大量增加,加重了城市供应和农村生产的困难。报告分析这些缺点错误的原因:一方面是由于我们在建设工作中的经验还很不够;另一方面是由于几年来

党内不少领导同志不能谦虚谨慎,违反了党的实事求是和群众路线的传统作风,削弱了党内生活、国家生活和群众组织生活中的民主集中制原则,这就妨碍了党及时尽早地发现问题和纠正错误。

1960年底开始的调整,实质上是对"大跃进"的"左"的错误进行纠正,但是,由于党内意见的不一致,尤其是最高领导人毛泽东坚持认为总路线、"大跃进"、人民公社的基本原则和主要方向的正确性不容怀疑,这就使调整本身处于一种两难境地:一方面,在政治上仍然必须肯定和坚持"三面红旗"的基本原则和主要方向,调整只能在这个大前提下进行,只能是操作上的和技术上的调整;另一方面,"大跃进"的错误是在根本原则和方向上的错误,对于它所带来的严重后果的任何改变,又不能不触及它的大前提,这就使调整本身遇到不可克服的矛盾。

对于调整,毛泽东的态度是矛盾的。"大跃进"运动带来了严重的后果,这是违反客观经济规律的结果,是无法回避的事实,他赞成对国民经济等方面进行调整,尽快走出困境,摆脱困难,但是他又坚持总路线、"大跃进"、人民公社的基本原则和主要方向是正确的,对此不能容许丝毫的怀疑,更不能容许批评,调整只能在此范围内进行,调整不是改变"三面红旗",而是为了更好地贯彻"三面红旗"的基本原则和主要方向。因此,他原则上同意进行调整,但是,对于调整中的一些做法持保留态度,尤其对于可能触及"三面红旗"的基本原则和主要方向的一些做法不满,他愿意进行经验总结,开展批评和自我批评,但是,这种总结和批评、自我批评,却不能导向对于大前提的怀疑与否定。

"七千人大会"上林彪的讲话,反映了另一方面的倾向。林彪认为,3年来虽然

出现了物质方面的毛病,但是在精神上得到了很大的收入。他在总结经验教训时提出,这几年发生的错误和困难,只是因为没有照着毛主席的指示、毛主席的警告、毛主席的思想去做,是因为毛泽东的思想受到了"左"的思想和右的思想的干扰。林彪认为,毛主席的思想总是正确的。我们的工作搞得好一些的时候,是毛主席的思想能够顺利贯彻的时候,是毛主席的思想不受干扰的时候,如果毛主席的意见得不到尊重,或者受到很大的干扰的时候,事情就要出毛病。如果听毛主席的话,体会毛主席的精神,弯路会少走得多,今天的困难要小得多。

林彪的讲话,着力维护毛泽东的权威,这同样也反映了"七千人大会"和整个调整时期的一个原则,就是不能对毛泽东领导的正确性有所怀疑。坚持"三面红旗"的正确性,坚持不能翻庐山会议的案,都是要维护毛泽东的正确性。

"七千人大会"以后,国民经济的调整和社会政治生活的调整得到进一步落实和发展。1962年2月21日,刘少奇主持召开了西楼会议,讨论经济形势和克服困难的具体措施。陈云在会上作了重要讲话,这个讲话成为西楼会议的基调。陈云认为,经济形势是极为严峻的,他提出克服困难的6条措施:①国民经济要安排一个恢复阶段,大约需时5年,在恢复阶段中,工业放慢速度,进行调整;②减少城市人口;③采取一切办法制止通货膨胀;④尽力保证城市人民最低生活需要;⑤把一切可能的力量用于农业生产;⑥按照农、轻、重的次序来安排国民经济计划。西楼会议后,接着召开了国务院扩大会议,陈云、李富春和李先念传达西楼会议的精神,陈云作了《目前财政经济情况和克服困难的若干办法》,重申和丰富了他在西楼会议讲话的内容,得到会议的积极赞成,并且成为经济工作的指导性方针。

按照西楼会议的决策,恢复了中央财经小组,以陈云为组长,落实了调整国民经济的各项措施。这些措施包括:

(1)摆脱"大跃进"的思想束缚,把工作基点放在恢复国民经济上,集中力量调整经济,争取用3—5年的时间,调整好各方面的比例关系,以恢复国民经济的正常秩序。

(2)精简职工,减少城镇人口。在1961年和1962年两年,共减少城镇人口2000万人以上。这项措施减轻了国家的负担,增加了农业生产的劳动力。

(3)坚决调整工业生产的高指标。其一是压缩基本建设规模,缩短基本建设战线,大量削减基本建设投资。其二是缩短重工业战线,压缩重工业生产指标,钢产量从750万吨降为600万吨,煤产量从2.5亿多吨降为2.39亿吨。按照经济合理、拉长短线、保留骨干的原则,进行关、停、并、转,从1961年到1962年10月,全国县以上工业企业共减少4.4万个,国家减轻了负担,同时有能力加强石油、化纤、塑料等急需工业,保证国防和尖端技术的需要。

(4)加强对农业的支援,恢复和发展农业生产。国家减少粮食征购,减轻农民负担,鼓励农民的生产积极性,使农民得以休养生息。国家还尽一切可能,加强农业第一线的劳动力,挤出一部分原材料来保证生产农业所需要的生产资料,增加农业生产的投入。

(5)稳定市场,回笼货币,消灭财政赤字,制止通货膨胀。

通过全面落实调整的各项措施,到1962年底,国民经济开始明显好转,农业生产开始回升,工业生产比例趋于平衡,人民生活逐步改善,国民经济调整取得了成效。

在社会政治关系方面,刘少奇主持召集了第十八次最高国务会议,接着又召开了二届人大三次会议和全国政协三届三次会议,刘少奇、周恩来作了讲话,介绍了中共"七千人大会"和西楼会议的基本内容,对于国家的经济形势、出现的困难和犯错误的原因都作了分析。刘少奇特别谈了对"三面红旗"的看法,认为"三面红旗"还要继续保持,但要过5年、10年再来总结经验。对犯错误的问题,指出责任主要在中共中央,原因一是搞社会主义建设的经验不够,另一方面是不少负责人不够谦虚谨慎,有了骄傲自满情绪,削弱了民主集中制的原则,一些地方搞瞎指挥、形式主义。周恩来就政府工作中的问题代表国务院作了诚恳的自我批评。此后,中共中央还召开了全国统战工作会议和民族工作会议,检查纠正在统战工作和民族工作中的"左"的问题,强调必须正确处理阶级关系、民族关系、宗教关系和归国华侨等各方面的问题,加强全国各阶层和各民族的团结。

对于在一些政治运动中受打击的人,中央的政策也有所变化。1961年6月以后,对"反右倾"运动中受过批判和处分的干部和党员进行甄别平反。"七千人大会"以后,这个工作全面推开,对于过去搞错了或者基本搞错了的干部统统平反,至1962年8月,全国有600多万干部、党员和群众得到了平反。对于在反右派运动中被划为右派分子的人,大部分也摘去帽子,使他们的工作条件和生活处境有所改善。

五

国民经济的恢复与发展,十年社会主义经济建设的成就

在两年经济调整的基础上,1963年9月,在北京召开的中共中央工作会议确定,从1963年起,再用3年的时间,继续进行调整、巩固、补充、提高的工作,作为今后发展的过渡阶段。这个阶段的调整,重点从大规模缩减、大幅度后退转向加强薄弱部门和薄弱环节,贯彻以农业为基础,以工业为主导的发展国民经济的总方针。到1965年,五年的国民经济调整全面完成,国民经济得到恢复和发展,国民经济的农、轻、重比例关系发生了明显的变化。

1965年,工农业总产值按当年价格计算为2235亿元,按可比价格计算,同1957年相比,增长59.9%。工农业和轻、重工业的比例关系与调整前的1960年相比,农业总产值在工农业总产值中所占比重从21.8%上升到37.3%;轻、重工业比例从33.4:66.6,变为51.6:48.4。粮食产量为3890亿斤,接近1957年的水平,棉花产量为4195万担,超过1957年。主要工业产品如钢铁、石油等都在增加。

在工业内部结构方面,加强了对农业的支援,发展支农工业;增加人民群众日常生活必需品的生产,繁荣了市场;加强基础工业,并重点引进了化肥、化纤、塑料、合成洗涤剂和电子工业设备,形成了新的产业基础;在兼顾国防、突破尖端方针指导下,集中人力、物力,进行以原子弹、氢弹为中心目标的会战,并取得1964年原子弹的首次爆炸成功。在应付帝国主义可能发动的侵略战争,在大打、早打的思想指导下,开始进行三线建设,改变

国家的工业格局，促进了中西部工业的发展。

随着国民经济的恢复和发展，积累率趋于正常，财政状况不断好转，市场供应增加，人民生活有所改善，主要消费品如粮食、棉布、食油、猪肉等的供应恢复或者接近1957年的水平。

从1956年到1966年的十年大规模社会主义建设，虽然遭到过严重挫折，但仍然取得了很大的成就。中国社会主义现代化建设的物质技术基础，很大一部分是在这十年建立起来的。

十年经济建设中最严重的挫折，就是1958年的"大跃进"。急于求成、不顾客观经济规律和我国国情的"左"的思想，导致国民经济秩序的紊乱和社会财富的巨大浪费，引发严重的经济困难。然而，应当看到，国家的工业建设、科学研究、国防尖端技术和农田水利建设、农业机械化、现代化发展的许多工作，也正是在"大跃进"的年代开始的。据统计，1964年以前的重工业各主要部门新建大中型项目中，"大跃进"期间开工的占2/3以上。在新中国成立后到1979年新增的炼钢能力、采煤能力中，"大跃进"3年所占的比重分别达36.2%和29.6%。以工农业生产的极大破坏和浪费为巨大代价的"大跃进"也奠定了国家现代化建设的一部分重要的基础。

在工业方面，十年经济建设使全国工业固定资产按原价计算，增长了3倍。钢铁增长2.4倍，除进一步建设发展鞍山钢铁基地外，还建设了武汉、包头两大钢铁基地和一批大中型钢铁基地。在机械工业方面，分别形成了冶金、采矿、电站、石化等工业设备制造及飞机、汽车、工程机械制造等十几个基本行业，能够独立设计和制造一部分现代化大型设备，新兴工业

部门在成长，新产品、新品种不断涌现，电子工业、原子能工业等从无到有，从小到大。工业的地区布局和门类结构都有所变化和完善。特别是石油工业迅速发展，建立了中国最大的石油基地大庆油田，随后又开发了胜利油田和大港油田，国内需要的石油全部自给，使中国甩掉了"贫油"的帽子。

在交通运输业方面，十年间新修铁路近8000公里，鹰厦、包兰、兰青、兰新、川黔、桂黔等线通车，成昆、贵昆、湘黔、襄渝等线加紧修建，宝成线开始了电气化工程。除西藏外，各省、自治区都有铁路相通。

在农业基本建设和技术改造方面也取得成效，农业生产回升。从1958年至1965年水利投资共137.9亿元，大中型施工项目290多个，除继续治理淮河外，开始治理黄河、海河、长江部分支流及珠江、辽河等，改善了农业生产条件。农业机械化程度在提高，大中型拖拉机数量增长5.4倍，联合收割机数量增长3.6倍，农用载重汽车数量增长1.9倍，排灌动力机械增长20多倍。农村用电量增长了70倍，化肥的施用量也有巨大的增长。随着生产条件的改善，农业生产得到了很大恢复。

教育、文化事业也有很大发展。1966年有高等学校434所，比1956年增长91.2%，在校学生53.4万人，增长32.5%。新建了一批文化设施，1965年全国拥有剧场2943座，比1957年增长28.2%；艺术表演团体3465个，增长20.1%；图书馆544座，增长36%。

科学技术方面也有重大的发展。在原子能、半导体、计算机、喷气技术、射电天文学、电子、石油化工、生物物理学等方面都取得重要的研究成果。1958年建设了亚洲最大的重水型原子反应堆和回旋

加速器,并开始筹建宇航系统的研究所、生产厂和发射试验设施,为独立发展我国的宇航技术奠定了基础。在原子能方面,成功进行了原子弹爆炸试验,有力地打破了超级大国的核垄断和核讹诈,提高了我国的国际地位。在农业科技上,育成矮秆水稻并大面积推广,有力地促进了粮食增产。在基础科学研究方面,首次人工合成牛胰岛素,居世界领先地位。

十年经济建设成就,大大增强了我国自力更生的能力,奠定了社会主义现代化建设的重要的物质基础和技术基础,积累了社会主义经济建设的宝贵的经验,培养了大批建设骨干。

在战胜严重经济困难、推进社会主义建设事业发展的进程中,中国人民和中国共产党人表现出了英雄的气概和高昂的精神状态,大庆精神、大寨精神、焦裕禄精神、雷锋精神,是这期间出现的光辉榜样,在党和国家的号召和英雄模范人物精神的感召下,掀起了学大庆、学大寨、学习雷锋、学习人民解放军的多次热潮,形成了社会主义的良好的道德风尚。

《关于建国以来党的若干历史问题的决议》指出:"社会主义改造基本完成以后,我们党领导全国各族人民开始转入全面的大规模的社会主义建设。直到'文化大革命'前夕的十年中,我们虽然遭到过严重挫折,仍然取得了很大的成就。"这个观点,用来评价中华人民共和国的"文化大革命"前的十年历史,是非常恰当的。在探索中国自己的社会主义建设道路的进程中,人民共和国的发展,总的说是好的。虽然经过了严重的曲折,但是整个国家亦在不断地战胜各种困难,不断地把各项事业推向前进。十年探索和建设,奠定了中国社会主义现代化建设的重要物质基础和技术基础,培养了大批国家经济文化建设方面的骨干力量,在政治、经济、文化、国防、外交等方面,都积累了宝贵的经验,其意义是十分重大的。

重大事件

中国共产党第八次全国代表大会

中国共产党第八次全国代表大会是中国共产党在全国执政以后召开的第一次全国代表大会,是在党领导全国人民基本完成生产资料私有制的社会主义改造,开始转向探索中国社会主义建设道路的重大转折关头召开的一次具有里程碑意义的大会,是一次显示了党的团结和党的事业兴旺发达的大会。

一

中共八大的筹备

中共七大是 1945 年在延安召开的,到 1956 年,已经相隔 11 年之久。其实早在 1952 年,中共中央就开始考虑召开党的八大,但最终确定下来是在 1955 年。主要原因是由于自 1953 年以后连续多年事情太多:过渡时期总路线的颁布和贯彻、朝鲜停战谈判、粮食统购统销、高饶事件、机构调整和行政区划变更、全国第一次人口普查和选民登记、召开一届人大和二届政协会议、社会主义改造,一桩大事接着一桩大事,八大的筹备一时提不到日程上来。

1955 年 3 月的中国共产党全国代表会议终于确定 1956 年下半年召开八大。毛泽东在会议闭幕式上说:党的代表大会十年没有开,很不好,到 1956 年 8 月十年半了,只好明年开。当然头五年不应该开,头五年兵荒马乱,又开了七大,后五年可以开而没有开。没有开也有好处！高饶问题搞清楚再开，不然他们要利用八大做文章。同时，我们的五年计划也上了轨道，社会主义总路线提出后各方面都清楚了。又经过这次代表会议使大家在思想上更加统一了，再来开八大。毛泽东代表中央提出了八大的三项议事日程：①中央委员会的工作报告；②修改党章；③选举新的中央委员会。并要求在1956年7月以前就需要完成代表的选举及文件的准备工作。

召开中共八大的时间和大会的内容一经确定，筹备工作便开始运转起来。在七届五中全会上新当选为中央政治局委员的邓小平作为中共中央秘书长，具体负责筹备大会的组织工作。

1955年10月4日至11日，中共中央举行扩大的七届六中全会。会议讨论和通过了《关于召开党的第八次全国代表大会的决议》和《关于党的第八次代表大会代表名额和选举办法的规定》。《决议》说：党的八大将于1956年下半年召开，其主要议程为：①中央委员会的工作报告；②关于修改党章的报告；③关于发展国民经济的第二个五年计划的指示；④选举党的中央委员会。这比毛泽东在全国代表会议上所说的三项议程多了一个讨论国民经济计划的内容。决议还提出：召开八大的具体时间由中央政治局决定。《决议》还规定：出席八大的代表由各省、自治区、直辖市、中共中央直属机关、中央国家机关和解放军分别召开党的代表大会选举产生。代表名额的分配为每1万名党员选举代表1名，同时考虑到各地区、各系统党员分布不平衡的情况，每个选举单位分别增加代表4至8人；人口在200万以上的大城市可分别另行增选10至15名代表。全部代表必于1956年6月底以前选出。

在七届六中全会上，邓小平代表中央政治局作了《关于召开党的第八次全国代表大会的决议草案的说明》，介绍了确定召开八大的酝酿过程。邓小平说：党的七次代表大会是在1945年召开的，到1956年召开八大，中间相距11年。这是因为1945年至1949年这4年，我们正处于急风暴雨的革命战争中；1950年至1952年这3年，我们全神贯注地进行了完成民主改革、恢复国民经济和巩固人民民主专政这些极为繁重的工作，并且进行了抗美援朝斗争。1952年年底，中央政治局和书记处在考虑召开全国人民代表大会的同时，就曾考虑到召开党的八大问题，当时决定了先召开一次党的全国代表会议。1953年我们国家开始了第一个五年计划的建设。同年下半年，经过全国财经会议和全国组织工作会议之后，党中央察觉了高饶反党联盟的问题。党经过1954年2月的四中全会和1955年3月党的全国代表会议，对这个事件作了严肃的处理。在这两年多中，党规定了国家在过渡时期的总路线，第一届全国人民代表大会通过和公布了宪法，第一个五年计划已进行了一多半的时间。同时，又经过整党、建党、审查干部工作，总路线的宣传，社会主义改造，所有这些，为召开党的八大作了政治准备和组织准备。所以，1956年召开八大，将会开得更为完满一些，这是可以肯定的。

1955年12月5日，中央政治局召开了一次有各省、自治区、市负责人参加的座谈会。会议由刘少奇主持，他宣布了中央政治局准备在1956年9月召开八大的决定。刘少奇还传达了毛泽东关于召开八大的指示精神：八大的中心思想是要反对右倾思想，反对保守主义，提早完成我国的社会主义工业化和社会主义改造，保证 15 年同时争取 15 年以前超额完成。刘少奇说，我们要利用目前国际休战的时间，利用这个国际和平的时期，再加上我们的努力，就可加快我们的发展，可提早完成社会主义工业化和社会主义改造。

半年之后，1956 年 6 月 24 日，中共中央政治局在中南海颐年堂召开会议。在毛泽东的主持下专门召开了研究八大问题的会议，决定了诸多事宜。6 月 26 日，中共中央办公厅发出了《中央政治局关于八大会期与准备工作的几点决定的通知》。《通知》说：党的八次大会定于 9 月 15 日开幕；大会的政治报告、党章和修改党章的报告、关于第二个五年计划的建议及其报告等 5 个文件，必须在 8 月中旬定稿；8 月下旬召开扩大的七届七中全会，讨论和通过八大的几个主要文件和其他有关问题；9 月 1 日起举行八大的预备会议（全体代表到会），预选中央委员和候补中央委员，讨论八大的几个报告并安排大会发言。《通知》还说，7 月初发布消息，宣布八大的会期和日程；邀请各国共产党和工人党的代表参加。

7 月 6 日，中共中央通过新华社向全国发出了中共中央关于召开党的第八次全国代表大会的通知。

筹备八大的最重要是起草文件。这个工作从 1955 年党的全国代表会议后即陆续开始了。首先成立了三个写作班子。王稼祥、刘少奇、陈云、陈伯达、胡乔木、陆定一、邓小平 7 人组成政治报告起草委员会；安子文、刘澜涛、宋任穷、李雪峰、胡乔木、马明方、杨尚昆、邓小平、谭震林 9 人组成修改党章和修改党章报告起草委员会；第二个五年计划的建议和建议的报告，由

周恩来组织国家计委人员起草。党章初稿于 1955 年 10 月 20 日写成；政治报告第一稿于 1956 年 7 月写成，题目是《为实现过渡时期的总任务而奋斗》；第二个五年计划的建议初稿也于 1955 年 11 月 14 日报送中央。毛泽东、刘少奇、周恩来、朱德、陈云、邓小平等多次开会研究讨论，分别对几个文件草稿逐章、逐句、逐字作了重要修改。从中共中央工作大事记的记载中可知，从 1955 年 8 月 28 日至 1956 年 9 月 14 日，中央政治局召集研究八大事宜的会议、约谈、会见等 130 余次，其中，商谈政治报告 40 次，修改党章 33 次，商谈"二五"计划 18 次，商谈中央委员会候选名单 22 次，准备大会的具体事项 17 次。①

八大的各个文件，经过一年左右的起草、讨论、修改，于 1956 年 8 月中旬基本完成。

与此同时，全国各省、自治区、直辖市和中央、国家直属机关、解放军党组于 1956 年 4 月至 6 月先后举行了本地区或本系统党的代表大会，根据中共七届六中全会《关于党的第八次全国代表大会代表名额和选举办法的规定》，选举产生了出席八大的代表。共选出正式代表 1026 人，候补代表 107 人。

为了把选举新的中央委员会的工作做好，中央政治局于 1956 年 7 月 30 日决定成立一个负责选举工作的委员会，由陈云、彭真、董必武、邓小平、邓子恢、刘伯承、贺龙、陈毅、罗荣桓、徐向前、聂荣臻、叶剑英、李先念、谭震林、黄克诚、谭政、刘澜涛、林枫、乌兰夫等 20 人组成。

党的八大筹备工作至此基本告一段落。

---

① 石仲泉、沈正乐、杨先材、韩钢主编：《中共八大史》，人民出版社，1998 年版，第 119 页。

二

中共七届七中全会和八大预备会议

8月22日，中共七届七中全会召开第一次会议。出席会议的共有中央委员、候补委员61人，中央各部委负责人和各省、市、自治区党委第一书记42人列席会议。

毛泽东主持会议并作了讲话。他说：这次全会的任务，就是准备八次大会。这次大会我们要得到建设的胜利，建设一个伟大的社会主义国家的胜利。凡是不利于这样的方法（团结一切力量）、这样的目的（建设社会主义）的思想和方针，我们就要批评和反对。这是我们这次大会也是我们党历来的旗帜。

邓小平代表中央书记处、政治局，就准备八大的"三大工程"（即政治报告、修改党章、二五计划建议）和提交全会通过的6个文件（即大会的日程，大会的规则，预备会议的安排，选举工作的建议，代表团团长、副团长名单，代表资格审查委员会名单）作了说明。

在邓小平作完说明之后，毛泽东又谈了三个问题。第一，关于常任代表制。有常任代表，可以经常开会，展开批评，民主生活可以发展。第二，未来中央机构的组成。为了国家的安全和工作有利，准备设立副主席、政治局常委、书记处、总书记等机构和职务。准备推举过去的几位书记刘少奇、周恩来、朱德、陈云为副主席；推举中央秘书长邓小平为总书记。毛泽东说，我们这么一个大国，6亿人口，1100万党员，一个主席，一个副主席，总觉得孤单。"天有不测风云，人有旦夕祸福"，"或者是从飞机上掉下来，或者是一个炸弹下来，把主席打死了，还有副主席，把一个副主席打死了，还有三个副主席，把两个打死了，还有两个，把三个打死了，还有一个，统统打死了，还有一个总书记，总而言之是有备无患"。此外还在必要时设名誉主席。第三，七大的路线是正确的，中央是执行了七大的路线。

8月30日，八大预备会议召开第一次会议，946人出席会议。毛泽东主持会议并作了《增强党的团结，继承党的传统》的讲话。毛泽东主要讲了三个问题。第一，关于大会的目的和宗旨：总的来说，就是总结七大以来的经验，团结全党，团结国内外一切可以团结的力量，为建设伟大的社会主义中国而奋斗。第二，关于继承党的传统。要把主观主义、宗派主义切实反一下，此外，还要反对官僚主义。第三，关于中央委员会的选举。毛泽东说，由于"三八式"干部太多，不好安排，故这届暂不考虑。同时，希望选举王明、李立三。认为一来他们代表小资产阶级，而具有小资产阶级思想的人在党内还很多；二来他们代表犯过错误的人，选举他们，说明了我们的团结政策，可以使犯错误的同志安心。①

邓小平作提交文件说明。

9月8日，中共七届七中全会举行第二次会议。会前，先由陈云主持召开了由中央委员、候补委员和各代表团团长、副团长62人出席的讨论候选人会议。随后会议正式开始，由毛泽东主持，共有56名中央委员和候补中央委员出席。会议讨论确定了八届中央委员的候选人名单，共170人，其中七届中央委员67人，新提名的103人，不分正式或候补委员。

---

① 《毛泽东选集》第五卷，人民出版社，1977年版，第293—304页。

9月10日至12日,八大预备会议召开第二次会议。会议的主要内容是讨论确定候选人名单,10日的会议,共有927人出席,52人请假。毛泽东主持了会议,陈云作候选人名单说明。薄一波、李先念、谭震林分别代表华北、中南、华东代表团发言。会议确定八大选举170名中央委员,并采纳了中央政治局与各代表团正副团长反复研究的候选人名单。

毛泽东在讲话中特别提到缺少建设经验、要造就大批知识分子。毛泽东说:"现在的中央委员会,我看还是一个政治中央委员会,还不是一个科学中央委员会。所以,有人怀疑我们党能否领导科学工作、卫生工作,也是有一部分道理的,因为你就是不晓得,你就是不懂。现在我们这个中央的确有这个缺点,没有多少科学家,没有多少专家。"①

9月12日,各代表团举行第一次预选,170人被提名为八届中央委员候选人。这次预选,没有区分中央委员和候补中央委员。八大预备会议于这天结束。

9月13日,中共七届七中全会举行第三次会议。中央委员、候补委员62人参加,中央各部委负责人和各省、市、自治区党委第一书记37人列席,毛泽东主持了会议。

会议通过下列7个文件:①八大政治报告;②中国共产党的章程(草案);③修改党章报告;④第二个五年计划的建议(草案);⑤关于第二个五年计划建议的报告;⑥大会主席团名单(草案);⑦大会秘书处名单(草案)。

至此,召开八大的各项准备工作已经就绪。

三

中共八大的召开

1956年9月15日14时,中国共产党第八次全国代表大会在北京政协礼堂隆重开幕,1021位代表出席会议,5人请假,代表1073万名党员。50多个国家的共产党、工人党、劳动党和人民革命党的代表团应邀列席会议。中国各民主党派代表和无党派民主人士,以及中共中央直属机关、中央国家机关、中国人民解放军和各人民团体的负责人也列席了会议。大会由七届中央政治局委员共同主持。14时零5分,毛泽东庄严宣布:"中国共产党第八次全国代表大会现在开幕。"全场代表起立,热烈鼓掌,然后奏《国际歌》。

接着,毛泽东致开幕词。开幕词虽然简短,仍然不时地被热烈掌声打断。

从现有的档案材料看,毛泽东原来自己起草了两个开幕词讲话稿提纲,不知为什么没有写完。后来让陈伯达起草了一个,毛泽东看后不满意,认为写得太远,拉得太长,于是又叫田家英重写。毛泽东对田家英说:"不要写得太长,有个稿子带在口袋里,我就放心了。"这时距离开会没有几天了,田家英开了一个通宵"夜车",赶写出约2000字的草稿,毛泽东看了比较满意。这就是毛泽东开幕式致辞的基本稿子。②

毛泽东致辞结束以后,大会通过了中

---

① 毛泽东:《在八大预备会议第二次全体会议上的讲话》,1956年9月10日,《党的文献》,1991第3期。

② 石仲泉、沈正乐、杨先材、韩钢主编:《中共八大史》,人民出版社,1998年版,第142页。

央委员会提出的大会主席团、大会秘书处、代表资格审查委员会3份名单,并通过了大会的会议日程和会议规则。每天的大会一般都是在下午2点开始,至晚上7点40分左右结束。

接着,大会进入第一项议程,由刘少奇代表中央委员会向大会作政治报告。报告全文48000余字,分6个部分。

第一,分析了八大召开的国内形势和国内阶级关系的变化:官僚买办资产阶级已经在中国大陆消灭了,富农、封建地主阶级除个别地区外也已经消灭了,富农阶级正在消灭中,原来剥削农民的地主阶级和富农正在被改造成为自食其力的新人,民族资产阶级分子正处在由剥削者变为劳动者的转变过程中,广大农民阶级和其他个体劳动者已经变为社会主义的集体劳动者,工人阶级已经成为国家的领导阶级,知识界已经改变了原来的面貌,组成一支为社会主义服务的队伍。党在现时的任务就是依靠亿万劳动人民,团结一切可以团结的力量,充分利用一切有利条件,尽可能迅速地把我国建设成为一个伟大的社会主义国家。

第二,总结了民主革命和社会主义改造两大胜利的历史经验,阐述了继续完成社会主义改造诸项基本内容。肯定改变生产资料私有制为社会主义公有制这个极其复杂和困难的历史任务现在在我国已经完成了。我国社会主义和资本主义谁战胜谁的问题,现在已经基本解决了。继续改造的任务有两个方面,其一是继续向公有化发展,其二是解决前一阶段改造所遗留的某些问题。

第三,提出了第二个五年计划的基本任务以及工业、农业、商业、文化教育等方面的建设任务,阐明了经济建设的一些重要方针。

第四,论述了加强人民民主专政和人民民主统一战线的重要性和必要性,从多方面提出了改进国家工作的任务,一是进一步扩大民主生活,开展反对官僚主义的斗争;二是把一部分行政管理职权分给地方,发挥中央和地方两个积极性;三是正确地处理汉族人民和少数民族人民、汉族干部和少数民族干部之间的关系,克服大汉族主义的倾向和观点;四是着手系统地制定比较完备的法律,健全国家的法制;五是继续加强人民解放军。

第五,全面分析了国家形势,从有利于国内建设的目的出发,提出了我国对外关系的基本方针。在一般的国际关系中,首先在相互关系中,都有互相尊重主权和领土完整、互不侵犯、互不干涉内政、和平共处的要求,我国以五项原则为基础的和平共处政策不排斥任何国家,对于美国,我们同样具有同它和平共处的愿望。

第六,概述了党的现状,总结了党的历史经验,提出了保证党的工作顺利发展的几个重要问题:一是提高全党的马克思列宁主义水平;二是加强对实际情况的调查研究工作;三是特别强调贯彻执行党的集体领导原则和扩大党内民主。

9月16日下午,邓小平作《关于修改党的章程的报告》,周恩来作了《关于发展国民经济的第二个五年计划的建议的报告》。

《关于修改党的章程的报告》全文约27000字,共分6个部分。

第一,党所处的大势及党的建设的大局。中国共产党已经是执政的党,已经在全部国家工作中居于领导地位。党的这种地位不是自封的,而是党领导的革命和建设取得的节节胜利的结果,是中国历史发展的必然,是中国各族人民的选择,这对于中国共产党的发展和建设来说,是极为有利的条件。但同时执政的地位很容易使我们的同志染上官僚主义的习气,滋长一种骄傲自满的情绪,必然导致工作中的主观主义和工作作风上的宗派主义,使党产生脱离实际和脱离群众的危险。

第二,认真宣传和贯彻执行党的群众路线,对于执政党具有特别重大的意义。

第三,发扬党内民主,坚持集体领导,反对个人崇拜。八大党章和修改党章的报告,都没有提"毛泽东思想"的问题,这是根据毛泽东本人的提议作出的。

第四,正确开展党内的批评和斗争,维护党的团结,巩固党的统一。

第五,提高党员和干部的标准,保障党员的权利。

第六,关于党的中央组织、地方组织、基层组织、监察机关、党同共青团的关系的规定。

除了9月21日休会一天以外,八大从15日至27日,共召开12次会议。其间,共有68人作大会发言,45人作书面发言。另外,还有70人已经准备了发言稿,未在大会上发言,也没有在报刊上刊登,这其中包括张闻天、徐向前、贺龙、聂荣臻、叶剑英、陆定一、谭震林等人的发言稿。

在总计183篇大会发言、书面发言和未刊发言稿中,既有来自中央领导人的,也有中央各部委、国家各部委、地方各级党委负责人的,还有来自基层党组织负责人和普通党员的。发言人数之多,代表面之广,内容之丰富,为党的历次代表大会所少见,体现出当时党内高度的政治热情和民主气氛。

9月26日,大会代表一致通过《中国共产党章程》,并以无记名投票方式选举了第八届中央委员会委员97人。27日,大会又以无记名投票方式选出候补中央委员73人。接着大会一致通过了《中国共产党第八次全国代表大会关于政治报告的决议》,批准了刘少奇代表第七届中央委员会所作的政治报告,一致通过了《中国共产党第八次全国代表大会关于发展国民经济第二个五年计划(1958年到1962年)的建议》。大会全部议程到此进行完毕。陈云宣布大会胜利完成任务,在对国内外来宾的祝贺及贺礼表示感谢后,宣告大会闭幕。

9月28日,第八届中央委员会召开第一次全体会议,选举中央机构。会前,毛泽东召集大会主席团常委和各组组长、副组长开会研究了选举办法。全会分两个阶段进行。第一阶段是28日下午4时进行预选。邓小平对选举办法作了说明:原来主席团常委提的那个名单只作为参考,中央委员个人自己提名,然后由大会主席团常委和各组组长、副组长根据这个预选结果拟定一个名单,到晚上11点再开始正式选举。第二阶段是28日夜11时进行正式选举。

四

毛泽东等同外国党代表团的谈话

八大召开时,正逢中国共产党在国际共运中威望最高的时候,共有56个国家的共产党、工人党、劳动党代表团列席大会,日本共产党代表团则因日本当局阻挠未能成行。毛泽东在大会开幕式上对外国党代表团表示了真诚的欢迎:"今天在座的有五十几个国家的共产党、工人党、劳动党和人民革命党的代表。他们都是马克思列宁主义者,他们和我们有一种共同的语言。他们走了很长的路程来到我国,以崇高的友谊参加我们党的这次代表大会。这对于我们是一个很大的鼓舞和支持。"

在大会上,共有49个代表团代表在大会致辞;12个国家的共产党中央发来贺电。美国共产党全国委员会的贺电说:"在我国人民中间,要求采取步骤缓和远东紧张局势,要求同中华人民共和国建立正常关系的情绪日益增长。这种要求包括接纳中华人民共和国进入联合国,美国政府在外交上承认中华人民共和国,以及在我们两国之间发展互利的商务关系和文化交流……我们严厉地谴责艾森豪威尔政府和美国国会对中国所采取的反动政策,我们和越来越多的民主人士、民主团体一起,要求作根本的改变。"①

八大期间,毛泽东先后会见了西班牙共产党总书记伊巴露丽,英国共产党代表团,苏联共产党中央代表团,朝鲜劳动党代表团,意大利共产党代表团,联邦德国共产党代表团,德国统一社会党代表团,蒙古人民革命党代表团,拉丁美洲的巴西、智利、危地马拉、古巴、巴拉圭、哥斯达黎加、玻利维亚、厄瓜多尔、乌拉圭等11国共产党代表团,叙利亚—黎巴嫩、摩洛哥、阿尔及利亚等国共产党代表团,南斯拉夫共产主义者联盟代表团,阿尔巴尼亚劳动党代表团,罗马尼亚工人党代表团,波兰统一工人党代表团,保加利亚共产党代表团。与有的代表团,如苏共中央代表团曾谈话两次,有的一次谈话长达3个小时。

毛泽东与上述代表团会谈的内容主要集中在几个方面:

一是关于苏共二十大、斯大林问题以及苏联与其他党的关系。对苏共二十大和斯大林问题,不少国家的共产党,尤其是资本主义国家的共产党代表团坦言:在苏共二十大以后,国内、党内发生了波动、混乱和危机,处境非常困难。毛泽东表示同情和理解,并敞开谈了自己对苏共二十大、斯大林问题、斯大林在中国革命问题上的错误、苏联党与其他共产党的关系、苏共二十大以后苏联在国际共运中的地位问题的看法。总的来说,毛泽东认为斯大林有七分成绩,三分错误;认为斯大林在中国革命问题上的错误,主要是由于中国党自己不成熟,怪不得别人;肯定斯大林以后苏联党与其他党的关系正向好的方面转变,即由"父子党"向"兄弟党"过渡;维护苏联在社会主义阵营和国际共运中的领导地位。②

二是关于中国革命的经验。毛泽东特别强调农村和农民的重要性。过去打仗,主要靠农民;现在城市资产阶级很快服从社会主义改造,也是因为农民组织起来了,农业合作化了。毛泽东还强调,建立农村根据地、农村包围城市、最后夺取城市的中国革命经验,对你们许多国家不一定适用,因为这需要很大的面积,很多的人口,如果国家太小,没有回旋余地,一下子就会被敌人压倒。如何处理与资产阶级的关系,是国际共运中还普遍没有解决好的问题。这也是毛泽东谈话的重点。毛泽东对拉丁美洲共产党代表团谈道:对买办资产阶级要利用矛盾,首先对付其中的一个,打击当前最主要的敌人。对于民族资产阶级,毛泽东说,他们是我们这类国家中文化水平最高的阶级,对民族资产阶级要采取"又团结、又斗争"的政策。毛泽东还说:中国有许多党,有共产党,还有许多民主党派。我们大家都在台上,我们是多党制度。在谈到民主党派对共产党

① 《新华半月刊》,1956年第20期,第118—119页。
② 《毛泽东外交文选》,中央文献出版社、世界知识出版社,1994年版,第251—262页。

的批评时,毛泽东说,我们不怕他们批评。对的,我们听,错的,我们可以不办。他们的批评都是来自右边,使我们有些容易搞"左"了的同志可以警惕。①

三是关于中国的现状和发展前途。有些代表团表示,希望在八大报告之外,再听听毛泽东的看法。关于中国的现状,毛泽东说:"中国的社会主义改造工作已经基本上完成了,从前我是睡不着觉的,一切都还不上轨道,穷得很,人总是不高兴。去年下半年以来,我开始高兴了,工作比较上轨道了,党内问题,也比较上轨道了。"关于中国的前途,毛泽东十分明确地说,中国的前途就是社会主义。要使中国变成一个富强的国家,需要 50 年到 60 年的时光。现在已不存在阻碍中国发展的力量。

毛泽东的谈话比较充分地体现了中国共产党的谦虚、平等、顾全大局的风度。

中共八大期间,刘少奇三次陪同毛泽东、八次单独会见外国代表团。八次单独会见的外国党代表团为:印度共产党代表团、伊朗人民党代表团、比利时共产党代表团、印度尼西亚共产党代表团、加拿大劳工进步党代表团、意大利共产党代表团、土耳其共产党代表团、尼泊尔共产党代表团。刘少奇在与外国党代表团谈话中,着重介绍了中国共产党的历史情况和经验。

周恩来两次陪同毛泽东、七次单独会见外国党代表团。七次单独会见的八个外国党代表团为:印度共产党代表团、希腊共产党代表团、挪威共产党代表团、以色列共产党代表团、匈牙利劳动人民党代表团、澳大利亚共产党代表团、新西兰共

产党代表团、捷克斯洛伐克共产党代表团。在谈话中,周恩来回答了客人提出的各种问题,介绍了中国共产党和中国国内的情况,讲述了中国共产党的历史经验,说明了中国共产党对国际形势和国内问题的一些看法和认识。

陈云分别会见了芬兰共产党代表团、瑞典共产党代表团、瑞士劳动党代表团、奥地利共产党代表团、匈牙利劳动人民党代表团。当瑞典共产党代表团谈及苏共二十大后欧洲党内产生混乱现象,引起人民的激动情绪时,陈云说,我们党内没有什么混乱,但也不能说没有震动,主要就是对斯大林的估价,过去说斯大林那样好,后来一下子又很坏。我们党所以没有引起混乱,主要是我们党中央特别是毛主席经常说:一个人做工作不犯错误是没有的。这句话对我们印象很深。毛主席经常在中央会议、干部会议上说"这件事我又做错了"②。在谈及中国的公私合营时,陈云还对中国资本家的状况作了简要分析,说明中国的民族资产阶级为什么愿意接受改造,以及中国的经验。中国共产党第八次全国代表大会受到了国际舆论的普遍关注。

中共八大召开的当天,世界各社会主义国家的主要报刊都发表了社论和专文,祝贺大会的召开,称赞这次大会不仅是"中国共产党和全体中国人民的一件大事。同时,也对国际共产主义和工人运动有巨大的意义"。苏联的《真理报》、《消息报》和其他中央一级的报纸都连续刊登了中共八大的消息和会议发言。莫斯科广播电台还播送了由它的记者采编的中共八大特别节目。9 月 29 日,即中共八大闭

---

① 参见石仲泉、沈正乐、杨先林、韩钢主编:《中共八大史》,人民出版社,1998 年版,第 287 页。

② 同上,第 311 页。

幕的第三天,苏联《真理报》发表社论《中国共产党代表大会的伟大历史意义》,热情称赞中共八大对进一步创造性地发展马克思列宁主义作出了重大贡献。

中共八大召开期间,不仅苏联和社会主义国家的报纸以大量篇幅刊载大会文件和消息,许多资本主义国家共产党和工人党的报刊也刊载了大会的消息。9月19日,印度共产党政治局还就中共八大的召开发表声明,向八大致敬。法国《人道报》从9月15日开始,连续报道中共八大消息并摘要刊登了毛泽东的开幕词、刘少奇的政治报告、邓小平的关于修改党章报告和周恩来的关于第二个五年计划报告。意大利的《团结报》对中共八大的消息和报告十分重视,几乎每天都有比较详细的报道。美国的《工人日报》除了刊登有关中共八大的消息外,还全文刊登了毛泽东的开幕词。加拿大《论坛报》不仅刊登消息,还刊登了中国共产党领导人的照片。奥地利《人民之声报》连续刊登了中共八大的综合报道,并摘要发表了毛泽东的开幕词和刘少奇、邓小平、周恩来的报告。1955年万隆会议的召开,加强了亚非国家之间的相互了解和关心。中共八大自然也受到这些国家的重视。印度报纸大量刊登中共八大消息,许多报纸还发表了社论。缅甸的《缅甸人报》9月18日发表的社论说:"我们并不是为共产主义辩护但是必须承认,在把国民党赶出中国大陆之后,中国幸而找到了一个它非常需要的能够给予稳定和效率高的政府。"①由于埃及当时正处于苏伊士运河事件的旋涡中,几乎各报都在9月16日以显著的位置刊载了毛泽东在中共八大开幕词中关于支持

埃及的一段话。西方国家的一些非共产党报纸也对中共八大发表了评论。日本的《读卖新闻》说:"同非共产党集团共处的长期计划,显然是中国共产党解决面临的巨大任务的现实方法。"美国的《基督教科学箴言报》说,中国共产党是世界上最大的全国性共产主义组织,目前举行的第八次全国代表大会反映了"巨大的权力和极大的信心","不管承认与否,中国共产党已经使中国成为世界一大强国"。《纽约先驱论坛报》的报道则说:"代表大会发表的演说令人心寒,使人意识到共产党中国日益增长的力量。"英国的《星期日泰晤士报》在评论毛泽东开幕词和刘少奇的政治报告时认为,北京代表大会的气氛"是充满了信心、喜悦、乐观和团结的。这是能够理解的,任何不抱偏见的观察家都将承认这一点"。巴黎《世界报》9月17日的评论指出:"这次代表大会似乎将成为世界共产主义历史上、特别是中国历史上有意义的日子。"②

中共八大的成就和历史地位

八大的最大成就是采用民主的方式,建立了一个新领导集体。

八大关于中央委员会以及中央领导机构的选举,采用了高度民主的办法。这主要表现在:

第一,选举采取五个步骤:①大会代表自由提名;②汇总讨论提名,确定候选人名单;③举行第一次预选,确定整个候选人名单(不分中央委员和候补委员);④

———————————
①　参见石仲泉、沈正乐、杨先林、韩钢主编:《中共八大史》,人民出版社,1998年版,第338—340页。
②　同上,第340—341页。

举行第二次预选,确定中央委员和候补委员候选人名单;⑤正式选举。

第二,公布中央委员和候补委员得票的多少。

第三,八届一中全会选举中央机构高度民主化。中央不提候选人名单,先预选,再正式选举。

八大选举的中央委员会,基本包括了抗战以前党的最优秀的领导干部。

八大选举的中央领导机构及其成员,也充分体现了决策趋于民主化和领导成员德才兼备。特别是陈云和邓小平进入中央领导集体,对于中国共产党来说,是具有深远影响的大事。

中央政治局委员由中共七大的13个增加至17个,除任弼时、高岗已故外,康生、张闻天落选,成为候补委员;增加了邓小平、林彪、罗荣桓、陈毅、李富春、刘伯承、贺龙、李先念,扩大了部队和经济工作领导干部比例。

八届一中全会除确立了毛泽东、刘少奇、周恩来、朱德、陈云、邓小平领导集体外,还成立了书记处和中央监察委员会。八大通过的党章增加了一个新的内容,就是第三章规定:设立主席一人,副主席若干人和总书记一人;中央设立中央政治局常务委员会,由主席、副主席和总书记组成;中央政治局和政治局常委会在中央委员会全体会议闭会期间,行使中央委员会的职权。"中央委员会认为有必要的时候,可以设立中央委员会名誉主席一人。"

早在会前召开的七中全会第三次会议上,毛泽东就说:"我说我们这些人(包括我一个,总司令一个,少奇同志算半个。不包括恩来同志、陈云同志跟小平同志,

他们是少壮派),就是做'跑龙套'工作的,我们不能登台演主角,没有那个资格了,只能维持维持,帮助帮助,起这么一个作用。你们不要以为我现在在打'退堂鼓',想不干事了,的确是身体、年龄、精力各方面都不如别人了。我是准备了的,就是到时候就不当主席了,请求同志们委我一个名誉主席。名誉主席是不是不干事呢?照样干事,只要能够干的都干。"①

会议期间,毛泽东会见南斯拉夫共产主义者联盟代表团时又说同样意思的话:"我老了,不能唱主角了,只能跑龙套。你们看,这次党代表大会上我就是跑龙套,而唱戏的是刘少奇、周恩来、邓小平同志。"②

1956年1月苏共二十大揭露了斯大林的错误后,在中国共产党内引起巨大震动,如果说斯大林的错误不是制度造成的(中国共产党正是这样认为的),那么比较合理的解释就是个人崇拜造成斯大林"独断专行",不受制约是他错误的主要原因。这个教训,被八大充分吸收到新的党章中。邓小平在《关于修改党的章程的报告》中指出:"关于坚持集体领导原则和反对个人崇拜的重要意义,苏联共产党第二十次代表大会作了有力的阐明,这些阐明不仅对于苏联共产党,而且对于全世界其他各国共产党,都产生了巨大的影响。很明显,个人决定重大问题,是同共产主义政党的建党原则相违背的,是必然要犯错误的,只有联系群众的集体领导,才符合党的民主集中制原则,才便于尽量减少犯错误的机会。个人崇拜是一种有长远历史的社会现象,这种现象,也不会不在我们党的生活和社会生活中,有它的某些反

---

① 毛泽东:《关于设中共中央副主席和总书记的问题》,1956年9月13日,《党的文献》,1991年第3期。

② 《毛泽东外交文选》,中央文献出版社、世界知识出版社,1994年版,第261—262页。

映。我们的任务是，继续坚决地执行中央反对把个人突出、反对对个人歌功颂德的方针，真正巩固领导者同群众的联系，使党的民主原则和群众路线，在一切方面都得到贯彻地执行。"

把"毛泽东思想"作为党的指导思想并写入党章，这是中共七大作出的重要决策，也是马克思主义与中国革命具体实践相结合的标志。刘少奇在七大的修改党章报告中，用了一个整章的篇幅来论述党的指导思想——毛泽东思想。七大党章中规定："中国共产党以毛泽东思想作为自己一切工作的指针。"八大通过的党章则规定："中国共产党以马克思列宁主义作为自己行动的指南。"另外，在八大形成的所有文件中，都没有提到"毛泽东思想"，也没有说明为什么要从党章中删除"毛泽东思想"这个词。按说，七大以来中国革命的胜利、新中国的日益强大和社会主义改造的顺利进行，似乎都进一步证明了毛泽东思想的存在及其正确性，毛泽东的威信如日中天。因此，八大以后，中外不少人对此猜测不一，认为这引起毛泽东的不快。实际上，这种变化并不是在八大才发生的。1949 年 3 月召开的七届二中全会上曾经规定禁止给党的领导人祝寿，禁止用党的领导人名字做地名、街名和企业的名字，反对在文学艺术中夸大领导者的作用。从那以后，毛泽东在审阅一些重要文件时，他本人就把遇到的"毛泽东思想"这个词改掉或删去。有的改为"马克思列宁主义的路线"，有的改为"马克思列宁主义的普遍真理和中国革命的具体实践相结合"。1950 年 8 月 19 日，在编辑《毛泽东选集》第三卷收入 1945 年 4 月中

共中央通过的《关于若干历史问题的决议》时，由毛泽东提议，经中央政治局同意，把"毛泽东思想"一律作了上述处理。1953 年 5 月 24 日，在 4 月 3 日董必武关于中国政治法律学会召开成立大会给彭真并政法党组干事会的信上，毛泽东批示："彭真同志：凡有'毛泽东思想'字样的地方，均应将这些字删去。"①

1954 年 2 月，中共中央宣传部根据毛泽东的指示精神，专门下发了《关于毛泽东思想应如何解释的通知》。《通知》说："党章已明确指出：'毛泽东思想'即是'马克思列宁主义的理论与中国革命的实践之统一的思想'，它的内容和马克思列宁主义是同一的。""毛泽东同志曾指示今后不要再用'毛泽东思想'这个提法，以免引起重大误解。我们认为今后党内同志写文章作报告，应照毛泽东同志的指示办理。"②

正是遵照毛泽东本人的意愿，八大的文件，包括政治报告、党章、修改党章的报告都没有出现"毛泽东思想"的字样。

刘少奇的政治报告提出，随着社会主义改造的基本完成，社会主义与资本主义谁战胜谁的问题，现在已经解决了。但是没有提出社会主义改造完成以后，我国社会的基本矛盾是什么，主要矛盾还是不是阶级矛盾。

八大关于政治报告的决议则在这方面作了完善。这个决议与一般决议不同，它不是简单地复述和认可报告，而是在非常重要的理论和实际问题上作出了新的论断。《决议》指出："我国的无产阶级同资产阶级之间的矛盾已经基本上解决。

①　转引自杨先材等主编：《中国社会主义现代化建设的起点——纪念八大 40 周年学术讨论会论文选》，中共党史出版社，1997 年版，第 335 页。

②　《建国以来毛泽东文稿》第四册，中央文献出版社，1990 年版，第 623 页。

我们国内的主要矛盾，已经是人民对于建立先进的工业国的要求同落后的农业国的现实之间的矛盾，已经是人民对于经济文化迅速发展的需要同当前经济文化不能满足人民需要的状况之间的矛盾。这一矛盾的实质，在我国社会主义制度已经建立的情况下，也就是先进的社会主义制度同落后的社会生产力之间的矛盾。党和全国人民的当前的主要任务，就是要集中力量来解决这个矛盾，把我国尽快地从落后的农业国变为先进的工业国。"

八大关于社会主要矛盾的论述，在当时符合社会和理论发展的逻辑，也符合八大前后党关于将工作重心转到经济建设的思想，有利于社会的安定和经济的发展。但是，就理论与实际的关系来说，这个论断脱离了实际，当时社会的主要问题，并不是先进的社会制度与落后的生产力的矛盾，而是社会主义改造"四过"造成的生产关系与生产力不相适应的问题，生产关系必须适应生产力的问题并没有解决。

八大充分吸收了1956年上半年党关于社会主义经济建设的探索成果，并以《关于政治报告的决议》和《关于发展国民经济第二个五年计划的建议》的形式将其确定下来。大会肯定和吸收了毛泽东等人关于农、轻、重产业政策，积累与消费关系的思想，提出优先发展重工业同时兼顾其他，国家建设和人民生活二者必须兼顾。大会虽然重申"必须继续坚持优先发展重工业的方针"，"对于优先发展重工业这一基本建设方针不能有任何的忽视"，但是也强调"在优先发展重工业的同时，我们必须根据原料、资金的可能和市场的需要，积极发展轻工业"，"应该在农业发展的基础上，适当地加速轻工业的建设，以适应广大人民对消费品的日益增长的

需要，并且增加国家的资金积累"，"我国目前农业生产还不能适应日益增长的需要，今后必须用更大的力量发展农业"。大会还根据上半年经济建设中出现的"冒进"及纠正"冒进"的经验，提出了"综合平衡、稳步前进"的建设方针。八大在关于政治报告的决议中明确提出：在反对保守主义的同时，"我们也必须估计到当前的经济上、财政上和技术力量上的客观限制，估计到保持后备力量的必要，而不应当脱离经济发展的正确比例。如果不估计到这些情况而规定一种过高的速度，结果就会反而妨碍经济的发展和计划的完成，那就是冒险主义的错误。党的任务，就是要随时注意防止和纠正右倾保守的或'左'倾冒险的倾向，积极而又稳妥可靠地推进国民经济的发展"。

大会《关于政治报告的决议》还吸收了陈云1956年6月提出、在八大发言中进一步明确的"三个主体"、"三个补充"思想。政治报告决议指出："这种社会主义的统一市场应当以国家市场为主体，同时附有在一定范围内的国家领导下的自由市场，作为国家市场的补充。全国工农业产品的主要部分都将列入国家计划，由生产单位按照计划进行生产。但是，为了适应社会的多方面需要，在国家计划许可的范围内，有一部分产品将不列入国家计划，而由生产单位直接按照原料和市场的情况进行生产。社会主义经济的主体是实行集中经营的，但是也需要有一定范围的分散经营作为补充。要在城市居民区和农村中保存适当数量的小商小贩，以便利居民日常生活的需要。手工业生产合作社的组织也不宜过分集中，某些行业还应该适当分散，并且容许一部分手工业，特别是特种手工艺品的生产者继续独立经营。"

中共八大是探索中国社会主义建设道路的一个重要里程碑，它关于社会主义社会主要矛盾的理论以及党和国家的工作重心转移到社会主义建设的决策具有重大的理论意义和实践意义，它提出的许多新方针、新设想是富于创新精神的，对于探索中国自己的社会主义建设道路是一笔宝贵的财富。

《关于正确处理人民内部矛盾的问题》

1957 年 2 月，毛泽东在最高国务会议第十一次（扩大）会议上作了"如何处理人民内部的矛盾"的讲话，对他几个月来思考的一些重要问题作了比较详细的阐发。两个月后，经过毛泽东认真的修改，这个讲话以《关于正确处理人民内部矛盾的问题》（以下简称《正处》）为题正式成文发表。该文总结了中国社会主义改造过程中的历史经验，借鉴和吸收了一段时间以来国际共产主义运动中的正反经验，系统阐述正确处理人民内部矛盾的一系列方针，是毛泽东在社会主义时期的最重要的著作，代表了当时社会主义理论的最高水平。

正确处理人民内部
矛盾的问题的提出

1956 年秋冬，出现了一些不安定的情况，社会改造的急促步伐及其深刻变化，加上经济建设中未能完全克服冒进，使经济和政治生活中出现某些紧张。许多城市出现粮食、肉类和日用品短缺，少数学生、工人和复员转业军人在升学、就业和安置方面遇到不少困难，发生了闹事现象。据不完全统计，从 1956 年 9 月到 1957 年 3 月的半年时间，全国共有一万多工人罢工，一万多学生罢课请愿。在农村，夏收以来不少地区接连发生农民闹退社、闹缺粮的风潮。对时局变化最为敏感的知识分子，在"百花齐放，百家争鸣"方针提出后，思想日趋活跃，他们批评教条主义和官僚主义，在文化、教育、科学等问题上形成不同意见，进行争鸣，有些人还对党和政府工作中的缺点错误以及干部作风上的问题提出公开批评，其中不乏意见尖锐者，当然也有一些错误议论。面对这些新出现的矛盾，许多党员和干部思想上缺乏准备，陷于被动地位。他们用老眼光看待新问题，把群众闹事和尖锐批评一概视为阶级斗争的表现，企图采取简单粗暴的办法进行压制。

毛泽东对此作了深入的思考，他在分析斯大林的错误时指出，不满意政府，不满意共产党，批评政府，批评共产党，这里有两种人，有敌人的批评，也有人民的批评，应该加以区别。斯大林在一个很长时期内，差不多是不加区别的。毛泽东感到苏联在建设社会主义过程中暴露出的一些缺点和错误，特别值得注意。他甚至向党的高层领导发出了"他们走过的弯路，你还想走？"的忠告，并努力完善和深化解决社会主义社会矛盾的理论。

社会主义社会中有无矛盾？斯大林的结论是否定的。直到他逝世前一年写的《苏联社会主义经济问题》，才谈到社会主义制度下生产关系和生产力之间的矛盾，说如果政策不对，调节得不好，是要出问题的。但仍缺乏理论分析和科学的论证，致使他没有把社会主义社会的生产关系和生产力之间、上层建筑和经济基础之间的矛盾当做全面性问题提出来，尤其没有认识到这些矛盾是推动社会主义社会向前发展的基本矛盾。

毛泽东继承和发挥了列宁关于社会主义社会对抗消失了、矛盾还存在的思想，认为在社会主义国家里一切都是好的的观点是迷信，认为希望一切都是好的，是我们的主观，而现实是客观。

根据毛泽东的上述思想，中共中央在1956年4月发表了题为《关于无产阶级专政的历史经验》的重要文章，深刻阐述了社会主义社会存在矛盾的理论观点，指出：否认矛盾存在，就是否认辩证法。各个社会的矛盾性质不同，解决矛盾的方式不同，但是社会的发展总是在不断出现的矛盾中前进的。社会主义社会的发展也是在生产力和生产关系的矛盾中进行着的。在社会主义社会和共产主义社会中，技术革新和社会制度的革新的现象，都将是必然要继续发生的，否则，社会的发展就将停止下来，社会就不可能再前进了。人们是在社会中生活着的，也就会在各种不同的情况和不同的程度上，反映各个社会中的矛盾。所以，即使到了共产主义社会，也不会是每个人都是完满无缺的。那个时候，人们本身也还将有自己的矛盾，还将有好人和坏人，还将有思想比较正确的人和思想比较不正确的人。因此，人们之间也还将有斗争，不过斗争的性质和形式不同于阶级社会罢了。

1956年4月25日，毛泽东在中共中央政治局扩大会议上作了题为《论十大关系》的讲话，分析了有关社会主义建设和社会主义改造的政治经济方面的十个问题。毛泽东认为这十个问题，是十种关系，就是十大矛盾。世界是由矛盾组成的。没有矛盾就没有世界。

既然承认有矛盾，就要提出解决矛盾的基本理论主张，这无论在逻辑上还是在实际操作上，都是必然的。斯大林在理论上否认矛盾，在实践上混淆矛盾，把党内和人民内部的矛盾当做敌我矛盾，以致在30年代后期犯了肃反扩大化的错误。

在《论十大关系》中，毛泽东对十大矛盾进行逐条分析，提出处理各个关系的量度，指出，我们的任务，就是要正确处理这些矛盾。这些矛盾在实践中是否能完全处理好，也要准备两种可能性，而且在处理这些矛盾的过程中，一定还会遇到新的矛盾，新的问题。但是，像我们常说的那样，道路总是曲折的，前途总是光明的。

中共中央在1956年12月29日的题为《再论无产阶级专政的历史经验》的文章中，把各种错综复杂的矛盾概括为两种不同性质的矛盾：第一种是敌我之间的矛盾。这是根本的矛盾，它的基础是敌对阶级之间的利害冲突。第二种是人民内部的矛盾。这是非根本的矛盾，它的发生不是由于阶级利害的根本冲突，而是由于正确意见和错误意见造成的矛盾，或者由于局部性质的利害造成的矛盾。人民内部矛盾可以而且应该从团结的愿望出发，经过批评或者斗争获得解决，从而在新的条件下得到新的团结。

1957年1月，毛泽东在党内讲，怎样处理社会主义社会的敌我矛盾和人民内部矛盾是一门科学，值得好好研究。就我国的情况来说，现在的阶级斗争，一部分是敌我矛盾，大量表现的是人民内部矛盾。我们要在几个五年计划的时间内，认真取得处理这个问题的经验。当毛泽东把问题提出来促使大家研究的时候，他本人已经对解决问题的方法进行了深入的思考。

二

从讲话到文章的正式发表

从毛泽东"如何处理人民内部的矛盾"的讲话到《关于正确处理人民内部矛盾的问题》文章发表,历时近 4 个月,2003 年出版的《毛泽东传》已经将这个过程讲得比较清楚了。但是怎样解读这一过程,也还需要研究者加以关注,这将有利于全面理解毛泽东正确处理人民内部矛盾思想的理论价值。

毛泽东的讲话稿最初只是一个 1600 余字的提纲,①毛泽东 1957 年 2 月 27 日在最高国务会议第十一次(扩大)会议上,从下午 3 点开始,讲到下午 6 点 40 分,"基本上是按照这个提纲展开的"②。讲话由速记员记录,胡乔木将记录稿整理成文字,于 3 月 30 日报送毛泽东。4 月 24 日,毛泽东开始正式修改讲话稿,③直至 6 月 19 日公开发表。那么,可不可以将其归结为"一次讲话,两个月修改成文"呢?恐不尽然。他认为准确地说应该是两个月讲话,两个月修改成文。

为什么说不是一次讲话,而是两个月讲话呢?因为除了 2 月 27 日的讲话之外,毛泽东在 3 月初至 4 月上旬又作了一系列讲话和报告,这些讲话、报告都是 2 月 27 日讲话的延伸和补充,因此都应该纳入研究者的视野。

3 月上中旬,毛泽东在一周时间里马不停蹄地在北京开了 6 次会,讲了 6 次话,包括 5 个座谈会,即 3 月 7 日的普通教育工作座谈会、3 月 8 日的文艺座谈会、3 月 10 日的出版座谈会、3 月 11 日的部分大学负责人座谈会、3 月 13 日的自然科学工作者和社会科学工作者座谈会和 3 月 12 日在全国宣传工作会议上的讲话。除全国宣传工作会议讲话比较全面系统外,其余 5 个座谈会主题各不相同,但无一不是围绕着 2 月 27 日的讲话展开的。紧接着,毛泽东坐车南下,从 3 月 17 日到 20 日,连续在天津、济南、南京、上海向三省(山东、江苏、安徽)两市(津、沪)作了 4 场报告。从 4 月 4 日到 6 日,毛泽东又连续 3 天在杭州召集会议听取上海、江苏、浙江、福建、安徽四省一市思想动态的汇报,主题还是围绕关于正确处理人民内部矛盾的有关问题,当然重点是党内。毛泽东通过座谈会多方了解党内外出现的各种新情况,对如何正确处理人民内部矛盾,继续深入思考,他一边整理思路,使之更加条理化,一边对人民内部矛盾理论作进一步的阐述和发挥,使之更加完善。

比如,什么叫"大规模的阶级斗争"?毛泽东作了解释:我们过去反对蒋介石,解放战争是大规模的阶级斗争;土改、镇压反革命、抗美援朝,是大规模的阶级斗争;社会主义改造,也是大规模的阶级斗争。为什么是"基本结束"?就是说还有阶级斗争,特别是表现在意识形态这一方面,只说基本结束,不说全部结束。这个尾巴要吊很长时间。意识形态方面的阶级斗争,就是无产阶级思想跟资产阶级思想的斗争。意识形态方面的谁胜谁负,时

---

① "讲话提纲"文字 1600 有余,加上标点符号约 1900 有余。
② 《毛泽东传》(1949—1976)上,中央文献出版社,2003 年版,第 622 页。
③ 在《毛泽东传》出版前,修改讲话稿的日期没有考证得这么准确,只是笼统地说"从 5 月中旬至 6 月上旬",毛泽东对讲话整理稿作了多次补充修改。参见齐得平、张锡江:《一篇科学名著形成纪实》,《当代中国史研究》,1997 年第 3 期。

间还要更长一些。这段话，就是3月17日晚在山东省府大礼堂向山东省级机关处级以上党员干部讲话时讲的。这个意思，在2月27日的最高国务会议上和3月12日的全国宣传工作会议上都没有明确讲出来。而这时距全党整风文件的发布还有整整40天，所以，不能简单地认为，毛泽东关于阶级斗争的认识是因为反右派斗争而起了变化。

至于文字修改过程，根据《建国以来毛泽东文稿》的分析，从5月7日毛泽东将讲话稿的题目由《如何处理人民内部的矛盾》改为《关于正确处理人民内部矛盾的问题》到6月中旬，毛泽东共对讲话记录稿作了6次修改和补充。① 5月10日，毛泽东将"草稿第一稿"送出，在小范围内印发，"请收到此件的同志提出修改意见"。5月24日，毛泽东批示将"第二稿"印发给在京的各中央委员、候补中央委员，嘱其"此件请即看，在你们认为应当修改的地方动笔加以修改"。5月25日，毛泽东将"第三稿"征求意见的范围扩大了，除在京的各中央委员、候补中央委员，还有30余位到京开会的各省、市、区负责人。毛泽东要求务必于当晚12时前将三稿送到各人手中，"特别是各省市来的人"。毛泽东再次请大家"在你们认为应当修改的地方动笔加以修改"。5月27日，他批示将"第四稿"印发征求意见。他特别提示"各位同志，这是第四稿。请看'百花齐放'那一节，有一段重要的修改。还要修改"，并请收到后"在你们认为应当修改的地方，即行动笔加以修改"。这一稿的印发范围，

是"此次到会人数"，应该和第三稿同。5月28日，他批示将"第五稿""在三小时内，印发各省市区党委书记"，"另发各政治局委员候补委员、中央书记处书记候补书记"征求意见。这一稿的印发范围有所不同。6月9日，毛泽东将他自己标明的"6月8日修正稿"批示"分送政治局、书记处各同志及田家英"征求意见，并"即刻付翻译"。6月17日，讲话整理稿经毛泽东最终审定定稿。②

关于修改的版本，薄一波也有个说法。从讲话记录稿到最后发表稿，加上中间的修改稿，"共有15份稿子，就是说，一共修改了14次"。③ 这和《毛泽东传》有出入。《毛泽东传》计算出的是13稿，因为最初毛泽东有4次"自修稿"，第一个征求意见稿是他"自修稿"的第四稿，等于前边还有3稿"自修稿"，加在一起是13稿。④ 不知道这个误差是由于计算方法不同还是怎么回事，但有一点可以肯定，就是毛泽东对于讲话的修改是非常认真的，不仅在于他自己一遍一遍地改，还在于他几乎每一次都要求大家在认为应当修改的地方"动笔加以修改"，确是集思广益。

《关于正确处理人民内部矛盾的问题》的正式发表，是我国政治生活的一件大事，据有关资料统计，该文发行单行本120多个版本，其中汉文版10多种，少数民族版20多种，外文版80多种，盲文版4种。到1958年已印行2135700册。⑤ 它也是社会主义阵营的一件大事，苏联《真理报》于《人民日报》发表的同一天全文刊载，其他东欧国家都有宣传和介绍。它在

---

① 《建国以来毛泽东文稿》第六册，中央文献出版社，1992年版，第358—360页。
② 同上。
③ 薄一波：《若干重大决策与事件的回顾》下卷，中共中央党校出版社1993年版，第589页。
④ 《毛泽东传》(1949—1976)上，中央文献出版社，2003年版，第677—685、707页。
⑤ 齐得平、张锡江：《一篇科学名著形成纪实》，《当代中国史研究》，1997年第3期。

西方国家也产生了影响,美国《纽约时报》在稍后全文刊载并配发了社论。美国其他大报如《纽约先驱论坛报》、《华盛顿邮报》等也都刊载了关于这篇文章的消息。苏、美、日、德、意等20多个国家也分别出版了该文的单行本。①

引起了如此的反响,毛泽东本人是怎样向外人评介这篇著作的呢?这一点,在以往的研究中是一个空白。从所见到材料看,毛泽东几乎没有作什么评价,更没有突出自己的理论建树,他所关心的是介绍并阐述这个理论的观点。

1957年3月22日,毛泽东在会见捷克斯洛伐克政府代表团谈话时说到,我们总的情况是好的,但矛盾还有很多。在我们面前有两类社会矛盾,这就是敌我之间的矛盾和人民内部的矛盾。斯大林在很长一段时期内,在苏联不肯承认社会主义社会有矛盾,把人民的某些不满、人民对政府的批评看成是敌我之间的矛盾,当做敌人处理,结果打错了许多人。鉴于这种教训,我们乃把矛盾分成两种:第一是敌我之间的矛盾;第二是人民内部的矛盾,即人民内部之间的相互关系,存在着各种矛盾,这是需要加以调节的。专政的范围主要是对阶级敌人。对人民内部的关系,则应用民主的方法。这大概是毛泽东最早向国际友人阐述《关于正确处理人民内部矛盾的问题》的主要观点。4月26日,毛泽东在会见越南新任驻华大使时再次谈到处理人民内部矛盾问题。他说,群众闹事在中国也有发生,不过不多。对待这类事件有两种办法:一种办法是镇压;另一种办法是说服。第一种办法是用来对待敌人的,对人民内部不能采用,对人民内部只能采取说服的办法。是我们错了

的就要改正,对正确的意见要接受,对不正确的意见要进行解释,讲明道理,不能采取粗暴的态度。无产阶级专政是对敌人,不是对人民。这一部分人民对另一部分人民专政是讲不通的。5月12日,毛泽东会见罗马尼亚大国民议会和布加勒斯特市人民会议代表团讲到闹乱子是有益处的,可以从中吸取经验教训,可以克服官僚主义时,特别强调:说社会主义内部不存在矛盾是骗人的,社会的进步就是要矛盾来推动的。

毛泽东对自己理论贡献的一次明确的肯定是在1957年4月8日会见以西伦凯维兹主席为首的波兰政府代表团时,他说,不能以对待阶级敌人的办法来对待人民。界限往往容易混淆。我们党对阶级斗争有经验,现在碰到人民的问题,就联想到敌人来了。用过去的方法、行政命令,强迫解决问题,混淆了两类矛盾。西伦凯维兹说:在这里,区分阶级矛盾和人民内部矛盾是建设社会主义的最重要的问题。毛泽东肯定地讲:这个问题,过去的经典理论家没有说过。

由于讲话已经被西方媒体抢先公布,而正式的版本尚未出版,各社会主义国家来访人士差不多都提出想要得到讲话全文的要求,这时,毛泽东一般都是以"以后可以得到全文"一句带过,不作过多的解释。个别时候也会解释说,讲起来容易,几个小时就够了,写成文字就困难了。但更多的情况是很快将话题转到阐述观点上面去。

对内毛泽东也提到过《关于正确处理人民内部矛盾的问题》这篇文章,那是1958年3月10日在成都会议上。毛泽东说,这个讲话发表后,《纽约时报》全文登载,杜勒斯说要看一看。讲话是6月19日

---

① 《人民日报》,1957年6月23日。

在《人民日报》发表的，6月21日至23日他就看到了。并在23日作出结论，说是"中国要自由化"。当时苏联给了我们一个"备忘录"，怕我们向右转。半个月后杜勒斯说：中国坏透了，苏联还好些。反右派一起，当然"自由化"没有了。这番话，没有谈理论观点，说的是文章的影响。

4月27日，刘少奇在上海党员干部大会上作了题为《如何正确处理人民内部矛盾》的讲话，一方面宣传了毛泽东讲话的基本思想，另一方面也对一些问题进行了理论回答。

刘少奇提出，现在人民内部的矛盾已经成为主要矛盾。它们首先大量地表现在人民群众同领导者之间的矛盾问题上。有些人民内部矛盾虽不直接表现为领导与群众的矛盾，也都要通过各级领导去加以处理，如果处理不当，最终也会表现为领导与群众的矛盾。能否处理好这个矛盾，决定于我们能否有效地克服官僚主义。因为官僚主义脱离群众，脱离实际，使本来可以合理解决的人民内部矛盾也会尖锐起来。其次是人民内部矛盾还特别表现在分配问题上。人民群众不仅在政治上关心社会主义的民主，而且在经济生活、生产上也关心社会主义的民主。因此，在个人消费品的分配上，必须实行"按劳分配，公平合理"的原则。群众有权对分配问题提出意见。

刘少奇分析了某些地方因人民内部矛盾激化而引起的闹事的问题。他认为一是有些群众为了切身的经济利益，其中大部分要求是合理的；二是群众中有不少政治思想问题，而我们没有及时发现和解决，有些思想教育工作又多是"整群众"，引起群众很大的反感；三是少数反革命分子利用、鼓动群众闹事；四是领导机关的官僚主义。

刘少奇还强调正确处理人民内部矛盾要克服几种错误观点：第一个观点，就是站在人民之上的观点。第二个观点，就是只去分清群众的是非，而不分清领导上的是非，认为永远是领导正确，而群众错误。于是，一味地批评、指责群众。事实上，群众中有是非问题，领导上也有是非问题。第三个观点，是以力服人，不是以理服人。即使群众有错误，也只能通过说服教育的方法使人们提高认识，自觉去加以改正，不讲道理，一味压服，只能使矛盾激化。第四个观点，就是把人民内部的矛盾当做敌我矛盾来处理。这更是根本错误的。同样，对待领导上的官僚主义，群众中一些人采取过激行动，也是错误的。

刘少奇的论述，补充和丰富了中国共产党正确处理人民内部矛盾的理论。

三

《关于正确处理人民内部矛盾的问题》代表了当时社会主义理论的最高水平

1957年2月27日下午，毛泽东在最高国务会议第十一次（扩大）会议上，对在座的1800多位各方面人士就正确处理人民内部问题发表讲话。毛泽东指出，敌我之间的矛盾和人民内部的矛盾是性质完全不同的两类矛盾（此前曾有"两种矛盾"的提法，从这时开始，悉用"两类矛盾"的概念）。在我国现阶段，人民内部矛盾，包括工人阶级内部的矛盾，农民阶级内部的矛盾，知识分子内部的矛盾，工农两个阶级之间的矛盾，工人、农民同知识分子之间的矛盾，工人阶级及其他劳动人民同民族资产阶级之间的矛盾，民族资产阶级内部的矛盾，等等。人民政府同人民群众之间也有一定的矛盾,这种矛盾也是人民内部矛盾,包括国家利益、集体利益同个人利益之间的矛盾,民主同集中的矛盾,领导同被领导之间的矛盾,国家机关某些工作人员的官僚主义作风同群众之间的矛盾。一般说来,人民内部矛盾是在人民利益根本一致基础上的矛盾。

毛泽东进一步指出,敌我之间和人民内部这两类矛盾的性质不同,解决的方法也不同。简单地说,前者是分清敌我的问题,后者是分清是非的问题。专政的制度不适用于人民内部,在人民内部是实行民主集中制。企图用行政命令的方法,用强制的方法解决思想问题、是非问题,不但没有效力,而且是有害的。

毛泽东说,凡属于思想性质的问题,凡属于人民内部的争论问题,只能用民主的方法去解决,只能用讨论的方法、批评的方法、说服教育的方法去解决,而不能用强制的、压服的方法去解决。解决人民内部矛盾的民主的方法具体化为一个公式,就是"团结—批评—团结"。

毛泽东还提醒大家,在一般情况下,人民内部的矛盾不是对抗性的。但是如果处理得不适当,或者失去警惕,麻痹大意,也可能发生对抗。

在总括性论述之后,毛泽东就11个具体问题作了分析。关于肃反问题:反革命还有,但是不多了,我们的方针是"有反必肃,有错必纠"。关于农业合作社问题:必须注意从生产和分配问题上处理好国家同合作社之间、合作社内部、合作社同合作社相互之间的矛盾,使合作社在第二个五年计划内得到巩固。关于工商业者问题:把工人阶级同民族资产阶级之间的矛盾当做人民内部矛盾处理,使私营工商业的改造得以做得迅速和顺利,这个阶级矛盾还没有完全解决,还要经过相当的时间

才能够完全解决,资产阶级还有两面性,还要继续学习、继续改造。关于知识分子问题:广大知识分子虽然已经有了进步,但是不应当因此自满,知识分子必须继续改造自己,继续前进,逐步地抛弃资产阶级的世界观,树立无产阶级世界观和共产主义世界观,逐步地学好马克思列宁主义,逐步地同工人农民打成一片,而不要中途停顿,更不要向后倒退,倒退是没有出路的。关于少数民族问题:加强民族团结,克服大汉族主义和地方民族主义。关于统筹兼顾,适当安排问题:要从我国有6亿人口这一点出发,调动一切积极因素,团结一切可以团结的人,尽可能地将消极因素转变为积极因素,为建设社会主义社会这个伟大的事业服务。关于百花齐放,百家争鸣,长期共存,互相监督问题:"双百"方针,是促进艺术发展和科学进步的方针,是促进我国的社会主义文化繁荣的方针。对一切确实致力于团结人民从事社会主义事业的、得到人民信任的党派,我们必须采取长期共存的方针,互相监督,即共产党与民主党派互相监督。关于少数人闹事问题:闹事的重要因素是领导上的官僚主义,此外是对群众缺乏教育,因此要坚决地克服官僚主义,要很好地加强思想政治教育。关于坏事能否变成好事:必须学会全面地看问题,不但要看到事物的正面,也要看到它的反面,在一定的条件下,坏的东西可以引出好的结果,好的东西也可以引出坏的结果。关于节约:我国是一个社会主义的大国,但又是一个经济落后的穷国,要使我国富强起来,需要几十年艰苦奋斗的时间,其中包括厉行节约,反对浪费这样一个勤俭建国的方针。关于中国工业化的道路:经济建设以重工业为中心,同时必须充分发展农业和轻工业,要学习一切国家的好经验,

学那些和我国情况相适合的东西。

毛泽东的这篇讲话，从其理论和实践意义来说，不愧为划时代之作。《关于正确处理人民内部矛盾的问题》之所以有这样广泛的影响，就在于它本身的理论魅力，它是对当时社会主义理论一个创新。就理论本身看，公认的创新主要有三点：一是第一次提出社会主义社会还存在矛盾，矛盾是社会主义发展的动力，这是对斯大林认为社会主义社会没有矛盾理论的重要纠正和发展。二是第一次阐述了社会主义社会存在两种不同性质的矛盾的理论以及严格区分和正确处理两类不同性质的矛盾，特别是要正确处理人民内部矛盾的理论。三是"重点是讨论人民内部的矛盾问题"，把正确处理人民内部矛盾作为社会主义改造完成后全党全国的主要任务提出来。关于这三点以往的研究有相当篇幅的论述，这里不再展开。就方法论而言，《关于正确处理人民内部矛盾的问题》把辩证唯物主义的对立统一规律和矛盾学说贯彻到社会主义社会实践中，提出正确处理社会主义社会的矛盾是社会前进动力的观点。在此基础上提出：一要正确区分和处理敌我矛盾和人民内部矛盾，二要用民主的方法，即团结—批评—团结的方法和自我教育的方法解决人民内部矛盾。联系到50年代后期我国的现实生活，提出工人阶级同民族资产阶级的矛盾属于人民内部矛盾；在思想和意识形态领域里，以"百花齐放，百家争鸣"的方法作为解决人民内部矛盾的基本方法等等，也都是闪耀着时代光芒的独特的理论贡献。

比如，关于社会主义前途和发展的思想，经过修改更加完善和更加系统了。这里面，最有力的就是"只有社会主义能够救中国"的论断，这句话不仅回答了在历史大转折之际，一些人思想上的疑问和一些偏离社会主义的言论和行动，而且深刻地揭示了中国社会的历史发展规律。在论述中还增加了以下这样几段话："社会主义制度促进了我国生产力的突飞猛进的发展，这一点，甚至连国外的敌人也不能不承认了"（见该文第一个小题目："两类不同性质的矛盾"）；"社会主义制度的建立给我们开辟了一条到达理想境界的道路，而理想境界的实现还要靠我们的辛勤劳动。有些青年人以为到了社会主义社会就应当什么都好了，就可以不费气力享受现成的幸福生活了，这是一种不实际的想法"。这一段中还第一次提出了新中国的教育方针："我们的教育方针，应该使受教育者在德育、智育、体育几方面都得到发展，成为有社会主义觉悟的有文化的劳动者"（见该文第五个小题目："知识分子问题"）；"中国的穷国地位和在国际上无权的地位也会起变化，穷国将变为富国，无权将变为有权——向相反的方向转化"，"现在美国操纵联合国的多数票和控制世界很多地方的局面只是暂时的，这个局面总有一天要起变化"，"在这里，决定的条件就是社会主义制度和人民团结一致的奋斗"（见该文第十个小题目："坏事能否变成好事？"）；"社会主义社会经济发展的客观规律和我们主观认识之间的矛盾，这需要在实践中去解决。这个矛盾，也将表现为人同人之间的矛盾，即比较正确地反映客观规律的一些人同比较不正确地反映客观规律的一些人之间的矛盾"（见该文第十二个小题目："中国工业化的道路"）。这些论述在今天仍然具有重要意义。

再比如，关于社会主义建设的思想。增加了"我们的根本任务已经由解放生产力变为在新的生产关系下面保护和发展生产力"，"专政的目的是为了保卫全体人民进行和平劳动，将我国建设成为一个具有现代工业、现代农业和现代科学文化的社会主义国家"（见该文第一个小题目"两类不同性质的矛盾"）；中国的工业化道路是以重工业为重心，"但是同时必须充分注意发展农业和轻工业"，"中国是一个大农业国，农村人口占全国人口的百分之八十以上，发展工业必须和发展农业同时并举，工业才有原料和市场，才有可能为建立强大的重工业积累较多的资金"，"轻工业和农业有极密切的关系。没有农业，就没有轻工业。重工业要以农业为重要市场这一点，目前还没有使人们看得很清楚。但是随着农业的技术改革逐步发展，农业的日益现代化，为农业服务的机械、肥料、水利建设、电力建设、运输建设、民用燃料、民用建筑材料等等将日益增多，重工业以农业为重要市场的情况，将会易于为人们所理解"。谈到建设经验，补充了"经济建设我们还缺乏经验"，"我们要求在取得经济建设方面的经验，比较取得革命经验的时间要缩短一些，同时不要花费那么高的代价"（见该文第十二个小题目："中国工业化的道路"）。另外，还增加了"不要把一切事一切人都由政府包下来"，"我们作计划、办事、想问题，都要从我国六亿人口这一点出发，千万不要忘记这一点"；"我们的方针是统筹兼顾、适当安排。无论是粮食问题、灾荒问题、就业问题、教育问题，还是知识分子问题，各种爱国力量的统一战线问题，少数民族问题，以及其他各项问题，都要从对全体人民的统筹兼顾这个观点出发，就当时当地的实际可能条件，同各方面的人协商作出各种适当的安排"（见该文第七个小题目："统筹兼顾、适当安排"）。此外，关于艰苦奋斗、勤俭建国也新增加了很多论述，包

括"我们要进行大规模的建设，但是我国还是一个很穷的国家，这是一个矛盾。全面地持久地厉行节约，就是解决这个矛盾的一个方法"；"我们必须逐步地建设一批大的现代化的企业以为骨干，没有这个骨干就不能使我国在几十年内变为现代化的工业强国。但是多数企业不应当这样做，应当更多地建立中小型企业，并且应当充分利用旧社会遗留下来的工业基础，力求节省，用较少的钱办较多的事"；"要使全体干部和全体人民经常想到我国是一个社会主义的大国，但又是一个经济落后的穷国，这是一个很大的矛盾。要使我国富强起来，需要几十年艰苦奋斗的时间，其中包括厉行节约、反对浪费这样一个勤俭建国的方针"（见该文第十一个小题目："关于节约"）。这些论述，对于我们进一步认识社会主义本质、落实科学发展观、建设节约型社会等都有启示作用。

还比如，关于意识形态方面阶级斗争的思想。增加了一个重要的判断："被推翻的地主买办阶级的残余还是存在，小资产阶级刚刚在改造。阶级斗争并没有结束。无产阶级和资产阶级之间的阶级斗争，各派政治力量之间的阶级斗争，无产阶级和资产阶级在意识形态方面的阶级斗争，还是长期的、曲折的，有时甚至是很激烈的。无产阶级要按照自己的世界观改造世界，资产阶级也要按照自己的世界观改造世界。在这一方面，社会主义和资本主义之间谁胜谁负的问题还没有真正解决。"在紧接着的下一个自然段几乎又重复了一遍这个思想："我国社会主义和资本主义之间在意识形态方面的谁胜谁负的斗争，还需要一个相当长的时间才能解决。这是因为资产阶级和从旧社会来的知识分子的影响还要在我国长期存在，作为阶级的意识形态，还要在我国长期存在。如果对于这种形势

认识不足，或者根本不认识，那就要犯绝大的错误，就会忽视必要的思想斗争。"此外，有关这部分内容还增加了众所周知的关于鉴别"鲜花"和"毒草"的六条标准。与此相联系的是增加了关于对修正主义的论断，提出"我们在批判教条主义的时候，必须同时注意对修正主义的批判"，因为"修正主义，或者右倾投降主义，是一种资产阶级思潮，它比教条主义有更大的危害性"，"他们也在那里攻击'教条主义'。但是他们所攻击的是真正马克思主义的最根本的东西"。"在我国社会主义革命取得基本胜利以后，社会上还有一部分人梦想恢复资本主义制度，他们要从各个方面向工人阶级进行斗争，包括思想方面的斗争。而在这个斗争中，修正主义就是他们最好的助手"（见该文第八个小题目："关于百花齐放、百家争鸣、长期共存、互相监督"）。这些论述对于其后的历史发展都产生了重要影响。

整风运动和反右派斗争

1956 年后的中国社会处于转型时期，一方面，资产阶级作为一个阶级已基本消灭，国内的敌我矛盾已基本解决；另一方面，执政党和人民政府内的许多人对于社会关系的变化尚缺乏认识，仍习惯于采取简单的行政命令的办法甚至是错误的态度对待人民群众，全党整风正是为了解决这一矛盾。但随后开展的反右派斗争却违背了初衷。

一

开门整风

事实证明，在执政党内存在着种种官僚主义、主观主义和命令主义现象。在全党全国人民学习正确处理人民内部矛盾大讨论中，又反映出一些干部的思想状况落后于新的形势的问题。如不下决心解决这些问题，将严重地阻碍共产党所应担负的历史任务。为此，中共中央决定提前开始计划中的全党整风。4 月 27 日，中共中央发出《关于整风运动的指示》。指示规定，以正确处理人民内部矛盾为整风运动的主题，并明确指出，毛泽东在最高国务会议和全国宣传工作会议上的讲话以及在党内外传达和讨论这两个讲话，就是整风运动的开始。据此推算，全党整风已于 3 月全面展开，到整风指示公开发表时，整风运动已进行 2 个月了。

中共中央要求这次整风在方法上是一次既严肃认真而又和风细雨的思想教育运动，是一个恰如其分的批评和自我批评运动。整风中不要开批评大会或者斗争大会，只限于人数不多的座谈会和小组会，或采用同志间个别交谈的谈心方式。无论是座谈会、小组会还是个别交谈，都应该放手鼓励批评，坚决实行"知无不言，言无不尽，言者无罪，闻者足戒，有则改之，无则加勉"的原则，批评者要实事求是，具体分析，以免抹杀别人的一切，使批评变成片面的过火的批评。每个人都应该虚心听取别人的意见，不应该拒绝批评，但不得强迫被批评者接受他所不同意的批评。中央特别提出，对于在整风运动中检查出来犯了错误的人，不论其错误大小，除严重违法乱纪者外，一律不给予组织上的处分。这些规定，无疑是为了与正确处理人民内部矛盾这一整风主旨保持一致，使这次整风有可能成为一次思想教育运动，而不是一次政治整肃。

如果说上述慎重规定，只是共产党内部事情的话，那么，有关整风方法的另一项规定则使整风运动由党内推及党外的各民主党派和知识界、教育界，这个规定就是开门整风。中共中央在整风指示中表示，欢迎非党同志参加整风，来者完全出于自愿，去者允许随时自由退出。4月30日，中共中央主席毛泽东在天安门城楼约集各民主党派负责人座谈，请民主党派帮助共产党整风。5月4日，中共中央又发出《关于继续组织党外人士对党员所犯错误展开批评的指示》。这个指示不似其他党内文件只发到直辖市、省和自治区党委，而是发到各省委、直辖市委、自治区党委、中央各部委、国家机关和人民团体各党组，范围甚广。指示认为，近2个月来，党外人士对于人民内部矛盾的分析和对党政所犯错误缺点的批评，对于党与人民政府改正错误，提高威信，极为有益，应当继续展开，深入批评，不要停顿或间断。党外人士参加整风座谈会和整风小组如有不便，则由党邀请党外人士开座谈会畅所欲言地对党政工作上的缺点和错误提出意见。指示同时也认为大多数的批评是中肯的，但有一些是不正确的，应当予以反批评，不应听任错误思想流行，反批评要研究好时机并采取有分析的有充分说服力的态度。

为了贯彻中央的精神，从5月8日至6月3日，中共中央统战部在全国政协和国务院礼堂先后召开了13次各民主党派负责人和无党派民主人士座谈会，有70多人发言。5月15日至6月8日，中央统战部和国务院第八办公室联合召开了25次

工商界人士座谈会，有108人发言。每次座谈会大都于次日以通栏标题大版篇幅见报，发言者各具姓名。各级党政机关、高等学校、科学研究机构、文化艺术单位的党组织也都召开各种形式的座谈会和小组会，听取党外群众的意见。《光明日报》编辑部分别在上海等九大城市邀集部分民主人士和高级知识分子提意见，并及时报道了发言内容。综合起来包括这样几方面内容。

关于党政不分、以党代政问题。民主促进会副主席王绍鏊说，建设社会主义一定要有共产党的领导，各个民主党派在政治上也要受共产党的领导。但是党组织不能代替行政。民革中央常委邵力子说，特别是县以下的领导机关，党政关系问题就较大，主要是以党代政。县长一般是不被看重的，而县委权力极大。民革中央常委黄绍竑说，中国革命的胜利，是由于中国共产党的领导，中国的社会主义建设，也必须有中国共产党的领导，这是毫无疑问的，如果有人怀疑党的领导权问题，那就与宪法的规定违背了。但是，领导方法是可以研究的。过去在某些地方某些工作上，没有通过人民，通过政府，而直接向人民和政府发号施令，各地方或机关党委五人小组在肃反运动中直接处理案件，如党和政府共同发布决策而没有把对各级党委的指示和政府对人民的指示分开来，这样就可能导致人们或某些党员认为党的领导方法就是直接向人民发号施令。这样会造成很多的官僚主义、宗派主义、主观主义问题。民革中央常委刘斐说，现在在党政关系中，有些上分下不分，早分晚不分，此分彼不分，特别是县以下，就只看见党，看不见政的现象，下面的人民代表大会也开得不正常。党政是两个性质不同的系统，党是领导国家事业的核心，

但是,党的领导要通过国家机器去实现,党不应该代替政。

关于必须加强法制建设。民革中央副主席熊克武说,目前法制不完备,政策方针的宣传不够深入,不但人民群众对某些事务感到模糊,就是有些领导人有时也免不了表现出无所适从。健全法制,不仅有关肃反工作,对于正确处理人民内部矛盾也有重要意义。要抓紧制定民法、刑法和各种单行法规。黄绍竑说,我们的立法是落后于客观形势的需要的,刑法、民法、违警法、公务员惩戒法都尚未制定公布,经济方面的法规更不完备,五年计划快完成了,但是,度量衡条例还没有制定。刘斐认为,党政不分与干部缺乏法制观念和民主作风有关,也与党中央对这方面注意不够有关,必须加强法制思想教育,迅速制定必要的法制,健全各种必要的法律,以划清党政关系。不然,整风虽能收一时之效,却缺乏经常的法制保证。

关于对新中国成立以来若干次政治运动中一些政策或执行政策中的问题。民革中央常委王昆仑说,一方面坚持有反必肃的原则,一方面坚持有错必纠的原则,对某些人在哪里受到错误处理的,在弄清楚后,就在哪里为他公开恢复名誉。民革中央常委朱蕴山认为,肃反运动是有成绩的,通过群众路线来肃反,也是正确的,执行方面发生部分偏差,要根据根本搞错、没错但处理不适当、有嫌疑而无证据、没错而予宽大处理这四种情况分别处理。民盟中央常委邓初民对批陶行知提出自己的看法,认为陶行知的"生活教育"是袭用杜威的,但内容实质不同,不能混为一谈。反动派不许他兴学、办育才等学校,他只好把武训做挡箭牌。他从唯心主义走到唯物主义,从不革命走到革命。把陶行知一棍子打死,不能让人服。全国工商联主任委员陈叔通、民主促进会副主席许广平、民革中央副主席龙云等对冒进现象提出批评,他们认为要检查一下,由于保守所造成的损失和由于冒进所造成的损失,究竟哪一方面大。7年扫盲3年完成,教育事业扩得太大了。

无党派民主人士张奚若还直接批评了党的工作和作风中的偏差:第一,好大喜功。追求形体之大,组织之大。把社会主义等于集体主义,集体主义等于集中,集中等于大,大等于不要小的。第二,急功近利。强调速成,把长远的事情用速成的办法去做。第三,鄙视既往。许多人忽视了历史因素,一切都搬用洋教条,把历史遗留下来的许多东西都看作封建,都要打倒。第四,迷信将来。认为将来一切都是好的,都是加速发展的。否定过去,迷信将来,都是不对的。

一些人还提出了应重视发挥党外人士、工商界知识分子的作用;依靠专家学者办学;健全人事制度,改进人事工作;要任人唯贤,在提拔奖惩上对党内外干部一视同仁;为民主党派创造长期共存互相监督的条件,帮助他们发展成员,解决干部、经费方面存在的问题;对苏联的集权制或南斯拉夫所施行的政策的看法等等。高教部部长曾昭抡领导起草了《我们对于科学体制问题的几个意见》,在《光明日报》上公开发表。北京师范大学中文系主任黄药眠教授领导起草了《我们对于高等学校领导制度的建议》,分递有关方面征求意见。

对于这些意见,中共中央在党内指示中认为,最近两个月以来,在各种有党外人士参加的会议上和报纸刊物上展开人民内部矛盾的公开讨论,异常迅速地揭露了各方面的矛盾。这些矛盾的详细情况,我们过去几乎完全不知道。现在如实地揭露出来,很好。绝大多数党外人士对我们的批评,不管如何尖锐,基本上是诚恳的、正确的,这类批评占90%以上,对于我党整风,改正缺点错误,改善工作,极为有益。没有社会压力,整风不易收效。党内有一部分人存在着反人民的思想作风,所谓人民民主,所谓群众路线,所谓和群众打成一片,所谓关心群众疾苦,对于这些人说来只是空话。党员不尊重党外人士,高人一等,盛气凌人,虽非全部,但其普遍。这种错误方向,必须完全扳过来,而且越快越好。

二

反右斗争严重扩大化

开门整风为执政党直接倾听党外群众的批评提供了契机,但在各种不同场合鼓励人们"鸣"、"放",难免良莠不齐,泥沙俱下,使问题呈现出复杂化趋势。具体表现在:一方面,在党外人士座谈会上,对一些问题形成争论,比如,高等学校究竟是党委制领导好,还是校务委员会领导好,抑或由教授治校?又比如,怎样认识和估计成绩与缺点错误?再比如,怎样认识资产阶级,它是否还存在或者已经消灭了?如果说它还存在,那么它还有无两面性?资本家拿定息是不是剥削?定息应不应该拿20年?此后的历史证明这都是极其敏感的问题,当时能在公开场合进行争鸣,从政治发展的观点评判,是一种政治开明的象征,在争鸣中使不同意见达成共识,既有利于政治稳定,也有利于社会良性发展。另一方面,在一些根本问题上出现尖锐对立的意见。民盟副主席、农工民主党主席章伯钧提出,政治上的许多设施要有一个设计院,人大、政协、民主党派、

人民团体,应该是政治上的四个设计院。一些政治上的基本建设,要事先交他们讨论,三个臭皮匠,合成一个诸葛亮。民盟副主席罗隆基提出,由人大和政协成立一个委员会,检查"三反"、"五反"、肃反运动中的偏差,鼓励有什么委屈都来申诉。这个"平反"机构一定要同"三反"、"五反"、肃反的原领导机构分开,因为这几个运动是共产党领导搞的。这样性质的委员会应成为一个系统。《光明日报》总编辑储安平认为,党群关系不好的关键在"党天下"的这个思想问题上。党领导国家并不等于这个国家即为党所有;大家拥护党,但并没有忘了自己也还是国家的主人。"党天下"思想是一切宗派主义现象的最终根源,是党和非党之间矛盾的基本所在。

而有的则公开散布对共产党的领导和新生的社会主义制度的不满,说什么"中国这样大的国家,一个上帝,九百万清教徒,统治着五亿农奴,非造反不可"。有的说社会主义制度不如资本主义制度,否定社会主义改造和建设事业,反对合作化运动、粮食统购统销政策。有的公开提出共产党退出机关、学校,公方代表退出公私合营企业,说"根本的办法是改变社会主义制度"。在高等学校中还出现了"轮流坐庄"、"海德公园"等言论。

极少数右派借"鸣"、"放"之机发动猖狂进攻,是执政党所没有预料到的。本来,共产党不主张搞"大鸣"、"大放",5月中旬,中共中央决定对错误言论,放手让他们发表,原样地在报纸上报道,暂不加以批驳,以便揭露其反动面目。5月19日,北京大学最早在校园内张贴大字报,学生、教师就大字报的内容展开激烈的辩论。中共中央认为大字报可以揭露问题,暴露右派,锻炼群众,利多害少。这样,

"大鸣"、"大放"、大字报、大辩论迅速地得以在高等学校和党政机关中蔓延开来,人为地加剧了已露端倪的政治紧张空气和不稳定状态。

在此期间,中共中央统战部部长李维汉向中央常委汇报两个座谈会反映出来的意见时,说到有位高级民主人士说党外有些人对共产党的尖锐批评是"姑嫂吵架",毛泽东就说:"不对,这不是姑嫂,是敌我。"毛泽东还对一些党内同志讲,要顶住,硬着头皮顶住。5月15日,毛泽东撰写了《事情正在起变化》一文,发给党内高级干部阅读。文章提出,最近这个时期,右派表现得最坚决、最猖狂。我们还要让他们猖狂一个时期,让他们走到顶点。大量的反动的乌烟瘴气的言论登在报上,是为了让人民见识这些毒草、毒气,以便锄掉它,灭掉它。这篇文章标志着中共中央指导思想开始发生变化,运动的主题开始由正确处理人民内部矛盾转向对敌斗争,由党内整风转向反击右派。此后的座谈会内外的鸣放,具有"引蛇出洞"的性质。

6月8日,反击正式开始。这一天,中共中央发出《关于组织力量准备反击右派分子进攻的指示》,《人民日报》发表毛泽东撰写的《这是为什么?》的社论。一场全国规模的群众性的急风暴雨式的反右派运动猛烈地开展起来。斗争的方法是大鸣、大放、大字报、大辩论。斗争的范围既在党外,又在党内。斗争的性质是"一个伟大的政治斗争和思想斗争"、"不打胜这一仗,社会主义是建不成的,并且有出'匈牙利事件'的某些危险"。

对确实存在右派分子的进攻坚决反击,对反社会主义的思潮进行批判是完全必要的。但是,右派分子只是极少数,如果正确分析形势并且着眼于在党内和全国人民中间进行坚持社会主义道路的教育,其后果可能要好得多。然而,当时执政党对阶级斗争和右派进攻的形势作了过分严重的估计,使反右派斗争严重地扩大化。

扩大化首先表现在对右派性质的判定上,7月11日,中共中央批准中央统战部的建议,还是讲"人民内部划分左、中、右",指出右派里面有一部分极右分子,极右分子中有一部分政治上已经处在敌我界限的边缘。应该说,这样的认识还是比较谨慎的。过了几天毛泽东在《1957年夏季的形势》中就断定:资产阶级右派和人民的矛盾是敌我矛盾,是对抗性的不可调和的你死我活的矛盾。

扩大化还表现在对右派的数量的认定上。《事情正在起变化》中的设想本来是:批判右派,除个别例外,不必具体指名,留下回旋余地,以利在适当条件下妥协下来。6月26日,中共中央估计:全国暴露出的企图复辟的右派分子,已经是数以千计。6月29日,中共中央根据北京34所高校和几十个机关需要在各种范围点名批判的"极右派"约有400人左右的数字,估算"全国大约有4000人左右"。这已经不是主要批判政治思潮,而是更多地着重于具体指名,但人数还较有限制。仅仅过了10天,7月9日,中共中央指示准备点名批判的人数扩大了一倍,"全国不是4000人,而是大约有8000人"。8月以后,反右斗争进一步向地县、市区、大厂矿、中小学展开,并提出深入"挖掘"右派,到9月的中共八届三中全会时,已划右派62000余人,而会上透"底"估计,全国大约有右派分子15万人。以后又"补课"、"深挖",陆续划了几批,1958年毛泽东在汉口会议上说,全国有右派30万人。不久,又说有40余万人。1959年的中央文件说"约45万人"。而据十一届三中全会后复查统计，全国实际上划定右派分子552877人，比八届三中全会透"底"估计多出40万人，与7月9日翻一番后的8000人数字相比，扩大了近69倍，与6月29日估计的4000人相比，扩大了138倍。

不仅扩大了斗争范围，而且对划为右派分子的人的处理也过严过重。1957年12月第九次全国统战会议对100多名民主人士右派分子提出的处理意见，绝大部分是撤职或降职，只有个别人免予处分。1958年1月，中共中央统战部会同中央宣传部、中央组织部等部门，选择了比较知名的96名右派分子作标兵，提出《对于一部分右派分子处理的初步意见》，对其中绝大多数处以开除公职，送劳动教养或实行监督劳动，只有2人免予处分。根据这样的样板，全国55万余名右派分子，半数以上受到开除公职的处理，相当多数被劳动教养或监督劳动，不少人流离失所，家破人亡，少数在原单位留用的，也用非所长，政治上备受歧视。

三

反右斗争扩大化的影响

反右派斗争严重扩大化的一个重要影响是中共八届三中全会改变了八大关于我国社会主要矛盾的判断。中共八大一次会议根据国内形势正确地作出我国社会主要矛盾已经变化的结论，无产阶级同资产阶级之间的矛盾已经基本上解决，几千年来的阶级剥削制度的历史已经基本上结束，社会主义的社会制度在我国已经基本上建立起来了。我国的主要矛盾已经是人民对于建立先进的工业国的要求同落后的农业国的现实之间的矛盾，已经是人民对于经济文化迅速发展的需要

同当前经济文化不能满足人民需要的状况之间的矛盾。这个判断，从根本上说是正确的。而在八届三中全会初期，毛泽东就提出，当前我国社会的主要矛盾，仍然是无产阶级和资产阶级、社会主义道路和资本主义道路的矛盾。在小组讨论中，不少同志对此表示怀疑，他们认为党的八大关于这个问题的结论仍然是正确的，不能由于发生了反右派斗争就改变八大的结论，不应当把一时激化的阶级斗争，当作长期的主要矛盾。另一些人则认为经济领域中的阶级斗争虽然已经基本解决，政治和思想领域中的阶级斗争仍将是长期的，仍然是社会的主要矛盾。毛泽东在会议后期的讲话中，否定了前一种意见。此后，党的八大二次会议按照毛泽东的意见进一步断言：整风运动和反右派斗争的经验再一次表明，在整个过渡时期，也就是在社会主义社会建成以前，无产阶级同资产阶级的斗争，社会主义道路同资本主义道路的斗争，始终是我国内部的主要矛盾。并且宣布，我国社会有两个剥削阶级和两个劳动阶级，右派分子同被打倒的地主买办阶级和其他反动派是一个剥削阶级，民族资产阶级和它的知识分子是另一个剥削阶级，工人和农民是两个劳动阶级。根据这样的理论，已经交出生产资料，接受社会主义改造，处于由剥削者向劳动者转变过程中的工商业者仍作为剥削阶级。同中共长期合作具有阶级联盟性质的民主党派，成为资产阶级政党。在1956年初被宣布为工人阶级一部分的知识分子重新被戴上资产阶级知识分子的帽子。

被错划为右派分子的只是向党的工作和党的干部提出批评意见，就其内容而言或者是正确的或者是片面的，但并不是反党反社会主义的。而许多领导干部过

分自以为是，听不得逆耳的批评，正好借政治运动给善意的批评扣上右派言论的帽子，一棍子打死。还有一些人对社会主义的现实和理论提出一些问题和想法。社会主义事业在世界范围内都是一种新生事物，积极探求建设社会主义实践中出现的问题，本属正常现象，也有助于少走一些弯路。1956 年以来，国际共产主义运动出现的问题使中国的一些人，主要是比较敏感的知识分子不断思考，如果能恰当合理地保护这种积极性，会成为探索中国特色的社会主义道路的一笔财富。即便方向有偏差，也应该通过讨论和教育来解决，不应该当做反社会主义异端邪说加以打击。1958 年"大跃进"之所以成为一股不可驾驭的狂澜，其中一个重要原因，就是很多人噤若寒蝉，不敢讲真话、实话，这也折射出反右派斗争的消极影响。

许多忠贞的同志，许多同共产党有长期合作历史的朋友，许多有才能的知识分子，许多政治上热情而不够成熟的青年，在"右派分子"的阴影中经历了长期的委屈和压抑，不能在社会主义建设中发挥应有的作用，造成他们个人命运的悲剧，也使整个国家的事业受到损失。由于反右派斗争扩大化而使更多的知识分子的积极性和对党的信任受到一定程度的打击，更是国家无形的损失。这些是反右派斗争严重扩大化又一不容忽视的消极影响。

第二个五年计划

社会主义改造基本完成以后，我国开始集中全党全国的力量进行大规模的社会主义建设。从五年计划的角度来看，实施第二个五年计划，就是从 1958 年开始的。在成功完成第一个五年计划的基础上，第二个五年计划就顺理成章地出台了。不过，第二个五年计划从制定到实施，在新中国经济建设的历程中写下了不平凡的一笔。

一

"二五"计划草案的制定

1955 年 8 月，在第一个五年计划正式颁布以后不到一个月，国家计委开始制定第二个五年计划和十五年规划。经过多次修改，"二五"计划作为党中央的建议，在 1956 年中国共产党第八次代表大会上通过。以后由于指导方针的变化，1957年、1958 年一再大幅度修改 1958 年的年度计划数字，致使这两年没有拿出第二个五年计划的正式方案，中共中央于 1958 年 8 月 28 日作出《关于 1959 年计划和第二个五年计划问题的决定》。但是此后，由于各年度的计划数字不断大幅调整变化，第二个五年计划的正式文件始终未能颁布。

1. 中共八大关于"二五"计划草案的建议

1956 年 9 月 15 日，刘少奇在中国共产党第八次全国代表大会上的政治报告中说明了关于我国发展国民经济的第二个五年计划的基本方针和政策。16 日，周恩来在大会上作了《关于发展国民经济的第二个五年计划的建议》的报告。

他们认为，编制我国发展国民经济的第二个五年计划，应该以第一个五年计划可能达到的成就作为出发点，联系到大约在第三个五年计划期末我国要完成过渡时期的总任务这个基本要求,实事求是地估计到第二个五年计划期间国内外的各种条件,进行全面的规划。党中央委员会提出,我国发展国民经济的第二个五年计划的基本任务应该是:①继续进行以重工业为中心的工业建设,推进国民经济的技术改造,建立我国社会主义工业化的巩固基础;②继续完成社会主义改造,巩固和扩大集体所有制和全民所有制;③在发展基本建设和继续完成社会主义改造的基础上,进一步地发展工业、农业和手工业的生产,相应地发展运输业和商业;④努力培养建设人才,加强科学研究工作,以适应社会主义经济文化发展的需要;⑤在工业农业生产发展的基础上,增强国防力量,提高人民的物质生活和文化生活的水平。

我国社会主义工业化的主要要求,就是要在大约三个五年计划时期内,基本上建成一个完整的工业体系。这样的工业体系,能够生产各种主要的机器设备和原材料,基本上满足我国扩大再生产和国民经济技术改造的需要。同时,它也能够生产各种消费品,适当地满足人民生活水平不断提高的需要。

1957年2月2日,国务院接受中央八大关于"二五"计划(1958—1962)的建议。并且责成国家计委根据这个建议会同各部、各委员会、国务院各办公室和各省、自治区、协调人民委员会迅速编制第二个五年计划草案。

4月14日,中共中央批转国家计委党组《关于初步总结"一五"计划和研究"二五"计划的有关重大问题的报告》,要求各地区、各部门着手总结"一五"计划和研究

"二五"计划。

"二五"计划建议充分体现了中共八大会议代表对"以苏为鉴",改进经济管理的中肯建议,它所制定的指导方针和规定的指标不仅比较实在,也相当积极,并留有余地。如前所述,《建议》是在中国共产党探索社会主义建设新道路的过程中提出的,特别是在1955年以后加速农业社会主义改造和1956年经济工作出现冒进的背景下提出的,其并非完美无缺。主要问题是指标偏高,要求偏急。正如周恩来在1957年8月曾指出的:"八大《建议》一个最大的缺点是同中国情况和中国特点结合不够,从六亿人民出发不够。""经过三个五年基本建成社会主义,看来要四个五年。社会主义改造的巩固,也需要很多的时间,各种事业的安排,都要考虑人多、地少和国穷的情况。"①这种缺陷表现在有些方面的经济建设要求急了一点,计划指标定得高了一些。例如,"二五"期间农业总产值年平均增长6.2%,粮食产量平均每年增加260亿斤,大大高于"一五"期间农业生产预计的增长速度。造成这些缺陷的原因,从客观上讲,是因为对进行大规模的社会主义建设缺乏经验;探索中的偏差在所难免;从主观上讲,则是对中国国情、中国是一个落后的农业大国这一基本国情缺乏深刻认识,较多注重国家"一穷二白"所带来的积极作用,而对经济发展的制约作用看得少一些。

尽管如此,《建议》在正确的经济工作方针指导下,对"二五"期间的经济建设总规模和重大比例关系进行了综合平衡,从宏观决策上使五年计划有了稳妥的基础和科学的依据,从而为编制"二五"计划提供了保证。如果当时能按这个建议执行,

----

① 参见王亚平:《第二个五年计划的回顾》,《党史研究》,1987年4月。

保持国民经济发展的连续性和稳定性,可以肯定地说,会在"一五"计划已经取得的成就的基础上,使国民经济继续健康地前进和发展。

2.《国民经济十五年远景计划纲要》的提出

在制定"二五"计划建议的同时,国家计委于1956年2月16日提出了《国民经济十五年远景计划纲要》。它是一个大纲式的计划,由三个五年计划组成。即1955年7月30日第一届全国人民代表大会第二次会议通过的发展国民经济的第一个五年计划,并在它预计完成的基础上,草拟的发展国民经济的第二个五年计划纲要,以及第三个五年计划的轮廓。①

根据《中华人民共和国宪法》所规定的过渡时期总任务,十五年远景计划的基本任务,是完成国家在过渡时期的总任务。即到1967年,完成国家的社会主义工业化,完成国民经济的技术改造;完成对农业、资本主义工商业、手工业的社会主义改造,消灭阶级和产生阶级的根源;建成社会主义社会,使国家强盛,使人民生活富裕。

在21世纪初的今日看来,这是一个宏伟的目标,但是脱离中国实际甚远。因为在此目标预定实现之日的36年之后,我们还在工业化的征途上跋涉不息,技术改造永无止境,单一经济成分的社会主义经济不符合中国国情,阶级和阶层在生产力发展的可预见阶段将长期存在。但是它提出的"使国家强盛,使人民生活富裕"的目的鼓舞着全国人民去顽强奋斗。

十五年远景计划的主要生产指标和基本建设规模,规定如下:②

1967年生产、运输和商品流通的主要指标与1952年比较,工农业总产值1952年为827.1亿元,1957年为1471.4亿元,1962年为3113.5亿元,1967年则为5468.5亿元,15年增长5.6倍,每年平均增长速度为13.4%(实际情况是:按可比价格计算,1967年为1952年的2.84倍,平均每年递增12.27%;直至1974年方达到1952年的550.6%,较计划晚了7年多);三个五年计划的每年平均增长速度依次为:12.2%(按可比价格计算,实际为13.3%)、16.2%(按可比价格计算,实际为1.04%)、11.9%(按可比价格计算,调整时期为15.7%,"三五"时期为9.6%)。③

工业总产值1952年为270.1亿元,1957年为656.5亿元,1962年为1848亿元,1967年为3522.1亿元,15年增长12倍,每年平均增长速度为18.7%(实际情况为:按可比价格计算,1967年为1952年的4.72倍,直至1975年方达到了12倍,较计划晚了8年)。④

组织起来的和个体的手工业总产值1952年为73.1亿元,1957年为138.4亿元,1962年为228.5亿元,1967年为388.6亿元,15年增长4.3倍,每年平均增长速度为11.8%;三个五年计划的每年平均增长速度依次为:13.6%、10.6%、11.2%。

农业及其副业总产值1952年为483.9亿元,1957年为676.5亿元,1962

① 参见国家计委:《国民经济十五年远景计划纲要》,1956年2月16日。
② 参见国家计委:《国民经济十五年远景计划纲要》,1956年2月16日,载国家经贸委编:《中国工业五十年》第三部,1958—1960,中国经济出版社,2000年版,第1344—1374页。
③ 实际数字来自《中国统计年鉴1985》,中国统计出版社,1985年版,第28页。
④ 同上,第25页。

年为 1037 亿元，1967 年为 1557.8 亿元，15 年增长 2.2 倍，每年平均增长速度为 8.1%（实际情况是：1967 年为 1952 年的 15.1 倍，年均递增 3.41%；直至 1978 年方达到 1952 年的 229.6%，较计划晚了 11 年）。[①]

15 年内，生产的发展将使现代工业在国民经济中的地位发生极其重要的变化，即现代工业在整个国民经济中的比重将由 1952 年的 26.7% 上升到 1957 年的 39.4%，1962 年的 56.7%，1967 年的 62.6%。同时，在工业总产值中，生产资料和消费资料所占的比重也将发生极大的变化，即生产资料所占的比重将由 1952 年的 39.7%，上升到 1957 年的 49.6%，1962 年的 62.1%，1967 年的 65.1%。

为了适应工业、农业生产的发展，运输事业将有相应的增长。1967 年铁路货运量 7 亿吨，15 年增长 4.3 倍（实际情况为：1971 年超过 7 亿吨，达到 7.6 亿吨）；公路运输也有很大的发展。

在上述工业、农业发展的基础上，全国社会商品零售总额也有相应的增长，全国社会商品零售总额，1952 年为 277 亿元，1957 年为 533 亿元，1962 年为 939 亿元，1967 年为 1635 亿元，15 年增长 4.9 倍，其中国营商业约增长 15.2 倍，合作社营商业约增长 13.7 倍。

15 年内，根据党和国家既定的步骤，加速完成对农业、手工业和资本主义工商业的社会主义改造，使生产力获得解放。十五年远景计划规定，在第一个五年计划期内完成对农业、手工业和资本主义工商业的半社会主义改造，在第二个五年计划期内基本上完成全社会主义改造，至此，

社会主义经济将成为全部国民经济中唯一的统治形式（实际情况为：1956 年提前实现目标）。

综上所述，我国第一个十五年长期规划所规定的指标中，除社会主义改造提前 6 年完成，以至产生"过急、过快、过粗、过于简单划一"等问题以外，各项生产指标实现的日期均严重推迟了。其中工业交通主要产品指标平均推迟 4—5 年，产值指标推迟 8 年，农业主要产品中，粮食、棉花产量指标较计划推迟 28 年和 24 年，产值指标推迟 12 年之久。这种结果是 1956 年制定规划时无法预料的。长期规划虽然只是规定和预测了一个方向，但是对于年度生产计划和税收等各类其他计划指标的制定仍有影响。其对于总结"二五"以来经济计划工作经验教训，提供了参照数字。

3.1957 年前后关于计划经济的探索

1957 年前后，学术界、理论界及党和国家领导人针对实施"苏联模式"产生的问题，纷纷发表意见和建议，对计划经济进行有益的探索。

1957 年 6 月 3 日，薛暮桥提出《对现行计划管理制度的意见》的报告。[②]

8 月 21 日，国家经委提出关于改进计划工作制度的初步意见。针对计划工作中存在着集中得过多和控制得过严的问题，提出改进计划工作制度的具体原则：第一，实行"大计划、小自由"的计划工作制度。第二，实行分级管理、层层负责的制度。将国务院管理的指标，分为三类：第一类为指令性指标，第二类为参考性指标，第三类为计算性指标。第三，简化计

[①] 实际数字来自《中国统计年鉴 1985》，中国统计出版社，1985 年版，第 25 页。

[②] 《当代中国的计划工作》办公室编：《中华人民共和国国民经济和社会发展计划大事辑要（1949—1985）》，红旗出版社，1987 年版。

划程序、简化不必要的表格,加强各级计划机关的综合平衡和调查研究工作。

8月26日,在北戴河召开的国务院常务会上,周恩来指出,第二个五年计划建议的缺点是同中国情况和中国特点结合不够,从6亿人民出发不够。要考虑我们的家底薄,吃穿困难。基本建成社会主义,看来要四个五年。社会主义改造的巩固,也需要很多的时间,各种事业的安排,都要考虑人多、地少和国穷的情况,建设中要紧紧抓住农业这一环节来建立工业。会议基本上通过了《全国农业发展纲要(修正草案)》,并分发到全国农村进行讨论。会议基本上通过了《关于改进工业管理体制的规定(草案)》、《关于改进商业管理体制的规定(草案)》和《关于改进财政体制和划分中央和地方财政管理权限的规定(草案)》。11月8日国务院通过这三个文件。这三个文件总的精神是把一部分工业管理、商业管理和财务管理的权力,下放给地方行政机关和厂矿企业,以便进一步发挥地方和企业的主动性和积极性,因地制宜地完成国家的统一计划。规定:①分别不同情况下放一部分工业和商业企业,改由省、市、自治区管理。②扩大省、市、自治区在物资分配方面的权限,对当地的中央企业、地方企业和地方商业机构分配到的物资,在保证各企业完成国家计划的条件下,有权进行数量、品种和使用时间方面的调剂。③下放地方管理的中央工业企业和中央各商业部门的企业(粮食、外贸的外销部分除外),其全部利润的20%归地方,以便进一步发挥地方的积极性和主动性。④商业价格实行分级管理,三类农副产品的收购价格与销售价格,次要市场与次要工业品的销售价格由省、市、自治区自订。⑤实行外汇分成。⑥企业的管理权限也适当扩大。国家给

工业企业只下达主要产品产量、职工总数、工资总额、利润4个指令性指标。企业与国家实行利润分成。国家给商业企业只下达收购额、销售额、职工总数、利润4个指标,同时允许地方在执行商业收购计划和销售计划时有总额5%上下的机动幅度。

会议同意周恩来《关于劳动工资和劳保福利问题的报告》,确定今后我国的劳动工资和劳保福利政策,必须从统筹兼顾全国人民生活首先是工农生活,适当安排城乡关系这个基本观点出发,实行合理的低工资,尽量使大家都有饭吃。在发展生产的基础上,使工农生活逐步得到改善。

9月24日,陈云在党的八届三中全会上提出经济体制改进以后应该注意的问题。10月1日,国务院在审议了国家经委提出的《关于1958年度国民经济计划控制数字安排的意见》后,发布了《国务院关于编制1958年度国民经济计划草案的指示》。12月21日,经国务院同意,国家经委发出了《关于抄送1958年度国民经济计划草案的通知》。12月31日,国家计委传达毛泽东关于经济计划工作的几点指示。指示要求:①省、市、县都要搞规划。工业、交通、农业、商业、手工业、大专院校、培养工农知识分子、科学文化、城市规划等都搞一个像农业发展纲要四十条那样的远景规划,有比没有好,无精无粗,由粗而精。②协作、联省办法,逐步过渡到经济中心。③体制下放有好处,文教卫生事业也要快些下放,中央可以进行监督指导,大问题还要中央解决。④中央的领导方法:大权独揽,小权分散;中央决定,各方去办;办也有决,不离原则;工作检查,中央有责。⑤1956年有些东西是搞多了,但不能说是冒进,一反冒进就松劲。还要促进,今冬明春还要来一股劲头。⑥第二

个五年计划先搞出一个框框来,拿到中央讨论讨论,不要等都搞好了,来个一大本,看不了。

二

关于发展速度的不同意见与 "二五"计划的修订

1957 年的经济工作,由于认真执行党的八大方针,成为 1949 年新中国建立以来效果最好的年份之一。这一年,在中国共产党的整风运动过程中进一步开展了党内外的反右派斗争。这场斗争被严重地扩大化了。其后果与中国共产党内部对"反冒进"的批判一起,影响了"一五"经验教训的正确汲取和改革经济管理体制的科学探索,为 1958 年出现的破坏力极大的高指标、浮夸风、共产风提供了思想认识与工作作风的背景,也使得"二五"计划的制订失去了全面完成的可能。

1.关于发展速度的不同意见

1955 年,国民经济正常而健康的发展形势,导致人们对社会发展产生了过高的期望值。1955 年 11 月,在毛泽东主持的中共中央政治局扩大会议上,讨论了加快各项工作的速度,提前实现社会主义工业化和社会主义改造的问题。

这时,主持政府经济工作的周恩来和陈云等人感觉到局势发展的严峻性。从 1956 年 2 月份起,周恩来开始动手压缩一些经济指标。1956 年 5 月 11 日,周恩来主持有各省、市、自治区负责人参加的国务院第 28 次全体会议,周恩来在发言中讲到既反保守又反冒进。为支持国务院的工作,刘少奇指示中共中央宣传部起草了《要反对保守主义,也要反对急躁情绪》一文,该文以《人民日报》社论形式于 6 月 20

日发表。但是,反冒进的矛头直指"领导干部",直接对着毛泽东有关加快建设步伐、反对保守主义的要求,这是毛泽东不能同意的。只因为反冒进的要求终究是来自于实际工作的切实需求,所以得到了党、政府、人民代表大会和党员干部的支持。在反冒进的经济工作方针指导下,从 1956 年下半年起,我国经济建设又开始逐步走向健康发展的道路,为下一步的工作创造了有利的条件。

1956 年 7 月以后,周恩来等国务院主要领导人开始着手修订第二个五年计划的各项指标。经过反复磋商、修改,《关于发展国民经济的第二个五年计划(1958—1962)的建议(草案)》和《关于发展国民经济的第二个五年计划的建议的报告(修正稿)》已粗具雏形。1956 年 9 月 15 日至 27 日,周恩来在中国共产党第八次全国代表大会上,又一次谈到了盲目冒进所带来的危害。他强调领导经济工作应该根据需要和可能,合理地规定国民经济的发展速度,把计划放在既积极又稳妥可靠的基础上,以保证国民经济比较均衡地发展。这次大会根据国内主要矛盾的新变化,作出了党和国家的重点必须转移到社会主义建设上来的重大战略决策,坚持了既反保守又反冒进在综合平衡中稳步前进的经济建设方针。

2.批"反冒进"与"大跃进"的发动

1957 年下半年至 1958 年上半年,在八届三中全会上以及此后的杭州会议、南宁会议、成都会议和八大二次会议上,陈云、周恩来接连受到毛泽东的严厉批评,说反冒进泄了 6 亿人民的气,犯了政治方向的错误;认为"冒进"是马克思主义的,"反冒进"是非马克思主义的;被上纲为"方针性错误"、"庸俗辩证法"、"抛到同右派似乎相近的地位"、"还差 50 米"等。冒进是全国人民热潮冲起来的,是好事。陈云、周恩来等当时反对冒进的领导人承受了巨大的精神压力。刘少奇因为主持撰写了体现八大会议精神的《人民日报》社论《要反对保守主义,也要反对急躁冒进》,也作了检查。

1958年1月召开南宁会议期间,毛泽东批评陈云主张综合平衡反对冒进的观点。在南宁会议和随后的成都会议批判反冒进、鼓动"大跃进"。南宁会议还提出了搞"两本账"①。

1958年3月成都会议以后,国家经委于4月提出了1958年年度计划的第二本账。其中将农业和农副业产值由754亿元提高到793亿元,比1957年的增长速度,由16%提高到21%;工业和手工业总产值由904亿元提高到915亿元,比1957年的增长速度,由33%提高到34%强。② 年度计划的第二本账的修正对第二个五年计划的两本账的修正起了推动作用。

为了跟上"大跃进"的步伐,国家计委汇总各地区、各部门重新拟订的计划,对"二五"计划草案的原定指标作了调整,但是调整的步子仍然赶不上各地区、各部门提高指标的速度。

根据各地、各部门变动了的计划,国家计委再次调整"二五"计划指标,提出了"两本账"的初步设想:整个"二五"期间基本建设总投资额的第一本账的指标为1500亿元,第二本账的指标为1600亿元;工业总产值为2600亿元—2700亿元,比"一五"期末的1957年增长2—2.5倍,平均每年增长25%—30%;农副业总产值为1200亿元—1370亿元,比1957年增长80%—110%,平均每年增长13%—16%;"二五"期末的1962年主要工农业产品产量的"两本账",钢为2500万吨和2800万至3000万吨,原煤为3.8亿吨和4.2亿吨,原油为1000万吨和1500万吨,发电量为850亿至900亿度和1100亿度,粮食为6000亿斤和7000亿斤,棉花为6500万担和7500万担。③ 这个设想所提出的指标,比中共八大建议的指标大大提高了,也就是说,中共八大建议的指标绝大部分要求提前三年实现。

3."二五"计划的修订

总路线、"大跃进"和人民公社的决策,对"二五"计划编制工作产生重大影响。原有的在中共八大上通过的"二五"计划《建议》被搁置,编制了新的"二五"计划草案。

1958年5月5日至23日,中共八大二次会议在北京举行。会议根据毛泽东的倡议,正式通过了"鼓足干劲,力争上游,多快好省地建设社会主义"的总路线。

八大二次会议之后,"大跃进"在全国范围各个领域全面展开。为了适应"大跃进"的形势,1958年6月初,中共中央决定在全国成立华北、东北、西北、华东、华中、华南、西南7个协作区,接着又决定下放中央所属企业、事业单位和技术力量。向地方下放管理权限,这对于改变过分集中的管理体制是有积极意义的,但也滋长了分

① "两本账"是"大跃进"期间的一种经济计划方法,这种方法将全国的经济计划分为中央和地方两部分。中央的计划分为必成和期成两本账,即第一本账和第二本账;地方的计划也分为必成和期成两本账,中央的第二本账就是地方的第一本账,详见下节。
② 《中共中央批转国家经委党组对1958年第二本账的报告》,1958年5月6日;附件:国家经委党组:《动员全民、全党为实现1958年计划的第二本账而斗争》,1958年4月14日。
③ 国家计委党组:《关于第二个五年计划的初步设想(草稿)》,1958年5月。见中共中央文献研究室编:《建国以来重要文献选编》第十一册,中央文献出版社,1995年版,第305页。

散主义的倾向。从 1956 年开始,中央就在研究这个问题,1957 年中共八届三中全会还通过了有关改进工业、商业、财政管理体制的决定。但是从 1958 年开始,放权的工作被纳入了"大跃进"的轨道,放权过急、过多,造成交接工作粗糙甚至出现混乱。放权与"两本账"的办法相结合,使高指标风愈刮愈烈。

6 月中旬,李富春连续召集国家计委、国家经委主任联席会议,汇总各地区、各部门的指标。经中央财经小组讨论后,李富春向中央提出新的《第二个五年计划要点》。《要点》提出,第二个五年计划各项指标以 1962 年生产 6000 万吨钢为中心来安排,以钢和机械为纲,带动其他指标,到 1967 年生产钢 10000 万吨;第二个五年工业生产年均增长 45% 左右,农业生产年均增长 21% 左右;初步计算,五年经济建设总投资约 3000 亿元左右。《要点》预计,以钢铁为主的几种工业产品的产量有可能不用 3 年赶上和超过英国,全国农业发展纲要有可能 3 年基本实现。[1] 毛泽东看了这个《要点》后批示说:"很好一个文件,值得认真一读,可以大开眼界。"[2]并指示印发当时正在召开的军委扩大会议。

1958 年 8 月 17 日至 30 日,中共中央政治局扩大会议在北戴河举行。北戴河会议号召全党全国为生产 1070 万吨钢而奋斗,还通过了《关于在农村建立人民公社的决议》。会议讨论并且批准了国家计划委员会和国家经济委员会两个党组提出的 1959 年计划草案和第二个五年计划的意见书,同时,对于 1959 年计划草案的若干指标作了调整。会议于 1958 年 8 月 28 日作出《中共中央关于 1959 年计划和第二个五年计划问题的决定》。这是对"二五"计划草案的全面修正。[3]

《中共中央关于 1959 年计划和第二个五年计划问题的决定》指出:经过 1958 年、1959 年、1960 年这三年的苦战,再加上此后两年的继续努力,即到 1962 年完成第二个五年计划的时候,我们就完全可能使粮食产量达到 1.5 万亿斤或者更多一些,钢产量达到 8000 万吨至 1 亿吨,并且提前五年实现十二年科学规划,在主要的科学技术部门赶上世界的先进水平。这就是说,在 1958 年到 1962 年的第二个五年计划期间,我国将提前建成为一个具有现代工业、现代农业和现代科学文化的伟大的社会主义国家,并创造向共产主义过渡的条件。在第二个五年计划期间,在全国建立强大的独立完整的工业体系的同时,各协作区都应当建立起比较完整的、不同水平和各有特点的工业体系,各省、市、自治区也都应当建立起一定程度的工业基础。全国和各地方在建设工业体系的过程中,应当注意合理地分布工业生产力,按照大型企业和中小型企业同时并举、在目前多建中小型企业的方针,使企业的布置适当分散,以适应国防安全,特别是适应逐步消灭工农差别、城乡差别、全国走向平衡发展的共产主义要求。

按照《决定》所规定的主要指标推算,1962 年的工业总产值约为 5700 亿元,将比 1957 年增长 7.4 倍左右,平均每年增长 53% 左右(比 1958 年预计数增长 4.3 倍左

---

① 李富春:《第二个五年计划要点》。转引自房维中、金冲及主编:《李富春传》,中央文献出版社,2001 年版。

② 《毛泽东向中共中央军委会议印发李富春〈第二个五年计划要点报告〉的批示》,1958 年 6 月 17 日。转引自房维中、金冲及主编:《李富春传》,中央文献出版社,2001 年版。

③ 此次修正的指标系根据国家计划委员会党组 1958 年 8 月 23 日提出的《关于 1959 年计划和第二个五年计划问题的意见》中的第一方案提出的。

右,平均每年增长 51% 左右)。1962 年农业总产值约为 2400 亿元左右,将比 1957 年增长 2.5—2.8 倍,平均每年增长 20% 左右(比 1958 年预计数增长 1.2 倍左右,平均每年增长 17% 左右)。在 1962 年工农业的总产值中,工业的比重将达到 70% 左右。

1958 年 8 月 28 日,中共中央北戴河会议批准了国家计委提出的《关于第二个五年计划的意见》,修订后的"二五"计划主要有以下几个方面的特点:首先,提出超越国情国力的奋斗目标;其次,"浮夸风"的蔓延带来对经济形势估计的偏差,也为夸大主观能动性提供了依据;再次,区域之间争投资,缺乏制约机制。

三

"二五"计划的实施与三年补充计划的提出

1958—1962 年的"二五"计划,由于实施过程中的巨大波动,实际上分成两个阶段。1958—1960 年为"大跃进"阶段;1961—1962 年进入调整时期,与 1963—1965 年的继续调整连成一气。两个阶段的政策变化很大。

1958 年的"大跃进",是作为 1957 年整风"反右"运动之后要出现"经济建设高潮"提出来的。而实际上国民经济的"跃进"指标受到了政治推测和政治需要的干扰。从政治需要出发,计划水涨船高,特别是很多指标的确定由于没有经过详细计算和综合平衡而缺少科学依据。1957 年大中型建设项目是 992 个,1958 年猛增到 1587 个;小型建设项目星罗棋布,遍地开花。由于建设规模与国力不相称,以致后来大批建设项目不得不下马,造成巨大浪费。

上面压跃进指标,下面就大放"卫星",助长了弄虚作假。有了下面的假"卫星",又反过来以此为根据提出更高的指标和奋斗口号;形成了一场包含着层层高压和层层虚报的政治运动,而难以认真地搞经济建设。当时提出要打破常规,敢想敢干。实际上在经济计划领域出现了破除科学、夸大主观意志的倾向,否定客观规律。把遵守客观规律的要求视为必须打破的常规;不讲比例,不讲综合平衡,把坚持计划原则、综合平衡的要求统统被看做必须打破的常规而放弃了。为了寻找所谓"根据",当时还开展了一场什么是计划工作基本方法的大辩论。

"大跃进"运动加上人民公社化运动,使得当时以高指标、瞎指挥、浮夸风和"共产风"为主要标志的"左"的错误严重地泛滥起来。

1958 年 1 月,毛泽东根据杭州会议和南宁会议上讨论的结果,提出了《工作方法六十条(草案)》,归纳了各级领导干部领导经济工作的方法,其中包括了计划的制订与实施的方法。

"六十条"还要求生产计划做三本账。其中中央两本账,一本是必成的计划,这一本公布;第二本是期成的计划,这一本不公布。地方也有两本账。地方的第一本就是中央的第二本,这在地方是必成的;第二本在地方是期成的。这种三本账的制度,是造成"大跃进"中生产计划层层加码、追求高指标的一个重要因素。它为计划的层层加码打开了一个重要的渠道。中央带头搞两本账,各级就都搞自己的两本账,下到基层,同一个指标就有六七种账了。不管工业、农业还是其他行业,"大跃进"的各种指标,大都是通过编两本账的方法,层层拔高的。①

三年"大跃进"时期在经济上,特别是工业与国防尖端科技方面仍有显著成绩。许多新的工业基地、工业部门和工业技术是在这时开始产生的;②国防工业和一批当时的国防尖端科技是在破除迷信、解放思想的方针指导下诞生的;工业建设的遍地开花也为以后的乡镇企业发展奠定了基础。

但是,总的来看,它对国民经济发展造成的后果极其严重。经验教训极其深刻并具有典型意义。如果领导决策尊重经济规律与科学方法,将全国人民高涨的建设热情引导到正确的轨道上去,必能减少损失、提高效益,取得更加骄绩。

"大跃进"运动和
人民公社化运动

一

"大跃进"运动的酝酿和发动

"大跃进"运动是20世纪50年代末我国经济领域里无视客观经济规律盲目和片面追求工农业生产的高指标、高速度的全民大生产运动。

"大跃进"的酝酿和发动,一是执政党受到当时国际共运中尤其是苏共快速赶超资本主义强国的经济理论和发展战略的直接影响,二是由于毛泽东关于社会主义时期"不断革命"论思想的指导和推动。

"快速赶超"的理论与战略,是由列宁奠基,在斯大林时期形成的。第二次世界大战爆发前,斯大林多次提出,要在10—15年之内,于经济上全面超过发达资本主义国家。战后,这种赶超的经济理论未变。1957年在庆祝十月革命40周年大会上,赫鲁晓夫代表苏共重新提出在15年内不仅赶上而且超过美国的口号。

中国共产党接受了这一赶超的经济理论和战略思想。早在第一个五年计划期间,毛泽东就在酝酿短时间内赶超英美的战略。在1955年12月为《中国农村的社会主义高潮》写的按语中,毛泽东便反复强调要反对经济建设中的右倾保守思想,并且预见社会主义中国将会"出现从来没有被人们设想过的种种事业,几倍、十几倍以至几十倍于现在农作物的高产量。工业、交通和交换事业的发展,更是前人所不能设想的"。1957年9月,毛泽东在中共八届三中全会上公开批评了"反冒进",决心要"加速"经济建设的步伐。赫鲁晓夫提出15年赶超美国的行动口号后,毛泽东于1957年11月18日在莫斯科各国共产党工人党代表会议上发表讲话,提出中国要用15年时间赶上或者超过英国。毛泽东说,15年后,我们就无敌于天下了,没有人敢和我们打了,世界也就可以得到持久和平了。

毛泽东提出的15年赶上或超过英国的口号事先征得过中共其他领导人的同意,这一口号提出后,便迅速成为中共中央的经济建设指导思想。1957年12月2日,刘少奇代表党中央在中华全国总工会

---

① 参见薄一波:《若干重大决策与历史事件的回顾》(修订本)下卷,中共中央党校出版社,1993年版,第682页。
② 国家计委向政治局报告讲话要点,1960年12月。

第八次全国代表大会上公开宣布,在15年内,我们要与苏联赶超美国同步,全面赶上或超过英国。国家计划工作的主持人李富春则在此会议上对赶超英国的主要指标和可能性作了具体论证,并提出了调整中共八大提出的第二个五年计划的意见。随后,《人民日报》1958年元旦社论又进一步宣传和阐述了15年左右赶上和超过英国的口号。

毛泽东关于社会主义时期"不断革命"的思想集中反映在他于1958年1月写成的《工作方法六十条(草案)》中。毛泽东认为,我们的革命是一个接一个的。在社会主义三大改造,即生产资料所有制方面的社会主义革命"基本完成"以后,"现在要来一个技术革命,以便在15年或者更多一点的时间赶上和超过英国"。根据"不断革命"的理论,毛泽东提出,必须反对庸俗的平衡论或均衡论,反对消极的平衡方法。从而否定和违背了国民经济必须在综合平衡中发展的客观规律。

在快速赶超和打破"消极平衡"的思想指导下,自中共八届三中全会开始,中共党内批评"反冒进"的声浪一浪高过一浪。1957年11月13日,《人民日报》发表了经过毛泽东亲自审阅并签字同意的社论《发动全民,讨论四十条纲要,掀起农业生产的新高潮》。社论认为,1956年是正确的跃进,而不是冒进。社论指责反冒进的人害了右倾保守的毛病,"他们不了解农业合作化以后,我们就有条件也有必要在生产战线上来一个大跃进"。这是第一次在党的报刊上公开使用"大跃进"一词。毛泽东对《人民日报》社论使用"大跃进"一词非常赞赏,他认为,这是一个伟大的发明。他在对这篇社论的批语中写道:建议给"大跃进"这一口号发明者授予"一号博士"头衔。12月12日,《人民日报》又发表毛泽东修改审定的社论《必须坚持多快好省的建设方针》,再次重申和肯定1956年经济战线的"大跃进",批评了"反冒进"。

随后,毛泽东主持召开了1958年1月杭州会议(部分省市委书记会议)、南宁会议(九省二市书记会议),3月成都会议(中央工作会议),4月汉口会议(成都会议的继续)。这些会议在对"反冒进"和"右倾保守"的不断升级的批判中,完成了全党对"大跃进"运动的思想准备。

1958年1月的南宁会议是发动"大跃进"运动的一次关键性会议。这次会议将八届三中全会从经济工作角度对反冒进提出的批评提到了政治原则的高度,毛泽东在会议上尖锐地提出,反冒进是非马克思主义的,它离右派只有50米了。这一提法在党内引起很大震动。毛泽东在此次会议上向全党和全国提出,要在经济战线上来一个"大跃进。"根据南宁会议精神,《人民日报》2月3日发表题为《鼓足干劲,力争上游》的社论,提出"工业建设和工业生产要大跃进,农业生产要大跃进,文教卫生事业也要大跃进"。3月3日,中共中央发出党内指示,提出要进行"社会主义的生产大跃进运动和文化大跃进的运动"。

1958年3月8日至26日召开的成都会议上,毛泽东提出了"鼓足干劲、力争上游、多快好省地建设社会主义"的总路线。这一社会主义建设总路线的思想,是批评反冒进的直接产物,体现了经济建设"大跃进"的指导思想,肯定了冒进发展的经济工作指导方针。成都会议还接受了毛泽东所提出的"生产计划要有两本账"的观点(即中央和地方计划工作都要有两本账,一本是必成的、可公布的账,一本是期成的、不公布的账),通过了国家计委提出的实现"大跃进"的1958年第二本账,即比2月上旬全国人民代表大会通过的计划"高了许多"的"一个多快好省的账"。成都会议的第二本账,标志着整个国民经济计划纳入了"大跃进"的轨道。

在上述一系列会议批判反冒进、酝酿"大跃进"的基础上,1958年5月5日至23日,中共八大二次会议在北京召开,这是一次发动"大跃进"的党代表大会。会议正式通过了毛泽东在成都会议上提出的鼓足干劲、力争上游、多快好省地建设社会主义的总路线。会议又一次批评了1956年的反冒进,周恩来、陈云及薄一波、李先念等反冒进的主要责任者在大会的发言中作了公开检讨。会议期间,毛泽东于5月18日在《卑贱者最聪明,高贵者最愚蠢》的批语中使用了"我国7年赶上英国,再加8年或者10年赶上美国"的提法。会议要求,建设速度要"成倍地、几倍地以至几十倍地超过过去的中国和一切资本主义国家"。

中共八大二次会议之后,国家经济计划指标不断刷新,超英赶美的时间继续提前。6月,钢铁工业部门开始拟定"大跃进"目标,1958年的钢产量由820万吨升至850万吨、1000万吨,后经毛泽东提议,最后订为1070万吨。与此同时,各人协作区纷纷召开农业会议,提出各自的农业"大跃进"指标。此时,毛泽东的赶超英美的时间表也一步步提前。6月21日,他在军委扩大会议上提出,我们3年基本上超过英国,10年超过美国,有充分把握。次日,在《两年超过英国》的报告中,毛泽东又批示说:"超过英国……两年是可能的,这里主要是钢,只要1959年达到了2500万吨,我们就在钢的产量上超过了英国。""大跃进"运动由追求钢产量的高指标、高速度开始而拉开了帷幕。

人民公社化的提出

与"大跃进"同时兴起的是人民公社这种新的农村组织形式。人民公社化的提出与公社在全国普遍而迅速地建立,既是搞"大跃进"的需要,又是急于早日向共产主义过渡的需要。同"大跃进"运动一样,农村人民公社化运动的酝酿和发动也有一个过程。

早在指导中国农业合作化运动的过程中,毛泽东就产生了在中国农村建立"大社"、"公社"的思想。1955年,毛泽东在《大社的优越性》一文的按语中写道:"现在办的半社会主义的合作社……二三十户的小社为多。但是小社人少地少资金少,不能进行大规模的经营,不能使用机器。这种小社仍然束缚生产力的发展,不能停得太久,应当逐步合并。有些地方可以一乡为一个社,少数地方可以几乡为一个社……不但平原地区可以办大社,山区也可以办大社。"虽然,对毛泽东的这一思想,党内有过不同意见,但到了1958年春,由于农村普遍开展大规模农田水利基本建设等"大跃进"活动,导致了小社并大社成为现实。1958年3月的成都会议上,毛泽东正式提出了小社并大社的问题。3月20日,成都会议通过并经4月8日中共中央政治局会议批准,制定了《中共中央关于把小型的农业合作社适当地合并为大社的意见》。意见提出:我国农业正在迅速地实现农田水利化和耕作机械化,在这种情况下,农业生产合作社如果规模过小,在生产的组织和发展方面势将发生许多不便。为了适应新的形势,在有条件的地方,将小型的农业合作社有计划地适当地合并为大型的合作社是必要的。同时，中共中央政治局还通过和下发了《中共中央关于农业机械化问题的意见》，规定"在7年内（争取5年内做到）基本上实现农业机械化和半机械化，实现农业生产力的大发展"。

从1958年4月开始，全国开展了小社并大社的工作，河南遂平县和平舆县最早出现6000—7000户的大社。6月至7月，一些地方形成了并大社的热潮。在这股热潮中，7月1日，《红旗》杂志第13期发表了陈伯达的文章《全新的社会，全新的人》。文章说："把一个合作社变成为一个既有农业合作又有工业合作的基层组织单位，实际上是农业和工业相结合的人民公社。"7月16日，《红旗》杂志第14期又发表陈伯达另一篇文章《在毛泽东同志的旗帜下》，明确地传达了毛泽东关于一种新的社会基层组织的构想。文章说，按毛泽东同志所说，我们的方向，应是逐步地把工（工业）、农（农业）、商（交换）、学（文化教育）、兵（民兵即全民武装）组成一个大公社，从而构成为我国社会的基本单位。这样，人们便可以看得见我国将由社会主义逐步过渡到共产主义的为期不远的远景，从而在不远的将来，胜利地到达伟大的共产主义社会。许多地方便根据毛泽东这种"工农兵学商"的"大公社"的思想，将合并而成的大社命名为"公社"、"共产主义公社"、"人民公社"。

1958年8月上旬，毛泽东视察了河北省徐水县，听完县委负责人汇报后，提出了应考虑粮食多了吃不完后怎么办的问题，指示要搞人民公社。县委迅速号召全县成立人民公社，向共产主义过渡。几天之内，徐水全县人民公社化。8月6日，毛泽东视察河南农村，对新乡县七里营人民公社大加赞扬，他说："人民公社这个名字好，包括工农兵学商，管理生产、管理生活、管理政权，人民公社前面加上个地名，或者加上群众喜欢的名字。"同时，毛泽东还概括了人民公社的特点为"一曰大，二曰公"。8月9日，毛泽东视察山东省，当听到省委负责人汇报说历城县北国乡准备办大农场时，毛泽东说："还是办人民公社好，它的好处是，可以把工、农、商、学、兵合在一起，便于领导。"8月13日，《人民日报》发表毛泽东在视察河南、河北、山东时的上述谈话。从此，"人民公社好"传遍全国各地，小社并大社的工作转成直接办人民公社的热潮。

人民公社化的提出，是"大跃进"运动与准备向共产主义过渡思想的结果。搞"大跃进"运动需要有与之相适应的组织形式、制度和方法，政社合一的、集中领导、集体劳动、集体生活的、"一大二公"的人民公社，是便于搞"大跃进"的组织形式。不仅如此，对"大跃进"的追求和对提前快超英美的向往，又引出了对可以早日向共产主义过渡的向往。在八大二次会议后认为超过英国只不过7年、5年和2年，赶上美国也不过是15年、10年便可实现时，向共产主义过渡便似乎成为一个指日可待的事，于是，便构想出了一种便于很快向全民所有制过渡、便于向共产主义过渡的社会组织形式，这样，人民公社便应运而生了。

北戴河会议的"跃进"决策

中共八大二次会议后，国家计委、国家经委和财政部根据这次会议的精神，对各部向中央汇报的"跃进"指标作了研究，在向中央财经领导小组汇报后，由李富春向中央提出了新的《第二个五年计划要点》。

要点认为,以钢铁为主的几种主要工业产品的产量,可能不需 5 年即可赶上和超过英国,全国农业发展纲要可能 3 年基本实现。

要点提出第二个五年计划的任务是:提前完成全国农业发展纲要;建成基本上完整的工业体系,5 年超过英国,10 年赶上美国;大力推进技术革命和文化革命,为在 10 年内赶上世界上最先进的科学技术水平打下基础。

要点提出了第二个五年的各项生产指标、新建项目的部署方案以及工业和农业的增长速度。要点提出,第二个五年的各项指标是以 1962 年生产 6000 万吨钢为中心来安排的,要以钢为纲,带动其他指标。要点认为第二个五年工业年增长45%、农业年增长 21% 是完全可能的。同时还对第二个五年的各项投资以及劳动力的补充进行了乐观的估算。

要点认为,要实现第二个五年的指标,关键是 1959 年要较 1958 年有一个更大的跃进,工业方面,钢产量要超过 2000万吨,争取达到 2500 万吨,超过日本,超过英国;农业方面,粮食要超过 6000 亿斤,棉花产量超过 6000 万担。

6 月 17 日,毛泽东对这个"二五"计划要点作了指示,称,"这是很好一个文件,值得认真一读。可以大开眼界"。

在李富春提出《第二个五年计划要点》后,6 月 16 日,李先念又向中央作了《关于第二个五年财政计划的要点》的报告,提出"二五"期间财政收入 4000 亿元,财政支出 4340 亿元的总计划。在支出计划中,生产性支出安排占到 80% 以上。6月 17 日,薄一波代表国家经委向中央政治局作了《两年超过英国》的报告,报告对 1958 年经济发展状况作了过高的、极为乐观的估计,并认为:"1959 年我国的国民经济可能有一个比今年更大的跃进。这样经过 3 年苦战,我国就可以在钢铁及其他主要产品产量方面赶上和超过英国。"6 月19 日毛泽东对薄一波说,1958 年钢产量翻一番,搞 1100 万吨。6 月 21 日,毛泽东在军委扩大会议上提出 3 年超过英国、10年超过美国,我们有充分把握。同日,冶金部党组向中央和毛泽东提交了一份《产钢计划》。该计划称,1959 年钢的产量可以超过 3000 万吨,1962 年的生产水平将可能争取达到 8000 万吨—9000 万吨以上。6 月 22 日,毛泽东批示了农业部 6 月中旬向中央政治局提出的"二五"期间农业所要达到目标的报告。该报告提出粮、棉产量在 5 年中都要翻一番。这些高指标的设想和提出,便成为 8 月召开的北戴河会议作出"跃进"决策的重要基础。

与这些高指标的提出同步,1958 年的夏收出现了极为严重的浮夸风。早在年初,广东汕头和贵州金沙便分别报出过晚稻亩产 3000 斤和 3025 斤的纪录。入夏后,各地出现了竞相"放卫星"的浮夸风。到了 9 月,四川郫县及广西环江县,竟然报道出亩产早稻 824525 斤和 130434 斤的纪录。

下面乱报,上面乱信。对这些荒唐离奇、令人难以置信的产量,从中央到地方的各级报纸、广播大加宣传。8 月 27 日,《人民日报》用通栏标题宣传"人有多大胆,地有多大产"。有的著名科学家甚至用"科学"的方法来证明这些荒谬报道的可信性。8 月 22 日,安徽省第一个宣布自己是早稻平均亩产千斤的省,随后,广东、四川亦宣布自己是千斤省。对这种"大跃进"形势,毛泽东非常兴奋,8 月初,他对来访的苏共中央第一书记赫鲁晓夫说,只有这次大跃进,我才完全愉快了!按照这个速度发展下去,中国人民的幸福生活完全有指望了!

这种农业生产中的浮夸风亦给北戴河会议提供了极不真实的数据,使会议的决策建立在高度虚夸的基础之上。

8月17日至30日,中共中央政治局在北戴河举行扩大会议,全体中央政治局成员和各省市自治区党委第一书记以及政府各部门党组负责人出席。

北戴河会议重点讨论了国家计委和国家经委两个党组提出的《1959年度国民经济计划主要指标》和《关于第二个五年计划的意见》。主要指标提出,1959年工农业总产值要达到3516亿元—3706亿元,比已经严重脱离实际的1958年预计完成数(下同)还要增长68%。意见书提出,要在"二五"期间,"完成我国的社会主义建设,提前把我国建设成为一个具有现代工业、现代农业和现代科学文化的社会主义国家,为第三个五年计划期间经济、技术、文化的高度发展,开始向共产主义过渡,创造条件。"据此目标,"二五"计划意见书对1962年的产量指标,提出了以8000万吨钢为纲的第一本账方案和以1亿吨钢为纲的第二本账方案。这两个方案的钢产量,分别比1957年(下同)的实际数增加13.9倍和17.7倍。其他指标也大幅度提高。

北戴河会议通过了《中共中央关于1959年计划和第二个五年计划问题的决定》。决定对国家计委党组提出的1959年各项指标,除将粮食压缩到8000亿斤和10000亿斤以外,其他各项均予以了肯定。并强调指出,这是一个比1958年的更大跃进的计划。这一决定同时肯定了国家经委提出的"二五"计划指标。北戴河会议通过的这一决定以及会议通过的《中共中央政治局扩大会议号召全党全民为生产1070万吨钢而奋斗》的公报,对全国"以钢为纲"的"大跃进"风潮起到了重大推动作用。

北戴河会议还作出了《关于在农村建立人民公社问题的决议》。决议论述了农村成立人民公社的"必然性",对运用人民公社的形式,积极向全民所有制过渡,从而摸索一条过渡到共产主义的具体途径表现出极大的热情。决议规定了办社的具体步骤——并大社、转公社一气呵成,并对公社的规模也作出了具体规定。

北戴河会议关于钢铁翻番的决定和关于建立人民公社决议的作出,为在实际工作中大刮共产风、瞎指挥风、强迫命令风,造成全局性的错误,提供了基本的依据。

四

狂热的大炼钢铁与全国公社化

北戴河会议所通过的决定和公报号召全党全民为使1958年钢产量比1957年翻一番而奋斗。会议结束后,全民大炼钢铁进入一个新阶段。中共中央先后4次召开电话会议部署和催促大办钢铁。9月4日,在大炼钢铁电话会议上,谭震林传达说:毛主席提出,今年1100万吨钢1吨也不能少,少了就是失败。9月24日,中央书记处召开电话会,要求到30日,要达到日产钢6万吨、铁10万吨,"否则是不行的"。中央还肯定了各地组织"大兵团作战"的做法。8月,全国参加大炼钢铁的人数达数百万人。9月,激增至5000万人。10月底达到6000万人,最高峰时达到过9000万人。工人、农民、商店职工、学校师生、机关干部,纷纷上阵。在大炼钢铁高潮中,全国上下共建立大小高炉 60 多万座,大片山林被毁掉,大小树木被砍伐一光。不少地方群众家里烧饭的铁锅也被投入炼钢炉。至 12 月 19 日,中共中央宣布,1070 万吨钢的指标已经完成。实际上这其中有几百万吨基本上不能用的土钢土铁。

以钢为纲,一切为大炼钢铁让路,浪费了国家的资源,耗费了巨大的人力物力。在农业秋收大忙季节,强壮的劳力全部抽去炼钢铁,又严重影响了丰产丰收。不仅如此,大办钢铁,还挤了轻工业,造成国民经济比例严重失调。8 月和 9 月,东北三省因电力不足,被迫减去轻工业电力负荷 1/3。上海市轻工业生产在原材料上受到严重制约。到了 11 月份,全国有 25 种西药的生产停工或半停工。交通运输等国民经济的许多环节发生严重混乱。1958 年的积累率由上一年的 24.9% 猛增到 33.9%,国家职工由 2451 万人增加到 4532 万人,膨胀了 85%。国家的建设不仅没有"万马奔腾",相反是一片混乱。

北戴河会议关于建立人民公社的决议于 1958 年 9 月 10 日公布。决议公布后,全国迅速掀起了大规模的人民公社化高潮。接着,《人民日报》《红旗》杂志相继发表社论,号召高举人民公社的红旗前进。至 9 月底,全国 27 个省、市、自治区有 12 个省、市、区 100% 的农户加入了人民公社,10 个省、区有 85% 以上的农户加入了公社,10 月底,全国便实现了人民公社化。原有的 74 万多个农业社改组成 2.6 万多个人民公社,1.2 亿农户参加公社,占全国各民族总农户的 99% 以上。全国平均 28.5 个农业生产合作社并成一个人民公社,平均 3 个乡一个社,平均 4500 余农户一个社。1 万—2 万户的大社有 532 个,2 万户以上的社有 51 个,甘肃省敦煌县则是一县一社。

按照"一大二公"的要求,公社"公有化"程度亦很高。9 月 14 日,《卫星人民公社试行简章(草案)》公开发表。按此简章规定,各农业生产合作社并为公社后,原农业社的一切公有财产交给公社。社员交出全部自留地,并将私有房基、牲畜、林木等生产资料也转归全公社公有,只允许留有少量家畜家禽。简章并规定,公社在分配上一律实行工资制,同时实行粮食供给制,全体社员都按人头免费供应粮食。生产大队是管理生产、进行经济核算的单位,盈亏则由公社统一负责。

随着"公"有化程度的提高,"共产风"、浮夸风、瞎指挥风、强迫命令风和干部特殊化风这"五风"也随之愈刮愈烈。全国农村以生产队为单位成立了数百万个食堂,大范围的平均主义、"共产风"开始泛滥。由于高估产浮夸风所造成的粮食已过关的假象,柯庆施提出了"吃饭不要钱"的口号。各地纷纷推行,有的地方甚至提出"放开肚皮吃饭",河北省徐水县专门发布了关于人民公社实行供给制的试行草案,全县实行供给制,开始向共产主义迈进。山东省范县(现属河南)甚至提出了两年过渡到共产主义的设想。徐水和范县的规划和设想,均得到毛泽东的肯定。

由于刮"五风",也由于大炼钢铁影响了秋收及各地"放开肚皮吃饱饭",再加上 1958 年粮食年度国家基于高估产对粮食搞了高征购(比正常年度多购了 200 亿斤),1958 年冬,一些地方发生了公共食堂停火、社员外出逃荒的现象。1959 年春,一些地方甚至因严重缺粮出现人员浮肿和不正常死亡的问题。

"大跃进"运动和人民公社化运动中出现的混乱和问题,从 1958 年 11 月开始为毛泽东等运动的发动者所察觉。随后，开始了为期八个月的纠"左"。

第一次郑州会议与中共八届六中全会

1958 年初发动的"大跃进"运动，到该年夏季伴随着人民公社的一哄而起进入高潮。它的出现，固然反映了我国人民要求迅速改变"一穷二白"面貌的强烈愿望，同时在很大程度上也反映了中国共产党对经济建设的规律不甚了了的状况，带有很大的盲目性。在这之前，自上而下地层层发动，批判"反冒进"、"拔白旗"、"插红旗"、"大辩论"，其结果是指标越提越高，头脑越弄越热，致使以高指标、瞎指挥、浮夸风和"共产风"为主要标志的"左"倾错误，在全国范围内严重地泛滥开来。

一

第一次郑州会议

1958 年秋冬之间，中共中央开始发现"大跃进"和人民公社化运动中乱子出了不少。毛泽东始终是"大跃进"和人民公社化运动的积极倡导者和推动者，同时也是较快地通过调查研究觉察到运动发展中出现尖锐问题的领导人。从 10 月中旬到 11 月初，毛泽东先后视察河北的天津、保定、石家庄、邯郸和河南新乡、郑州等

地，同省、地、县委几级负责人座谈；并派人到较早建立人民公社的河南遂平县、新乡县和修武县蹲点调查。通过调查和接触，毛泽东发觉在人民公社化运动中，很多人有一大堆混乱思想，"急急忙忙往前闯"，感到需要对运动"降温"，让大家冷静下来，认为只有从理论上纠正这些已经觉察到的"左"倾错误，"大跃进"和人民公社化运动才能健康发展。为此，中共中央于 1958 年底连续召开了第一次郑州会议、武昌会议和党的八届六中全会，进行初步纠"左"的努力。

11 月 2 日至 10 日，第一次郑州会议召开。这是一次有部分中央领导人、大区负责人和部分省、市委书记参加的工作会议。

毛泽东在会上作了多次讲话和谈话，着重批评了急于向全民所有制和共产主义过渡的错误，否定了统一调拨产品、资金、劳力的做法。他指出，一个县的全民所有制，还是大集体所有制，人力、财力、物力都不能调拨。这一点需要讲清楚，同全国全民所有制不能混同。人民公社的产品不能调拨，同国营工厂不同，如果混同，就没有奋斗目标了。在听取有的省份汇报十年规划情况时，毛泽东说："还是社会主义为题目，不要一扯就扯到共产主义。你现在牵涉到共产主义，这个问题就大了。你说十年就过[渡]了，我就不一定相信。这是个客观的东西，人们的想法是一回事，是否符合客观规律又是一回事。我们要参考《苏联社会主义经济问题》，研究公社的性质、交换、社会主义向共产主义过渡、集体所有制向全民所有制过渡。"[1]

会上印发了山东范县准备两年就进

---

① 薄一波：《若干重大决策与事件的回顾》下卷，人民出版社，1997 年版，第 836 页。

入共产主义的材料。毛泽东批评说："现在有那么一种倾向，就是共产主义越快越好，最好一两年内就搞成共产主义。山东范县说两年进入共产主义，说得神乎其神，我是怀疑的。"①他提出，要画一条线，大线是社会主义和共产主义，小线是集体所有制和全民所有制，要作区分。他还承认，北戴河会议决议提出三四年、五六年或者更多一点时间，把公社的集体所有制过渡到全民所有制，是讲快了。

毛泽东批评了"大跃进"运动中出现的否定商品生产、商品交换、价值规律的错误，指出，人民公社现在究竟是扩大自然经济，还是扩大商品经济？或者是两者都扩大？现在，在有些人看来，人民公社经济主要是自然经济，他们认为人民公社只有自给自足，才是有名誉的，如果进行商品生产，就是不名誉的。这种看法是不对的。人民公社应该按照满足社会需要的原则，有计划地从两方面发展生产，既要大大发展直接满足本公社需要的自给性生产，又要尽可能广泛地发展为国家、为其他公社需要的商品性生产。通过商品交换，既可以满足社会日益增长的需要，又可以换回等价物资，满足公社生产上和社员生活上日益增长的需要。因此，人民公社要尽可能地多生产能够交换的东西，向全省、全国、全世界交换。

毛泽东有针对性地指出："现在我们有些人大有消灭商品生产之势，有不少人向往共产主义，一提商品生产就发愁，觉得这是资本主义的东西，没有分清社会主义商品生产和资本主义商品生产的区别，不懂得在社会主义条件下利用商品生产的作用的重要性。这是不承认客观法则

的表现，是不认识五亿农民的问题。"②商品生产不能与资本主义混为一谈，不能孤立地看商品生产，要看它与什么经济相联系。商品与资本主义相联系就是资本主义，与社会主义相联系就不是资本主义，就是社会主义。要有计划地大力发展社会主义商品生产，社会主义的商品生产和商品交换还有积极作用。我们有些号称马克思主义的经济学家（指陈伯达）表现得更"左"，主张现在就消灭商品生产，实行产品调拨。这种观点是违反客观规律的。有些同志虽然没像苏联那些可怜的马克思主义者那样，直截了当地说要剥夺农村中的中小生产者，而是说废除商业，实行调拨。如果这样做，实质上就是剥夺农民。如果照他们的意见去办，在政策上犯了错误，就有脱离农民的危险。

毛泽东还说，资产阶级法权的一部分，如等级森严、上下之间和干群之间的猫鼠关系等要破除，经济上的资产阶级法权按劳分配，必须保护。毛泽东在这里讲的资产阶级法权的含义是不科学的，但他强调经济上的资产阶级法权即按劳分配不能破除，对于当时制止思想混乱，扼制"共产风"的泛滥，是有积极意义的。

会议期间起草了两个文件，一个是《郑州会议关于人民公社若干问题的决议》（草案），一个是《十五年社会主义建设纲要四十条（1958—1872年）》（草案）。前一个文件后来为中共八届六中全会通过的《关于人民公社若干问题的决议》所代替，后一个文件不成熟，后来收回。

为了澄清认识，消除思想上的混乱，11月9日，毛泽东给中央、省、地、县四级

---

① 薄一波：《若干重大决策与事件的回顾》下卷，人民出版社，1997年版，第837页。
② 毛泽东：《关于社会主义商品生产问题》，1958年11月9、10日，《毛泽东文集》第7卷，人民出版社，1999年版，第437页。

党委委员写了一封信,名为《关于读书的建议》,建议他们认真读两本书,一本是斯大林的《苏联社会主义经济问题》,一本是《马恩列斯论共产主义社会》。他要求每人每本用心读三遍,随读随想,加以分析,同时提出:"要联系中国社会主义经济革命和经济建设去读,使自己获得一个清醒的头脑,以利指导伟大的经济工作。现在很多人有一大堆混乱思想,读这两本书就有可能给以澄清。有些号称马克思主义经济学家的同志,在最近几个月内,就是如此。他们在读马克思主义政治经济学的时候是马克思主义者,一临到目前经济实践中某些具体问题,他们的马克思主义就打了折扣了。"①毛泽东还亲自带领与会者读了《苏联社会主义经济问题》一书,并谈了很多看法。会后,毛泽东致电刘少奇、邓小平,建议在京的中央政治局委员、书记处成员,讨论郑州会议起草的两个文件,讨论《苏联社会主义经济问题》。

二

武昌会议进一步纠正"共产风"

第一次郑州会议标志着以毛泽东为首的中共中央开始着手纠正已经觉察到的"大跃进"和人民公社化运动中的"左"的错误。毛泽东在会上提出的问题,为在实际工作中纠正那些脱离实际、脱离群众的"左"倾错误开了个头。会议结束后,毛泽东继续南下,视察了河南遂平、信阳和湖北孝感、武昌。一路上,他不仅同省、地、县委直至区委、公社党委的负责人谈话,还找来中央直属机关在当地下放劳动

的干部听取汇报。到武汉后,他又约湖南、广东、四川、山西等地的省委主要负责人谈话,更广泛地了解农村的真实情况。

11月21日至27日,中共中央在武昌召集了有部分中央领导人和各省、市、自治区党委第一书记参加的中央政治局扩大会议,以进一步纠正"共产风",并为八届六中全会作准备。会议主要讨论了人民公社的有关问题和1959年国民经济计划的有关问题。会议沿着郑州会议的思路,继续批评急于过渡的倾向以及工农业生产上的高指标和浮夸风。按照毛泽东的说法,我们在这一次唱个低调,把脑筋压缩一下,把空气变成固体空气。他还打了一个形象的比喻:唱戏拉胡琴,转那个东西转得太紧,它就有断弦之危险。②

毛泽东首先在过渡问题上唱了个当时的"低调"。在21日和23日的讲话中,他讲:"苏联在准备向共产主义过渡的问题上很谨慎,搞了那么多年,想过渡,但没有讲过渡,还说是准备条件。我们中国人,包括我在内,大概是个冒失鬼。只有九年,就起野心。中国人就这么厉害?整个中国进入共产主义要多少时间,现在谁也不知道,难以设想。"周恩来也十分赞成毛泽东的意见,他在一次会议上说:"现在宣传上没有讲清楚,好像社会主义已经不过瘾,急于向共产主义过渡,这是不好的,反映一种急躁情绪。"③

关于生产指标,按原定计划,1959年钢产量指标2700万吨至3000万吨。毛泽东对能否完成很担心。武昌会议期间,他先后找到与会的中央政治局常委、有关部门负责人和各大区负责人谈话,多次议论

① 毛泽东:《关于读书的建议》,1958年11月9日,《毛泽东文集》第7卷,人民出版社,1999年版,第432页。
② 薄一波:《若干重大决策与事件的回顾》下卷,人民出版社,1997年版,第842页。
③ 金冲及:《周恩来传(1949—1976)》上卷,中央文献出版社,1998年版,第487页。

此事。有的人认为还是定3000万吨，也有人建议下调到1800万吨。毛泽东认为，已经不是3000万吨有没有把握，而是1800万吨有没有把握的问题。由此，还说他自己1958年提出钢产量翻一番（即1070万吨）是个"冒险的倡议"，"从前别人反我的冒进，现在我反人家的冒进"①，"经济事业要越搞越细密，越搞越实际越科学，这跟做诗不一样，要懂得做诗和办经济事业的区别"②。经过讨论，1959年钢产量计划内定数下降为2000万吨，对外公布数下降为1800万吨。

自从发现和觉察到农村人民公社化运动中的一些乱子后，毛泽东除了提出解决急于实行两个过渡的问题外，还特别强调注意群众生活的问题。在郑州会议时，毛泽东就强调要劳逸结合，既抓生产，又抓生活，保证群众吃好睡足，并责成各地认真检查。会后不久，他看到新华社一个内部材料，反映河北邯郸地区伤寒疫病流行的情况，指出注意工作、忽视生活"是一个全国性的问题"，要求立即引起全党各级负责干部注意，采取"工作生活同时并重"的方针。在各地根据这个方针开始检查工作并制定妥善安排生产和生活的具体措施后，毛泽东抓住落实过程中的反面典型——云南省因疾病死亡4万人的情况，批评一些干部不善于用鼻子嗅出干部中、群众中关于人民生活方面的不良空气，指出，这"同我们对于工作任务提得太重，密切相关"③，督促各级党委高度重视人民的生活。

为了解决高指标、瞎指挥、强迫命令等问题，毛泽东特别提出要反对作假和不要破除科学。"大跃进"运动中，弄虚作假和违背科学的恶劣作风发展到登峰造极的地步，层出不穷的"高产卫星"和五花八门的"新套套"、"新创造"大都是弄虚作假和违背科学的产物。毛泽东以徐水县把生猪集中起来搞所谓"样板猪场"做例子批评了作假之风，要求大家反对浮夸，不要虚报。他说："现在横竖要放'卫星'，争名誉，就造假。有一个公社，自己只有一百头猪，为了应付参观，借二百头大猪，参观后又送回去。有一百头就是一百头，没有就是没有，搞假干什么？"④要老老实实，不要作假。"比如扫盲，说什么半年、一年扫光，我就不太相信，第二个五年计划期间扫除了就不错。"又如"说消灭了'四害'，是'四无村'，实际上是'四有村'"⑤。"现在的严重问题是，不仅下面作假，而且我们相信，从中央、省、地到县都相信，主要是前三级相信，这就危险。"⑥他严厉地指出，现在有种空气，只讲成绩，不讲缺点，有缺点就脸上无光，讲实话就无人听。他提议要在关于人民公社的文件里专写一条反对作假的问题。

"大跃进"运动中弄虚作假的情况，包括许多明明是违反常识、背离科学的东西，是在"破除迷信"的口号下发生的，所以毛泽东还指出，一方面，破除迷信以来，效力极大，很有好处，敢想、敢说、敢干了。另一方面也有那么一小部分破得过分了，

①　薄一波：《若干重大决策与事件的回顾》下卷，人民出版社，1997年版，第843页。
②　毛泽东：《在武昌会议上的讲话》，1958年11月23日，《毛泽东文集》第7卷，人民出版社，1999年版，第447页。
③　毛泽东：《一个教训》，1958年11月25日，《毛泽东文集》第7卷，人民出版社，1999年版，第451页。
④　毛泽东：《在武昌会议上的讲话》，1958年11月23日，《毛泽东文集》第7卷，人民出版社，1999年版，第446页。
⑤　同上。
⑥　同上。

把科学真理也破了,这是不能破的。比如第一条科学,人是要吃饭的,这是科学,不能破除。人是要睡觉的,这也算一条科学。破除了这两条,就不好办事,就要死人。自然界有个抵抗力,这是一条科学,你不承认,它就要把你整伤砸死。这是不能破的。"凡迷信一定要破除,凡科学,凡真理,一定要保护。"①

毛泽东再次谈了由集体所有制向全民所有制过渡的问题。他指出,北戴河会议关于建立人民公社决议的文件有个缺点,就是年限快了一点。"以为北方少者三四年,南方多者五六年可全部过渡到全民所有制,但办不到,要改一下。现在就是太快,我有点恐慌,怕犯什么冒险主义错误。照有人的意思是趁穷之势来过渡,认为趁穷过渡可能有利些,不然就难过渡。看来过渡还是时间长一点好,商品时期搞久一点好。"毛泽东的这些讲话,实际上是在某种程度上作了自我批评。

武昌会议接受了毛泽东的意见,初步调整了一些过高的生产指标,但是农业的高指标没有下降。会议讨论批准了谭震林、廖鲁言《关于农业生产和农村人民公社的主要情况、问题和意见》的报告。报告建议"1959 年的粮食产量计划,公布数字拟定为 10500 亿斤",要求"掀起一个比1957 年冬季更高的生产高潮,保证 1959年更大的跃进"。尽管如此,武昌会议毕竟比第一次郑州会议又前进了一步,不但要求继续纠正人民公社化运动中存在的在所有制问题上急于过渡的错误,而且还初步触及了浮夸风、高指标等问题。在这次会议上,毛泽东还提出,作为经济剥削阶级容易消灭,现在我们可以说已经消灭了;政治思想上的阶级不容易消灭,还没

有消灭,这是去年整风才发现的。并说,阶级消灭这个问题让它吊着,不忙于宣布为好。会议最后通过了《中央关于工业建设中的几项规定》《教育部党组关于教育问题的几个建议》等文件。

三

中共八届六中全会

在第一次郑州会议和武昌会议的基础上,中共中央于 1958 年 11 月 28 日至12 月 10 日在武昌召开了八届六中全会。中共中央委员 84 人、候补中央委员 82 人出席了会议,中央有关部门负责人和各省、市、自治区党委第一书记列席了会议。会议的主要议题是:讨论关于人民公社问题,讨论 1959 年国民经济计划,讨论毛泽东提出的关于他不做下届国家主席候选人的建议,讨论国际形势。

会议在听取了邓小平所作的说明后,肯定了中央从郑州会议以来在纠"左"方面取得的成果,讨论通过了由毛泽东主持起草的《关于人民公社若干问题的决议》。决议对人民公社的兴起给予极高评价,同时阐述了几个重大政策和理论问题,试图澄清思想上和工作中已经产生的混乱。

《决议》在理论和政策上反对和纠正了混淆集体所有制和全民所有制的界限、混淆社会主义和共产主义的界限的错误倾向,指出:"我们自己队伍中的好心人,只是太性急了,他们把高度发展的现代工业等等看得非常容易,把全面地实现社会主义的全民所有制以至实现共产主义看得非常容易。他们认为,农村人民公社现在就已经属于全民所有制性质了,很快就

---

① 毛泽东:《在武昌会议上的讲话》,1958 年 11 月 23 日,《毛泽东文集》第 7 卷,人民出版社,1999 年版,第 449 页。

可以甚至现在就可以放弃按劳分配的社会主义原则，采取按需分配的共产主义原则了。"①人民公社目前基本上仍然是集体所有制的经济组织。农业生产合作社变为人民公社，并不是由集体所有制变为全民所有制，更不等于由社会主义变为共产主义。"由农业生产合作社到人民公社的转变，由社会主义的集体所有制到社会主义的全民所有制的过渡，由社会主义到共产主义的过渡，这些是互相联系而又互相区别的几种过程。"②"企图过早地否定按劳分配的原则而代之以按需分配的原则，也就是说，企图在条件不成熟的时候勉强进入共产主义，无疑是一个不可能成功的空想。"③生产关系一定要适合生产力的性质，无论由社会主义的集体所有制向社会主义的全民所有制过渡，还是由社会主义向共产主义过渡，都必须以一定程度的生产力发展为基础。而中国现有的生产力发展水平，毕竟还是很低的。"我们既然热心于共产主义事业，就必须首先热心于发展我们的生产力，首先用大力实现我们的社会主义工业化计划，而不应当无根据地宣布人民公社'立即实行全民所有制'，甚至'立即进入共产主义'，等等。那样做，不仅是一种轻率的表现，而且将大大降低共产主义在人民心目中的标准，使共产主义伟大理想受到歪曲和庸俗化，助长小资产阶级的平均主义倾向，不利于社会主义建设的发展。"④

针对那种企图过早地取消商品生产和商品交换，过早地否定商品、价值、货币、价格的积极作用的错误倾向，《决议》指出："在今后一个必要的历史时期内，人民公社的商品生产，以及国家和公社、公社和公社之间的商品交换，必须有一个很大的发展。这种商品生产和商品交换不同于资本主义的商品生产和商品交换，因为它们是在社会主义公有制的基础上有计划地进行的，而不是在资本主义私有制的基础上无政府状态地进行的。继续发展商品生产和继续保持按劳分配的原则，对于发展社会主义经济是两个重大的原则问题，必须在全党统一认识。"⑤

《决议》还澄清了要把个人现有的消费财产拿来重分的误解，明确宣布："社员个人所有的生活资料（包括房屋、衣被、家具等）和在银行、信用社的存款，在公社化以后，仍然归社员所有，而且永远归社员所有。""社员可以保留宅旁的零星树木、小农具、小工具、小家畜和家禽等；也可以在不妨碍参加集体劳动的条件下，继续经营一些家庭小副业。"⑥要求抓紧5个月的时间（从1958年12月至1959年4月），进行一次整社工作，并对人民公社的生产方针、积累和消费比例以及社员的生活和生产管理等作了具体规定。

上述理论论述和政策规定，对于澄清思想混乱，纠正实践中的"共产风"等"左"倾错误，无疑具有积极的意义。但是，《决议》在管理体制上，仍坚持管理区经济核算，公社统一负责盈亏；仍说公共食堂是"社会主义阵地"，供给制"吃饭不要钱"是

---

① 《关于人民公社若干问题的决议》，1958年12月10日，《建国以来重要文献选编》第11册，中央文献出版社，1995年版，第602页。
② 同上，第603页。
③ 同上，第606页。
④ 同上，第606—607页。
⑤ 同上，第611页。
⑥ 同上，第613页。

"共产主义因素"等等,都存在着平均主义和"共产风"问题。这些不正确的内容,随着日后在实践中认识的不断深化,才逐步得到改变。

会议在听取了李富春的说明后,通过了《关于一九五九年国民经济计划的决议》。该决议虽然提出要注意国民经济各部门按比例发展的客观法则,但还是对1958年的国民经济发展作了不切实际的高估算,认为"粮食、棉花、钢铁、煤炭、机械等主要产品都将比1957年增产一倍或一倍以上"①。从这种预计出发,会议正式宣布1958年的产量,粮食达到7500亿斤,钢达到1100万吨,棉达到6100万担。会议通过的1959年计划,部分指标虽然有所下调,但仍未能摆脱高估产的错误。基本建设投资由原定的500亿元降为360亿元;生铁由原定的从4000万吨降为2900万吨;钢产量由原定的2700万—3000万吨降为1800万—2000万吨,比北戴河会议的指标降低了900万吨到1000万吨,比1958年预计增长82%;煤4.2亿吨,比北戴河会议指标上升了0.5亿吨,比1958年预计增长56%;粮食提高到10500亿斤,比北戴河会议指标上升了500亿斤到2500亿斤,比1958年预计产量增长40%;棉花1亿担,比北戴河会议指标上升了1000万担或平齐,比1958年预计增长49%。《决议》还说,"1959年是我国苦战三年中有决定意义的一年"②,要求继续反对保守,破除迷信,实现比1958年更大的跃进。这个决议通过后,陈云认为1959年计划的各项指标不必在公报中公布,但是这个意见没有能正式提出来。

全会还讨论通过了《同意毛泽东同志提出的关于他不作下届中华人民共和国主席候选人的建议的决定》。毛泽东早在1956年夏天就提出了这个问题。1957年4月30日,毛泽东约各民主党派负责人和无党派民主人士在天安门城楼座谈时,又讲了自己不当下届国家主席候选人的意见,当时民主党派负责人多不同意。5月1日,陈叔通、黄炎培联名写信给刘少奇和周恩来,提出不同意见,认为15至20年内,"最高领导人还是不变为好",因为"集体领导中的个人威信,仍是维系着全国人民的重要一环"。5月5日,毛泽东阅信后写了批语,认为可考虑修改宪法,主席、副主席连选时可以连选一期,但第一任主席有两个理由说清楚可以不连选:一是中央人民政府主席加上人民共和国主席任期已满8年,可以不连选;二是按宪法制定时算起,可连选一次,"但不连选,留下四年待将来如有卫国战争一类重大事件需我出面时,再选一次,而从1958年起让我暂摆脱此任务,以便集中精力研究一些重要问题(例如在最高国务会议上,以中共主席或政治局委员资格在必要时,我仍可做主题报告)。这样,比较做国家主席对国家利益更大。现在杂事太多,极端妨碍研究问题"。1957年冬毛泽东第二次访苏,在与苏共中央领导人赫鲁晓夫的谈话中,又一次提到他准备辞去国家主席的职务,并且说"我们党里有几位同志完全有条件接替我。第一个是刘少奇。这个人在北京和保定参加了五四运动,后来到你们这里学习,1921年转入共产党,无论能力、经验还是声望都完全具备条件了"。经过一年多的党内外酝酿和说明,中共八届六中

① 《中共中央关于一九五九年国民经济计划的决议》,1958年12月10日,《建国以来重要文献选编》第11册,中央文献出版社,1995年版,第624页。
② 同上,第629页。

全会遂作出决定,同意毛泽东的建议。后来在1959年4月召开的第二届全国人民代表大会上。经中共中央提名和大会选举,由刘少奇担任第二任国家主席的职务。

另外,八届六中全会还通过了《关于改进农村财政贸易管理体制的决议》,对农村商业工作、财政工作和银行工作提出了若干改进的意见。

会议期间,毛泽东于12月1日的政治局会议上发表了《关于帝国主义和一切反动派是不是真老虎的问题》的讲话,从理论上对"冷"和"热"的辩证关系做了回答。文章谈到,只有逐步认识到自然运动的法则和社会运动的法则,然后才有可能掌握并比较自由地运用这些法则,使困难向顺利转化,使真老虎向纸老虎转化,使革命的初级阶段向高级阶段转化,使民主革命向社会主义革命转化,使社会主义的集体所有制向社会主义的全民所有制转化,使社会主义的全民所有制向共产主义的全民所有制转化,使年产几百万吨钢向年产几千万吨钢乃至几万万吨钢转化,使亩产100多斤或者几百斤粮食向亩产几千斤或者甚至几万斤粮食转化。他还说:"可能性同现实性是两件东西,是统一性的两个对立面。虚假的可能性同现实的可能性又是两件东西,又是统一性的两个对立面。头脑要冷又要热,又是统一性的两个对立面。冲天干劲是热。科学分析是冷。在我国,在目前,有些人太热了一点。他们不想使自己的头脑有一段冷的时间,不愿意作分析,只爱热。同志们,这种态度是不利于做领导工作的,他们可能跌斤

斗,这些人应当注意提醒一下自己的头脑。另有一些人爱冷不爱热。他们对一些事,看不惯,跟不上。对这些人,应当使他们的头脑慢慢热起来。"①

八届六中全会,是中国共产党发动"大跃进"运动以后,在毛泽东领导下主动纠正工作中的"左"倾错误的一次重要会议。虽然全会通过的决议仍肯定了不少"左"的东西,定的经济指标仍然过高,强调要继续跃进,但主要锋芒是纠正急于过渡的"左"的思想,对于减少实际工作中的失误起了一定的积极作用。

第二次郑州会议与中共八届七中全会

八届六中全会以后,全国普遍开展了整顿农村人民公社工作。但是,由于农村"一平二调"的"共产风"并没有刹住,再加上向农民征购了过头粮,整社过程中又对生产队干部的瞒产私分作了不恰当的处理,党同农民的关系日益紧张。为此,中共中央于1959年春又连续召开了第二次郑州会议、上海会议和八届七中全会,力图进一步解决人民公社中存在的问题。

① 毛泽东:《关于帝国主义和一切反动派是不是真老虎的问题》,1958年12月1日,《毛泽东文集》第7卷,人民出版社,1999年版,第457页。

一

第二次郑州会议

1959 年 2 月 27 日至 3 月 5 日,中共中央在郑州召开政治局扩大会议,研究农村人民公社问题。会议制定了《关于人民公社管理体制的若干规定(草案)》,提出了整顿和建设人民公社的方针。毛泽东在会上作了多次讲话,分析了党同农民关系紧张的原因,批评了平均主义和过分集中的两种错误倾向,明确提出了人民公社内部实行三级所有制等问题。

第二次郑州会议的地点分为两处,即郑州东郊的火车上和河南省委招待所西楼会议室。在 7 天内召开了 16 次会议,其中毛泽东在火车上主持了 7 次会议,邓小平在西楼会议室主持了 9 次会议。由于相当一部分会议参加者是在会议期间陆续到达郑州,因此每次出席会议的人员不同,人数不等,且自始至终没有召开过全体会议。

2 月 27 日上午,毛泽东在郑州东郊火车上与吴芝圃、史向生及洛阳、新乡、许昌等 4 个地委的书记谈话;晚上主持召开了有刘少奇、邓小平、彭真等 11 人参加的会议,主要谈到了人民公社的分配问题、农村劳动力的分配问题和人民公社的所有制问题。

毛泽东指出:"公社在 1958 年秋成立之后刮起了一阵共产风。主要内容有三条,一是穷富拉平;二是积累太多,义务劳动太多;三是'共'各种'产'。"[1]"在公社范围内实行贫富拉平,平均分配;对生产队的财产无代价地上调;银行方面,也把许多农村中的贷款一律收回。"[2]"六中全会的决议写明了集体所有制过渡到全民所有制和社会主义过渡到共产主义必需要有一个发展阶段。但是没有写明公社的集体所有制也需要有一个发展过程,这是一个缺点。因为那时我们还不认识这个问题。这样,下面的同志也就把公社、生产大队、生产队三级所有制之间的区别模糊了,实际上否认了目前还存在于公社中并且具有极大重要性的生产队的所有制。"[3]"'一平二调三收款',引起广大农民的很大恐慌,这是我们目前同农民关系中的一个最根本的问题。"[4]他强调,等价交换在社会主义时期是一个不能违反的经济法则,违反了它,就是无偿占有别人的劳动成果,这是我们所不许可的。我们对于社会产品只能实行等价交换。在社与队、队与队、社与国家之间,在经济上只能是买卖关系,必须遵守等价交换原则。

关于农村劳动力的分配问题,毛泽东指出:"除了平均主义倾向和过分集中倾向外,目前农村劳动力的分配也有很不合理的地方。这就是用于农业(包括农、林、牧、副、渔各业)的劳动力一般太少,而用于工业、服务业和行政的人员一般太多。

---

① 毛泽东:《在郑州会议上的讲话》,1959 年 2 月 27 日,《建国以来毛泽东文稿》第 8 册,中央文献出版社,1993 年版,第 71 页。
② 同上,第 67 页。
③ 同上,第 69 页。
④ 同上,第 67 页。

这后面三种人员必须加以缩减。"①"必须按农业、工业、运输业、服务业和其他各方面的正当需要，加以统筹，务使各方面的劳动分配达到应有的平衡。公社和县新办工业是必要的，但是不可一下子办得太多。各级工业企业都必须节约人力，不允许浪费人力。服务业方面的人员，凡是多了的，必须减下来。行政人员只允许占公社人数的千分之几。文教事业的发展应当注意不要占用过多的劳动力。"②毛泽东还提议：各级干部分期分批下放当社员，少则一个月，多则一个半月。一部分干部可以下厂矿当工人。总之，一定要巩固我们同广大人民群众的联系。③

毛泽东还说，整社三个月，没有整到痛处。隔靴抓痒，瞒产私分，劳动力外逃，磨洋工，这是政策错误的结果。不是人家本位主义，而是我们犯了冒险主义。问题是我们在生产关系的改进方面，前进得过远了一点，下面的同志把公社、生产大队、生产队三级所有制之间的区别模糊了，实际上否认了生产队的所有制，这就不可避免地要引起广大农民的坚决抵抗。这里说的生产队，有些地方是生产大队，有些地方叫管理区，总之大体上相当于原来的农业生产合作社。现在搞的公社所有制是破坏生产的、是危险的政策，应基本上是生产队所有制。要出安民告示。我们在党内的主要锋芒还要反"左"。人民公社一定要坚持勤俭办社的方针，一定要反对浪费。在粮食工作方面，鉴于最近的经验，今后必须严格规定收粮、管粮、用粮的制度，一定要把公社的粮食收好、管好、用

好。社会对于粮食的需要总是会不断增长的，因此，至少几年内不要宣传粮食问题"解决"了。

根据毛泽东这次讲话的内容，会后修改下发了《郑州会议记录》。

2月28日上午，邓小平在西楼会议室主持召开了有刘少奇、彭真等10人参加的会议，讨论了有关人民公社工作问题；下午，毛泽东在火车上主持召开了有刘少奇、邓小平、彭真等11人参加的会议。晚上，毛泽东召集当天到达郑州的长江以南地区的7位省市委第一书记柯庆施、李井泉、陶铸、王任重、曾希圣、江华、周小舟以及谭震林、胡乔木和甘肃省委第一书记张仲良等开会，讨论同农民的关系、劳动力和消费资料的分配等问题。由于纠"左"的阻力主要来自一些思想不通的协作区主任和省委第一书记，毛泽东决定改变会议的安排，扩大会议的规模，并请在北京的周恩来、陈云、陈毅、彭德怀、李富春、薄一波、萧华、陆定一、康生9人于3月2日到郑州参加会议。同时，又通知没有参加会议的12位省委第一书记和北京市委第二书记刘仁于3月3日到郑州参加会议。

3月1日上午，邓小平在西楼会议室主持召开有刘少奇、彭真等22人参加的会议，并在会议上传达了毛泽东的指示信。信中写道："听了昨天十位同志的意见，我感觉有一些同志对我讲的那一套道理，似乎颇有些不通，觉得有些不对头，对他们那里的实际情况不相符合，感觉我的道理有些不妥。……我可以这样说，同志们的思想有些是正确的，但是我觉得我的观察

---

① 《郑州会议记录》，1959年2月27日至3月5日，《建国以来重要文献选编》第12册，中央文献出版社，1996年版，第131—132页。

② 同上，第132页。

③ 毛泽东：《在郑州会议上的讲话》，1959年2月27日，《建国以来毛泽东文稿》第8册，中央文献出版社，1993年版，第72—74页。

和根本思想是不错的,但是还不完善。有些观点需要同志们给我以帮助,加以补充、修正及发展。"①会议继续讨论了有关人民公社工作问题。邓小平根据毛泽东的讲话精神拟定了十二句话,即:统一领导,队为基础;分级管理,权力下放;三级核算,各计盈亏;积累多少,合理调剂;收入分配,由社决定;多劳多得,允许差别。下午,毛泽东在火车上主持召开了有刘少奇、邓小平、彭真等20人参加的会议,讨论毛泽东2月27日和28日的讲话。

3月2日一天,邓小平在西楼会议室主持召开会议,先后讨论了《关于人民公社管理体制的若干规定(草案)》和毛泽东先前的讲话。3月2日晚上,毛泽东在火车上主持召开了有刘少奇、周恩来、陈云、邓小平、彭真等29人参加的会议,讨论他起草和审定的《郑州会议记录》。紧接着,邓小平又在西楼会议室主持召开了有30多人参加的会议,继续讨论《关于人民公社管理体制的若干规定(草案)》。会上,刘少奇说,他们(指1959年2月28日开始参加第二次郑州会议的长江以南地区的一些省市委书记)今天的心情转变过来了,昨天还有抵触情绪。会议通过了《郑州会议记录》。

3月3日上午,彭真在西楼会议室主持召开了有陈云等27人参加的会议,讨论了各项工作的安排事项。3月4日上午,邓小平在西楼会议室主持召开了有刘少奇、周恩来、陈云等21人参加的会议。当晚,刘少奇又主持召开了有周恩来、陈云、邓小平、彭真等28人参加的会议,主要是听取各省负责人汇报有关人民公社工作

的具体情况。

3月5日上午,邓小平在西楼会议室主持会议继续讨论《郑州会议记录》。下午,毛泽东在火车上主持召开最后一次会议,参加会议的有刘少奇、邓小平、彭真以及新到的12位省委第一书记和北京市委第二书记刘仁等共计20余人。在这次会上,毛泽东讲了一段很激烈的话。他说:"我现在代表五亿农民同一千多万基层干部说话,搞'右倾机会主义',坚持'右倾机会主义',非贯彻不可。你们如果不一齐同我'右倾',那么我一个人'右倾'到底,一直到开除党籍。……我犯了什么罪?无非是不要一平、二调、三收款,要基本的所有制还是生产队,部分的所有制在上面两级,要严格按照价值法则、等价交换来办事。"这些话表明了毛泽东纠"左"的坚定不移的决心,同时也反映了第二次郑州会议进行得不大顺利的一面。

根据毛泽东提出的整顿和建设人民公社方针,经过会议讨论,在邓小平拟定的十二句话的基础上,由柯庆施等将十二句话修改为十四句话,写入《关于人民公社管理体制的若干规定(草案)》中,并经过了会议确认。它们是:"统一领导,队为基础;分级管理,权力下放;三级核算,各计盈亏;分配计划,由社决定;适当积累,合理调剂;物资劳动,等价交换;按劳分配,承认差别。"②

会议最终形成并通过了一份完整的《郑州会议记录》,表示同意毛泽东提出的意见;收录了毛泽东在会议上的讲话和会议起草的《关于人民公社管理体制的若干

---

① 毛泽东:《在郑州会议上的讲话》,1959年2月27日,《建国以来毛泽东文稿》第8册,中央文献出版社,1993年版,第85页。

② 《郑州会议记录》,1959年2月27日至3月5日,《建国以来重要文献选编》第12册,中央文献出版社,1996年版,第123页。

规定(草案)》。这个草案规定了人民公社管理委员会的职责范围和生产队的职责范围,明确了相当于原来高级社的管理区或生产队"是人民公社的基本核算单位"。

第二次郑州会议对于克服人民公社内部"一平二调"的"共产风"起了积极作用。毛泽东走在全党前列,提出的生产队基本所有制,在人民公社所有制问题上打开了一个口子,使全党在纠"左"方面比第一次郑州会议和八届六中全会迈出了更大的一步。但是,公社的核算单位仍然在生产大队,分配制度上也没有取消供给制,对于纠正"共产风"的问题,毛泽东提出过去的旧账一般不算的意见。这表明,当时的纠正"左"倾错误的努力是不彻底的。

上海会议

第二次郑州会议后,各地普遍按照中共中央的部署,分别召开了省的六级干部会和县的四级干部会,传达贯彻会议精神。在纠正"一平二调"的"共产风",贯彻执行按劳分配原则,解决人民公社所有制等问题的过程中,又面临一些新情况。如在以生产队还是以生产大队为基本核算单位的问题上,河南省委主张以生产大队为基本核算单位和分配单位,湖北省委则坚决主张以原来的高级农业生产合作社即现在的生产队为基本核算单位,湖南省委赞成河南的办法,广东省委则主张基本核算单位一律以原来的高级农业生产合作社为基础。正是由于存在两种不同的

主张,毛泽东根据当时下面反映的情况提出,除讨论三级所有、三级核算外,还应当讨论生产小队(相当于原来的初级社)部分所有制问题。他告诫基层组织的同志一定要每日每时关心群众利益,时刻想到自己的政策措施一定要适合当前群众的觉悟水平和迫切要求。凡是违背这两条的一定行不通,一定要失败。为了检查第二次郑州会议精神的贯彻情况,进一步解决工作中的一些问题,中共中央政治局于3月25日至4月1日在上海召开了一次扩大会议,即上海会议,并为八届七中全会作准备。

3月25日晚,薄一波给毛泽东写信,报送《当前工业战线上的形势》的发言提纲,讲了一季度工业生产和基本建设的执行情况,预测了年度计划的三种可能(全面完成、基本完成、出现比例失调),对轧钢机安排不落实作了检讨,建议二季度按重重急急排队,缩短战线等。26日下午,大会听取了薄一波《关于第一季度工业生产情况和第二季度的安排》的报告。当谈到炼钢设备未能按计划完成时,毛主席当即借题发挥,对计划、经济、基本建设以及公交各部的工作,严厉批评了一番。他说:搞了十年工业,积累了十年经验,还不晓得一套一套要抓。[1]3月28日,李先念作了《关于当前财贸工作的情况和意见》的报告,毛泽东、邓小平等都发了言,邓小平特别指出:"现在提出一个计划问题,计划要放在切实可靠的基础上,中央、地方都觉得有些问题,主要是肩膀上的担子重得很,感到为难。讲出来好,应该实事求是解决。总的情况就是原材料不足,又主要是钢材不足。"[2]毛泽东和周恩来都赞成

① 薄一波:《若干重大决策与事件回顾》下卷,人民出版社,1997年版,第850页。

② 同上,第850—851页。

邓小平的意见。

上海会议检查了六中全会以来人民公社的整顿工作，讨论了公社整顿中提出来的问题，产生了《关于人民公社的十三个问题》的会议纪要。后来经过修改，把原稿中的一些问题单独列出，成为18个问题，形成了后来在八届七中全会上通过的《关于人民公社的18个问题》的会议纪要。这18个问题是：①基本队有制、部分社有制的情况不能很快转变。②确定基本核算单位。③生产小队的部分所有制。④公社管理委员会的工作。⑤"旧账"的清算和处理。⑥国家银行和公社间的信贷关系问题。⑦收益分配方案要及时向群众宣布。⑧关于工资制。⑨关于供给制。⑩1959年的粮、棉生产指标。⑪关于农业增产技术措施。⑫农村劳动力的安排问题。⑬十亿元投资的用途和分配。⑭目前的工作重点要放在穷社、穷队。⑮关于开会方法。⑯公社的管理机构。⑰召开社的党员代表大会和社员代表大会。⑱制定人民公社示范章程的准备工作。①

针对第一个问题，会议纪要指出："要由基本上生产队所有制，改变成为基本上公社所有制，需要公社有更强大的经济力量，需要各个生产队的经济发展水平大体趋于平衡，而这就需要有一个发展过程。完成这个过程需要许多时间，急是不行的。""除了这个经济条件以外，还要有一个政治条件，就是社员群众的自愿。群众要求变就变，群众不愿意变就不变。""在将来，实现了基本上公社所有制以后，生产队还是一级核算单位，还有一定范围的管理权限，还保持部分所有制。"②

在旧账的清算和处理问题上，会议纪要提出："对人民公社建立以来的各种账目作一次认真的清理，结清旧账。建立新账，这是当前整顿和建设人民公社的一项重要工作。原则上，过去的账都要结算，有些不易算清或无法处理的，算一算也有好处，对群众有个交代。""在算账中间，揭露出来的一些干部在财务上的问题，应当根据不同的情况和性质，划清贪污和非贪污的界线，分别加以处理，有贪污行为的干部，只要愿意坦白，决心改正错误，除了必须追回贪污的东西以外，也应当从宽处理。"③这一点是对第二次郑州会议的规定所作的重要改变。

此前，毛泽东在审阅山西省委第一书记陶鲁笳关于山西省各县人民公社问题五级干部会议情况的报告时，曾批示道："旧账一般不算这句话，是写到了郑州会议讲话里面去了的，不对，应改为旧账一般要算。算账才能实现那个客观存在的价值法则，这个法则是一个伟大的学校，只有利用它，才有可能教会我们的几千万干部和几万万人民，才有可能建设我们的社会主义和共产主义。否则一切都不可能。对群众不能解怨气。对干部，他们将被我们毁坏掉。有百害而无一利"，"不要'善财难舍'。须知这是劫财，不是善财。无偿占有别人劳动是不许可的"④。4月3日，毛泽东又在湖北省的一个报告上批示道："算账才能团结；算账才能帮助干部从

---

① 《关于人民公社的十八个问题》，1959年4月，《建国以来重要文献选编》第12册，中央文献出版社，1996年版，第162页。

② 同上，第163页。

③ 同上，第166—167页。

④ 毛泽东：《价值法则是一个伟大的学校》，1959年3月、4月，《毛泽东文集》第8卷，人民出版社，1999年版，第34页。

贪污浪费的海洋中拔出身来,一身干净;算账才能教会干部学会经营管理方法;算账才能教会5亿农民自己管理自己的公社,监督公社的各级干部只许办好事,不许办坏事,实现群众的监督,实现真正的民主集中制。"①

在国家银行和公社间的信贷关系问题上,会议纪要明确指出:"今后在农村中取消存贷合一,存款和贷款仍然分开。强迫储蓄、实物存款、代扣各种欠款、非现金结算等等做法,一律停止。"②在工资制上,会议纪要指出:"人民公社计算劳动报酬的原则是'按劳分配,多劳多得'。各地公社应当根据这个原则,征求群众的意见,制定出一些简便易行的办法,把工资制度加以改善。必须使每个社员都感到自己的劳动得到了合理的报酬,有利于劳动积极性的发扬。"③关于农村劳动力的安排问题,会议纪要强调:"农村人民公社的全部劳动力,用于农业生产方面的,一般应当不少于百分之八十,用于工业生产、交通运输、基本建设、文化教育卫生和生活服务等方面的,不能超过百分之二十。"④在解决劳动力不足的问题上,提出要"技术革命,实行工具改革、半机械化和机械化。建议工业计划部门在1960年度拿出一百万吨左右的钢材来制造农业机械,并且争取有一部分机械在明年春耕时即可投入生产"⑤。会议纪要还要求做好制定人民公社示范章程的准备工作,要求在"一九五九年七月底以前,每省提出一个示范章

程草案,报送中央,作为中央起草人民公社示范章程的依据"⑥。

毛泽东在会上着重讲了工作方法问题,共16条:即①多谋善断。②留有余地。③波浪式前进。④实事求是。⑤要善于观察形势。⑥当机立断。⑦与人通气。⑧解除封锁。⑨一个人有时胜过多数。⑩要历史地观察问题。⑪凡是看不懂的文件禁止拿出来。⑫权要集中。权力集中在常委会和书记处。由他挂帅。⑬要解放思想。⑭关于批评。⑮集体领导。⑯和各部的联系,特别是和工业部的联系要加强。毛泽东在讲话中要求干部:"要有坚持真理的勇气,不要连封建时代的人物都不如。"号召"要有像海瑞批评嘉靖皇帝的勇气"。

中共八届七中全会

上海会议结束后,中共中央接着于4月2日至5日,在上海举行了八届七中全会。中共中央委员81人、候补中央委员80人出席了会议,中央各部门负责人和各省、市、自治区党委第一书记列席会议。

会议听取了薄一波《关于第一季度工业生产情况和第二季度的安排》的报告、李先念《关于当前财贸工作的情况和意见》的报告、邓小平《关于经济工作和国家

①　毛泽东:《价值法则是一个伟大的学校》,1959年3月、4月,《毛泽东文集》第8卷,人民出版社,1999年版第35页。

②　《关于人民公社的十八个问题》,1959年4月,《建国以来重要文献选编》第12册,中央文献出版社,1996年版,第169页。

③　同上,第172页。

④　同上,第175页。

⑤　同上,第176页。

⑥　同上,第181页。

机构人事配备的说明》的报告。4月2日，刘少奇主持会议讨论钢、煤、粮、棉四大指标。邓小平指出：经过中央三委（计、经、建委）和各省摸到结果，加上原材料不足，究竟能搞多少，从冶金设备、焦煤、采矿等方面考虑，今年只能搞2550万吨。最后核定钢的数字是1620万吨。即使搞不到1800万吨，搞到1600万吨洋钢，那也比去年翻一番，钢材1100万吨也比去年增加80%，也并不丑。① 会上，周恩来针对钢的产量问题讲了三条经验：一定要有保险系数，统统打满不好，要留有余地，藏一点。从北戴河以后步步退却，就是因为不落实；逐步提高定额，超额完成；实事求是。② 4月4日，李富春作了《关于准备提交第二届全国人民代表大会讨论的1959年国民经济计划主要指标的说明》的报告。全会还讨论并通过了《1959年国民经济计划草案》，通过了政治局扩大会议制定的《关于人民公社的十八个问题》的会议纪要和《关于国家机构和人事配备的方案》，讨论并决定了国家机构领导人员候选人的提名。毛泽东在会上讲了话。

全会通过的《关于人民公社的十八个问题》的会议纪要明确指出，人民公社三级所有、队为基础的制度要保持相对稳定，基本上是生产队所有制；三级核算时，一般是以相当于原来高级农业生产合作社的生产队作为基本核算单位；生产队下面的生产小队也应当有部分的所有制和一定的管理权限。会议纪要改变了第二次郑州会议关于"旧账一般不算"的政策，提出"对人民公社建立以来的各种账目作一次认真的清理，结清旧账，进行退赔"。会议纪要还重申了人民公社计算劳动报酬的原则是"按劳分配，多劳多得"，同时强调供给制必须坚持下去。

会议分析了国内的经济形势，毛泽东在会上的讲话说服坚持高指标的人，不能每天高潮，要波浪式前进。他肯定了陈云的正确意见，并表示赞成调整生产指标。在讨论1959年国民经济计划草案时，毛泽东说，我们过去反对马鞍形，重点是在批评"反冒进"。1957年不搞马鞍形是不行的。钱和材料只有那么多，只能办那么多事。马鞍形将来还会有的。生产增长速度可能一年高一点，一年低一点，或者两年高一点，一年低一点，或者三年高一点，一年两年低一点。

会议讨论并通过了《1959年国民经济计划草案》，对主要指标作了适当调整。规定：1959年钢产量降到1800万吨，其中好钢1650万吨；煤仍为3.8亿吨；粮食1.05亿斤；棉1亿担。其他工农业产品指标也作了相应的变动。基本建设限额以上项目由原来的1500个缩减为1000个左右，基本建设投资总额由360亿元降为260亿至280亿元。会议指出，国民经济计划草案的编制，对于中国物质技术条件的客观可能性和人民群众革命干劲的主观能动性，都作了认真的考虑。并且认为，这是一个能够实现国民经济继续"大跃进"的宏伟计划。会议决定将调整后的计划草案提交第二届人大一次会议审定公布。

毛泽东在会上结合"大跃进"以来的经验教训，从工作方法的高度，再次批评了1956年的"反冒进"，认为在群众中公开"反冒进"是不对的，这是泼冷水、泄气的办法。在党内要造成有话就讲，有缺点就

① 薄一波：《若干重大决策与事件回顾》下卷，人民出版社，1997年版，第851页。
② 同上，第851—852页。

改进的空气,要实事求是。他提出要实现总路线,必须有好的工作方法。要多谋善断,要多听人家的不同意见,善于观察形势,当机立断,与人通气。订计划要留有余地、波浪式前进,事物前进总是有波浪。

全会最后讨论并决定了国家机构领导人员候选人的提名,这些候选人的提名将在同各方面协商之后,向即将召开的第二届全国人民代表大会第一次会议提出。

总的来看,从第二次郑州会议到八届七中全会,中共中央和毛泽东对人民公社化过程中的缺点和偏差的认识比第一次郑州会议和八届六中全会又前进了一步,这主要表现在对于公社内部所有制的理论阐述和政策规定上。另外,毛泽东在这个时期关于经济建设波浪式前进,不可能每天一个高潮的讲话或谈话,表明党中央对于脱离实际、脱离客观经济规律的高速度、高指标问题有所认识。但是,由于指导思想的误区,纠"左"是不彻底的。

第二届全国人民代表大会

一

第二届全国人大工作概况

第二届全国人民代表大会的任期从1959年4月二届全国人大一次会议至1964年12月三届全国人大一次会议。期间共召开4次代表大会。在这一时期,我

国人民代表大会制度建设取得了一些成绩,全国人大及其常委会和地方各级人大在社会主义建设中发挥了一定的作用。但是,由于"左"倾思想日益严重,国家政治生活和经济生活出现不正常情况,人大工作受到程度不同的损害。反右斗争严重扩大化,影响了我国民主政治和法制建设的进程。"大跃进"以及随之而来的三年困难时期,我国国民经济遭到严重挫折。国家政治生活和经济生活的波动,影响了各级人大工作的开展。人大会议和人大常委会会议有时不能按期召开。宪法规定的人大职权无法落实,立法工作一度停顿下来。国家一些重大问题没有提请全国人大或全国人大常委会审议,国家权力机关对国家行政机关、审判机关和检察机关的监督也流于形式。1962年1月,中共中央召开扩大的工作会议,初步总结了"大跃进"的经验教训,部分地纠正经济建设中急于求成的"左"倾错误,并开始对一些政治关系进行调整。刘少奇在会上代表中共中央作的书面报告和讲话着重论述了民主集中制问题,阐述了党的群众路线和人民代表大会制度。随着政治经济形势的好转,各级人大的工作有所恢复。但由于这次会议还没有能够从根本上认识"左"的指导思想的错误,因而对实际工作中的错误不可能彻底纠正。刘少奇在报告中虽然讲到党内民主、群众路线和人民代表大会制度问题,但没有得到全党的重视。没有认识到"左"倾错误给社会主义民主政治建设和法制建设带来的危害,以及轻视民主法制建设将会给整个国家造成什么样的灾难,"左"倾错误在以后几年里在政治和思想文化等方面还有所发展,因此,到"文化大革命"前这段时间,各级人大工作一直处于徘徊状态。

二

第二届全国人大第一次会议

按照宪法和全国人大组织法的规定，一届全国人大及其常委会的任期到1958年9月届满，二届全国人大代表的选举，应该在1958年7月15日以前结束。人民公社化和大炼钢铁运动影响了二届全国人大的如期召开。许多地方和单位忙于"大跃进"、组织人民公社和大炼钢铁，顾不上逐级召开人民代表大会选举全国人大代表。因此，1958年6月29日，一届全国人大常委会举行第98次会议，决定把二届全国人大代表的选举推迟到1958年10月底为止，在1959年1月召开二届全国人大一次会议。此后，许多省、市、自治区人大会议召开时间又推迟了。各省、市、自治区、军队、华侨等选举单位共选出二届全国人大代表1222人，其中中共党员占57.75％、民主党派占23.16％、无党派人士占19.09％。华侨代表的产生办法有所改变，一届全国人大的华侨代表是由国内和国外华侨聚居区推选，二届全国人大的华侨代表只选居住在国内的。

1959年3月11日，一届全国人大常委会举行第107次会议，会议通过全国人民代表大会常务委员会公告，公布二届全国人大当选代表名单。会议决定二届全国人大一次会议于1959年4月在北京召开。4月2日至5日，中共中央八届七中全会听取李富春关于准备提交全国人大讨论的第二个五年计划主要指标的说明，讨论和决定了向二届全国人大一次会议提出的国家机构领导人候选人的提名方案。4月15日，毛泽东主席召集第16次扩大的最高国务会议，就二届全国人大一

次会议议程和主席团成员名单交换意见，并讨论了准备向二届全国人大一次会议提出的国家机构领导人候选人名单。4月17日，一届全国人大常委会举行第109次会议，会议讨论通过了二届全国人大一次会议议程草案、主席团和秘书长人选的提名草案；讨论了二届全国人大民族、法案、预算、代表资格审查委员会和二届全国人大第一次会议提案审查委员会主任委员和委员人选。

1959年4月18日至4月28日，第二届全国人民代表大会第一次会议在北京举行。会议的主要议程是：听取周恩来总理《关于政府工作的报告》，李富春副总理兼国家计划委员会主任《关于1959年国民经济计划草案的报告》，李先念副总理兼财政部长《关于1958年国家决算和1959年国家预算草案的报告》，彭真副委员长兼秘书长《关于全国人大常委会工作报告》，并且通过各项决议。选举和决定国家机构的人员组成。4月18日下午3时，二届全国人大一次会议在中南海怀仁堂正式开幕，报到代表1148人，出席开幕式的代表有1138人。毛泽东主席主持会议的开幕式。周恩来总理向大会作了《政府工作报告》，报告长达3万多字，历时2小时35分。各国驻华使节和外交人员以及一部分外宾，作为会议的来宾，应邀列席了会议。

代表们在分组讨论《政府工作报告》时认为，周恩来的报告，全面地总结了1958年我国大跃进的成就和经验，它必将进一步调动各个方面的积极性，加强人民的团结，鼓舞全国人民完成和超额完成规模宏大的1959年国民经济计划。许多代表在发言中普遍认为，完成工业生产和建设计划，最根本的保证是贯彻"两条腿走路"的方针，认真贯彻群众路线，使集中领

导同开展轰轰烈烈的群众运动结合起来。

由于这次会议是在西藏平叛胜利之后不久召开的,因而许多代表在发言中都谴责了西藏少数反动分子的叛乱,谴责帝国主义势力和印度扩张主义者的干涉。大会通过了《关于西藏问题的决议》,完全同意国务院对于原西藏地方政府和上层反动集团在 1959 年 3 月 10 日发动叛乱后所采取的措施。会议对迅速平定叛乱的中国人民解放军驻西藏部队表示敬意和慰问,对积极协助解放军平定叛乱的西藏僧俗各界人士表示敬意和慰问。

大会还作出了关于撤销司法部、监察部的决议。国务院总理周恩来在向大会提出的关于撤销司法部、监察部的议案中提出,由于司法改革已经基本完成,各级人民法院已经健全,人民法院的干部已经充实和加强,司法部已无单独设立之必要。根据几年来的经验,监察工作必须在各级党委领导下,由国家机关负责,并且依靠人民群众,才能做好。因此,监察部亦无单独设置之必要。建议撤销司法部和监察部。这次大会,没有听取和审议最高人民法院和最高人民检察院的工作报告。

二届全国人大一次会议共收到提案80 件。其中工业 23 件,交通 4 件,基本建设(包括地质勘测)4 件,农业 6 件,林业 3件,水产 4 件,贸易 7 件,科学技术 5 件,医药卫生 7 件,文化 1 件,教育 13 件,文字改革 1 件,民政 1 件,劳动 1 件。提案审查委员会分别成立工业、农业、财贸、文教、综合等 5 个专业组。所有的提案都先由各专业审查组提出初步审查意见,然后经委员会全体会议逐案审查通过,并交国务院依照审查意见进行处理。

大会产生了新的国家机构领导人员。选举刘少奇为国家主席,兼任国防委员会

主席,宋庆龄、董必武为国家副主席。根据刘少奇主席的提名,决定周恩来为国务院总理。会议选举朱德为全国人大常委会委员长,林伯渠等 16 人为副委员长。王昆仑等 62 人为全国人大常委会委员。选举谢觉哉为最高人民法院院长,张鼎丞为最高人民检察院检察长。大会根据刘少奇主席的提名,决定了国防委员会副主席和委员人选。根据周恩来总理的提名,通过了国务院副总理、秘书长、各部部长和各委员会主任名单。

二届全国人大一次会议通过的 1959年国民经济计划和财政预算是高指标的。按照这个计划,工业和手工业总产值为1650 亿元,比 1958 年增长 41%,农业总产值为 1220 亿元,增长 39%,其中钢产量1800 万吨,增长 62%,煤产量 3.8 亿吨,增长 39%,粮食产量 10500 亿斤,增长 40%,棉花 1 亿担,增长 49%,国家基本建设投资确定为 270 亿元,比 1958 年增长 26%。二届人大一次会议后,对这个高指标虽有调整,但 1959 年 8 月庐山会议之后,中共中央对经济工作的指导思想由部分纠"左"到转向反右,全国经济建设再次跃进。

三

第二届全国人大第二次会议

二届全国人大二次会议是在"反右倾、鼓干劲、继续大跃进"的形势下召开的。1960 年 1 月,中共中央在上海举行政治局扩大会议,讨论 1960 年的国民经济计划问题和今后 3 年和 8 年的设想。会上又一次提出了以 1840 万吨钢、6000 亿斤粮食为中心的高指标,还提出了 5 年实现赶超英国、8 年完成人民公社从基本队有制

到基本社有制过渡的设想。1 月 30 日,中共中央批转国家计委根据这些指标提出的《关于 1960 年国民经济计划的报告》,要求各部门在二届全国人大二次会议之前按此报告安排 1960 年的经济工作。

1960 年 3 月 30 日至 4 月 10 日,二届全国人大二次会议在北京召开。会议的主要议程有:听取李富春副总理《关于 1960 年国民经济计划草案的报告》,李先念副总理《关于 1959 年国家决算和 1960 年国家预算草案的报告》,谭震林副总理《关于为提前实现全国农业发展纲要而奋斗的报告》,《全国人大常委会的工作报告》等,并且通过各项决议。大会由 97 人组成的主席团主持。

3 月 30 日下午 3 时,二届全国人大二次会议在人民大会堂开幕。大会报到代表 1072 人,出席开幕式的代表为 1063 人。毛泽东、刘少奇、朱德、周恩来等出席了会议。朱德委员长主持了开幕式。各国驻华使节和外交官员以及在京的一部分外宾,作为大会的来宾应邀列席了会议。会上,国务院副总理兼国家计委主任李富春代表国务院向大会作了《关于 1960 年国民经济计划草案的报告》,国务院副总理兼财政部长李先念代表国务院作了《关于 1959 年国家决算和 1960 年国家预算草案的报告》。谭震林副总理作《关于为提前实现全国农业发展纲要而奋斗的报告》。全国人大常委会向大会作了书面的工作报告,大会还通过了代表资格审查委员会关于补选的代表资格的审查报告。

代表们在讨论发言中,列举了大量生动的事实,把 1958 年和 1959 年连续大跃进的伟大成绩,归功于总路线、大跃进、人民公社三个法宝的胜利。来自各行各业的许多代表,都表示对超额完成今年计划充满信心。

二届全国人大二次会议共收到提案 46 件。其中工业交通方面的 22 件,农林水利方面的 9 件,财政贸易方面的 2 件,文教卫生和科学技术方面的 13 件。提案审查委员会设立了工业、农业、财贸、文教、综合 5 个专业审查组。所有提案,都先由有关的专业审查组进行研究,提出初步审查意见,然后经委员会逐案通过。提案审查委员会认为,这些提案有些是正在办理或者已经列入国家计划准备办理的;有些是应当办理而又不能办理的;有些是牵涉方面较多,需要通盘考虑或者需要积极创造条件逐步实施的;有些是需要经过全面调查和深入了解之后才能肯定能否办理的;有些是在科学技术上有研究价值的。提案审查委员会按照这些情况,分别拟具了审查意见,并建议把这些提案交由国务院依照审查意见进行处理,并将处理情况提出报告。

大会通过了关于 1960 年国民经济计划,1959 年国家决算和 1960 年国家预算的决议,批准李富春、李先念、谭震林等向大会所作的报告,批准全国人大常委会的工作报告。大会通过了关于为提前实现全国农业发展纲要而奋斗的决议。决定在 1960 年要实现国民经济的继续跃进,宣布 1960 年工农业总产值要达到 3060 亿元,比 1959 年增长 23%。其中工业增长 29%,农业增长 12%。钢产量 1840 万吨,增长 38%,煤 4.25 亿吨,增长 22%,粮食 5940 亿斤,增长 10%,棉花 5300 万担,财政收入 701.5 亿元,增长 22%。会议号召全国人民在中国共产党和毛泽东主席的领导下,团结一致,高举总路线、大跃进、人民公社三面红旗,为争取完成和超额完成 1960 年国民经济计划和国家预算而奋斗,为争取实现 1960 年继续大跃进而奋斗,为提前两年或者三年实现全国农业发展纲要而奋斗。

四

第二届全国人大第三次会议

由于国民经济遇到严重的困难和国际形势的变化，二届全国人大三次会议未能在 1961 年如期召开。1961 年 4 月 3 日，周恩来在二届全国人大常委会第 37 次会议上，作关于国内外形势和当前任务的报告。周恩来说，现在我们正在从数量的大跃进转向质量的大跃进，巩固过去已取得的成果，进行调整、充实、提高，这需要一个时间。因此，建议人大会议不在今年上半年开，推迟到下半年。1961 年 12 月，再次决定二届人大三次会议延期。周恩来在一个各民主党派部分负责人座谈会上解释会议延期的理由。他说，一个是国际问题不好讲，再一个是讲两年的计划，现在也不好谈。通过调整，搞一个两年的补充计划，然后再搞一个长远的规划，这样就有个方向，有个奔头，有个奋斗目标，因此，延期开会有利。12 月 1 日，二届全国人大常委会第 46 次会议作出关于延期召开第二届全国人民代表大会第三次会议的决议。决定二届全国人大三次会议延期于 1962 年召开，并且将在第三次会议上提请大会追认。

1962 年 3 月 22 日至 26 日，二届全国人大三次会议举行预备会议。会议通过决议，追认二届全国人大常委会第 46 次会议通过的延期开会的决议。预备会议通过了会议议程，选出由 93 人组成的主席团和秘书长，通过了由 33 人组成的提案审查委员会。预备会议还决定二届全国人大三次会议不公开举行，一概不邀请外宾、外国驻华使节和新闻记者，这也是全国人大建立后第一次不公开举行的会议。

1962 年 3 月 27 日至 4 月 16 日，二届全国人大三次会议在北京正式举行。这次会议的主要议程有：听取和审议政府工作报告和全国人大常委会的书面工作报告，审查并批准 1960 年国家决算。大会的主要报告和大会发言均不全文发表，只登摘要。大会上先后有 69 位代表发言或联合发言。基本上分为两大类：一是国务院工业、农业、商业、教育等方面的部分负责人所作的专题发言，以作为周恩来总理报告的补充，主动承担工作错误、缺点的责任；二是工农劳模以及专家所作的专题发言。此外，还安排了有关领导在小组会上进行自我检查。

二届全国人大三次会议收到代表提案 163 件，其中工业、交通方面的 55 件，农业、林业、水利、畜牧、水产方面的 41 件，财政、金融、贸易方面的 8 件，科学、文化、教育、卫生、体育方面的 50 件，政治法律、民族事务、华侨事务方面的 9 件。提案审查委员会设立了 5 个专业审查组。所有提案，都先由有关的专业审查组进行研究，然后由委员会全体会议逐案审议，决定审查意见。提案审查委员会建议，把所有的提案都交给国务院依照审查意见切实处理，并且在全国人大下一次会议以前提出处理情况的报告。

大会通过了关于政府工作报告的决议，关于 1960 年国家决算的决议，关于全国人大常委会工作报告的决议。增补蔡廷锴为中华人民共和国国防委员会副主席。

二届全国人大三次会议在通过的关于政府工作报告的决议中指出，1958 年以来，我国发生了连续三年的自然灾害，我国的国民经济遇到了很大的困难。政府在团结全国各族人民战胜自然灾害方面，在整顿农村人民公社和恢复、发展农业生产方面,在调整国民经济的发展速度和比例关系方面,在总结经验和克服工作中的缺点、错误方面,进行了大量的工作,收到了显著的成效。目前,我国经济情况已经开始好转。会议完全同意政府工作报告中提出的进一步调整国民经济的方针和任务,并且认为,贯彻执行这些方针和任务,一定能够战胜我们前进道路上的一切困难,为今后我国国民经济的新发展提供更有利的条件。会议决定批准周恩来总理所作的政府工作报告。会议同意国务院的建议,授权全国人民代表大会常务委员会审查和批准我国第二个五年计划后两年的国民经济调整计划和相应的国家预算。

五

第二届全国人大第四次会议

按照 1954 年宪法的规定,全国人大每届任期 4 年,二届全国人大的任期到 1963 年 4 月届满,三届全国人大代表应在 2 月以前选出。但由于二届全国人大四次会议经过延期,任期达 5 年零 7 个月。1962 年 12 月 18 日,二届全国人大常委会第 76 次会议通过关于召开二届四次会议和延期举行第三届全国人大代表选举的决议,决定二届四次会议于 1963 年第二季度召开,三届全国人大代表的选举延期到 1963 年下半年进行。1963 年 6 月 7 日,二届全国人大常委会举行第 98 次会议。会议在听取周恩来总理的说明后通过决议,又决定二届全国人大四次会议改在第四季度召开。周恩来在说明中说,我们本来设想今年开两次会议,上半年开二届四次会议,下半年选举,年终开三届全国人大一

次会议,在法律上需如此。然而,由于目前情况,各地“四清”运动和“五反”运动尚未结束,因而需要延期二届四次会议,推迟三届全国人大代表的选举。1963 年 6 月 16 日,中共中央发出关于延期召开二届全国人大四次会议的通知,要求省、市、自治区下届人民代表大会第一次会议最好在二届全国人大四次会议召开以后再行开会,以便选举三届全国人大代表。

1963 年 11 月 17 日至 12 月 3 日,二届全国人大四次会议在北京举行。出席这次大会的共有 1012 位代表。中共中央主席毛泽东、国家主席刘少奇、副主席董必武,全国人大常委会委员长朱德,国务院总理周恩来,中共中央总书记邓小平,全国人大常委会副委员长郭沫若、黄炎培、彭真、李维汉、陈叔通、赛福鼎、程潜、何香凝、刘伯承、林枫,国务院副总理邓子恢、贺龙、陈毅、乌兰夫、李富春、李先念、聂荣臻、谭震林、罗瑞卿,最高人民检察院检察长张鼎丞等参加了这次会议。

大会先后听取了国务院副总理兼国家计委主任李富春代表国务院作的《关于 1963 年国民经济计划执行情况和 1964 年国民经济计划草案的报告》,国务院副总理兼财政部长李先念代表国务院作的《关于 1963 年国家预算草案和预计执行情况、1964 年国家预算初步安排的报告》。全国人大常委会向大会作了书面的工作报告。大会还听取了全国人大常委会副委员长彭真代表全国人大常委会作的《关于第三届全国人民代表大会代表名额和选举问题的说明》。这次大会没有听取和审议政府工作报告和两院的工作报告。

参加大会的代表讨论了当前的国内形势和国际形势,审议了政府的两个工作报告,讨论了第三届全国人民代表大会代表名额和选举的问题。在全体会议上发

言的代表共有 248 人。代表们认为,我国的国民经济在以农业为基础、工业为主导的总方针指引下,在近年来的调整、巩固、充实、提高的工作中,取得了巨大的成就。我们已经战胜了连续三年严重自然灾害以及由于别人片面破坏协议、撤退专家的背信弃义行为给我们造成的经济困难。我们还纠正了具体工作中的缺点和错误,取得了社会主义建设的丰富经验,国民经济已经开始全面好转。我国工业规模和生产数量有了较大的增长,特别是产品的品种、质量方面有了跃进的发展。我国已经初步建立起独立自主的巩固的工业基础。农业生产的情况去年比前年好,今年比去年好,一个农业生产的新高潮正在形成和发展。代表们在讨论 1964 年国民经济计划和 1964 年国家预算的初步安排时认为,1964 年发展国民经济的任务是"争取农业生产有一个更好的收成,加强基础工业、农田水利工程和国防工业的建设,扩大城乡物资交流,适当改善城乡人民的生活,做好财政、银行工作,加强财政和信贷的管理"。

二届全国人大四次会议共收到代表提案 172 件。其中工业、交通、劳动方面的 92 件,农业、林业、水利、畜牧方面的 31 件,财政、金融、贸易方面的 8 件,文化、教育、科学、卫生方面的 39 件,政法方面的 2 件。提案审查委员会分设了 5 个专业审查组。所有提案,都先经有关的专业审查组进行研究,然后由委员会全体会议逐案审议,提出审查意见。并建议这些提案全部交给国务院切实处理,在第三届全国人民代表大会第一次会议前,作出处理情况的报告。

周恩来总理在 12 月 2 日的会议上,就当前国内外的形势和任务发表了讲话,并且解答了代表们在讨论中提出的问题。

12 月 3 日下午,大会通过决议,批准 1963 年国民经济计划和 1963 年国家预算,批准 1964 年国民经济计划和 1964 年国家预算的初步安排。会议还批准了全国人大常委会的工作报告,批准了预算委员会关于 1963 年国家预算的审查报告,通过了提案审查委员会的提案审查意见。会议通过了关于第三届全国人民代表大会代表名额和选举问题的决议,并且批准了彭真副委员长所作的关于选举问题的说明。决定把全国人大代表的名额扩大到 3000 多名,比第二届全国人大代表名额 1226 人扩大了一倍多,使各省、自治区、工业城市、人民武装力量应选全国人大代表的名额有所增加,并适当照顾少数民族和妇女的代表名额。按照这一名额,农村原为 80 万人产生一名代表,改为 40 万人产生一名代表;30 万城市人口以上的工业城市,原为 10 万人产生一名代表,改为 5 万人产生一名代表。解放军和少数民族代表有所增加。决议要求在 1964 年 9 月底以前完成第三届全国人大代表的选举。

大会认为,为了进一步发展我国的社会主义建设事业,应当在全国范围内进一步开展社会主义教育运动,进一步开展增产节约运动。会议指出,开展社会主义教育运动具有十分重大意义。在无产阶级革命和无产阶级专政的整个历史时期,在由资本主义过渡到共产主义的整个历史时期,存在着无产阶级和资产阶级之间的阶级斗争,存在着社会主义和资本主义两条道路的斗争。必须不断地用无产阶级思想来教育和武装劳动人民,在政治战线上,在经济战线上,在文学、艺术和意识形态的一切领域中,克服和防止资本主义思想的侵蚀。大会号召全国各族人民为世界和平、民族解放、人民民主和社会主义的伟大事业而奋斗。

政协第三届全国委员会会议

一

政协第三届全国委员会第一次会议

1959 年 4 月 17 日至 29 日,中国人民政治协商会议第三届全国委员会第一次会议在北京举行。

本届政协会议委员 1071 人,出席会议者 962 人。周恩来主席主持了开幕式。会议听取了李维汉副主席所作的《中国人民政治协商会议第二届全国委员会常务委员会工作报告》和全国政协常委、提案审查委员会主任委员陈正人的《中国人民政治协商会议第三届全国委员会第一次会议提案审查委员会关于提案的审查报告》。会议期间,委员们列席了二届全国人大一次会议,听取了周恩来总理的《政府工作报告》、李富春的《关于 1959 年国民经济计划草案的报告》和李先念《关于1958 年国家决算和 1959 年国家预算草案的报告》。会议讨论通过了《中国人民政治协商会议第三届全国委员会第一次会议的政治决议》、《关于常务委员会工作报告的决议》和《关于提案审查的决议》。《政治决议》指出,会议一致同意二届全国人大一次会议所通过的关于西藏问题的决议。原西藏地方政府和上层反动集团撕毁 1951 年 4 月和平解放西藏的十七条

协议,发动背叛祖国、破坏国家统一、残害西藏人民的武装叛乱。这是西藏人民和全国各族人民绝对不能容许的,也是国法绝对不能容许的。印度某些扩张主义分子继承英国帝国主义的衣钵,支持西藏反动集团的叛乱,策划所谓"西藏独立",严重地破坏了和平共处五项原则,损害了中印两国人民的友谊,不仅引起中国人民的极大愤怒,而且违反了印度人民的利益。西藏从来是中国领土不可分割的一部分,藏族是中华民族大家庭的成员。西藏问题是中国的内政问题,决不允许外国人干涉。会议热烈祝贺中央人民政府平定西藏反动集团叛乱的胜利,并对奉命讨伐西藏叛乱集团的人民解放军表示崇高敬意,对于协助人民解放军平定叛乱的西藏僧俗各界人士表示崇高的敬意。

会议推举毛泽东为政协第三届全国委员会名誉主席。选举周恩来为政协第三届全国委员会主席,彭真、李济深、郭沫若、沈钧儒、黄炎培、李维汉、李四光、陈叔通、陈嘉庚、包尔汉、陈毅、康生、帕巴拉·格列朗杰、阿沛·阿旺晋美等 14 人为副主席,徐冰为秘书长。选举王从吾、王世英、王稼祥等 143 人为政协第三届全国委员会常务委员。会议号召全国各族人民、各民主阶级、各民主党派、各人民团体和一切爱国人士,进一步加强团结,在中国共产党和毛主席的领导下,坚决执行第二届全国人民代表大会第一次会议的各项决议,为完成和超额完成 1959 年的国民经济计划而努力,把我国建设成为一个伟大的、繁荣的、富强的社会主义国家而奋斗。从本届会议起,中国人民政治协商会议与全国人民代表大会同期召开,全国政协委员列席全国人民代表大会,与人民代表共商国是。

政协三届一次会议后,全国政协继续

讨论学习有关西藏问题的文件。5月12日,政协第三届全国委员会常委举行第一次会议,推定康生、李维汉、陈叔通、包尔汉为常务副主席。会议专门讨论了组织民主人士学习西藏问题的文件。5月18日,全国政协向各省、自治区、直辖市政协发出关于学习《人民日报》编辑部文章《西藏的革命和尼赫鲁的哲学》的通知。

二

政协第三届全国委员会第二次会议

1960年3月29日至4月11日,全国政协三届二次会议在北京举行。904名委员出席了会议。周恩来主席在会上讲了话。委员们听取了陈叔通《中国人民政治协商会议第三届委员会常务委员会工作报告》和陈正人《中国人民政治协商会议第三届全国委员会第二次会议提案审查委员会关于提案的审查报告》。会议通过了《中国人民政治协商会议第三届全国委员会第二次会议的决议》和《中国人民政治协商会议第三届全国委员会第二次会议关于提案审查的决议》。会议还通过决议,补选何香凝为政协第三届全国委员会副主席。

会议的决议提出了今后政协工作的五项工作:①继续贯彻中国共产党同各民主党派长期共存、互相监督的方针,推动各民主党派和各界民主人士在中国共产党的领导下,积极地参加国家政治生活,更好地为社会主义改造和社会主义建设服务;②继续推动各方面人士积极投入技术革命、文化革命和增产节约的群众运动;③加强理论学习,开展学习毛泽东主席著作的运动;④有计划地安排本会委员、各民主党派中央委员和各界民主人士进行劳动锻炼;⑤继续坚持对国内外敌人的斗争,为解放台湾而努力。

政协第三届全国委员会第三次会议

1962年3月23日至4月18日,全国政协三届三次会议在北京举行。出席会议的政协委员846人。被邀列席会议的各界人士816人,其中包括科技、文教、医药卫生、文学艺术界人士,以及民主党派和工商联的负责人,各少数民族、宗教界、归国华侨以及其他各方面的人士。周恩来主席在会议最后一天作了《我国人民民主统一战线的新发展》的重要讲话,集中阐述了我国人民民主统一战线的新任务和新发展。关于政协的工作,周恩来在肯定了过去的成绩的同时指出,今后政协的工作,责任更重了。首先,要多组织一些调查研究工作,不要面临政协开会了,才到下面去视察访问,平常也可以分期去。现在是调整阶段,更需要多知道实际情况。其次,政协过去的工作,偏重于政治学习、国际活动和文史资料的收集,今后要多开展学术性的报告和讨论,要有意识地多邀请学术界的朋友参加。从建设的要求来看,我们需要发展这方面的工作。周恩来重申,我们是政协机关,可以同时提出各种不同的意见。争论的结果,不一定得出一致的结论,可将不同的意见提交有关方面,如政府机关、科研机关、教育机关或其他学术团体。这些不同的意见,表现了"百花齐放、百家争鸣"的方针在这里的贯彻。

会议通过了陈叔通副主席在会上作的《中国人民政治协商会议第三届全国委员会常务委员会工作报告》、《中国人民政治协商会议第三次会议决议》和《中国人民政治协商会议第三届全国委员会第三次会议关于提案审查的决议》。会议期间,全体与会人员列席了二届人大三次会议,听取了周恩来总理作的《政府工作报告》。政协三届三次会议充分发扬了民主,委员们在讨论中畅所欲言,发言者 200多位。会议收到提案 468 件,为历次政协会议所未有。会后,全国政协常务副主席举行办公会议,听取了小组讨论和大会发言中提出的意见和处理情况,研究了如何贯彻会议精神,进一步加强人民政协工作的问题。

四

政协第三届全国委员会第四次会议

1963 年 11 月 17 日至 12 月 4 日,全国政协三届四次会议在北京举行。出席会议的委员 833 人。会议听取了陈叔通副主席关于常务委员会的工作报告。全体与会委员列席了二届人大四次会议,听取了李富春代表国务院作的《关于 1963 年国民经济计划执行情况和 1964 年国民经济计划草案的报告》和李先念《关于 1963 年国家预算草案和预计执行情况、1964 年国家预算初步安排的报告》,还听取了周恩来总理《关于当前国内外的形势和任务》的讲话。会议通过了《中国人民政治协商会议第三届全国委员会第四次会议决议》和《关于提案审查的决议》。会议决定三届政协全国委员会任期延至 1964 年 9 月,责成常务委员会进行关于召开四届政协的筹备工作。

会议决议要求政协全国委员会和各级地方委员会在中国共产党领导下,进一步巩固和加强人民民主统一战线,积极参

加社会主义革命和社会主义建设事业,进一步开展爱国主义、国际主义和社会主义的思想教育运动。为贯彻政协三届四次会议精神,1964 年 1 月,全国政协常委举行第十三次会议,讨论通过了《中国人民政治协商会议全国委员会常务委员会关于在各界人士进一步开展爱国主义、国际主义和社会主义思想教育计划大纲》,李维汉副主席在会上作了关于进一步开展思想教育、加强学习的讲话。从此,"三个主义"的教育在全国广泛开展起来。

1959 年庐山会议和"反右倾机会主义"

一

以调整和纠"左"为会议的开端

为了进一步总结 1958 年以来经济建设的经验教训,继续纠正"左"倾错误,党中央决定召开政治局扩大会议。中共中央政治局扩大会议和党的八届八中全会于 1959 年 7 月 2 日到 8 月 16 日先后在江西庐山举行。

庐山会议分三个阶段。会议第一阶段为中央政治局扩大会议前期(7 月 2 日至 15 日)。中心议题是总结经验,纠正错误,着重讨论了毛泽东提出的 19 个问题:①读书;②形势;③今年的任务;④明年的任务;⑤四年的任务;⑥宣传问题;⑦综合平衡问题;⑧群众路线问题;⑨建立和加

强工业企业的各项管理制度和提高工业产品质量的问题;⑩体制问题;⑪协作区关系问题;⑫公社食堂问题;⑬学会过日子问题;⑭三定政策;⑮农村初级市场的恢复问题;⑯使生产小队成为半基本核算单位;⑰农村党团基层组织的领导作用问题;⑱团结问题;⑲国际问题。

毛泽东在会议开头的讲话中谈了他的基本看法,他指出,"大跃进"的主要教训之一,就是没有搞好综合平衡。他说,整个经济工作中,平衡是个根本问题。有三种平衡:农业本身的农、林、牧、副、渔之间的平衡;工业内部的平衡;工业和农业之间的平衡。他强调要搞综合平衡,并首次提出了安排国民经济的次序,要把重、轻、农反过来,改为农、轻、重。他还肯定了陈云关于先安排好市场,再安排基本建设的方针,要把衣、食、住、用、行五个方面安排好,这是关系到 6.5 亿人民安定不安定的问题。他认为当前的国内形势是"成绩伟大,问题不少,前途光明"。要求各级干部要结合实践认真读书,系统地思考问题,总结经验。

与会同志围绕毛泽东的讲话进行了讨论,畅所欲言,摆情况、谈意见,中央领导同志到各组参加讨论,和大家一起总结经验。在讨论中,对国内形势估计上出现了两种不同的认识:一部分同志对于批评实际工作中的错误和缺点很不满意,认为是泼冷水,是右倾;另一部分同志从实际出发,指出 1958 年的经验和教训,认为农村食堂、供给制、"共产风"等损害了农民的积极性。刘少奇参加西南组讨论。他说,1958 年出了些乱子,得到了有益的教训,碰到钉子知道转弯,是真正的聪明人,这就是马克思主义。他提出国民经济的发展要有综合平衡,要做到有计划、按比例、有组织、有节奏的生产。朱德在华东

小组发言说,农民还有私有性的一面,不能共农民的产。要让农民搞家庭副业,兴家立业。5 亿农民不稳定,一切都不好办。他说,食堂办不起来,不要硬办,回家好。食堂全部都垮了也不见得是坏事,家庭制度要巩固起来。彭德怀在西北组多次发言和插话,谈了许多很有见地的意见,比较尖锐。他说,1957 年反右以来,经济上、政治上一连串的胜利,党的威信提高了,脑子热了一点。对人民公社化运动,他认为办早了些,如果试上一年再搞就好了。对于"大跃进"运动,他认为北戴河会议以后,搞了一个"左"的东西,全民大炼钢铁这个口号究竟对不对? 他提出要总结经验教训。他说,总结经验教训,不要埋怨,不要追究责任。要追究责任,人人有一份,包括毛主席在内,毛主席伟大的地方在于能及时发现问题,弯子转得快。他强调说毛主席与党在全国人民中的威信之高,在全世界是找不到的,但滥用这种威信是不行的。不建立集体威信,只建立个人威信,这是不正常的,很危险的。

7 月 10 日,毛泽东在组长以上小型会议上发言。他说:总路线无非是多快好省,多快好省根本不会错。成绩和缺点比较起来,是九个指头和一个指头的问题。取得经验要付学费,算总账不能说得不偿失。他认为,大跃进和人民公社化运动中发生的问题,从郑州会议以来已经逐步解决了。他提出,会议用五六天的时间起草、讨论和修改一个《庐山会议诸问题议定记录》,15 日结束。

二

彭德怀给毛泽东的信

彭德怀鉴于当时的情况,把自己不便

在小组会上谈的想法,在 13 日晚写了一封信,14 日晨送给毛泽东,他希望经过毛泽东提示全党尽早纠正错误。信的内容分两部分,第一部分充分肯定了 1958 年大跃进的成绩。第二部分讲如何总结工作中的经验教训,首先分析了 1958 年以来错误的性质。接着,他着重分析了产生缺点错误的主观方面的原因。"过去一个时期,在我们的思想方法和工作作风方面,也暴露出不少值得注意的问题。"主要是:"1. 浮夸的风气较普遍地滋长起来。……犯了不够实事求是的毛病。这恐怕是产生一系列问题的起因。""2. 小资产阶级的狂热性,使我们容易犯'左'的错误。在 1958 年的大跃进中,我和其他不少同志一样,为大跃进的成绩和群众运动的热情所迷惑,一些'左'的倾向有了相当程度的发展","把党长期以来所形成的群众路线和实事求是作风置诸脑后了"。"纠正这些'左'的现象,一般要比反掉右倾保守思想还要困难些,这是我们党的历史经验所证明了的。"最后,他希望"系统地总结一下我们去年下半年以来工作中的成绩和教训,进一步教育全党同志,甚有益处。"

会议第二阶段为中央政治局扩大会议后期(7 月 16 日至 8 月 1 日)。毛泽东在彭德怀的信上加了"彭德怀同志的意见书"的标题,于 17 日印发给与会全体同志。随后,各组讨论修改《关于形势和任务——1959 年 7 月 2 日至×日庐山会议议定记录(修正草案)》,同时讨论彭德怀的信。开始多数人赞同信的看法,但也有不少人提出质疑或表示反对。中央委员、书记处书记、国防部副部长黄克诚 19 日发言,认为人民公社制度是优越的,"从长远说搞了好,从短期说不搞更主动些。"他还认为信息的精神是好的,表示支持彭德怀的意见。同日,中央候补委员、湖南省委

第一书记周小舟也发言表示支持彭德怀的意见,他强调说:"庐山会议是高级干部会议,所以在肯定成绩之后,应该着重总结经验。"他还专门讲了得失问题,他认为缺点少讲或讲而不透是难以总结经验教训的,深刻的检查缺点,不仅不会泄气,反而能鼓足干劲。7 月 21 日,中央政治局候补委员、外交部副部长张闻天作了长篇发言,系统地阐述了他对"大跃进"以来成绩和缺点、经验和教训的看法,明确表示支持彭德怀的意见,不同意有些人对这封信的非难。他认为,"大跃进"和人民公社化运动中的缺点及其后果是严重的:第一是"指标太高,求成太急,比例失调,造成很大损失";第二是"共产风"、"一平二调",造成农民生产积极性不高;第三是"强迫命令,浮夸虚报",造成的损失相当大,使我们党在人民中间的威信受到影响。对于缺点产生的原因,他强调应多"从思想观点、方法、作风上去探讨"。他反对那种不讲条件、不合乎实际的"主观主义、片面性",主张"要根据客观经济规律办事"。在党内民主作风方面,他认为,"民主风气很重要,要造成一种生龙活虎、心情舒畅的局面,才会有战斗力"。为此,领导上要"造成一种风气、环境,使得下面敢于提意见"。在小组讨论中,持反对意见的人认为彭德怀的信夸大了缺点,否定了成绩,不是鼓气,而是泄气。还有极少数人拨弄是非,说彭德怀的信是影射毛主席的,直接危及"三面红旗",危及毛主席和党中央的领导等等。

毛泽东转而批右倾机会主义

7 月 23 日,毛泽东在大会上讲话,错

误地批判了彭德怀的信。说这封信表现了资产阶级的动摇性，是向党进攻，是右倾机会主义的纲领，是有计划、有组织、有目的的。他说：有些同志在历史上大风大浪中就是不坚定的，站不稳，扭秧歌。现在又表现出资产阶级的动摇性，悲观性。他们不是右派，但是他们把自己抛到右派的边缘去了，不过还有三十公里，相当危险。从此开始，会议气氛骤然紧张起来，形成了一边倒的意见，集中批判彭德怀等所谓右倾，由纠"左"转向批右的轨道。从批判彭德怀的信开始，会议便转为批判彭德怀、黄克诚、张闻天、周小舟的所谓右倾机会主义。

会议第三阶段，即八届八中全会（8月2日至8月16日）。会议的主要议程是：检查1959年国民经济执行情况；继续揭发批判所谓的"以彭德怀同志为首的右倾机会主义反党集团"。毛泽东主持了这次会议。

8月2日，毛泽东在全会开幕时讲了话。他说，现在有一种分裂的倾向，已经有显著的迹象了。我们反了九个月的"左"倾了，现在基本上不是这一方面的问题了，庐山会议不是反"左"的问题了，而是反右的问题了。全会按照毛泽东指出的方向，继续对彭德怀等进行错误的批判斗争。从8月3日到10日，全会连续举行小组会，批判彭德怀等，指责他的信是"右倾机会主义分子向党进攻，妄图篡党夺权的纲领"，并毫无根据地肯定彭德怀、黄克诚、张闻天、周小舟结成了一个"军事俱乐部"性质的反党集团。在这个过程中，还将他们几十年在党内历次斗争中的缺点错误，逐条加以批判，实行所谓"老账新账一起算"的做法，严重地混淆了是非，伤害了同志。8月11日，毛泽东在会上再次讲话，把彭德怀等坚持实事求是、如实反映客观情况的意见，说成是主观唯心主义的经验主义，还说彭德怀等对无产阶级社会主义革命没有精神准备，是"资产阶级民主主义者"，"党内的同盟者"，"马克思主义的同盟者"，使全会的调子越来越高。

四

庐山会议决议和反右倾斗争的展开

8月16日，全会通过了《关于以彭德怀同志为首的反党集团的错误的决议》和《为保卫党的总路线、反对右倾机会主义而斗争的决议》，会议还通过了《关于开展增产节约运动的决议》。《关于以彭德怀同志为首的反党集团的错误的决议》说彭德怀的意见书和发言"是代表右倾机会主义向党进攻的纲领"，"是具有反党、反人民、反社会主义性质的右倾机会主义路线的错误"，"是高饶反党联盟事件的继续和发展"。全会决定把彭德怀、黄克诚、张闻天、周小舟等调离国防部、外交部、省委第一书记等工作岗位，保留中央委员会委员、中央委员会候补委员、中央政治局委员、政治局候补委员的职务，以观后效。同一天，毛泽东在一个批示中对庐山会议上反右倾斗争的性质作了错误的结论。他说："庐山出现的这一场斗争，是一场阶级斗争，是过去十年社会主义革命过程中资产阶级与无产阶级两大对抗阶级的生死斗争的继续。"

全会根据1959年国民经济计划的执行情况，决定调整1959年经济计划指标，钢由1800万吨（包括土钢）调整为1200万吨（不包括土钢）；原煤由3.8亿吨调整为3.35亿吨；粮食由10500亿斤调整为5500亿斤；棉花由1亿担调整为4620万担。但是，全会通过的《关于开展增产节约运动的决议》,仍然要求将第二个五年计划的主要指标在 1959 年内实现,要求继续反对右倾思想,以跃进的速度开展轰轰烈烈的增产节约运动。

会议期间,中共中央于 8 月 7 日向全党发出《关于反对右倾思想的指示》,指出:"现在右倾思想已经成为工作中的主要危险。"并且说:"如果不彻底加以克服,党的总路线的贯彻执行是不可能的。各项建设事业的继续跃进是不可能的,今年调整后的生产指标和基本建设计划的完成,也是不可能的。"中央要求各级党组织,必须抓紧 8、9 两个月,立即在党的各级组织和干部中,对右倾思想加以检查和克服,用光辉跃进的成就,迎接国庆 10 周年。

8 月 18 日至 9 月 12 日,中央军委在北京召开扩大会议,继续揭发批判彭德怀、黄克诚的所谓"反党罪行"和"资产阶级军事路线"问题。随后各大军区也开展反右倾斗争。同时,外事部门也召开了外事工作会议,揭发彭德怀、张闻天所谓"里通外国"的问题。

中央 8 月 7 日关于反右倾的指示下达以后,各省、市、自治区党委,中央国家机关各部委也都闻风而动,立即向全体党员进而向广大群众传达八届八中全会文件,迅速掀起轰轰烈烈的反右倾运动,斗争的主要锋芒是指向所谓反对"三面红旗"的各级干部,并抓出一批所谓"右倾机会主义反党集团"和"右倾机会主义分子"。在工矿企业,也确定重点批判对象,对那些主张党政分工、反对浮夸、反对大轰大嗡的基层领导干部,进行批判,并划定右倾机会主义分子。在农村,错误地批判了广大农村干部和富裕中农。在高等学校,主要是批判"党员专家"。11 月 27 日,中央批准了军委总政治部提出的《关于划分右倾机会主义分子的标准和处理办法》,并

转发到全国,要求各地参照执行。"标准"规定,公开散布系统性的右倾言论,从多方面攻击总路线、大跃进和人民公社的;公开为彭德怀等右倾机会主义反党集团辩护,攻击党中央和毛主席的;执行党的路线一贯右倾,1958 年以来又有严重右倾言论和行动的,划为"右倾机会主义"。按照这个标准,各地错划了一批党员干部,据 1962 年甄别平反时的统计,被作为重点批判对象或划为右倾机会主义分子的党员干部有 365 万人,群众有 300 万人。

八届八中全会对彭德怀等的批判和在全党开展的"反右倾"斗争,是建国后我们党在政治生活中的一次重大失误,给党和社会主义事业造成了许多恶果。在政治上,违反党的政治生活准则,破坏了实事求是的思想作风,宁"左"勿右的思想有了进一步的发展,使党的路线越来越偏离马克思主义轨道,阶级斗争扩大化的错误理论和实践越来越发展,严重地混淆了两类不同性质的矛盾。在组织上,违背民主集中制的原则,从中央到基层的民主生活遭到破坏,助长了毛泽东个人专断作风和个人崇拜思想的发展。在经济上,中断了第一次郑州会议以来纠正"左"倾错误的进程,延续和助长了急于求成、急于过渡的"左"倾错误的发展,使经济形势日益恶化。

西藏平叛与民主改革

西藏是中国不可分割的一部分。1959 年,西藏在平息全面武装叛乱的基础

上，通过民主改革，废除了封建领主生产资料所有制和上层僧侣贵族专政的"政教合一"的封建农奴制度，百万农奴翻身解放、当家做主，成为新西藏的真正主人。西藏由和平解放、筹备成立自治区到民主改革，跨越历史发展的几个阶段而成为人民民主的新西藏。

一

全面武装叛乱的发生

在西藏和平解放后的改革问题上，《中央人民政府和西藏地方政府关于和平解放西藏办法的协议》(简称《十七条协议》)规定，中央不加强迫，西藏地方政府应自动进行。但是，西藏和平解放后，在逐步实施《十七条协议》的同时，始终存在着西藏上层亲帝分裂势力的干扰和破坏，乃至叛乱。他们反对改革，要求"永远不改"，并在局部不断发动骚乱、叛乱，而致全面武装叛乱。

1951 年 11 月间，以西藏地方政府两个代理司伦(即司曹)鲁康娃和洛桑扎西为首的上层分裂主义分子，拼凑了一个以商人和无业流氓为骨干，盗用西藏人民名义，纠合各种社会渣滓组成非法"人民会议"。这个组织从成立之日起，就有计划、有步骤地制造骚乱。他们还在人民解放军在西藏立足未稳之际，进行粮食封锁。1952 年 3 月 11 日，非法"人民会议"在拉萨制造骚乱，并起草了一份"请愿书"，反对《十七条协议》，反对改编藏军，要求人民解放军"撤出西藏"，并组织反动武装"解放大队"。同时，他们在拉萨进行示

威，一时造成市内秩序混乱，商店关门。鲁康娃与洛桑扎西的代理司伦职务被撤销后，骚乱暂时平息下来。

对于此后西藏叛乱由局部发展到全局的历史轨迹，毛泽东曾经指出："达赖要叛乱的阴谋从 1955 年由北京回去后就开始了。1957 年初他从印度回来，到 1958 年布置了两年。"[1]十四世达赖参加第一届全国人大一次会议后，于 1955 年 5 月由内地返藏。途经四川省时，随行的西藏地方政府噶伦索康、达赖副经师赤江在四川藏族聚居区，以佛事活动为名，策动武力对抗当地实行民主改革。西藏"人民会议"领导人阿乐群则以迎接达赖回藏为名，也赴西康省雅安、康定等地组织策划武装叛乱。1956 年 11 月，达赖受邀去印度参加释迦牟尼涅槃 2500 周年纪念大会。西藏分裂分子一方面利用达赖不在西藏的机会"搞起乱子"。藏军 6 个团的如本(营长)、甲本(连长)集体盟誓："誓死保卫西藏的各种制度，保卫神圣的宗教，反对在西藏进行任何改革。"[2]另一方面，他们与美国中央情报局互相勾结，要使达赖留在印度。经周恩来在印度访问期间的劝说，达赖最终于 1957 年 2 月回到西藏。1957 年 5 月，"四水六岗"(古代藏文典籍中对青、藏地区的总称，包括黄河、金沙江、怒江、澜沧江四大河流上游和色莫岗、绷波岗、马杂岗、木雅热岗等六大高地。此处泛指西藏和四川、云南、甘肃、青海等省藏族聚居区)叛乱组织在西藏地方政府噶伦柳霞·土登塔巴、先喀·居美多吉支持下成立，并于 8 月公开提出"保卫宗教"、"西藏独立"、"政教永存"等口号。1958 年 6 月 15 日，叛乱分子恩珠仓·公布扎西带着

---

①　国务院新闻办公室：《西藏民主改革 50 年》白皮书，2009 年 3 月 2 日。

②　《解放西藏史》编委会：《解放西藏史》，中共党史出版社，2008 年版，第 333—334 页。

两名藏籍美特、电台，离开拉萨到山南哲古宗（今措美县），建立叛乱武装根据地。7月间（藏历5月8日）以"四水六岗"组织名义，召集了有27个地区的叛首参加的会议，宣布成立"四水六岗卫教志愿军"，由恩珠仓·公布扎西任司令，要求"西藏独立"，反对改革。

面对西藏愈来愈严峻的叛乱形势，1958年6月24日，毛泽东在批转青海省委《对全省镇压叛乱问题的指示》中就指出："西藏要准备对付那里的可能的全局叛乱。""只要西藏反动派敢于发动全面叛乱，那里的劳动人民就可以早日获得解放，毫无疑义。"7月14日，中央电复西藏工委《关于西藏可能发生叛乱问题的报告》，指出："你们应当对噶伦们表示严正的态度，告诉他们，他们对西藏地区的反动分子和从江东逃入西藏地区的叛乱分子采取纵容的立场是完全错误的。"中央的方针是力求和平改革，但是如果反动分子一定要武装叛乱，中央就一定坚决实行武装平息叛乱。根据中央的指示精神，张经武和张国华于7月18日向达赖转达了中央对西藏改革及叛乱武装等问题的既定方针，指出西藏地方政府对叛乱武装采取纵容的态度是错误的，要西藏地方政府改变态度。然而，叛乱分子的叛乱活动不仅没有收敛或停止，而且向拉萨地区蔓延。7月21日，叛乱武装在拉萨以东的墨竹工卡宗争莫寺附近伏击解放军运输车辆。至此，叛乱活动发展到拉萨地区。8月27日，中共西藏工委对平息叛乱有关政策发出指示，指出叛乱如果停止在局部状态，仍然坚持"6年不改"的方针，但在叛乱地区，就要通过平叛行动适当地发动和组织群众，适当地改造旧政权、削弱封建统治。局部叛乱如果发展为全面叛乱，就要坚决地、彻底地摧毁封建农奴制度，解放劳动人民。

1959年3月10日，西藏上层反动集团在外国势力支持下，蓄意破坏《十七条协议》的实行，发动了全面武装叛乱。达赖本来预定这一天前往西藏军区礼堂看戏，但西藏叛国集团经过事前布置，就放出西藏军区部队要扣留达赖的谣言，并且以此为借口，于当天在拉萨市区聚众，把达赖喇嘛困在罗布林卡，并公开实施武装叛乱。叛乱分子打伤西藏军区副司令员桑颇·才旺仁增，用石头打死自治区筹委会委员堪穷帕巴拉·索朗降措，并拴在马尾上拖尸到拉萨市中心示众。当日，西藏军区政治委员、代理中央驻藏代表谭冠三致信达赖，说明由于反动分子的叛乱，请他暂时不要来看戏。3月11日，达赖致信谭冠三说："反动的坏分子们正在借口保护我的安全而进行着危害我的活动。对此我正设法平息。"3月11日，谭冠三第二次致信达赖，指出反动分子公开进行军事挑衅，要求西藏地方政府负责立即予以制止。信中说："现在反动分子竟敢肆无忌惮，公开地狂妄地进行军事挑衅，在国防公路沿线（罗布林卡北面的公路）修了工事，布置了大量机枪和武装反动分子，已经十分严重地破坏了国防交通安全。过去我们曾多次向噶厦谈过，人民解放军负有保卫国防，保卫国防交通安全的责任，对于这种严重的军事挑衅行为，实难置之不理。因此，西藏军区已去信通知索康、柳霞、夏苏、帕拉等，请他们通知反动分子，立即拆除一切工事，并撤离公路。否则由此引起的恶果，完全由他们自己负责。"3月12日，达赖复信谭冠三，再次说明反动分子以保护他的安全为名而"制造的严重离间中央与地方关系的事件"，并表示他"正尽一切可能设法处理"。

毛泽东这时正在武昌。3月11日，他

致电中央,对西藏叛乱问题作出指示。第二天,中央转发了这一指示,并指出,西藏工委目前的策略应是军事上采取守势,政治上采取攻势。目的是分化上层,争取可能多的人站在我们一边;教育下层,准备群众条件。3月15日,谭冠三第三次致信达赖,说明中央对此次叛乱事件的态度,指出:"西藏一部分上层反动分子所进行的叛国活动,已经发展到不能容忍的地步。这些人勾结外国人,进行反动叛国的活动,为时已久。中央过去一向宽大为怀,责成西藏地方政府认真处理,而西藏地方政府则一贯采取阳奉阴违的态度,实际上帮助了他们的活动,以致发展到现在这样严重的局面。现在中央仍然希望西藏地方政府改变错误态度,立即负起责任,平息叛乱,严惩叛国分子。否则,中央只有自己出面来维护祖国的团结和统一。"谭冠三还告诉达赖,第二届全国人民代表大会第一次会议已决定于4月17日举行。谭冠三发出这封信后,毛泽东当日在武昌致信中央说,这封信"很好,政治上使我处于主动"。他指示应再复达赖一信,"如有复信,不论态度怎样,均应再复一信。以后礼尚往来,可再给信。这些信,准备在将来发表。为此,要准备一封信历述几年以来中央对诸大事件宽大、忍耐的目的,无非等待叛国分子、分裂分子悔悟回头,希望达赖本着十七条及历次诺言,与中央同心,平息叛乱,杜绝分裂分子,归于全民族团结,则西藏便有光明前途,否则将贻害西藏人民,终遭人民弃绝"。3月16日,达赖致信回复谭冠三,说他已经对西藏地方政府官员进行了教育,并表示几天之后可能到军区去。按照毛泽东的指示,谭冠三第四次写信给达赖,

希望他本着历次诺言,与中央同心,制止叛乱活动。然而,当卸任噶伦·却吉尼玛将这封信带到罗布林卡时,达赖已经出逃。3月17日夜间,叛乱集团将达赖喇嘛劫出拉萨,到拉萨东南的山南地区。3月19日夜,叛乱集团发动了对人民解放军驻拉萨部队和中央代表机关的全面进攻,西藏全面武装叛乱爆发。

中央关于平叛的决策与平定叛乱

西藏全面武装叛乱发生时,在武汉的毛泽东于1959年3月12日指出,照此形势发展下去,"西藏问题有被迫(这种'被迫'是很好的)早日解决的可能"①。5月10日,他在与德意志民主共和国人民议院代表团谈话时说,西藏民主改革的条件成熟了,"武装叛乱为我们提供了现在就在西藏进行改革的理由"。中央驻藏代表张经武在得知西藏发生叛乱后,同张国华一起抵达武昌。毛主席在武昌驻地与他们谈了西藏平叛和改革问题。之后,张经武返回北京,参加中央有关会议。根据西藏叛乱的形势,中央对平息西藏叛乱作出了如下决策:

(1)确定边平叛边改革方针。1959年3月21日,中央作出《关于在西藏平叛中实现民主改革的若干政策问题的指示(草案)》。草案指出,西藏地方政府已经撕毁《十七条协议》,叛变祖国,发动西藏的全面叛乱。局势迫使我们提前同西藏上层反动分裂分子进行决战,进行一次彻底解决西藏问题的平息叛乱的战争。在这种情况下,中央原来决定的六年不改革的政

---

① 西藏自治区党史资料征集委员会等编:《平息西藏叛乱》,西藏人民出版社,1995年版,第81页。

策,自然不能再继续执行下去。为了发动广大劳动人民积极参加平息叛乱的斗争,并保证叛乱平息后,不再死灰复燃,中央认为在这次平息叛乱的战争中,必须同时坚决地放手发动群众,实行民主改革,以便彻底解放藏族人民群众,引导西藏地区走上社会主义的道路,并从根本上消除叛国分裂活动的根源。中央还明确指出,民主改革要"依靠劳动人民,团结一切可能团结的力量,有步骤、有区别地消灭封建农奴制度"。4月15日,毛泽东在第十六次扩大的最高国务会议上指出:"现在是平叛,还谈不上改革,将来改革的时候,凡是革命的贵族,以及中间派动动摇摇的,总而言之,只要是不站在反革命那边的,我们不使他吃亏,就是照我们现在对待资本家的办法。"这一办法就是实行和平赎买政策。

为了充分利用政治上处于完全主动地位的有利条件,中央还在《关于在西藏平叛中实现民主改革的若干政策问题的指示(草案)》中指出:"现在的公开口号,只提平息叛乱,不提实行民主改革。民主改革在平息叛乱的口号下进行。我们的方针是边打边改,叛乱地区先改,未叛乱地区暂时缓改。"

(2)解散原西藏地方政府。鉴于西藏发生全面武装叛乱,3月28日,国务院发布命令,为维护国家统一和民族团结,除责成中国人民解放军西藏军区彻底平息叛乱外,特决定自即日起,解散西藏地方政府,由西藏自治区筹备委员会行使西藏地方政府职权,班禅副主任委员代理主任委员职务。任命自治区筹备委员会常务委员帕巴拉为副主任委员,常务委员兼秘书长阿沛·阿旺晋美为副主任委员兼秘书长。西藏地方政府解散,标志着西藏旧政权的瓦解,百万农奴开始当家做主人。

以此为据,在西藏民主改革50周年之际,西藏自治区九届人大二次会议于2009年1月19日审议通过了《关于设立西藏百万农奴解放纪念日的决定》,确定每年的3月28日为西藏百万农奴解放纪念日。

西藏自治区筹备委员会行使西藏地方政府的职权后,于4月8日召开了第一次全体会议,作出《关于贯彻执行国务院3月28日的命令的决议》。筹委会在决议中表示,坚决彻底地执行平息叛乱的命令和中央对于叛乱分子所采取的"首恶必办,胁从不问,立功受奖"的政策。为了迅速彻底平息叛乱,筹委会号召西藏各族各界全体僧俗人民,立即行动起来,认真执行国务院的命令和西藏军区以及各地军事管制委员会布告中所宣布的规定和任务,大力支援人民解放军平息叛乱,积极进行生产;要求原西藏地方政府各级行政人员应立即向当地军事管制委员会或军事代表登记,并且切实负责保管公共财物和文件,听候处理,不得有任何破坏和不法行为。

随后,第二届全国人民代表大会第一次会议详细地讨论了有关西藏的各方面问题,并于4月28日通过了《关于西藏问题的决议》。决议指出,原西藏地方政府和上层反动集团的叛乱不是偶然的。自英帝国主义在19世纪末20世纪初以印度为基地对我国西藏地方实行军事、政治和经济的侵略以来,反侵略的西藏爱国人民同被外国侵略势力所收买利用的少数西藏分裂分子之间,就展开了长期的尖锐的斗争,而在中国解放前夜,亲帝国主义分子在原西藏地方政府的领导集团中是占着优势的。1951年西藏和平解放以后,中央人民政府为了等待这批亲帝国主义分子的觉悟,对他们采取了宽大的态度,让他们在原地方政府继续供职,只要他们割断同帝国主义和其他外国干涉者的联系，不再进行破坏活动，就不咎既往。但是，原西藏地方政府中的分裂主义分子对于和平解放西藏的《十七条协议》阳奉阴违，继续同帝国主义者和外国干涉者勾结，阴谋实现帝国主义和外国干涉者所要求的所谓"西藏独立"，并且发动武装叛乱。中央人民政府直至叛匪向拉萨人民解放军驻军发动进攻以后，才命令人民解放军讨平叛乱，才命令解散原西藏地方政府。"一切理由完全在中央人民政府和一切拥护中央人民政府方针的人们方面。"决议强调，在西藏，同在其他少数民族地区一样，应当坚决实现中央人民政府统一领导下的民族区域自治。原西藏地方政府和上层反动集团妄想实现所谓"西藏独立"，因而积极反对民族区域自治，现在随着原西藏地方政府的解散和西藏上层反动集团叛乱的失败，已经有可能在实行人民解放军军事管制的同时，在西藏自治区筹备委员会领导下，逐步建立西藏自治区的各级地方行政机构和藏族人民的自卫武装，并且开始执行自治职权。

中共西藏工委执行中央的决策，于5月2日拟定了《关于当前在平叛工作中几个政策问题的决定》，就接管旧政权、重划行政区划、对旧官员的处理、处理叛乱分子、收缴枪支、建立地方武装、牧区工作、农村工作，以及对于寺庙、交通运输、财政工作、涉外事宜等方面的问题，制定了具体政策和执行办法。其中，关于叛乱分子的处理原则，西藏工委指出，根据镇压与宽大相结合和首恶必办、胁从不问、立功受奖的方针，采取坚决镇压、分化瓦解、区别对待的政策。关于牧区工作，当时的基本任务是，平息叛乱建立政权，不实行民主改革，牧主牲畜仍归牧主所有，实行牧主牧工两利政策，大力发动群众，保护牲畜。关于寺庙问题，总任务是坚持宗教信仰自由政策，保护爱国守法的寺庙和宗教界人士，彻底肃清寺庙的叛乱，彻底摧毁寺庙的封建特权。关于农村工作问题，西藏工委指出，要开展反叛乱、反乌拉、反奴役和减租减息的群众运动。

为平息叛乱，在西藏叛乱分子发动对人民解放军驻拉萨部队的全面进攻的第二天，即3月20日，中国人民解放军西藏军区发出布告，指出："为了维护祖国统一和民族团结，解救西藏地区人民的疾苦，本军奉命讨伐，平息叛乱。望全藏僧俗人民，积极协助本军，讨平叛逆，不窝匪，不资敌，不给叛匪通风报信。对于叛乱分子，本军将本宽大政策，区别对待：凡脱离叛匪来归者，一概不咎既往；有立功表现者，给予奖励；对俘虏一律优待，不杀，不辱，不打，不搜腰包；对执迷不悟，坚决顽抗者，严惩不贷。"人民解放军奉命实施平息叛乱。

为控制拉萨市战略要点，3月20日，西藏军区以10个步兵连和1个炮兵团攻占了药王山。随后，人民解放军迂回包围叛乱武装，捣毁了设在罗布林卡的叛乱武装指挥部，驻守罗布林卡的藏军第一代本和拉萨北郊的第二代本相继放下武器投降。3月21日，人民解放军对拉萨市城区叛乱武装分割包围，攻占叛乱分子恩珠仓宅、朗加多吉宅和木鹿寺、然巴宅、尧西林卡等主要据点，大昭寺、布达拉宫和哲蚌寺的叛乱分子缴械投降。至3月22日，人民解放军取得平息拉萨市区叛乱的胜利。与此同时，驻日喀则、黑河、亚东、定日、阿里的人民解放军奉西藏军区命令，解除了这些地方的藏军武装，并接管了地方政权。

在拉萨平叛的基础上，为彻底平息叛乱，肃清叛乱武装，并与驻藏部队协同配合,中央军委增调了人民解放军第 11 师、第 130 师、第 134 师及第 42 师 126 团,以及成都军区 162 团等,入藏平息叛乱。在平叛中,人民解放军实行"军事打击、政治争取、发动群众三结合"的方针,"平息一地、巩固一地、再转一地","先平息中心地区的叛乱,后平息一般地区的叛乱;先边沿地区,后腹心地区;先公路沿线,后偏远地区;先农业地区,后牧业地区"。平叛斗争深入推进。

山南地区是叛乱武装的盘踞地,人民解放军从 4 月 7 日分东、西、中三路对叛乱武装进剿,至 4 月底取得了山南平叛战役的胜利,阻断了叛乱武装与外界联系的通道,形成"关门平叛"之势。

昌都地区是西藏叛乱的重要起源地。为平定昌都地区的叛乱,成都军区副司令员黄新廷、西藏军区副政委王其梅组成指挥所,率所属部队沿川藏公路进剿。人民解放军从 4 月 17 日发动剿叛作战,至 11 月底基本歼灭了昌都东北、东南地区的大部分叛乱武装,保证了川藏公路的运输安全。随后,昌都地区的后续平叛任务由第 54 军副军长赵文进、西藏军区副政委王其梅组成的昌都地区指挥所担任。

为扫清青藏公路沿线的叛乱武装,7 月初至 8 月底,人民解放军向藏北纳木错湖和麦地卡地区进剿。至 1959 年底,西藏 60% 以上的叛乱武装被剿灭。

人民解放军经过 1959 年在以上地区的平叛,将叛乱武装分割在恩达、丁青、嘉黎、扎木之间,藏北温泉、黑河、巴青之间,申札、萨噶、定日和昌都东南的宁静(今芒康)、三岩等地,西藏军区将叛乱武装集中的这些地方依次编为一、二、三、四号地区。① 相应地,1960 年的平叛也主要集中

在这些地区,人民解放军开展了一、二、三、四号地区进剿战役,以及在阿里的马泉河以南、中国和尼泊尔边境线以北等地区的进剿作战。至 1961 年底,西藏境内的残余叛乱分子被肃清,平叛斗争基本结束,为民主改革扫清了障碍。

西藏民主改革的实现

西藏民主改革就是要废除政教合一的封建农奴制度。这一改革不是任何人强加的,而是由西藏的封建农奴制度本身所产生的。在西藏封建农奴制社会,农村中占人口不到 2% 的农奴主占有全部的土地和农奴、奴隶;占人口不到 3% 的农奴主代理人,代表农奴主直接统治农奴;占人口 90% 以上的农奴,没有土地所有权,人身依附于农奴主,劳动收入的 70% 以上被农奴主所剥削;占人口 5% 左右的奴隶,人身完全为农奴主所占有。西藏的农奴主就是官家(封建政府)、寺庙和贵族三大领主,他们构成政教合一的统治集团。因此,西藏广大劳动人民迫切要求民主改革。

鉴于反对改革的武装叛乱已经平定,为适应西藏广大人民的改革要求,第二届全国人民代表大会第一次会议在《关于西藏问题的决议》中指出,西藏自治区筹备委员会应当根据宪法,根据西藏广大人民的愿望和西藏社会经济文化的特点,逐步实现西藏的民主改革,以便为建设繁荣昌盛的社会主义的新西藏奠定基础。

对于西藏封建农奴制度,中央指出,除西藏地方政府的土地所有制必须废除,

---

① 《解放西藏史》编委会:《解放西藏史》,中共党史出版社,2008 年版,第 387 页。

其土地应分配给农民所有,其债务、乌拉和差役应予废除以外,对于贵族的封建占有制也要一律废除,但在做法上应根据他们的政治情况,加以区别对待:凡是参加叛乱的分子,他们的土地、房屋、耕畜、粮食和农具一律没收,分配给农民,债务、乌拉和差役一律废除。对没有参加叛乱的分子,应该经过和他们协商,将土地和多余的房屋、耕畜和农具分配给农民,废除其债务、乌拉和差役。对于在平息叛乱和民主改革中表现进步并且政治上还有较大影响的进步分子,可采取赎买的办法,在他们放弃了封建剥削之后,在政治上加以适当安排,并在生活上予以补助。在民主改革中,要成立农民协会或农牧民协会,实行一切权力归农会,并在这个基础上逐步地建立各级人民民主政权。

在宗教和寺庙问题上,中央指出要继续坚持保护宗教信仰自由政策。参加叛乱的寺庙的土地、房屋、耕畜、农具和粮食一律没收,分配给农民,债务、乌拉和差役一律废除。没有参加叛乱的寺庙的土地和多余的房屋、耕畜和农具,应经过与寺庙协商分配给农民,其多余粮食不予没收,但可经过协商,借一部分给农民,由农民在收获之后归还。至于他们的债务、乌拉和差役,同样应予废除。今后所有寺庙必须爱国守法,不得违反国家的政策法令和干涉政府的行政事宜;不得私藏枪支;不得强迫群众当喇嘛,群众有当喇嘛的自由,喇嘛也有还俗的自由。对寺庙财产,可由寺庙僧众组织管理委员会民主管理,取消寺庙间的隶属关系。在平叛中,要注意保护名山大寺和文物古迹。牧区不进行民主改革,牧主的牲畜仍然归牧主所有,牧民的牲畜仍然归牧民所有。叛乱分子的牲畜没收归牧民所有。

5月31日,中央同意西藏工委《关于当前在平叛工作中几个政策问题的决定》,并批示:目前西藏地区的任务是,结合平息叛乱的斗争,采取边打边改的方法,完成全区的民主改革。西藏地区的民主改革可以分为两个步骤进行。第一步以"三反"(反叛乱、反乌拉、反奴役)、"双减"(减租减息)为内容;第二步以实行分配土地为内容。鉴于西藏地区的特殊情况,中央决定在西藏地区的土地改革中,对于没有参加叛乱的贵族的土地和多余的农具、耕畜、房屋,一律仿照内地对待民族资产阶级的办法,实行赎买政策;对于没有参加叛乱的二地主的多余农具、耕畜和房屋,也实行这种政策;对于没有参加叛乱的寺庙的一部分土地、农具、耕畜、房屋,也可以考虑实行赎买。对牧业区的政策,应当同农区有所不同,除应该宣布废除乌拉差役、高利贷和解除人身依附的制度外,同时必须迅速地确定所有制,没收参加叛乱的牧主的牲畜分配给牧民,实行"谁放牧归谁所有"的政策;对于没有参加叛乱的牧主的牲畜仍然归牧主所有,实行牧工牧主两利政策。

之所以在西藏对未参加叛乱的领主实行赎买政策,一是符合西藏人民的根本利益,有利于西藏社会生产力的解放。二是西藏有了民主政权基础。西藏自治区筹备委员会经过改组,行使了西藏地方政府的职权,西藏人民开始当家做主。三是具有一定的物质基础。全国实现了社会主义改造,提前完成了第一个五年计划,并正在进行社会主义建设,能够支援西藏建设。四是爱国上层人士自愿接受。党在西藏开展了上层统一战线工作,团结教育了爱国上层人士,这些爱国上层人士在反对叛乱的斗争中站在维护祖国统一和民族团结这一边,拥护民主革命。

6月28日,西藏自治区筹备委员会第

二次全体委员会议在拉萨开幕,讨论和决定在全区进行民主改革的问题。会上,关于如何改革的问题,张国华根据西藏工委会前与各方面的协商提出,民主改革分为两个步骤。同时,废除农村旧政权,建立农民协会。农民协会是在农村领导群众进行民主改革的基本组织形式,也是民主改革期间的农村基层政权组织。为了保护和发展牲畜,在牧区实行不分配牲畜和牧工牧主两利的政策,但要进行"三反"。对于叛乱分子的牲畜没收,归原牧放者所有,未参加叛乱牧主的牲畜仍归牧主所有。在寺庙要进行反叛乱、反特权、反剥削的运动,但同时要坚定不移地执行宗教信仰自由政策,保护爱国守法的喇嘛和保护寺庙的文物古迹。对于商业采取保护的政策,保护守法的外商,扶持手工业。会议一致表示拥护立即在全区实行"三反双减"。

西藏自治区筹备委员会第二次全体会议期间,西藏工委于7月1日指示开展民主改革第一步"三反双减"运动。西藏工委在指示中说,改革必须按照中央指示的分为两个步骤进行。西藏工委决定,在民主改革的第一步工作中,要在进行"三反双减"运动中,充分发动群众,逐步建立县、区、乡农民协会。在牧区要团结一切可以团结的力量,包括牧主在内,肃清叛乱武装,保护和发展牲畜;没收叛乱领主、牧主的牲畜,分配给牧民,实行"谁放牧归谁所有"的政策;对未叛牧主实行"牧主牲畜仍归牧主所有"和"牧主牧工两利"政策。在充分发动群众的同时,注意做好统战工作,民主改革中一些重大问题和重要措施,要同上层充分协商。在民主改革中,彻底解决寺庙的特权和剥削问题,反

叛乱、反特权、反剥削。民主改革要实行党、政、军一元化领导。

7月22日,西藏自治区筹备委员会通过《西藏地区减租减息办法》、《西藏地区各县、区、乡农民协会的组织章程》和《西藏地区区域的调整方案》。

由于西藏地方政府解散后,藏钞急剧贬值,1959年5月19日,陈云在致邓小平、李先念的信中指出,不理藏钞、不收兑藏钞需加考虑。他指出:"不理藏钞,反使寺庙、贵族鼓动西藏人民来反对我们,历史上成为反对我们的一种借口。"因此,他认为,不理不兑藏钞利小害大,以收兑藏钞为好。① 根据陈云关于收兑藏钞的意见,结合西藏地方政府解散后藏钞贬值的实际情况,国务院决定西藏与全国统一货币。1959年7月15日,西藏自治区筹备委员会布告全区普遍发行使用人民币,规定"中国人民银行发行之人民币,为法定本位金,任何人不得拒绝收受和贬值使用"。7月22日,西藏工委向中央报告了关于收兑藏币的办法的意见。7月29日,中央批复同意,并指出,从开始使用人民币的初步反应看,收兑藏币愈快愈有利。中央指示,关于收兑比价,不分地区、不分阶层一律按西藏工委所提出的50两藏币折人民币1元收兑。在收兑藏辅币的同时,如有人持原西藏政府发行的金属币来兑换,可以根据含金成色,按照全国统一金价收进。由于不收兑银元,也不以银元收兑藏币,所以银元和藏币之间,可不规定直接比价,银行不公开挂牌。关于收兑期限,全区不必统一,可根据不同地区,规定不同的期限。原则是收净西藏境内现有藏币,并且不让流出国外的藏币重新流

---

① 陈云:《对收兑藏钞问题的意见》,中共中央文献研究室、中共西藏自治区委员会编:《西藏工作文献选编》(1949—2005年),中央文献出版社,2005年版,第235—236页。

入国内。具体收兑期限，大体分为边境区、中心区和藏北牧区三种。边境区期限可以短些，中心区可稍长些，藏北牧区可再长些，如一个月不够，还可适当延长。关于假藏币问题，不分阶层，一律不能收兑。但如果有群众持少量假藏币来兑换，可以不究办，仍不能收兑。在当时物资缺乏的情况下，为了发行人民币和收兑藏币，一方面要积极筹备物资，加紧调运，应付市场供应的需要，可以从查封的粮食中拿出一部分用来支持人民币；另一方面，要严格控制财政开支，控制货币投放，对机关、部队向市场投放的人民币，要压缩到最低限度。加强关于收兑藏币问题的对内对外的宣传教育工作。8 月 10 日，西藏自治区筹备委员会发布《宣告"藏币"作废的布告》，宣布"藏币"为非法货币，自当日起作废，禁止使用；各级地方政府和军事管制委员会以人民币限期收兑"藏币"，具体收兑时间由各地区自行规定；禁止任何人采取任何方式携带和私运"藏币"出入我国国境；有关收兑"藏币"的比价及兑换手续等办法，由中国人民银行西藏分行规定公布。至 1959 年 10 月底，"藏币"基本收兑完毕。这时，人民币在西藏发行流通后，仍允许"袁大头银元"继续流通，银行只收不放以回笼。1962 年 5 月 10 日，西藏自治区颁布实施金银管理和禁止外币、银元流通暂行办法，规定："统一区内的币制，以人民币为本位币，禁止金银、外币、银元计价行使流通。"① 至此，无论是事实上还是法律上，人民币取代藏钞而成为西藏地区流通的本位货币，并实现了西藏与全国币制的统一。

鉴于牧区个别地方出现了分配牧主的牲畜等情况，1959 年 9 月 1 日，西藏工委发出《关于牧区工作的指示》，明确指出，目前对牧区的生产资料采取不改变所有制，不进行分配的方针，也就是说对牧业经济采取不进行民主改革的方针。平叛结束的地区，没收叛乱领主、牧主的牲畜，实行"谁放牧归谁所有"的政策，反叛乱、反乌拉、反奴役，"牧工牧主两利"。保护和发展牲畜，逐步改善牧民生活。牧区工作好坏的标志，是以牧业经济是否得到了发展、牧民生活是否得到了改善为准绳；一切政治措施和经济措施是否得当，也是以此为准绳。牲畜是牧民的重要生产资料，又是生活资料，是最容易受到破坏和损失的一种生产资料。西藏工委要求各地对牧区工作步调放慢，宁肯稳些、慢些，不要急于求成。各分工委要加强对牧区工作的领导。

赎买政策是西藏和平改革的主要内容。1959 年 9 月 20 日，西藏工委制定《关于执行赎买政策的具体办法》。《办法》指出，正确执行赎买政策，有重大政治意义、经济意义和深远的国际影响。根据初步核算，对未参加叛乱的农奴主要赎买的生产资料为三大领主全部生产资料的 1/3 左右，总值约 6000 万元。对赎买价格的估算，既不宜偏高，也不宜偏低。赎买方法一般采取由上登记由下评定，赎买金采取分期付款办法。5 万元以下者 8 年还清，5 万元以上至 10 万元者 10 年还清，10 万元以上者 13 年还清。②

---

① 多杰才旦、江村罗布主编：《西藏经济简史》，中国藏学出版社，1995 年版，第 449 页；中共西藏自治区委员会党史研究室编著：《中国共产党西藏历史大事记》(1949—2004)第 1 卷，中共党史出版社，2005 年版，第 153 页。

② 中共西藏自治区委员会党史研究室编著：《中国共产党西藏历史大事记》(1949—2004)第 1 卷，中共党史出版社，2005 年版，第 157 页。

1959 年 9 月 22 日,西藏自治区筹委会第三次全体会议决定,在完成民主改革第一步"三反双减"地区,立即转入以分配土地为主要内容的第二步。会议一致通过《关于废除封建农奴主土地所有制,实行农民土地所有制的决议》《关于西藏地区土地制度改革的实施办法》《关于农村阶级划分的决定》和有关牧区政策的报告。从此,西藏地方宣布废除封建农奴主土地所有制,实行农民土地所有制。

为指导土地制度改革工作,11 月 3 日,西藏工委制定了《关于西藏地区土地制度改革方案》。其中,关于划分阶级的问题,西藏农村基本上可以分为农奴主、农奴两大阶级,另外还有奴隶阶级的残余,土改中基本上应划农奴主与农奴两个阶级。在农村,依靠贫苦农奴和奴隶,团结中等农奴(包括富裕农奴)和团结一切可能团结的力量,打击叛乱的和最反动的农奴主和农奴主代理人,彻底消灭封建农奴制度,消灭农奴主阶级。在改变封建农奴主土地所有制为农民土地所有制中,区别叛与未叛,对贵族、寺庙分别采取没收和赎买的政策。对西藏地方政府的土地和其他农业生产资料,一律没收。关于寺庙改革问题,实行"三反",同时执行宗教信仰自由政策,保护爱国守法寺庙和上层人士,要做好应该废除的、应该保护的、应该安置的三件大事,对留守喇嘛分给一定数量的土地。此外,方案对牧区问题,城市工作问题,土地改革中边境地区和涉及外事方面的工作问题,斗争方式问题,干部问题,宣传问题,建党、建团、建政问题,土地改革的具体步骤问题和组织领导问题等作了规划部署。

根据土地改革中存在的问题,1960 年 2 月 4 日,西藏工委指示进行土改复查工作。西藏工委在《关于土改复查的几个问题的指示》中要求,已完成土改地区,各分工委选择有代表性的区、乡进行土改复查的试点工作。在复查时要区别问题性质,慎重处理;爱护改革中涌现出来的积极分子,保护他们的积极性。

随着土地改革的推进,必须采取适当措施巩固改革的成果。1960 年 8 月 17 日,西藏工委就颁发农民土地证问题请示中央。9 月 12 日,中央电示,同意在民主改革后,为农民颁发土地所有证。西藏工委根据中央指示,于 10 月 8 日发出通知,凡改革复查已经完成或即将完成的地区,1960 年冬季进行颁发土地证工作。

至于对未叛乱农奴主的赎买金支付问题,10 月 26 日,西藏自治区筹备委员会第 35 次常委会通过《关于对未叛农奴主的赎买金支付办法》,规定由自治区筹备委员会统一印发赎买金支付凭证,赎买金根据这一凭证支付。支付工作委托各地人民银行在规定的支付期限内按照有关规定办理。支付时间自每年 9 月 1 日起至 10 月 31 日止。[①]

西藏经过平息叛乱和民主改革,废除了封建农奴制,百万农奴翻身得解放,当家做了主人。西藏全区共计 78 个县,包括拉萨市相当县级的 4 个城区、2 个郊区,根据 1960 年 1 月底的统计,在农业区,有 57 个县约 79 万人口的地区开展了民主改革,其中有 40 个县约 61 万人口的地区完成了"三反双减"运动,在这 40 个县中,已有 35 个县约 47 万人口的地区完成了土地分配。另在牧业区的 12 个县约 7 万人口的地区

---

① 中共西藏自治区委员会党史研究室编著:《中国共产党西藏历史大事记》(1949－2004)第 1 卷,中共党史出版社 2005 年版,第 178 页。

正开展"三反"和"两利"运动。在全区民主改革中,广大群众不仅在政治上获得了彻底解放,废除了人身依附关系,而且在经济上也获得了利益和实惠。由于实行"谁种谁收"、"减租减息"和废除高利贷等政策,群众得益约合粮食 10 亿多斤,每人平均 1500 斤。在完成了分配土地的地区,每人平均分得了三克半土地。①

随着西藏自治区筹备委员会行使西藏地方政府职权,西藏各地先后建立了农(牧)民协会、平叛保畜委员会等群众组织。从平叛开始到 1960 年底,西藏地方共建立乡政权 1009 个,区政权 283 个,78 个县和 8 个专区(市)的人民政权也建立起来。②

西藏民主改革后,中央从西藏的实际出发,为西藏制定了稳定发展的方针,而不是马上进行社会主义改造。西藏农牧民个体经济得到稳定发展。1965 年 9 月,百万翻身农奴迎来西藏自治区的成立,一个人民民主的新西藏在解放了的、自己当家做主的西藏各族人民手中建设起来,巍然屹立于世界屋脊——青藏高原。

最高人民法院
特赦战争罪犯

一

国庆十周年第一次特赦战犯

1948 年 12 月 25 日,中共权威人士发表声明,宣布了包括国民党政府主要军政官员在内的 43 名首要战犯,他们是:蒋介石、李宗仁、陈诚、白崇禧、何应钦、顾祝同、陈果夫、陈立夫、孔祥熙、宋子文、张群、翁文灏、孙科、吴铁城、王云五、戴传贤、吴鼎昌、熊式辉、张厉生、朱家骅、王世杰、顾维钧、宋美龄、吴国桢、刘峙、程潜、薛岳、卫立煌、余汉谋、胡宗南、傅作义、阎锡山、周玉柔、杜聿明、桂永清、王叔铭、汤恩伯、孙立人、马鸿逵、马步芳、左舜生、曾琦、张君劢等。其实,实际意义上的战犯远不止于此。1949 年前后,他们中的一部分人弃暗投明,一部分人或到了台湾、或去了海外,一部分人则成为俘虏,关押于人民政府所辖的战犯管理所。

在 1959 年至 1966 年间,中国共实行了 6 次特赦。第一次特赦是在 1959 年 9

①　一克土地即是能播种一克种子的土地,约合一亩。
②　《当代中国的西藏》上,当代中国出版社,1991 年版,第 294 页。

月。1959 年 9 月 14 日,毛泽东代表中共中央向全国人民代表大会常务委员会提出书面建议:在庆祝伟大的中华人民共和国成立 10 周年的时候,特赦一批确实已经改恶从善的战争罪犯、反革命罪犯和普通刑事罪犯。建议指出:我国的社会主义革命和社会主义建设已经取得了伟大胜利,人民民主专政的政权空前巩固和强大。全国人民的政治觉悟和组织程度空前提高。国家的政治经济情况极为良好。党和人民政府对反革命分子和其他罪犯实行的惩办和宽大相结合、劳动改造和思想教育相结合的政策,已经获得伟大的成绩。在押各种罪犯中的多数已经得到不同程度的改造,有不少人确实已经改恶从善。根据这种情况,中共中央认为,在国庆 10 周年的时候,对于一批确实已经改恶从善的战争罪犯、反革命罪犯和普通刑事罪犯,宣布实行特赦是适宜的。采取这个措施,将更有利于化消极因素为积极因素,对于这些罪犯和其他在押罪犯的继续改造,都有重大的教育作用,从而使他们感到在我们伟大的社会主义制度下,只要改恶从善,都有自己的前途。

15 日,毛泽东邀集各民主党派、各人民团体负责人,著名无党派民主人士和著名文化教育界人士举行会议,就关于在中华人民共和国成立 10 周年的时候,对确已改恶从善的战争罪犯实行特赦的问题进行了座谈。毛泽东在会上作了重要讲话。

17 日,第二届全国人民代表大会常务委员会第九次会议讨论了毛泽东提出的建议,会议一致同意这个建议,通过了《关于特赦确实改恶从善的罪犯的决定》。决定说:会议"根据中华人民共和国宪法第 31 条第 15 项的规定,决定:在庆祝伟大的中华人民共和国成立 10 周年的时候,对于经过一定期间的劳动改造、确实改恶从

善的蒋介石集团和伪满洲国的战争罪犯……实行特赦。"同日,国家主席刘少奇发布特赦令,命令:"蒋介石集团和伪满洲国的罪犯,关押已满 10 年,确实改恶从善的,予以释放。"并指定由最高人民法院执行。

特赦令在 9 月 17 日公布后,人民政府战犯管理机关对在押的战争罪犯,进行了全面的严格的审查。最后,经过最高人民法院批准并决定首批特赦释放 33 名。其中包括有原属于蒋介石集团的战争罪犯和属于伪满洲国的战争罪犯,还有属于伪蒙疆自治政府的战争罪犯。这些战争罪犯过去在反人民战争中,对国家和人民都犯下了严重的罪行,他们被人民解放军俘虏后,关押已满 10 年。10 多年来,他们在共产党和人民政府的惩办与宽大相结合、劳动改造与思想教育相结合的政策感召下,已经悔悟认罪,并有了改恶从善的表现。根据这种表现,最高人民法院认为符合特赦令的规定,决定予以特赦。

这 33 名被特赦的战争罪犯中,原属于蒋介石集团的有 30 名,他们是:国民党东北保安长官司令部中将司令、徐州"剿总"中将副司令杜聿明、国民党第二绥靖区中将司令官兼山东省政府主席王耀武、国民党四川省党部主任委员曾扩情、国民党 49 军中将军长郑庭笈、国民党川湘鄂边区绥靖公署中将主任宋希濂、国民党 18 军少将军长杨伯涛、国民党天津市警备司令部中将司令陈长捷、国民党青年军 206 师少将师长兼洛阳警备司令丘行湘、国民党浙西师管区中将司令兼金华城防指挥周振强、国民党第六兵团中将司令卢浚泉、国民党第三绥靖区上校参谋赵金鹏、国民党徐州总司令部定国部队中校副支队长周震东、国民党 25 军 40 师上校副师长杜聚政、国民党 72 军 233 师 698 团上校、团长业杰

强、国民党 70 军参谋处二科少校科长唐曦、国民党太原绥靖公署建军会少将课长白玉昆、国民党晋冀区铁路局总务处长贺敏、国民党北平警备司令部少将参议孟昭楹、国民党内调局西南办事处代主任廖缉清、国民党山西省新闻处长杨怀丰、国民党天津市民政局局长曹钟麟、国民党南京中央训练团少将团长徐以智、国民党北平行营少将参议刘化南、国民党 99 军少将高级参谋代理 268 师参谋长甄肇麟、国民党第六兵团第四处少将处长罗祖良、国民党 77 军 37 师少将师长李宝善、国民党 12 军上校高级参谋陈启銮、国民党闽南暂编纵队一支队上校副司令董世理、国民党 64 军 156 师 468 团上校团长王中安、国民党 116 军 287 师政工处上校处长蔡射受。

被特赦的原属于伪满洲国的战争罪犯有两名,他们是:伪满洲国皇帝爱新觉罗·溥仪、伪满洲国第 10 军管区中将司令官郭文林。

被特赦的原属于伪蒙疆自治政府战争罪犯 1 名:伪锡察盟全军副总司令雄努敦都布。

12 月 4 日,最高人民法院分别在各地的战犯管理所召开了有全体在押的战争罪犯参加的特赦释放大会,宣布了特赦释放的战争罪犯名单,并向他们颁发了特赦通知书。在释放大会上,被特赦的战争罪犯无不对国家的特赦释放感激备至,他们感谢中国共产党和人民政府使他们改邪归正、获得新生,表示要跟共产党走,继续改造思想、改造立场,为建设社会主义祖国贡献力量。他们的家属也表示衷心感谢中国共产党和人民政府,并勉励被特赦人员继续加强改造,报效国家。这些人获得宽大处理,使尚被关押的战犯认识到只要改恶从善就会有光明的前途,对其改造也起到了很大的鼓励作用。

包括爱新觉罗·溥仪在内的第一批战争罪犯的特赦,在国际国内引起了较大震动。它以无可辩驳的生动事实,证明了中国共产党和人民政府改造政策的英明和伟大。

对在押战犯的陆续特赦

从 1960 年 11 月至 1966 年 3 月,又分别释放了第二批至第六批战争罪犯。

1960 年 11 月 19 日,根据国务院的建议,第二届全国人大常委会第三十二次会议通过了《关于特赦确实改恶从善的蒋介石集团和伪满洲国的战争罪犯的决定》。同日,国家主席刘少奇发布了特赦令。1960 年 11 月 28 日,最高人民法院根据特赦令,特赦释放了第二批战争罪犯,共 50 名。

1961 年 12 月 16 日,第二届全国人民代表大会常委会第四十七次会议审议了国务院的建议,并通过了《关于特赦确实改恶从善的蒋介石集团和伪满洲国的战争罪犯的决定》。同日,国家主席刘少奇发布了特赦令。1961 年 12 月 25 日,最高人民法院根据特赦令,特赦释放了第三批共 68 名战犯。

1963 年 3 月 30 日,第二届全国人大常委会第九十一次会议根据国务院的建议,审议并通过了《关于特赦确实改恶从善的蒋介石集团、伪满洲国和伪蒙疆自治政府的战争罪犯的决定》。同日,国家主席刘少奇发布了特赦令。1963 年 4 月 9 日,最高人民法院根据特赦令,特赦释放了第四批共 35 名战犯。

1964 年 12 月 12 日,第二届全国人大常委会第一百三十五次会议根据国务院的建议,审议并通过了《关于特赦确实改恶从善的蒋介石集团、伪满洲国和伪蒙疆自治政府的战争罪犯的决定》。同日,国家主席刘少奇发布了特赦令。1964 年 12 月 28 日,最高人民法院根据特赦令,特赦释放了第五批战犯共 53 名。

1966 年 3 月 29 日,第三届全国人大常委会第二十九次会议根据国务院的建议,通过了《关于特赦确实改恶从善的蒋介石集团、伪满洲国和伪蒙疆自治政府的战争罪犯的决定》。同日,国家主席刘少奇发布了特赦令。1966 年 4 月 16 日,最高人民法院根据刘少奇主席的特赦令,特赦释放了第六批共 57 名战犯。

至此,最高人民法院在 1959 年至 1966 年间共特赦释放了 296 名战争罪犯,并对他们的生活出路均作了妥善的安排。对于部分尚未释放的战犯,也分别不同情况减了刑期。

"七千人大会"

1962 年 1 月 11 日至 2 月 7 日,中共中央在北京召开扩大的工作会议,出席人数 7000 多人,历时 28 天。其规模之大,在党的历史上是空前的,至今也没有超过的,这便是备受人们关注的"七千人大会"。这个大会对"大跃进"错误的认识比较实事求是,会议气氛比较民主,打破了1959 年庐山会议后的沉闷,使党内严重受挫的精神状态得到了较好的调整。大家

出了怨气,恢复了士气,对动员全党战胜当前的困难局面起了积极的作用,是一次十分重要的会议。

一

规模空前的一次干部大会

把县委书记以上的干部集中到北京开会,在党的历史上至今是没有过的,况且是在国家财政极端困难,人民生活极端困苦的情况下召开的,这绝不是轻易作出的决定。一般说来,极其特殊的现象,其背后必定有极不普通的原因。那么,"七千人大会"的背后是些什么情况呢?

一句话就是 1958 年以来"大跃进"运动和农村人民公社化运动的失败。这个运动的失败,既是"牵动、影响随后二十年间中国历史发展的一个关键性'链环'",又是召开"七千人大会"的一个最根本的原因。1958 年,毛泽东发动"大跃进"的初衷,是想尽快实现中国工业化,企图通过发动全国人民靠日夜苦干,花几年、十几年的时间,就摘掉中国贫穷落后的帽子,就使主要工业品产量超过英国赶上美国。在开展"大跃进"运动的同时,还伴随着农村人民公社化运动。全国人民从上到下付出了极其艰辛的劳动,收获的却是难以承受的困难局面,粮、棉、油大幅减产,出现了全国性的大饥荒!工业生产也受到严重影响,1961 年工业总产值比 1960 年下降 40％多;[①]人民日用百货严重短缺,商店的货架上基本全是空的。受到的惩罚是毫不留情乃至十分残酷的,中国共产党自遵义会议以来,第一次遭遇如此巨大的挫折。在挫折面前,不少人感到内疚、

---

① 参见《刘少奇选集》下卷,人民出版社,1985 年版,第 358 页。

困惑与不安。问题是,仅凭这种挫折感解决不了现实的困难,当务之急,是带领全国人民迅速摆脱困境,恢复国民经济。那么,如何走出低谷,社会主义建设到底应该怎么搞,也同样困扰、纠缠着人们,成了挥之不去的问题。大的挫折过后,必有经验教训的总结。"七千人大会"也就呼之欲出了。

会议召开的原因之一是调整遇到困难。自"信阳事件"爆发,1960年11月3日,中央下发紧急指示,调整农村政策;开始认真落实"调整、巩固、充实、提高"的八字方针。此后,毛泽东主持制定了《农业六十条》,将以公社为核算单位,改为以大队(当时称生产队)为核算单位,后又改为以生产小队为基本核算单位;宣布解散了公共食堂,基本废除了供给制,解决了队与队之间、人与人之间的平均主义。渐渐地,农民的积极性被调动起来,农村形势开始好转。在工业方面,中央主持制定了《工业七十条》,改变了企业经营混乱无序的状况,使企业渐渐进入有章可循的运行轨道。手工业、商业、教育、科技等不少行业都进行了调整,制定了条例。与此同时,为了解决粮食危机问题,中央大量精简城镇人口,1961年,共精简城镇人口1000万。各行各业的条例有了,各项工作渐渐地开始走向正轨。但中央感到全党各级干部面对如此大起大落、令人尴尬的局面,多少有些懊丧,用中央的话说就是人们的气不够壮!为了使大家重新鼓起对未来的希望,中央决定制定一个两年计划加一个七年计划,设想1969年是中华人民共和国建国20周年,如果在20周年的时候,能够解决人民吃、穿、用的问题,就大有希望了。用邓小平的话说:把七年计划搞好,大家的气就可以壮起来了。为了

制定七年计划,为了燃起大家的希望,中央书记处迅速行动起来,连续召开各部门会议,听取他们对"七年计划"的安排与设想,然而在落实各项生产指标时,却遇到了问题。中央感到经济困难形势的出现,一方面使各级干部克服了盲目的作风,变得谨慎务实了;一方面也使他们失去了往日的朝气,产生了畏难情绪。对中央上调的产品、下派的生产指标总是讨价还价,向中央讲困难多,要救济多,不坚决执行中央的政策,不严格执行国家的计划。地方开始出现了只顾局部利益,不顾整体利益,只顾眼前利益,不顾长远利益的首先为本地区、本部门着想的倾向,就是在实际工作中出现了"分散主义状况","本位主义观点",不讲老实话的作风,缺乏朝气,缩手缩脚的畏难情绪等等。换句话说,中央的指挥棒不那么灵了。现实的要求是,越在困难时刻,越是需要中央的集中指挥,安排生产和调配物资。而要顺利调整,就必须统一思想、必须加强集中统一、反对分散主义,这成为召开"七千人大会"的最初主题。

会议召开的原因之二是许多问题需要中央回答。在"大跃进"运动和人民公社化运动造成的极端困难形势面前,人们产生了各种各样的想法与认识,有些问题需要由中央作出回答,以解除人们心中的困惑;一些重大失误,则需要中央老老实实地向人民承认错误,进行自我批评。这些都关系到中国共产党的威信,关系到调整工作能否顺利进行,以至全党能否团结一致迅速克服困难、继续前进的大问题。比如,1961年各地在讨论《农业六十条》时,在传达5月北京会议时,几级干部都提出一个十分尖锐的问题:究竟"三面红旗"对不对?这个问题提得相当突出。邓小

平说:我们什么时候总是要回答这个问题的。① 与此同时,人们还关切地问:这几年到底是个什么经验教训,究竟是什么原因造成现在这个样子?为什么浮夸?为什么造假?希望有个水落石出。还有人问:缺点错误究竟是什么性质?为什么有相当普遍的人不敢讲话?对于"共产风",中央一再纠正,为什么纠正不了?甚至有人针对"连续三年遭受严重的自然灾害"②是产生困难原因的说法提出质疑,问"天灾"和"人祸"到底哪一个是主要原因?有人说:"社会主义是怎么一回事?如何搞社会主义?"③社会主义并不能什么问题都可以解决,过去是否强调主观能动性多了?还有不少人在具体问题上提出自己的不解:比例究竟是否失调?说失调是不是反对总路线?计划问题,中央一直都是两条腿走路,现在的指标又在一股风似的减,是否都要如此?究竟什么是有计划按比例?如此等等。这些问题既关系经济建设的指导思想,又涉及党犯错误的原因、性质以及对社会主义的认识,社会主义到底应该怎么搞等等,都需要中央作出集中的、有说服力的回答,来统一人们的思想认识等等。

会议召开的原因之三是来自国际的压力。自1958年中苏交恶以来,中间经历了不少曲折。1960年下半年,中国的困难形势严重暴露出来,毛泽东等不得不将主要精力用在国内问题上。1961年10月,赫鲁晓夫在苏共二十二次大会上向中国发难。周恩来说:"'七千人大会'的时候,

正面临着苏联的压力,就是说我们国内的情况有困难,修正主义利用这个,想把我们压下去。"④赫鲁晓夫自己也说:"实际上,我们对他(指毛泽东——引者注)已经忍耐不住了。如果你读一读我在苏共二十二大上作的报告,你就会发现我有许多话都是针对中国讲的,只是没有点中国的名罢了。就在二十二大上,我们否定了毛泽东的立场中的主要教义。"⑤赫鲁晓夫的挑衅行为,无疑也更加激怒了毛泽东。为了顶住赫鲁晓夫的压力,不被赫鲁晓夫利用、看扁,毛泽东和中央决心团结一致、战胜困难、迅速调整和恢复国民经济。这也是毛泽东下决心要召开"七千人大会"的原因之一。

会议召开的直接起因是粮食征购发生了问题。三年"大跃进"使全国粮食全面紧张,因为粮食不能满足城市的需要,中央才下大决心精简城市人口,虽然减掉了1000万人,国家手中的粮食还是很难满足城市的最低需求。加上国家手中的外汇不多,又无力去国际上购买很多粮食,国家为了解决燃眉之急,不得不挖了库存。1961年9月8日,中央关于粮食问题的指示说:"国家周转库存比去年更加薄弱。从国外进口粮食的计划已经打满,而又没有充分把握。城市工矿区的粮食供应十分紧张,有保不住最低需要的危险。"在1961年,城市已发生几起请愿事件,万一因为城市断粮,市民骚动起来,比农村的乱子还大,后果不堪设想。为此,中央心急如焚。到1961年10月,1962年的征

---

① 邓小平的讲话记录,1961年9月5日。

② 《红旗》杂志1961年第19期社论《我国社会主义建设总路线万岁——庆祝伟大的中华人民共和国成立十二周年》。

③ 张劲夫1961年在中国科学院党组的讲话。

④ 周恩来在国家经委政治工作座谈会上的报告,1963年4月15日。

⑤ 《赫鲁晓夫回忆录》,东方出版社,1997年版,第675页。

购任务还没有落实下来。1961年国家用3亿5千万美金(合人民币14亿元)进口粮食,几乎将所有外汇全部用来购买粮食了。按这种情况进口粮食,就不能进口其他急需的工业物资,如机械设备、化肥、有色金属、橡胶等等。中国本来就是一个农业国家,还要靠进口粮食吃饭,怎么发展?有鉴于此,中央一方面精简城镇人口,一方面计划向全国征购粮食820亿斤(其中上调150亿斤),比1961年多征100亿斤。用邓小平的话说,这也是一个大跃进。结果下边反应十分强烈,无论如何很难完成。怎么办?为此,中央曾召集各省、市、自治区负责粮食工作的同志开会,但没有解决问题。无奈,1961年11月10日,中央在有各中央局第一书记参加的会议上,专门落实粮食征购及上调问题。会上,邓小平说:1962年是个很大的政策问题。无非是120亿斤(指中央上调的数字)、150亿斤、180亿斤三个方案,120亿斤的方案,就得大量进口没有一点回旋余地,日子很难过,工业上不去,不能调整;如果是150亿斤,大体上日子勉强过得去,但也要进口不少粮食;180亿斤就可以不进口,也有点调剂余地。经过讨论,大家虽然接受了上调150亿斤的方案,但希望中央向地方把形势讲透,把方针搞明确,把思想搞透。中南局第一书记陶铸建议,把全国的地委书记找到北京来,开个地委书记会议,打通思想。邓小平觉得这是个办法,他表示,下来向毛主席汇报一下情况,听听毛主席的意见,就算定下来了。① 11月12日晚上,邓小平等将会议情况和陶铸的建议向毛泽东作了汇报。毛泽东表示同意,并说开就开个大会,开一个县委书记以上的五级干部会议。会议的开法是总结经验,鼓足干劲。总结经验是讲清道理,好坏经验都要讲清楚。这几年各省只讲自己错,不讲中央错,这不符合事实,要用这次大会讲清楚,不要怕鬼。几年来中央在工作上犯了什么错误,要讲。中央的账要交代清楚。我们交了心,才能要求他们交心。错误的责任,第一是中央,第二是省。中央第一是改,第二是检讨。对地方只要求改,可以不作检讨。会议搞10天,大会套小会。毛泽东还说,他准备在大会上讲话,中央各同志也讲一讲,会议当做小整风,把大家的思想统一起来。② 就这样,1962年初,中央要召开一个县委书记以上干部大会的事情,在毛泽东那里定下来了。

之后,由杨尚昆负责大会通知的起草工作。在起草通知时,邓力群觉得人们对《工业七十条》的争议较大,尤其厂矿一级的党委书记有抵触情绪,认为"七十条"消减了他们的权力,这对贯彻"七十条"是个困难问题。为此他建议全国重要厂矿的厂长、党委书记也来参加大会。杨尚昆同意了,并写进了通知。中央其他领导人也没有异议,这样原本6000多人的大会,就变成了7000多人的规模。1961年11月16日,下发了召开扩大的中央工作会议("七千人大会")的通知。通知要求省地两级各来3人,县级2人,于1962年1月8日前到达北京。会议主要是讨论近几年的工作经验和端正工作作风问题,还要讨论我国经济建设的形势和规划。

---

① 以上会议内容,参见1961年11月10日各中央局第一书记会议记录。
② 参见1961年11月13日中央书记处会议记录。

二

会议气氛民主

按照中央的设想,把7000多人集中到北京,主要目的是反对分散主义,迅速落实中央的八字调整方针,办法是用总结经验和交心的方式来实现。因此这次大会的程序很简单,由中央向大会作一个报告,讲三个问题:一是形势和任务,也就是把"形势讲透",中央作自我批评,然后再讲一讲今后10年的规划,给大家鼓劲;二是讲要加强集中统一,加强中央领导,实际是反对分散主义;三是讲党的问题,强调要立志气,加强纪律性,恢复党实事求是、走群众路线的优良传统。大会期间,中央常委也都在大会上讲一讲,会期定为10天。但在会议筹备阶段,就出现了一些意想不到的情况,原来中央的想法有些简单了。

毛泽东因势利导,不断调整会议的开法。1962年1月8日上午,报告起草小组将"七千人大会"报告稿的第一、二部分,发给省委书记以上干部参加的工作会议上征求意见,同时报送毛泽东审阅。9日晨,毛泽东收到了报告稿的第三部分。9日23时,毛泽东又收到了修改后报告稿的第一、二部分,10日晨收到第三部分。1月11日,"七千人大会"就将正式举行,对报告怎么看,这对毛泽东来说,显然是时间太紧了。毛泽东最初的反应是:"觉得好,但还没有细想,提不出不同意见,须要看第二遍,才有可能想一下。第三部分还没有看。"他认为"其他一百多同志①,可能也是这样。因此建议:推迟三天作报告。

在此三天内(1月11,12,13日),扩大工作会议的同志们,先分组讨论农村基本核算单位那个问题及别的问题(例如总理报告的二十二大问题)"。正在此时,毛泽东得知了那100多名同志讨论报告稿的情况,结果是"议论甚多",有的说好,有的说不好,越看越没劲。大家的看法很不一致。所以毛泽东很快就改变了主意,打破了会议的安排,提出报告稿的第三部分他不看了,整个报告就不要先开政治局会议讨论了,立刻印发大会,分组讨论三天,请大家评论,提意见,准许各种意见的发表,根据大家意见再作修改,然后提交政治局通过后正式作报告。并提出大会实行三不主义:不打棍子,不扣帽子,不抓辫子。什么问题都可以讨论,都可以提意见。

一石激起千层浪,报告稿发到与会者手中,果然如毛泽东所料:"议论纷纷、莫衷一是。"有的说报告把形势讲得漆黑一团,缺点错误讲得过分了,问信心怎么办;有的说缺点错误讲得还不够。有的对"三面红旗"充分肯定,有的则提出质疑。有的问为什么犯错误,天灾、人祸哪个是主要原因,错误为什么这么大;不实事求是的作风,为什么成为全党性的。也有的说,这几年工作提心吊胆、党内上下级之间、同志之间关系不正常;许多人总觉得思想有疙瘩,心情不舒畅等等。几天的时间转瞬即逝,是正式宣讲报告,还是继续讨论? 此种情况表明,大家的意见很多,用两三天的时间讨论很难人尽其言。毛泽东又提出延长会期的想法,让人们尽情地谈意见。1月13日,刘少奇、邓小平等根据毛泽东的意见,研究决定再拿出两天讨论报告初稿,拿出两天讨论农村基本核算单位下放问题;19日,将报告第二稿发

---

① 指省委书记以上在中央参加小型工作会议的同志。——引者注

到各同志手里，阅读一天；20日，刘少奇在大会作报告，不念报告稿，对报告稿中涉及的一些问题，另作发挥和说明。毛泽东同意了。

孰料，1月16日，大会又出现新情况，地方同志对中央反对分散主义的意见不认同，他们有意见，尤其表现在省委干部中间。这是一个直捣会议主题的大问题，中央为此高度重视，立刻召开中央常委会议。这一次毛泽东没有压服，而是因势利导，让大会讨论当前的主要矛盾是什么，并将会议主题由以反对分散主义为主，改为以总结经验为主，吸收地方同志和中央分管经济工作的同志参加，重新组织报告起草委员会，充分听取大会的讨论意见。

报告起草委员会由刘少奇主持，吸收各中央局第一书记和中央分管经济工作的同志等参加，共21人。自1月17日起，结合大会的意见，每天下午进行讨论。大家围绕报告要不要推翻、反对分散主义是不是抓住了主要矛盾、指标是低了还是高了、这几年犯错误的原因、错误的责任、"三面红旗"究竟怎么讲等等，进行了深入的探讨。有些意见还出现了比较激烈的交锋，在反对分散主义问题上，地方的同志和中央的同志各抒己见，几乎用了半天的时间才达成一致，互相作了妥协。关于错误的责任，彭真提出，毛主席也要检讨。他说：毛主席的威信不是珠穆朗玛峰也是泰山，拿走几吨土，还是那么高。如果毛主席的百分之一、千分之一的错误不检讨，将给我们党留下恶劣影响。刘少奇针对有人还想用高指标来鼓干劲，批评说"现在还有人不当事后诸葛亮"。经过8天的努力，一直到24日，大会才取得共识，讨论修改出报告第二稿。

1月25日，刘少奇主持召开中央政治局扩大会议，讨论通过中央的报告搞。刘少奇向与会同志介绍了起草报告的情况，讲了在大会报告中，有三个"不提"：不提15年赶超英国的口号，不提农业发展纲要四十条，也不提人民公社"一大二公"。与会者没有提出异议，通过了中央的报告。

1月27日，中央政治局扩大会议通过的中央报告稿，作为刘少奇代表中央的书面报告直接发给大会，刘少奇则代表中央就人们关心的经济形势、天灾、人祸问题，"三面红旗"问题，犯错误的原因和错误的责任、成绩和错误的关系等等向大会进行解释和说明，即口头报告。刘少奇手握提纲，侃侃而谈，一口气讲了三个小时，对造成三年经济困难的原因，刘少奇婉转地讲出了"三分天灾、七分人祸"的意见。对成绩和错误的关系，虽然他强调1958年以来的成绩是第一位的，缺点错误是第二位的，但他否定了一个指头和九个指头的问题，说出了七分成绩、三分错误的意见。这也是在不实事求是策略下的实事求是。所以刘少奇的报告不仅得到了大会的认同，也成为他一生最精彩的报告之一，也是至今仍被人们铭记的一个重要报告。

1月29日，林彪发表大会讲话，他讲话的调子同刘少奇有着明显的不同。对"三面红旗"给予了充分的肯定，说几年来的经济困难，除工作上有一些错误之外，是特大的、连续的，有的地方甚至是毁灭性的自然灾害造成的。犯错误的原因，是没有照着毛主席的指示去做。根据他几十年的经验体会，工作搞得好一些的时候，是毛主席的思想能够顺利贯彻的时候，毛主席思想不受干扰的时候。如果毛主席的意见受不到尊重，或者受到很大的干扰的时候，事情就要出毛病。林彪的讲话打造了毛泽东一贯正确的形象。事后看来，对毛泽东的影响是相当负面的，他增强了毛泽东继续坚持"三面红旗"的决心,影响了毛泽东进一步深刻反省自己失误的情况,使毛泽东本来就有埋怨下边不能正确理解他的意图的情绪,在以后的工作中不断地流露出来。①

林彪的讲话受到了毛泽东的肯定,认为讲得好。本来,按照大会的安排,毛泽东等其他几位中央常委在大会上再讲一讲,大会就结束了。但一些地方同志则表示有话还没有说,还憋着一肚子气。他们的矛头主要指向省、市和部委。他们说很多的强迫命令、浮夸、瞒报、不让人讲话等等,不能全算在中央头上,有的省委书记至今还是不让人讲话。

怎么办?会议开始时,毛泽东已经提出地方的同志只要求改,不作检讨。现在的问题是,不少地、县两级干部对省委心中有气,不出气,就不能调动起他们的积极性。如何既可以使省委书记服气,又能让地、县两级干部出气?需要找出一个恰当的方法来化解这个矛盾。于是,待林彪讲话结束后,毛泽东向大家宣布,再延长会期,大家都在北京过春节,开"出气会",让大家吐苦水,发泄心中的不满与愤懑。毛泽东的这一倡议,立刻受到与会者的热烈欢迎。但是,这个"出气会"怎么开,省委书记接受意见的空间有多大,毛泽东不得不考虑。

1月30日,毛泽东发表大会讲话,着重讲坚持民主集中制,让人讲话的问题。他当着7000多名各级干部,先作自我批评。然后从发扬民主、坚持民主集中制的重要性讲起,严厉批评了有些第一书记不让人讲话的现象,为心中有气的同志撑腰说话。

毛泽东的讲话很有威慑力,有些省委书记因此惴惴不安。但是,就在这天晚上,毛泽东便请各中央局书记传话给各省、市、自治区党委第一书记,主要讲三点意见:一是省委要检讨,检讨不在多,态度要老实诚恳,有多少讲多少;二是对会上讲话的人,不管正确和错误,一律不许追究;三是凡是犯了错误的,只要能改正一律要使用。他还讲了秦穆公的故事,说秦国的三个将军打了败仗,被晋国俘虏。后来,三个将军跑回秦国,秦穆公穿着孝衣去迎接他们,说打了败仗不怪你们,这是我的责任。然后继续重用这三个将军。三年以后,秦国使晋国全军覆没。毛泽东的讲话和比喻意味深长,使省委书记们心里有了底。"出气会"开了四五天,进行得很顺利,达到了预期目的。

大会从上到下,积极开展批评和自我批评。关于三年困难的问题,到底是怎么出现的,原因在哪里,责任又怎样解说,一直困扰着党的各级干部,是人们心中的一个结。刘少奇在大会上代表中央说:一方面,是由于自然灾害的影响;另一方面,在很大程度上是由于工作上和作风上的错误所引起的。"缺点和错误,首先要负责的是中央。当然也包括中央各部门和国务院及其所属各部门。"刘少奇在大会讲话之后,1月30日,毛泽东在大会上表示:"我们这几年工作中的缺点、错误,第一笔账首先是中央负责,中央又是我首先负

① 1964年8月30日下午,毛泽东在同李井泉、陶铸、李雪峰、刘澜涛、王任重、谭启龙谈话时说:"1959年元月会议,是我提议召开的。我感到两千万吨钢完不成,希望修改一下,可是开了几天会,也不跟我商量。当时我希望陈云在会上讲一讲,他不但没有讲(计划指标太高),反倒作了自我批评。散会了,我一夜睡不着,……关于1959年计划,事先毫无准备,富春不讲,由薄一波作报告,头一天说计划可以完成,第二天就垮了,我说你坚持两天,三天也好。王任重说产量没有那么多,很多人反对你(指王任重),说你面无人色,干劲不大,我同情你,我也没办法。"

责。"他的错误"不能隐瞒。凡是中央犯的错误,直接的归我负责,间接的我也有份,因为我是中央主席。我不是要别人推卸责任,其他一些同志也有责任,但第一个负责的应当是我"。2月7日,周恩来代表国务院向大会作了自我批评,并且具体指出了自己的错误所在。大会开始时,邓小平主持的中央书记处就向大会提交了书面检讨。中央及中央领导人勇于承认错误,积极承担责任的态度,使与会者减轻了心理压力,他们的气也比较顺了。有的省委书记说:"毛主席都作自我批评了,我们还有什么气不顺的。"一些地县书记也说:"主席都检讨了,我们还有什么可说的!"

在中央积极主动承担责任的情况下,各部委也纷纷作自我批评。国家计委说:"高指标是计委提出的,应当由计委负责。"冶金部说:"生产和基本建设的高指标是冶金部带起来的,中央要把责任担起来,我们更加于心不安。"交通口的同志提出:如果中央一定要担负责任,最好把各部门的责任也写上去,或者由他们在会上讲一下各部应该承担的责任,等等。

在"出气会"上,一些地、县的同志积极给省委提意见,他们纷纷指出省里在工业、农业、商业上的瞎指挥,造成他们所辖地区生活紧张,生产秩序混乱的情况。还指出省里插白旗、反右倾、反死官僚主义等等伤害不少同志,要求尽快平反等等,道出了几年来心中的委屈与不满,各省委第一书记针对大家所提意见,对省里过去几年的工作进行梳理,指出所犯的错误。王任重说:"我的错误之一,没有调查研究,对上对下,常常轻率发言,表示意见,给工作造成不少损失。""林总批评有人干

扰主席思想向'左'拉,我就是其中一个。反映了一些不合实际的情况,岂不就是干扰了主席思想。"陶鲁笳检讨说:他曾把石楼县亩产170斤的情况,错误地向毛主席介绍为亩产千斤,对此感到非常痛心。叶飞在会上向被平反者赔礼道歉。省委书记的积极检讨,使上下之间的紧张关系得到缓解。出气的结果,大家舒畅了心情,振奋了精神。几十年后,薄一波还深有体会地说:"'七千人大会'实行下级可以批评上级(地委,省委,直至中央),上级虚心听取意见和批评,反复进行检讨的这种做法,在党的历史上是一个创举,是值得我们继承和发扬的好传统。"①

中央积极吸收大家的意见,说而不服的意见允许保留。在大会各种意见的纷纷议论中,中央办公厅主任杨尚昆几乎每天晚上组织听取四五个小时各省讨论情况的汇报,第一天的汇报会,刘少奇亲自听取。出气阶段的汇报,毛泽东亲自听取。中央的原则是,大会的各种意见,凡是能够吸收的都吸收,不能吸收的要解释说服,说而不服的允许保留意见。在这样一种思想指导下,大会在总结过去几年的工作时,讲清了成绩和缺点错误、犯错误的原因、错误的责任等,总结了16条经验教训,对于今后的工作到底应该怎么做,今后的目标是什么,都定出了明确的方针。

在反对分散主义问题上,鉴于地方同志有着不太认同的情况,中央耐心听取地方的意见。在重新成立的报告起草委员会上,通过面对面的交锋,最后大家取得共识:在当前的困难形势下,不抓分散主义,调整工作就很难进行,所以分散主义还是要反。不过不要到处反,哪里有,就

---

① 薄一波:《若干重大决策与事件的回顾》下卷,人民出版社,1997年版,第1078页。

哪里反,有多少反多少。同时,在报告稿上去掉了给分散主义上纲上线的说法。表面看来,中央和地方相互作了妥协,实际是中央的工作更务实了。王任重在1月23日的日记中说:他开始对于反对分散主义"集中统一的重要性、必要性认识不够,在讨论中我的认识提高了,同时我提出的应当注意的几点也被重视了"。也就是说,会议的讨论使王任重等心服口服。全党统一了认识,中央的调整政策有了贯彻落实的思想基础。

此外,这次大会要解决的关键问题之一,就是实现1962年上调中央150亿斤的粮食任务。大会期间,中央通过认真听取地、县两级干部的意见,不但改变了上调150亿斤的决定,而且突破了原来即使上调120亿斤中央也很难接受的数字,将上调的任务下调为106亿斤—114亿斤。中央的这一举措,受到与会者的热烈欢迎,使他们如释重负。王任重在1月25日日记中说:"这个问题一解决,这次大会就可以圆满结束了。从'压力下'解放出来,才真正心情舒畅。马列主义实事求是的作风终于得到完全胜利,这次扩大的中央工作会议可以说是百分之百的马列主义,为今后党的会议树立了典范。"一句话,中央恢复了实事求是的思想路线,增强了中央和地方的相互认同。

还有,这次会上,中央坚持继续高举"三面红旗",但有不少人对"三面红旗"提出质疑;也有一些人为彭德怀庐山会议的信说话,如此等等,且都上了大会简报。中央虽然没有接受,但允许保留意见。表现了一种坚持民主,让人讲话的政治姿态,这也是使会议气氛活跃,开得成功的

重要因素。

三

大会取得了重要成果

"七千人大会"经过28天的讨论、听报告、开"出气会",于2月7日闭幕了。参加会的人这么多,又开了这么长的时间,连春节也不放假,那么这个会到底起了什么样的作用,给人留下的印象是什么呢?

大会使全党恢复了比较实事求是的思想路线。在党犯了错误,国民经济和人民群众生活遭遇重大挫折时,如何看待这些问题,如何面向未来,全党上下乃至全国上下思想比较混乱,大会实行"三不"主义——不戴帽子、不打棍子、不抓辫子,放手总结经验,放手让人讲话,即使对比较敏感的"三面红旗"也可以持保留态度,允许怀疑;中央积极承担责任,毛泽东、刘少奇、周恩来、邓小平等中央领导人主动检讨错误,各省、部委负责人也纷纷作自我批评,虚心听取他人意见,大会还进一步申明对反右倾斗争中被错误批判为右倾机会主义分子的大多数同志进行甄别平反。所有这些,对遭遇重大困难之后"心气"受挫的人们,对于心中有着怨气的人们,对于仍然不肯认错的人们,无疑起到了正确认识过去,解除思想顾虑,化解心中怨气,凝聚民心的作用。正如山西省委第一书记陶鲁笳所说:"气不能不顺啊,连毛主席都作了自我批评嘛。"①

对于"七千人大会",刘少奇虽然认为"对困难透底不够",但相对来讲,还是比较实在地向全党介绍了全国的经济形势,

① 访问陶鲁笳记录,1996年5月9日。

面临的种种困难,以及克服困难的办法;在检讨犯错误的原因,估量过去工作的成绩和错误方面,虽然尚不到位,但在当时也属难能可贵,所以使人感觉中央的工作态度变得务实了,也比过去谦虚了。湖北省委第一书记王任重在传达这次大会精神时说:这次会议是实事求是的会议,真正虚心听取了大家的意见,也是几年来开得最好的一次会议。王任重的这个评价,多少反映了当时人们的一些感受。参加大会的中国科学院副院长张劲夫也说:"这次会非常好,接触到的一些同志反映都差不多。"①

大会对过去存在的问题和经验教训,对如何迅速恢复和发展国民经济,作出了比较系统的总结,对今后的经济建设要注意哪些问题,应该怎么搞,有了比较统一的认识。比如,如何迅速发展国民经济,过去的经验教训是,只强调速度是总路线的灵魂,总是强调快,而忽视了好,结果是一马当先,万马躺倒。美好的愿望不但没有实现,呈现在眼前的却是严重的失衡,迅速的滑坡,令人目瞪口呆! 所以,这次大会的一个重要特征,就是强调好,强调工业产品的品种和质量。这为后来几年中国经济的平稳发展打牢了思想基础。

如何迅速恢复和发展国民经济? 过去的经验教训是,因为农业不能及时为工业提供农产品和劳动力从而影响工业迅速发展,因此这次大会更加强调必须把发展国民经济的重点放在农业方面,提出以农业为基础来发展我国国民经济,是"我们的一个根本方针"。

过去因为提倡实行供给制,取消自由市场,取代供销合作社和手工业合作社,带来的结果是物流不畅,产品匮乏。为吸取这一经验教训,大会强调"必须充分发展商品交换……要学会做生意,要有合理的价格政策。在农村中还应该适当地保持农村集市贸易……"

对于"共产风",认识到它不仅刮走了农民的财富,更重要的是刮走了农民的生产积极性,因而给农业生产带来了惊人的损失。过去中央已经大力纠正过"共产风",这次大会从理论上集中强调:"社会主义不是平均主义,共产主义也不是平均主义。在社会主义阶段,我们的分配原则,是按劳分配;我们的交换原则,是等价交换。"并说:"平均主义的思想,'它的性质是反动的、落后的、倒退的'。"

此外,"大跃进"期间的高指标、高征购,造成了严重浮夸、违背科学的事情发生,又购空了农民的粮食,使不少农民失去宝贵的生命;由于只注重钢的产量,又造成经济的严重失衡,引出不少人间悲剧。这期间的代价是难以形容的。这次大会强调"计划指标必须符合实际……必须注意综合平衡……还必须正确地处理积累和消费的关系。积累的增加,必须建立在生产不断发展和人民生活适当地、逐步地提高的基础上。"

"大跃进"期间,还有很多做法因为不懂经济,不懂科学技术而造成了巨大损失。如在农业方面乱改耕作制度,造成大面积减产;修建不少不仅无益反而有害的水利工程,劳民伤财。在工业方面,任意违反科学的技术措施,导致设备损坏,产品质量降低,成本提高,劳动生产率下降。其教训是十分沉痛的。大会要求全党,要"熟悉经济情况,努力认识和掌握经济工作的客观规律,钻研业务……反对'政治空谈'。必须尊重科学技术"。"七千人大

① 张劲夫在中国科学院司局长会议上的讲话记录,1962年2月9日。

会"开后不久,周恩来等就积极落实知识分子政策,与这些认识有着很大的关系。

可以肯定地说,在人们既不懂得经济建设又缺乏实践经验的情况下,这些经验教训的总结,在事后的经济建设中起了很好的作用。尽管还带有很多的局限性,还有不少让人觉得幼稚可笑的地方,但无疑是全党在认识如何进行社会主义建设方面前进了一步,这一点很难否定,有些经验认识至今仍然适用。

此外,也是在这次大会上制定的十年规划规定,今后5年国民经济的恢复和发展,重点放在解决吃、穿、用上。为了解决吃、穿、用的问题,在安排好农业、轻工业的基础上,对重工业量力而行。王任重说:"这是过去没有解决的问题。"①陈云在西楼会议的讲话,应该说主要体现了这一精神。

上述总结,是对中华人民共和国成立12年来经济建设方面作出的全面反思和总结,基本达到了当时所能达到的认识高度。

大会对社会主义建设的长期性和艰巨性有了比较明确的认识。民主革命时期,中国共产党在30年代曾恨不得一个早上就消灭敌人,夺取政权,结果险些葬送革命的力量;新中国成立后,又犯了经济建设的急性病,恨不得仅用几年时间就使中国强大起来,结果栽了一个更大的筋斗。吃了几年的苦头,毛泽东在这次大会上提出,中国要赶上和超过世界最先进的资本主义国家,需要100多年的时间;在社会主义建设上,我们还有许多未被认识的必然王国,还有很大的盲目性。如果说,"大跃进"期间,以毛泽东为首的中共领袖们还认为"一张白纸"有优越性的话,那么

现在,他们开始不这样认识问题了,开始懂得中国不但不可以马上改变落后的经济现状,而且因为经济落后,处处掣肘,至少农业就在扯着工业的后腿。大会使全党更加冷静下来,开始自觉地意识到社会主义建设需要一个相当长的时间,如何建设社会主义还有许多事情需要人们去认识,去探索。对社会主义经济建设要立足国情,要克服"左"倾盲干,使人们从思想理论上有了进一步的自觉。

大会认识到过去几年最大的经验教训是缺乏民主。这是这次大会的一个重大收获,也是应该大书特书的问题,因为此前人们比较强调的是缺乏经验。大会在讨论时,不少同志对缺乏经验提出质疑。认为缺乏经验是一个原因,但绝不是最重要的原因,说假话、搞浮夸总不能说是缺乏经验,关键是党内缺乏民主,不让人讲话,动不动就拔人家的"白旗",戴右倾的帽子,就批判,就斗争。结果弄得党内风声鹤唳,万马齐暗。如果民主气氛好,没有经验,可以从别人的意见中得到启发;头脑发热,可以在别人的劝谏下冷却清醒。"大跃进"期间,就因为这些机制不存在,才会一错再错,而且得不到及时纠正,乃至泛滥全国,造成令人痛心的巨大损失。这一点在大会讨论时,不少人纷纷提及。1962年1月30日,毛泽东在大会上联系党的状况,强调各级领导干部,一定要发扬民主、让人讲话。哪怕是骂自己的话,也要让人家讲。他说:没有民主,不可能有正确的集中,不可能正确地总结经验,不可能制定出好的路线、方针、政策和办法。解决人民内部矛盾,只能用民主的方法,让群众讲话的方法。刘少奇说:"这几年我们吃了不调查研究的亏,吃了

① 《王任重文集》上卷,中央文献出版社,1999年版,第329页。

不讲民主的亏。我们不发扬民主，不善于听人家的意见，不充分在人民中间讨论，不认真取得他们的同意，这是一条很大的经验教训。"①刘少奇后来在修改自己的讲话时，又强调这是几年来犯严重错误的"根本原因"甚至是"全部原因"。②刘少奇的这番话，可谓肺腑之言。大会给人传达的信息是，以后要坚持民主集中制，要发扬民主作风，要让人讲话，要有"左"反"左"，有右反右，不再搞过火斗争，不能让第一书记一个人说了算，对过去反右倾、拔"白旗"搞错了的要一律平反等等，这些都是从上到下通过大会总结经验而达到的共识。当然，也并不是所有与会者都能认识这么深刻，其中还存在相当不同的认识，但至少大会表现出来的是这样一种形势，这样一种气氛。而这样一种民主、奋进、团结一致战胜困难的气氛，无疑立即鼓舞了当时人们的士气，振作了大家的精神。

大会从领导方法上也总结了一些经验。毛泽东说：搞社会主义建设只有总路线还不够，还必须有一整套具体政策。现在要好好总结经验，逐步地把各方面的具体政策制定出来。这也是经验之谈。

刘少奇针对过去几年不少事情一哄而起的情况，提出：我们的一切新的创举，都必须经过试验。我们的一切事业，都必须同群众商量，取得群众的同意，才能办得成功。这就是毛泽东同志所说的："一定要每日每时关心群众利益，时刻想到自己的政策措施一定要适合当前群众的觉悟水平和当前群众的迫切要求。凡是违背这两条的，一定行不通，一定要失败。"这些至理名言，今天读来，仍然觉得是掷

地有声，至今也应牢牢记取。

陈云在出席陕西组会议时，针对人们由于认识的片面性，而造成决策失误的情况，他用"交换、比较、反复"的六字方针，要求领导干部听话要特别注意听反面的话，要养成耐心听取不同意见的良好习惯。他说：看问题往往容易产生片面性。如果把各人看到的一面"交换"一下，那就全面了。要弄清楚实际情况，就是多和别人交换意见。如果没有反对意见怎么办？可以作点假设，从反面和各个侧面来考虑问题，并且研究各种条件和可能性，这就可以使我们的认识更全面些。我们犯错误，就是因为不根据客观事实办事。但犯错误的人，并不都是没有一点事实根据的，而是把片面当成了全面。领导机关制定政策，要用90％以上的时间做调查研究工作，最后讨论作决定用不到10％的时间就够了。研究问题，制定政策，决定计划，要把各种方案拿来比较。在比较的时候，不但要和现行的作比较，和过去的作比较，还要和外国的作比较。这样进行多方面的比较，可以把情况弄得更清楚，判断得更准确。作了比较以后，不要马上决定问题，还要进行反复考虑，要留一个反复考虑的时间，最好过一个时候再看看。若干年后，陈云在"交换、比较、反复"六字前面，又加9个字"不唯上、不唯书、只唯实"，成为对领导者正确决策的极具指导作用的15字方针。

刘少奇和邓小平都针对过去滥搞群众运动的情况，提出要"建立经常工作"。刘少奇说：一切工作的成绩，都是由一点一滴的细致工作积累起来的。把群众运动当做群众路线的唯一方式，是不正确

① 刘少奇在中央会议上的讲话记录，1962年2月8日。
② 薄一波：《若干重大决策与事件的回顾》下卷，人民出版社，1997年版，第1070页。

的。今后凡是需要开展运动的事情，属于全国性的，必须由中央斟酌情况决定。凡是不准备普遍推广的事情，都不要登报和广播。这也是在大挫折中总结出来的经验。

大会在取得重要成绩之外，显然也存在着一些缺点。大会统一了全党的思想，但最高决策层的思想不但没有统一，而且加大了分歧。① 当时刘少奇表示，大会对过去几年工作的总结只是初步的，以后还要总结；毛泽东也表示了这个意思，"是一个初步的总结"。他们两人都认为这个总结是初步的，那么这个"初步"在他们那里，却有着不同的解释。毛泽东认为，认识需要一个过程，"三面红旗"到底正确不正确，还要在今后的实践中间去检验。② 刘少奇则认为，一是时间短，有些问题还看不那么清楚，所以这个总结只能是初步的，在这一点上，他同毛泽东的看法是相同的；但死了那么多人，生产力有那样大的破坏，不能总结一次就行了，以后还要不断地总结，这一点上，就与毛泽东不大相同了。

还有，这次大会没有从"三面红旗"这个带有全局性、根本性的指导思想方面来总结经验教训。"三面红旗"到底对不对？大会明显存在不同的认识，有人甚至提出了相当严重的质疑，有鉴于此，大会只是作出了对"三面红旗"允许怀疑的承诺，但最后还是表示"三面红旗"是正确的，还要继续高举。因为没有在指导思想上彻底纠正错误，也因为还要继续高举"三面红旗"，对日后出现的比较符合中国实际情况的实践探索就缺少了理论上的支持，使之很容易便被当做错误的东西，或者是路

线错误被打压下去，如包产到户等问题。

再有，大会已经认识到最大的经验教训是党内缺乏民主，是导致犯错误的根本原因，但对于如何保证民主集中制的贯彻实行，或者说，怎样才能防止以后类似的错误不再发生，则没有深入的讨论和总结。尤其应该指出的是，这次会议对庐山会议人为制造的所谓"反右倾"斗争，并没有作出实事求是的评估，仍然保留了对彭德怀等的错误结论和错误处理，以彭德怀有所谓一个"反党集团"，又有"国际背景"为理由，不予平反。用这种态度对待所谓彭德怀"反党集团"本身，就表明党的"左"的指导思想还没有在根本上被触动和解决。

总之，"七千人大会"既取得了令人难忘的成就，也留下一些令人遗憾的不足。这里有认识的局限，也有不少个人的因素。它的成就带来了大会之后的一片新气象；它的不足注定了那一片新气象的出现是短暂的。1980年11月16日，经过18年反思的陈云，回顾这一段历史说："在'左'的错误领导下，也不可能总结经验。"③陈云的话，令人深思！

四

大会之后出现了新气象

"七千人大会"的与会者被当时所出现的让人讲话、允许怀疑"三面红旗"的民主气氛所鼓舞，解放了思想，放下了包袱。大会之后，其民主精神继续发扬，出现了很多敢想、敢说，积极主动地探索社会主

---

① 见张素华：《变局——"七千人大会"始末》，中国青年出版社，2006年版，有关"打下毛刘分歧的楔子"一节。
② 刘少奇在"七千人大会"上的讲话；毛泽东在最高国务会议上的讲话记录，1962年4月9日。
③ 《陈云文选》第3卷，人民出版社，1995年版，第282页。

义建设的新气象。

变被动调整为主动调整,使调整的步伐大大加快。"七千人大会"结束后的第十四天,刘少奇主持召开中央政治局常委扩大会议(通称"西楼会议"),对经济形势作出新的大胆判断,提出最困难的时期还没有过去,对调整工作要采取果断措施。陈云提出要有一个调整恢复时期,把工作的基点放在"争取快,准备慢"上。① 不久,陈云又提出,把保障并逐步改善人民的生活摆在首位,对1962年的重工业和基本建设的指标要"伤筋动骨",重新安排。从此,一直处于被动调整,总是想慢慢转弯、一个一个方面进行调整的思路,来了一个180度的大转弯,②开始主动调整,着眼全局从综合平衡来考虑和解决问题。比如,对经济效益不佳的工厂实行坚决地关停并转;各地的基本建设,除了维持简单再生产的工程和十分必要的扩大再生产的某些工程之外,其他都一律停止;集中力量增加农业生产和日用品生产,解决吃、穿、用问题,保证市场供应,制止通货膨胀。类似的调整,动作之大,力度之强,前所未有! 调整的步伐加快了,分散主义的表现减少了,中央的各项调整措施得到顺利的贯彻和落实。

要求包产到户的呼声越来越高。在工业调整深入进行的同时,如何尽快恢复农业生产,人们也进行了大胆的探索。虽然早在1961年11月,中央就曾批评包产到户和一些"变相单干"的做法是不正确的,要求把这些做法改变过来,"七千人大

会"上,曾希圣被指出的错误之一,就有在安徽推广"责任田"一项,但"七千人大会"所强调的要恢复党的实事求是的思想路线,深深地鼓舞着人们打破框框,根据实际情况来选择增产的方式,所以,在农村实行包产到户的呼声越来越高。原来主要是各省自己在搞,到了1962年春夏期间,受到了来自中央第一线领导同志的支持,如邓子恢、陈云、刘少奇、邓小平、周恩来等均有赞成的表示。用邓小平的话说,不管是黄猫黑猫,在过渡时期,哪一种方法有利于恢复,就用哪一种方法。③ 由此在农村出现的新气象,表现为实行包产到户和分田单干的地方越来越多。

在政治领域继续开放言论,加速平反工作。"七千人大会"之后,中央发扬大会精神,在党内外继续营造民主气氛。毛泽东提出要造成一种政治上敢于讲话,工作上敢于负责,学术上敢于争鸣的气氛。④ 周恩来反复强调:"要鼓励各种意见都说出来,有不同意见可以争论,争论以后由中央作决定。"他还说"敢于提出不同意见,敢于批评对方的短处"的朋友"不是畏友而是净友"⑤,鼓励人们提意见。

在平反问题上,1961年6月、11月,中央曾先后提出对过去几年受过批判和错误处理的同志要进行实事求是的甄别纠正,但因为许多人的认识问题没有解决,进展缓慢。"七千人大会"之后,邓小平主持制定了《关于加速进行党员、干部甄别工作的通知》,这个通知要求对县以下的

---

① 《陈云文选》第三卷,人民出版社,1995年版,第193页。

② 周恩来语。

③ 中共中央书记处会议记录,1962年7月2日,转引自《毛泽东传》下册,中央文献出版社,2003年版,第1231页。

④ 毛泽东在最高国务会议上的讲话记录,1962年4月9日,转引自《毛泽东传》下册,中央文献出版社,2003年版,第1215页。

⑤ 《周恩来选集》下卷,人民出版社,1984年版,第292页。

基层干部,要"一律平反",即使有轻微错误的,"也不留尾巴",事实上是"一风吹"。中央这一指示下发之后,各地加快了平反的步伐,与此同时,县以上的平反工作也在加速进行,各省、部委的不少所谓"右倾"分子都得到平反。在全国上下各个层面的平反工作,都在迅速深入地展开着。

在外交领域出现一些新见解。中联部部长王稼祥,受毛泽东"七千人大会"讲话的鼓舞,抱着对党勇敢提意见的态度,提出对外工作应该把和平运动的意义说够,不要只讲民族解放运动,不讲和平运动,不要四面树敌,要缓和和约束某些方面的斗争,以便集中更多的精力,来改善国内的经济状况。其基本方针是:在对外斗争中要小心谨慎,注意策略,而不能勇往直前一斗到底;对外援助应当实事求是,量力而行。遗憾的是,这些正确的思路,后来被扣上了"三和一少"的帽子(对帝国主义、各国反动派、修正主义和,支持各国革命运动少),没有得到有效的实行。

在统战工作中出现一些有建设性的新意见。统战部部长李维汉受沐于"七千人大会"的春风,会后,积极检讨统战工作存在的问题,针对当时党的统战工作存在的"敷衍应付"多,要么是"冷在一旁","课以责任却不给必要的权力和条件"等问题,在1962年4、5月间,主持召开的全国统战工作会议提出,统战工作的方针应该更加强调团结,强调发扬民主,开展批评和自我批评;统战工作的基本任务是发扬民主,调整关系,充分使用,耐心教育。①2004年,中国人民政治协商会议章程修正案强调"团结和民主"是全国政协会议的

两大主题,由此可以感到,42年前,这次统战工作会议主张的方针,是极其富有远见的,"七千人大会"让人讲话的效果是何等之好。同样遗憾的是,由于这次会议的主张,后来在八届十中全会上,李维汉因此受到批判。

在思想文化领域也有了新举动。大会之后,中宣部部长陆定一立刻指示编辑、赶印了《魏征传》,希望以史为鉴,来配合当时兼听则明的政治气氛。有些剧作者还创作改编了《唐太宗》、《洛阳宫》、《唐皇纳谏》等剧本。②一时间,一股民主宽松的春风荡漾在人们中间。

在知识分子问题上,1961年,中央对知识分子问题曾进行了一些调整,但在指导思想上,仍没有彻底改变对知识分子阶级属性的错误估计,知识分子依然心情压抑,顾虑重重。"七千人大会"结束后的一个月内,陈毅在广州知识分子会议上,让大家出气。说过去的运动中间,"搞得人感情很痛苦","伤了和气"。现在的形势很严重,"严重到大家不写文章,严重到大家不讲话,严重到大家只能讲好,这不是好的兆头。将来只能养成一片颂扬之声,这对我们有什么好处?危险得很呵!"陈毅为此对知识分子"脱帽加冕",即脱"资产阶级"之帽,加"劳动人民"之冕。说到激动处,陈毅还向知识分子行了脱帽礼,表示歉意。陈毅的讲话,受到了与会者的热烈欢迎。1962年3月28日,周恩来在《中央政府工作报告》中正式提出知识分子"是属于劳动人民的知识分子",摘掉了长期压在知识分子头上的帽子。"知识分子兴高采烈,如金榜题名,重获解放似的

---

① 这四句话的意思是:调整国内各种政治关系,缓和紧张的政治空气。强调在国家政治生活中实行民主集中制,重视民主党派、人民群众团体的参政议政,在意识形态领域里倡导和重申"百花齐放,百家争鸣"的方针。

② 黎之:《回忆与思考——所谓"全民文艺社论"和知识分子"脱帽加冕"》,《新文学史料》,1997年第1期。

为能属于劳动人民而欢欣鼓舞。"①

1962 年 5 月 23 日,文化部部长周扬主持发表了一篇社论《为最广大的人民群众服务》,其中提出一个大胆的口号:"以工农兵为主体的全体人民(包括民族资产阶级)都应当是我们的服务对象。"②

新的局面,新的气象,的确令人欣喜。中国开始朝着一条符合本国国情的社会主义道路前进。但遗憾的是这种势头没有保持下去。

国民经济的调整

1961 年至 1965 年是中国国民经济的调整时期。所谓调整,主要包含两个方面的内容:一是供给与需求关系的调整,这里既有对总供给与总需求的量的调整,也有对供给结构和需求结构的调整;二是对生产关系的调整,即对"大跃进"时期形成的不利于经济发展的经济体制进行调整。60 年代前期的这次大调整,虽然没有从根本上突破单一公有制和计划经济体制模式,没有从根本上消除投资"饥渴症"和经济波动的机制,但是由于党和政府对经济困难认识充分,调整决心大,因此调整的效果较好,仅用三年的时间就基本扭转了"大跃进"造成的经济结构严重失调和由此造成的生活消费品的严重短缺。调整过程中党和政府采取的一系列方针政策,虽然只是在那个时代和那种体制下行之有效,但是为了解

中国国情和总结历史经验教训,对今天仍然具有重要的借鉴作用。

一

调整国民经济决策
出台的背景

持续三年的"大跃进",动员了空前规模的人力、物力、财力,使我国的工农业生产在一个短时期内,有了迅速的发展和变化。但急于求成的"大跃进"给国民经济带来的更多的是灾难性后果。

第一,国民经济比例严重失调。1957 年至 1960 年,按不变价格计算,我国工农业总产值由 704 亿元增加到 1650 亿元,增长 2.3 倍,而农业总产值却由 537 亿元下降到 415 亿元,下降 22.7%。工业与农业的产值比例由 5.7∶4.3 变为 8∶2。由于农业遭到工业的挤压,粮食短缺问题严重。1959 年我国粮食产量只有 3400 亿斤,比 1958 年的实际产量 4000 亿斤减少 600 亿斤。1960 年全国粮食产量下降为 2870 亿斤,低于 1951 年的 2874 亿斤。另一方面,轻率提出"以钢为纲"的口号,盲目追求脱离实际的钢产量,造成了工业内部部门之间、生产环节之间以及工业和交通运输业之间比例的严重失调。

第二,人民生活水平下降,通货膨胀严重。1960 年,居民的消费水平比 1959 年下降 13.6%;人均主要食品消费量与上年相比,粮食由 373 斤降到 327 斤,下降了 12.3%;食油由 4.5 斤下降到 3.7 斤,下降了 18%;猪肉由 6 斤下降到 3.1 斤,下降

---

① 黎之:《回忆与思考——所谓"全民文艺社论"和知识分子"脱帽加冕"》,《新文学史料》,1997 年第 1 期。
② 《人民日报》,1962 年 5 月 23 日。

了48%。① 由于严重缺粮，有相当一部分城乡居民患了浮肿病。更为严重的是，由于天灾人祸②，当时全国有一些农村地区出现了大量的非正常人口死亡现象。根据《中国统计年鉴(1986)》统计，1960年全国人口死亡率达到25.43‰，比1957年高近1.5倍，但是根据1964年第二次全国人口普查的资料推算，1960年前后的死亡率比25.43‰还要高10个千分点左右。估计1960年前后全国人口净减少约2000万。③ 为了满足"大跃进"建设资金的需要，国家通过财政、信贷等方面筹集资金。1958年到1960年三年财政赤字共计169.4亿元，1961年仍有赤字10.9亿元。中央政府不得不依靠增发钞票的办法弥补赤字，结果造成通货膨胀。1958年以来，三年投放大于回笼，到1960年年末货币流通量增加了81.7%，这是新中国建立以来最高的。

第三，"大跃进"时期经济投资效率低，经济大起大落。"大跃进"时期是中华人民共和国成立以来经济效益最低的时期。三年"大跃进"期间，每百元积累新增加的国民收入仅为1元，投资系数为74.1，远远低于"一五"计划时期的35元和1.56。④ 有人估计，仅以此计算，"大跃进"时期就损失国民收入1200亿元。⑤ "大跃进"时期，1958年、1959年经济过热，经济增长率(国民收入)分别为22%和8.2%。但到了1960年—1962年三年则出现负增

长，分别为-1.4%、-29.7%、-6.5%。经济增长率的峰顶与谷底之间的落差为51.6个百分点，属于强幅震荡。波动高度在22%属于高峰型。该周期经济增长率的年递增平均值是-4.6%，低位型。⑥ 这表现了在这个周期中我国经济大起大落，极不稳定。这次经济畸形高涨，导致随后国民收入绝对量的下降，直到1964年才恢复到1957年水平。

正是在上述的严重经济问题面前，中共中央终于在1960年底作出了从"以钢为纲，全面跃进"转变为全面调整的决策。

调整国民经济的决策

严峻的经济形势迫使党和政府不得不提出国民经济的调整问题。1960年6月14日至18日，中共中央在上海举行扩大会议。会上，毛泽东作了《十年总结》讲话，承认在前一阶段存在着一些缺点错误，自己也有责任。毛泽东说："一九六〇年六月上海会议(指这次会议——引者注)规定后三年的指标，仍然存在一个极大的危险，就是对于留有余地，对于藏一手，对于实际可能性，还要打一个大大的折扣，当事人还不懂得。一九五六年周恩来通知主持制定的第二个五年计划，大部

① 《中华人民共和国国民经济和社会发展计划大事辑要》，红旗出版社，1987年版，第163页。上述数字可能仍然偏高。因为实际上1960年因食品供给不足，引起了普遍严重的饥馑。有的地方每人每天只能吃6两粮食，不得不以瓜菜代食充饥，结果普遍营养不良，不少人因此患病死亡。
② 天灾指自然灾害；人祸指当时的瞎指挥、浮夸风、命令主义等人为造成的损失。
③ 参见许涤新主编：《当代中国的人口》，中国社会科学出版社，1988年版，第9、49、73页。
④ 张曙光：《经济结构和经济效果》，《中国社会科学》，1981年第6期。
⑤ 宁学平、陈秉良：《关于国民收入和财政分配三项比例关系的探讨》，《社会科学战线》，1981年第3期。
⑥ 波动幅度用波峰减波谷得出，一般认为相差10个百分点就属于强波型。波动高度一般认为用周期内波动最大的表示。波峰年增长大于15%认为是高峰型。周期经济增长率平均值作为位势指标，一般认为等于小于5%属于低位型。以上资料来源于刘树成：《中国经济周期波动的新阶段》，上海远东出版社，1996年版。

分指标,如钢等,替我们留了三年余地多么好啊!农业方面则犯了错误,指标高了,以至不可能完成。要下决心改,在今年七月的党大会上一定要改过来。"①政治局会议结束以后,国民经济的问题更多地暴露出来,上半年生产任务完成得不好,粮食供应日益紧张,外汇收支出现很大逆差,七八月份财政收入连续大幅度下降。与此同时,中苏矛盾也出现尖锐化。在这种情况下,中共中央决定于例行的北戴河会议上讨论国际共运和国内经济问题。

1960 年 7 月 5 日至 8 月 10 日,中共中央在北戴河召开工作会议。会议初步议论了对国民经济实行调整的问题。毛泽东在会上说:农村以生产队为基本核算单位的三级所有制,至少 5 年不变,死死地规定下来,再不要讲 3 年 5 年从队基本所有制过渡到社基本所有制。要有部分的个人所有制,总要给每个社员留点自留地,使社员能够种菜,喂猪喂鸡喂鸭。会议通过了李富春、薄一波提出的《1960 年第三季度工业交通生产中的主要措施》。《措施》提出:调低一般产品的生产,集中力量保证钢、铁、煤、运输的生产,以解决第二度以来主要产品下降、基本建设战线过长、物资使用分散的问题。会议还通过了《关于全党动手,大办农业、大办粮食的指示》《关于开展以保粮、保钢为中心的增产节约运动的指示》,确定压缩基本建设战线,保证钢铁等工业生产;认真清理劳动力,加强农业第一线,保证农业生产。并决定以后计划不再搞两本账,只搞一本账,不搞计划外的东西,不留缺口。在北戴河会议初期讨论运输问题时,国务院副总理兼国家计委主任李富春曾根据前段时间的生产情况,提出应该对工业进

行整顿、巩固、提高。但是这个想法提出后,计委内部争论很大,有人认为没有必要这样做。8 月中下旬,李富春在起草的国家计委《关于 1961 年国民经济计划控制数字的报告》中提出:1961 年国民经济计划的方针应以整顿、巩固、提高为主,增加新的生产能力为辅;压缩重工业生产指标,缩短基本建设战线,加强农业和轻工业的生产建设,改善人民生活。8 月 30 日至 9 月 5 日,国务院审议这个报告,大家赞成这些设想。周恩来对这个方针提出了完善的意见。他认为,与其讲整顿,不如提调整,并建议增加"充实"二字,从而形成了完整的"调整、巩固、充实、提高"八字方针。1960 年 9 月 30 日,中共中央在转发国家计委党组《1961 年国民经济计划控制数字的报告》的批语中提出:1961 年,我们要"使各项生产、建设事业在发展中得到调整、巩固、充实和提高"。这是中共中央第一次正式提出调整国民经济的"八字方针"。

在中央决定调整工业的同时,为了全面地进一步纠正农村人民公社的"共产风",挽救农村形势,中共中央在 1960 年 10 月份连续批转《晋、冀、鲁、豫、北京 5 省市农业书记会议纪要》和《关于沔阳县贯彻政策试点情况的报告》后,又于 11 月 3 日向全党和全国人民发出《中共中央关于农村人民公社当前政策问题的紧急指示信》(又称"十二条")。

《紧急指示信》提出,"共产风"必须坚决反对,彻底纠正。并为此制定了十二条重大措施。如三级所有、队为基础,是现阶段人民公社的根本制度;坚决反对和彻底纠正"一平二调"的错误等。与此同时,中共中央还发出《关于贯彻执行〈紧急指

---

① 《建国以来毛泽东文稿》第九册,中央文献出版社,1996 年版,第 214—215 页。

示信〉的指示》，要求各地最迟在 1960 年12 月中旬以前把《紧急指示信》传达到农村中去，使中央的政策直接同群众见面。《紧急指示信》是调整时期一个关系到经济工作全局的重要文件，是大幅度调整农村政策以战胜经济困难的重要开端。

1961 年 1 月 14 日至 18 日，中共中央在北京举行了中共八届九中全会。全会听取和讨论了李富春关于 1960 年国民经济计划执行情况和 1961 年国民经济计划主要指标的报告，正式批准了"调整、巩固、充实、提高"的八字方针。九中全会建议国务院根据全会确定的方针，编制 1961 年国民经济计划，交全国人民代表大会审议。

首先，九中全会认为，当时经济工作中的重要问题是在农、轻、重之间，生产资料和消费资料生产之间，积累和消费之间的比例关系严重失调，造成经济各部门之间的比例不平衡。因此，九中全会要求在编制国民经济计划工作中，要按照农、轻、重的次序安排经济，即先安排农业，再安排工业；先安排好轻工业，再安排重工业；在安排重工业时，又必须先安排好与农业生产直接有关的农业机械、农具、化肥、农药等行业，再安排其他行业。

九中全会根据我国当时经济工作中出现的严重不平衡的问题，决定从 1961 年起，在两三年内实行"调整、巩固、充实、提高"的方针。这个方针的基本内容是：调整国民经济各部门间失衡的比例关系，巩固生产建设取得的成果，充实新兴产业和短缺产品的项目，提高产品质量和经济效益。这个方针以调整为重点。其具体内容是适当调整国民经济各部门的发展速度，即尽可能提高农业的发展速度，提高轻工业的发展速度，适当控制重工业的发展速度，特别是钢铁工业的发展速度，同时适当缩小基本建设的规模；在劳动力的安排方面，要求有计划地精简和下放国营企业、事业和行政机关的职工，以加强农业生产第一线。全会还根据"八字方针"总的精神，确定了一系列具体方针，全会肯定了"八字方针"是一个积极的方针，它的目的是通过加强综合平衡工作，使不平衡转化为平衡。

全会鉴于农业严重减产，根据上述"八字方针"的精神，确定 1961 年的国民经济工作要更好地贯彻以农业为基础，把农业放在首位的方针，争取农业丰收，特别是争取粮食丰收。全会根据近几年的经验指出，加快农业的发展是高速度、按比例发展我国国民经济的中心环节。为此，全会提出全党全民大办农业、大办粮食的要求。全会指出，加快农业的发展，增加农民的收入，减轻农民的负担，既是经济问题，也是政治问题。全会决定各行各业都要支援农业，要贯彻执行党的农村政策，保证劳动力得到合理安排。[①]

以 1960 年 11 月的《紧急指示信》和八届九中全会两件事为标志，党的经济指导方针发生了重要转变，停止了历时三年的经济"大跃进"和向社会主义"高级形式"的过渡。我国开始进入国民经济调整时期。

从 1961 年 8 月至 9 月庐山中央会议到 1962 年北京中央工作会议，前后历时 9

---

① 薄一波：《若干重大决策与事件的回顾》下卷，中共中央党校出版社，1993 年版，第 891—892 页；《中国共产党历次重要会议集》下卷，上海人民出版社，1982 年版，第 144—147 页；《中华人民共和国经济大事记》（1949—1980 年），北京出版社，1985 年版，第 274、279、281 页，《中国共产党第八届中央委员会第九次全体会议公报》，《新华月报》，1961 年第 2 号，第 1—2 页。

个月,终于统一了全党对经济调整工作的认识,下定了坚决后退的决心。正是这一点,使得1962年的经济调整工作进入了决定性阶段,并成为国民经济摆脱困境的重大转折点。

调整决策的实施

尽管1961年初中共中央就正式决定实行调整方针,但在1961年8月前,由于党内认识的不统一,中央主要抓了恢复农业,调剂市场,精简职工三个方面的工作。

在恢复农业方面,主要作了以下几项调整:①调整人民公社的所有制和分配关系,重申以生产大队为基本核算单位的三级所有制是现阶段农村人民公社的基本制度。强调公社对生产大队的生产不得强加干涉,队与队之间要坚持自愿互利和等价交换原则。在收入分配方面,取消了过去实行部分供给制的规定。1961年5月,明确提出停办食堂。②坚决实行退赔政策。要求对人民公社化运动以来“平调”社队和社员个人的各种财物和劳力进行认真清理,坚决退赔。③减少粮食征购,减轻农民负担。针对农村粮食吃紧的问题,采取少购少销政策。1961年粮食征购量比1960年减少212亿斤,同时对农业税率进行适当调整,使全国平均农业税的实际承担率从1957年的11.6%下降到10%以下。④提高农副产品的收购价格,规定适当的购销政策。1960年开始对主要产粮区实行起购加价办法,全国平均加价5%。1961年1月2日决定提高农副产品的收购价格,平均提高的幅度粮食为20.5%,油料为13%,生猪为26%,家禽和蛋为37%。部分省市还对烤烟、麻、茶叶

等农产品收购价上调了30%—50%的幅度。

在稳定和调剂市场供应方面,主要作了以下几项调整:①大力压缩社会集团购买力,减轻市场商品供应的压力。到1961年底,社会集团购买力压缩到49.4亿元,比上一年减少26亿元。②对部分消费品的供应实行高价政策。1961年,在全国供应高价糖果并在全国100多个城市开设了高价饭馆,后来又陆续决定将自行车、钟、表、酒、茶叶、针织品等也以高价出售一部分。据统计,1961年和1962年的两年间,共销售高价商品74.5亿元,增加财政收入38.5亿元。对回笼货币、保证职工基本生活起到了很好的作用。③增加流通渠道,改进商业工作。1961年5月,中央拟定了《关于改进商业工作的若干规定(试行草案)》(简称“商业40条”)明确指出国营商业、供销合作社商业和农村集市贸易是现阶段我国商品流通的三条渠道,积极恢复“大跃进”以来已撤销或合并的供销合作社、合作商店和合作小组,有领导地开放农村集贸市场。

精简城镇、机关和社队企业人员,充实农业第一线。据统计,到1962年春,因精简人员使农业生产第一线的劳动力增加2913万人,农村劳动力占农村人口总数的比重增加到39%。由于压缩城市人口,许多家在农村,新参加工作不久的职工,基本被送回农村。到1961年底,全民所有制单位职工总数比上年净减少873万人,全国城镇总人口由上年的13073万减为12707万,净减少366万人。

1962年,由于中央决心大,全党认识基本统一,调整工作全面铺开。调整工作主要围绕着五个方面进行:

第一,降低工业生产计划指标,压缩工业基本建设规模。对1962年工业生产

建设计划,特别是如原煤、钢、铁、木材等主要工业品生产指标,一再进行减低性调整,使它基本上落到了实处。工业生产指标的大幅度降低,为工业本身乃至整个国民经济的各个方面的调整创造了一个较为宽松的环境。各部门、各地区盲目增加投资、上项目的做法得到有效控制,把基本建设规模大幅度压缩下来。1962年初安排的基本建设投资为67亿元,退到只能维持简单再生产的程度。年末实际完成的基本建设额为71.26亿元(其中预算内投资为60.25亿元),比1961年减少56.14亿元。[①] 在压缩国家预算内的基本建设投资的同时,还采取了各种措施严格控制地方和企业用自筹资金进行基本建设,并大量削减建设项目、缩短建设战线。停建项目较多的属于钢铁工业和与钢铁工业相联系的部门。

第二,继续精简职工、压缩城镇人口,关、停、并、转部分工业企业。1962年财政经济的困难还很严重,职工人数仍大大超过经济水平,特别是农业的生产水平。5月的中央政治局常委会议,再次提出把城镇人口减少到同农业提供商品粮、副食品的可能性相适应的程度,要求全国职工人数再减少1056万—1072万人,城镇人口再减少2000万人。这一精简任务要求在1962年、1963年内基本完成,1964年上半年扫尾。会后为了完成精简职工的任务,把这一工作与国民经济的调整特别是工业的调整和企业的裁并结合起来进行,通过努力进展很大。截至1962年10月,大中城市和重要企业减少职工的任务已经基本完成或者接近完成,精简工作的重点转移到专区、县、公社、大队管理的企业和事业单位。

1962年工业生产指标大幅度降低后,大多数工业企业任务不足,能力过剩,人浮于事。同时,进入1962年以后精简职工的难度增大。5月27日,中共中央、国务院正式作出《关于进一步精简职工和减少城镇人口的决定》。《决定》提出:精简职工的工作与工业的调整和企业裁并结合起来进行。工业企业的关、停、并、转工作进入一个有计划有步骤进行的新阶段。按照中共中央国务院的上述决定,首先分地区对各个行业的所有企业,根据原材料、燃料、动力的供应的可能,农业和市场的需要,以及企业的具体情况,通盘考虑,综合平衡,进行排队,然后制定出统一的关、停、并、转的调整计划,经国家计委批准下达,限期执行。调整的大原则是保留骨干企业,重点裁并中小企业。工业企业的前期调整工作,重点在关、停,是"后退"。但通过并、转,也有加强和充实的"前进"的一面,实际上是一次工业大改组和工业内部结构的调整。通过关、停、并、转、缩,保留了属于全国骨干的和国民经济必需的企业,它们生产所需的原材料、燃料、动力的供应基本上得到了保证。同时,促进了工业加强短线产品的生产,为农业服务、为满足市场需要服务的生产,提高了工业生产的经济效益。

第三,加强支农工业,进一步调整农业政策。加强农业是60年代初经济调整的根本方针。从工业的角度来看,尽可能地支援农业,也是调整工业生产的原则之一。党的八届九中全会决定,国民经济各部门都应毫无例外地加强对农业的支援,重工业部门尤其应当加强对农业的支援。重工业部门必须先安排好与农业生产直接有关的农业机械、农具、化肥、农药等行

---

① 《中国统计年鉴(1984)》,中国统计出版社,1985年版,第20页。

业,再安排其他行业,积极增加农业生产资料的供应,并且从企业设计、生产组织等方面尽量节约劳动力和少占耕地。1962年10月党的八届十中全会再次提出,工业部门的工作要坚决地转移到以农业为基础的轨道上来,要制订计划,采取措施,面向农村,把支援农业,支援集体经济放在第一位;要有计划地提高直接为农业服务的工业的投资比例;要适应农业技术改革的要求,帮助农业有步骤地进行技术改造,为加速实现我国农业现代化而奋斗。按照上述精神,工业部门在调整中,停止从农村中招收工人,并通过大力精简职工、城镇人口,以支援、充实农业生产第一线;努力改进工业基本建设工程项目的设计,缩小土地占用面积,少占耕地特别是少占好地,以保证耕地面积。

中央对农业的政策也作出了进一步的调整。1962年2月,中央发出了《关于改变农村人民公社基本核算单位问题的指示》,决定农村人民公社一般以生产队(即小队,相当于原初级社)为基本核算单位,实行以生产队为基础的三级所有制,至少30年不变。1962年9月,中共八届十中全会通过了《农村人民公社工作条例(修正草案)》,正式规定了农村以生产队为基本核算单位的政策,并又规定:在今后若干年中,公社和生产大队一般不要从生产队提取公积金和公益金;生产队在工作中必须坚持自愿、互利、互助、示范的原则,建立严格的生产责任制;实行民主社办队的方针。1962年11月,中央又发出《关于发展农村副业生产的决定》,指出各地可根据当地的传统习惯、根据现有原料、设备、技术、资金和劳动力等条件,因地制宜、有步骤地发展副业生产。同时,中央还要求商业部门、银行和信用社应在产品的收购和贷款的发放等方面给予支

持和鼓励。所有这些措施和规定,大大地调动了农民的生产积极性,对迅速恢复和发展农副业生产,尽快摆脱国民经济困境,起到了重要的作用。

第四,尽可能地提高轻工业发展速度,进一步搞好商业,活跃市场。不但在燃料、电力的分配上优先保证轻工业生产的需要,还着重解决了原料供应的问题。主要的措施是:①努力促进经济作物生产的恢复和发展,增加轻工业产品的农产品原料。经济作物到1965年已经接近或者超过新中国成立以来的最高水平,为轻工业的恢复和发展提供了物质基础。②充分发展和利用各种非农产品原料,尽可能地增产以工业品为原料的日用品。为了改变轻工业产品的原料结构,减少对农业原料的依赖,加强了以工业品为原料的轻工产品生产能力的建设。③合理分配原材料,特别是农产品原料,把有限的资源优先安排给那些原材料消耗低、产品质量高的轻工业企业,争取用有限的原材料多生产出好的产品。④迅速恢复和发展手工业传统产区和传统产品的生产。大量生产市场奇缺的锄、镰、镐、锨、锅、碗、罐、缸、盆、桶、勺等小农具和日用品,是当时国民经济战线上一项重要任务。除了在物资分配上首先满足这些产品生产的需要外,在安排小农具和日用品的生产中,还以传统产区、传统产品为重点,同时适当发挥一般产区和新兴产区的作用。

由于日用工业品和手工业品供应的增加,到1962年不少原来供应不足的商品已基本能够满足需要。在开放农贸市场方面也取得了新的进展。据上海、天津、武汉等14个大中城市的统计,1962年集市贸易成交额占同期社会商品零售总额的比重,平均占2%。在外贸方面,大幅度增加用进口原料加工出口的商品。进口

方面,增加了粮食、化肥和一些短缺原材料。1961、1962 两年共进口粮食 215 亿斤、化肥 237 万吨、糖 218 万吨、橡胶 20 万吨和各种铜材 50 万吨。这些举措对于支援农业,稳定和繁荣市场起到了很好的作用。

第五,加强采掘、采伐工业的建设。党的八届九中全会提出先采掘、后加工的方针后,对工业部门的基本建设投资作了相应的调整。增加的投资,优先解决采掘、采伐工业简单再生产的资金需要,主要用于采掘采伐工业的开拓、延伸工程,补偿报废的生产能力,维修损坏的机器设备。如煤炭工业部门的投资以矿井建设为主,钢铁工业的投资着重用在矿山建设上。分配给有色金属工业的投资,主要也用在铜、铝、镍的矿山建设。此外,国家还采取一系列措施,加快采伐和矿山开采行业,采取按生产产量从生产成本中提取费用的办法,用于矿山开拓和延伸、森林采伐运材道路延伸、河道整治及有关的工程等维持再生产的投资。

四

调整的结果

到 1962 年底,我国国民经济的全面调整取得了决定性的进展,经济形势开始好转。农业生产扭转了前三年连续下降的状况,开始回升。到 1962 年,农业总产值比上一年增长了 6.2%。其中,粮食增加了 125 亿公斤,按人口平均的粮食产量增加了 35 公斤,油料增长 10.5%,年底生猪存栏数增加 2445 万头。① 市场供应紧张

的情况有所缓和,城乡人民的生活水平略有回升。到 1962 年全国人均粮食的消费水平提高了 3.5%,人均棉布的消费水平也比 1961 年提高了 2.5 尺。由于日用工业品和手工业品供应的增加,到 1962 年不少原来供应不足的商品已基本能够满足需要。在开放农贸市场方面也取得了新的进展。

在工业方面,经过一年多的艰苦奋斗,工业内部的比例关系以及工业与其他经济部门之间的比例关系得到调整。1962 年工业总产值 850 亿元,其中,轻工业产值 395 亿元,重工业产值 455 亿元;轻工业产值在工业总产值中的比重由上年的 42.5% 提高到 47.2%,重工业的比重相应由 57.5% 下降到 52.8%。农业产值在农、轻、重的产值中所占比重由上年的 34.5% 提高到 38.8%,轻工业由 27.8% 提高到 28.9%,重工业由 37.7% 下降到 32.3%。1962 年主要工业品产量,钢为 667 万吨,比上年减少 200 多万吨,铁 805 万吨,比上年减少 476 万吨,原煤 2.20 亿吨,原油 575 万吨,布 25.3 亿米。② 其中,原油、农用化肥和化学纤维的生产都有不同程度的增长,工业生产出现转机。国家财政方面扭转了前四年出现大量赤字的被动局面,实现了收支平衡,略有节余。

国民经济经过 1962 年的大幅度调整,可以说最困难的时期已经度过,国民经济开始摆脱困境,出现了从下降到回升的决定性转折,贯彻"调整、巩固、充实、提高"八字方针已经初见成效。但是,经济严重困难的局面并未根本改变,特别是国民经济中的各种比例关系远未理顺,经济调整和经济恢复的任务仍然很繁重。为此,中

① 赵德馨主编:《中国经济通史》10 卷上,湖南人民出版社,2002 年版,第 271 页。
② 《中国统计年鉴》(1983),中国统计出版社,1993 年版,第 242—246 页。

共中央于 1963 年 9 月召开工作会议,决定再用三年时间,即从 1963 年到 1965 年,对国民经济继续实行"调整、巩固、充实、提高",作为以后发展国民经济的过渡阶段。

从 1957 年到 1962 年国民收入的变化参见下图:

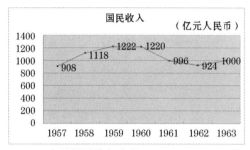

中国国民收入变化:1957－1963

资料来源:《中国统计年鉴》(1998),中国统计出版社,1998 年版,第 5 页;《中国统计摘要》(1999),中国统计出版社,1999 年版,第 11、12 页。

60 年代初农村推行包产到户的尝试

从 1959 年起,全国的粮、棉、油等主要作物产量,连续大幅度下降。1960 年粮食计划产量是 6000 亿斤,实际上只有 2870 亿斤,比 1957 年还减少 26％以上。农业生产力遭到严重破坏,以大牲畜为例,1961 年全国农用役畜从 1954 年曾达到 5724 万头的最高数下降为 3818 万头,低于 1949 年 4040 万头的数量。全国人口总数在 1959 年和 1960 年减少了 1300 万。粮食供应紧张,灾情还在发展,中共中央 1962 年 3 月的通报指出:由于新的春荒,灾区已经成批发生断粮、缺柴、逃荒现象,而且有发展之势,全国大中城市在依靠进口粮食过日子。1960 年 12 月底,中央决定进口粮食 250 万吨,1961 年增加到 500 万吨,这个数字一直维持到 1965 年。

安徽试行包产到户

严峻的形势使中共中央在采取一系列紧急措施的同时,高度重视农业问题,重新调整农村政策,迅速采取促进农业生产发展的相应对策。1960 年 5 月 15 日,中共中央发出《关于农村劳动力安排的指示》,作出了充实农业生产第一线的规定,要求农村 60％—65％以上的劳动力要用于农牧业生产,农忙季节要达 80％以上。8 月 10 日,中共中央又发出《关于全党动手大办农业大办粮食的指示》,除进一步明确"三级所有,队为基础",按劳分配,反对"一平二调"的"共产风"外,特别强调改进经营管理体制,恢复和完善合作化初期的"三包一奖"生产责任制,以调动农民日益减退的生产积极性。然而,由于当时仍是以生产大队为基本核算单位,生产权在小队,分配权却在大队,因此队与队之间的平均主义不可能得到解决,同时,同一作业小组内人与人之间也还存在着平均主义。

1962 年春,中央估计:粮食困难不仅将影响当年春耕和夏收,影响农业恢复,

---

① 金冲及主编:《周恩来传》,中央文献出版社,1998 年版,第 1558 页。

② 同上,第 1565—1566 页。

影响整个国民经济调整，而且很可能会在一部分灾区和城市中出乱子。于是一个在农村集体经济中进行调整，采取包括中央一些领导同志所说的"紧急措施"在内的一切办法，以恢复农业生产的任务，便不可回避地提到全党和全国人民面前了。所谓"紧急措施"，就是指在生产管理上要敢于突破老框框，采用适合当前农业生产水平，又能调动农民积极性，与公社化后农村社、队中通常是干活"大呼隆"的集中劳动方式不同的生产责任制。

在农村集体经济中建立生产责任制，并非创始于60年代，早在全国农业合作化后不久就出现过。这是农民为实行按劳分配，对合作社经营管理的创造。1957年春天，一些地区就搞过"按劳划片，包产到户"、"全部或大部农活包工到户"以及"地段责任制"等几种生产管理的责任形式。1957年9月，中央农村工作部认为，经营管理中的这些新形式，对于巩固合作化成果，在集体经济中切合实际地贯彻按劳分配原则是有利的，因此，根据群众的要求规定："生产队……按照各地具体条件，可以分别进行'工包到组'、'田间零活包到户'的办法"，以"适合于农业生产的分散性，以及受自然限制的地区性和季节性"等特点。提倡"大活集体干，小活分开干，不应'干活一窝蜂'，责任不明，耕作粗糙"。这一政策规定，曾写进经党中央批准的《中央关于做好农业合作社生产管理工作的指示》。可惜的是，这种来自基层的新鲜经验和干部、群众宝贵的创造精神，由于受党内"左"的错误影响，没有得到贯彻。1958年1月的南宁会议批判了周恩来、陈云领导的"经济建设战线的反冒进"后，掀起了"大跃进"风潮。中央农村工作部以及由他们代中央制定的许多政策，被称为"促退"派，责任制也被说成

是"单干"。到人民公社运动兴起后，包括责任制在内的许多经营管理规定都一风吹了。

全国各省区出现的各种形式的农业生产责任制中，安徽省是实行"责任田"的一个典型。安徽省实行的责任田办法，酝酿于1960年秋，试点于1960年底，形成于1961年春，经历了一个包产到队—包产到组—包产到户的发展过程。当时，为遏制农业的滑坡，中共安徽省委提出按社员的劳动底分承包耕地，按实际产量计工分，产量越多，得分越多，收入越高。这可以说是责任田的雏形。

当时宿县一位70多岁的老农，儿子因病不能参加劳动，本人又不肯当"五保户"，于是向公社党委书记要求带儿子上山开荒、种地和休养。父子俩靠一把铁锹和一把四齿钩，开荒16亩，收粮3300斤，扣除自用，上交粮1800斤、现金60元。这个老农的事迹，使当时担任安徽省委书记的曾希圣很受启发，他曾多次表扬这个老农是很有社会主义觉悟的人。他认为"包产到户"是来自群众的创造，应该推广。后来，蚌埠地委派人在怀远县曹老集公社搞了一个试点。

全椒县古河乡的几个农民，也向华东局负责人柯庆施提出了"把田包给我们种"的要求。于是省委派了一个工作组，到合肥市蜀山公社南新庄小队进行"按劳动底分包耕地，按实产记工分"联产到户的试点。结果受到群众的普遍拥护，这个队的粮食包产指标由原来的8.7万斤增加到10.7万斤，增长23%。这种责任田的做法，有分也有统。统，即"五统一"：计划统一、分配统一、大农活和技术性农活统一、用水管水统一、抗灾统一。试点尚未结束，邻近的生产小队纷纷要求照办。

1960年8月28日，曾希圣在省委召

开的县以上干部工作会议上明确指出："要评工记分，要包工包产。包产问题，我提出一个新的意见，就是生产队下划分三个小组，分别包产，一组包口粮，一组包饲料，一组包商品粮。好处是各有责任。"不久，他进一步指出："生产队下面均应设生产组，避免生产大呼隆……社员凡超过基本工分的，都可以适当予以奖励。每月结算一次，按月发奖。"这个办法后来引入了曾希圣主持制定的有关人民公社经营管理的 10 条具体政策中，并以省人民政府的名义布告全省。各县均召开了有生产组长参加的六级干部会，进行了传达贯彻。

1960 年 11 月，安徽省委为贯彻中央《关于农村人民公社当前政策问题的紧急指示信》（即"12 条"），召开地、市委书记会议。曾希圣在会上强调："我们是三级半所有制，小组有半级所有，实际上是加强生产责任制，包产问题仍实行双包制。就是小队向大队包产，小组向小队包产。"1961 年 2 月，在省委书记处会议上，曾希圣提出了"按劳动底分包耕地，按实产粮食记工分"的联产到户责任制新办法。书记处对此进行了研究，同意他的观点，赞成他的设想。曾希圣决定进一步搞试点。1961 年 2 月下旬，曾希圣带工作组到合肥市蜀山公社井岗大队南新庄生产队，进行"按劳动底分包耕地，按实产粮食记工分"联产到户的试点。通过试点，他进一步加深了对这一办法的认识，并总结出有以下十大好处（也称为"十大优越性"）：

（1）人人有责，大家都会动脑筋想办法来增加生产。

（2）所有能够参加劳动的人都参加生产。

（3）人人都要努力学习生产技术。

（4）自留地和大田在用肥方面能够统筹兼顾，消除矛盾。

（5）社员能够更好地安排自己的劳动时间和休息时间，更好地做到劳逸结合。

（6）大家都会更加爱护耕畜农具。

（7）能够保证农活质量，不窝工，不出废活。

（8）能够限制那些投机讨巧的人。

（9）户户都会更好地培养丰产田，并且能够更加做到精收细打，颗粒不丢。

（10）能够更快地发展养猪养家禽，以及其他家庭副业。

安徽"责任田"的具体做法是：根据省委的有关规定，首先必须坚持五个统一，即计划统一，分配统一（当时指队统一分配），大农活和技术性农活统一，用水、管水统一，抗灾统一。这说明，"责任田"的做法，是在坚持基本生产资料公有制的前提下，把土地、产量包到户或组，以加强社员的责任心，提高社员的生产积极性，迅速恢复与发展农业生产。由于"责任田"办法是从群众中来，到群众中去，既反映了群众的愿望和要求，又符合当时生产力发展的水平和干部的管理水平，因而受到绝大多数干部和群众的拥护和支持，安徽农业生产力和产量大幅度提高。

在试点取得显著成效的基础上，曾希圣决定在全省推行"责任田"办法。到1961 年 3 月，全省实行"责任田"的生产队占总数的 39.2%；同年 8 月，增至总数的74.8%；两个月后，又增至 84.4%。大量事实表明，实行"责任田"效果显著。据省有关部门 1961 年 10 月对 36 个县的典型调查，实行"责任田"的 36 个队，粮食平均亩产比上年增长 38.9%；另外 36 个条件大体相同但未实行"责任田"的队，平均亩产只比上年增长 12%。1961 年底，鉴于当年的试验成果，以及当时毛泽东并未明确表示不同意，安徽省委决定继续实行"责任田"办法，并强调要抓好"五统一"。此时，安徽全省实行"责任田"的生产队已占生产队总数的90.1％。

但是，在同年3月广州中央工作会议上，安徽的做法受到批评。曾希圣一面打电话给省委，通知暂停执行这一做法，一面于3月20日写信给毛泽东并刘少奇、周恩来、邓小平、彭真、柯庆施，竭力为"定产到田、责任到人"的办法辩护。他写道："群众所提的逐丘定产、逐丘定工，按劳动力的强弱承包一定数量的田亩，再以工除产，得出每个劳动日的产量，以产量来计算工分，这实际上就是'包产到户'的办法。但我们并不是一成不变的采纳这个办法。"它有好处也有坏处。好处是能更好地体现多劳多得的政策，提高每个社员对包产的责任心和生产积极性，坏处是"可能发生'各顾各'的危险"。"我们是吸取它的好处，又规定办法防止它的坏处"，特别强调了"五个统一"，其中最重要的两个，第一是分配统一，第二是大农活和技术性农活统一。"所以这个包产办法不是人们所理解的'包产到户'，实际上是田间管理包工到户，再按产量给奖的办法。"它有许多好处，一是包产比较落实，二是包产指标增加，三是出勤率大大提高，四是参加农业生产的人增多，五是麦田管理有显著加强，六是男女老少积极积肥，七是积极修添农具，八是搞私有的减少。它增产的可能性是很大的。这个办法还"需要在实践中继续摸索，才能最后作出结论"。

4月27日，安徽省委又向中共中央、毛泽东和华东局作出报告，把这一办法改称为"包工包产责任制"，对它的包工、包产和奖赔内容作了进一步的说明，并再次解释说："有少数群众把这个办法误解为'包产到户'，甚至误解为'分田'，实际上，这个办法不是'包产到户'更不是'分田'。这和(农业)60条中所说的'实行严格的田间管理'责任制，'有的责任到组，有的责任到人'是完全一致的。"报告提出："为了避免影响邻省，请求中央把我们这个办法告知他们，以免在群众中发生误解。"

尽管安徽省委煞费苦心地为"责任田"办法辩解，力图将其与包产到户划清界限，但由于同包产到户没有实质上的差别，因此还是继续招致不少非议，成为人们议论纷纷的热门话题，并引起广泛争论。争论的焦点是：这种做法究竟是不是单干？会不会形成"两极分化"？会不会加重社员的私心？一句话，它是否会背离社会主义方向？

面对不同观点的争论，安徽省委作了有针对性的具体分析，据理力争。1961年7月24日，安徽省委再次向中共中央、毛泽东和华东局作《关于试行田间管理责任制加奖励办法》的情况报告。报告说，自今年3月试行这一办法以后，到4月下旬，就有39.2％的生产队实行了这个办法。夏收以后，又有不少生产队自动采用这个办法，现已增加到66.5％。因此，这个办法是受广大群众欢迎的。"经过几个月的试行，看来这个办法是不违背社会主义原则的，是可行的。"因为第一，"这个办法不是'包产到户'，不是单干"，"它并没有违背集体经济的基本原则"，它"只是社会主义经济的一种管理方法，它并没有改变生产资料的所有制，土地、耕畜、大农具仍然是集体所有的"。第二，"这个办法是不会造成两极分化的"。第三，"这个办法不会加重社员的私心"。总的说来，这个办法"是适合当前生产力的发展水平和群众的觉悟水平的，是符合当前农业生产以手工操作为主的特点的。只要正确地贯彻执行，是能够发挥对组织和推动生产的积极作用的"。

7月，曾希圣又一次在蚌埠向毛泽东

汇报了"责任田"问题。他说:"过去包产的办法,只有队长一个人关心产量,社员只关心自己的工分,现在的办法不仅队长关心产量,而且每个社员也关心产量。田间管理,长年包工好处很多。缺点是:(一)可能私心重;(二)年年要调整,增减人口都要调整责任田。"毛泽东回答说:"你们认为没有毛病就可以普遍扩大","如果责任田确有好处,可以多搞一点。"于是,曾希圣迅速打电话给省委说,已经通了天,可以继续试行下去。"①

其他各省的做法

"责任田"作为一个不违背中央基本精神又能较好地调动农民生产积极性的办法,其影响远远超出安徽省。不仅中央主持农业工作的负责人赞成包产到户,各省、地、县都有相当一批领导干部赞成这一办法。由于曾希圣和安徽省委的据理力争和实践结果较好,中共中央办公厅向各地发了一个通知:关于"责任田"的问题,各省可以搞点试点。中共江西省委第一书记杨尚奎很欣赏曾希圣的创见,布置省和各地区都要搞一个试点,并亲自到星子县搞了一个试点,"责任田"因此一度被视为有着广阔前景的农业生产责任制形式。

为了调动被严重挫伤的农民的生产积极性,渡过面临的困难,各省、市、自治区几乎都有一些地方实行了包产到户的生产责任制或其他类似的做法。这些做法大致可以分为两类。第一类是湖南、河南和甘肃省的"借地"。湖南等省的"借地"措施,是类似包产到户的做法,不同的是产品不参加统一分配,所借土地不实行包工包产,借地的面积也比较小。1961年8月,湖南省委发出了关于借冬闲田给社员生产的通知。通知指出,凡是集体单位不能充分利用的冬闲田地,允许借一部分给社员个人种植冬菜或冬种秋收作物,并允许社员在绿肥田中间种冬菜。其数量,一般地区大体每人可借1—3分地;在灾区大体每人可借3—5分地。借出冬闲田的收入,全部归社员所有,一般也不抵顶口粮。在随后的发展中,有的地方实行了分田到户,有的实行了"井田制",有的实行了包产到户。其基本做法都是生产资料仍为集体所有,生产以户为单位进行,以户为单位摊派负担。生产队不实行统一的生产计划、统一的劳力调配。全省实行这类办法的生产队只占总数的5.5%。

河南省的"借地",实行时间较晚,1962年春天才开始在"土地碱化严重、耕牛死亡严重、人口外流严重"的"三严重地区"实行。做法是:由集体借给一部分土地(约人均6—8分地,加上自留地,约1亩左右),国家支援一把铁锹(共支援铁锹100万把),发给一点种子,在集体的领导下实行生产自救。这类地区,包括豫北、豫东的22个县,大约400多万人口。同年夏天,省里决定将少量早秋地借给社员种红薯,以3年至5年为期,收获顶口粮,不计征购。执行结果,"三严重地区"借地加自留地占总耕地面积的28.6%,一般地区占16.5%。全省39.8万个生产队除6000个外,基本上都实行了"借地"的办法,从而使生产秩序好转,群众情绪稳定,抛荒土地减少,生产得到发展。农民称这一措施为"救命政策"。

---

① 　参阅徐恒足:《曾希圣和"包产到户"》,《南方周末》,2003 年 5 月 8 日。

1962 年 5 月,甘肃省委也作出"借地"的规定,提出"重灾区完不成播种计划的少量耕地,可以暂借给社员耕种。一般地区,在保证完成生产队播种计划的前提下,如果还有多余的土地,可以暂借给社员耕种"。借种期限一般为 1 年。由于有些耕地需要经过较大的加工,也可以把借种时间放长到 2 年或 3 年。社员在借种期内所收获的产品,谁种全部归谁,也不负担征购任务。

第二类是浙江、江苏、陕西、甘肃、四川、贵州等省实施的不同形式的包产到户。在广西龙胜县的大范围包产到户是有相当影响的一件事情。广西龙胜的包产到户,在中南地区各县中是实行范围最广的。龙胜是一个多民族聚居的自治县,人多地少,山高坡陡,居住分散,加之"一平二调""共产风"的危害,74% 的大队人均口粮在 300 斤以下。群众为解决温饱问题,自发搞起包产到户,将全部耕地按人头或劳力或人劳(家庭人口和劳动力)比例,包工包产到户。实行这种办法的生产队,占总数的 43.4%。还有 11.4% 的生产队,按人口或按基本口粮将田地分到户,各交各的公购粮。上述两类生产队占总数的 54.8%,故有"半个县都包了"的说法。1962 年夏天,当时的中南局第一书记陶铸、第二书记王任重前往考察,同区、地、县负责人进行了座谈。随后形成的《座谈纪要》,分析了包括包产到户在内的五种生产责任制形式,并就如何区分集体经济与单干提出了四条最基本的界限:一是主要生产资料集体所有,二是生产计划统一安排,三是集体劳动,四是收入统一分配。集体劳动主要是指劳动力由生产队统一调配,适合集体操作的农活集体操作,适合一个人操作的一个人操作。《座谈纪要》强调:第一,目前出现的各种生产

管理形式,要根据上述四条原则准确地判明它究竟属什么性质。对确属于单干的,如果他们一定要再试试,也只有等待,不能强迫。第二,从各方面巩固集体经济。集体和单干,正在进行竞赛,只有赛过单干户,集体经济才有可能巩固。这份《座谈纪要》受到了毛泽东的称赞,他指出:"这个文件所作的分析是马克思主义的,分析之后所提出的意见也是马克思主义的。"

这些办法是在生产和生活极困难地区,由农民提出并得到当地党委同意或默许而搞起来的。在 1961 年和 1962 年前后,农业生产经营管理中的这些新形式,在不少省份和地区都有出现。其内容大致与安徽的"责任田"相似,1962 年后有的地区还有某些新的发展。

三

钱让能等人上书

1962 年初中共中央召开的"七千人大会"宣判了"包产到户"的"死刑",但是"包产到户"等各种农业生产责任制形式符合当时我国农业生产力水平,顺应民心,具有强大的生命力。人民群众不断地向中央上书,要求继续保留包产到户。

人民群众的现实渴望和包产到户的显著成就也使得一些深入实际了解民情的干部不能不为之动容。1962 年 7 月 24 日,中共河南省委书记刘建勋向中央提出实行借地度荒问题的报告。他在报告中说,今年 3 月以来,豫北、豫东地区由于盐碱化十分严重,农业生产受到极大破坏,人民生活极端困难,农民纷纷破产度荒。河南省经中央和中南局领导的同意,决定借给农民一部分土地,给一把铁锹、发一

点种子,让他们在集体的领导下生产自救。这样,至少有劳力的户,比较容易度过灾荒,也就可以逐步压缩粮食销量,减轻国家的粮食负担,稳定生产秩序,对集体生产极为有利。这次借地,在豫北、豫东 22 个县范围实行,大约 400 多万人,每人借地 6、7、8 分不等,并规定 5 年期限,不计征购,但顶口粮。集体经济一时搞不上去的情况下,借少量的地给农民,利用他们的积极性,可能对渡过困难有一定好处。农民称这种政策是"救命政策"、"拴人政策"(可以减少人口外流)。报告说,河南省准备再对"借地"政策进行调整,根据情况,在一二年或二三年乃至更长时间内将借地收回。

同年 8 月 8 日,张家口地委第一书记胡开明上书毛泽东,提出一份《关于推行"三包到组"的生产责任制的建议》。他说:当前农民生产积极性尚未充分调动起来的原因之一,在于生产队没有建立起生产责任制,计算劳动报酬的方法有问题,从而不能很好地体现按劳分配。而解决这一关键问题的办法,是在生产队组织长期固定的生产组,实行"三包"生产责任制。具体做法是:①由社员自愿结合,组成一个 6、7、8 户或 6、7、8 个劳动力的生产小组,在一般情况下也长期不变。②生产队把全部土地都分到生产组,耕畜、农具也尽可能分到生产组去使用,在一般情况下也长期不变。③根据土地好坏,首先进行土地分等,然后计算出全组的土地总产量、总用工和总投资数,签订"三包"合同。包产以外的超产部分,全部归生产组为好。建议认为,实行"三包"的好处是,生产组有了超产部分的分配权,集体的利益和社员的利益就更直接了,所以社员都力争多超产。由于解决了组与组之间评工计分标准不统一的矛盾,这就可以消灭在

劳动报酬上的不合理现象。由于小队成员、地段固定,"三包"合同又是长期不变的,社员就会多施肥,多加工,注意培养地力及合理安排作物茬口等等。他还说,"三包到组"是以生产队为核算单位的制度,不是"包产到户"。

令人特别注意的,是 1962 年上半年安徽省在纠正"责任田"的过程中,太湖县委宣传部干部钱让能挺身而出,直接向毛泽东报告,保荐"责任田",态度鲜明地发表了一大通议论。

钱让能写道:"根据太湖县一年多来实行'责任田'的结果,我想作一推荐,不过与省委常委 1962 年 3 月 20 日关于改正'责任田'办法的决议是相违背的。尽管如此,我总认为'责任田'的办法是农民的一个创举,是适应农村当前生产力发展的必然趋势,是'60 条'和以生产队为基本核算单位的重要补充。有了它,当前的农业生产就如鱼得水,锦上添花。"太湖县在 1961 年 3 月 90％以上的地区推行了"责任田","它一出现,就以它的显著的生命力吸引了人们(包括邻县邻省边界地区)广泛注意,迄今一年多的实践证明,尽管有人责难它'糟了'、'错了',然而广大农民群众总认为是'好了'、'对了'。记得去年春,我在执行这一工作的过程中,农民群众的那股劲头是我 10 多年来(除土改外)的第一次见闻。"

钱让能报告说:"推行这一办法的结果,现在可以肯定地说,1961 年是太湖人民在精神上、物资(质)上的一个新的根本性的转折。荒、逃、病、死,一瞬而基本变成熟(荒地变成了熟地)、健(体质健康了,有病的也不多了)、生(妇女怀孕了)。""迅速转变,究竟是什么力量呢?拿农民的话说,'就是责任田好'。"

钱让能回顾历史说:"从办高级社和

人民公社以来,生产关系的变化,公社、大队、生产队组织形式的每一次调整,没有哪一次不都说是适应,现在看来,其实并非如此。1955年是太湖解放后农业生产力发展和群众生活水平最高的一年。之所以如此,除了国家对农民的支援外,主要是有了土改后的连续三四年农民积极性所发展起来的物质基础和初级社的生产关系还相适应的原因所致。而现在的责任田,比起1955年的初级社来,其优越性可不言而喻,就是比起高级社来,它在制度上也更加合理,更加完备了,是具体贯彻'按劳分配'的一个新的发展和进步。"他认为,多年来农业上的问题"主要就是责任没有到人"。

钱让能认为,在实行"责任田"以前,农业管理体制存在弊端。过去的办法,主要就是靠评工记分。实际上产量不到田,责任不到人,评工记分就不能真正的搞得好。现在如果以队集体生产,还是采取评工记分的老办法,可以说,除了有历史习惯的齐心协力的少数小队外,普遍现象是做工只顾数量,不能保证质量,只顾工分,不顾效果。尽管你点子再多,绞尽脑汁,什么包工定额、检查验收、互相监督等等,在无数小生产残余的反抗和与这些残余相联系的巨大的习惯势力和保守势力面前都是无能为力的。同时,评工记分的本身也确实复杂(现在太湖仅有少数的评工记分)。首先是误时,特别是大忙时耽误农民的睡眠。好的小队两三天搞一次,差些的小队天天晚上都要评工记分,包工定额,调兵点将。其次是评不好,不是争,就是吵,很难克服社员与社员之间的平均主义。再者是烦琐的哲学,几十道工序,甚至有的小队弄不清,成了一笔糊涂账。会计人员40%以上的精力搞账,队长要40%精力搞管理。现在的责任制,他们却摆脱

了这些事务,参加了生产。一个县数以千计的小队,光在节约劳力问题上,就是一笔巨大的财富。总之,现在的农民总归是农民,他最讨厌、最头痛的就是那些复杂的麻烦的东西,所欢迎的也就是最简单、最通俗易懂易行的东西。

钱让能针对"责任田"就是"单干"的指责,澄清说:"责任田是社会主义集体经济的一种管理方法,它并未改变生产资料所有制,土地仍然是集体所有,仍然是按劳取酬,它并未改变集体的劳动方式。""国家征购任务照交,公社、大队的公共积累照取,这又怎么能说是瓦解削弱了集体经济呢?"

钱让能极不赞成省委关于改正"责任田"的决定,他写道:"急急忙忙地收回责任田,吵吵闹闹地指责是'单干',很可能因为一部分是好心同志不知底里,一部分还是以'本本主义'的观点,害怕农民不跟我们走",可是农民还是赞成责任田,"无论下乡也好,出差在轮船码头等车休息也好,许多农民有关责任田这方面的道理,与我在省听到的和文件上看到的道理,则完全相反。许多奇迹,见所未见,闻所未闻。所有不赞成'责任田'的各种议论,我想请到这里一闻一见,是会有很大教益的。我很担心,省委决议1962年内就要大部分改过来。根据这里的情况,是不可能的,因为农民他不会相信空话的,你做不出样子,证明比他的办法优越,除掉强迫命令,我看是扭不过来"。最后,钱让能写道:"据我们调查摸底,拥护责任田起码占80%以上,甚至于占90%以上。站在90%以上的人民大众这一边同呼吸,该不能算是尾巴主义吧!怕80%甚至90%以上的不跟我们走,这恐怕也不能算是马克思列宁主义:哪有马克思列宁主义者怕90%以上的人民大众的道理呢?"他"请求主席直

接派人前来调查,以便弄清是非","像荒、逃、饿、病、死一字不漏的太湖县能够在一年内而且还是在那样大旱的情况下,基本上解决了吃的问题,那么其他有类似情况的地区也未始不可试行这个办法"。①

四

中央领导对包产到户的支持

在"责任田"或"包产到户"看法上的分歧,在党内上下都引起了一番大的讨论或争论。在党内高层领导人当中,刘少奇、邓小平、陈云对包产到户,在不同的时期里,在不同程度上也都表示过支持。

1961 年,刘少奇在湖南农村调查时,对包产到户没有明确表态,只讲有些零星生产可以包产到户,算是开了个口子。刘少奇虽然在一定程度上赞同在一定条件下试行包产到户等农业生产责任制,但对是否能把它作为一个长期有效的制度确立下来,也没有十分的把握。他虽不同意集体经济不能够发展生产的意见,但也不同意集体经济能无条件地发展生产的观点。他对下放到农村去的干部们说,集体经济要在一定条件下才能发展生产,不是只要组织起来就能发展生产。发展农业,使农业过关,使粮食过关,只能是大农业,小农经济不能够更大地发展农业,不能使农业过关。目前要巩固生产队这个集体经济,一方面是调整集体内部的关系,如集体内部扣留太多、干部太多、多吃多占等等;另一方面要按劳分配。刘少奇特别推荐了河南新乡地区实行的责任制,即大农活集体干,小农活分散干,组包片、户包

块,超产奖励的办法,认为可以推广。但他提出,新乡的经验也有一些缺陷,例如集体打场,就比较难于准确估计社员的超产部分。他认为,集体经济最后得以巩固,只有在农业技术改造见了效果,向大机械化发展时才有可能。到那时,农业集体经济要散也散不了,而这至少是十几年以后的事情,现在还不能完成。

邓小平是支持包产到户的。他的指导思想是,当前中国农村应当实行多种多样的所有制形式,包括集体、半集体、包产到户、分田单干,以便迅速恢复和发展农业生产。1961 年 7 月 2 日,他在中央书记处会议上说:"在过渡时期,哪一种方法有利于恢复,就用哪一种方法。我赞成认真研究一下。分田或者包产到户,究竟存在什么问题。你说不好,总要有答复。对于分田到户要认真调查研究一下,群众要求,总有道理,不要一口否定,不要在否定的前提下去搞。过渡时期要多种多样。现在是退的时期,退够才能进。总之,要实事求是,不要千篇一律。这几年就是千篇一律。"7 月 7 日,邓小平在接见出席共青团三届七中全会全体代表时,发表了《怎样恢复农业生产》的讲话。他在讲话中说:我们要克服困难,争取财政经济状况根本好转,要从恢复农业着手。农业要恢复,主要是两个方面的政策:一是把农民的生产积极性调动起来,二是工业支援农业。邓小平认为,农业本身的问题,现在看来,主要还得从生产关系上解决,这就是要调动农民的生产积极性,就是说,哪种形式的生产关系在哪个地方能够比较容易、比较快地恢复和发展农业生产,就采取哪种形式。群众愿意采取哪种形

① 钱让能:《关于保荐责任田办法的报告》,1962 年 8 月 2 日,http://xzj. 2000y. net/mb/1/ReadNews. asp? NewsID=140855。

式,就采取哪种形式,不合法的使它合法起来。正如四川话说的那样,"黄猫、黑猫,只要抓住老鼠就是好猫"。他提出,现在要恢复农业生产,也要看情况,就是在生产关系上不能完全采取一种固定不变的形式,看哪种形式能够调动群众的积极性就采取哪种形式。这就是"猫论"的最初版本。后来流传的过程中把"黄猫"改成了"白猫"。

陈云也是包产到户的支持者。

1962年春夏之交,陈云在杭州、上海休养时,经常考虑如何救助缺粮的农民,如何加快恢复粮食生产。他对当时一些地方的包产到户做法非常感兴趣。陈云让粮食部派一位副部长去安徽调查。粮食部派了周康民去。调查结果,认为他们有五个统一,不是单干,是克服困难的办法。这份调查报告,以"简讯"的形式上报中央。

陈云本着对人民负责的态度,决定尽快回京同中央常委商量,向毛泽东直接陈述。6月24日,陈云从上海回到北京,立即与刘少奇、邓小平等几位中央常委交换了意见,看法基本一致。7月6日,陈云给毛泽东写信说:"对于农业恢复问题的办法,我想了一些意见,希望与你谈一谈,估计一小时够了。我可以去。"[①]

当天下午,毛泽东约陈云谈了一个多小时。陈云向毛泽东提出在农村实行分田到户,这个办法实质上就是包产到户。他主要阐述了个体经营与合作小组在我国农村相当长的一个时期内,还是要并存的,现在要发挥个体生产的积极性,以解决当前农业生产中的难题。分田到户不会产生两极分化,不会影响征购,恢复只

要四年,否则需要八年。当时,毛泽东没有明确表示意见。据陈云后来回忆说:"谈话以后,毛泽东同志很生气。"[②]

邓子恢在中央长期主持农业工作,他以能实事求是地对待农业生产关系著称。1955年,由于他主张在合作化运动过程中要尊重农民自身的意愿、尊重农业经济发展的规律,反对不顾农民意愿强制推行农业合作化,曾被毛泽东点名批评。"大跃进"给农业生产力造成的破坏深深地刺痛了他,他以对人民负责的极大勇气,再次站出来,支持亿万农民创造的各种形式的农业生产责任制。

从1961年起,他带领工作组,在福建、黑龙江、广西、河南等地作了大量调查研究,根据调查得来的材料,于5月24日向中央和毛泽东提出了《关于当前人民公社若干政策问题的意见》。他认为:目前农村集体所有制仍存在许多混乱现象,如机关、企业占用社队土地,社与社、大队与大队之间平调的土地未完全清理归还,许多地方基本核算单位已经下放给生产队,但土地耕畜仍归大队所有。邓子恢认为,造成这种混乱现象的主要原因,是各级干部思想上仍然存在着"不断革命论",而不认识革命发展的阶段论。对以小队为核算单位30年不变的政策,一般认为只是一时的权宜之计。另外,干部思想中的平均主义根子未挖掉,总想在生产资料特别是在土地上,把穷队富队的经济基础适当拉平,以便于以后实行过渡,而不知道生产资料平调比之产品平调是更厉害的平均主义,是对农民生产积极性的重大打击,是对农业生产力的更大破坏。

因此,邓子恢提出,应当采取立法和

---

① 参阅霞飞:《陈云与包产到户》,《世纪风采》,2007年6月。

② 陈云在中共中央政治局会议上的发言记录,1982年11月22日。

布告宣传的方式,明确规定所有制关系,如保证小队核算制 30 年不变等等,以纠正目前的混乱现象。他认为,一般地区自留地生产比集体生产搞得好,这说明,在农业生产力还处于人、畜力经营的时期,这种小自由、小私有,是最能调动农民劳动积极性和责任心的。个体生产的危险在于以个体经济作为主要社会制度,从而产生剥削,产生阶级分化。如果我们能保证集体经济作为主要经济制度,加上政权在我们手里,国民经济的骨干,如工业、交通运输、金融、贸易、企业等都是全民所有制的,在这种条件下,允许社员在一定范围内经营一些小自由、小私有,只有好处,没有坏处。中央应采取措施,鼓励社员在一定限度内发展小自由,以加速农业的恢复和发展。首先,要稳定社员自留地,并适当加以扩大,以控制在当地耕地面积 20% 为宜。其次,要鼓励社员繁殖大牲畜,社员为集体饲养的大牲畜实行养用合一;公有牲畜由社员喂养的,其所生幼畜公私分成等。在 5 月中央政治局常委扩大会议上,邓子恢提出,农村人民公社存在的问题,主要是以小队为核算单位的所有制问题尚未完全落实,耕畜、自留地等均有不少遗留问题,房权、林权等也没有定下来,均应尽快解决。他说:看了几个县,不管气候怎么样,凡是自留地都是好的,大田都不好。这说明,在一定范围之内,小自由有它的优越性。个体经济发展的结果,将来造成阶级分化,危险在那个时候,在将来,危险不在当前。适当扩大自留地,社员是会满意的。他认为,平均土地在 2 亩以下的,可以 10.2%;2 亩至 4 亩的 7%,4 亩或者 6 亩以上的不超过 5%。包

括自留地、饲料地、借地、借冬闲田等等,不要超过总耕地面积的 20%。主要的生产关系还是集体所有制,加上 20% 的小自由就变资本主义呀? 政权是我们的,干部是我们的,国家主要的经济是我们的,就发展资本主义呀? 把资本主义看得太厉害了。耕牛问题……应该允许私养,控制到一头到二头,全部归他。私有公用,要给合理报酬,这样牲口可以发展。养猪问题,要讲清楚,不要按比例,私养再多也可以,没有关系。广西龙胜县的山地有 10 万人口,土地不多,这个地区,现在单干 60%。原因有各种,其中有一个原因就是山区分散。我告诉他们,这样的地区不要集体,就让它单干,或者叫包产到户。这是社会主义的单干,有什么不好?①

邓子恢这时提出的生产责任制,原则上与他过去的一贯主张是一致的,内容也大体相同,只是更加突出了联系产量的观点。他认为"农活生产责任制不和产量结合是很难包的",联系产量搞承包,社员感到有产可超,就有积极性,"因此有些地方包产到户,搞得很好,全家起早摸黑都下地了"。他还强调说:"不能把作为田间管理的责任制的包工包产到户认为是单干","作为田间管理,包产到户,超产奖励,这是允许的"。问题是要加强领导,保证主要生产资料的集体所有制性质。诚然,邓子恢提出的关于农业生产责任制的观点和具体政策,由于当时的历史条件,不可避免地存在着某些不足,许多方面还有待于进一步完善,但当时他能面对现实,敢于提出自己经过深思熟虑的、实事求是的主张,是需要勇气和胆量的。

6 月下旬,在中央书记处听取华东局

---

① 邓子恢:《关于当前农村人民公社若干政策问题的意见》,http://rdi.cass.cn/uploadfile/2008121134825.doc。

农林办公室的汇报会上,讨论了安徽省一些灾区实行包产到户的"责任田"问题。邓子恢由于经过调查获得了第一手材料,在发言中热情肯定安徽的"责任田"。他认为,多数能搞好"五统一",坚持了集体所有制性质,方向是正确的。邓小平的发言支持了这个意见,但也有些同志表示不同意。于是,会议决定把这一问题提到即将在北戴河召开的中央工作会议上讨论。

此后不久,邓子恢读了陶铸、王任重根据对广西龙胜县作农村调查所写的《关于巩固生产队集体经济的问题(座谈会议记录)》。这个调查表明,在坚持主要生产资料集体所有制、统一安排生产计划、集体劳动、统一分配等原则的前提下,集体经济就可以得到巩固,生产力可以大大发展。这使邓子恢受到了鼓舞。

1962年上半年,安徽强行纠正"责任田"。4月初,安徽宿县符离区委书记给邓子恢写信反映群众的意见,认为"责任田"坚持"五统一",就是坚持了土地等主要生产资料集体所有的原则,方向是正确的。这封信引起了邓子恢的重视,他让中央农村工作部派工作组去安徽一些地方作调查。6月中旬和7月18日,工作组先后给他发来《当涂县责任田的情况调查》、《宿县王楼公社王楼大队实行责任田的情况调查》、《宿县城关区刘合大队实行责任田的情况调查》等报告材料。这些材料都是肯定"责任田"的,认为"包产到户责任田,在集体农业生产的经营管理上找出了一条出路"。群众说:"越干越有奔头,最好一辈子不再变。""我们一不怕蒋介石,二不怕自然灾害,就怕改变责任田。"6月,中央农村工作部副部长王观澜致函邓子恢,并转中共中央政治局委员、国务院副总理谭震林说:"安徽群众特别强烈要求的是'责任田'三年不变,人大代表李有安(劳

模)甚至代表群众说话,提出三年又三年不变。"7月2日,安徽宿县符离区党委全体成员又给邓子恢并党中央寄来《关于"责任田"问题的汇报》,列举了七条理由证明"责任田"方向正确,列举了十大变化说明它确实好。

这一系列反映,使邓子恢对生产责任制形式有了进一步的认识。1962年5月底至7月中旬,邓子恢先后应邀到军委总后勤部、解放军政治学院、中央高级党校多次作长篇报告。报告详尽分析了1959年以来经济严重困难,特别是元气大伤的原因。认为集体经济虽然有优越性,但因为经营管理没搞好,优越性没有发挥出来。而要搞好经营管理,就必须有严格的责任制。他说:1957年决定包产到队,包工到组,田间管理可以包到户,1958年以来取消了这个办法。现在有的地方恢复了,有的地方没有恢复。"我们的集体劳动有些同志理解为像军队操练一样,把单独在一块地上干活叫单干","有的同志认为集体劳动就是一窝蜂,单独干活就是单干,单干就不是社会主义,就是资本主义,这是不对的"。邓子恢特别强调联产计酬,赞成包产到户。他说:"农业生产责任制不和产量结合是很难包的,因此有的地方包产到户,搞得很好,全家人起早摸黑都下地了。农民的私有性是突出的。凡是包产到户的,自留地和大田一样,没有区别。没有包产到户的,自留地搞得特别好。因为包产到户了超产是他的,责任心强,肥料也多。不能把作为田间管理责任制的包产到户认为是单干,虽然没有统一搞,但土地、生产资料是集体所有,不是个体经济,作为田间管理包到户,超产奖励这是允许的。"他的报告赢得了一阵阵掌声,引起了强烈的反响。中央党校给中办的简报中说:"邓老很接触实际,抓农业较

稳妥、内行。我国农业如果让邓老抓,不会出那么多问题。中央应考虑起用邓老来抓农业。"

从主张"包工包产"到赞成和支持包产到户,反映邓子恢对承包责任制有了进一步和更符合实际的认识。他把"包产到户"看成一种经营管理形式,即集体所有,队户经营,所有权和经营权可以分离,哪种经营管理形式能发展生产,群众愿意,就应采用哪种形式。但这种积极而可贵的探索,并不一定能够得到相应的理解和支持。7 月 17 日,邓子恢应约见毛泽东,陈述了自己对"责任田"的看法,认为"责任田"是一种联产计酬的生产责任制,适应广大农村生产力的发展要求和广大农民的需要,有强大的生命力,广大农民不愿改变。但毛泽东一言不发,并流露出对邓子恢保荐"责任田"的不满。随后,当邓子恢决定将中央农村工作部关于安徽"责任田"的调查材料和安徽来信都送给毛泽东看时,农村工作部的同事们劝他暂时缓一缓,等中央态度明朗以后再说,邓子恢却毫不含糊地说,应该实事求是地向中央陈述意见,共产党员时时刻刻想到的是老百姓的利益,不怕丢"乌纱帽"。邓子恢送给中央的调查报告,后来成为北戴河中央工作会议的参考文件。

五

毛泽东反对包产到户

三年困难时期,围绕着怎样解决农村问题,存在着不同思路。占主导地位的思路是在肯定人民公社体制的基本框架内,对具体政策及人民公社内部的层次关系进行局部调整,最终确定为"三级所有,队为基础"的模式。但在这一调整过程中,一些地方突破了既定的模式或提出了新的思路,如实行"责任田"、"三包到组"等与包产到户较接近的做法,有的干脆实行包产到户。这些做法甚至得到了相当部分中、高级领导人的直接支持、认可和领导。

包产到户毕竟与人民公社体制存在难以调和的矛盾,且在 1957、1959 年两度作为"单干"和"资本主义道路"遭到批判,所以,包产到户或类似的做法一出现,在全党上下就产生了不同意见和争论。毛泽东的态度也有一个变化过程。

经过 1957、1959 年两次批判后,包产到户等于"单干",亦等于"走资本主义道路"的看法广为流行,成为大多数人的共识。1961 年 3 月广州中央工作会议期间,当曾希圣介绍了安徽"责任田"办法后,不仅未得到应有的赞赏,反而遭到一片批评。反对者给"责任田"列举了"三大罪状":一是"单干"违背了社会主义集体经济原则,二是会造成"两极分化",三是"会加重社员的私心"。如果发展下去,将会损害社会主义集体经济。安徽邻近没有推行"责任田"的省份担心安徽的做法会造成本省群众"人心混乱",而表示对安徽不满。在曾希圣和安徽省委的再三努力下,毛泽东允诺安徽的"责任田"可以试一试。毛泽东同意安徽可以试试,主要有两个原因:一是农村的形势异常严峻,毛泽东只是将"责任田"办法作为一种迫不得已的应急手段。二是毛泽东当时正在寻求解决队与队之间的平均主义问题的办法。曾希圣和安徽省委再三强调"责任田"不改变生产资料社会主义集体所有制的性质,它只是社会主义集体经济的一种管理方法,可以克服平均主义,调动社员的生产积极性,所以毛泽东同意安徽试试看。当然,同意试试看,并不等于他认为这就是好办法。因为毛泽东的思路是要在由队、生产大队和社三级组织构成的人民公社体制的框架内寻求解决平均主义问题的办法。这一办法在 1961 年 9 月邯郸会议上受到启示并最终明确了。

在邯郸会议上，围绕农村核算单位问题，与会者谈到一些地方实行生产队"大包干制"，并引起了争论。反对者认为"大包干"：一是退到初级社，二是不利于基建，三是征购辫子太多（有些遭灾队不易支援），四是不利于向机械化发展，五是要变动时困难太多。最后，在"责任田"和"大包干"这两种责任制之间，毛泽东倾向于后者，并确定了"三级所有、队为基础"的基调。①

随着关于"三级所有、队为基础"思路的基本明确，毛泽东对类似于包产到户的"责任田"的态度便发生了变化。1961 年 8 月 24 日，中央农村工作部在《各地贯彻执行 60 条的情况和汇报》中，将包产到户或类似于包产到户的做法称为问题，并予以否定。9 月 6 日，毛泽东作了批示："此件很好，印发各同志"，并要求对汇报中提出的问题"作一次认真的解决"。9 月底邯郸会议后，毛泽东和中央正式要求改正包产到户和变相单干的做法。1961 年 11 月 13 日，中共中央在《关于在农村进行社会主义教育的指示》中作出明确规定："目前在个别地方出现的包产到户和一些变相单干的做法，都是不符合社会主义集体经济的原则的，因而也是不正确的，在这类地方，应当通过改进工作，办好集体经济，并且进行细致的说服教育，逐步地引导农民把这些做法改变过来。"

同年 12 月，毛泽东把曾希圣叫到无锡，问他有了以生产队为基本核算单位，

是否还要搞"责任田"？并且用商量的口吻说：生产开始恢复了，是否把这个办法变回来？曾希圣回答说：群众刚刚尝到甜头，是否让群众再搞一段时间？当时毛泽东没有明确表态，但是，毛泽东不赞成"责任田"的倾向已经十分明确。

1962 年初召开的"七千人大会"，本来是一个总结经验、民主团结的盛会，但也人为地设置了一些"禁区"，即要守住两条底线，一是"三面红旗"不能动，二是庐山会议的案不能翻。在这一背景下，安徽的"责任田"被视为"引导农民走向单干"而遭否定，在安徽一马当先推行"责任田"的曾希圣也因此受到严厉批评。"七千人大会"后期，在毛泽东提出将会议开成"出气会"后，各代表团纷纷展开批评与自我批评。在 1958 年"大跃进"和人民公社运动中，安徽的问题较突出，"五风"较严重。因此，安徽代表团开展了"揭盖子"活动。会议对安徽省委第一书记曾希圣的所谓"封锁中央"、"压制民主"的作风进行了严肃的批判，其中的主要问题就是在安徽推行"责任田"。在会上，有人称他为"曾霸王"，有人说他"蛮干"。为了把他批倒批臭，不惜背离事实，针锋相对地提出了"责任田"有"十大恶果"，认为曾希圣推行"责任田"独断专行，封锁中央，是在困难面前惊慌失措，病急乱投医，没有经过试验就强制下面推行，犯了方向性错误。

毛泽东对安徽一直极为关注。"大跃进"中，毛泽东对安徽的"跃进"给予热情鼓励，1961 年安徽试行"责任田"，也得到了毛泽东的允诺，但当毛泽东明确了"三级所有、队为基础"的基本思路，对与"一大二公"的人民公社体制不相吻合的"责任田"便开始持否定态度，几次主动让曾

---

① 参阅黄峥：《王光美访谈录》，http://cpc.people.com.cn/GB/74144/75377/index.html。

希圣不要再搞了,但曾希圣却极力保荐,坚持己见,不愿放弃,毛泽东和中央对此自然会有看法。

在上下批评的压力下,中共中央在"七千人大会"期间便决定免去曾希圣的安徽省委第一书记职务,将其调离安徽,改组安徽省委,派李葆华任安徽省委第一书记。在"七千人大会"这样一种民主的气氛下,对曾希圣和安徽省委作出如此大的"组织手术",可见曾希圣和安徽省委在推行"责任田"方面走得相当远了。

改组后的安徽省委理所当然地很快对"责任田"的做法采取了急刹车措施。1962 年 3 月,安徽省委召开三级干部会议,对"责任田"问题进行了专门的讨论,并由省委常委会通过了《关于改正"责任田"办法的决议》。《决议》认为:"责任田"办法实际上就是包产到户。它是在"五风"严重、农村生产力遭到极大破坏的情况下提出的。省委没有按中央"12 条"、"60 条"等指示指导农村工作,却推行了"责任田"办法,"刺激农民的个体积极性"。在 1961 年灾害严重的情况下,"责任田"办法对增加粮食产量起到了一定作用,但它是错误的,不利于发展集体生产,不利于巩固人民公社制度。主要恶果是:①严重的单干倾向,②产生了两极分化的苗头,③削弱和瓦解了集体经济,④影响国家征购和生活安排,⑤影响按劳分配原则的贯彻,⑥对基层组织起了腐蚀和瓦解的作用。因此,这个方法在方向上是错误的,犯错误的责任,完全应当由以曾希圣同志为中心的省委来承担。《决议》还明确指出,安徽省绝大部分地区实行的"责任田"办法,与中央"60 条"和关于改变农村人民公社基本核算单位的指示精神是背道而驰的,因为这个办法是调动农民的个体积极性,引导农民走向单干,其结果必然削弱和瓦解集体经济,走资本主义道路。这个办法在方向上是错误的,是不符合广大农民的根本利益的,必须坚决地把它改正过来。同时对改正时间作了具体规定,即 1962 年内大部改过来,其余部分在 1963 年内改过来。[①]

毛泽东的秘书田家英起初是不赞成包产到户的。1961 年,中央提倡大兴调查研究之风,毛泽东派出三个调查组,他是其中一组的负责人。1961 年 3 月广州会议期间,他将安徽的一个关于包产到户的材料送给毛泽东,并写了一封信。他看到材料里讲到一些缺乏劳动力的社员,特别是孤儿寡妇在生产和生活上遇到的困难,无法控制自己的感情,含着眼泪写了那封信。信中有这样一段话:"寡妇们在无可奈何的情形下,只好互助求生。她们讲:'如果实行包产到户,不带我们的话,要求给一条牛,一张犁,8 个寡妇互助,爬也爬到田里去。'看到这些,令人酸鼻。工作是我们做坏的,在困难的时候,又要实行什么包产到户,把一些生活没有依靠的群众丢开不管,作为共产党人来说,我认为,良心上是问不过去的。"信中还说,为了总结经验,包产到户作为一种试验是可以的,但是不能普遍推广,"依靠集体经济克服困难,发展生产,是我们不能动摇的方向"。田家英在这封信里所表达的主张和流露出来的情感,同毛泽东是一致的和相通的。毛泽东立即将这份材料连同田家英的信批给政治局常委和几位大区书记传阅。陶铸见到田家英说:"家英呀,我赞成你的意见。"陈云则对田家英的意见不以为然,说:安徽搞包产到户,应当允许人

---

① 参阅钱让能:《上书毛泽东,保荐责任田》,《百年潮》,2000 年 1 期。

家试验嘛!

时隔一年,经过在湖南湘潭农村的一段调查,田家英的思想起了变化。他认真听取和思考农民的意见,觉得很有道理。田家英心里很矛盾。他认为,从实际情况看,搞包产到户或分田到户明显地对恢复生产有利。另一方面,他又觉得,事关重大,在这个问题上不能轻举妄动。他在私下多次对人说,在人工劳动的条件下,为了克服当时的严重困难,包产到户和分田到户这种家庭经济还是有它的优越性,集体经济现在"难以维持",已经萌生用包产到户和分田到户渡过难关的思想。但在公开场合,在农民和干部面前,对包产到户的要求他丝毫也不松口。

随后田家英到上海向毛泽东、陈云作了汇报,送交了调查报告。田家英得到的反应迥然不同。陈云读了田家英的报告后很称赞,说"观点鲜明"。毛泽东却很冷漠,大概没有看,只听了他的口头汇报,他说:"我们是要走群众路线的,但有的时候,也不能完全听群众的,比如要搞包产到户就不能听。"

为了进一步弄清包产到户问题,田家英还派出两位同志赶往安徽无为县了解情况。他们调查的结论大致是:包产到户对于解救已经遭到破坏的集体经济的危机,迅速恢复农业生产,肯定是有利的和必要的;但是,将来要进一步发展农业经济,就可能要受到限制。

1962 年 6 月底,田家英回京向刘少奇、邓小平等中央领导作了汇报,得到了积极的回应。随后田家英立即组织班子,准备起草有关包产到户的文件。他的指导思想是:当前在全国农村应当实行多种多样的所有制形式,包括集体、半集体、包产到户、分田单干,以便迅速恢复和发展农业生产。与此同时,田家英还向其他几位中央领导人陈述了自己的观点和主张,得到了一致赞同。在此期间,田家英还冒险以秘书身份向毛泽东进言。那时毛泽东正在河北邯郸视察,他打长途电话要求面陈意见,毛泽东身边的人传来电话说:"主席说不要着急嘛!"这句话明显有些不耐烦的情绪。①

1962 年 7 月,毛泽东从邯郸视察工作回京,主意已定,对邓子恢、田家英积极主张包产到户十分反感,对刘少奇、陈云、邓小平没有抑制甚至持赞同的态度也不满意。7 月 9 日,毛泽东回到北京,在中南海游泳池召见田家英。田家英陈述说,全国各地已经实行包产到户和分田到户的农民,约占 30%,而且还在继续发展。与其让农民自发地搞,不如有领导地搞。将来实行的结果,包产到户和分田单干的可能达到 40%,另外 60% 是集体的和半集体的。现在搞包产到户和分田单干,是临时性的措施,是权宜之计,等到生产恢复了,再把他们重新引导到集体经济上来。

毛泽东静静地听着,一言不发。最后,毛泽东突然提出一个问题:你的主张是以集体经济为主还是以个体经济为主?对于这突如其来的提问,田家英毫无准备,一下子把他问住了。毛泽东接着又问:"是你个人的意见,还是有其他人的意见?"田家英没有说与刘少奇、邓小平、陈云等人商谈过,只说:"是我个人的意见。"

毛泽东听罢默然。

随后,9、10、11 日连续三天下午,他分别把河南、山东和江西的负责人召来北京商谈农村工作问题。针对各地出现包产到户,他建议以党中央名义起草一个关于

① 逢先知:《毛泽东和他的秘书田家英》,中央文献出版社,1989 年版,第 65—69 页。

巩固人民公社集体经济、发展农业生产的决定,由陈伯达主持,不让田家英参与其事。在毛泽东看来,基本核算单位下放到生产队,是调整农村政策的最后界限,如再进一步调整,搞什么包产到户,那就是走资本主义道路。

这时,中央常委的同志都已经清楚毛泽东对包产到户和分田到户的态度了。7月18日,刘少奇在对下放干部的讲话中,专门讲了巩固集体经济问题,也批评包产到户,批评从高级干部到基层干部"对集体经济的信念有所丧失",要求他们"到农村去,要抓巩固集体经济的问题"。

7月18日,中共中央紧急下发《关于不要在报纸上宣传"包产到户"等问题的通知》。当天下午,毛泽东在中南海游泳池约杨尚昆谈话,毛泽东提出:"(1)是走集体道路呢?还是走个人经济道路?(2)对计委、商业部不满意,要反分散主义。"这次谈话使杨尚昆感受到强烈震撼,他在日记中写道:"我觉得事态很严重!!十分不安!"①

7月19日,由陈伯达主持,在中南海怀仁堂召开有各大区书记参加的关于巩固人民公社集体经济、发展农业生产的决定起草委员会会议。会上对包产到户采取否定态度,中央政治局委员柯庆施发言说:现在看,单干不行,这个方向必须批判。中央书记处候补书记刘澜涛发言,介绍了西北局围绕"包产到户"展开争论的情况。同一天,毛泽东主持召开中央政治局常委会。会上毛泽东把前一天同杨尚昆谈的两个问题重复了一遍,但没有点名。

7月20日,毛泽东同参加北戴河会议

的各中央局第一书记谈话,批评了包产到户和分田到户的意见。他说:"你们赞成社会主义,还是赞成资本主义?当然不会主张资本主义,但有人搞包产到户。现在有人主张在全国范围内搞包产到户,甚至分田到户。共产党来分田?""有人说恢复农业要八年时间,如果实行包产到户,有四年就够了,你们看怎么样?难道说恢复就那么困难?这些话都是在北京的人说的。下边的同志说还是有希望的。目前的经济形势究竟是一片黑暗,还是有点光明?"

7月22日,毛泽东看到中南局第一书记陶铸和第二书记王任重到广西龙胜县主持召开的关于巩固生产队集体经济问题座谈会记录。该记录说:"各级领导态度必须十分明确和坚定,'包产到户'、'分田到户'的单干道路,是农村资本主义的道路,是走不通的。"毛泽东当即批示:"这个文件所作的分析是马克思主义的,分析之后所提出的意见也是马克思主义的。"

1962年8月1日,毛泽东对《中央关于正确对待单干问题的规定(草稿)》批示:"党在农村采取了一系列的正确措施,使全国百分之九十以上的农村人民公社集体经济已经或正在走上健康发展的道路。但是,就全国来说,有不到百分之十的地区发生了'单干风',已经有一小部分生产队改变方向分户单干了","农村中资本主义和社会主义两条道路之间的斗争,还将继续一个很长的时期,可能要继续几十年到几百年"。这样,包产到户问题与单干相提并论,并被上升到路线斗争和道路之争的高度。

---

① 《杨尚昆日记》,中央文献出版社,2001年版,第196页。

政治和社会关系领域的政策调整

三年困难时期，不仅造成经济困难，在政治上也存在一定的问题，表现在党内关系上、党群关系上、知识分子关系上以及民族关系上等等，"七千人大会"是党内五级领导层政治关系的一次大调整。会后，党内外关系的调整工作全面、深入地展开，并且转向了国家和社会结构的层面。

一

全党大兴调查研究之风

1961年初，党中央和毛泽东重新提倡调查研究，这是20世纪60年代初期我们党的工作的重要转变和各条战线调整政策的制定的思想先导。

从1960年12月至1961年1月，党中央在北京相继召开了中央工作会议和八届九中全会。在这两次会议上，毛泽东着重提出了调查研究的问题。1月13日，他在中央工作会议的讲话中指出：调查研究极为重要。他说，今年要搞个实事求是年。我们党是有实事求是传统的，就是把马克思列宁主义的普遍真理同中国的实际相结合。但是，解放以来，特别是最近几年，我们调查做得少了，不大摸底了，大概是官做大了，从前在江西那样的调查研究，现在就做少了。请同志们回去大兴

调查研究之风，一切从实际出发。在党的八届九中全会上，毛泽东号召全党发扬实事求是的优良传统，大兴调查研究之风。他指出，做工作要有三条，一是情况明，二是决心大，三是方法对。这里，情况明是第一条，这是一切工作的基础。情况不明，一切都无从谈起，这就要搞调查研究。

不久，中共中央于3月23日发出关于认真进行调查研究工作问题给各中央局、各省、市、自治区党委的一封信。信中指出，鉴于几年来许多领导人放松了调查研究工作，满足于看纸上的报告，听口头的汇报，而且在一段时间内，根据一些不符合实际的或者片面性的材料作出一些判断和决定。因此，中央要求从现在起，县级以上党委的领导人员，首先是第一书记，把深入基层（包括农村和城市），蹲下来，亲自进行有系统的典型调查，当做领导工作的首要任务，并且定出制度，形成风气。

毛泽东和中共中央关于调查研究工作问题的一系列指示，对于转变全党的作风起了重要作用，它使全党同志，特别是各级领导干部，重新认识和掌握了调查研究、实事求是、一切从实际出发这些思想原则和工作方法，重新认识了实践是检验真理的唯一标准这一科学原理。在党中央和毛泽东的积极倡导下，中央领导人毛泽东、刘少奇、周恩来、朱德、陈云、邓小平等和各中央局、省、市、自治区党委主要领导人，都带头深入农村、工厂、商店、文教、科技等基层单位，对各方面的情况作了大量的调查研究，总结正反两方面的经验，着手解决各项实际工作中存在的问题。在全党调查研究的基础上，中共中央逐步纠正了一些被实践检验是错误的判断和决定，陆续制定了农村人民公社工作条例草案和有关工业、商业、教育、科学、文艺

等方面的工作条例草案,从而使党在各条战线的工作重新纳入了正确的轨道。

国家民主政治生活的初步恢复

新中国成立后,各民主党派、民主人士与中国共产党真诚合作,团结奋斗,在社会主义建设事业中发挥了巨大作用。民主党派和爱国人士积极参政议政,献计献策,表现出高度的政治热情。但一段时间以来,由于在思想路线上受"左"倾思想指导,这方面的工作有所削弱,党和民主党派人士、全国人大代表、全国政协委员间的联系减少了。他们当中的许多人对国家情况不甚了解,即使了解一些,也不全面、不系统、不完整。再加上政治气氛紧张,动辄就有可能被批判为右倾保守,使有些人有话不敢讲,有意见不敢提。

为了改变这种状况,重新沟通与民主人士正常的政治联系,中共中央逐步恢复了与民主人士协商的一系列行之有效的制度,通过召开最高国务会议、政协、人大等,重筑中国共产党与民主人士的联系。

最高国务会议制度,是当时在全国人民代表大会制度和全国政治协商会议制度之外的又一个重要国务活动制度,由国家主席根据情况不定期地召集。参加者是中国共产党和人民政府的主要领导人、各民主党派和人民团体的主要负责人,同时也就包括了全国人大和全国政协的主要领导人。会议通常是就一些重大问题进行事前商量,或者进行重要情况的通报。"大跃进"以后,毛泽东召集过1958年1月的最高国务会议、同年9月的第十五次最高国务会议和1959年4月的第十六次最高国务会议。1959年4月刘少奇当选为国家主席后,召集过1959年8月的第十七次最高国务会议。此后,1960年和1961年中断。基本原因是国民经济发生严重困难,许多情况不清楚,一些话不好说,难于召开。为了纠正这种状况,进一步调动各方面的积极性,深入进行国民经济调整,1962年3月21日,国家主席刘少奇召集第十八次最高国务会议。

刘少奇和周恩来就形势和工作中的主要问题作了非常坦诚的讲话。刘少奇指出:我们国内目前的经济形势,实事求是地讲,是存在着相当大的困难的。我们原来以为,这几年还会有跃进,现在不但没有跃进,不但没有进,反而退了许多。从经济上来说,目前我们不是大好形势。出现困难的原因,一条是天灾,另一条是四年中我们在工作中间有不少缺点、错误。哪一条是主要的?各地情况不一样,有些地方缺点错误是主要的,农民说三分天灾、七分人祸。

刘少奇详谈了1958年以来所犯的四条主要错误后指出,我们经常讲成绩与缺点错误是九个指头与一个指头的关系,现在是不是到处可以适用呢?恐怕不能到处这么套。总的也不是九个指头与一个指头的关系;有些地方三个指头对七个指头也不行,而应该说缺点错误是主要的,成绩不是主要的。错误的责任,首先是中共中央负责,其次是各省、市、自治区党委要负责,再次才是省以下的各级党委。就是说,中共中央决定的某些政策,发出的某些文件、指示等等,有些是不适当的,有些甚至于是错误的,或者说有些是部分错误的。各民主党派和无党派人士没有责任,或者有也很少。

关于犯错误的原因,刘少奇指出:一方面是由于我们搞社会主义建设工作的经验不够;另一方面,我们不少负责同志不够谦虚谨慎,有了骄傲自满的情绪,违反了实事求是和群众路线的传统作风,在不同程度上削弱了党的生活、国家生活和群众组织生活中的民主集中制的原则。中央的同志,省的负责同志,自己不去亲自作调查研究,轻信汇报。有些地方,完全依靠命令办事,瞎指挥,形式主义。同时,在一段时间,在党内、在群众中间,又进行了一些错误的过火的批评斗争,因此,缺点、错误就长期不能发现改正。

刘少奇还谈了对"三面红旗"的看法。他说:第一,总路线还要不要?总路线还是继续实行。过去执行里头有偏差。第二,"大跃进"。我们过去对"大跃进"的解释也是有片面性的,每年要翻一番,或者说要增长百分之几十。"大跃进"这个口号还是不取消,现在取消太早了,到那个时候争取不到,就证明不能"大跃进"。有一种可能是不能"大跃进",有一种可能是能够"大跃进",从整个历史阶段来看,作为我们的奋斗目标是可以的。第三,人民公社。从前提过人民公社"一大二公",现在人民公社大是大,公就看不那么清楚,现在搞到小队核算,似乎也不那么"一大二公"了,因此,这个口号要不要?要不要取消?现在这个问题看不大那么清楚,但是再过多少年可能看得清楚。因此,这个"一大二公"的口号我们也还不取消,放到这里再看嘛。有人说,人民公社办早了。也可以说,人民公社迟几年办是可以的。问题是群众已经办起来了,我们还是站在群众面前去领导人民公社。主要的经验,不应该一下子全面铺开,搞得太急了。总之,"三面红旗"都不取消,都继续保持,而且继续为这个"三面红旗"奋斗。有些问题现在还看不大清楚,但是再过5年、10年,再来总结经验,就可以进一步对这个"三面红旗"作出结论。

对于刘少奇主席如此坦率诚挚的讲话,出席会议的各民主党派和无党派民主人士都十分感动,认为中国共产党还是光明磊落的、郑重的、对国家和人民负责任的党,并从这种襟怀坦白、肝胆相照中,唤起了同舟共济战胜困难的责任感。

3月27日至4月6日,二届人大三次会议在京举行。周恩来总理在政府工作报告中,全面地讲了1960年下半年提出调整国民经济的八字方针后工作进展的情况、存在的困难,以及1962年调整工作的十项任务。周恩来要求,加强在中国共产党领导下的以工农联盟为基础的广泛的人民民主统一战线,加强全国各族人民同党和政府的密切合作,通过艰苦努力,战胜所遇到的困难。

4月28日,周恩来又在全国政协三届三次会议上作了《我国人民民主统一战线的新发展》的讲话。他谈了政协的工作责任,共产党在政协的责任,各民主党派的责任,工会的作用,青年团的责任,妇女组织的作用,工商联的工作,文教科学团体队伍的加强,兄弟民族的关系问题,宗教问题,华侨问题。号召增强信心,团结奋斗,争取新的胜利。这一次全国政协会议开了20多天,200多名委员发了言,提出了400多件提案,广开言路,充分发挥了政治协商的作用。

对于刘少奇、周恩来的讲话,毛泽东很赞成他们这样做。毛泽东说:我们欠民主人士一笔债,现在还了。

文化政策的调整

政策调整的对象群体中,人数最多的是知识分子。调整能否成功,关键也要看对待知识分子的政策调整到位不到位。在当时,知识分子的心情是相当压抑的。自 1957 年反右扩大化后,"资产阶级"这顶帽子又重新戴到广大知识分子头上。"大跃进"中的"左"倾错误,也在知识分子集中的科技、教育、文艺、体育、卫生等部门严重泛滥,表现在:在政策上违反精神生产的客观规律,知识和人才得不到尊重,一些专家学者被当做"白旗"来拔,知识分子的积极性受到极大伤害。① 当时困扰党的文化工作主要的问题是:①自然科学工作者的红与专问题;②百花齐放、百家争鸣的问题;③研究机构内党的领导方法问题。

根据党中央和毛泽东的指示,在制定农业、工业、商业方面的工作条例的同时,科技、教育、文艺等部门在认真开展调查研究的基础上,开始起草各自的工作条例。这些条例主要有:①"科研 14 条",即《关于自然科学研究当前工作的 14 条意见(草案)》,是由国家科委、中国科学院党组负责起草的。②"高校 60 条",即《教育部直属高等学校暂行工作条例》,是教育部负责起草的。草案经过修改,定为 10 章 60 条。在制定"高教 60 条"的同时,教育部还起草了中小学教育工作条例(草案),分别写成《全日制中学暂行工作条例(草案)》和《全日制小学暂行工作条例(草案)》两个文件。这样,高等学校、中学、小学三个教育工作条例草案,就先后都制定出来了。③"文艺八条",即文化部党组和全国文联党组《关于当前文学艺术工作若干问题的意见(草案)》,是由中央宣传部于 1961 年上半年主持起草的,最初题为《关于当前文学艺术工作的意见(草案)》,共 10 条,后压缩成 8 条。1962 年 3 月 28 日,中共中央批转了"文艺八条"。"文艺八条"的主要内容是:进一步贯彻执行"百花齐放、百家争鸣"的方针;努力提高创作质量;继承民族文化遗产和吸收外国文化;正确地进行文艺批评;保证创作时间,注意劳逸结合;奖励优秀人才,奖励优秀创作;加强团结,继续改造;改进领导方法和领导作风。在制定"文艺八条"的同时,有关部门还制定了"剧院工作 10 条"、"电影工作 32 条"等具体条例。

"科研 14 条"、"高教 60 条"、"文艺八条"等工作条例,是针对不同方面的工作制定的,但因为这些工作都以知识分子为主体,因而许多内容是一致的,基本上澄清了三个重大问题。

第一,关于知识分子的政策问题,特别是如何看待"红"与"专"的关系问题以及坚持"双百"方针问题。

关于"红"与"专"的关系问题。1961 年 6 月 19 日,周恩来在中央宣传部召开的文艺工作座谈会和文化部召开的故事片创作会议上的讲话中,就曾批评"白专道路"这个口号,指出"这个口号不是我们提的"。6 月 20 日,聂荣臻在《关于当前自然科学工作中若干政策问题的请示报告》中,也认为"红必须落实,不能空空洞洞的","白专"这个提法是不确切的,建议"以后不要把'白专'作为批判用语"。8 月 10 日,陈毅在对北京市高等院校应届毕业

① 金冲及主编:《周恩来传》,中央文献出版社,1998 年版,第 1621 页。

生的讲话中,也谈到了这个问题。他说:"从来没有空头的政治,政治都是通过业务来体现的","我们不能够拿参加政治活动多少来衡量一个人的'红'或'白'"。①

正是根据这些精神,"科研14条"规定:"红,首先和主要的是指政治立场。对自然科学工作者的红的初步要求,就是:拥护党的领导,拥护社会主义,用自己的专门知识为社会主义服务","红和专应当统一起来……在今天大多数的情况下,科学工作者的钻研业务和努力工作的积极性,正是他们的社会主义思想觉悟提高的具体表现,必须十分爱护和充分鼓励"。

关于"双百"方针。1961年6月19日,周恩来在文艺工作座谈会和故事片创作会议上的讲话中,就曾强调说:文艺工作上,"不论哪一方面都不能独霸文坛。我们提倡批评,也提倡百家争鸣、自由讨论"。7月19日,中央《关于自然科学工作中若干政策问题的批示》也提出:"在学术工作中,一定要百花齐放、百家争鸣,不戴帽子、不打棍子、不抓辫子。这样才能造成一种又有统一意志、又有个人心情舒畅、生动活泼的政治局面,充分地调动起广大知识分子的积极性,使他们能积极地、负责地去做工作。"根据这些精神,"科研14条"规定:要"正确地划分政治问题、思想问题和学术问题之间的界线,区别对待,不能混淆","不要给自然科学技术的不同学派、不同主张戴上什么'资产阶级的'、'无产阶级的'、'资本主义的'、'社会主义的'之类的阶级标签"。"高教60条"规定,不许用对敌斗争的方法来解决人民内部的政治问题、思想问题和学术问题,也不许用行政命令的办法、少数服从多数的方法来解决世界观问题和学术问题。

"文艺八条"规定:"百花齐放、百家争鸣,是发展我国社会文学艺术的根本方针",在文艺批评中,"对文学艺术不同意见和文艺理论上的不同观点,有讨论的自由,批评的自由,也有保留意见和进行反批评的自由"。

第二,明确了科研、高教、文艺工作的根本任务,并规定了有关的规章制度,以恢复正常的秩序,保证根本任务的完成。为了克服因政治活动和生产劳动过多,影响业务工作的现象,"科研14条"规定:"研究机构的根本任务是:不断提供新的科学研究成果,并且在工作中培养出科学研究人才,为社会主义建设服务。研究机构的一切工作、一切措施,都必须保证这一根本任务的实现。"为了完成这一根本任务,研究工作要实行"五定",即定方向、定任务、定人员、定设备、定制度,应该尽一切可能,把科研技术人员的精力和工作时间,用于研究工作。"高教60条"规定:"高等学校必须以教学为主,努力提高教学质量。"为了保证这一点,平均每学年应该有八个月以上的时间用于教学,学生参加生产劳动的时间一般为一个月至一个半月。在"文艺八条"中,对努力提高创作质量,保证创作时间等也作了规定。

第三,改善党对科研、高教、文艺工作的领导。

1957年以后,党加强了对科研、高教、文艺工作的领导,这本来是必要的和正确的。可是在实际工作中,研究所的室、高等学校中的系及文艺单位中的基层党组织,直至党支部、党小组,也强调要领导一切,强调"外行领导内行",这就干预了业务工作,给科研、教育和文艺工作造成了许多困难。为了改进党的领导,"科研14条"和"高教

---

① 参阅罗平汉《1958—1962年的中国知识界》的有关内容,中央党校出版社,2008年版。

60条"规定:研究所和校一级的党组织(党组或党委)及校的领导核心,各研究室、组、系一级党组织的任务,是做好思想政治工作,保证党的方针政策的正确贯彻,保证研究和教学任务的顺利进行,即起保证监督作用。关于党对文艺工作的领导问题,周恩来1961年6月在文艺工作座谈会和故事片创作会议上的讲话中指出:对文学艺术我们懂得少,发言权很少,不要过多干涉,要尊重文艺的客观的发展规律。根据这个精神,"文艺八条"除作了与"科研14条"、"高教60条"相类似的规定外,还特别强调了党组织不应该不适当地干涉学术性质和艺术性质的问题。

这些规定,针对当时困扰科研、教育、文艺工作的主要问题,确定了明确的政策界限,纠正了过去几年中的错误。因此,三个条例下发以后,受到广大知识分子的普遍欢迎。

四

给知识分子"脱帽加冕"

1962年3月,国家科委在广州召开全国科学工作会议,文化部和戏剧家协会在广州召开全国话剧、歌剧、儿童剧创作座谈会,贯彻"七千人大会"的精神,两个会议都称为广州会议。

3月2日,周恩来对两个会议的代表作了《论知识分子问题》的讲话。他说:"不论是在解放前还是在解放后,我们历来都把知识分子放在革命联盟内,算在人民的队伍当中……12年来,我国大多数知识分子已有了根本的转变和极大的进步。1956年我曾作过关于知识分子问题的报告,对知识分子的状况作了初步估计。刘少奇在1956年党的八大一次会议上也说,

'知识界已经改变了原来的面貌,组成了一支为社会主义服务的队伍'……"周恩来接着说:对于知识分子,有六个问题要解决好,要信任他们,帮助他们,同他们改善关系,帮他们解决问题,要承认我们过去有错误,承认了错误还要改。周恩来指出:中国半殖民地半封建的社会性质,决定了中国知识分子的大多数常常站在民族立场上,反对外国殖民者和本国卖国贼,成为革命的、爱国的知识分子。他充分肯定新中国成立以来知识界取得的根本转变和进步。周恩来在讲话中引用了列宁《"关于用自由平等口号欺骗人民"出版序言》中的一段话:"无产阶级专政是劳动者的先锋队——无产阶级同人数众多的非无产阶级的劳动阶层(小资产阶级、小业主、农民、知识分子等等)或同他们的大多数结成的特种形式的联盟。"周恩来认为,列宁把知识分子包括在"非无产阶级"的"劳动阶层"内,"对知识分子的估计要以这个为纲",要在这个根本估计的基础上确定党和国家对知识分子的政策。报告中,周恩来批评了1957年以来对知识分子改造问题的片面理解,指出改造是长期的,方法要和风细雨,不能粗暴,这样气才能顺,心情才能舒畅。他说,知识分子最怕别人给他"上大课",要促膝谈心。这事实上重新肯定了他在1956年提出的知识分子的绝大部分"已经是工人阶级的一部分"的结论,以及当时提出的对知识分子的正确政策。周总理的这篇讲话,同他1951年的《关于知识分子的改造问题》和1956年的《关于知识分子问题的报告》一起,成为新中国成立以后党对知识分子的正确理论和政策的重要文献。陈毅3月5日在全国科学工作会议上的讲话和3月6日在全国话剧、歌剧、儿童剧创作座谈会上的讲话中,提出了"脱帽加冕",就是脱

掉资产阶级知识分子之帽,加上劳动人民知识分子之冕,并郑重地向与会人员行了"脱帽礼"。

陈毅说:"周总理前天动身回北京的时候,我把我讲话的大体意思跟他讲了一下,他赞成我这个讲话。他说:你们是人民的科学家、社会主义的科学家、无产阶级的科学家,是革命的知识分子,应该取消资产阶级知识分子的帽子。今天我向你们行脱帽礼!"

陈毅的两次讲话生动活泼、诙谐风趣、悲愤交集,使到会的同志深受感动和鼓舞。代表们普遍认为:"很全面、很透彻,感情充沛,听来很亲切,使人深受感动,心悦诚服。"1962年3月21日,历史学家周谷城在最高国务会议上发言说:"知识分子过去认为自己是资产阶级知识分子,觉得自己是被改造的,始终是做客的思想,积极性还没有发挥出来。"如今,"得到一个光荣称号,是劳动人民了,对这一点特别高兴。我对这一点也很兴奋。我觉得只要有这些感觉,精神就活跃起来了"。这是他的肺腑之言,代表了广大知识分子的心声。

广州会议后,知识分子的积极性普遍高涨。聂荣臻回忆说:那时候"中国科学院、国防部五院、二机部九院等许多科研单位,晚上灯火通明,图书馆通宵开放,一片热气腾腾,我国真正出现了科学的春天,至今我还认为:如果没有那几年的实干,'两弹'也就不会那么快地上天。我们常说,中国人民是很聪明的,并不比别的民族笨。事实证明了这一点。我们有些科学家的确很有才能,关键是怎样发挥他们的才干,要有正确的政策,要关心他们的生活"。文化艺术界也取得了令人可喜的成就,创作出一大批深受人民喜爱的文艺作品。

3月28日,周恩来总理在第二届全国人民代表大会第三次会议上作《政府工作报告》。他在这个报告中说:我国的知识分子,在社会主义建设的各个战线上,作出了宝贵的贡献,应当受到国家和人民的尊重。我国知识分子的状况,已经同解放初期有了很大的不同。新社会培养出来了大量年轻的知识分子,他们正在沿着"又红又专"的道路成长。从旧社会过来的知识分子,经过十几年的锻炼,一般地说,已经起了根本的变化。知识分子中的绝大多数,都是积极地为社会主义服务,接受中国共产党的领导,并且愿意继续进行自我改造的。毫无疑问,他们是属于劳动人民的知识分子。我们应该信任他们,关心他们,使他们很好地为社会主义服务。如果还把他们看做资产阶级知识分子,显然是不对的。

为知识分子"脱"资产阶级之帽,"加"工人阶级之冕,是对当时拥有数百万的知识分子这一阶层政治地位的一个重大调整。它意味着知识分子从"团结、改造、教育"的对象,向着中国共产党的"自己人"重大过渡的开始,具有重大而深远的意义。

统一战线政策的调整

"七千人大会"以后,统战工作也开始着手贯彻会议精神。

1962年4月23日至5月21日,中共中央统战部召开全国统战工作会议,以周恩来在二届人大三次会议上的《政府工作报告》为指导,研究统战工作的形势和任务。

会议对全国各族工人、农民、知识分子和其他劳动人民,各民主党派和民主人士,爱国的民族资产阶级分子、爱国侨胞和其他爱国人士,多年来在党的领导下,积极参加社会主义建设,经受了国内外各种风浪的考验,作了充分的肯定,同时,对统一战线各方面工作存在的问题作了比较深入的研究。统战部副部长徐冰主持会议并作总结报告,部长李维汉讲了话。中共中央书记处听取会议汇报,周恩来、邓小平等作了指示。5月28日,中央统战部向中央作了关于会议的报告。

报告认为,几年来,在处理阶级关系、民族关系、宗教关系和归侨关系等方面的工作中,发生过一些同中央政策和毛泽东思想相违背的严重缺点和错误,妨碍了相当一部分党外人士的积极性。这对于加强人民内部的团结,顺利进行国民经济的调整工作,都是不利的。

会议确定:在今后一段时间内,我们必须认真调整同知识界、工商界、民主党派、民主人士、宗教界、少数民族、归国侨胞以及其他爱国人士的关系,切实解决存在的问题。

"第一,在精兵简政、压缩城镇人口的措施下,做好对各界党外人士的安置工作。"当时,已经有些地区把一部分资产阶级工商业者和其他党外人士下放农村或精简回家,引起了很大的震动。会议决定,要根据党对他们统筹兼顾、适当安排的方针,切实贯彻"包下来、包到底"的政策,妥善安置,把他们稳定下来。具体规定是:①"对于在职的资产阶级工商业者(指1956年参加公私合营的大、小资本家、资本家代理人和有定息的其他私方人员,全国约76万人,下同)和他们的家属(妻或夫),不要下放农村。个别因家在农村、确系自愿下乡的,可以同意,但不能强迫。已经下放的,如非本人自愿,应该调回。"在保留下来的企业中,一般不精简他们。

属于年老、体弱、多病或失去劳动能力的,可以让他们退休,或者放在编制之外,准其请长假。②"对于县和县级以上的各级代表人物,不精简、不下放。对某些必须调整的,应当在其他单位安排相应的职务,不要降低他们的政治地位和生活待遇。"③"对资产阶级子女的升学,应当根据本人政治表现和考试成绩来决定,不要因为他们是资产阶级子女而有所歧视。对不能升学的子女,应当同劳动人民的不能升学的子女同等对待。"

"第二,做好甄别平反工作。"会议要求:①"必须坚决地、迅速地进行甄别平反工作。凡是在交心运动中受到处分或被划为右派分子的,应一律平反,在拔白旗、反右倾运动中受到批判、斗争、处分或者戴了帽子的,凡是批判错了或者基本错了的都应该平反。凡是平反的,应该摘掉帽子,恢复原来的工作或者安排其他相当的职务。"在做法上,采取召开会议、宣布平反的简便办法。对中上层党外人士,则逐个甄别,逐个处理。②"对在1958年以来其他运动中受过重点批判、处分或错戴了帽子的党外人士,经过甄别,证明完全错了或者基本错了的,也应坚决予以平反,不要拖尾巴。"③"对党外人士的甄别平反,建议由党的各级监委主管统战部和其他有关部门加以配合。"

"第三,做好对摘了右派帽子的人和右派分子的安置工作。"给右派分子摘帽子的工作,是1959年9月17日中共中央发出《关于摘掉确实悔改的右派分子的帽子的指示》后开始的。1959年、1960年,两批摘帽9万多人,1961年摘帽12.9万人,合计已达22万余人。这些被摘帽的人有的作了安置,但仍有近10万人未能得到安置。有的尚在劳动或者休整学习和等待处理。有的单位对他们推出不管,有的被遣返其他地区，报不上户口，生活无着。对此，会议提出应迅速解决。①"对目前正在休整学习一时无法安置的，可以延长休整学习时间。目前仍在劳动的，应该停止劳动，休整学习。休整学习期间所需的费用，可列入国家开支，专款报销。对已经分配了工作的，如果认为需要精简时，暂时不动。"②"对于已经解除劳动教养和需要遣返其他城市的摘了右派帽子的人和右派分子，应当暂留原地，设法维持他们的生活，等候处理。""对已经遣返回城市的，应该准许他们报上户口。"③"对右派分子的家属和子女，应该根据中央原有的规定，按照他们本人的情况对待，不要称为'右派家属'、'右派子女'，在就学、就业、生活等方面，不要歧视。"当时只提到对在"交心运动"中被划为右派分子的人给予平反，而对其他大量被错定为右派的数十万人并不平反，因而1957年反右派严重扩大化的错误不可能从根本上改正。但是陆续给不少人摘掉"右派分子"帽子，并要求在工作、生活上给予安置，强调不要歧视他们的家属子女，在当时是有一定意义的。根据会议的精神和要求，1962年进行了第四批"右派分子"摘帽工作，1964年又进行了第五批摘帽。五批共摘帽30余万人，安置的工作也有一定进展。

"第四，加强合作，改善同党外人士的共事关系。"报告认为：改善合作共事关系，是调整关系中一项经常的大量的工作。这方面存在的问题，主要是：对党外人士的进步和作用估计不足，信任不够，因而使用和帮助也不够，常常是敷衍应付，或者冷在一旁，或者课以责任，却不给予必要的权力和条件等等。这对于调动党外人士的积极性，掀起为社会主义建设服务的新高潮，都是不利的。报告提出，今后应当：①要充分估计党外人士的进步和作用。②贯彻有职有权的原则。③根据他们的政治和业务条件，分别适当安排。④必须实行民主合作，互相尊重，互相帮助，互相学习。⑤工作条件、功过赏罚、表扬奖励、培养提拔等，应当一视同仁。

"第五，发扬民主，认真实行互相监督的方针。"报告认为："近几年来，在同党外人士的关系上，突出表现在：不倾听党外人士的意见，不同他们商量办事；不是采取和风细雨的方法进行说服教育，而是常常粗暴地进行斗争，强制压服；对民主党派和有关团体的工作，多是把持包办，只强调学习和改造的一面，忽视它们代表合法利益和互相监督的作用。所有这些，使不少党外人士不敢说真心话，使民主集中制的原则受到损害。"因此必须：①各级党委要认真地而不是形式地运用人民政协、民主党派和有关团体的力量，采取自由、活泼的方法和多种多样的形式，广泛联系各阶层人士，活跃民主生活，开展统一战线活动。②各级党委要主动创造条件，鼓励党外人士敢于讲真话，如实反映情况，积极代表他们所联系的阶级、阶层的合法利益和要求；要乐于听取不同意见，以至于听逆耳之言，真正做到"言者无罪"、"不戴帽子、不打棍子、不抓辫子"；对他们提出的批评和建议，要认真对待，认真处理，决不可敷衍应付，不能解决的，也要说明理由，对不正确的意见，要耐心说服教育。③各级统战部是党委的一个工作部门，对于人民政协、民主党派以及有关人民团体不是领导与被领导的关系，只能依据党的方针政策办事，严格遵守与党外人士协商办事的原则，尊重他们的职权，切实纠正把持包办的错误做法。①

---

① 《中国共产党建国以来文件选编（1962年）》，新华网，http://news.xinhuanet.com/ziliao/2004-11/29/content_2272198.htm。

1962 年 6 月 14 日,中共中央批转了这个报告。

如果说,1957 年以来的几次全国统战工作会议,都或多或少地存在一些"左"倾偏差的话,那么,1962 年四五月间的这一次会议,则是一个实实在在纠"左"的会议。尽管仍不免有着当时历史的局限性,但它对于纠正政治关系方面的"左"倾错误,还是起了重要的积极作用。

侨务政策的调整

调整侨务政策,扭转侨务工作在政治上的被动局面,是贯彻"七千人大会"精神,进行政治关系调整的一项重要内容。新中国成立后,约有 40 万侨居海外的同胞怀着满腔热血,纷纷回到祖国参加社会主义建设。他们大都工作积极,学习进步。他们不仅对国内的经济建设起了促进作用,对促进海外华侨的团结爱国和影响侨居地人民与我国和平友好,也起了很好的作用。全国各地各部门、各级政府贯彻执行党的侨务政策,取得了一定的成绩。但是,在贯彻执行党的侨务政策中,也存在着一个比较突出、比较严重的问题,这就是所谓"海外关系"问题。这是中央巩固和扩大华侨爱国统一战线的一个巨大障碍,也是影响政治方面和睦稳定的一个重要因素。不少地方和部门,不加具体分析地把归国华侨、侨眷、归侨学生在国外的家庭和亲友关系,一律作为"资产阶级关系"或"复杂的政治关系"看待,扣上"海外关系"的帽子,滥加怀疑和歧视。有些地方甚至规定,凡有"海外关系"的人,一律不能入党、入团,不能参加工会,不能当积极分子;有的学校对归侨学生的入学、实习限制很严,将政治、经济、外贸、财贸、新闻等系列为"机密"专业,规定不准归侨学生报考。有的学校还不准学工科的归侨学生下厂实习;有的部门将那些在国外有家庭亲友关系的归侨干部,当做精简下放的对象,或任意调动他们的工作;有的归侨干部虽在工作上有优异的成绩,政治表现也很好,人事部门也不让提拔重用。有的归侨干部被选为先进生产代表,亦不让出席会议;有的单位对归侨干部的婚姻乱加干涉,有些人还因此受到批评;有的单位任意扣拆归侨学生和归侨干部的信件;有的单位在历次运动和政治审查中,把那些和国外亲友有关系的人,列为批判斗争或追查的对象;有的单位甚至把华侨与五类分子并列,即所谓"地、富、反、坏、右、侨",混淆了敌我界限。

对于这种主观主义的不作阶级分析、政策上不加区别的错误认识和做法,中央在这次政治关系调整中极为重视,并清醒地认识到,在政治上犯了扩大化的错误,违背了中央、国务院及有关部门反复强调的有关侨务政策方面的指示。这种错误已经造成了极为不良的后果,许多归国华侨、侨眷、归侨学生与国外亲友的正常联系因此受到严重阻碍,且受到了种种不合理的待遇,使他们对党的政策产生很深的误解和疑虑。中侨委党组的报告提出了 6 条全面检查和妥善处理由所谓"海外关系"引起的问题的意见:

①"首先应该认识,在人事关系中所谓海外关系这种划分,原来就是违反中央历来强调的争取海外华侨的政策的,是缺乏根据的,因此,就是错误的。必须从人事、鉴定、审查工作中取消所谓海外关系这一项。"②"对历次运动和政治审查中被批判、追查、处分的归国华侨、侨眷和归侨学生进行甄别处理,凡因有所谓海外关系

而被错斗、错处分、错戴帽子者,应根据
1962 年 4 月 27 日中央关于加速进行党
员、干部甄别工作的通知的精神,坚决、迅
速、切实纠正,取消处分,恢复名誉。"③
"对因有所谓海外关系而被任意调职或下
放的劳动者,应加以妥善处理。对德才兼
备的归侨干部,如仅因有所谓海外关系而
被不信任和不提拔重用的,应根据党的干
部政策处理,不得歧视。"④"对那些已经
具备入党入团条件的归国华侨、侨眷和归
侨学生,应照章吸收他们入党入团,不得
因有侨汇和与国外家庭亲友的联系而加
以拖延或歧视。"⑤"对归国华侨、侨眷和
归侨学生接受侨汇问题,应按中央《关于
争取侨汇问题的紧急指示》处理,切实贯
彻保护侨汇的政策。"⑥"凡对归侨学生在
就学、实习、阅读参考书籍资料等方面,任
意加以歧视和限制的,应予纠正。今后对
归侨学生报考学校,应和国内学生一视同
仁,并予适当照顾,不得歧视。"

5 月 31 日,中共中央批准中侨委党组
的这个报告,并在转发时加了一个批示。
批示明确指出:"所谓'海外关系'的提法,
是模糊政策界限,混淆敌我关系的提法,
是不妥当的,有害无益的。"并要求有关单
位,尤其是华侨、归侨、侨眷占人口中相当
比重的省和市,切实地讨论中侨委党组的
报告,对因所谓"海外关系"而引起的一系
列问题有步骤地加以处理。这一重要问
题的解决,使一度受到损害的侨务工作全
面恢复和发展起来。①

民族政策的调整

1958 年以来,民族、宗教工作在某些
地区和个别问题上确实存在错误,其表现
主要是不重视社会主义革命和社会主义
建设过程中的民族问题,忽视民族特点,
忽视宗教问题的民族性、群众性和由此而
来的长期性,忽视少数民族地区的经济特
点,忽视少数民族的平等权利和自治权
利,个别地方则损害了少数民族的这种权
利。对团结上层的工作也大大放松了,有
的地方采取了严重违反政策的手段。

同时,在反对地方民族主义的斗争
中,有批判过头、斗争过火的行为。在不
少地区,少数民族干部数量下降的幅度相
当大,青海 1960 年与 1957 年相比下降
20.2%,云南下降 19.57%,广东海南下降
46%。群众正常的宗教活动也受到某种
干涉和限制,部分喇嘛、阿訇还俗、还乡,
一些地方群众的宗教生活被迫转入"地
下"。这些都对党的民族工作造成严重的
干扰,使民族关系出现混乱,民族、宗教感
情,乃至党群、干群、军民关系等受到严重
损害。

1962 年 4 月 21 日至 5 月 29 日,民族
事务委员会在北京召集了全国民族工作
会议,总结几年来民族工作的经验,讨论
今后的工作方针和任务。会议发扬民主,
畅所欲言,在肯定民族工作成绩的同时,

---

① 《中国共产党建国以来文件选编(1962 年)》,新华网,http://news. xinhuanet. com/ziliao/2004－11/29/con-
tent_2272198. htm。

也提出了很多的意见、批评和建议，反映出了民族工作中的不少缺点、错误和问题。

会议认为，在有些地区和有些问题上，错误是很严重的，"主要是不重视社会主义革命和社会主义建设过程中的民族问题，忽视民族特点，忽视宗教问题的民族性、群众性和由此而来的长期性，忽视少数民族地区的经济特点，忽视少数民族的平等权利和自治权利，个别地方是损害了少数民族的这种权利，对团结上层的工作也大大放松了，有的地方采取了严重违反政策的手段。看来，大汉族主义的思想在一些地方有了滋长"。

中共中央统战部和中央民委党组认为，缺点错误的发生，他们是有责任的，主要是调查研究不够，对中央和毛主席处理民族问题的基本政策坚持不力，有些问题也处理得不适当。在撤销自治地方的问题上，1958年讲过，"有些自治县已经或即将同邻近的县合并是形势发展的必然趋势"，并且同意了一些自治县可以合并乃至取消。在少数民族地区搞人民公社化的步骤问题上讲过，有的地方可以不经过互助组、初级社和高级社，直接实现人民公社化，赞成了有的地方这种"一步登天"的做法。在批判地方民族主义运动中，对民族主义思想倾向和民族主义分子之间的界限，根据实际情况研究不够。在废除宗教方面的压迫剥削制度的过程中，虽曾再三讲了要把宗教中的压迫剥削制度同宗教信仰分开，但在实际对寺庙等问题的掌握上是有偏差的。对于这些错误，中央统战部和中央民委在会议上作了自我批评。会议研究提出了今后五年内对少数

民族地区（主要是各级自治地方）的工作方针，这就是："依照中央和毛主席的政策，调整民族关系，加强民族团结，调整各民族内部各阶级和阶层间的关系，加强工农联盟，加强同一切爱国民主人士的团结，以便调动和发挥各少数民族人民的积极性，集中力量恢复和发展农业生产，牧业区发展牧业生产，林业区发展林业生产，逐步恢复和发展经济，改善人民生活。"

会议把提出的比较重大的问题，列了十多项，包括：①关于撤销、合并了的自治地方的处理问题，②关于建立自治州和自治县的问题，③关于改变自治地方党政合署办公、党政不分的问题，④关于自治地方财政权限的问题，⑤关于培养、提拔和使用少数民族干部的问题，⑥关于精简问题，⑦关于宗教上层的问题，⑧关于宗教方面的问题，⑨关于散居少数民族的工作和恢复民族乡的问题，⑩关于民族区工作的方针问题，⑪关于贸易、教育、卫生和山区生产的几个具体问题。同时提出了处理意见，报请中央确定。中共中央批准了会议的报告和提出的意见。这次民族工作会议的召开，比较全面地清理了1958年以来几年中发生的"左"倾错误，使民族工作得到恢复和加强。①

周恩来还指定李维汉多次主持召开有西藏工委和自治区筹委会领导同志张经武、张国华、王其梅、夏辅仁、阿沛·阿旺晋美、帕巴拉·格列朗杰以及平杰三、刘春等人参加的会议，与班禅共同研究有关西藏的问题，商讨解决的办法。在7月19日形成了关于改进西藏及其他藏区工作意见的四个重要的文件：《加强自治区

---

① 《中国共产党建国以来文件选编（1962 年）》，新华网，http://news.xinhuanet.com/ziliao/2004－11/29/content_2272198.htm。

筹委会工作,改进合作共事关系(草案)》、《关于继续贯彻执行宗教信仰自由政策的几项规定(草案)》、《继续贯彻执行处理反叛分子规定的意见(草案)》、《培养和教育干部的具体办法(草案)》。这些文件规定:"应当在党的领导下,进一步明确党政分工,加强政府工作","筹委和专署(包括所属各部门)的行文必须使用两种文字,并逐步做到各级政府和业务部门的行文皆使用藏汉两种文字";"对寺庙和宗教职业者的要求和标准:爱国守法,走社会主义道路,不提过高的要求";"细致地又稳又准地对现押案犯继续做好甄别清理工作","确实属于错捕、错判的案件,应当一律平反,死了的要恢复名誉";"必须逐步创造条件,使各级政府的负责职务逐步由藏族干部担任"等。基本精神是要求进一步落实党的民族、宗教政策,纠正平叛扩大化错误,加强对民族干部的培养教育。随后,西藏自治区成立四个小组,由班禅副委员长负责落实宗教政策,阿沛·阿旺晋美副委员长负责纠正平叛扩大化错误。这些措施,比较全面地清理了1958年以来发生的"左"倾错误,调整了民族政策和宗教政策,初步理顺了民族关系,使民族工作得以重新恢复和加强,这对于增进全国各民族的团结,安定人民生活和促进经济发展,无疑起了积极的作用。

八

邓小平主持甄别平反工作

1958年"大跃进"以来,党内党外进行了多次反对所谓右倾的批判斗争。这些政治思想上"左"的批判,对经济建设上"左"倾错误的发生和加剧,起了不良的影响。调整国民经济,纠正经济建设上的"左"倾错误,必须解决党内外过"左"斗争的问题。在1961年五六月间的北京中央工作会议上,毛泽东在讲话中说,1959年不该把反右倾斗争搞到群众中去,提出要对几年来批判和处分错了的干部、党员甄别平反。会议决定开展甄别平反工作。1961年6月15日,中共中央发出《关于讨论和试行〈农村人民公社工作条例〉(修正草案)的指示》,其中规定:"为着发扬民主,有必要对于最近几年来,受过批判和处分的干部和党员,实事求是地加以甄别。""过去批判和处理完全错了的,要改正过来,恢复名誉,恢复职务;部分问题批判和处理错了的,就改正这一部分问题的结论。对于生产大队和生产队的干部的处分,应该交给群众审查。至于错误地对群众(包括富裕中农在内)进行的批判,应该在适当场合向他们道歉,如果作了错误处分的,还应该纠正。"《指示》并规定:"今后在不脱产干部和社员群众中间,不许再开展反对右倾或者'左'倾的斗争,禁止给他们戴政治帽子。"由此开始了从农村到各界各方面甄别平反的工作。

7月19日,中共中央在《关于自然科学工作中若干政策问题的批示》中,又指示在知识分子中开展平反工作,《批示》指出:"在反右派斗争以后,各单位对一部分知识分子进行的批判,要加以清理。""凡是批判错了,或者有一部分错了的,都要甄别事实,分清是非,纠正错误,由党的负责干部采取适当方式向他们讲清楚,戴错了帽子的要摘掉,以利于解除思想疙瘩,发扬民主,增强团结。一定要使知识分子敢于讲真话,畅所欲言,言者无罪,闻者足戒。"并指示:"在学术工作中,一定要百花齐放、百家争鸣,不戴帽子、不打棍子、不抓辫子。"甄别平反的工作,进行到1962年上半年时,已经取得一些进展,但是发展得很不平衡。有的地方领导干部和领导机关决心大、方法对，进度快，收效也大。党员干部的思想水平提高，党内团结加强，干群关系也密切了，有力地促进了工作和生产。但是，也有些地方贯彻执行不力，有些负责干部对甄别工作重视不够，甚至有抵触情绪，工作方法不对头，甄别工作进展缓慢。为了推动这一工作的深入进行，在邓小平的主持下，中共中央书记处于 1962 年 4 月 27 日制定和发出了《关于加速进行党员、干部甄别工作的通知》。要求"对于党员、干部的甄别平反工作，必须根据扩大的中央工作会议的精神，加强领导，加速进行"①。

《通知》指出："当前甄别工作的重点，是县级以下的农村基层干部。凡是在拔白旗、反右倾、整风整社、民主革命补课运动中批判和处分完全错了和基本错了的党员、干部，应当采取简便的办法，认真地、迅速地加以甄别平反。"方法是"由上一级党委派负责同志，帮助所在组织摸清被错批判和错处分的党员、干部的情况，召集他们开会、谈话，然后召开干部大会或党员大会、群众大会，宣布一律平反。其中即使有的有些轻微错误，也不要留尾巴。有关领导干部应该当场向被错批判错处分的党员、干部进行道歉。上级党委应派人参加平反大会，说明错误的责任主要在上级，号召卸掉包袱，加强团结，搞好工作和生产"。《通知》要求迅速解决基层干部和一般党员这批人的平反问题之后，"集中力量比较快地解决县以上一些人的甄别平反工作"。

为了推动这一工作，邓小平在 1962 年 5 月中央常委工作会议上又作了专门的讲话。他说：请大家注意，最近中央发了一个关于甄别平反工作的文件。这个问题对于调动干部的积极性，特别是调动农村县以下干部和群众的积极性很重要。所谓甄别平反的问题，主要是干部。可是每一个干部都影响群众，实际上是影响大量的群众。全国估计总有 1000 万，影响的人总有几千万。最近军队搞得很好，就是一揽子解决。采取一揽子甄别平反方法的，比较主动，面貌也比较好一些。因此，我们现在研究，大家都赞成这个办法，就是全国县以下，首先是农村，来一个一揽子解决。就是说，过去搞错了的，或者基本搞错了的，统统摘了帽子。（刘少奇插话说：不要一个一个去甄别。）因为县以下都是一些下级干部，问题只有那么多，右倾也是右倾到那个程度，"左"倾也只"左"倾到那个程度。这是一个很重要的工作，不要轻视这个工作。除了个别严重的个别处理外，一般的，包括基本上搞错了的，就是对有一点点还对的，都不要留尾巴，一次解决。上面的领导同志，要下去帮助他们承担责任，向群众当面公布，这实际上是我们承认一个错误，是搞得不对。邓小平喜欢用"一揽子"这个词。"一揽子"体现了他对历史问题不纠缠细节，放眼长远，总揽全局的大气魄。邓小平在后来解决中印边界问题时也是用的这个词。"文革"结束后，他在处理许多重大历史问题时，也是按照"一揽子"的原则解决的。

甄别平反工作有了全面的进展，到 1962 年 8 月，全国 23 个省、市、自治区已甄别党员、干部 365 万人，当时认定，原结论错了和部分错了的占 70%。甄别了群众 370 多万人，都得到了平反。总共甄别平反了 600 多万党员、干部和群众。但是，这一工作因不久后的中共八届十中全会

①　中央文献研究室编：《建国以来重要文献选编》第 15 册，中央文献出版社，1997 年版，第 361—362 页。

批判所谓"平反风"和重新提出抓阶级斗争,没能十分彻底地进行下去。

向雷锋学习运动

一

伟大的共产主义战士雷锋

雷锋是在毛泽东思想哺育下成长起来的伟大的共产主义战士。他于1939年12月30日出生在湖南省望城县安庆乡一个贫农家庭。幼时父母、兄弟相继去世,成了孤儿。1949年8月,雷锋的家乡解放了。农会和乡政府给予这个孤儿亲切的关怀和照顾。1950年他被送进乡小学读书。1956年雷锋高小毕业,到乡政府当通讯员。不久,又被调到中共望城县委当公务员。1958年秋天,雷锋报名来到了鞍山,参加社会主义工业建设。在鞍钢的一年多,他3次被评为工厂的先进生产者,18次被评为标兵,5次被评为红旗手,出席过鞍山市青年社会主义建设积极分子代表大会。1960年雷锋加入了中国人民解放军的行列,被编入沈阳部队工程兵某部运输连四班。同年11月光荣地成为中国共产党的一名党员。不久任班长。在部队里,他积极学习毛泽东的著作,努力钻研技术,全心全意地为人民服务。他带领的班一直保持四好班的荣誉。他还经常利用节假日到车站、工地从事义务劳动,还当了驻地附近小学的少先队辅导员。他把自己节省的钱,给战士们买《毛泽东选集》,支援灾区和社会主义建设,帮助困难的同志。入伍不到3年,雷锋先后荣获二等功一次、三等功两次,出席过沈阳部队共青团代表会议,被评为五好战士、节约标兵,并当选为抚顺市人民代表。1961年1月,中国人民解放军政治部发出了学习雷锋的通报。沈阳部队工程兵党委授予雷锋模范共青团员的称号。诸多的荣誉,并没有使雷锋骄傲起来。他恪守自己"对待同志要像春天般的温暖,对待工作要像夏天一样火热,对待个人主义要像秋风扫落叶一样,对待敌人要像严冬一样残酷无情"的信念,继续在平凡的工作中干着许许多多既平凡又高尚的事情。不幸的是,1962年8月15日,雷锋因公殉职,年仅22岁。

二

学雷锋运动的开展

雷锋是社会主义新中国涌现出来的模范人物,体现了新社会的道德情操和精神风貌,他的一生,在平凡的生活和平凡的工作中表现了一切以人民利益为重、全心全意为人民服务的高尚品质,体现了关心同志、助人为乐,毫不利己、专门利人的共产主义风格,体现了克服困难、坚韧不拔的坚强意志,体现了又红又专,模范地完成工作任务的精神。雷锋是一名平凡的军人,但他成长在新时代,他的精神也成为新时代的典范。

雷锋牺牲以后,辽宁省共青团组织首先在全省青少年中开展了学习雷锋的运动,取得了很好的效果,接着,学习雷锋运动进一步在全国青年、人民解放军和全国范围内展开。

1963 年 2 月 8 日,《解放军报》以《伟大的战士雷锋》为题,发表了通讯,全面介绍了雷锋的事迹,指出,"雷锋没有做出什么惊天动地的伟业,他所做的都是一件件平凡的事情。就在这些平凡的事情中,表现了他那高贵的革命精神和共产主义品德","他的伟大的普通一兵的光辉形象,却永远活在人们的心里"。2 月 9 日,中国人民解放军总政治部发出通知,号召全军开展宣传和学习雷锋活动。通知指出,雷锋的生平事迹,是向全军同志,特别是向广大青年干部战士进行无产阶级革命精神和共产主义思想品德教育的活教材,宣传和学习雷锋同志的模范事迹,对于加强部队思想建设,推动创造四好连队五好战士活动具有很大的意义。通知提出了宣传和学习雷锋的重点是:①阶级立场坚定,爱憎分明,永不忘本,忠于党和毛主席,忠于人类解放事业的革命精神;②处处以党的利益为重,处处从革命的需要出发,决心做个永不生锈的螺丝钉,全心全意为人民服务的精神;③艰苦朴素,克勤克俭,毫不利己,专门利人的共产主义的高尚品德;④努力学习毛主席著作,自觉接受党的教育,严格要求自己,积极锻炼自己,认真改造自己的好学上进精神。2 月 11 日,《解放军报》发表了《雷锋日记摘抄》,供全军学习。

2 月 15 日,共青团中央发出通知,号召在全国青少年中广泛开展学雷锋运动。《中国青年报》陆续介绍雷锋的事迹,赞颂雷锋的共产主义精神。3 月 5 日,罗瑞卿在《人民日报》发表《学习雷锋——写给〈中国青年〉》的文章,指出学习雷锋的重大意义,他说:"毛泽东的时代,是我国人民特别是青年们大显身手、大展宏图、创造奇迹的时代。在火热的、急风暴雨的斗争中,在激烈的战斗中,固然可以产生像董存瑞、黄继光那样的英雄;在日常的工作和平凡的劳动中,也同样可以出现雷锋这样的英雄。尽管每个人的工作岗位和所处的环境是不同的,但是,只要照着雷锋的榜样去做,读毛主席的书,听毛主席的话,按毛主席的指示办事,每一个人,在每一个工作岗位上,都可以为祖国、为人民、为革命建立不朽的功勋。"他指出,"不难设想,雷锋式的英雄人物,如果在青年中多了起来,在人民解放军的指战员中多了起来,那就必然会使我国青年一代的精神面貌,达到一个更高的境界。我们知道,物质的增长,是可以用数字来计量的,而人的共产主义思想品德的增长,却是任何数字都无法计量的巨大力量,是威力无穷的精神原子弹。"

学习雷锋运动,得到党和国家领导人的高度重视。3 月 5 日,《人民日报》、《解放军报》同时发表了毛泽东"向雷锋同志学习"的题词。随后又发表了刘少奇等党和国家领导人的题词。刘少奇的题词是:"学习雷锋平凡而伟大的共产主义精神。"周恩来的题词是:"向雷锋同志学习憎爱分明的阶级立场,言行一致的革命精神,公而忘私的共产主义风格,奋不顾身的无产阶级斗志。"朱德的题词是:"学习雷锋,做毛主席的好战士。"陈云的题词是:"雷锋同志是中国人民的好儿子,大家向他学习。"邓小平的题词是:"谁愿当一个真正的共产主义者,就应该向雷锋同志的品德和风格学习。"董必武的题词是:"有公读毛选,雷锋特认真。不惟明字句,而且得精神。阶级观清楚,勤劳念朴纯。螺丝钉不锈,历史色长新。只做平凡事,皆成巨丽珍。普通一战士,生活为人民。"林彪的题词是:"学习雷锋同志的榜样,做毛主席的好战士。"这些题词,将学雷锋运动推向了全国,推向了高潮。

三

学习雷锋运动的成效

全国上下迅速掀起了一场学习雷锋的声势浩大的运动。各地以各种方式大张旗鼓地宣传和歌颂雷锋,全国几十家报刊刊登党和国家领导人学习雷锋的题词,宣传雷锋的事迹,赞颂雷锋的共产主义精神,论述学习雷锋的重要意义。从1963年2月上旬到3月中旬,有关雷锋的报道达160多万字,中央和地方电台也多次作了专题报道。3月间,解放军总政治部和团中央联合举办雷锋模范事迹展览会,观众达100多万人次。在基层单位,广泛利用报告会、座谈会、读报会、墙报、黑板报、文艺演出等多种形式,进行宣传。电影《雷锋》的拍摄和放映,使对雷锋事迹的宣传更加广泛和普及。各种宣传手段,使雷锋的事迹和精神家喻户晓,人人皆知,深得人心。

学雷锋运动是中华人民共和国建立以后大规模的学习英雄模范活动,它的声势之大、影响之广泛和深入,都达到前所未有的程度。

雷锋精神成为新社会道德风尚的标志,深刻地影响着全国人民的精神风貌,有力地促进了社会主义事业发展。

工业学大庆运动

一

大庆油田的发现

大庆油田是位于我国黑龙江省松嫩平原中部的一座油田,界于哈尔滨市与齐齐哈尔市之间。它是中国完全依靠自己的力量开发建设起来的国内最大的石油化工生产基地,也是世界特大油田之一。大庆油田的主体——大庆长垣,是松辽盆地中央坳陷区北部的一个大型背斜构造带,南北长140公里,东西宽6—20公里。长垣之上,自北而南有喇嘛甸、萨尔图、杏树岗、太平屯、高台子、葡萄花和敖包塔油田。长垣之外,已探明的有杏西、龙虎泡、升平、宋芳屯、模范屯、朝阳沟、榆树林、敖古拉、徐家围子、高西和新店油田。大庆油田是以上这些油田的总称。

1960年初开始的大庆石油勘探大会战,是中国独立自主开发建设大油田,加快石油工业发展的转折点。

从旧中国1907年开始找油算起,到1949年,前后花了40多年时间,只建成了甘肃老君庙、新疆独山子、陕西延长3个小油田和四川圣灯山、石油沟2个气田,以及辽宁2个页岩油厂,年产原油只有12万吨,国内消费的石油基本上靠从国外进口。

1949年中华人民共和国成立,中国石

油工业开始了生气勃勃的然而也是艰苦的探索与振兴时期。

国外一些学术权威认为"中国贫油"，而我们自己又缺乏经验，缺乏资料。面对茫茫大地，究竟何处找油？广大石油职工肩负祖国的重托，怀着矢志振兴中国石油工业的愿望，首先在西北的甘肃、新疆、青海等省区内，转战戈壁荒滩，不畏艰难险阻，主要靠榔头、罗盘，靠露出的油苗，靠地面地质工作，通过钻探，先后发现了新疆克拉玛依、玉门鸭儿峡、青海冷湖等油田，建设起新中国成立初期的几个石油生产基地。到1957年，全国原油产量145.7万吨，比1950年增长6.3倍。但是，我国依赖"洋油"的状况并没有得到改变，石油工业依然是制约我国国民经济发展中的一个突出的薄弱环节。

为了摆脱石油工业的落后局面，根本问题是要大力展开勘探，发现新的油气田。刘少奇、周恩来、朱德、陈云等领导同志，十分关心石油工业的发展。邓小平同志在1958年主管石油工业期间，专门听取了石油部的汇报，指出中国这样大的国家当然要靠天然油，石油勘探应当从战略方面来考虑问题，处理好战略、战役、战术三者之间的关系，分别轻重缓急，选准突击方向。这对指导当时西南、华北、东北几个大盆地的勘探工作，起了重要的作用。

从1955年起，国家开始对松辽盆地进行地质调查，1957年开始进行地质钻探，1958年在盆地陆相沉积岩中找到了含油砂层，证实了中央坳陷区是盆地内有利的含油远景区，并初步证实黑龙江省肇州县大同镇（今大庆市的一个区）隆起地是一个大型构造带。1959年9月26日，大同镇的松基3号井喷出了工业油流，发现了松辽盆地上的第一块油田——高台子油田。时值国庆10周年，我国人民双喜临门，因此油田以"大庆"命名。大庆油田的发现，打破了大油田只能在"海相地层"即古代是海洋的地方才能找到，而我国绝大部分地区在古代都是陆地，因此是"贫油国"的妄说。随后，经过扩大勘探，又在葡萄花构造上钻获工业油流，基本探明了葡萄花油田，从而为开展油田大会战准备了有利条件。

二

石油勘探大会战

1960年2月，石油工业部党组给中共中央写了报告。报告说：大庆地区从1959年9月26日打的第一口探井出油以后，又连续打了22口探井，已探明了一块200平方公里储油面积的大油田。初步估算，可采储量在1亿吨以上。从地质资料上看，整个大庆地区是一个很大的适于储油的构造地带，面积达2千余平方公里，其远景是相当可观的。为了用最快的速度在大庆地区探明更大的油田面积和更多的新油田，为了在已探明的储量内迅速打出一批生产试验井，石油部提出：在大庆地区"集中石油系统一切可以集中的力量，用打歼灭战的办法，来一个声势浩大的大会战"。2月20日，中共中央批准了石油工业部党组的报告，决定集中力量在大庆地区进行石油勘探开发大会战，并决定从中国人民解放军当年的退伍军人中动员3万人参加开发大庆油田的工作。3月，国务院即召开了有关部门和东北协作区参加的会议，部署支援会战工作。按照集中力量打歼灭战的原则，国务院各部委中，除地质部抽调队伍积极参加会战外，农垦、机械、冶金、电力、建工、铁道、林业、商业等部门都对会战给予了大力支持。为此，还陆续从玉门、新疆、青海、四川等石油管理局和 37 个石油厂矿、院校,抽调了几十个优秀的钻井队,几千名科技人员和上万名职工参加大会战。

这场规模空前的勘探大会战,是在比较困难的时候、比较困难的地方、比较困难的条件下进行的,是依靠广大职工的革命精神和严格的科学态度取胜的。会战初期,全国有 500 多家工厂为大庆生产机电产品和设备,有 200 多个科研、设计单位和企业在技术上予以支援,总计有 4 万多人的队伍到达会战地区。会战第一年,在北部的高产地带打了一场规模很大、条件十分艰苦的勘探仗。50 多部钻机齐上阵,打井 339 口,证实了大庆长垣各构造连片大面积含油,中心高产区面积在 500 平方公里以上,基本探明了全部油田面积并大体计算出了储油量。同时,开辟了生产试验区,当年就生产原油 97 万吨。在 1960 年的开发基础上,1961 年解决了一大批重大的科学技术问题,1962 年和 1963 年扩大了油田开发面积,基本建成了这个大油田。到 1963 年底,大庆油田已累计打井 1178 口,建成年产 600 万吨原油的生产能力,当年生产原油 439.3 万吨,占全国原油产量的 67.3%。

大庆油田的初步开发建设,对中国实现石油基本自给起了决定性作用。经过 3 年多的努力,到 1963 年全国原油总产量已达 648 万吨,占国内石油消费的 71.5%,实现了我国石油的基本自给。同年 12 月,第二届全国人民代表大会第四次会议结束之际,新华社奉命庄严宣告:"中国人民使用'洋油'的时代,即将一去不复返了。"

大庆石油会战的胜利,是我国石油工业发展史上的一个重大转折。在我国陆相地层中首次发现大油田,使人们思想获得一次大的解放。我国老一代地质学家李四光、潘钟祥、谢家荣、李春昱、黄汲清、张文佑等,曾从地质理论上指出,我国(包括东部地区)蕴藏着丰富的油气资源,而大庆会战则从实践上证明了这一点,大庆油田的勘探和开发,不仅粉碎了"中国贫油论",而且独创了我国自己的石油地质理论,为发展我国石油地质勘探和石油工业展示了光明的未来。此后,无论国内还是国外,对中国石油发展前景的估计,都发生了根本性的变化。

大庆石油会战的胜利,不仅拿下了一个大的油田,而且锻炼和培育了职工队伍。以"铁人"王进喜同志为代表的石油工人,在会战中表现出来的那种奋发图强、为国争光的志气,自力更生、艰苦创业的精神,胸怀全局、忘我劳动的风格,认真负责、埋头苦干的作风,体现了中国工人阶级的优良品质。这种在党的领导下,几万名职工的充沛干劲、创造精神和主人翁责任感,对赢得这场会战的胜利,是个决定性的因素。

大庆油田于 1963 年底结束了试验性开发,开始进入全面开发建设阶段。1964 年到 1966 年,萨尔图油田主体全面投产。这 3 年,大庆油田职工坚持"两论"(指毛泽东的《矛盾论》、《实践论》)起家、艰苦创业的革命精神,认真学习"两分法",戒骄戒躁,继续前进,巩固和发展了石油会战的成果。但是,不久便受到"文化大革命"的冲击,大庆油田的开发建设遭受到严重干扰。

在大庆油田勘探开发的基础上,1965 年我国原油产量达到 11315 万吨,使国内消费的原油以及石油产品实现了全部自给。这是 20 世纪 60 年代我国自力更生进行社会主义建设取得的一项重大成果。

三

工业学大庆运动的兴起

20世纪60年代初，在条件极端困难的情况下，大庆工人为抛掉中国贫油落后的帽子，为打破帝国主义的封锁，为加速中国工业发展，作出了卓越的贡献。在大庆油田的勘探、开发和建设中，涌现出许许多多可歌可泣的动人事迹，王进喜、马德仁、段兴枝、薛国邦、朱洪昌、李天照等人，就是这支队伍的优秀代表。

大庆工人以"三老、四严、四个一样"的精神严格要求自己。"三老"：当老实人，说老实话，做老实事；"四严"：严格的要求，严密的组织，严肃的态度，严明的纪律；"四个一样"：黑夜和白天工作一个样，坏天气和好天气工作一个样，领导不在场和领导在场干工作一个样，没有人检查和有人检查工作一个样。大庆工人就是以这种革命精神和工作态度日夜奋战在荒原上。在零下40度、冰天雪地的恶劣环境中，他们忍饥受冻，土法上马，用人拉肩扛运器材、搬设备、竖钻机，硬是把60多吨的设备提前搬到现场，把40多米的井架、钻机矗立在北大荒，以坚韧不拔的钢铁毅力，奋战11个月，突破进尺10万米大关，创造了当时世界上钻井的最高纪录。他们以"宁肯少活20年，拼命也要拿下大油田"的意志，用了短短的3年时间，就在地质情况十分复杂、设备陈旧的条件下，开发建设了我国第一个世界第一流的大型现代化石油企业。

大庆人创造的这一奇迹，不但结束了我国"贫油"的历史，而且培育了大庆精神，为摸索出一套适合我国实际的企业管理制度，积累了丰富的经验。它包括：建立强有力的政治工作，特别是"两论"起家的经验；独立自主、自力更生、艰苦创业的精神；依靠群众和实行以"岗位责任制"（包括岗位责任制、交接班制、安全生产制、巡回检查制、设备维护保养制、质量负责制、岗位练兵制、安全生产制、班组经济核算制）为中心的企业管理制度；建设"工农结合，城乡结合，有利生产，方便生活"的社会主义新矿区；加强党对企业的绝对领导，建设一套革命化的领导班子和一支素质良好、技术过硬、吃苦耐劳、具有"三老四严"作风的职工队伍。

1964年初，毛泽东发出了"工业学大庆"的号召。2月5日，中共中央发出《关于传达石油工业部关于大庆石油会战情况的报告》，文件指出："它（指大庆油田）的一些经验，不仅在工业部门中适用，在交通、财贸、文教各部门，在党、政、军、群众团体的各级机关中也都适用，或者可作参考。"之后，全国工业交通战线掀起了"学大庆"运动。

1964年4月20日，《人民日报》发表了记者袁木、范荣康合写的通讯《大庆精神大庆人》，报道了大庆人吃大苦、耐大劳，为让祖国抛掉贫油帽子而忘我拼搏的感人事迹。同时，还发表了"编后话"指出："大庆精神，就是无产阶级的革命精神。大庆人，是特种材料制成的人，就是用无产阶级革命精神武装起来的人。这种精神，这种人，正是我们学习的崇高榜样。"此后，《人民日报》又陆续发表了不少有关大庆油田的报道。

1964年12月，周恩来在三届全国人大一次会议上作《政府工作报告》，总结了大庆油田的典型经验，并号召全国向他们学习。周恩来曾3次到大庆，肯定了大庆人"两论"起家等基本经验。

"文化大革命"前夕，工业学大庆运动

形成了一个高潮。广大职工认真学习大庆的精神和经验，用"铁人"王进喜的英雄事迹对照自己，找差距，订措施，使先进更先进，后进变先进。工业学大庆运动在全国的蓬勃开展，振奋着我国工人阶级自力更生、奋发图强的精神，大大促进了国民经济的恢复和发展。1963年，全国的工业生产开始回升，从1963年到1965年工业每年平均递增17.9%，尤其经过1964年的调整，工业生产已达到历史最好水平。

农业学大寨运动

一

大寨人艰苦奋斗改变生产条件

　　山西省昔阳县大寨公社大寨大队，地处昔阳县城东南海拔1000米的虎头山下。全村在1964年时有83户，359人，男女劳力106人，两个生产队，802亩耕地。大寨是新中国成立后，我国农村坚持自力更生、艰苦奋斗、战天斗地改变落后面貌的榜样，是20世纪60年代农业战线上树立的自力更生、奋发图强的典型。

　　大寨的自然条件十分恶劣，这里属土石山区，没有一分平地，80%是坡地，20%是沟凹地。在旧社会，大寨是个又苦又穷的山沟。"山沟石头多，出门就爬坡"，"地无三尺平，年年灾情多"，被人们称为"七沟八梁一面坡"的穷地方。

　　在农业合作化运动中，大寨人在社主

任陈永贵的带领下，开始修山改土造田，大寨的落后面貌逐步改观，成为昔阳县的先进单位。在"大跃进"运动中，许多地区刮起浮夸风，大寨虽然也受其影响，但仍然坚持修山改土，把主要精力放在以土地为主的农业生产上面。同时注意结合大寨的实际，提高粮食产量。以陈永贵为首的大寨干部，也很注意自己的模范行动，坚持与社员一起参加劳动，带领社员改变恶劣的生产条件。1959年10月，陈永贵作为山西省的代表赴京参加国庆10周年活动。大寨在10年中，把全村的7条大沟，几十条小沟闸坝垒堰淤成良田，把分布4700多块的800多亩山坡地、圪梁地修成水平梯田。1962年，大寨每亩土地粮食产量由新中国成立前的100多斤增加到700斤。

二

山西省学习大寨与学习陈永贵的活动

　　大寨大队在党支部书记陈永贵的带领下取得的成绩，引起了山西省委和昔阳县委的重视。1960年2月，山西省委发出通知，号召全省农村所有基层干部，首先是支部书记，开展一个学习陈永贵带头参加集体生产劳动，搞好生产、搞好工作的活动。1960年3月15日，《山西日报》以整版篇幅介绍了陈永贵的事迹，文章高度肯定了他在领导农业生产和参加劳动中所作出的成绩。为了推动学习陈永贵活动的开展，昔阳办起了"大寨奇迹实物展览馆"，介绍陈永贵领导大寨人治理穷山沟的事迹。1959年底，晋中地委就曾在昔阳召开整风整社现场会，会上初步总结了大寨精神："政治挂帅，思想先行"；"敢想敢干的共产主义风格";"苦干实干的革命干劲"。1960 年 8 月,昔阳县委《关于开展"学永贵、赶永贵、学大寨、赶大寨"运动的报告》指出:学赶大寨和陈永贵的口号,县委在 1956 年就提出过,但是没有真正形成有领导的群众运动,从 1960 年 1 月起,省、地委先后发出学习大寨党支部和陈永贵工作方法的号召以后,运动才得以真正展开,县委号召:"动员全党、全民奋斗三年,实现全县大寨化。"

1963 年,毛泽东在关于《浙江省七个关于干部参加劳动的好材料》的批语中,高度评价了昔阳县四级干部参加集体生产劳动的事例。认为这是免除官僚主义、修正主义和教条主义的有效武器。毛泽东希望全国农村的支部书记都能像昔阳的干部那样,积极投身到生产斗争、阶级斗争和科学实验三大革命运动中去。1963 年 3 月,中共中央批转了昔阳县四级干部参加劳动的材料。同月,山西省召开全省农业先进集体单位代表会议,再次号召向陈永贵和大寨学习。1963 年《红旗》杂志 13、14 期合刊发表了题为《干部参加集体生产劳动,对于社会主义制度是带根本性的一件大事》的社论。同期刊登了山西晋中地委农工部的《昔阳县四级干部参加生产劳动的伟大范例》一文,介绍了陈永贵的事迹。1963 年上半年以前,关于学大寨学陈永贵的活动基本上还局限在山西省内。

三

学大寨运动在全国的开展

1963 年 8 月 3 日,《人民日报》发表了《在农村阵地上——记昔阳大砦(寨的异体字,原文如此)公社大砦大队党支部和支部书记陈永贵》一文。文章指出:陈永贵是干部积极参加劳动的典范,他有一个明确的目的:劳动就是革命。1963 年 8 月 2 日,大寨遭受特大洪水,山洪卷起石块和泥土,冲毁或淤没了大寨的 700 多亩耕地,446 亩粮田当年无收,38% 的沟地被冲走了地基,70% 的梯田塌方。全村户户遭灾,90% 的房屋和 97% 的窑孔被冲塌,34 户社员房屋被毁,财产淹没,无家可归。2 万多斤粮食被冲淤。洪水冲毁 1000 多株果树,价值千元的农具也付之洪流。洪水把大寨 10 年来修山改土的成果毁于一旦,群众情绪低落。面对面目全非的大寨,怎么办? 大寨党支部和陈永贵提出:大寨人要继续自力更生解决困难,做到不要国家的救济粮、不要国家的救济款、不要国家的救济物资,并做到社员口粮不少、劳动日分配不少、卖给国家的粮食不少。他们谢绝了国家的大量支援,依靠自己的双手抗灾自救。大寨党支部带领社员依靠自己的力量,重新战天斗地、修山改土造田。经过社员们的艰苦奋斗,到秋后,当年产粮 420000 斤,卖给国家粮食 240000 斤,户均 3000 斤,劳动日分配 1 元,保障了群众的生活。

1963 年 11 月,山西省委发出通知,要求全省各级党组织认真学习大寨的先进经验,并将大寨精神概括为:"藐视困难、敢于革命的英雄气概;自力更生、奋发图强的坚强意志;以国为怀、顾全大局的高尚风格。"1963 年 12 月下旬,华北局在太原召开会议,会上听取了陈永贵的汇报,大寨的经验得到与会者的肯定。1963 年 12 月 18 日,《人民日报》刊登《大寨大队受灾严重红旗不倒》的报道,赞扬大寨所取得的成绩。1964 年 1 月,陈永贵到北京,向国务院有关部门汇报大寨自力更生战胜灾害的情况。1964 年 1 月 19 日,陈永贵在人民大会堂举行的报告会上,向首都各界万余名听众宣传介绍了大寨人的事迹。

1964年2月10日,《人民日报》发表题为《用革命精神建设山区的好榜样》的社论和《大寨之路》的长篇通讯。社论指出:"山西昔阳县大寨公社大寨大队,用它自己亲身的经历,证明了这样的一个真理:尽管自然条件多么不利,但是只要人们有了建设社会主义的雄心大志,充分发扬革命精神,并且把革命干劲和科学态度结合起来,就一定能够使大地变样,使河山易色,创造出伟大的成绩。"社论要求"每一个地方,既要很好地学习大寨的经验,也要很好地总结推广自己的'大寨'的经验"。通讯《大寨之路》,介绍了大寨依靠自己的力量,同穷山恶水作斗争的经过,指出:大寨之路就是组织千百万群众,自己解放自己,以艰苦奋斗、奋发图强、自力更生、勤俭创业的革命精神,夺取生产斗争、阶级斗争和科学实验三大革命胜利的路。《人民日报》社论的发表,在全国农村掀起了学大寨活动。大寨成为农业战线上树立的自力更生、奋发图强的一面旗帜。

1964年2月,中央人民广播电台举办了"学大寨、赶大寨"专题节目,宣传大寨的先进事迹和陈永贵在人民大会堂的讲话。1964年4月根据周恩来总理的指示,农业部部长廖鲁言带领调查组进驻大寨进行了为期一个月的调查,向中共中央提交了"大寨大队调查报告"。5月,毛泽东在听取国家计委领导小组汇报第三个五年计划设想时插话说:"要自力更生,要像大寨那样,它也不借国家的钱,也不向国家要东西。"12月,周恩来在向三届全国人大一次会议所作的政府工作报告中指出,山西省昔阳县大寨大队,"是一个依靠人

民公社集体力量、自力更生地进行农业建设,发展农业生产的先进典型",并把大寨的基本经验概括为:"政治挂帅,思想领先的原则;自力更生,艰苦奋斗的精神;爱国家,爱集体的共产主义风格"。"文化大革命"前,大寨基本上是沿着这样的方向前进的。当时开展的学大寨活动,也是主要学习这些基本经验。大寨确实是全国山区生产建设的先进典型,它的基本经验在全国的推广,为我国农村通过自力更生、艰苦奋斗,改变落后的生产条件,起了很大的推动作用,促进了全国农田基本建设,发展了农业生产。

全国人民学习解放军运动

20世纪60年代初,为加强思想政治工作,调动广大人民群众的社会主义建设的积极性,完成国民经济的恢复和发展,由工业部门率先提出的向解放军学习活动发展到全国人民学习解放军运动。

一

解放军突出政治与思想政治工作

1960年10月,中央军委召开扩大会议,通过了《关于加强军队政治思想工作的决议》,决议提出在政治工作中要着重抓思想工作,而在思想工作中又要着重抓活思想,在部队中贯彻三八作风。接着,

中共中央军委副主席、国防部长林彪提出在部队中广泛深入地开展创造四好连队、五好战士，坚持四个第一的活动。国防部和总政治部先后颁布了连队管理工作、连队政治指导员工作、连队党支部工作、连队团支部工作、连队革命军人委员会工作五个条例，形成了一整套建军方针、要求和措施。这些措施得到毛泽东的肯定和支持。1963 年 3 月 27 日，中共中央颁布《中国人民解放军政治条例》，要求全军遵照执行，成为部队政治工作的法规和行动的准则。《条例》的颁布，使中国人民解放军的政治思想工作制度化、规范化。

工交战线开展学习解放军运动

1963 年底和 1964 年初，全国工业交通工作会议在北京召开。这次会议提出"学习解放军，加强思想政治工作"的口号。会议认为："学习解放军，加强思想政治工作，是社会主义建设的一个方向性问题、根本性问题，是进一步地组织一支有高度政治觉悟、有高度组织纪律性、有高度科学技术水平的工人阶级队伍的问题。"会议指出："思想政治工作是经济工作和一切工作的生命线。加强工业交通战线的思想政治工作，就是要用马克思列宁主义、毛泽东思想进一步地武装干部和工人的头脑，就是要学习解放军坚持'四个第一'，发扬'三八作风'，创造'四好连队'的经验，使广大职工群众更加革命化"。为此，1964 年 3 月 16 日到 4 月 3 日，全国工业交通政治工作会议召开，会议规定，工业交通部门都要学习解放军，从上到下都要建立政治工作机关，加强思想政治工作。

毛泽东的支持和运动 在全国范围的展开

1963 年 12 月 16 日，毛泽东在给林彪、聂荣臻、肖华的一封信中提出，"国家工业部门现在有人提议从上至下（即从部门到厂矿）都学解放军，实行四个第一和三八作风"，"振奋起成百万成千万的干部和工人的革命精神"。信中要求解放军派出政工人员，或者为地方培训政治工作人员，帮助学习解放军活动的开展。

1964 年 2 月 1 日，《人民日报》发表《全国都要学习解放军》的社论。社论指出："一个学习解放军的热潮，正在全国兴起。在比先进、学先进、赶先进、帮后进的共产主义竞赛中，'向解放军学习'，已经成为新的战斗的号召。"社论认为："解放军之所以能够成为一支非常无产阶级化、非常有战斗力的军队，最根本的原因是：解放军高举毛泽东思想的伟大红旗，在一切工作中用毛泽东思想挂帅。解放军大抓思想政治工作，坚持'四个第一'的原则；解放军坚持我国革命军队的优良传统'三八作风'；解放军注重创造四好连队，加强基层建设等等。这些都是解放军无往而不胜的原因。全国学习解放军，就是要把解放军这些方面的宝贵经验学到手，真正活学活用这些宝贵经验，在社会主义革命和社会主义建设的各项事业中，充分发挥无产阶级化和战斗化的革命精神。"社论发表后，在全国掀起学习解放军活动的高潮。

1964 年 2 月 14 日，《人民日报》又发表《把三八作风传到全国去》的社论，提出"把三八作风传播到全国去"，"必须大张旗鼓地宣传三八作风的重要性,进行反复的教育,启发群众的自觉","形成风气,养成自觉","促进全国人民的革命化"。3月10日,《人民日报》三发社论《学习解放军革命的硬骨头精神》。提出"我们要粉碎帝国主义和阶级敌人的各种捣乱,要战胜自然界的各种灾害,就要克服各种各样的困难;我们要大力发展工农业生产,要进行各项科学实验,攀登现代科学技术的高峰,也要克服各种各样的困难"。"革命者就要不怕困难,没有吃大苦,耐大劳的革命的硬骨头精神,没有天不怕,地不怕的革命气概是不行的。人民解放军艰苦奋斗的革命的硬骨头精神之所以可贵,之所以值得学习,原因就在这里"。3月24日,《人民日报》四发社论《抓活的思想》,认为"抓活的思想,是学习解放军政治工作的一个重要方面"。社论指出:"抓活的思想教育,就是要从当前国内外阶级斗争和现实生活里的问题出发,用马克思主义、毛泽东思想去提高群众的阶级觉悟,并且在群众自觉的基础上,实现党提出的任务。也就是说,用马克思列宁主义、毛泽东思想回答革命斗争中的现实问题。"社论的宣传,将全国人民学习解放军的活动引向深入。

1965年6月8日,《人民日报》发表社论,认为"全国学习解放军,已经形成一个促进各行各业革命化的伟大的群众运动",提出为"进一步学习解放军,不仅要继续大学毛泽东同志的著作,坚持四个第一,大兴三八作风,而且要学习和发扬解放军的民主传统"。

全国人民学习解放军活动,为我国人民战胜各种困难,把人民解放军的优良作风和传统推广到全国各行各业,调动广大人民群众的积极性,恢复和发展国民经济起了作用。

广泛学习英雄模范人物的活动

在开始全面建设社会主义时期,我国广大人民为克服困难,迅速改变我国的落后面貌,积极投入社会主义建设事业之中,各行各业涌现出了一大批英雄模范人物。雷锋、焦裕禄、王进喜、欧阳海、谢臣、王杰、孙乐义、赵尔春、吴兴春、麦贤得等是英雄群体中的杰出代表,他们是社会主义建设的模范。为了使更多的人把他们的毕生精力都投入到社会主义的伟大建设事业中,开展了广泛宣传和学习英雄模范人物的活动。

一

"党的好干部"焦裕禄

焦裕禄是中共河南省兰考县县委书记,1922年8月16日出生于山东省淄博市博山区崮山镇北崮山村。童年时,因家境贫困,只上过几年小学。12岁那年,父亲被地主的高利贷活活逼死,他被日本鬼子抓到辽宁抚顺煤矿做"特殊劳工",后凭着机智、勇敢逃出了人间魔窟。1945年参加革命工作,次年1月加入中国共产党。新中国成立前期,曾任区武装部分队长,土改复查组组长。后随军南下,到了河南省尉氏县,任副区长、区长、中共区委副书记、青年团县委书记、青年团地委和郑州地委宣传部部长、第二副书记。1953年6月，调到洛阳矿山机械厂任车间主任、科长。1962年6月，调回尉氏县任县委书记处书记。1962年12月，被调到兰考县任县委书记，为消除"内涝、风沙、盐碱"三害，改变兰考的贫困落后面貌，他积劳成疾，身患肝癌，但仍忍受着剧痛坚持工作，1964年5月14日逝世于郑州，终年42岁。他临终前对组织上唯一的要求，就是"把我运回兰考，埋在沙堆上，活着我没有治好沙丘，死了也要看着你们把沙丘治好"。

1964年8月29日，兰考县委副书记张钦礼给河南省委写了一份《关于兰考人民除"三害"斗争中焦裕禄事迹的报告》。省委在"四清"工作会议上，表扬了焦裕禄大公无私、忘我工作的精神，号召全省党员、干部向他学习。

11月，中共河南省委在三级干部会议上号召全省干部学习焦裕禄同志忠心耿耿地为党为人民工作的革命精神。新华社河南分社鲁保国同志连续到兰考采访，写了长篇新闻稿，11月19日新华社总社发出2100多字的通稿。《人民日报》11月20日在一版发表，肩题是："在改变兰考自然面貌的斗争中鞠躬尽瘁"，主题是："焦裕禄同志对党对人民忠心耿耿"，副题是："中共河南省委号召全省干部学习已故前县委书记焦裕禄同志为人民服务的革命精神。"《河南日报》在收到电稿后，即赶写了《学习焦裕禄同志为人民服务的革命精神》的社论，在22日一版与消息一并刊登在头题位置。并派出农村部副主任黎路同志到兰考采访，于1965年1月17日刊发了他采写的长篇通讯《焦裕禄同志兰考人民怀念您！》。报纸还连续刊登社论，开辟"学习焦裕禄同志的革命精神"专栏，每周一期，连续刊登了十多期。

1965年12月17日上午，新华社副社长穆青带领记者来到了兰考，大家向他们汇报了焦裕禄的感人事迹。穆青等人深入到焦裕禄生活和战斗过的地方，和广大群众座谈，真正了解到了人民群众心目中的焦裕禄。1966年1月14日，周原打电话转达了穆青的意见——中央领导表示，同意树立焦裕禄这个典型。新华社打算要像宣传雷锋、王杰那样，不惜版面，大张旗鼓地、突出连续地宣传报道焦裕禄……

1966年2月1日，河南省政府追认焦裕禄同志为革命烈士。

2月7日，《人民日报》在一版登载了穆青、冯健、周原合写的长篇通讯《县委书记的榜样——焦裕禄》，全面介绍了焦裕禄的感人事迹，同时还刊登了《向毛泽东同志的好学生——焦裕禄同志学习》的社论，高度赞扬焦裕禄同志全心全意为人民服务的精神。同日，中央人民广播电台全文播发，播音员那充满深情的浑厚的声音，震动了中国亿万群众，感动了中国的广大干部。为了加强宣传焦裕禄的力度，《人民日报》在发表介绍焦裕禄事迹的通讯和学习焦裕禄社论的第三天，又再次发表社论《要有更多这样的好干部》。

2月9日、10日、11日，解放军总政治部、全国总工会、共青团中央先后发出向焦裕禄学习的通知，同时全国各大行政区、省、市党组织都发出通知，要求共产党员、干部和群众，都要认真学习焦裕禄同志的革命精神。随后，全国各种报刊先后刊登了数十篇文章通讯，焦裕禄的事迹很快传遍大江南北、长城内外，在全国掀起了一个学习焦裕禄的热潮。人们纷纷涌向兰考。当时为了便于迎送四面八方的学习者，铁道部发布公告陇海线上的列车一律在兰考这个三等小站上停靠。

4月18日至5月29日，由中国美术家协会主办的"'毛主席的好学生焦裕禄'

美术作品展"在中国美术馆开幕,展出雕塑、年画、连环画、版画、素描、油画、国画、彩墨画、宣传画等80余件。影视界拍摄了焦裕禄纪录片;文学家创作了长诗和报告文学;戏曲家把焦裕禄的形象搬上了舞台;音乐家谱写了赞扬焦裕禄的歌曲……

9月15日,毛主席亲切接见焦裕禄的二女儿焦守云,并合影留念。同年10月1日,毛主席又接见了焦裕禄的大儿子焦国庆。周恩来总理也接见了焦裕禄的大女儿焦守风。董必武代主席亲自写五言长诗,歌颂焦裕禄同志的革命精神。

中共淄博市委决定:在焦裕禄的故乡——博山区崮山镇北崮山村修建"焦裕禄事迹展览馆"。1967年1月正式开馆。

至此,全国上下学习焦裕禄的活动蔚然成风。尽管在焦裕禄之前也出现了活学活用毛泽东思想的英雄人物欧阳海、王杰、麦贤得等,但是对这些英雄人物的宣传都没有达到像宣传焦裕禄那样的高度,根据当时宣传形势的需要,新华社河南分社暂迁兰考现场办公。为报道一个典型,把新闻机关搬到现场办公,这在中国新闻史乃至世界新闻史上都是罕见的。其他新闻、出版、文艺单位也纷纷派记者、作家到兰考采访、报道,最多时达300多人。新中国成立以来,宣传过许许多多先进人物,规模大、范围广、影响深,以此为第一。

二

"一心为革命"的王杰

王杰(1942—1965年),济南军区装甲兵某师工兵营一连五班班长,山东省金乡县人。1961年8月参加解放军,1962年2月加入中国共产主义共青团。以雷锋为榜样,从小事做起,处处以身作则,在执行训练、施工和抗洪救灾等各项任务中,一不怕苦、二不怕死,连续三年被评为"五好战士",两次荣立三等功,被评为"模范共青团员"和一级技术能手;1965年初夏,根据驻地江苏省邳县张楼公社(现邳州市运河镇)人武部的请求,王杰所在的工兵营一连派班长王杰担任民兵地雷爆破训练的教员。7月14日,进行最后一项训练——地雷实爆,王杰让大家围成一圈,由他做示范动作。突然,埋设炸药包的土层冒出白烟。在这千钧一发之际,只听王杰大喊一声:"闪开。"便毅然飞身而起,扑向炸药包(实爆训练是用炸药包代替地雷进行的)。随着一声惊天动地的巨响,王杰倒在了血泊之中,在场的12名民兵和人武干部得救了,但年仅23岁的王杰却献出了自己的生命。

王杰的英雄壮举,激起了人们对他的无比崇敬。根据张楼公社和驻地群众的一再请求,部队决定把王杰安葬在他牺牲的地方。公社买来了最好的楠木,请来当地有名的木匠,为王杰做了一口棺材。7月16日上午,当地群众为王杰举行了隆重的安葬仪式。部队党委根据他的遗愿,追认他为中国共产党正式党员。9月16日,某坦克师和徐州党政机关群众7000余人,举行了隆重的追悼大会。不久《前卫报》和淮海地区《徐州日报》及驻地广播电台,都突出报道了王杰救人的英雄事迹,并刊登了王杰部分日记。

9月25日,中央人民广播电台在"新闻和报纸摘要"节目中播发了王杰的事迹和部分日记。与此同时,中央各大媒体均报道了王杰的英雄事迹。9月26日,时任总参谋长的罗瑞卿同志听到广播和看了报纸后,当即打电话给有关部门,要求进一步大力宣传王杰的事迹。

11月8日,《人民日报》发表社论《一不怕苦二不怕死——学习王杰同志一心为革命的崇高精神》。

11月9日,全国人大常委会委员长朱德亲笔为王杰题词:"学习王杰同志不怕苦不怕死的革命精神。"《解放军报》以《一心为革命》为题,刊登了王杰的日记。《解放军报》在一版先后发表《一心为革命,一切为革命》、《学好人好事做好人好事》、《做毛主席的好战士》、《从雷锋到王杰》4篇社论,并用12个头版头条、21个整版刊登王杰事迹、王杰日记、王杰诗歌以及全军指战员学习王杰的情况,这种宣传规模在《解放军报》还是罕见的。据不完全统计,仅1965年第四季度,全国各大报刊电台发表与王杰有关的报道多达1300多篇。

11月15日,周恩来在看完王杰写的日记后,还亲笔录下王杰写的一首诗:"座座高山耸入云,我们施工为人民,不怕工作苦和累,愿把青春献人民。"此后,党和国家领导人在各种不同场合肯定和赞扬了"两不怕"精神。毛泽东在九届一中全会上说道:"我赞成这样的口号,叫做'一不怕苦,二不怕死'。"

11月27日,国防部命名他生前所在班为"王杰班"。"王杰班"命名大会在济南隆重举行,济南军区司令员杨得志、政委谭启龙亲手将一拥军女工用7天时间赶绣出来的"王杰班"奖旗授予第一任班长侯兴家。此后,在全国全军广泛开展了学习王杰活动。

12月,解放军总政治部、全国总工会、共青团中央和全国妇联分别发出通知,号召向王杰同志学习,学习他一不怕苦、二不怕死,踏踏实实,埋头苦干,热爱祖国,热爱人民,全心全意为人民服务的高尚品德。

家乡人民为纪念王杰,让子孙后代都铭记烈士的英雄事迹,1968年,将其故里华堌村更名为"王杰村",并在村东修建王杰纪念馆。

王杰成了20世纪60年代许多人耳熟能详的名字。虽然岁月模糊了许多以往的感动,但王杰在人们的记忆中依然清晰,他日记中"一不怕苦,二不怕死"的豪言壮语喊出了中国人改天换地的勇气,他用自己的生命实现誓言的精神感染了一代又一代人。王杰同志舍己救人的英雄事迹,在群众中广为传颂,他"一不怕苦,二不怕死"的豪言壮语,成为全国军民的精神动力,指导大干社会主义事业的实际行动。

"共产主义战士"欧阳海

欧阳海,1940年生,湖南桂阳县人。1959年3月应征入伍,1959年6月加入共青团,1960年5月加入中国共产党。入伍前,在农村任记工员、会计,他热心助人,经常帮助没有劳动力的家庭干活,并用自己的粮食救济本村困难户。入伍后,工作积极,训练刻苦,哪里有困难,哪里有危险,就往哪里冲,人称"小老虎"。曾两次抢救溺水儿童,一次参加灭火,并救出一位老人。三次荣立三等功,多次被树为标兵。1963年11月18日清晨,部队野营训练沿铁路行军,行至湖南省衡山车站南峡谷时,满载旅客北上的288次列车迎面急驶而来,驮着炮架的一匹军马猛然受惊,窜上铁道,横立双轨之间。就在火车与惊马将要相撞的危急时刻,他奋不顾身,跃上铁路,拼尽全力将军马推出轨道,避免了一场列车脱轨的严重事故,保住了旅客的生命和人民财产的安全,自己却被卷入列车下壮烈牺牲,年仅23岁。

欧阳海是继雷锋之后在人民解放军这所大学校里涌现出的又一名共产主义战士。欧阳海舍身推马救列车的英雄事迹如疾风般传遍了衡山县城,传遍了三湘四水,传遍了大江南北。中共中央中南局书记陶铸、中共湖南省委书记张平化分别著文和讲话,高度赞扬欧阳海的崇高精神;中共桂阳县委也作出了向欧阳海学习的决定,并开展了一系列的纪念活动。

欧阳海牺牲后,其生前所在部队为他追记一等功,广州军区追认他为"五好战士标兵"、授予他"爱民模范"荣誉称号。1964年2月5日,国防部发布命令,授予他生前所在某部一营三连七班以"欧阳海班"的光荣称号,并号召全军指战员学习欧阳海同志全心全意为人民服务的崇高品质。徐向前元帅勉励他们"把欧阳海班的革命红旗高高举起永不褪色"。2月7日,《人民日报》发表文章《共产主义战士欧阳海》,对欧阳海的事迹作了生动详尽的报道,高度赞扬他的英雄行为,号召全国人民向共产主义战士欧阳海学习。3月19日,朱德总司令题词:"学习欧阳海同志高度自我牺牲的精神,全心全意为人民服务。"贺龙、聂荣臻、叶剑英元帅等都题词号召全军学习欧阳海的崇高品德。

广州部队作家金敬迈写了长篇纪实小说《欧阳海之歌》,本土作家谢庆德写了长篇纪实小说《战士永生》。20世纪60年代的年轻人,几乎都看过作家金敬迈所著长篇纪实小说《欧阳海之歌》。《欧阳海之歌》这部小说是根据舍身救列车的爱民模范欧阳海的生平事迹创作的,小说发行后便风靡全国,受到广大读者的热烈欢迎。小说一版再版,一时"洛阳纸贵",共印刷发行约3000万册,它曾创下当时中国小说发行量之最。欧阳海在他短暂一生中所表现出来的先人后己、舍生忘死的崇高精神和人格魅力,为军旗增添了光彩,给青年树立了榜样,曾经激励了一代又一代人。雷锋和欧阳海被称为是20世纪60年代中国人的两座精神丰碑。欧阳海精神在全国人民群众中产生了巨大的鼓舞力量。

欧阳海牺牲后,为了纪念他,他出生的老鸦窝村被改称为凤凰村,将沙溪公社改称为欧阳海乡,在欧阳海牺牲的地方,有一座欧阳海的塑像,塑像下,"为人民利益而死,就比泰山还重"几个大字,让过往列车上的旅客永远铭记着这位不朽的英雄。

四

"爱民模范"谢臣

谢臣(1940—1963年),回族,北京军区某部三营炮兵连的战士,河北省易县西水治村人。谢臣出生在抗日战争的艰苦年月,很小就受到革命环境的熏陶。1953年谢臣13岁,便参加了农业生产。1959年11月光荣加入共青团,并被评为模范社员。这年12月,他积极报名参加了中国人民解放军。入伍后,谢臣在部队首长、同志们的关怀帮助下,努力学习政治文化知识,刻苦学习军事技术。他当的是炮兵,班长分配他当三炮手。很快他便熟练地掌握了三炮手的技术。1963年春节后,谢臣被调到驭手班,随部队在河北西部山区东高士庄执行任务,他牢记为人民服务的宗旨,经常为群众做好事,多次受奖,被誉为"爱马标兵"、"节约模范"。8月,河北遭遇到百年不遇的特大水灾。谢臣所在部队奋勇投入了抗洪抢险的战斗。8月8日凌晨,凶猛的洪水向东高士庄袭来,严重威胁全村人的生命安全。谢臣立即与全连官兵一起,奋不顾身地投入到抗洪抢险的斗争中。他在激流中救出一名落水群众后,在继续抢救其他群众时,因体力不支,不幸被巨浪吞没,献出了年轻的生命,年仅23岁。

所在部队党委根据他生前的愿望,追认他为中国共产党党员,并追记一等功。11月,中国人民解放军北京军区追授他"优秀共青团员"称号。担任师政治部副主任的叶石,在了解到谢臣的事迹后,将谢臣的事迹逐级上报,得到总政治部的高度评价,决定宣传这个典型。叶石带领报道组,在谢臣的家乡采访了20多天。他和《解放军报》社记者等一同撰写的通讯《不朽的战士——谢臣》在中国各大报刊发表,在人民群众中产生了强烈的反响。他撰写的故事《谢臣》还被中国青年出版社出版的《青年英雄故事》收录。

1964年1月22日,国防部追授谢臣"爱民模范"荣誉称号,追记一等功,表彰谢臣舍己救人的高贵品质,这是新中国成立以来国防部和中央军委追授或授予的第一个"爱民模范"荣誉称号的个人。1月29日,国防部发布命令,授予谢臣生前所在的五班为"谢臣班"荣誉称号,这是继"雷锋班"之后被国防部授予的第二个班集体。命令号召全军指战员学习谢臣同志忠于革命事业的品质,全心全意为人民服务的精神,发扬人民军队的光荣传统。2月6日,《人民日报》发表《爱民模范谢臣》的文章,介绍了他生前的爱民事迹和舍己救人的英雄行为。自此,谢臣的事迹在中华大地广为传播。

老一辈无产阶级革命家贺龙元帅亲笔题词:"全军同志都要学习爱民模范谢臣同志舍己为人、奋不顾身的共产主义精神。"并且在全国开展了"学雷锋、学谢臣、学欧阳海"的活动,一时间,谢臣的名字在神州大地家喻户晓。

谢臣牺牲后,英雄的父母深明大义,不仅没有要求组织给予特殊关照,还教育子女为国防事业继续作贡献。谢臣牺牲的同年年底,谢显奎夫妇把二子谢起送到了谢臣生前所在部队。部队把谢起安排在谢臣所在班当炮手,并把谢臣生前用过的枪传给了谢起。参军不到两年,谢起就担任了"谢臣班"的第三任班长。谢起作为"爱民模范"的弟弟,成为出席国庆15周年观礼的代表,在天安门城楼上,受到毛主席的接见。

谢臣生前曾在笔记本的扉页写下这样的人生格言"看人民高于自己,学人民改造自己,爱人民胜过自己,为人民舍得自己",而今这句话已被制成胸牌,别在谢臣生前所在连队每个战士的胸前。"看人民高于自己"已经融入谢臣所在连四炮连的连魂,激励大家"学习谢臣精神,做谢臣式战士"。在该连的历史上,毛泽东曾17次、周恩来曾22次亲切接见该连代表。

谢臣为之英勇献身的河北易县人民为缅怀他,为他塑起一尊雕像,他的爱民事迹被写进县志。保定市还建了"谢臣烈士纪念馆"和"谢臣烈士纪念碑"。

五

"人民武装干部的好榜样"吴兴春

吴兴春是安徽省凤台县人。1949年参加中国人民解放军,随大军南下,被分配到黔东南边远山区的从江县人武部工作。1950年加入中国共产党。他长期在少数民族地区工作,克服语言不通和生活上的差异,和苗、侗、瑶等民族群众同吃同住同劳动。吴兴春同志的具体岗位虽然是人民武装工作,但他所做的工作却不限于分内的范围。在他看来,只要是对少数民族劳动人民有利的事,只要是应该办而又可能办的事,不论是生产也好,办学校也好,甚至是医疗卫生也好,都应该去做,并且是全心全意、全力以赴地去完成。他发动群众,组织民兵,清匪反霸,发展生产,建设山区,帮助深山苗族群众建立互助组、初级社和高级社,带领苗族群众建小学、修公路,培养少数民族干部,发展党员,为兄弟民族的彻底解放和山区的社会主义建设事业作出了贡献,深得兄弟民族的爱戴,被群众誉为"苗家、侗家的好儿子"。

昆明军区和贵州省军分区机关认真考察吴兴春同志的先进事迹,帮助他总结经验。解放军报社得知吴兴春同志的先进事迹后,1960 年 1 月 2 日派记者刘大为、胡奇坤、张灵霄等来到贵阳采访。不久,《解放军报》上就刊出了报道吴兴春同志事迹的长篇通讯。

1963 年 7 月 20 日,中共黔东南州委发出《关于在全州干部中开展学习从江县武装部科长吴兴春活动的通知》。7 月 26 日中国人民解放军昆明军区在贵州省军区礼堂召开大会,给从江县人民武装部科长吴兴春记一等功。同时,昆明军区党委、贵州省军区党委作出《开展学习吴兴春活动的决定》。

1964 年吴兴春被昆明军区授予"坚强的无产阶级战士"称号。3 月 10 日,《人民日报》发表文章《赤胆忠心的好战士吴兴春》,报道了他帮助兄弟民族翻身,在民族工作中作出突出贡献的事迹。《中国青年报》、《贵州日报》和昆明军区《国防战士》报都相继刊登了吴兴春同志的事迹,《民族团结》杂志 1964 年 1 至 5 期连续刊载了他的事迹,赞扬他是一个优秀的民族工作者,是党派到少数民族地区工作的优秀的汉族干部之一,是在少数民族地区工作的无数汉族干部中的一个活的榜样。号召向优秀的民族工作干部吴兴春学习,学习他全心全意为少数民族人民服务、不怕任何困难的大无畏的革命精神,坚定的阶级立场和明确的阶级斗争观点,以及他的群众路线的工作方法和工作作风。4 月,中国人民解放军总政治部发出《关于在全国人民武装干部中开展学习吴兴春的通知》,要求各地在比学赶帮活动中,更多地发现和培养自己的"吴兴春",以推动人民武装建设事业的不断发展。《通知》指出,吴兴春是一个赤胆忠心的无产阶级革命干部,全国各地的人民武装干部学习的好榜样。同时号召学习他刻苦学习毛主席著作的自觉性;学习他全心全意为人民服务的品质,以及在敌人面前是硬骨头,在人民面前是孺子牛的精神;学习他时刻不忘阶级斗争,在工作中坚持贯彻党的阶级路线的坚定立场;学习他热爱人民武装工作的事业心,艰苦奋斗不怕困难的坚强意志和紧紧依靠、联系人民群众的工作作风。

吴兴春这个来自我国边远省份、边远县境默默奉献的人民武装干部的事迹,迅速传遍全国。

六

"钢铁战士"麦贤得

麦贤得,1945 年出生,广东饶平人。1964 年参加中国人民解放军,同年加入中国共产主义青年团,1965 年加入中国共产党。麦贤得在学校读书期间曾多次被评为"三好"学生，入伍前连续两年被评为"五好"民兵。不管是当学生还是当民兵，为了集体利益，他总是敢闯敢干，勇于承担重任。1964年麦贤得穿上崭新的军装，跨进了海军学校的大门。在军事训练中，他同样严格要求自己。

1965年8月6日凌晨，麦贤得所在的"海上英雄艇"和兄弟舰艇一起警惕地巡逻在海面，担任护渔任务。这时，台湾"剑门"号和"章江"号舰闯进了东山岛附近的渔场。水兵们怒火万丈。随着指挥员下达作战命令，麦贤得拉动操纵杆，炮艇昂首破浪向前冲去。战斗中，敌舰"章江"号燃起了熊熊烈火。正在这时，一块弹片打进麦贤得的右前额，插到左侧靠近太阳穴的额叶里。他顿时失去知觉，跌倒在机舱里。副指导员替他包扎好伤口时，他苏醒过来。他嘴里已发不出声音。他焦急地用右手推开副指导员，左手指着机器。当副指导员刚刚离开机舱，他就挣扎着站了起来。这时额上的鲜血粘住了眼角和睫毛，阻碍了视线。但是，他凭着平时练就的一手"夜老虎"硬功夫，从几台机器、几十条管路、千百个螺丝里检查出一个只有手指头大的被震松了的螺丝，并顽强地用扳手拧紧，保证了机器的正常运转。麦贤得忍受剧痛坚持战斗了3个小时，直至歼灭美制蒋舰"章江"号和"剑门"号，取得最后胜利。

8月17日，在北京庄严的人民大会堂里，毛泽东主席等党和国家领导人，接见了参加"八六"海战的有功人员。周恩来总理当时关切地问："这次不是有一个轮机兵，头部负了重伤，还一直坚持战斗3个小时，现在怎么样？"被接见的海军某部负责人孔照年回答："是的，他叫麦贤得，现在还昏迷不醒。""要派医生去赶快抢救！并向麦贤得同志传达党中央、毛主席对他

的问候。"周总理特别嘱咐后，电波满载着党和国家领导人的深切关怀，传到了前线。

麦贤得所在部队立即成立工作组，专门研究抢救措施，当地人民医院临时组成战地外伤病房，全力投入抢救工作，但由于医疗设备和技术条件有限，周总理听取了有关方面汇报后，亲自安排专用飞机，将麦贤得等4名重伤员转入广州部队总医院和海军421医院，为此开辟了广州至汕头的第一条空中航线。

南海舰队新闻干事周式源、黎顺洪、谭正均进行了深入采访，艇指挥员详细地介绍了战斗经过，与麦贤得同一机舱的轻伤员们介绍了麦贤得在战斗中的感人细节；他们还到麦贤得家乡采访他入伍前的精神风貌和成长过程，从他上过学的校园，到他生活过的渔村；从他的父母、老师，到昔日的小伙伴、一道下过海的渔民，共采访100多人次，记满了两大本的采访本。后来3个人夜以继日，分头撰稿，事迹材料和新闻通讯一齐上。完稿后，立即交水警区党委审阅，然后又发动"海上英雄艇"的全体官兵逐句逐段审稿，根据广大官兵的意见定稿为《钢铁战士麦贤得》。

周式源把1万多字的长篇通讯《钢铁战士麦贤得》，分别寄给《人民日报》、《解放军报》、《人民海军》报；青年工作干事黎顺洪把事迹材料直寄海军政治部。汕头水警区党委递交了关于授予麦贤得同志"战斗英雄"称号的报告。

《人民日报》编辑部收到稿件后，被麦贤得的事迹所感动，也为通讯优美流畅、充满激情的文字所吸引，当即编发。因自发来稿，为慎重起见，刊发前通知海军政治部宣传部。此时，海军政治部也为上报上来的事迹材料所感动，于12月28日迅速作出决定，授予麦贤得"模范共青团员"

的称号。宣传部再次组织中央各新闻单位的记者到汕头、广州深入采访、核实。3天后，经反复核实，稿件所写真实全部确凿无误。当时，新华社有一记者对通讯中"战斗胜利结束了，一道金色的阳光从窗口射进来，投到麦贤得刚毅的脸上……"表示怀疑，但艇上的战士陈文乙说，当时艇返航转向，阳光确实照在麦贤得的脸上。细节也完全真实，于是电告《人民日报》。《人民日报》考虑到新华社又派记者前去采访，便于1966年1月11日只发表通讯摘要《麦贤得》，同日《解放军报》头版头条刊登了海军党委号召所属部队向麦贤得学习的决定。7天后，《人民日报》、《解放军报》、《中国青年报》等首都主要报纸，均在头版头条刊登长篇通讯《毛泽东思想武装的钢铁战士——记"海上英雄艇"轮机兵麦贤得》，并全都配发了社论，全国各省、市、自治区的党报也刊登了新华社的通稿。中央人民广播电台连续3天在"新闻和报纸摘要"中播出。贺龙、叶剑英、徐向前元帅先后到福建前线看望他。无产阶级革命家董必武也被他的事迹所感动，泼墨挥毫，即兴赋诗："董存瑞、黄继光、雷锋、王杰、欧阳海。战斗英雄千百辈，君列其中亦生色。"

新闻电影制片厂拍摄了新闻简报，在全国各地陆续放映；《解放军报》开辟专栏，进行了跟踪报道，先后发表了《党给了他新的战斗生命——记抢救钢铁战士麦贤得的经过》、《为了重返前线——麦贤得在医院里》、《毛泽东思想哺育的新苗——参军前的麦贤得》、《麦贤得战友赞麦贤得》、《革命硬骨头精神是千锤百炼出来的——钢铁战士麦贤得的故事》、《革命的硬骨头精神哪里来？——论战斗英雄麦贤得的成长》等长篇通讯，同时，先后发表了《做无产阶级的硬骨头》、《随时准备消

灭来犯的敌人——再论学习麦贤得》、《当一辈子共产主义的义务兵》等等学习麦贤得的社论，而且这些长篇通讯和社论，多数被全国各大报转载，在中央人民广播电台播出，引起了极大的反响。

总政治部于2月3日发出通知，号召全军广大指战员学习麦贤得。2月4日全国总工会发出通知，号召全国职工认真学习麦贤得硬骨头精神。同日，共青团中央发出关于《授予海军战士麦贤得"模范共青团员"奖状的决定》，并号召全体共青团员向麦贤得同志学习。2月23日，国防部授予麦贤得"战斗英雄"光荣称号，他被誉为"钢铁战士"，荣立一等功。毛泽东主席、周恩来总理及朱德、董必武、贺龙、叶剑英、徐向前等党和国家领导人先后多次亲切接见了这位水兵英雄。

在全国各地、各条战线掀起了学习麦贤得的热潮，钢铁战士麦贤得成了全国军民心中的楷模。短短一个月内，在广州部队总医院治疗的麦贤得，共收到全国各地的来信3455封。其中有"雷锋班"、"红色前哨连"、"欧阳海班"、"董存瑞班"、黄继光的妈妈及著名艺术家李劫夫等单位和个人的来信，字里行间，洋溢着崇敬和关怀之情。

"钢铁战士"麦贤得的故事在华夏大地上广为传颂，为了使麦贤得的英雄事迹深入人心、代代相传，海军党委组织了画家、作家以及文艺创作工作者，积极搞好对麦贤得英雄事迹的立体宣传，创作了连环画、宣传画、故事、快板、歌曲、报告文学以及话剧等作品，在《解放军报》、《解放军文艺》、《人民日报》、《人民文学》、《解放军画报》上广为宣传，中国青年出版社出版了《革命硬骨头麦贤得》小册子，初版印刷达60万册，话剧《夜海激战中的英雄》，还在全国许多省、市巡回演出，故事《钢铁战

士麦贤得》被编入小学课本，一幅塑造麦贤得头缠绷带、身穿海魂衫坚持战斗的宣传画在亿万人民心中打下了深深的烙印。《解放军歌曲》出版专号，从中选出的《歌唱英雄麦贤得》，在中央台"每周一歌"中播唱，许多人至今都能熟练演唱……麦贤得不仅成了举国闻名的英雄，而且成了激励一代又一代青少年茁壮成长的榜样。

中共八届十中全会

自1960年冬开始的国民经济调整工作，在1962年"七千人大会"后，进入到一个新的阶段，在对经济困难形势的认识上和调整国民经济的指导思想上又前进了一步。但是，在经济发展问题特别是阶级斗争问题上"左"倾错误的指导思想并没有从根本上纠正，对形势和政策的许多看法在党内和党的领导层中实际上还存在分歧。随着形势的发展，毛泽东在北戴河会议和八届十中全会上重提阶级斗争，使党的工作发生了部分转向。

一

北戴河中央工作会议

在新的调整全面进行的基础上，中共中央于1962年7月25日至8月24日召开北戴河中央工作会议。会议前期的议题是起草有关农村人民公社和农业生产、商业、工矿企业生产和工人生活、干部交流等大小20多个文件，其中《关于巩固人民公社集体经济、发展农业生产的决定（草案）》和《农村人民公社工作条例修正草案》两个文件最为毛泽东所重视。但自毛泽东8月6日在中央工作会议全体大会上的讲话中，提出阶级、形势、矛盾问题，要大家讨论后，会议就转到这三个基本问题，特别是阶级斗争问题，而且形成一边倒的形势。毛泽东这一点题性的讲话，使得北戴河会议在思想政治上开始转向"左"倾。60年代初国民经济调整以来的这样转向，源于1962年前后毛泽东同刘少奇、周恩来、邓小平、陈云等中央领导人对形势的不同看法，其直接诱因就是包产到户。

对于包产到户问题，毛泽东曾一度采取试试看的态度。[1] 1961年12月，中央确定农村人民公社以生产队为基本核算单位，毛泽东的态度发生了变化，对包产到户采取了否定的态度。1962年3月底，受毛泽东之命，田家英组织17人调查组赴湖南的韶山、炭子冲、唐家坨三地，了解"农业六十条"的贯彻执行情况。5月初他到上海向毛泽东反映农民要求包产到户的情况时，毛泽东反应冷漠，对田家英说："我们是要走群众路线的，但有的时候，也不能完全听群众的，比如要搞包产到户就不能听。"但实际调查让田家英发现一些地方的农民普遍要求包产到户或分田到户，遂逐渐萌生了用包产到户和分田到户渡过暂时困难的想法。因此在向毛泽东汇报时指出：现在全国各地实行包产到户和分田到户的农民约占30%，而且还在继续发展。与其让农民自发地搞，不如有领

---

① 逢先知、金冲及：《毛泽东传》(1949—1976)，中央文献出版社，2004年版，第1231—1232页。

导地搞。将来实行的结果,包产到户和分田单干的可能到达 40％,60％是集体和半集体。等到生产恢复了,再把他们重新引导到集体经济。① 对此,毛泽东一言不发,并反问田家英"你的主张是以集体经济为主,还是以个体经济为主?"到 1962 年六七月间,毛泽东看到一些省份夏收情况比预料好得多,而党内高层却有相当一部分人主张包产到户或分田单干,他觉得这个问题非解决不可。

1962 年 7 月 8 日,毛泽东在住处召开由刘少奇、周恩来、邓小平、陈伯达、田家英等人参加的会议,表明了他对包产到户的反对态度。这样,中央常委都已经清楚毛泽东对包产到户和分田到户的明确态度。北戴河中央工作会议期间,毛泽东又分别找各中央局及其所属的省市区负责人谈话,听他们汇报情况,议论一些问题,谈自己的看法。毛泽东通过这种自称"周游列国"的方式,在会议重要讲话前,阐述自己对国内形势、包产到户等问题的观点,起到一种"吹风"的作用。

谈到农村单干的情况时,毛泽东说:从全国看,今年的收成比去年好,去年比前年好,错误在纠正嘛。有少数人把形势看得很黑暗,也有少数人说一片光明。从整个形势看,前途一片光明,也有些问题。问题主要是反映在国内的阶级斗争方面,也就是究竟搞社会主义,还是搞资本主义。这个斗争的时间相当长,100 年后还有这个问题,这种形势要看到。

在 8 月 5 日同华东、中南区负责人谈话中,毛泽东说:一搞包产到户,一搞单干,半年的时间就看出农村阶级分化很厉害。有的人很穷,没法生活。有卖地的,有买地的。有放高利贷的,有讨小老婆

的。讲到分田到户时,毛泽东指出:有人主张 60％分田到户(实为对田家英意见的曲解),有的人主张全部分田到户。这就是说,基本上单干或者全部单干。也就是说,把 5 亿多农民都变成小资产阶级,让小资产阶级当权,让小资产阶级专政。并且在最后提出"是搞无产阶级专政,搞资产阶级专政,还是小资产阶级专政? 我们到底走什么道路"的问题,要大家讨论。

8 月 6 日,毛泽东在讲话中对阶级、形势、矛盾问题作了初步阐述。

关于阶级问题,他说:究竟有没有阶级? 阶级还存不存在? 社会主义国家究竟还存不存在阶级? 外国有些人讲,没有阶级了。共产党也就是叫做"全民的党"了,不是阶级的工具了,不是阶级的党了,不是无产阶级的党了。无产阶级专政也不存在了,叫"全民专政"、"全民的政府"。对什么人专政呢? 在国内就没有对象了,就是对外有矛盾。这样的说法,在我们这样的国家是不是也适用?

关于形势问题,他说:国内形势,就是谈一谈究竟这两年我们的工作怎么样? 过去几年,我们有许多工作搞得不好。有些工作还是搞好了。……现在有些人说,去年比前年好一些,今年又比去年好一些。这个看法对不对? 这是讲农村。工业,因为主观客观的原因,今年上半年是不那么好的,那么下半年怎么样? 也可以谈一谈。大体上说,有些人把过去几年看成就是一片光明,看不到黑暗。现在有一部分人,一部分同志,又似乎看成是一片黑暗了,没有什么光明了。这两种看法,究竟是哪一种对? 或者都有不对? 如果都不对,就要提出第三种看法。第三种看法是怎么样的? 一片光明也不是,一片黑

---

① 逄先知、金冲及:《毛泽东传》(1949－1976),中央文献出版社,2004 年版,第 1229—1230 页。

暗也不是,而是基本上是光明的,但是问题不少。还是回到我们在第一次庐山会议上讲的三句话:成绩很大,问题不少,前途光明。他本人倾向于不那么悲观,不那样一片黑暗。一点光明都没有,不赞成那种看法。

关于矛盾问题,他说:有些什么矛盾?第一类是敌我矛盾,然后就是人民内部的矛盾,无非就是这两类。人民内部有一种矛盾,它的本质是敌对的,不过我们处理的形式是当做人民内部矛盾来解决,这就是社会主义与资本主义的矛盾。如果我们承认阶级残余还存在,那就应该承认社会主义与资本主义的矛盾是存在的,而且是长期存在的,不是几年几十年的问题。甚至是几百年,这个残余还要存在。哪一年社会主义完结,进到共产主义社会,就没有阶级矛盾了。不是阶级矛盾,也有别的矛盾。

在谈到现实中存在的单干问题时,他又说:现在有一部分农民闹单干,究竟有多少?从全国来说,估计一下,是百分之几,还是百分之十几,还是20%?不是从个别地方来说。个别地方,比如安徽,那就多了。现在这个时期,这个问题比较突出。是搞社会主义,还是搞资本主义?是搞分田到户、包产到户,还是集体化?农业合作化还要不要?主要就是这样一个问题。……现在这股闹单干的风,越到上层风越大。他进一步指出:现在闹单干的,是那个劳动力强的、比较富裕的阶层。……地主富农的残余还存在着。资产阶级跟地主富农争夺小资产阶级,他们就是要搞单干。无产阶级如果不做工作,集体化就不能巩固。

1962年8月12日,毛泽东在对邓子恢关于农村工作政策意见的批评中,指出:中央农村工作部部长邓子恢同志对形势的看法几乎是一片黑暗,对包产到户大力提倡。这是与他在1955年夏季会议以前一贯不愿搞合作社;对于搞起来了的合作社,下令砍掉几十万个,毫无爱惜之心;而在这以前则竭力提倡四大自由,所谓"好行小惠,言不及义",是相联系的。我们欢迎子恢同志在1962年8月11日核心小组会议上所作的声明。他说,他在最近几天,已经觉得自己的单干主张是不正确的了,这是值得欢迎的。但他没有联系1950年至1955年他自己还是站在一个资产阶级民主主义者的立场上,因而犯了反对建立社会主义集体农业经济的错误(他那时,在城市,则主张依靠资产阶级,而不是依靠无产阶级),则是不够的,所以在那会议上给他指出了这一点。[①]

这样,毛泽东对分田到户问题作阶级斗争观点的分析批判,将其由以集体经济为主还是以个体经济为主的层次提升到是搞社会主义还是搞资本主义的问题上。所以,毛泽东出的题目,一开始便把北戴河中央工作会议引向了以讨论阶级斗争问题为中心。各种经济问题的研究也都以阶级斗争为纲来解决。

中共八届十中全会的召开

北戴河会议开到8月下旬告一段落,绝大多数参加者来到北京,于8月26日起,举行八届十中全会的预备会议,直到9月23日止。预备会议前期,主要讨论农业问题的两个文件,批评邓子恢的所谓"单

---

① 《建国以来毛泽东文稿》第10册,中央文献出版社,1996年版,第137页。

干风"。自 9 月 6 日起,转入批判彭德怀、习仲勋的所谓"翻案风"。

在开了近一个月的预备会议后,9 月 24 日上午,中共八届十中全会在中南海怀仁堂正式召开,至 27 日结束。

会议第一天,毛泽东主持会议并首先讲话,进一步阐述了北戴河中央工作会议上提出的阶级、形势、矛盾的问题。

在谈到阶级问题时,他说:在社会主义国家还有没有阶级?有没有阶级斗争?应该肯定还是有的,还是存在的。列宁曾经说,在社会主义革命胜利以后的一个长时期内,因为国际资产阶级的存在,因为本国资产阶级残余的存在,因为本国小资产阶级主要是农民阶级中间还不断生长资本主义分子,所以剥削阶级虽然被推翻了,它还是要长期存在的,甚至于要复辟的。在欧洲,封建阶级被资产阶级推翻以后,比如在英国、法国,经过几次复辟。……社会主义国家也可能出现复辟的情况……我们这个国家要好好掌握,要好好认识这个问题,承认阶级同阶级斗争的存在。要好好研究,要提高警惕。老干部也要研究,尤其是青年人,我们要对他们进行教育。……我们从现在就讲起,年年讲,月月讲,开一次中央全会就讲,开一次党大会就讲,使我们对这个问题有一条比较清醒的马克思主义的路线。

接着,毛泽东在谈到形势时说:国内形势,过去几年不大好,现在已经开始好转。国际上,社会主义阵营内部也是复杂的,道理就是一条,就是无产阶级与资产阶级的斗争,马克思主义与反马克思主义的斗争。

关于矛盾问题,毛泽东在分析了世界上各种国家与社会的矛盾后,着重指出:"在我们中国,也有跟中国的修正主义的矛盾,我们过去叫右倾机会主义,现在恐怕以改一个名字为好,叫做中国的修正主义。北戴河和北京这两个月的会议,讨论了两项性质的问题:一项是工作问题;一项是阶级斗争问题,就是马克思主义跟修正主义斗争的问题。"毛泽东越来越把国际形势的复杂(特别是中苏矛盾)同国内、党内的问题联系起来,将 1959 年庐山会议以来对党内的意见分歧错误批判为所谓的右倾机会主义,干脆改称为"修正主义",断言其归根结底是马克思列宁主义同修正主义的斗争;并且随着形势的发展,这种思想观点愈加强化。

在谈到如何对待党内的修正主义问题时,他说:"犯了错误的同志,只要你好好想一下,回到马克思主义立场,我们就跟你团结。……我劝一些同志,无论是里通外国也好,搞什么秘密反党小集团也好,只要把自己那一套端出来,诚实地向党承认错误,我们就欢迎。"同时他又说:近来有一股风,无论什么都要平反,那是不行的。真正搞错了的要平反,部分搞错了的部分平反,没有搞错,搞对了的,不能平反。这里说的没有搞错,不能平反,就是针对彭德怀。1962 年 6 月 16 日,彭德怀向毛泽东和中共中央写了一个长达 8 万字的申诉材料,对庐山会议及其以后对他的批判从根本上进行辩解和申诉。8 月 22 日,北戴河会议结束前,他再次给毛主席和党中央写信,重申不存在反党小集团篡党和同外国人在中国搞颠覆活动的问题。这两封被认为是彭德怀利用当时激烈的国际斗争形势和国内发生了困难而闹翻案,是向党进行的新的进攻。因此在八届十中全会前的预备会议上,掀起了一场声势更大的对彭德怀的批判。

在八届十中全会预备会议批判彭德怀所谓"翻案风"期间,康生提出,小说《刘志丹》(上册)是为高岗翻案,向党进攻,以此陷害支持过这部小说写作的习仲勋等人。《刘志丹》是一篇报告文学体裁的历史小说,作者李建彤,是刘志丹弟弟刘景范的夫人。作品描写了陕北革命根据地创建人之一刘志丹一生的革命业绩。康生认为,刘志丹与高岗是陕北革命根据地的重要创建人,歌颂刘志丹、陕北革命根据地,等于歌颂高岗,"为高岗翻案"。为此,他写了一张条子给毛泽东,上面写道:"利用小说进行反党活动,是一大发明。"毛泽东表示赞成,在会上宣读了这张字条,并且发挥说:"凡是要推翻一个政权,总要先造成舆论,总要先做意识形态方面的工作。革命的阶级是这样,反革命的阶级也是这样。"①在批判中,习仲勋、贾拓夫和刘景范等被打成"反党集团",甚至还被升级为"彭、高、习反党集团"、"西北反党集团",说小说就是他们的"反党纲领"。9月27日,全会正式决定成立了两个专案审查委员会,分别对彭德怀、习仲勋等人进行审查,并将习仲勋、贾拓夫和刘景范打成又一个"反党集团"。这样的批判给中国的文艺事业乃至整个思想界带来很大的损害,导致后来的所谓在意识形态领域实行无产阶级专政的严重后果。

从北戴河会议到八届十中全会,主要讨论的是两项问题,一项是工作问题,一项是阶级斗争问题,也就是与修正主义斗争问题。毛泽东对工作问题没有多讲,而只讲怎样对付国内和党内的修正主义的问题。毛泽东说:"不唱天来不唱地,只唱一本《香山记》。""《香山记》是讲观世音菩萨的故事。天和地都不唱,单唱《香山记》,就抓阶级斗争。"毛泽东严厉地告诫说:"千万不要忘记阶级斗争!"

最后关于社会主义历史时期阶级和阶级斗争的理论,经过北戴河中央工作会议和八届十中全会上毛泽东的两次重要专题讲话,在八届十中全会发表的公报中作了系统阐述:"在无产阶级革命和无产阶级专政的整个历史时期,在由资本主义过渡到共产主义的整个历史时期(这个时期需要几十年,甚至更多的时间)存在着无产阶级和资产阶级之间的阶级斗争,存在着社会主义和资本主义这两条道路的斗争。被推翻的反动统治阶级不甘心于灭亡,他们总是企图复辟。同时,社会上还存在着资产阶级的影响和旧社会的习惯势力,存在着一部分小生产者的自发的资本主义倾向,因此,在人民中,还有一些没有受到社会主义改造的人,他们人数不多,只占人口的百分之几,一旦有机会,就企图离开社会主义道路,走资本主义道路。在这些情况下,阶级斗争是不可避免的。这是马克思列宁主义早就阐明了的一条历史规律,我们千万不要忘记。这种阶级斗争是错综复杂的、曲折的、时起时伏的,有时甚至是很激烈的。这种阶级斗争,不可避免地要反映到党内来。国外帝国主义的压力和国内资产阶级影响的存在,是党内产生修正主义思想的社会根源。在对国内外阶级敌人进行斗争的同时,我们必须及时警惕和坚决反对党内各种机会主义的思想倾向。"②

关于会议精神传达问题,在9月24日全会上的讲话中,毛泽东指出:"要分开一个工作问题,一个阶级斗争问题,我们绝不要因为对付阶级斗争而妨碍了我们的工作,……各部门、各地方的同志传达也要注意,要把工作放在第一位,阶级斗争

---

① 《建国以来毛泽东文稿》第10册,中央文献出版社,1996年版,第194页。

② 《建国以来重要文献选编》第15册,中央文献出版社,1997年版,第653—654页。

跟它平行,不要放在很严重的地位……不要让阶级斗争干扰了我们的工作。"①因为在此前的北戴河中央工作会议上,鉴于1959年庐山会议"反右倾"的教训,刘少奇在8月20日中心小组会议上,指出:"这次会议议论阶级和阶级斗争问题,究竟怎么传达?是传达广一些好,还是传达窄一些好?传达广一些,对干部教育有好处,但是容易联系到反右。这是个复杂的问题,闹不好在实际上可能发生反右,容易划分不清,什么都联系到阶级来分析。应该规定各传达范围。"毛泽东当即表示赞同,并提出"要写一个决定"。这防止了在北戴河会议重提阶级斗争后在全党立即出现反右的局面。八届十中全会的传达承袭了北戴河中央工作会议的做法,全会精神只传达到行政十七级以上干部。这才使得八届十中全会后的几年内,经济调整工作仍能基本上按照原定计划继续进行,直到1965年基本完成,没有受到正在发展的在阶级斗争问题上的"左"倾思想的严重干扰。

但是,八届十中全会中断了继续纠"左"的努力,重新强调阶级斗争,把当时党内关于国内形势、关于恢复农业生产的办法、关于干部甄别平反方面存在的意见分歧和不同主张,用阶级斗争的观点去分析批判,斥之为"黑暗风"、"单干风"、"翻案风",成为党内"左"的错误进一步发展的标志,由毛泽东提出并为会议所通过的基本观点,把从资本主义到共产主义的整个历史时期,即整个无产阶级专政的社会主义时期,都视为"过渡时期",整个这个时期都存在着严重的阶级斗争,存在着资本主义复辟的危险。这样,毛泽东就把社会主义社会中一定范围内存在的阶级斗争扩大化和绝对化,发展了他在1957年反右派斗争以后提出的无产阶级同资产阶级的矛盾仍然是我国社会的主要矛盾的观点,进一步断言在整个社会主义历史阶段资产阶级都将存在和企图复辟,并成为党内产生修正主义的根源。由此,以"左"倾错误为特征的阶级斗争理论进一步系统化,并且成为中国共产党主要的指导思想。随后的中苏论战、社会主义教育运动都贯彻了这一指导思想,从而导致后来阶级斗争的进一步扩大化,为后来的"文化大革命"准备了理论基础。

社会主义教育运动

中共八届十中全会后,毛泽东从反修防修和反对并清除党内和社会上存在的阴暗面出发,发动了社会主义教育运动。

一

2月北京会议与社会主义教育运动的发起

1962年9月,在中共八届十中全会上,毛泽东提出了关于在整个社会主义历史阶段,资产阶级作为阶级都将存在并企图复辟的观点,并且提出要进行社会主义教育。八届十中全会后,各省、市、自治

---

① 毛泽东:《在中共八届十中全会全体会议上的讲话记录》,1962年9月24日,转引自逄先知、金冲及:《毛泽东传》(1949—1976),中央文献出版社,2004年版,第1254页。

区,普遍开展了以传达贯彻八届十中全会决议精神为中心的整风整社运动。广大群众学习八届十中全会通过的各种决议和文件,这时,怎样贯彻实现"农业六十条"和勤俭办社、民主办社的方针,成为重要课题。开始,河北省保定地区试图从检查1962年的分配入手解决这个问题。经过试点,他们发现有的地方采取了"小四清"(即清账目、清仓库、清财物、清工分)的办法,收获很大,查出一些干部有多吃多占、贪污盗窃等行为。同时,湖南省开展社会主义教育和整风整社运动,揭发了一些问题。

1963年2月11日至28日,中共中央在北京召开工作会议,会议讨论了国际形势和反对现代修正主义问题。会上,中共河北省委和湖南省委分别介绍了保定地区进行"小四清"工作和湖南开展农村社会主义教育运动的经验。毛泽东肯定了这些做法,称这两个报告"都是好文件,值得引起全国各地、中央各部门的同志们认真研究一下"。在毛泽东的推荐下,会议印发了河北、湖南两省关于社会主义教育、整风整社运动的报告。毛泽东在会上作了重要讲话,毛泽东在讲话中讲了一段意味深长的话,他说:"在农村要加强无产阶级的民主集中制,要有一套制度防止修正主义。现在的事情,实际上是一个朝代传下来的,是上一个朝代孕育的。"他督促各地注意抓阶级斗争和社会主义教育问题,并认为我国存在出修正主义的可能,在农村进行社会主义教育,就可以"挖修正主义根子"。这次会议确定在城市开展"五反"运动(即反对贪污盗窃、反对投机倒把、反对铺张浪费、反对分散主义、反对官僚主义),在农村普遍进行一次社会主义教育运动。

这次中央工作会议,对于开展社会主义教育运动具有标志性的意义。中央工作会议以后,全国各地都根据中央的部署以及保定和湖南的经验,开始训练干部,在农村进行"四清"和社会主义教育运动的试点工作。在这期间,许多干部对"四清"运动的认识,主要限于经济上的"四清",即从改善干群关系,改进生产队的经营管理着眼。

杭州会议与"前十条"

根据各地试点的情况,毛泽东在对11个省作了调查以后,于1963年5月2日至12日,在杭州召集了有部分中央政治局委员和大区书记参加的小型会议,讨论农村社会主义教育问题。会前,根据河北、湖南、浙江、河南等省委报来的关于农村阶级斗争严重情况的20份材料,毛泽东认为开展大规模的"四清"运动是必要的。

会议期间,毛泽东围绕形势、认识、运动的重点、方法四个方面的问题作了多次讲话和插话。

关于形势问题。生产形势好,一年比一年好。阶级斗争形势是严重的、尖锐的。阶级斗争严重、尖锐的原因是:①阶级原因。社会主义社会还是有阶级的社会,存在阶级和阶级斗争。②历史原因。一方面是有的地区民主革命和社会主义革命的任务还没完成,地主还没打倒;另一方面是土改以后,我们没有再抓阶级斗争。③认识原因。阶级斗争是客观的存在,没有认识到。

关于认识问题。要求干部深入实际,蹲下来,用科学的方法,进行调查研究,认识现实。领导干部要学点哲学,学点认识论,要知道人的正确思想是从哪里来的。

关于运动的重点。有 10 个问题,其中有的是认识问题,首先要求高级领导干部和各级领导干部解决。有的是普通工作问题,要解决的有以下 5 点:①阶级、阶级斗争。用什么方法进行阶级斗争?一定要用阶级观点去分析问题。②社会主义教育。要把中央的精神向干部、群众讲清楚,结合当地情况揭盖子。让老一辈忆苦,激发阶级感情;让青年一代受教育,续一续无产阶级的"家谱"。③依靠贫下中农。④"四清"。⑤干部参加集体劳动。只有参加劳动,才能解决贪污、多占问题,也可以了解生产情况;干部不参加劳动,势必脱离群众,势必出修正主义。

关于方法。要采取积极态度。①训练干部。②不要急,一围攻,他一着急,就乱来。③要搞试点,要踏踏实实,不要走过场。④要区别不同情况,少数民族、边境地区不要一起搞。⑤要精简一些干部下去劳动锻炼,搞阶级斗争锻炼。⑥抓重点。就是抓阶级斗争。

会议制定了《关于目前农村工作中若干问题的决定(草案)》(即"前十条"),经政治局通过后,中共中央把它作为指导农村社会主义教育运动的纲领性文件,于 20 日予以公布,下发各地执行。

"前十条"的主要内容是:

(1)形势问题。中共中央在 1961 年提出了"农业六十条"以后,接着又发出了基本核算单位下放和调整农村负担的指示。除去一部分重灾荒地区和办得不好的社队以外,整个农村的形势已经大大好转,农业生产逐步上升。农业生产的发展,对于促进整个国民经济的发展,正在起着重大的影响。所有这一切,也证明了党高举的总路线、人民公社、大跃进"三面红旗"是完全正确的,是伟大的。

(2)在社会主义社会中是否还有阶级、阶级矛盾和阶级斗争存在的问题。毛泽东反复地指出:社会主义社会是一个相当长的历史阶段,在社会主义这个历史阶段中,还存在着阶级、阶级矛盾和阶级斗争,存在着社会主义同资本主义两条道路的斗争,存在着资本主义复辟的危险性。要认识这种斗争的长期性和复杂性,要正确理解和处理阶级矛盾和阶级斗争问题,正确处理敌我矛盾和人民内部矛盾。这是领导和团结全党,领导和团结全体人民群众,顺利地进行社会主义改造和社会主义建设的关键。毛泽东对社会主义社会中的阶级、矛盾的分析和论断,丰富和发展了马克思主义。如果离开了毛泽东的这种正确的分析和论断,就会使我们的社会主义建设工作迷失方向,就不可能使我们的农业沿着社会主义的道路健康地发展。

(3)当前中国社会中出现了严重的尖锐的阶级斗争情况。主要表现在:①被推翻的剥削阶级、地主富农,总是企图复辟,伺机反攻倒算,进行阶级报复,打击贫下中农。②被推翻的地主富农分子,千方百计地腐蚀干部,篡夺社、队领导权。③地富分子利用宗教,进行反革命宣传,发展反革命组织。④地富分子和反革命分子,利用宗教和反动会道门,欺骗群众,进行罪恶活动。⑤反动分子破坏公共财产,盗窃情报,甚至杀人放火。⑥商业上,投机倒把活动严重。⑦出现了雇工剥削、放高利贷和买卖土地的现象。⑧社会上出现了新生的资产阶级分子。⑨在机关和集体经济中出现了一批贪污盗窃、投机倒把、蜕化变质分子,同地富分子勾结起来为非作歹。

(4)我们的同志对于敌情的严重性是否认识清楚了的问题。许多同志对上述阶级斗争的严重现象,并没有认真考察、思索,甚至熟视无睹,放任自流。因此,必须对干部、党员进行社会主义教育,端正无产阶级立场,积极进行阶级斗争和两条路线的斗争。这是关系到社会主义事业成败的根本问题。

(5)依靠谁的问题。在整个社会主义历史阶段,一直到进入共产主义以前,都要依靠贫农、下中农,要组织革命的阶级队伍,即建立贫下中农组织,开展"四清"同社会主义教育相结合的大规模的群众运动,打击和粉碎资本主义势力的猖狂进攻。

(6)目前农村中正确地进行社会主义教育运动的政策和方法问题。党中央认为,必须在农村中普遍地进行一次社会主义教育,分清敌我矛盾和人民内部矛盾,分清是非,以便团结95%以上的群众和团结95%以上的干部,共同对付社会主义的敌人,贯彻"六十条"等,发展农业生产。教育的方法是学习文件,领会精神,结合当地实际情况展开讨论。犯有轻重不同错误的干部,要放下包袱,直接同群众见面,以解决干群之间不正常的关系问题。

(7)怎样组织革命的阶级队伍的问题。在农村建立贫下中农的组织,根子要扎正,基础要打好,要确保组织的纯洁性和群众性。贫下中农的代表、委员会委员和主任,都应当由贫下中农选举产生。

(8)"四清"问题。目前社、队普遍存在"四不清"问题,这种矛盾主要是干群之间的矛盾,必须予以解决。党的方针是:说服教育、洗手洗澡、轻装上阵、团结对敌。团结95%以上的群众和干部,同阶级敌人作斗争,同自然作斗争。以教育为主,惩办为辅,退赔要彻底,不能马马虎虎,但也要合情合理。

(9)干部参加生产劳动问题。我们党是无产阶级的党,是劳动群众的先进的党。党的基层组织,必须放在积极劳动的先进分子手里。农村的党支部书记,不但在政治上应当是最先进的分子,而且必须在劳动中是最积极的分子,力争成为生产能手,成为劳动模范。干部参加劳动,是一件带根本性的大事。干部不参加劳动,势必脱离广大的劳动群众,势必出修正主义。

(10)用马克思主义的科学方法进行调查研究的问题。为了做好我们的工作,各级党委应当大力提倡学习马克思主义的认识论,使之群众化,为广大干部和人民群众所掌握,让哲学从哲学家的课堂上和书本里解放出来,变为群众手里的尖锐武器。

"前十条"号召全党认真学习和领会毛泽东最近发出的一个指示:"阶级斗争、生产斗争和科学实验,是建设社会主义强大国家的三项伟大革命运动,是共产党人免除官僚主义、避免修正主义和教条主义,永远立于不败之地的确实保证,是使无产阶级能够和广大劳动群众联合起来,实行民主专政的可靠保证。不然的话,让地、富、反、坏、牛鬼蛇神一齐跑了出来,而我们的干部则不闻不问,有许多人甚至敌我不分,互相勾结,被敌人腐蚀侵袭,分化瓦解,拉出去,打进来,许多工人、农民和知识分子也被敌人软硬兼施,照此办理,那就不要很多时间,少则几年、十几年,多则几十年,就不可避免地要出现全国性的反革命复辟,马列主义的党就一定会变成修正主义的党,变成法西斯党,整个中国就要改变颜色了。请同志们想一想,这是一种多么危险的情景啊!""这一次社会主义教育运动是一次伟大的革命运动,不但包括阶级斗争问题,而且包括干部参加劳动的问题,而且包括用严格的科学态度,经过试验,学会在企业和事业中解决一批问题……看起来很困难，实际上只要认真对待，并不难解决。这一场斗争是重新教育人的斗争，是重新组织革命的阶级队伍，向着正在对我们猖狂进攻的资本主义势力和封建势力作尖锐的针锋相对的斗争，把他们的反革命气焰压下去，把这些势力中间的绝大多数人改造成为新人的伟大的运动，又是干部和群众一道参加生产劳动和科学实验，使我们的党进一步成为更加光荣、更加伟大、更加正确的党，使我们的干部成为既懂政治，又懂业务，又红又专，不是浮在上面，做官当老爷、脱离群众，而是同群众打成一片、受群众拥护的真正好干部。这一次教育运动完成以后，全国将会出现一种欣欣向荣的气象。差不多占地球 1/4 的人类出现了这样的气象，我们的国际主义的贡献也就会更大了。”

“前十条”贯彻了“以阶级斗争为纲”的主题。1963 年 5 月 20 日，中共中央把它作为社会主义教育运动的纲领性文件予以发布。此后，全国各地重新训练干部，进行试点，为大规模开展社会主义教育运动作了准备。

“前十条”在对我国形势的分析中作了“左”的估计，偏离了中共八大的正确判断，虽然肯定了整个农村形势已经大大好转，农业生产情况一年比一年好，但同时认为，“当前中国社会中出现了严重的尖锐的阶级斗争情况”。

应当指出，在农村工作中，尤其在农村干部队伍中，确实存在一些问题。如有些社队存在着账目不清、财物不清、仓库不清、工分不清等情况；有些干部严重脱离群众，搞特殊化，多吃多占，个别人甚至贪污腐化，失去了群众的信任；少数基层组织混有个别坏人，极个别地主、富农分子搞反攻倒算等。但是，这些问题，绝大

多数是属于人民内部矛盾，只有极少数带有阶级斗争的性质。对于这些问题，按照不同情况采取适当的方法加以清理和整顿是必要的，但如果把这些问题一概说成是阶级斗争，甚至说成是封建势力和资本主义势力的猖狂进攻，那就不符合实际了。在这种“左”倾思想指导下发动的“四清”运动，势必造成阶级斗争的扩大化。

三

9 月北京会议与“后十条”

杭州会议以后，各地都普遍地学习了“前十条”，调整了运动的部署，重新训练干部，进行了社会主义教育运动的试点，为大规模地开展农村社会主义教育运动作了准备。

9 月 6 日至 27 日，中共中央在北京召开工作会议。会议根据“四清”运动在各地试点、调查和训练干部中提出的问题，着重讨论了农村工作和社会主义教育运动问题，制定了《关于农村社会主义教育运动中的一些具体政策和规定（草案）》（即“后十条”）。“后十条”对贯彻执行“前十条”过程中提出的问题，在具体政策方面作了补充规定，它的主要内容是：①社会主义教育运动的基本方针和主要内容；②领导社会主义教育运动必须注意的几个问题；③团结 95％以上的农民群众；④关于贫、下中农组织；⑤中农问题；⑥团结 95％以上的农村干部；⑦关于干部参加集体生产劳动；⑧结合社会主义教育运动，整顿农村党的基层组织；⑨对于地主分子、富农分子、反革命分子和坏分子的处理；⑩正确对待地主、富农子女问题。“后十条”重申要团结两个 95％，强调团结 95％以上的干部是团结 95％以上群众的

前提条件,规定对干部要一分为二,对犯错误干部要以教育为主;要区别搞复辟的阶级敌人同被敌人利用的落后群众,区别投机倒把分子和资本主义倾向比较严重的农民;区别投机倒把活动和正当集市贸易活动;还规定"四清"运动的进行,必须同生产紧密结合,运动进行的每一步骤,都不能耽误生产,运动中的一切措施,都应当有利于生产;运动中要依靠基层党组织和基层干部等。这些规定是正确或基本正确的。但是,"后十条"的基本指导思想仍是沿袭"前十条",在规定运动的5个要点中,即阶级斗争,社会主义教育,组织贫、下中农阶级队伍,"四清",干部参加集体劳动,提出"在这5个问题中间,阶级斗争是最基本的",要"以阶级斗争为纲"。

10月14日,中共中央决定向全国宣传两个"十条",发出《关于印发和宣传农村社会主义教育运动问题的两个文件的通知》。通知下达后,中央和地方各级机关分别派出大批工作队,在试点的基础上,在部分县、社展开大规模的社会主义教育运动。1964年3月,中共中央又发出组织干部宣讲队伍,把社会主义教育运动进行到底的指示,全国有百万以上的干部下基层参加社会主义教育运动,运动的内容也逐渐由着重清理经济发展成为"清政治、清经济、清思想、清组织"的"四清"。在这期间,一些地方党委在给中央的报告中夸大了敌情,混淆了两类不同性质的矛盾,对农村阶级斗争的形势作了很严重的估计。

1964年5月15日至6月17日,中共中央在北京举行工作会议。会议在讨论农村社会主义教育运动时认为,全国基层有1/3的领导权不在我们手里。根据这样的分析,毛泽东指出,农村、城市的社会主义教育运动,要搞四五年,不要急急忙忙。

会议认为一年多来运动没有搞透是上层干部在起作用,提出要发动群众,进行彻底革命,进行夺权斗争。鉴于"四清"运动中有忽视抓生产的现象,毛泽东提出把"增产,还是减产"作为搞好"四清"运动的标准之一。

会后,刘少奇根据中央工作会议精神,经毛泽东和党中央同意,对农村社会主义教育运动的部署作了调整,要求各省市以地区为单位,采取"大兵团作战"的方法,集中工作队于重点县,上下左右同时清理。9月,中共中央发布了由刘少奇主持修订并经毛泽东修改的"后十条"修正草案。修正草案对形势作出更加严重的估计,提出敌人拉拢腐蚀干部,"建立反革命的两面政权",是"敌人反对我们的主要形式";认为社教运动,"是一次比土地改革运动更为广泛、更为复杂、更为深刻的大规模的群众运动";提出有些地区还要"认真地进行民主革命的补课工作";规定"整个运动都由工作队领导",改变了原来依靠基层组织和基层干部的规定,强调首先要解决基层干部的"问题"。这些指导方针,对运动影响很大,造成了对基层干部打击面过宽、打击过重,以至混淆敌我界限的"左"的错误。

1964年下半年,有的地方在给中央的报告中说,这几年农村阶级斗争形势发生了很大的变化,基层组织被篡夺以及"和平演变"的情况,到了异常严重的程度。一些单位的主要干部,有的可能是阶级异己分子,有的已经蜕化变质,有的犯了严重的错误。基层组织已经被篡夺和已经变质,即领导权不在我们手里的,不止1/3。与此同时,中共中央明确提出当前的主要危险是右倾危险,并不适当地批转了一些地方的"夺权斗争"经验,如天津小站事件。1964年1月,根据中央的指示,天津市委派出工作队进驻天津市郊小站公社。3月下旬,陈伯达来到小站公社进行所谓"试点",抽调了大批干部加强工作队,搞所谓"扎根串联",并迅即转入夺权斗争,相继挖出了三个所谓"反革命集团"。8月12日,中共中央转发了工作队整理的3个"反革命集团"的有关材料。10月24日,中共中央又发出了《关于社会主义教育运动中夺权斗争问题的指示》,转发了天津市委关于小站地区夺权斗争的报告。指示认为,一部分隐藏在人民内部和党内的敌人在向我们进攻,他们篡夺了一些地区的领导权;强调"四清"运动首先要解决领导权问题;指出凡是被敌人操纵或篡夺了领导权的地方,都必须进行夺权斗争;号召各地要学习小站地区的夺权斗争经验,并提出一整套社会主义教育运动中进行夺权斗争的经验。小站地区的所谓"夺权斗争"经验推广后,很多基层在社会主义教育运动中开展了夺权斗争,伤害了大批基层干部。

在此期间,中共中央还批转了河北省抚宁县桃园大队开展社教运动的经验。1964年7月5日,桃园大队在河北省地委书记座谈会上介绍了他们开展社教运动的经验,以后又在安徽、北京等地作了报告。9月1日,中共中央批发了这个报告并作了重要批示。报告认为,"这次社会主义教育运动确实是一次比土地改革运动更尖锐、更复杂、更艰巨的阶级斗争"。桃园经验包括:秘密扎根串联,访贫问苦,逐步扩大范围,从小到大逐步组织阶级队伍;开展背对背的揭发斗争;团结两个95%不能并重,重点应该是团结95%的群众;对待基层组织和基层干部,要又依靠,又不完全依靠;要放手发动群众,彻底革命;有严重"四不清"错误的干部,不仅有受地主、富农和资本家影响这个根子,还

有上面的根子,有靠山。"如果仅仅注意下面的根子,不挖上面的根子,革命是不可能搞彻底的。""四清"的内容已经不只是清工、清账、清财、清库,而是要解决政治、经济、思想和组织上的"四不清",等等。中央批示说:"桃园经验""是在农村进行社会主义教育的一个比较完全、比较细致的典型经验总结",印发县以上各级党委和所在社教工作队的队员阅读。

四

跨年度的中央会议与"二十三条"

1964年底,社会主义教育运动已经经过了一年多的实践,为了总结经验教训,进一步研究解决社会主义教育运动中提出的问题,中共中央认为有必要召开一次全国工作会议。

1964年12月15日至1965年1月14日,中共中央政治局在北京召开全国工作会议,刘少奇主持了会议。会议开始时,刘少奇作了讲话,提出了会议要研究的议题,主要是讨论农村社会主义教育运动问题。16日以后,各地负责人介绍了开展社会主义教育运动的情况,讨论了运动的性质和农村的主要矛盾等问题。

毛泽东参加了会议并作了讲话,他批评了刘少奇关于运动的性质是"四清"和"四不清"的矛盾、党内外矛盾的交叉、敌我矛盾和人民内部矛盾的交叉等提法,提出运动的性质是社会主义和资本主义的矛盾,还批评了北京有两个"独立王国"(指邓小平和中央书记处、李富春和国家计划委员会)。

12月28日,会议制定了《中央政治局召集的全国工作会议讨论纪要》,共17条,作为中共中央文件印发。文件对社会主

义教育运动的性质作了统一的规定,指出是"社会主义与资本主义的矛盾",对运动的名称,规定城乡社会主义教育运动今后一律简称为"四清",即清政治、清经济、清组织、清思想,取消城市的"五反"运动名称。关于运动的时间,文件规定用7年时间在全国搞完,前3年要完成1/3的地区。

本来中央工作会议在这天就闭会了。可是,12月31日,中央办公厅突然通知各地"十七条"停止下发,自行销毁。中央工作会议在1965年元旦以后继续召开。

1月3日晚,毛泽东召开中央政治局常委扩大会,不点名地批评刘少奇。1月5日下午,再次召开中央政治局常委扩大会,毛泽东继续不点名地批评刘少奇。与此同时,对"十七条"加紧修改。1月14日,《农村社会主义教育运动中目前提出的一些问题》(即"二十三条")最后定稿。

"二十三条"的主要内容是:

(1)形势问题。我国城市和农村都存在着严重的、尖锐的阶级斗争。在所有制的社会主义改造基本完成以后,反对社会主义的阶级敌人,企图用"和平演变"的方式,恢复资本主义。这种阶级斗争势必反映到党内。有些社、队、企业、单位的领导,受到腐蚀,或者被篡夺。我们的工作,在前进过程中也存在着许多问题。实践证明,只要全党更深入地、更正确地继续贯彻执行党中央关于社会主义教育运动的各项决定,抓住阶级斗争这个纲,抓住社会主义和资本主义两条道路斗争这个纲,依靠工人阶级、贫下中农、革命干部、革命知识分子和其他革命分子,注意团结95%以上的群众,团结95%以上的干部,那么,城乡存在的许多问题,并不难发现,也不难解决。必须把两年多来的社会主义教育运动坚持下去,进行到底,绝对不能松动。

(2)运动的性质。这次运动的重点,是整党内那些走资本主义道路的当权派,进一步地巩固和发展城乡社会主义的阵地。那些走资本主义道路的当权派,有在幕前的,有在幕后的。支持这些当权派的人,有的在下面,有的在上面。在下面的有已经划了和漏划了的地主、富农、反革命分子和坏分子。在上面的,有在社、区、县、地,甚至有在省和中央部门工作的一些反对搞社会主义的人。其中:有的本来就是阶级异己分子,有的是蜕化变质分子,有的是接受贿赂,狼狈为奸,违法乱纪。所以,这次运动的性质,是解决社会主义和资本主义的矛盾。

(3)统一提法。城市和乡村的社会主义教育运动,今后一律简称"四清":清政治、清经济、清组织、清思想。

(4)搞好运动的标准:①要看贫下中农是否真正发动起来了。②干部中的"四不清"问题是否解决了。③干部是否参加了劳动。④一个好的领导核心是否建立起来了。⑤发现有破坏活动的地、富、反、坏分子,是将矛盾上交,还是发动群众,认真监督,就地改造。⑥要看是增产,还是减产。

(5)工作方法:①依靠群众大多数,依靠干部大多数(包括放下包袱的干部),实行群众、干部、工作队"三结合"。②不论什么社队,不论在运动中或运动后,都不许用任何借口,去反对社员群众。③发动贫下中农,组织阶级队伍,发现和培养积极分子。不要冷冷清清,不要神秘化。④在运动中,自始至终要抓生产,同时,要注意抓当年分配(生活问题)。⑤要从当地情况出发,实事求是。群众需要解决什么问题,就解决什么问题。工作中有什么偏向,就纠正什么偏向。⑥在运动中要大胆放手发动群众。同时,要深入细致,不要大轰大嗡。要摆事实,讲道理,防止简单、粗暴的做法,严禁打人和其他形式的体罚,防止逼、供、信。⑦必须利用矛盾,争取多数,反对少数,各个击破。

(6)集中力量,打歼灭战。

(7)蹲点。各级领导必须有计划地蹲点,深入基层,深入群众,取得比较系统的经验。

(8)抓面的工作。

(9)干部问题:①看待干部要用一分为二的方法。对他们,要采取严肃、积极、热情的态度。②情况要逐步摸清。可能有以下4种,好的,比较好的,问题多的,性质严重的。在一般情况下,前两种人是多数。③对于犯错误的人,要采取"惩前毖后,治病救人"的方针。对于犯错误的干部应当采取的政策是:说服教育,洗手洗澡,轻装上阵,团结对敌。是"从团结的愿望出发,经过批评或者斗争,使矛盾得到解决,从而在新的基础上达到新的团结"。④对那些犯轻微四不清错误的,要尽可能早一点解放出来。⑤经济退赔,不能马马虎虎,同时要合情合理。⑥对于那些犯错误的干部,给以必要的、适当的处分,只要他们愿意走社会主义道路,党就会团结他们,群众就会团结他们。⑦性质严重、领导权由阶级异己分子或蜕化变质分子把持的,要夺权。⑧个别对群众有严重威胁的反、坏分子,必要时,有的可以暂时放在当地看管起来,有的送农场劳动。⑨有些坏干部是会有集团的,但不要把集团划得太多、太宽。

(10)建立贫农、下中农协会。

(11)时间。六七年间,全国搞完。

(12)宣布对隐瞒土地的政策。

(13)财贸部门的工作要同"四清"运动配合。

(14)工作队的成员。不一定要十分

"干净"。

(15)给出路。

(16)"四清"要落在建设上面。在"四清"中、"四清"后,要使生产、建设、科学、文化、教育、卫生、公安、民兵工作,各方面都有所前进。

(17)生产队规模。生产队可以在"四清"过程中,经过贫下中农充分酝酿,充分讨论,由群众决定。

(18)基层干部任期。要按"六十条"规定,定期进行民主选举。

(19)监督问题。干部要有上下监督,主要是群众监督。

(20)实行政治民主、生产民主、财政民主、军事民主。

(21)工作态度。好话,坏话,正确的话,错误的话,都要听。

(22)思想方法。努力避免片面性和局限性,要提倡唯物辩证法,反对形而上学和烦琐哲学。

(23)上述各条,原则上适用于城市的"四清"运动。

从"二十三条"的主要内容看,反映了它有正确的方面,对1964年下半年以来社会主义教育运动中出现的某些"左"的偏向作了纠正。第一,指出看待干部要一分为二,干部中好的和比较好的是多数,对犯错误的干部要坚持"惩前毖后,治病救人"的方针,对那些犯有轻微"四不清"错误的,或者有问题但交代好的,要尽可能早一点解放出来。这些规定,对于解放农村基层干部起了一定的积极作用。第二,规定在运动中,自始至终要抓生产。要把增产还是减产,作为搞好运动的6条标准之一,从而在一定程度上减轻了运动中的损失。

但是,"二十三条"还包含着严重的错误:第一,对形势作了错误的估计。认为我国存在着严重的、尖锐的阶级斗争。在所有制的社会主义改造基本完成以后,反对社会主义的阶级敌人,企图用"和平演变"的方式,恢复资本主义,这种阶级斗争势必反映到党内。有些社、队、企业、单位的领导,受到腐蚀,或者被篡夺,要求全党抓住阶级斗争这个纲,抓住社会主义和资本主义两条道路斗争这个纲。由此提出无产阶级和资产阶级的阶级斗争、社会主义和资本主义两条道路的斗争,是十几年来我们党的基本理论和基本实践。第二,对运动的性质和重点作了错误的规定。认为运动的性质是社会主义和资本主义的矛盾,运动的重点是整党内那些走资本主义道路的当权派。尽管"走资派"的提法,当时党内普遍不理解,社会主义教育运动也没有将重点放在整所谓"走资派"上面。但是,重点整"走资派"的方针为后来"文化大革命"把斗争的矛头指向党的各级领导干部提供了理论依据。第三,提出城乡社会主义教育运动,今后一律简称"四清",即清政治、清经济、清组织、清思想。这样,就把阶级斗争的范围从经济领域扩大到政治领域、组织领域以及思想领域,使阶级斗争进一步扩大化。

全国工作会议结束后,各地党委在传达贯彻"二十三条"文件精神的同时,对城乡"四清"运动重新作了部署,提出了规划。全国的"四清"运动,根据"二十三条"的精神,继续进行到"文化大革命"的初期。"文化大革命"开始后,中共中央规定,把"四清"运动纳入"文化大革命"中去,"四清"运动实际上也就不了了之了。

第三届全国人民代表大会第一次会议

1964年下半年,各省、自治区、直辖市人大先后召开会议,选出第三届全国人大代表。华侨和解放军也都选出了自己的代表。这次选举提出减少兼职代表,除少数主要从事政治活动的代表人物外,要求全国人大代表一般不兼政协委员或省级人大代表,省级人大代表一般不再担任县级人大代表。在当选的3037名全国人大代表中,中共党员占总数的54.83%,民主党派占18.58%,无党派的占26.57%。1964年12月12日,第二届全国人大常委会举行第一百三十五次会议。会议通过公告,将新当选的全国人大代表名单公布。同年12月17日、19日,二届全国人大常委会举行第一百三十六次会议和第一百三十七次会议,讨论、通过了三届全国人大一次会议议程草案、主席团和秘书长名单草案,通过三届全国人大民族委员会、法案委员会、预算委员会、代表资格审查委员会主任委员和委员名单草案,通过第三届全国人大一次会议提案审查委员会主任委员和委员名单草案。

12月18日,刘少奇主席召集最高国务会议。会上,周恩来总理将在三届人大一次会议上作的政府工作报告的主要内容作了说明,彭真副委员长就三届人大一次会议的议程等主要问题作了说明,提出这次会议的方针是强调讲缺点,鼓励代表对国家各项工作提出自己的意见。

12月20日，三届全国人大第一次会议举行预备会议。会议听取彭真副委员长关于三届全国人大一次会议开法的报告，通过会议议程；选出三届人大一次会议的主席团和秘书长；通过三届人大代表资格审查委员会、预算委员会、第一次会议提案审查委员会主任委员和委员人选。三届全国人大一次会议的主要议程有：听取和审议政府工作报告和两院的工作报告，听取预算委员会关于1964年国家预算的预计执行情况和1965年国家预算初步安排的审查报告。审议全国人大常委会的书面工作报告，选举和决定国家领导人员组成。三届全国人大一次会议主席团由丁长华等152人组成，朱德等19人为主席团常务主席，刘宁一为大会秘书长，武新宇等12人为副秘书长。预备会议还决定三届全国人大一次会议不公开举行。会议一概不邀请外宾、外国使节、外国记者参加，大会主要报告和大会发言均不全文发表，只登摘要。

1964年12月21日至1965年1月4日，三届全国人大一次会议在北京召开。会议听取和审议了周恩来总理所作的《政府工作报告》。周恩来在《政府工作报告》中提出，1961年开始的国民经济调整任务已经基本完成。工农业生产已经全面高涨，整个国民经济已经全面好转，并且将要进入一个新的发展时期。今后发展国民经济的主要任务，总的说来，就是要在不太长的历史时期内，把我国建设成为一个具有现代农业、现代工业、现代国防和现代科学技术的社会主义强国，赶上和超过世界先进水平。为了实现农业、工业、国防和科学技术的现代化，从第三个五年计划开始，我国的国民经济的发展，可以按两步来考虑：第一步，建立一个独立的比较完整的工业体系和国民经济体系；第二步，全面实现农业、工业、国防和科学技术的现代化，使我国经济走在世界的前列。大会审议了全国人大常委会的书面工作报告，最高人民法院院长谢觉哉所作的最高人民法院工作报告，最高人民检察院检察长张鼎丞所作的最高人民检察院工作报告，会议还听取了预算委员会关于1964年国家预算的预计执行情况和1965年国家预算初步安排的审查报告，大会对以上报告通过了相应的决议。

三届全国人大一次会议共收到代表提案188件。其中工业、交通方面的92件，农业、林业、水利、畜牧方面的23件，财政、贸易方面的4件，文化教育、科学技术、医药卫生、体育运动方面的59件，政治法律及其他方面的10件。提案审查委员会认真地研究了这些提案，认为全部提案应予成立，并且逐案提出了审查意见。建议将这些提案分别交给全国人大常委会和国务院切实处理，在第三届全国人大二次会议前处理完毕，提出处理报告。

大会认为，我国人民在1965年的主要任务是，更加深入地开展社会主义教育运动，开展比、学、赶、帮和增产节约的群众运动，大力组织工农业的新发展，完成和超额完成1965年国民经济计划，为1966年开始的第三个五年计划做好准备，保证和促进其他各项社会主义事业顺利发展。大会号召，全国各族的工人、农民和知识分子、各民主党派和民主人士，爱国的民族资产阶级分子，爱国侨胞和其他一切爱国人士，更加紧密地团结起来，巩固和发展人民民主统一战线，在中国共产党和毛泽东主席的领导下，继续发扬奋发图强、自力更生的英雄气概，为争取在不太长的历史时期内，把我国建设成为一个具有现代农业、现代工业、现代国防和现代科学技术的伟大强盛的社会主义国家而奋斗。

三届全国人大一次会议选举刘少奇为国家主席，宋庆龄、董必武为国家副主席。根据国家主席刘少奇的提名，会议决定周恩来为国务院总理。会议选举朱德为全国人大常委会委员长，彭真、刘伯承、李井泉、康生、郭沫若、何香凝、黄炎培、陈叔通、李雪峰、徐向前、杨明轩、程潜、赛福鼎·艾则孜、林枫、刘宁一、张治中、阿沛·阿旺晋美、周建人为副委员长，刘宁一兼秘书长。会议还选出全国人大常委会委员96人，通过了由谢扶民等114人组成的全国人大民族委员会，张苏等41人组成的全国人大法案委员会，谷牧等33人组成的全国人大预算委员会。会议还选举杨秀峰为最高人民法院院长，张鼎丞为最高人民检察院检察长。根据国家主席刘少奇的提名，会议决定了林彪等120人组成的国防委员会副主席和国防委员会委员人选。根据周恩来总理的提名，决定了林彪、陈云、邓小平、贺龙、陈毅、柯庆施、乌兰夫、李富春、李先念、谭震林、聂荣臻、薄一波、陆定一、罗瑞卿、陶铸、谢富治为国务院副总理；任命周荣鑫为国务院秘书长；任命陈毅兼外交部部长，林彪兼国防部部长，李富春兼国家计划委员会主任，薄一波兼国家经济委员会主任，聂荣臻兼科学技术委员会主任，谢富治兼公安部部长，曾山为内务部部长，乌兰夫兼民族事务委员会主任，廖鲁言为农业部部长，王震为农垦部部长，刘文辉为林业部部长，许德珩为水产部部长，段君毅为第一机械工业部部长，刘杰为第二机械工业部部长，孙志远为第三机械工业部部长，王铮为第四机械工业部部长，邱创成为第五机械工业部部长，方强为第六机械工业部部长，王秉璋为第七机械工业部部长，陈正人为第八机械工业部部长，张霖之为煤炭工业部部长，余秋里为石油工业部部长，

傅作义为水利电力部部长，李四光为地质部部长，李人俊为建筑工程部部长，蒋光鼐为纺织工业部部长，李烛尘为轻工业部部长，吕正操为铁道部部长，孙大光为交通部部长，朱学范为邮电部部长，袁宝华为物资管理部部长，马文瑞为劳动部部长，李先念兼财政部部长，沙千里为粮食部部长，姚依林为商业部部长，叶季壮为对外贸易部部长，陆定一兼文化部部长，蒋南翔为高等教育部部长，何伟为教育部部长，钱信忠为卫生部部长，贺龙兼体育运动委员会主任，张奚若为对外文化联络委员会主任，方毅为对外经济联络委员会主任，廖承志为华侨事务委员会主任。

三届全国人大一次会议的伟大历史功绩是第一次完整科学地指明了"四个现代化"的总目标和实现这一个目标的步骤和方法。这一目标，经过三届全国人大一次会议审议通过后，对于团结全国人民，进一步激发全国人民建设社会主义的热情，起到了一定的作用。但实现"四个现代化"的进程很快便被"文化大革命"所打断。

政协第四届全国委员会第一次会议

1964年12月20日至1965年1月5日中国人民政治协商会议第四届全国委员会第一次会议在北京开幕，这一届共有全国委员会委员1199位，其中新增补的委员394名。委员中包括中国共产党、各民主党派、各人民团体和各界的代表人物，

还包括了工农业生产建设战线、科学研究、工程技术、文化教育、医药卫生等方面的先进人物。表明人民民主统一战线组织随着社会主义革命和社会主义建设事业的前进,有了新的发展。

第一天的会议由全国政协主席周恩来主持。会议首先选举产生主席团、秘书长和提案审查委员会组成人员。主席团由84人组成,平杰三为秘书长,提案审查委员会由25人组成。全国政协副主席郭沫若作《中国人民政治协商会议第三届全国委员会常务委员会工作报告》。他指出,我国的整个国民经济已经全面好转。调整国民经济的任务已经基本完成。我国人民公社集体经济和全民所有制经济越来越显示它的威力。农业生产已经达到了过去较高年份的水平。工业生产,不但产量全面上升,品种和质量还有了新的跃进。现在,我国已经为建立一个独立的、完整的、现代化的国民经济体系奠定了巩固的基础。我国的科学技术、文化教育、卫生体育等方面的事业,也有了新的发展。我国社会主义建设事业的伟大成就,是在进行反复的阶级斗争的情况下,是在坚持社会主义革命的情况下取得的。在我们的社会上,还有资产阶级,还要产生新的资产阶级分子,同时社会上还有地主、富农、反革命分子和其他坏分子。因此,在整个社会主义历史阶段中,贯穿着无产阶级和资产阶级这两个阶级的斗争,贯穿着社会主义和资本主义这两条道路的斗争。这个斗争是错综复杂的、曲折的、时起时伏的,有时是很激烈的。这个斗争要长期进行下去,直到共产主义的实现为止。为了防止资本主义复辟,保证社会主义建设的胜利,并且为将来向共产主义过渡创造条件,就必须自觉地掌握阶级斗争的规律,把政治、经济和思想文化战线上的社会主义革命进行到底。五年多来,中国人民政治协商会议第三届全国委员会常务委员会在中国共产党的领导下,坚持为社会主义服务的方针,做了许多工作,取得了不少成绩,主要有:①推动各界人士积极参加国家政治生活。②推动各界人士进行自我教育和自我改造。③在国际活动方面的工作。我们声援了古巴、越南、巴拿马、刚果(利)等国人民和美国黑人的反对美帝国主义的正义斗争;同有关单位联合举行了庆祝中朝友好互助条约、庆祝十月社会主义革命、纪念万隆会议等活动。现在,我国人民民主统一战线,正面临着一场新的考验,面临着一场广泛而深刻的社会主义革命。现在的问题是,究竟是站在工人阶级和劳动人民这边,跟着共产党走社会主义道路把革命进行到底呢?还是继续站在资产阶级和其他剥削阶级的原来立场上,走资本主义道路,即反对社会主义呢?两条道路是不可调和的,中间道路是没有的。走资本主义道路是一条死胡同,走社会主义道路是唯一的康庄大道。同日,政协第四届全国委员会第一次会议主席团举行第一次会议,推选出主席团常务主席;决定大会执行主席分组名单;决定副秘书长名单。

12月21日,政协第四届全国委员会第一次会议全体委员列席第三届全国人民代表大会第一次会议,听取国务院总理周恩来作《政府工作报告》。22日,政协第四届全国委员会第一次会议全体委员列席第三届全国人民代表大会第一次会议,听取最高人民法院院长谢觉哉作《关于最高人民法院工作报告》和最高人民检察院检察长张鼎丞作《关于最高人民检察院工作报告》。

12月23日至26日,政协第四届全国委员会第一次会议进行分组讨论。

12月25日,政协联络委员会举行座谈会,邀请部分出席政协四届一次会议代表听取起义归来的程一鸣介绍台湾情况。①

12月28日至31日,政协四届全国委员会第一次会议分组讨论和作大会发言。1965年1月2日、4日继续分组讨论和作大会发言。在这次会议的整个大会讨论中,先后作了发言或书面发言的委员共有179人。

1965年1月5日,政协四届全国委员会第一次会议举行最后一天会议,出席会议的委员共1039人。大会通过了《中国人民政治协商会议第四届全国委员会第一次会议决议》。《决议》说,中国人民政治协商会议第四届全国委员会第一次会议同意郭沫若副主席关于第三届全国委员会常务委员会工作报告,热烈拥护周恩来总理的政府工作报告。今后,政协全国委员会应当在中国共产党和毛泽东主席领导下,继续发扬成绩,克服缺点、错误,认真贯彻第三届全国委员会常务委员会工作报告中提出的方针任务,在巩固无产阶级专政,把社会主义革命进行到底,积极参加社会主义教育运动,并且团结、教育和改造资产阶级分子、各民主党派成员和其他爱国人士,调动他们的一切积极因素,为社会主义服务等方面,作出更多的贡献。《决议》说,我们坚决拥护社会主义教育运动,号召一切爱国的、拥护社会主义事业的人们,积极投入这个运动,认真

学习毛主席著作,努力进行自我教育和自我改造,兴无产阶级思想,灭资产阶级思想,过好社会主义关。我们坚决拥护我国对外政策总路线,坚决反对以美国为首的帝国主义、各国反动派和现代修正主义,为争取世界和平、民族解放、人民民主和社会主义事业的新胜利而奋斗。大会还通过了《中国人民政治协商会议第四届全国委员会第一次会议关于提案审查的决议》。

周恩来作了讲话,他说:政治报告、政府文件,要根据时局的发展不断地前进,不可能永远停在一个水准上。时代发展了,需要我们拿新的东西来代替过去过时的东西。当时是正确的,现在需要前进,需要进一步提出任务,提出解释。不是每时每刻说的话或文件都是刻板不变的、死守不进的。他还指出:我们这个民主是个发展的民主,是人民民主,是有领导的民主。但是我们也允许在六条标准②下,发表各种意见,听取不同意见。自己对的意见,也需要人家对的来补充;自己错误的意见,更要接受人家对的意见来修改。不同的意见即使是错的,我们也得耐心地听下去,树立对立面。我们希望这次会议也像人大会议所表现出的一样,不仅在开会期间,就是各位回到各工作岗位、各个地方,也要发扬这样的革命的精神、民主的精神、团结的精神。

全体委员一致推举毛泽东为中国人

---

①　程一鸣是原蒋介石集团国防部情报局澳门组少将组长,历任蒋帮军统局临醴、黔阳、兰州等特务训练班教官、总教官,军统局西北区区长,军统局本部第三处处长,伪淞沪警备司令部稽查处处长,伪广州卫戍司令部保防处处长。广州解放前夕,程一鸣随蒋帮特务机关逃往港澳后,又历任蒋帮广东反共救国军粤中指挥部第十六路军司令,国民党中委会第二组澳门派遣组长,蒋帮国防部情报局澳门站站长、澳门组组长等职。他于12月13日起义,回到广州。同时带来电台一部、密码一批、文件一批、无声手枪5支、各式手枪4支、子弹214发、手榴弹4个、钟表式定时引信7个、电器钟表引信13个、磁性水雷1个、炸药30磅、雷管36支、暗杀用的毒针2支。
②　即毛泽东在《关于正确处理人民内部矛盾的问题》第八个问题中提出的判断言行是非的六条标准。

民政治协商会议第四届全国委员会名誉主席,选举周恩来为政协第四届全国委员会主席,选举彭真、陈毅、叶剑英、黄炎培、陈叔通、刘澜涛、宋任穷、徐冰、高崇民、蔡廷锴、韦国清、邓子恢、李四光、傅作义、滕代远、谢觉哉、沈雁冰、李烛尘、帕巴拉·格列朗杰、许德珩、李德全、马叙伦22人为副主席,平杰三为秘书长,选出于树德等135人为全国委员会常务委员会委员。

中国人民政治协商会议第四届全国委员会第一次会议在完成既定议程后闭幕。

西藏自治区成立

一

西藏自治区筹备委员会的
建立及其工作

1965年9月1日至9日,西藏自治区第一届人民代表大会第一次会议在拉萨举行,大会庄严宣告西藏自治区正式成立。

西藏自治区,简称"藏"。位于中国西南部。西南与印度、尼泊尔、不丹、缅甸接壤。面积120多万平方公里。居民以藏族最多,占95.5%,还有汉、回、门巴、珞巴等28个民族成分。古为羌戎地,唐、宋为吐蕃地,元为宣政院所辖乌思藏、纳里速、古鲁孙等三路宣慰使地。明为乌思藏、朵甘二都指挥使司及阐化、辅教等五地。清代分为卫(前藏)、藏(后藏)、阿里三区,总称"西藏"。"西藏"一词,最早见于清康熙二年(1663年)。1951年5月和平解放。1956年将昌都地区并入。现辖1个区辖市、6个地区、73个县、1个地辖市。

西藏和平解放以后,中国共产党和中央人民政府根据和平解放西藏的《十七条协议》,进行了一系列的反帝爱国思想教育,加强民族团结和加速西藏经济文化建设的工作,为在西藏实行民族区域自治创造了前提。按照《十七条协议》,国务院于1955年3月9日举行第七次全体会议,根据中央人民政府驻西藏代表和西藏地方政府代表、班禅堪布会议厅委员会代表、昌都地区人民委员会代表经过充分协商提出的《关于成立西藏自治区筹备委员会具体方案的工作报告》,决定成立西藏自治区筹备委员会。

1956年4月22日,西藏自治区筹备委员会在拉萨正式成立,并设立了常务委员会,达赖任主任委员,班禅、张国华任副主任委员,阿沛·阿旺晋美任秘书长。筹备会成立大会通过了西藏自治区筹备委员会组织简则。

西藏自治区筹备委员会的成立是中国共产党的民族政策的又一个伟大胜利,是西藏人民的大喜事,也是全国各族人民值得庆贺的一件大喜事。中国共产党中央委员会、中央人民政府和毛泽东主席十分关怀和重视西藏自治区筹备委员会的成立,派出了以陈毅副总理为首的,由国务院各有关部、委和中国人民政治协商会议全国委员会,以及全国工人、青年、妇女、科学、文教、工商等人民团体的代表,包括17个兄弟民族成员组成的庞大的中央代表团,前往拉萨祝贺。毛泽东主席、刘少奇委员长、周恩来总理等党和国家领导人、全国人民代表大会常务委员会、人大民族委员会、中央民族事务委员会、各大自治区人民委员会等领导机关和有关部门，也都打来表示祝贺的电报。参加西藏自治区筹委会成立大会的有筹委会的委员，来自西藏各地区、各民族、各阶层、各教派以及驻藏人民解放军和工作人员的代表共1083人，其中藏族代表占代表总数的90%以上，这是西藏有史以来第一次空前的盛大集会。大会由达赖喇嘛和班禅额尔德尼亲自主持。会上，陈毅副总理宣读了国务院的命令，并且代表国务院把西藏自治区筹备委员会的印鉴授给自治区筹备委员会主任委员达赖喇嘛。

西藏自治区筹备委员会是国务院领导下的一个带政权性质的协商办事机构，是正式成立西藏自治区所采取的一个重大步骤，对促进西藏的进步和发展十分有利。其主要任务是依据宪法的规定以及有关和平解放西藏办法的协议和西藏的具体情况，筹备在西藏地区实行区域自治。西藏原有的达赖、班禅的西藏地方政府和班禅堪布会议厅依然存在，各级僧侣官员照常供职。

西藏自治区筹备委员会成立后，在中国共产党和中央人民政府的正确领导下，在全国各兄弟民族人民的帮助和西藏广大僧侣人民的大力支持下，西藏自治区筹委员会中的爱国进步人士和进藏工作人员对于加强民族团结，巩固和扩大反帝爱国统一战线等方面做了一些工作。但是，一小撮西藏上层反动分子，为保存其野蛮的封建农奴制度和政教合一的僧侣贵族统治，大肆活动，到处上书请愿，千方百计地破坏民族区域自治政策的推行，反对自治区筹备委员会，反对民主改革。1956年11月，应印度政府的邀请，达赖、班禅去印度参加释迦牟尼涅槃2500周年纪念。西藏少数反动派乘机捣乱，一方面阴谋在拉萨等地发动叛乱，一方面在印度包围达赖和班禅，要求他们留在印度，搞所谓"西藏独立"。周恩来总理在访问印度期间，对达赖、班禅及其随行官员进行了耐心细致的工作，向他们传达了中共中央的决策：在第二个五年计划期间，即六年内（1962年以前）西藏不进行民主改革，在第三个五年计划期间是否改革也要到那时看情况再定。在经过工作后班禅毅然返回西藏，随后，达赖也回到了西藏。但是，西藏地方政府和上层反动集团，却不顾中央的耐心等待和再三教育，继续在西藏进行破坏和捣乱。从1958年5月起在昌都、丁青、黑河、山南等地武装窜扰，残害人民，袭击中央派驻当地的机关、干部。到1959年3月10日，终于在西藏发动了全面的武装叛乱。3月28日国务院发布命令，解散西藏地方政府，由西藏自治区筹备委员会行使西藏地方政府职权。驻藏人民解放军在很短时间内就平息了反动农奴主的武装叛乱。

1959年7月17日，西藏自治区筹委会第二次全体会议通过了《关于进行民主改革的决议》。决议规定对未参加叛乱的领主的土地和生产资料实行赎买政策，并采取自上而下的进行协商，自上而下的发动群众的方法完成民主改革。1961年7月国务院第一百一十一次全体会议同意，结束班禅堪布会议厅委员会，两个政权并存的局面结束了。从此，建立西藏自治区的各项准备工作全面展开。全区进行了普选，建立了基层人民政权和县人民政府，培养了一批藏族干部和工人队伍；在实现民主改革、彻底推翻封建农奴制度的基础上，全区普遍组织了农牧业生产互助组，发展了农牧业生产；建立了几十个中小型工厂企业。川藏、青藏、新藏公路先后通车，建成了以拉萨为中心的公路交通网，从根本上改变了西藏闭塞的状况；邮电机构普遍设立；教育、文化、卫生事业有很大发展。社会秩序安定，民族之间和民族内部团结加强了。上述成就，标志着成立西藏自治区的条件已经成熟。

西藏自治区的正式成立

1965年8月24日，国务院第一百五十八次全体会议讨论了西藏自治区筹备委员会关于正式成立西藏自治区的报告，同意正式成立西藏自治区，并提请全国人大常委会批准。1965年8月25日，第三届全国人大常委会第十五次会议批准国务院提出的成立西藏自治区的议案。9月1日至9日，西藏自治区第一届人民代表大会第一次会议在拉萨隆重举行，宣告西藏自治区正式成立。这次会议总结了西藏人民15年来革命和建设的成绩和经验，讨论和决定了今后一个时期西藏革命和建设的任务，选举了自治区的领导人，通过了西藏自治区各级人民代表大会和各级人民委员会组织条例，1964年财政决算和1965年财政预算等项决议。

会前，中共中央和国务院派出代表团前往祝贺和指导。中央代表团还向西藏人民赠送了礼品。中国人民解放军、中央各团体和各省、市、自治区的代表向大会赠送了锦旗。9月1日，全国人大常委会和国务院发了贺电。

会议期间，西藏自治区筹备委员会代理主任委员阿沛·阿旺晋美在西藏自治区第一届人民代表大会第一次全体会议上作了筹委会的工作报告。他指出：西藏自治区的正式成立，是西藏人民和全国各界人民的一件大喜事。它标志着中国共产党的民族政策的又一次光辉的胜利，标志着西藏人民和祖国大家庭的进一步亲密团结，标志着人民民主专政的进一步巩固，标志着西藏进入了一个新的时期。根据1951年《中央人民政府和西藏地方政府关于和平解放西藏办法的协议》中关于"在中央人民政府统一领导之下，西藏人民有实行民族区域自治的权利"的规定，1956年，西藏成立自治区筹备委员会。几年来，西藏在政治、经济、文化战线上，出现了欣欣向荣的局面。农业连续6年获得丰收，1964年粮食总产量比1958年增长45.71%，牲畜1964年比1958年增长了36.36%。新中国成立前，西藏没有一座工厂，到1964年年底，全区已建成水电站、农具厂、汽车修配厂等许多现代化中小型工厂。修筑了1.5万余公里的公路，建立93处邮电局（所），打破了西藏交通邮电闭塞的状况。文教卫生事业也有迅速的发展。全区已建立中学7所、公办小学86所，还建立了专门培养西藏干部的西藏民族学院、西藏民政干校和师范学校。建立设备比较完善的医院15所，卫生站、保健站140多所，免费给藏族人民治病。到自治区成立时为止，全区有藏族干部1.65万多人，其中农奴和奴隶出身的干部占96%。许多人还担任自治区、专、县、区各级领导职务。这一切，为西藏自治区的正式成立，创造了最有利的条件。报告指出，西藏今后的主要任务是：继续开展互助合作运动；在条件成熟的地区，有计划有领导地、稳妥地、经过试办逐步进行社会主义改造；大力发展生产力，进行社会主义建设；加强国防建设，保卫国防；巩固工农联盟，巩固人民民主专政。

大会最后进行了选举，选举阿沛·阿旺晋美为自治区人民政府主席，周仁山、帕巴拉·格列朗杰、郭锡兰、协饶顿珠、朗顿·贡噶旺秋、崔科·顿珠才仁、朱钦·洛桑坚赞为自治区副主席,37名各方面的代表人物当选为西藏自治区人民委员会委员。在当选的37名自治区委员中,藏族占绝大多数。另外有汉族、门巴族、珞巴族和回族等。委员中有劳动人民,也有爱国进步的上层人士和宗教界人士。会议还选举洛桑慈诚为西藏自治区高级人民法院院长,并且选出了日喀则等5个地区的中级人民法院院长。会议通过了西藏自治区第一届人民代表大会第一次会议向全国各族人民的伟大领袖毛泽东主席的致敬电。

10日,《人民日报》发表社论热烈祝贺西藏自治区的成立。社论指出,过去长期处于停滞状态的西藏社会,在短短的几年中就跨过了几个世纪的历程,从封建农奴制社会,经过民主革命,向社会主义飞跃,这是人类历史上罕见的奇迹。

西藏自治区的成立,标志着西藏各族人民真正成为西藏的主人,推动了西藏地区的经济发展和文化建设。这是西藏人民废除农奴制、实现民主改革以后的又一个伟大胜利,是中国共产党对少数民族地区实行民族区域自治政策的又一成功的实践。从此,西藏进入了一个新的历史时期。

"大跃进"时期的税制变革

"大跃进"时期的税收工作,是新中国成立以来税收发展历史上非常重要的一页。这个时期的税收工作,既有对税收管理体制因势利导的变革,又有基于经济结构变迁基础上的税制简化改革;既有对农村人民公社"两放、三统、一包"的试验,又有城市企业税利合一的试点,其间经验教训是非常丰富的。"大跃进"作为新中国历史上一个特殊的发展时期已经属于过去,但其中许多历史事件的影响和意义却耐人寻味,超越特定的历史时空而长久地影响着我们的现实生活。

税收管理体制的改革

税收管理体制主要处理的是税收工作中中央与地方政府税收管理权限的划分问题。税收管理体制必须反映并适应社会经济形势的变化。随着国民经济的恢复、发展和社会主义改造的完成,现行的较为集中的税收管理体制已经显得不相适应。为了贯彻执行毛泽东1956年在《论十大关系》一文中提出的"应当在巩固中央统一领导的前提下,扩大一些地方权力,给地方更多的独立性,让地方办更多的事情"的意见,国务院开始研究解决经济管理体制集中过多的问题。

1957年11月29日,全国人大常委会委员长刘少奇在第一届全国人民代表大会常务委员会第八十六次会议上的讲话中提出,现在一切税收都由中央定,地方政府一点机动权也没有,这是不利的,于生产不利,于促进生产发展不利。税收制度是上层建筑,上层建筑要为经济基础服务而不要破坏经济基础,要促进经济发展而不要妨碍经济发展。因此,他主张,在不减少国家税收而有利于生产发展的条件下,中央应当允许地方就某些税种的增加或者减少自行决定。主要项目由中央的税务部门规定,次要项目或者次要地区的某些项目由地方政府决定。1957年12月召开的全国省、区、市税务局长会议上,财政部副部长吴波传达了刘少奇关于制定新的税收管理体制,进一步解决上下分工问题的意见,总的精神是要在税收工作上给地方较大的机动权力,使税收工作能更好地为发展生产服务。

1958年2月1日,国务院副总理兼财政部部长李先念在第一届全国人民代表大会第五次会议上所作的关于财政预算的报告中提出了改进税收管理体制的建议,并得到了会议的批准。同年3月9日,中共中央成都会议原则批准了中共财政部党组代国务院草拟的《关于工商税收管理体制的规定》。后来,又在河北、广东两省和北京、上海两市进行了试点。

同年6月5日,第一届全国人民代表大会常务委员会第九十七次会议通过了《关于改进税收管理体制的规定》,6月9日由国务院发布试行。

全国人大常委会通过的上述规定明确这次税收管理体制改革的原则是:"凡是可以由省、自治区、直辖市负责管理的税收,应当交给省、自治区、直辖市管理;若干仍然由中央管理的税收,在一定的范围内,给省、自治区、直辖市以机动调整的权限,并且允许省、自治区、直辖市制定税收办法,开征地区性的税收。这就有利于省、自治区、直辖市在中央的统一领导下,根据当地实际情况,更好地运用税收这一工具,采取必要的鼓励和限制的措施,促进生产的发展,巩固社会主义经济,并且在生产发展的基础上,开辟财源,增加积累。"

这次税收管理体制改革具体作了8条规定:

(1)对于按照财政管理体制已经划为地方固定收入的印花税、利息所得税、屠宰税、牲畜交易税、城市房地产税、文化娱乐税和车船使用牌照税,省、自治区、直辖市有权在中央统一的征税条例的基础上,根据当地的实际情况,采取减税、免税或者加税的措施,并对税目、税率作必要的调整。

(2)按照财政管理体制划为调剂分成收入的商品流通税、货物税、营业税和所得税,管理权限仍然基本上由中央集中掌握,但是也允许省、自治区、直辖市在规定的范围之内根据实际情况采取减税、免税或者加税的措施。

(3)在农业税方面,省、自治区、直辖市应当根据农业税条例和实际情况,对所属各个地区之间的负担,种植农作物和经济作物之间的负担、农业生产合作社和个体农民之间的负担作必要的调整。

(4)在盐税方面,允许省、自治区、直辖市在原有征税办法的基础上,根据实际情况,对盐税税额作必要的调整,并报国务院备案。

(5)省、自治区、直辖市在必要的时候可以把当地某些利润较大的土特产品和副业产品(包括集体经济和个体经济的产品)列入货物税的征收范围;或者另外制定税收办法,开征地区性税收,并报国务院备案。

(6)自治区如果认为全国统一的税法与本自治区的实际情况不相适应,可以制定本自治区的税收办法,并报国务院备案。

(7)省、自治区、直辖市根据发展生产、繁荣经济和增加国家积累的原则,对于工商税收的征收环节和起征点的规定,凡是认为确实不合理和不利于生产的,都可以机动处理,并在处理之后报财政部备案。

(8)省、自治区、直辖市在执行上述规定的时候应当注意以下各点:一是采取减税、免税的措施,应当既照顾发展生产的需要,又照顾国家资金的积累;二是采取调整税率或者增加税收的措施,应当注意不要影响生产的正常发展和物价的稳定;三是各地在税收上所采取的措施,凡是同邻近地区有密切联系的,应当事先共同协商,取得相互的配合;四是各地在税收上所采取的措施,对统一计划和全国平衡有较大影响,或者涉及外交关系的,应当报国务院批准。

新的税收管理体制试行以后,收到了一定的成效,但是在执行中也出现了一些问题,主要是有些省、自治区、直辖市对专区和县下放的权力过多,各地区之间协调不够,产生了很多矛盾纠纷,个别地区也有超越规定的权限的现象。对此,财政部副部长吴波在1959年5月召开的全国各省、市、自治区税务局长会议上的讲话中提出了改进的意见:各地采取的税收措施,凡是超越了规定权限的,一定要和中央商量。过去已经做了的,凡是合理的可以不再改;凡是不一定合理或者过去合理现在情况已经有了变化的,应当改过来。在规定的权限之内采取的税收措施,也要认真按照政策办事,该加征的加征,该减免的减免。对于给予减税、免税照顾的企业,凡是情况有了变化,就应该恢复征税。特别要注意和邻近地区的协作、平衡,不要只顾自己,不顾别人。根据李先念关于财贸体制管理的权限要适当集中到中央和省一级的指示精神,我们也要把省一级下放到专、县的税收管理权限适当集中一下,以免过于分散。

毛泽东这时也察觉到向地方放权过

多的不当之处。1959年6月29日,他在庐山同一些同志谈经济工作时明确提出:现在有些半无政府主义。人权、财权、商权和工权过去下放多了一些,快了一些,造成混乱。应当强调一下统一领导,中央集权,下放的权力要适当收回。这些思想和行动对后来进行的经济调整工作提供了支持。

税制的变化

国民经济恢复时期,针对资本主义工商业大量存在、经营活动多种多样、偷漏税现象十分严重的情况,当时制定了多种税、多次征的税收制度。1956年社会主义改造基本完成以后,我国的国民经济结构发生了根本变化,国营经济和集体经济占绝对优势,社会主义经济成分已占绝对优势。税收征纳关系也随着发生了变化,由以资本主义工商业为征税重点,转为以社会主义全民所有制和集体所有制企业为征税重点,原有工商税制已不能适应变化了的新情况。因而建立在原有经济结构基础上的税制必须改革,以适应新的形势,特别是要适应从1958年开始的第二个五年计划的要求。

1957年9月,全国税务局长会议指出:"现行税制存在两个矛盾,一是税制复杂和当前经济情况不相适应,二是企业税小利大,对经济核算不利。"1958年3月22日,中共中央同意财政部党组提出的《关于改革工商税制的报告》,决定对中国的工商税制进行重大改革。首先在保持原税负的基础上进行简化,根据全国统一布置,武汉市从1958年4月起在部分重点产品中试办,第一批选择棉纺织印染、日用化学、制笔、热水瓶 4 类工业产品，同年 7 月又增加烟、酒类等 10 类工农业产品，涉及企业 339 户，在应税的 84 个品目中，属于重点税源的有卷烟等 19 个，占应税品目税源的 80%，纳税企业 199 户，占全市工商业户的 5%。

1958 年 9 月 11 日经全国人民代表大会常务委员会原则通过，由国务院颁发《中华人民共和国工商统一税条例（草案）》，同年 9 月 13 日财政部发布《中华人民共和国工商统一税条例施行细则（草案）》。这次税制改革的主要内容是：合并税种，将货物税、商品流通税、营业税和印花税合并简化为工商统一税；简化纳税办法。对一切从事工业品生产、农产品采购、外贸进口、商业零售、交通运输和服务性业务的单位和个人，都依法征收工商统一税。税目税率分为两大部分。工农业产品部分共 105 个税目，甲级卷烟税率最高为 69%，棉坯布税率最低为 1.5%。商业零售、交通运输及服务性业务部分共分 3 类：商业零售税率为 3%，交通运输税率为 2.5%，服务性业务税率为 5%—7%。另按实征税额筹收 1% 的地方自筹经费。计税依据是：从事工业品生产的为产品销售收入的金额，从事农产品采购的为采购农产品所支付的金额，从事外贸进口的为进口货物所支付的金额，从事商业零售的为零售收入的金额，从事交通运输和服务性业务的为业务收入的金额。工业企业自己制造用于本企业生产的"中间产品"，只就酒、棉纱、皮革按规定税率征收。纳税人缴纳税款的时间，由县（市）税务机关根据纳税金额的大小和经营情况，分别核定为 1 天、3 天、5 天、10 天、15 天、1 个月一期，逐期计算缴纳，不能按期计算的按次计算。国家银行、保险事业、农业机械站、医疗保健事业的业务收入和科学研究机关的试验收入，免征工商统一税。

农业生产合作社和城市街道组织自办公共食堂和其他公共事业的收入，农业生产合作社供销部代国营企业办理购销业务的收入，学校勤工俭学举办的生产事业收入，适当减税或免税。原纳商品流通税的商品在零售时，除麦粉暂不缴纳工商统一税外，其余商品一律照章纳税。残存的资本主义工商业、个体手工业户、小商小贩、临时商业，除按照工商统一税规定执行外，其自产自用的应税"中间产品"，仍依照原来商品流通税、货物税规定的征收品目，按照工商统一税税率和规定的计税价格计算征收工商统一税；残存的资本主义工商业、小商小贩经营的销售业务，不分批发和零售均照征工商统一税。镶牙馆和私人开业医师，接受当地卫生部门领导（如执行规定的诊费和药价），免征工商统一税。企业自产自用的饴糖，仍在移送使用部门时，征收工商统一税。各种植物油饼，暂不按"其他工业产品"5% 税率征税，由粮食部门加工的于加工出厂或收回时按 3% 税率征税，批发、调拨或零售时不征税；工业企业自营的，于出售时按 3% 税率征税。

这次合并征收的工商统一税的征税范围较为广泛，既包括对产品征税，又包括对商业、交通运输和服务行业征税，征税办法与货物税、商品流通税、营业税、印花税相比，主要有以下特点：①改变了原来商品流通税的一次课征制，实行对工业、商业两个环节的两次课征制。即对应税工业品和应税农产品分别在工业生产环节和农产品采购环节征收一次，应税产品通过商业零售的，再在零售环节征一次税。②税率基本上是按原货物税、商品流通税、营业税、印花税的税负换算确定的，只对少数产品的税负，根据合理负担、有利于生产的精神作了适当调整。③把全部工业产品纳入征收范围,对不便列举品名又难以概括列举的,均纳入新设置的"其他工业产品"税目征税,改变了原来货物税、商品流通税只就列举产品征税的规定。④以商品销售收入金额、农产品采购支付金额等为计税依据,与纳税人的业务收入、核算内容相一致,便于征纳。废除了过去按照商业批发牌价计算税款的办法。⑤鼓励发展协作生产,对在全国范围内协作生产的若干产品给予免税照顾。⑥对"中间产品"征税的品目由过去的 20 个减少为棉纱、白酒、皮革、饴糖等少数产品。工业品在工厂环节一般只征一次税,简化了征税办法。

为了便于各企业机构向地方缴纳工商税附加以充实地方机动财力,发展地方公益事业,1958 年 4 月 14 日,财政部发出《关于工商税附加交纳办法的通知》,要求一切向国家缴纳商品流通税、货物税、营业税和工商所得税的企业机构,在其缴纳上述各项税款时,统按其应缴纳税款的 1%向地方缴纳工商税附加。

经过这次税制改革,中国的工商税收制度大为简化,由原来的 14 种税简并为 11 种税;同时,在税制结构上更加突出了以流转税为主体的格局。工商统一税在 1958—1972 年的 15 年中,成为中国工商税收体系中的主体税种。这次改革,试行工商统一税,对原有工商税制作某些简化是必要的。但也出现了一些问题,如税制过于简化,削弱了税收调节作用,甚至还出现了否定税收的思想和行动。

农村人民公社征税办法的变化

1958 年 6 月,由毛泽东批准公布了《中华人民共和国农业税条例》,废除了原来在革命根据地实行的累进税制,在全国范围内统一实行比例税制,废除原来在新解放区实行的累进税和老解放区某些地方实行的部分免税的办法,并继续采取"稳定负担,增产不增税"的政策。全国平均税率为常年产量的 15.5%,地方附加一般不超过正税额的 15%。

1958 年 8 月中共中央通过《关于在农村建立人民公社的决议》以后,各地人民公社迅速发展。人民公社的建立使农村的集体经济结构、组织形式、管理体制、核算办法和公社内部工农业产品的交换、消费等都发生了变化:一是人民公社既是社会基层组织,又是政权的基层组织,既要负责公社本身的资金积累和分配,又要完成国家的财政收入任务。二是人民公社内部工农业产品自产自用的部分扩大,过去在商品流通环节征收的工商税现在有一部分征不到了(据部分省的典型调查,工商税收入将减少 30%左右)。三是原来的乡办企业和手工业合作社成为社办企业,国家设在农村的商业、粮食、银行等基层单位也下放给公社,这些企业的财务核算、税收、利润的解缴关系也随之改变了。

为了适应农村这种形势的变化,1958 年 10 月全国财贸会议在西安召开,会议讨论了农村人民公社化后改进农村财贸管理体制的问题。会议提出:农村财贸管理体制应当根据统一领导、分级管理的方针,实行机构下放、计划统一、财政包干的办法,即实行"两放"、"三统"、"一包"的办法。"两放"即将国家设在农村的商业、粮食、财政、银行等机构及其所属工作人员下放给当地人民公社，这些机构的资金也下放给公社管理。"三统"即人民公社在政策执行、计划制定和流动资金管理方面必须服从国家的统一规定。"一包"即包财政任务，把人民公社应当上缴的工商税收、农业税和下放到公社的工业、交通、商业、银行的利润等收入改为由公社统一包干上缴国家，不再征税。同年12月20日，中共中央、国务院发布了根据10月在西安召开的财贸工作会议精神拟定的《关于改进农村财政贸易管理体制的规定》。

当时认为，农村人民公社实行财政包干可以保证财政收入，同时可以简化征收手续，还可以彻底解决农村中某些征税与免税界限不清楚的问题。同时认识到，实行这个办法有不少困难，是一种临时性的过渡措施。在试行中遇到的主要问题：一是由于缺乏可靠的计算依据，财政包干的数额难以确定，包多了会增加人民公社的负担，包少了则会减少国家的收入；公社内部在分配包干任务的时候也经常发生矛盾。二是农村不征税，城市征税，同一产品在城乡之间征免税界限难以划分，税收政策无法执行，也不利于市场管理。三是采用税利合一、包干上缴的办法，混淆了税收和利润两种分配形式的界限，掩盖了企业资金运用和利润的虚假现象。四是实行财政包干不征税，大大削弱甚至取消了税收的作用，引起了一些税务干部思想上的波动，在工作上一度出现了松懈现象。

根据八届六中全会《关于人民公社若干问题的决议》精神，中央又调整了人民公社管理体制，规定公社内部实行统一领导，分级管理，分级核算，并且明确规定公社以生产队为基本核算单位。在人民公社内部，队与队、人与人之间承认差别，实行按劳分配、等价交换的原则。这样，人民公社的核算体制变化了，商品生产、交换的范围扩大了，"两放、三统、一包"在理论上失去依据，原来实行财政包干的基础已不复存在，公社的财政管理体制也必须相应调整。在此后召开的全国财贸书记会议上，讨论了财政部草拟的关于改进人民公社工商税征税办法的意见。与会的绝大多数地区的负责同志都主张对人民公社恢复征收工商税，不再实行财政包干办法。国务院副总理兼财政部长李先念在会议的结论中表示：各地区可以将这个意见草案带回去试行，试行一个时期以后再正式确定。于是，各地陆续对人民公社恢复征税。

财政部税务总局副局长申平在一次会议上的讲话中论述了对人民公社恢复征收工商税的必要性，并指出这样做有很多好处：第一，税收是按照实际税源，在产品销售以后征收的，有根有据，负担合理，容易为群众所接受。第二，税收主要是按照产品征税的，是产品价格的组成部分，在计算产品成本的时候必须考虑到税收的因素，因而在一定程度上可以促进人民公社加强经济核算。第三，税收根据不同的产品设计不同的税率，生产资料类产品税率较低，消费资料类产品税率较高，因而可以配合国家指导公社生产和管理市场。第四，税款可以随着产品的销售及时纳入国库，避免公社在资金调度困难的时候挪用税款。

1959年5月26日，国务院发布《关于改进农村人民公社工商税征税办法的意见》，其中指出：农村人民公社的管理体制根据中央的决定调整以后，国家对公社恢复征收工商税是必要的。同时，对于征税办法上存在的征税与免税的界限需要进一步明确,征税手续还不够简化等主要问题必须加以改进。改进的原则应当是:从兼顾国家、集体、个人三方面的利益出发,既有利于人民公社的巩固和生产的发展,又有利于国家组织财政收入和收购农副产品。同时,在征收手续上尽量做到简便易行。

人民公社及其派出机构直接管理的企业,可以按照现行税法征税。因为在这些企业中,有些是下放企业,它们原来就和地方国营企业一样征税;有些企业虽然是人民公社新办的,但是已经初具规模,生产、经营情况也比较正常,除了在所得税方面需要加以照顾以外,其他各税按照现行税法征收已经问题不大。人民公社下面的基本核算单位(相当于原来高级农业生产合作社的生产队或者生产大队)基本上可以按照现行税法征收,某些征税与免税界限划分不清楚的,可以根据以下原则解决:第一,凡是原来在高级农业生产合作社时期按照规定应当征税的,现在仍然征税,否则仍然不征税。第二,在原来应当征税的范围内,应当再根据不同情况,有宽有严,区别对待:对于外销售的产品(包括基本核算单位同人民公社等价交换的产品)应该严一些,内部自用的产品应该宽一些;对于国家统购的产品和税源大、税率较高的产品应该严一些,非国家统购的产品和税源小、税率较低的产品应该宽一些。根据上述原则,《意见》就基本核算单位工商统一税、工商所得税和地方各税的征税与免税界限作了具体规定。除了上述征税与免税的界限之外,还允许各省、自治区、直辖市根据税收管理体制的规定灵活处理。工商各税的具体征收办法,也由各地根据现行税法,结合当地实际情况和以往的征收经验,作出补充规定。

四

城市企业实行"税利合一"

经过1958年的税制改革,全国名义上的14个税种只剩下了11个。在完成了简化这一步以后,再考虑用税收的办法调节企业利润,使企业利润不至过大。与此同时,还对一部分国有企业进行"税利合一"的试点,即将企业工商税合并到利润中上缴,实际上是取消税收。

在"大跃进"和人民公社化运动的影响下,"左"的错误思想大发展,出现了轻视和否定税收作用的思潮,"社会主义税收实质上不是税"的"非税论"观点大为泛滥。认为国营企业的税收和利润实质上是一个东西,都是工人阶级创造的社会积累。因此,认为实行税利合一,把税合于利可以大大简化企业的交纳手续,有利于贯彻财政工作的群众路线。这种思潮的实质是:一方面认为在生产资料所有制的社会主义改造基本完成后,社会经济结构已转化为单一的社会主义公有制,商品与价值规律的作用已经很小,税收的经济调节作用已基本消失,只剩下一个积聚资金的职能;另一方面,对这个积聚资金的职能也认识不清,看不到税收比国营企业上缴利润形式具有法律性和稳定性等优点,反而错误地认为税不如利,想把税收合并于利润,取消税收,实现所谓"无税国家"。伴随着"非税论"观点的盛行,全国税务机构大量合并撤销,税务干部也大批下放。

1958年12月财政部在武汉召开了全国财政厅(局)长会议,研究如何改变城市全民所有制企业征税办法的问题。由于在理论上受到社会主义税收"非税"性质思想的束缚,在实践上又受到农村财政包干办法的影响,因此,会议认为:第一,农村税利合并缴纳后,不再单独收税,如果国营企业和城市继续征税,不仅在税收业务上有许多麻烦,而且在道理上也说不过去。第二,在理论上,国营企业的税收和利润都是工人创造的积累,本质一样,没有必要分别征收和提交。第三,实行税利合一,将会进一步简化企业缴纳手续,有利于广大职工更加关心企业的全面积累的情况,有利于贯彻财政工作的群众路线。因此,会议提出在城市实行"税利合一"的试点。会后,财政部草拟了《关于国营企业工商税和利润合并交纳问题的报告(草稿)》,提出:①将国营企业的工商统一税,地方各税和工商税附加同利润合并统一缴纳,定名为"企业上缴收入",国营企业的各种税收和利润不再分别缴纳。②"税利合一"办法只适用于国营企业,税法法规不宣布废止。③财政收入在中央预算和地方预算之间的分配作相应调整。④税利合一后,企业收入增大,企业留成比例要作相应调整。⑤企业不得因停止征税而随意降低原来产品的价格;在核定新产品价格时,也不得降低应有的积累水平,原订税率仍然作为企业考虑产品价格的因素之一。

1959年1月财政部指定湖北省武汉市、河北省石家庄市、江苏省南京市、四川省成都市、河南省开封市、陕西省宝鸡市、辽宁省锦州市7个城市试办"税利合一",并继续在上海市的7个行业的16户企业中调查研究。试点的要求是,有利于企业生产经营,不影响国家财政收入;不影响地方预算;不影响企业应得的利润留成数额;不引起市场物价的变动。

1959年5月18日至31日财政部召开全国税务局长会议。会议总结了1958年税收工作。会议认为,要强化税收的作用,把省一级下放到市、县的税收管理权限适当集中起来,以免过于分散。由于前一时期在农村人民公社实行财政包干,城市搞"税利合一"试点,使税务机构有很大削弱,干部被调走,农村基层税务机构被取消。在农村恢复征税以后,要早一点把机构恢复起来,把干部调回来,解决得愈快愈好。

对城市"税利合一"问题,会上试点城市普遍反映,税利合一弊多利少。其有利之处在于:简化手续、节省人力、彻底解决了工商税制上存在的批零划分、亦工亦商、简单加工与复杂加工等等复杂问题。存在的弊端主要有三个方面:①物价方面,税收历来是价格的组成部分,对于价格的制定和调整起一定的配合或制约作用。税利合一后这种作用消失了,企业自行调价的幅度放宽了,出现了企业自行降价、提价的情况。②经济核算方面,出现掩盖矛盾,放松管理,乱列开支,乱摊成本等问题。③财政收入方面,税利合一后,企业普遍存在着宁少缴,勿多缴,勿早缴的想法,以便更多地无偿占用利润,同时发生企业编制交款计划普遍偏低,拖欠严重,留成增加。

根据与会同志反映的意见,会议认为当时的企业财务管理、计划水平以及物价管理制度还不能完全适应税、利并缴的要求。财政部税务总局副局长申平作了题为《关于1958年税收工作的回顾和1959年税收工作的任务》的工作总结。他在会议上的讲话中说:原来我们提出国营企业"税利合一",是由于农村实行了人民公社财政包干。对公社恢复征税以后,如果城市继续实行"税利合一",城乡之间征税与免税界限不清楚的问题依然存在。在同一个城市里,有些企业征税,有些企业不征税,它们之间的经济往来,在税收上有些问题不好处理。另外,从几个试点城市初步发现的问题和农村人民公社财政包干的经验来看,税收对于及时组织财政收入和促进企业经济核算方面仍然有一定作用。根据这些情况,领导指示,对国营企业不再实行"税利合一"。现在试点的城市,应当退回来恢复征税。

财政部副部长吴波在会上作了综合发言。他在深入了解试点情况的基础上,坚决反对"税收无用论",认为税收是调节宏观经济的重要工具,不论在理论上还是在实践中都大有用处。他在讲话中创新性地论述了税收在生产资料私有制改造基本完成以后的重要作用,特别是突出了税收对全民所有制经济的作用,即有利于国家有计划地安排生产,有利于企业加强经济核算,有利于调节社会消费,有利于生产物价管理,有利于财政积累。吴波同志强调应当立即按照财政部草拟的办法,在农村恢复征税,在城市停止"税利合一"的试点。他指出:1958年实行人民公社财政包干以后,提出实行国营企业"税利合一",现在看来是不适当的。虽然当时形势有些逼人,但是脑子也确实有些热。好在当时提出这个问题的时候就已经感到实行这个办法以后对于企业的经济核算、计划管理和物价管理还有一些问题摸不透,所以决定先找几个城市试点,在做法上还是比较稳当的。经过这次讨论,大家都同意停办,剩下的问题就是要做好善后工作。停办的时候,要好好总结一下经验,作为将来研究这个问题的参考。这次会议对扭转当时"左"倾错误、把税收工作拉回正常轨道上来起到了决定性的作用。

城市"税利合一",在中国存在的时间并不长,只有几个月的时间就被纠正了,但其思想影响却长期存在。税收上的"非税"理论并未彻底消除,在以后相当时间

仍在起作用,特别是在税制建设中,经常受到"非税"论的干扰。农村人民公社财政包干和国营企业"税利合一"的试点带来了一个现实的理论与实践问题,即在中国的具体国情下,税收在社会主义经济建设中占据什么位置?其作用究竟该如何发挥?对此,吴波副部长说:税收对于残存的资本主义经济和个体经济的作用已经为历史所证明,税收对集体经济的作用也比较清楚,尤其是通过这次人民公社财政包干的实践,体会更加深刻了。现在的问题是税收对于全民所有制的社会主义经济还有没有作用?对于这个问题,他同意大家的意见,既然我们对国营企业还要加强经济核算制,要求它们不断降低成本,提高劳动生产率;既然企业的职工还是实行按劳分配,物质的刺激还有一定的作用;既然价值规律对国营企业的生产还有一定的影响,那么,可以肯定在一个较长的时期内税收还有作用。其主要表现是:有利于国家有计划地安排生产,有利于促进企业加强经济核算,有利于调节社会消费,有利于市场物价管理,有利于财政积累。归根到底,都是有利于发展生产和增加国家财政收入。

在1959年6月召开的全国税收计划、会计、统计工作会议上,税务总局副局长申平在报告中肯定了税收的作用,进一步清理了"非税"思想,他强调:"税收在一个比较长的时间内,仍然是有作用的,还必须加强它,不是削弱它,更不能取消。"

实践经验证明,在实现了生产资料公有制的社会主义国家,税收仍然有着重要的作用。第一,它是筹集财政资金的一种最稳定可靠的手段;第二,它是调节生产、流通、消费,合理改组经济结构的一个重要的经济杠杆;第三,它是正确处理国家、企业分配关系的一个重要工具;第四,它

是对内保护合法经营、打击投机违法活动，对外维护民族经济利益、促进国际经济交流的重要工具。总之，税收既具有筹集资金的财政职能，又具有调节经济的经济职能，两者相辅相成，不可分割。

中央经济权力的下放与回收

从1956年4月毛泽东在《论十大关系》和党的八大中提出中央不要管得过多过死，要适当下放权力给地方政府后，1957年开始研究和准备中央权力下放。并从1958年开始实施，但是1958年的权力下放由于受到"大跃进"的影响而过于仓促并导致混乱，出现了典型的"一放就乱"的结果，于是在1961年开始的国民经济调整过程中，中央重新集权和加强集中管理又成为这个时期的体制特征。

一

中共八大前后关于调整中央、地方经济关系的设想

中华人民共和国成立以后，经过三年的国民经济恢复，从1953年起，我国进入大规模经济建设时期，开始执行第一个五年计划。由于当时经济落后、基础薄弱，地方政府都抱有加快当地经济发展的强烈要求和冲动。为了集中有限的资金，适

应"重点建设、稳步前进"和优先发展重工业和国防工业的需要，中央政府从1952年底开始，根据"一五"计划（草案）的要求，逐步加强了中央集权。

随着中央集中过多，地方在经济建设方面的灵活主动性受到抑制。对于这个问题，中共中央从1956年初即有所觉察。而斯大林逝世以后逐渐揭露出来的苏联权力过于集中的弊病，也使以毛泽东为代表的领导集体决定根据中国的国情，走一条避免苏联弊病的建设道路，其中就包括合理地划分中央政府与地方政府的权限，在经济建设中同时发挥两个积极性。

1956年春，毛泽东在听薄一波和重工业部等几个部的负责人汇报时说："地方同志对中央集权太多不满意，他们是块块，你们是条条，你们无数条条往下灌，而且规格不一，也不通知他们，他们的要求你们也不批准，约束了他们。"[①]经过调查了解，毛泽东同志于1956年4月在《论十大关系》中专门论述了中央与地方的关系，他指出："中央和地方的关系也是一个矛盾。解决这个矛盾，目前要注意的是，应当在巩固中央统一领导的前提下，扩大一点地方的权力，给地方更多的独立性，让地方办更多的事情。""我们不能像苏联那样，把什么都集中到中央，把地方卡得死死的，一点机动权也没有。""中央要发展工业，地方也要发展工业。就是中央直属的工业，也还要靠地方协助。至于农业和商业，更需要依靠地方。总之，要发展社会主义建设，就必须发挥地方的积极性。中央要巩固，就要注意地方的利益。"对于如何改善中央集权过多的弊病，毛泽东提出了如下设想："中央的部门可以分成两类。有一类，它们的领导可以一直管

---

①　薄一波：《若干重大决策与事件的回顾》下卷，人民出版社，1997年版，第783页。

到企业,它们设在地方的管理机构和企业由地方进行监督;有一类,它们的任务是提出指导方针,制定工作规划,事情要靠地方办,要由地方处理。"①

1956年9月,在党的第八次全国代表大会上,周恩来同志对于如何划分中央与地方的关系作了重要讲话,他提出了如下七条原则:①明确地规定各省、自治区、直辖市有一定范围的计划、财政、企业、事业、物资、人事的管理权;②凡关系到整个国民经济而带全局性、关键性、集中性的企业和事业,由中央管理;其他的企业和事业,应该尽可能地多交给地方管理;企业和事业在下放的时候,同它们有关的计划、财务管理和人事管理一般地应该随着下放;③企业和事业的管理,应该认真地改进和推行以中央为主、地方为辅或者以地方为主、中央为辅的双重领导的管理方法,切实加强对企业和事业的领导;④中央管理的主要计划和财务指标,由国务院统一下达,改变过去许多主要指标由各部门条条下达的办法;⑤某些主要计划指标和人员编制名额等,应该给地方留一定的调整幅度和机动权;⑥对于民族自治地方各项自治权利,应该作出具体实施的规定,注意帮助少数民族地区政治、经济、文化的发展;⑦改进体制要逐步实现,某些重大的改变,应该采取今年准备、明年试办、到第二个五年计划期间全面实施的步骤,稳步进行。② 周恩来提出的上述原则,体现了大权集中、小权分散,既要统一领导、又要因地制宜精神;为了改变"条条分割",对中央管理的主要计划和财务指标,由国务院统一下达;在改革步骤上,实行经过试点、稳步前进的方针。

在计划管理方面,国家计委主任李富春在发言中提出了"实行分级管理":"分级管理的原则是既要照顾到集中统一,又要照顾到因地制宜。凡需要全国统一平衡的各项重要指标,由国家计划委员会、国家经济委员会综合平衡,并报国务院批准后列入国家计划,由国务院统一下达;地方性的、局部性的、属于地区平衡或者各部门自行平衡的各项指标,则由各省(市)、自治区或各部门因事、因地制宜地自行平衡和安排,同时应报国务院备案,以便经过综合,纳入国家计划。"③

为了改革经济体制,国务院于1956年5月至8月召开了全国体制会议,会后又经过一年多的酝酿,经过中共中央、国务院、全国人大常委会的讨论批准,到1957年底,国务院公布下达了《关于改进工业管理体制的规定(草案)》《关于改进商业管理体制的规定(草案)》和《关于改进财政管理体制的规定(草案)》三个文件,并决定从1957年开始施行。上述三个文件,总的精神是调整中央与地方、国家与企业的关系,把工业、商业、财政方面的一部分管理权力下放给地方和企业,以便充分发挥它们的主动性和积极性,因地制宜地完成中央的统一计划。在划分中央与地方的关系方面,其主要内容有下列几点:

(1)调整现有企业的隶属关系,把由中央各部直接管理的一部分企业,下放给地方管理。文件规定:重工业各部门所属的企业,凡是属于大型矿山、大型冶金企业、大型化工企业、重要煤炭基地、大电力网、大电站、石油采炼企业、大型和精密机械工厂、军事工业和其他技术复杂的工

---

① 《毛泽东文集》第7卷,人民出版社,1999年版,第32页。

② 《周恩来经济文选》,中央文献出版社,1993年版,第314页。

③ 中共中央文献研究室:《建国以来重要文献选编》第九册,中央文献出版社,1994年版,第312页。

业,依旧归中央各部门管理外,其他企业凡属可以下放的,都应根据情况,逐步下放;轻工业、食品工业和商业部的企业,除了若干大型企业地方认为管理有困难的以外,其余都由地方管理;建筑行业的土建部分在许多地区应逐步下放给地方统一管理。

(2)扩大地方的财权。地方预算在执行过程中,收入超过支出,地方可以自行安排使用,年终结余,全部留给地方在下年度使用。为了鼓励地方积极完成国家的出口计划,中央将所得外汇,给地方一定比例的提成。

(3)扩大地方在物资分配方面的权限。对当地的中央企业、地方企业和地方商业机构分配到的物资,在保证各企业完成国家计划的条件下,地方有权进行数量、品种和使用时间方面的调剂。

(4)扩大地方在计划管理方面的权限。关于商业计划指标,国务院每年只颁发收购计划、销售计划、职工总数、利润指标,同时允许地方在执行该计划过程中,对收购计划和销售计划总额有上下5%的机动幅度。

(5)商业价格实行分级管理。三类农副产品的收购价格与销售价格、次要市场和次要工业品的销售价格,由地方根据中央各商业部门规定的定价原则自行定价。

(6)扩大地方的人事管理权限。凡是属于中央各部下放给地方管理的企业,在人事管理方面,都按照地方企业办理;地方对仍旧归中央各部管理的企业的所有干部,在不削弱主要企业的条件下,可以进行适当的调整。

上述文件在扩大地方权限的同时,也对地方权限作了适当的限制。例如,在财政方面,规定"地方由于改进财政体制而多得的收入,应该有一个限度,它的原则是使地方可以有适当数量的机动财力,同时又能保证国家重点建设的需要"。由于改进财政体制地方多得的财政收入,三年累计一般不应超过20亿元。在物资管理和商业流通方面,规定省、市、自治区管理的企业所生产的统配物资和部管物资,①如果生产数量超过了国家计划规定的数量,超过计划的部分,当地政府可以按照一定比例提成,自行支配使用,但是原定的品种计划不能改变;为了避免盲目增产,如地方要求中央所属的机械制造企业超产时,其超产品种如果属统配或部管物资范围内的,需要得到中央有关部门的同意。在人事管理方面,国务院管理范围的干部,地方调动时,应该报请国务院批准;中央主管部门管理的干部,地方调动时,应该同该主管部门协商。

上述设想尽管看起来很好,但是由于这次经济体制改革没有触动单一公有制和政企不分的计划管理体制,中央的权力下放很难达到预期的目的。1957年,在制订改革方案时,陈云已经预见到了地方分权后最大的危险是不顾全局,从而打破综合平衡。他说:"中央某些职权下放以后,必须加强对各个地方的平衡工作。""扩大地方的职权是完全必要的,一般来说,当地的事情,地方比中央看得更清楚一些。体制改变以后,更可以因地制宜地办事。但是,必须加强全国的平衡工作。因为经济单位是分散的,没有全局、整体的平衡,就不是有计划的经济。过去中央各部可

---

① "一五"计划时期,中央根据各种物资在国民经济中的重要程度和产需特点,分为国家统一分配物资(简称"统配物资")、中央各主管部门统一分配物资(简称"部管物资")和地方管理物资(简称"三类物资")三大类。这个制度一直实行到改革开放。

能忽视地方,但是职权下放以后,地方也可能发生不顾全局的倾向。因此,一方面要有适当的分权,同时又要加强综合。"①

二

1958 年的中央"权力下放"

1958 年初"大跃进"开始前,毛泽东因不满意中央政府在 1956 年为综合平衡而开展的"反冒进",试图通过中央政府权力下放来调动地方的积极性。1958 年 2 月,在谈到经济体制问题时,毛泽东认为以往"中央集权太多了",造成"束缚生产力"的结果,他提出:"我是历来主张'虚君共和'的,中央要办一些事,但是不要办多了,大批的事放在省、市去办。"②3 月 9 日,毛泽东在成都会议上又讲道:"又统一又分散——地方分权问题。欧洲现在没有统一的国家,可是地方发展了。中国自秦至今,一统天下,统了,地方就不发展。各有利弊。"1959 年 10 月至 1960 年 2 月,毛泽东在关于苏联《政治经济学教科书》(下册)谈话中多次谈到如何处理中央与地方关系,探索如何发挥中央与地方两个积极性,加快经济发展。毛泽东满意于 1958 年以来的中央权力下放,他高兴地说:"从经济上来说,中央要充分发挥地方积极性,不要限制、束缚地方积极性。我们是提倡在全国统一计划下,各省尽可能都搞一整套。"③

1958 年,在毛泽东的督促和地方领导人的积极要求下,中央政府开始迅速、仓促地向地方政府大量放权。

(1)把大部分中央所属的企业交给了地方管理。1958 年,中央各部所属的企业事业单位,从 1957 年的 9300 多个减少到 1200 个,下放了 88%;中央直属企业的工业产值在整个工业总产值中所占比重,也由 1957 年的 39.7% 降为 13.8%。

(2)下放计划管理权,实行"以地区综合平衡为基础的、专业部门和地区相结合的计划管理制度"。为了让地方能自成体系,过分扩大了地方管理权限。1959 年,国家计委管理的工业产品,由 1957 年的 300 多种减少到 215 种;中央财政收入中由中央直接征收的比重从 40% 降至 20%;中央统配、部管物资由 532 种减为 132 种,减少了 75%;供销工作也改由地方为主来组织。

(3)下放基本建设项目审批权。地方兴办限额以上的建设项目,只需将简要的计划任务书报送中央批准,其他设计和预算文件一律由地方审查批准;某些与中央企业没有协作关系、产品不需要全国平衡的限额以上建设项目,由地方批准,只需报中央备案;限额以下的项目,完全由地方自行决定。1958 年 7 月,中央又提出对地方基本建设投资实行包干制度,即在包干范围内,基建投资由地方自行决定、自我增值。

(4)下放财权和税收权。中央财力从"一五"时期平均占 75%,降低为只占 50% 左右,地方和企业预算外资金从 1957 年相当于预算内收入的 8.5% 提高到 1960 年的 20.6%。

(5)下放劳动管理权。1958 年 6 月,中央决定各地的招工计划经省(市)确定之后即可执行,不必经过中央批准。

---

① 《陈云文选》第三卷,人民出版社,1995 年版,第 75 页。
② 薄一波:《若干重大决策与事件的回顾》下卷,人民出版社,1997 年版,第 823 页。
③ 中共中央文献研究室编:《毛泽东著作专题摘编》上,中央文献出版社,2003 年版,第 1000—1001 页。

（6）下放商业、银行等管理权。在商业方面，撤销全国性专业公司，按地方行政区划成立专业局（处），实行政企合一，并对各种不同经济成分的商业网点实行合并；在金融方面，改为"存贷下放，计划包干，差额管理，统一调度"。由于信贷权下放，到1960年，银行信贷资金运用高达954.4亿元，比1957年增长2.35倍。

（7）下放教育管理权。把原由教育部领导的60所高校和143所中专下放给地方管理；同时把建立高校的审批权下放给省、市、自治区，并要求各地大办教育事业。

这次中央与地方权限的重新划分，是在没有触动单一公有制和行政性计划经济体制的前提下进行的，虽然其动机是调动两个积极性，减少中央决策的僵化，但是结果却事与愿违，过多过急的权力下放给地方而又缺少必要的制约，加上反右派运动和反"反冒进"形成的经济建设急躁情绪，使得经济运行中出现空前混乱，由于地方政府不承担国家综合平衡的责任，一味追求当地经济扩张，结果综合平衡被打破，产品质量严重下降。

另外，权力由中央下放给地方，同时意味着权力由专门机构和专家（外国称之为"技术官僚"）下放给非专门机构和非专业官员。众所周知，1953年以后的国家经济管理权力向中央的集中，自然也包括优秀和专业人才向中央的集中，并在中央形成了如前所述的庞大的专门管理机构（即所谓的"条条"管理），此时的地方政府（主要是各级党委）对经济的干预并不多。但是1958年中央将经济权力下放以后，这部分权力就落到他们手中，不懂经济或对其知之甚少，也使其思想和行为更盲目，这也是地方干部盲目拥护和服从毛泽东、高指标、瞎指挥盛行的重要原因。可以说，

1958年的权力下放是"大跃进"产生和造成严重后果的重要原因之一。

三

1961年后权力的再次集中

中央各部迅速将权力下放给地方以后，很快就出现了地方竞相发展，争投资、争物资，而不愿意将本地区物资调出去、不顾全国综合平衡的问题。

对于这个问题，1958年8月19日毛泽东在协作区主任会议上的讲话专门讲到中央与地方政府的关系，他说："地方分权，各级（省、专、县、乡、社）都要有权，内容有所不同，范围有所不同。分级管理，但不要把原材料都分掉了。

"各级计划要逐步加强。合作社的生产与分配，也要逐步统一管起来。没有严密的计划性和组织性是不行的。

"……

"社会主义国家是一个严密的组织网，一万年后，人多，汽车多，上街也要排队。飞机多了，空中交通不管也不行。在猴子变人的时候，是很自由的，往后愈来愈不自由了。另一方面，人类大为解放，自觉地统治宇宙，发挥出无限的力量。

"……

"所有计划统统要公开，不要瞒产，地县乡不控制不行。调东西调不出来要强迫命令。以后评比要比完成任务，比技术创造，比工作方法，比组织纪律性。比更有秩序，比合理的独裁。要大鸣大放，才能独裁。现在铁也调不出去，钢也调不出去，几十万个政府，那还得了。"

"大跃进"的严重后果使得国民经济从1961年开始不得不进入调整时期。从体制方面来看，调整主要内容就是强调和

实行高度的集中统一,克服无计划状态和分散主义。实际上,就是中央将过去下放给地方和企业的权力再收回来。

1. 经济调整前期的权力再次集中

1961 年 1 月 20 日,中共中央发出《关于调整管理体制的若干暂行规定》,提出:"经济管理的大权应该集中到中央、中央局和省(市、自治区)委三级。最近两三年内,应该更多地集中到中央和中央局。地区计划应当在中央的统一领导下,以大区为单位,由中央局进行统一安排。"①"一九五八年以来,各省(市、自治区)和中央各部下放给专、县、公社和企业的人权、财权、商权和工权,放得不适当的,一律收回。""所有生产、基建、收购、财务、文教、劳动等各项工作,都必须执行全国一盘棋、上下一本账的方针,不得层层加码,都必须集中力量,努力完成和超额完成国家计划。"

1962 年 1 月 27 日,刘少奇在中共中央扩大工作会议上再次提出:"国家计划的统一性和地方的积极性要结合起来。在中央的集中统一领导下,要充分地发挥地方的积极性和首创精神。中央要给地方一定的机动,并且奖励地方挖掘潜力,超额完成国家计划。不重视地方的积极性和创造性,是错误的。但是,地方计划要纳入国家计划,局部利益必须服从全局利益,地方利益必须服从全国利益。这就是毛泽东同志所说的,应该强调统一领导、中央集权,反对无政府主义和半无政府主义。"②

同年 9 月 15 日,中共中央又发出《关于当前工业问题的指示》,再次要求切实"改变过去一段时间内权力下放过多、分

得过散的现象",在最近两三年内,要把经济管理的权力更多地集中在中央一级,对全国的人力、物力、财力进行统一安排。在 1961—1962 年的调整期间,中央政府将原来下放的权力上收,主要表现在以下几个方面:

(1)加强计划的集中统一管理。这主要表现在三个方面:一是计划的范围大了,1961 年编制 12 种计划,到 1963 年则扩大为编制 20 种计划;二是计划指标多了,基本恢复到"一五"时期的计划指标,有的比"一五"时期还要细;三是集中统一的程度高了,中央直接管理的指标占了各项经济活动的大部分。这个时期,计划分三级管理,中央直接管理国民经济中关键性的指标,中央各部门管理本行业全国性的重要指标,省、市、自治区管理本地区的重要指标。

(2)加强对基本建设的集中统一管理。基本建设资金不再由地方财政包干,改由中央财政专项拨款,严格控制并减少部门、地方、企业的预算外资金;同时,改变基本建设审批权限,大中型建设项目一律由国务院或国家计委审批,一切基本建设都必须按审批权限报请审批,按基本建设程序办事。

(3)上收一批下放不适当的企业。1959 年中央直属的企事业单位只有 2400 个,1961 年开始上收,到 1965 年,中央直属企事业单位达到 10533 个。这些企业的工业总产值占全国工业总产值的 42.2%,其中属于生产资料的部分占 55.1%。同时,中央还规定,这些直属企事业的行政管理、生产指挥、物资调度、干部安排等权

---

① 1961 年 1 月中旬召开的八届九中全会决定恢复中央局,即成立东北局、华北局、华东局、西北局、中南局、西南局。

② 《刘少奇论新中国经济建设》,中央文献出版社,1993 年版,第 471—472 页。

力,统归中央各主管部门。

（4）加强财政、信贷的集中统一管理。1961 年 1 月中央规定,国家财权基本上集中到中央、大区、省（市、自治区）三级,缩小专区、县、公社的财权;将 1958 年开始实行的"以收定支,五年不变"（实际上在 1959 年就改变了）,改为"总额分成,一年一变";国家预算从中央到地方实行一本账,保持收支平衡,不准打赤字预算;对各地区、各部门和各单位的预算外资金,采取"纳、减、管"的办法进行整顿,即有的纳入预算,有的减少数额,都要加强管理。为了加强财政管理,中央还加强了对银行的控制,不准用银行贷款作财政性支出,重申了加强财政管理的十项禁条。

（5）收回部分物资管理权,加强物资的集中统一管理。1963 年,将原来设在国家经委内的物资管理总局改为国家物资总局,对地方物资管理系统实行垂直领导,1964 年,国家物资管理总局又改为物资部。1961 年,国家统配物资为 87 种,到 1965 年,则增加为 370 种。另外,还扩大了物资管理部门的统一销售范围,将原来由各工业部门分管的统配物资销售机构,大多交由物资部门统一管理。

上述中央集权措施,对于纠正"大跃进"造成的混乱、保证国民经济的调整和恢复起到了重要作用。但是,由于如何发挥中央与地方两个积极性的问题并没有解决,随着国民经济的恢复,中央统得过多、过死的弊病又明显起来,因此,从 1964 年开始,中央又不得不做这方面的探索性改革。在投资方面,中央把 19 个非工业部门,如农业、林业、水利、交通、商业、教育、卫生、文化、体育、科技、供销、城市建设等的基本建设投资划交地方安排,即国家投资每年都切出一块交给地方统筹安排。1964 年和 1965 年,这块由地方安排的投资,每年占国家财政预算内投资的 20％以上。在计划管理方面,规定中央在拟定计划控制数字时,给地方留有一定的机动,由地方提出安排意见,经过逐级平衡,再纳入国家计划。在物资管理方面,"五小"企业的产品基本上划归地方掌握分配。

2.调整后期重新扩大地方和企业的管理权限

为了改变"大跃进"造成的工业经济管理中既散又乱的局面,为了把过热的空气压下来,合理地调整被严重破坏的产业结构,使整个工业生产走上正常发展轨道,中共中央果断地采取了高度集中统一管理的应急措施,这在当时是非常必要的。随着整个工业生产、建设的恢复和发展,为了调动各方面的积极性,在调整的后期,开始扩大地方和企业一部分管理权限。

1964 年 8 月 27 日,毛泽东在有关文件上批示:"计划工作方法,必须在今明两年内实行改变。如果不变,就只好取消现有计委,另立机构。"[1] 9 月 21 日至 10 月 19 日,全国计划会议召开,按照毛泽东批示的精神,会议集中讨论了计划工作如何改进的问题。会议提出"大权独揽、小权分散","统一领导、分级管理"的原则。

1965 年 11 月 30 日,国务院将国家计委、国家建委、财政部、物资部 4 个部门拟定的《关于改进基建计划管理的几项规定（草案）》《关于国家统一分配物资留给地方使用的几项规定（草案）》和《关于国营工业、交通企业财务管理的几项规定（草案）》颁发给各级政府和企业。这几个规定的出台,实际上是对 1964 年提出的"集

---

① 赵德馨主编:《中华人民共和国经济专题大事记》,河南人民出版社,1999 年版,第 382 页。

中领导、分级管理"原则的具体贯彻。

依据上述原则和规定,调整后期,中央又重新扩大了地方和企业的管理权限。

地方自主权的扩大,主要表现在以下几个方面:

第一,扩大地方的计划管理权。中央各部直属企业、事业单位的各项计划指标,仍由中央主管部门安排。地方管理的企业、事业单位的计划指标,改由省、市、自治区根据中央精神和当地的实际情况统筹安排。地方对计划控制数字有一定的机动性,地方可以先提出安排意见,经过逐级平衡,再纳入国家计划。对于超计划生产的产品,各大区可以按照规定的比例掌握一部分,用以解决本地区的需要。国家计划委员会管理的产品和平衡表也大大减少,1964年比1963年度计划表格减少一半以上。国家计划委员会管理的工业产品在同期内也由340种减少到63种。

第二,扩大地方的基本建设管理权。地方农牧业、农业机械站和修理网、农垦、林业、水利、气象、水产、交通、商业、银行、高教、卫生、文化、广播、体育、科学、城市建设18个部门的投资,继续划归地方统筹安排,中央各部门不再下达建设项目和投资指标。农田水利事业费和地方水利基本建设投资可以合并使用,统筹安排。地方的工业基本建设,大中型项目由中央安排,小型项目由中央各有关部门同有关地方具体安排,此类项目节约的投资归地方调剂使用。地方用自筹资金进行的基本建设,由省、市、自治区自行安排,其中大型项目应报国家计委审批。

第三,扩大地方的物资分配权。现有地方小钢铁企业生产的产品,超过国家计划的部分,凡是主要原料、燃料由中央和地方共同解决的,由中央和地方对半分

成;主要原料、燃料由中央分配的,留给地方20%。地方企业生产的铁矿石和生铁,在完成国家计划上调任务后,多交的部分按照50%折算换给钢材。企业在生产中产生的废次材、边角料,由地方分配。地方回收的废次钢铁,除去国家计划规定地方企业炼钢和铸造任务需要的炉料以外,其余部分七成上交中央,三成留给地方。地方统销煤矿生产的煤炭,超过国家计划的部分,由中央和地方对半分成。森林工业企业生产的小规模材、等外材归地方使用。用地方外汇进口和分成的原料、材料,在地方企业安排生产的产品,由省、市、自治区自行分配。此外,基本折旧费用由财政收入中划出来,全部留给地方和企业支配。临时工的使用人数,在工资总额不突破的前提下,各部门和各地方可以自行安排。

中央在扩大地方自主权的同时,也扩大了企业的经营自主权。自从1961年9月中共中央正式颁发"工业70条"以来,"大跃进"期间造成的企业管理混乱、不计盈亏、不讲核算的局面很快得到了治理。随后,又通过全国性的清仓核资、清理拖欠、扭亏增盈和增产节约运动等,企业的管理水平和经济效益都有了很大的提高。随着调整任务逐步完成,扩大企业经营自主权的需求日益迫切,于是对企业的经营自主权作了如下重新规定:

第一,把技术组织措施费、零星固定资产购置费、劳动安全保护措施费中一部分划给企业,由企业自己掌握使用。这三项费用和固定资产更新资金,可以合并使用。

第二,企业进行小型技术措施需要的费用,在完成国家的财政任务和成本计划以及不要求增拨材料的条件下,每项措施的费用大中型企业在1000元以下,小型企

业在 500 元以下的,可以摊入成本。

第三,除了主要生产设备的购置作固定资产处理外,企业购置辅助性生产工具和其他低值易耗品,每种的购置费,小型企业在 200 元以内,中型企业在 500 元以内,大型企业在 8000 元以内,可以摊入成本。超过以上规定数额的,经有关部门批准,可以作为低值易耗品处理。

第四,企业修建生产性的零星、小型、简易的建筑物,在不影响完成当年企业成本和财务计划的前提下,并且建筑面积不超过 20 平方米的,所需费用可以摊入成本。

第五,将企业的大修理基金和中小修理费用合并(称修理费)。这项费用,企业可以临时用做流动资金参加周转,可以用于结合大修工程进行必要的技术改造,但不能移作他用。

第六,取消企业从超过国家计划收入中提取资金的办法,提高企业在完成国家计划后提取资金的比例,按企业的工资总额计算,由原来的 3.5% 提高到 5%。

以上措施都在一定程度上扩大了地方和企业的管理权限,有利于发挥地方和企业的积极性。但是如何有效发挥中央与地方两个积极性的问题并没有解决,而60 年代前期中央集权体制复归,中央权力过于集中的弊病又开始显露出来。于是毛泽东又开始酝酿新的划分中央与地方的经济权限的方法。

试办托拉斯

随着政府将原来下放给企业的权力上收,国营企业过去那种"多头管理"、"一管就死"的弊病又出现了。据国家经委1965 年召开的座谈指出,"当前工业管理上存在的一个突出问题,是多头领导,分散经营。同一个行业的厂矿,分别由中央、省、市、专、县各级的部、厅、局多头领导;而这些厂矿又各自分散经营"。例如,汽车行业全国共有 222 个厂,分别由中央的一机部、三机部、五机部、八机部、交通部、冶金部、建工部、卫生部、公安部、总后勤部 10 个部门和 25 个省、市管理。又如沈阳市的橡胶行业有 11 个企业,其中归中央管的 2 个,省管的 2 个,市管的 7 个。座谈会一致认为:"这种多头领导、分散经营的状况,难以对同一行业的生产、建设进行合理的生产分工和协作,使许多工厂不必要地重复生产同一产品,不少设备和技术力量分散使用、各不配套。这对于采用新技术,提高质量,增加品种,降低成本,提高劳动生产率,发展生产,都是很不利的。"[1]

对这个问题认识较为深刻的当属刘少奇。早在 1963 年 12 月 26 日,他在薄一波、余秋里等汇报国务院召开的全国工交工作会议情况时就插话说:"要考虑我们

---

① 薄一波:《关于托拉斯试办工作中的一些问题》,1965 年 6 月 21 日。

是个大国,将来工厂越来越多,究竟怎么管理对国家有利。""总而言之,我们要解决这个问题。现在苏联没有解决,所有社会主义国家没有解决,我们也没有解决,将来势必要解决。现在一讨论,就是'条条'、'块块'。"刘少奇提出:"党委和政府超脱一点,不好吗?站在公司之上、矛盾之上,有问题我们来裁判,不要作当事人,不好吗?有的厅局长、工业书记、商业书记、煤炭书记都滚到里面去了,不看全局。自己不滚进去,不是聪明的办法吗?超脱一点,就有全局观点了。党和政府不是不管,是怎样管的问题。管计划、平衡、仲裁、监督、思想政治工作。生产由公司、工厂去经营。"①

一

试办托拉斯思想的形成

1960 年春,中共中央领导人在讨论"二五"计划后三年规划时,刘少奇开始感到应从上层建筑和生产关系方面进行一些调整。在生产的组织方式和管理方式上进行改革,当时就议论过托拉斯问题。

1960 年 3 月 24 日至 25 日,中共中央在天津召开会议。邓小平在会上说:"大家赞成这个意见,就是生产关系要有个改革,实际上也是上层建筑要有个改革。我们研究,恐怕要走托拉斯道路。最近我们在北京讨论了托拉斯的问题,就是为了使工业发展速度更快一些,也是为了综合利用。组织托拉斯,首先接触到生产关系和上层建筑的问题。所谓搞托拉斯,就是以一个行业为主,兼管其他行业。比如淮

南,有煤有铁,还有化工,搞一个托拉斯,或者归煤炭部管,或者归冶金部管,都可以。又比如石景山钢铁厂,京西煤矿就在它的门口,还有迁安铁矿、龙烟铁矿,这几个点可以建立几个钢铁基地、几个化工基地,搞个托拉斯来管。"

组织托拉斯的问题虽然早已明确提出,但由于当时国民经济正在调整之中,没有作具体部署。1963 年国民经济开始好转,中央决定对工业管理体制进行改革,逐步减少行政管理办法,增加经济管理办法,在工交企业组织托拉斯。

1963 年夏,国家经委派工作组在沈阳进行调研。当时沈阳市 463 户国营工业企业中,中央直属企业 102 户,省属企业 54 户,其余为市属企业。它们又分别隶属于中央 17 个部委的 38 个局、省的 18 个厅和市的 20 个局或公司,再加上其他经济部门、管理企业的机构纵横交错,关系复杂。而且各级主管部门都有自身的利益。企业在这种情况下,只能走"大而全"、"小而全"的道路,造成设备的闲置和资源的严重浪费。当时许多企业的领导干部强烈要求改变这种管理体制,采取托拉斯式的专业公司。

同年 9 月,中共中央起草了关于工业发展问题的文件,认为组织托拉斯是工业管理体制的重要措施。指出:"管理工业企业,主要是要用经济办法,而不能片面地依靠行政手段。""可以考虑利用像托拉斯这一类生产、交换和科学试验的综合性的组织形式,来为社会主义服务。这是用经济办法管理工业企业的一种组织形式。"②这个文件由于种种原因没有正式通过。但是,组织托拉斯的问题开始在某些

---

① 《刘少奇论新中国经济建设》,中央文献出版社,1993 年版,第 530—531 页。
② 转引自薄一波:《若干重大决策与事件的回顾》下卷,中共中央党校出版社,1993 年版,第 1174 页。

工业部门酝酿试办。

同年 10 月 21 日、23 日和 24 日刘少奇在听取薄一波关于工业情况的汇报时强调指出：我们现行的办法是用行政的手段去管理经济，即由各级行政机关行使管理经济的权力。这就造成经济管理上或是"统"得过死，或是分散主义，造成经济工作中的官僚主义。他还进一步说明："我们现在的办法是中央各部和省、市的厅、局都干预经济，这是超经济的办法，不是资本主义的办法，是封建主义的办法。"① 他再次提出要按行业组织专业公司，减少行政干预。他说："要组织国内的统一市场，就要组织统一的生产。"② 而这种统一的生产"由行政机关管，不如由公司管"，即用托拉斯这种经济组织代替行政组织来管理经济，并把各部、省的厅、局由以前的行政机构改为企业组织，这样就可以"进一步接近生产、接近企业"。③

同年 12 月，国家经委召开全国工业、交通工作会议，会上就试办托拉斯的问题进行了讨论和征询意见。12 月 26 日，刘少奇听取薄一波、余秋里关于这次会议情况的汇报，并再次就如何组织托拉斯问题作了指示。

1964 年 1 月 7 日，薄一波等向毛泽东、刘少奇汇报全国工业交通工作会议情况时，刘少奇再次系统地重申了他关于组建托拉斯，改善我国工业管理的意见。毛泽东也指出："目前这种按行政方法管理经济的办法，不好，要改。比如说，企业里用了那么多的人，干什么……用那么多的人，就是不按经济法则办事。"④

2 月 26 日，煤炭工业部党组向国家经委和中央书记处提交了关于华东煤炭工业公司组织领导关系的请示报告。报告提出："根据少奇同志关于组织托拉斯、用经济办法管理工业的指示，今年我们准备首先在徐州成立华东煤炭工业公司进行试点，国务院已经正式批准。"4 月 30 日，中共中央批准这个报告。这样，我国试办的第一个托拉斯企业正式成立。

根据中共中央和国务院的决策，国家经委当即会同工业、交通各部门开始研究试办托拉斯的具体方案。

1964 年 6 月，国家经委在反复调查研究的基础上，草拟了《关于试办工业、交通托拉斯的意见报告（草稿）》。7 月 17 日，正式向中共中央提交了这个报告。周恩来总理十分重视，亲自主持会议讨论这个文件，并提出原则性意见：第一，要处理好组织托拉斯过程中中央和地方的关系；第二，托拉斯成立以后，要注意同外部的协作，同地方的协作等关系，包括产销方面的协作，要避免什么都自己搞；第三，要搞清楚托拉斯的发展前途；第四，托拉斯要按照经济的办法来办，按照经济规律的要求来管理。8 月 17 日，中共中央、国务院批转了经委党组的这个报告，并要求中央各局，各省、市、自治区党委；中央各部、委、国家各部委党委、党组参照执行。

试办托拉斯的情况

国家经委的方案出台以后，正式的托

---

① 《刘少奇论新中国经济建设》，中央文献出版社，1993 年版，第 528 页。
② 《党的文献》，1993 年第 2 期。
③ 同上。
④ 薄一波：《若干重大决策与事件的回顾》下卷，中共中央党校出版社，1993 年版，第 1175 页。

拉斯纷纷组建起来。由于情况不同,它们各具特色。在第一批获准试办的 12 个托拉斯中,烟草公司和医药公司具有全行业的性质,集中管理全国所有的烟厂和药厂;地质机械仪器公司仅限于管理原有的中央直属企业;其余 6 个全国性托拉斯,除管理原有中央直属企业外,还上收了数量不等的地方企业。如盐业公司集中了全国的大盐场和盐业销售机构;汽车公司从全国 169 个地方专业汽车配件厂中上收了 42 个,在全国汽车配件产量中占 39%;橡胶工业公司成立后,从全国 205 个地方橡胶企业中上收了 103 个;拖拉机、内燃机配件公司从全国 122 个地方拖拉机、内燃机配件厂中上收了 23 个;纺织机械公司从全国 36 个地方纺织机械企业中上收了 3 个;制铝工业公司从地方铝厂中上收了两个较大的铝厂。先后共有 300 多个地方企业收归托拉斯管理。与此同时,部分省、市也试办了一些由地方管理的托拉斯。如黑龙江的糖业公司,辽宁省的柞蚕丝绸工业公司,北京的玻璃总厂和塑料总厂,天津机床工业公司、造纸公司和染料化学公司,上海的轻工业机械公司、标准件公司和丝绸公司,浙江的糖业公司,重庆的皮革工业公司等。1965 年,国务院又试办了石油工业公司、仪器仪表工业公司和木材加工工业公司。同年 10 月,全国基本建设工作会议也决定把工交各部的专业安装队伍和专业性很强的土建队伍,按行业或联合相近行业,组成若干个全国性的建设托拉斯。1966 年 7 月,国家经委又批准几个地方性的托拉斯。它们分别是:天津市试办的针织、塑料托拉斯,第一机械工业部筹组的华东电力机械公司,石油部成立的抚顺石油公司,黑龙江省组织的省仪器仪表联合工业公司,湖南省组织的省仪表工业公司等。

从几个托拉斯试办的情况来看,它们在组建之后,即着手改组生产组织,改革管理制度,建立适合社会化大生产和专业化分工协作的经营管理方式,促进了设备的利用和生产技术水平的提高。试办的时间虽然不长,但却收到了较好的经济效果。

中国烟草工业公司,成立于 1963 年 7 月,1964 年 8 月正式列入托拉斯。它对全部卷烟工业企业实行集中统一管理,统一经营烟叶的收购、复烤、分配和调拨。对烟草工业实行集中统一管理之后,按照合理的布局和专业化协作的原则,对全行业的工厂进行了调整,有力地促进了生产的发展。卷烟厂由 104 个调整为 62 个,职工人数由 5.9 万多人减为 4.1 万多人,而卷烟生产能力却从 330 万箱提高到 480 万箱,卷烟牌号由杂乱的 900 多种减为 274 种。1964 年劳动生产率比 1963 年提高 42.4%,卷烟的加工费用降低了 21%。而且,烟草工业公司还协同农业部门抓烟叶的生产,开展科研工作,扩大高级烟原料基地,派技术员进行技术指导,提高农民种烟积极性,烟叶产量大幅度上升,质量也有所提高。1966 年收购烤烟 1200 万担,比 1963 年增长 1.7 倍,中上等烟叶由 23% 提高到 30% 以上。由于上等烟叶比重增加,卷烟产品质量有明显提高,甲级烟的产量增加了 1 倍以上。1963 年成立烟草公司,到 1965 年末共上缴利润 56 亿元。

中国汽车工业公司,成立于 1964 年 10 月,将全国汽车行业初步组织起来。新接收的 38 个地方厂,加上原有的直属厂,共 75 个直属厂,占当时全国 180 个汽车制造和汽车配件骨干厂的 42%。该公司按地区组成了长春、北京、南京和重庆 4 个分公司,济南和武汉 2 个汽车制造总厂和以长春、北京、南京 3 个分公司为中心的,包括地方厂在内的专业化协作网。公司实行统一领导、统一规划,按专业化协作的原则,对企业进行了调整和改造,使汽车生产大幅度增长。1965 年全国汽车产量达到 4 万多辆,比 1964 年增长 40% 多。同时,试制成功 15 种新型号汽车。汽车配件销售业务由公司统一管理后,配件供应情况也明显好转。

医药公司将全国 297 个药厂调整为 167 个,精减职工 4700 人,6 大类原料药的产量 1965 年第一季度比上年同期提高 29%,同时提高了产品的质量,增加了品种。

盐业公司由于实行了托拉斯的管理,尽管在 1964 年遇到自然灾害,减产达 50%,但仍然保证了国内供应,出口量也超过历史最高水平。由于按照经济规律组织运输,1964 年每公里节约铁路运力 1 亿多吨,节省麻袋 300 万条,实现利润比原定计划增加近 1 倍。

制铝工业公司成立以后,集中资金扩建山东铝厂、兰州铝厂,实施物资统一供应、统一调剂。这些措施于 1965 年初在山东铝厂试行两个月,调剂设备 50 余吨、钢材 140 吨,铜材 140 吨,铝材和其他物资 1.7 万吨。

华东煤炭工业公司实行统一管理以后,公司的经营管理得到了改善,1965 年第一季度开始扭转连续四年亏损的局面,盈利 500 万元。

三

试办托拉斯的终止

在试办托拉斯过程中,也遇到了一些问题,主要表现在以下三个方面:

第一,全国或跨地区性的托拉斯与地方的矛盾。这个矛盾突出地反映在:①上收企业。在试办的 12 个托拉斯中,有些托拉斯是把所有的同类企业统统上收,有些则把主要的企业收了上来。一些地方有不同意见,以至有些原定要收的企业收不上来,有些地方甚至发生了调工厂设备、人员以至将工厂改行转产等情况。②改组生产,调整企业。在这方面,因地方有不同的看法,所以调整方案有些未能实行,或有的虽实行了,但有许多问题。如上海工业基础雄厚,希望自己组织专业生产和协作,在医药、橡胶托拉斯进行改组时,就认为无此必要。江苏、山东、北京等省、市也担心托拉斯实行统一管理后,影响地方利益。又如医药托拉斯也因统筹安排不妥,丢掉了一些小的品种,影响了某些药品的供应。③外部协作,有些托拉斯考虑行业内部的协作较多,而对地方的协作则注意不够。

第二,托拉斯内部统一经营与所属企业分级管理的矛盾。在试办托拉斯的初期,有些托拉斯因直属企业较少,分为公司和厂矿两级;有些因直属企业多而分为总公司、分公司和厂矿三级。有些托拉斯为了统一经营管理,着手将过去由各厂矿企业分散管理的计划、财务、供销、劳动等项业务权集中到分公司或总公司,实行产、供、销和人、财、物的统一。这就同曾经是独立核算单位的厂矿产生了许多摩擦,也不利于及时了解和解决生产中的问题。

第三,托拉斯同原有经济管理体制的矛盾。试办托拉斯,在中国是一件新事物,是中国工业经济管理体制改革史上新的尝试,因而在试办过程中不可避免地与原有体制产生一些矛盾,主要表现在三个方面:①财政管理体制方面。当时,地方的财政收入主要依靠工业利润和税收。托拉斯上收的企业多半是效益较好的企业,必然减少了地方财政的收入,这是许多地方不赞同上收企业的重要原因之一。②物资管理体制方面。当时,物资是按企业隶属关系分配的。托拉斯对归口管理的地方企业,只管计划,不管物资供应。物资分配渠道没有打通,这些企业就很难完成计划任务。③物价管理方面。有些企业划归托拉斯领导以后,其产品价格仍由地方物价部门制定,对托拉斯的统一经营十分不利。

托拉斯经过一年来的试办,一方面由于采用经济的办法来管理工交生产,取得了一定的成绩;另一方面由于是试办,遇到了一些问题。因此,需要对经验加以总结,对出现的问题去找对策。1965年5月10日至6月7日,国家经委党组召开了托拉斯试点工作座谈会。各个托拉斯和中央有关工交部门、综合经济部门的负责人以及9个省、市党委和经委的有关负责人参加了会议。刘少奇、邓小平听取了汇报,并作了指示。刘少奇指出:办托拉斯就是要组织起来,组织起来才能搞专业化、标准化,才能增加产量,提高质量,发展新品种。托拉斯不是只办几个,要把眼光放大一点,全面看问题。邓小平还提出托拉斯章程的问题。

然而,正当中央决定试办托拉斯,并以此为契机,逐步改变中央经济管理权力过分集中而束缚生产力发展的经济体制时,"文化大革命"开始了。随之,这个具有深远意义的探索就此终止了。

"双百"方针的初步贯彻

"百花齐放,百家争鸣"方针的形成经历了一个历史过程,它吸取传统中国学术和文化发展的精髓,总结了中国共产党领导科学文化事业的正反经验,也借鉴了外国党,特别是苏联共产党在指导科学文化工作上的经验和教训,对于开阔人们眼界,活跃人们思想,繁荣科学文化事业都发挥了重要的作用。

一

"百花齐放,百家争鸣"方针的提出

1956年顺利完成社会主义改造,是毛泽东提倡"百花齐放,百家争鸣"的国内背景。国际背景则是苏联对斯大林错误的揭露和思想文化的"解冻"使毛泽东感到了文化专制的危害。

另外,既然随着社会主义改造高潮的到来,社会主义这个"关口"已经顺利通过,下一步的主要问题就是如何大力发展经济和繁荣文化的问题了。此时,毛泽东的主要精力也从社会主义改造和阶级斗争,转到经济和科学文化建设方面来了。这可以从他全力制定《农业发展纲要》,随后又开展调查拿出《论十大关系》的报告看出。

社会主义"天下"已定,自然就需要来繁荣它了,不然它对人民就失去了吸引

力。这就是 1956 年重视知识分子和提出"双百"方针的真正原因。

早在 1951 年,毛泽东应邀为新成立的中国戏曲研究院题词,毛泽东题写了"百花齐放,推陈出新"。此后,这八个字就被作为戏曲创作和表演的非正式方针。但是尚未引起整个文艺界的重视。1956 年初以后,随着中共中央知识分子会议的召开,也由于各行各业在批判了右倾保守主义后都开展了热火朝天的建设和制订发展规划,科学和文学艺术自然也需要繁荣昌盛。同时,也受到苏共 20 大批评斯大林和苏联文艺"解冻"的影响,使党感到不能对科学研究和文艺创作干预过多。

1956 年 2 月 19 日,当中共中央宣传部在 2 月 1 日给中央的报告上说:据广东中山大学党委反映,一位在中国讲学的苏联学者,在访问孙中山故居途中,向中国陪同人员谈了他对毛泽东《新民主主义论》中关于孙中山世界观的论点的不同看法,"有损我党负责同志威信",是否有必要向苏联反映,请指示。毛泽东对此批道:"我认为这种自由谈论,不应该禁止。这是对学术思想的不同意见,什么人都可以谈论,无所谓损害威信。因此,不要向尤金①谈此事。如果国内对此类学术问题和任何领导人有不同意见,也不应加以禁止。如果企图禁止,那是完全错误的。"②并将该报告批给刘少奇、周恩来、陈云、彭真、邓小平、陈伯达阅,然后退给中宣部部长陆定一办。

1956 年 3 月 8 日,刘少奇在听取文化部副部长钱俊瑞、陈克寒、刘芝明、夏衍等人的汇报时就指出:"我们的方针是百花齐放,推陈出新。但'出新'不能勉强。文艺改革必须经过一定努力。没有怀孕就要生孩子,这是不可能的。百花齐放,就允许并存,各搞各的。比如洋的土的都可以搞嘛。"③

1956 年 4 月 25 日至 28 日,中共中央召开了有省、市、自治区党委书记参加的政治局扩大会议,毛泽东于 25 日在会上作了《论十大关系》的报告,然后会议围绕报告展开讨论。4 月 27 日,时任中共中央宣传部部长的陆定一在中央政治局扩大会议上发言,专门谈了学术研究和文艺创作的自由问题,"就是对于学术性质、艺术性质、技术性质的问题要让它自由,要把政治思想问题同学术性质的、技术性质的问题分开来。"④在谈到学术研究时,陆定一说:提出要把政治思想问题同学术性质的、艺术性质的、技术性质的问题分别开,不能说巴甫洛夫是社会主义医学,魏尔啸是资本主义医学,中医是封建医学,这是根本错误的。在生物学方面,有的说摩尔根、孟德尔是资产阶级的,李森科、米丘林是社会主义的。这根本同社会主义没有关系。在物理学方面,不能说牛顿的物理学是封建的,爱因斯坦的物理学是资本主义的,这种说法是没有道理的。因此,把那些资本主义和社会主义的帽子套到自然科学上去是错误的。谈到文艺创作时,陆定一说文艺在苏联共产党内是干涉最多的一个部门,无数的清规戒律。提出党对文艺创作不要干涉过多、限制过死。4 月 28 日,陈伯达在发言中也说:毛主席给文学艺术界提出的"百花齐放"这个口号,

① 尤金,当时为苏联驻中国大使。——引者注
② 《建国以来毛泽东文稿》第六册,中央文献出版社,1992 年版,第 40 页。
③ 《刘少奇选集》下卷,人民出版社,1985 年版,第 190—191 页。
④ 《党的文献》编辑部:《共和国走过的路》,中央文献出版社,1991 年版,第 250 页。

现在看来,起了很大作用,成了艺术界的群众运动。在文化科学上,恐怕基本上要提出这样两个口号去贯彻,就是"百花齐放"、"百家争鸣",一个在艺术上,一个在科学上。① 4月28日,毛泽东就会议讨论情况作总结发言,正式提出"百花齐放"、"百家争鸣"方针。毛泽东说:"'百花齐放,百家争鸣',我看这应该成为我们的方针。艺术问题上百花齐放,学术问题上百家争鸣。讲学术,这种学术也可以讲,那种学术也可以讲,不要拿一种学术压倒一切。你如果是真理,信的人势必就会越多。"②

5月2日,毛泽东又在最高国务会议上讲:"我们在中共中央召集的省、市委书记会议上还谈到这一点,就是百花齐放,百家争鸣。在艺术方面的百花齐放的方针,学术方面的百家争鸣的方针,是有必要的。……在中华人民共和国宪法范围之内,各种学术思想,正确的,错误的,让他们去说,不去干涉他们。李森科,非李森科,我们也搞不清,有那么多的自然科学学派。就是社会科学,也有这一派、那一派,让他们去谈。在刊物上、报纸上可以说各种意见。"③

毛泽东的讲话精神传出以后,李富春、郭沫若都请中宣部部长陆定一给当时正在北京制订科学发展规划的科学家谈谈党的"百花齐放,百家争鸣"方针。郭沫若说:"国家建设急切需要科学技术的支援,人民生活也急切需要文化粮食的供应。但由于政策执行上有了偏差,发生了教条主义和公式主义的倾向,影响了科学和文艺的发展。因此,我认为有必要由党来阐明正确的方针政策,一以克服偏差,二以解除顾虑;这样来促进科学和文艺的发展。这就是我请陆定一同志作报告的动机。"④

大概是陆定一将李富春、郭沫若的提议向中央汇报后,刘少奇即指定由他去作报告。陆定一的讲稿起草好了以后,中宣部讨论了两次,又根据周恩来的意见作了修改。然后于1956年5月26日在怀仁堂向来自理论界、科学界和文艺界的1000多人,作了《百花齐放,百家争鸣》报告。详细阐述毛泽东提出的"双百"方针。

陆定一说:"我们所主张的'百花齐放,百家争鸣'是提倡在文学艺术工作和科学研究工作中有独立思考的自由,有辩论的自由,有创作和批评的自由,有发表自己的意见、坚持自己的意见和保留自己的意见的自由。"

关于文学艺术,陆定一代表中共中央提出:"对于文学艺术工作,党只有一个要求,就是'为工农兵服务',今天来说,也就是为包括知识分子在内的一切劳动人民服务。社会主义现实主义,我们认为是最好的创作方法,但并不是唯一的创作方法;在为工农兵服务的前提下,任何作家可以用任何自己认为最好的方法来创作,互相竞赛。题材问题,党从未加以限制。只许写工农兵题材,只许写新社会,只许写新人物等等,这种限制是不对的。文艺既然要为工农兵服务,当然要歌颂新社会和正面人物,同时也要批评旧社会和反面人物,要歌颂进步,同时要批评落后。所以,文艺题材应该非常宽广。在文艺作品

---

① 《党的文献》编辑部:《共和国走过的路》,中央文献出版社,1991年版,第258页。
② 同上,第248—249页。
③ 《党的文献》编辑部:《共和国走过的路》,中央文献出版社,1991年版,第249—250页。
④ 郭沫若:《关于发展学术与文艺的问题》,《人民日报》,1956年12月18日。

里出现的,不但可以有世界上存在着的和历史上存在过的东西,也可以有天上的仙人、会说话的禽兽等等世界上所没有的东西。……因此,关于题材问题的清规戒律,只会把文艺工作窒息,使公式主义和低级趣味发展起来,是有害无益的。"

陆定一的报告引起热烈反响。会后,陆定一收到了郭沫若、茅盾等人 72 封来信,希望将这个报告整理发表。6 月 7 日,陆定一将修改过的《百花齐放,百家争鸣》呈送毛泽东审定,毛泽东于 6 月 8 日批道:"此件很好,可以发表。"于是,这篇比较充分论述"双百"方针的代表文献被刊登在 1956 年 6 月 13 日的《人民日报》上。

1956 年 9 月,"百花齐放,百家争鸣"方针被载入八大文件。八大政治报告决议:"为了科学和艺术的繁荣,必须坚持'百花齐放、百家争鸣'的方针。"

文艺界贯彻"双百"方针

毛泽东提出"双百"方针以后,特别是 5 月 26 日陆定一代表中共中央进一步阐述了这个方针以后,中国作家协会连续多次召开会议,研究讨论在文学领域如何贯彻"双百"方针。另外,作协创作委员会的小说散文组、诗歌组、儿童文学组和理论批评组也分别举行了讨论会。

1956 年 6 月 18 日,文化部部长茅盾在一届人大三次会议上发言也阐释道:"我们认为,按照'百花齐放'的方针,群众歌曲我们要提倡,交响乐也要创作;我们要学习西洋音乐和油画,但不能因此而忽视了民族音乐、美术的继承与发扬。在国画方面,不论山水、人物、花鸟、工笔、写意,只要是花,就要让它放,鼓励它放。品种和风格,应当是愈多愈好。"

"我们认为,按照'百家争鸣'的方针,就应当容许文艺上有不同的派别,而且通过自由讨论、互相竞争,来考验它们存在的价值。……我们提倡而且宣传社会主义现实主义的创作方法,然而我们同时也坚决主张作家们在选择他的创作方法这一个问题上,应当有完全的自由,即应当根据自愿的原则。"

"在现实生活中,我们需要炼钢厂,需要水闸,但也需要美丽的印花布,需要精致的手工艺品;在文化娱乐方面,如果我们只供给抒情诗、圆舞曲、翎毛花卉,群众就会有意见,但如果朝朝暮暮只给清一色的表现重大社会事件的作品,而且从形式到内容又不免千篇一律,那么,群众也会有意见,而且事实上已经有意见。自古以来,人民所创造的文艺就不是单调、生硬,而是包罗万象,多姿多彩的。我们只有发扬这个优秀传统的责任,而没有破坏它的权利。"

"我敢向各位代表同志们呼吁:请尽可能向广大人民宣扬'百花齐放、百家争鸣'的精神;请严厉地监督任何方面的违反'百花齐放、百家争鸣'的言论和行动。"①

随后周扬、老舍、冯雪峰、邵荃麟、吴组缃、臧克家、严文井、康濯、秦兆阳等都对贯彻"百花齐放"的方针发表了意见。他们认为近几年来大部分文艺作品的题材范围狭窄、单调、创作风格不够多样化,在文艺批评方面也缺少自由讨论的风气。他们指出:这种现象除了有一定的客观原因外,主要是由于过去对文艺为工农兵服

① 沈雁冰:《文学艺术工作中的关键性问题》,《新华半月刊》,1956 年第 14 期。

务的方针,以及对社会主义现实主义创作方法的理解存在着教条主义和片面性,以至使文艺创作的方针受到了限制。过去存在的粗暴的、简单化的批评和有关领导方面不适当的干涉也都对文艺创作的发展不利。

在对原来文艺创作方面管得过死的问题提出批判的同时,1956年的文艺界也焕发出春天的气息,呈现出生动活泼、创作繁荣的局面。

1.诗歌方面

1956年8月5日,《光明日报》发表朱契的文章《略论继承诗词歌赋的传统问题》。文章指出:"最近几年来,最被冷落的,是我国民族文学形式中的诗词歌赋。谈到我国的旧诗,几乎大家默不作声,更不敢轻易尝试。因此,文坛上诗词歌赋绝迹了,我国文苑中这几朵古老的花,久已失去了培养,自然也就不能开花结果。"

文章提出:"又有人说,旧诗太不通俗了,不合乎大众的要求,因此不能担负起建设社会主义现实主义文学的使命。这也是似是而非的论调,旧诗本身无所谓通俗不通俗,它可以做得十分通俗,合乎大众的要求,也可以做得十分不通俗,不合乎大众的要求。这是运用旧诗的技巧问题,并不是旧诗本身的性质问题。""我们要'存其精华,去其糟粕',用民族形式的诗词歌赋,来歌唱社会主义的文化。这是完全可以做得到的。"

9月23日,《光明日报》发表曾文斌文章《对〈略论继承诗词歌赋的传统问题〉一文的意见》。不同意朱契的观点,认为:"'用民族形式的诗词歌赋,来歌唱社会主义的文化',是大有问题的。我认为旧诗的难于继续发展,是由于它本身的特点和它的发展规律所决定的,并不是如作者所想象的那样,认为是谁'抑制'了它,对它

施以压力,不让它发展,因而使得这种诗的传统中断。我国古典诗歌有过它的繁荣的时期,而且在宋元也曾出现过一些杰出的作家和作品。但与此同时,随着平民文学的兴起,诗歌的确是临近到了它的定型阶段,逐渐被其他动荡韵文(如词、曲)所代替。清代的'新诗派',企图用旧诗的形式来反映新的时代内容,所谓'以旧风格含新意境'(梁启超:饮冰室诗话)。结果这个改革的尝试是失败了。尽管黄遵宪写下许多思想性较强的诗篇,但在白话文学已经逐渐占上风的形势下,在封建社会内部的结构已经起了某种显著变化的情况下,旧诗已经是'强弩之末',再难勃兴了。"

11月24日,《光明日报》发表朱光潜的文章《新诗从旧诗能学习得些什么?》,提出新诗应该向旧诗词学习语言运用、情景交融甚至韵律方面的长处,弥补新诗在语言凝练、意境深远方面的缺陷。文章说:"我知道新诗人也在学习,但是只是这个新诗人学另一个比较成名的新诗人,学习一些翻译来的外国诗,最远的传统往往不过'五四'。现在应该是我们认识真理的时候了,作诗只有现在流行的那一点点训练是远远不够的。"

12月8日,《光明日报》发表沙鸥的文章《新诗不容抹杀——读朱光潜文有感》,批评朱光潜贬低甚至抹杀了"五四"以来新诗词的成就,对新诗存有很大偏见。12月10日,诗人公刘在发表旧体诗的同时,也在1956年12月10日写了《谈中国古典诗歌传统问题——答友人书》(发表于《长江文艺》1957年1月号),批评朱契和朱光潜的文章否定或忽视了"五四"以来的新诗歌。

《光明日报》关于诗歌问题的讨论,引起了文艺界和读者的注意,上海、天津等

地的报刊也相继发表了不少文章参与讨论。在这种情况下，《光明日报》记者崔巍就这个问题采访了著名新诗人同时又担任全国文联主席的郭沫若。12 月 15 日，《光明日报》发表了郭沫若对记者的谈话《郭沫若谈诗歌问题》。文章谈了以下几个问题：①"不是旧诗好，是有好的旧诗"。②"能背诵，并不是旧诗的特性"；"能记得，能传诵的，并不见得都是好诗"，"那种认为新诗记不得，而记不得的就不是好诗的说法可以看出，是多么不合逻辑，多么没有科学根据"。③"新诗是起过摧枯拉朽的作用的"。"在'五四'以前，诗在旧时代已经僵化了，新诗从已经僵硬的旧诗中解放出来，冲破了各种清规戒律的束缚，打碎了旧的枷锁，复活了诗的生命。这对于中国的诗歌起到了起死回生的作用。对于这些，都必须有足够的认识。不然，那将是极大的错误。"④"新诗并未抛弃中国诗歌的传统"。"新诗在受了外来的影响的同时，并没有因此而抛弃了中国诗歌的传统。""新诗的出现是由社会生活与语言扩大化的客观发展进程所决定的，是适应中国社会发展的规律，也是符合中国诗歌发展的规律的。"⑤"不要以为凡是旧诗就可以当令"。"有素养的人，要做旧诗也是可以的，但我们有这样的权利，便是要求他们发表好的旧诗。不要以为，凡是旧诗就可以当令。"⑥"好的旧诗万岁，好的新诗也万岁"，"以前我们犯了错误，低估了优良传统。但希望不要又犯新的错误，低估了新生力量"。应该说，郭沫若的评判是比较客观公正的。

1957 年 1 月 12 日，毛泽东给 1956 年决定创刊的《诗刊》负责人臧克家等人复信，并随信寄来诗词 18 首供《诗刊》发表。毛泽东的信和诗词发表于 1957 年 1 月《诗刊》创刊号上，结果人民奔走相告，争相购买这期刊物，成为当时诗歌领域的盛事，似乎也为当时旧诗与新诗的争论画了一个句号。

毛泽东在信中谦逊地说："这些东西，我历来不愿意正式发表，因为是旧体，怕谬种流传，贻误青年；再则诗味不多，没有什么特色。"毛泽东还说："诗当然应以新诗为主体，旧诗可以写一些，但是不宜在青年中提倡，因为这种体裁束缚思想，又不易学。"毛泽东的答复看来是经过一番斟酌的，相当谨慎。既肯定了新诗为主，这显然符合文化的发展趋势和便于诗歌的普及，也没有否定旧诗词，反而自己就在写旧体诗词。毛泽东诗词的公开发表和广为传诵，显然对作为中国文化遗产的旧体诗词起到了宣传作用。

2.音乐戏剧方面

1956 年 8 月 1 日至 23 日在北京举行的第一届全国音乐周，是中国音乐史上史无前例的壮举，也是中华人民共和国成立以来音乐成就的大汇展。参加会演和观摩的单位共 34 个，近 4500 人，共举行了 29 台音乐会，演出 91 场（次）。在这次大规模音乐演出活动中，共演出歌剧 4 部、交响乐 8 部、大合唱和声乐组曲 12 部、民族管弦乐曲 32 部以及大量小型声乐和器乐作品。人们在欣赏大量优秀作品，尤其是以西洋音乐形式所表现的民族内容的作品的同时，自然开始了对民族音乐和外国音乐的讨论，使得整个北京似乎到处都有音乐，连毛泽东也加入了谈论音乐的行列。

8 月 24 日，音乐周圆满闭幕，毛泽东、朱德、周恩来、陈云等国家领导人接见了音乐周全体代表。毛泽东还邀请部分音乐家和音乐协会负责人座谈。在谈话中，毛泽东全面谈了自己对文化艺术的传统与现代、民族与外来、形式与内容、民族化与西化的关系。他指出："我们当然提倡民族音乐。作为中国人，不提倡中国的民族音乐是不行的。但是军乐队总不能用唢呐、胡琴，这等于我们穿军装，还是穿现在这种样式的，总不能把那种胸前背后写着'勇'字的褂子穿起。民族化也不能那样化。乐器是工具。当然工具好坏也有关系，但是如何使用工具才是根本的。"毛泽东还提倡要了解外国音乐："中国的文化应该发展。外国的音乐不会听，不会奏，是不好的。外国作品不翻译是错误的，像西太后反对'洋鬼子'是错误的。要向外国学习，学来创作中国的东西。"①

1956年9月11日，《人民日报》发表贺绿汀的文章《民族音乐问题》。这篇文章显然得到了毛泽东上述谈话精神，其底气相当充足。人们也许还不会忘记，在此以前的1954年，贺绿汀还曾因那篇《论音乐的创作与批评》受到长达一年多的公开批判。文章说："解放以后，全国人民在党的号召下向科学进军，再加上国内外优越的条件，我们进展的速度和成就之大是惊人的；可是整个文化水平还是不高的。我们固然不能妄自菲薄，但也不能骄傲自满，稍一得志，头脑就发起热来，吃亏的还是我们自己。"

文章虽然批评忽视民族音乐的问题，但主要是批评对外国音乐抱有偏见甚至排斥的错误观点："但是在另一方面，也有那么一些热心的狭隘的民族排外主义者，一听见洋的就反感。现在是提倡民族音乐的时候，骂洋的无论如何骂法反正没有人敢回手，而对自己的民族音乐则不分青红皂白一律说是科学的，也没有人敢于起来争辩。有人说：'现在当权的都是一些洋音乐家，他们口头上都谈民族音乐，实际上是在丰富民族音乐的幌子下来使民族音乐消灭'，'在提高和推广之下消灭民族音乐'。又有人说：'这次音乐周几分之几是洋的，几分之几是土的'，什么叫民族的呢？凡是用'土嗓子'用'民族乐器'的，才能算是民族的，此外都是洋的，因此有人认为此次音乐周是洋的压倒土的，是原则问题。其实正式演出的节目都是中国人自己的创作，虽然也有很多不成熟的作品，但是大家在主观上都是努力在追求民族风格。因此我想奉劝热心于民族音乐事业的同志们，讲话最好还是要有分寸，不切实际的言辞会伤害所有音乐工作者的积极性的。"

关于民族乐队与交响乐队的争论。文章认为交响乐队代表了世界乐器发展和演奏的先进水平。"从目前情况看，交响乐队比我们自己现在的民族乐队在音乐演奏能力上差别很大，管弦乐队不但能演奏外国作品，也能演奏纯粹中国风格的作品，不但中国能演，而且全世界都能演。因之交响乐队是我们努力发展的方向之一，它对于发展我们民族音乐的文化有极其重要的作用，我们不能因为它是外来的而拒之于门外。"

1956年4月，浙江省昆苏剧团来北京作汇报演出，带来了《十五贯》、《长生殿》、《游园惊梦》、《玉簪记》、《渔家乐》等。

昆曲《十五贯》是根据清朝初年著名戏剧作家朱素臣的《十五贯传奇》改编而成。《十五贯》上演后，立即好评如潮，欧阳予倩、梅兰芳、夏衍等人都纷纷称赞这出戏，一时"满城争说《十五贯》"。戏剧家田汉感叹地说："一出戏救活了一个剧种。"新中国成立以后，昆曲处于观众稀少，难以生存的状态，《十五贯》使人们对

---

① 《建国以来毛泽东文稿》第六卷，中央文献出版社，1992年版，第176、181页。

中国传统戏剧刮目相看。

4月19日,周恩来观看《十五贯》。散场后,周恩来到后台看望演职人员时说:"我们不但要歌颂劳动人民,揭露反动的统治阶级,也需要像《十五贯》这样的戏。不要以为只有描写了劳动人民才有人民性。""毛主席说的百花齐放,并不是要荷花离开水池到外边去开,而是要因地制宜。有的剧种一时还不适应演现代戏的,可以多演些古装戏、历史戏。不要以为只有演现代戏才是进步的。"①

毛泽东、周恩来、陆定一等党和国家的领导人不仅观看了《十五贯》,还将其推荐给正在北京参加中共中央政治局扩大会议的省、市、自治区负责人。

1956年5月17日,周恩来参加昆曲《十五贯》座谈会,并作了重要讲话。周恩来说:"《十五贯》有着丰富的人民性,相当高的思想性和艺术性,它不仅使古典的昆曲艺术放出新的光彩,而且说明了历史剧同样可以很好地起现实的教育作用。""《十五贯》为进一步贯彻执行'百花齐放、推陈出新'的方针,树立了良好的榜样。"周恩来还说:"昆曲是江南兰花,粤剧是南国红豆,都应该重视。"

5月18日,《人民日报》发表了社论:《从"一出戏救活了一个剧种"谈起》,社论提出:"在'百花齐放'的时候,是不是还有不少的花被冷落了,没有能灿烂地开放?在扶植和发展了不少地方剧种的时候,是不是同时也压抑和埋没了一些地方剧种?""据说,全国的地方剧种和艺人至今还没有完全精确的统计和调查,这中间,蕴藏着多少的艺术珍宝,亟待我们去发掘啊!"根据中央的指示精神,1956年6月,

文化部召开了全国戏曲剧目工作会议。据说会上曾对是否允许上演《四郎探母》发生争论。会后周扬向刘少奇汇报时,刘少奇表示应该允许上演。这次会议之后,各地开展了挖掘整理戏曲剧目的工作,使得戏曲舞台的演出状况为之一变。据1957年4月27日的《人民日报》说:"数以万计的剧目重新复活到舞台上,打破了上演节目贫乏的局面,活跃了艺术创造,适当满足了群众的文化娱乐需要,大多数剧场的上座率也得以普遍提高,艺人的生活也因之有所改善。"②

12月5日,文化部评出全国第一批优秀戏曲剧目18部,并颁发了奖金。这18部戏剧是:评剧《秦香莲》、《刘巧儿》,河北梆子《秦香莲》,京剧《猎虎记》、《黑旋风李逵》,粤剧《搜书院》,梨园戏《陈三五娘》,越剧《秦香莲》,豫剧《穆桂英挂帅》,甬剧《两兄弟》,闽剧《炼印》,吕剧《李二嫂改嫁》,山东梆子《两狼山》,川剧《彩楼记》,扬剧《挑女婿》,滇剧《牛皋扯旨》,常德高腔《祭头巾》,锡剧《双推磨》。

当然,有人对上演诸如京剧《四郎探母》、《蝴蝶梦》(即《大劈棺》)、川剧《耿氏上吊》等"叛徒戏"、"鬼戏"也有不同看法,但是这并没有影响戏剧在1956年的空前活跃。

1956年文艺界,特别是戏剧界的一件盛事,就是文化部于4月份主办了第一届全国话剧观摩演出会。这次全国话剧会演,共有来自全国各地2000多名话剧工作者,互相观摩了55个剧目的演出;还有来自12个社会主义兄弟国家的戏剧专家也参加了观摩并提出了很多宝贵的意见。观摩会还评选出演出、导演、演员、舞台设

---

① 《周恩来选集》下卷,人民出版社,1997年版,第192—193、195—196页。

② 《人民日报》社论:《大胆放手,开放剧目》,1957年4月27日。

计舞台制作管理、舞台技术革新 5 个方面的一、二、三等奖。①

受"双百"方针的鼓舞,1956 年的话剧舞台还出现了大胆干预生活的尝试。1956 年底中央实验话剧院推出的《同甘共苦》,因描写地委农村工作部部长对待事业、生活、爱情、人际关系等方面的思想和道德观念不落俗套,对全国产生很大影响,一时间,全国出现了几十个剧团同时上演《同甘共苦》的热潮。这时期的创作,在 1957 年上半年公演的反映农业合作化的《洞箫横吹》,反映资本主义工商业社会主义改造的《上海滩的春天》,反映社会主义改造完成后农村爱情的《布谷鸟又叫了》也都受到观众的热烈欢迎。

另外,在"双百"方针的指导下,受昆曲《十五贯》成功的影响,"话剧民族化"的探索在 1956 年也取得了较大进展。1956年北京人艺排演了郭沫若的名剧《虎符》,该剧于 1957 年 1 月公演后引起了"话剧民族化"的热烈讨论。这为后来人艺 1958 年推出《茶馆》、1959 年推出《蔡文姬》开辟了道路。1956 年欧阳予倩导演的话剧《桃花扇》对于"话剧民族化"也起到了较大的推动作用。

3. 电影创作方面

中华人民共和国成立以后,由于受批判胡适和电影《武训传》的影响,同时也是因为,以娱乐和揭露社会问题两类题材为主(后者以进步的电影工作者为主力)的旧中国电影一时尚不能适应"歌颂工农兵"、"歌颂新社会"的要求,虽然拍了一些很好的电影,但是创作仍然不够活跃,好作品较少。当时有人用一副对联来比喻电影界情况:"上联:伟大的起点,下联:无穷的潜力,横批:就是不卖座。"

电影的活跃,可以说是从重新放映新中国成立前进步的电影工作者拍摄的揭露社会问题的旧电影开始的。1956 年 4 月 27 日,在省、市、自治区党委书记参加的政治局扩大会议上,当中宣部部长陆定一谈道:文艺创作不要局限于只写新人物,"写一写老人物也可以。我说那个旧社会写一写好得很,如果现在有一个人能把上海三十年代社会的变化写出来,我说那是世界第一的小说。"毛泽东插话说:"《乌鸦与麻雀》,那是部很好的电影,那是写上海解放军进城的前夜,我们电影局就是不许它演。这两天可以找出来给大家看一看,见识见识,这是中国一篇很好的历史。"②于是在 1956 年下半年,一些新中国成立前拍摄的影片,如《乌鸦与麻雀》、《一江春水向东流》等再次与观众见面,引起观众极大的兴趣,好评如潮,人们开始感受到了电影方面的"解冻"。

1956 年 9 月,陈荒煤在《中国电影》创刊号上发表了题为《关于电影艺术的"百

---

① 其中获得演出一等奖的话剧有:中国青年艺术剧院附属中国少年儿童剧团的《马兰花》;上海人民艺术剧院的《初开的花朵》;中国人民解放军总政治部话剧团团的《万水千山》、《冲破黎明前的黑暗》;吉林省话剧团和长春市话剧团合作的《关不住》;中国人民解放军抗敌话剧团的《战斗里成长》;河南省话剧团的《不能走那条路》;甘肃省话剧团的《在康布尔草原上》;山西人民话剧团的《同样是敌人》;内蒙古自治区歌舞团的《我们都是哨兵》、《在激流中》;中国福利会儿童剧团的《友情》;武汉人民艺术剧院的《扬子江边》;浙江省话剧团的《黄花岭》;安徽省话剧团的《归来》;新疆维吾尔自治区话剧团的《喜事》;四川人民艺术剧院的《一个木工》;中国青年艺术剧院的《西望长安》;重庆市文艺工作团的《四十年的愿望》;辽宁人民艺术剧院话剧团的《前进再前进》;黑龙江省话剧团、哈尔滨市话剧团合作的《家务事》;中国人民解放军战士话剧团的《保卫和平》;江苏省话剧团的《浪潮》;北京人民艺术剧院的《明朗的天》;中国人民解放军前线话剧团的《杨根思》;吉林省延边朝鲜族自治州话剧团的《春香传》。

② 《党的文献》编辑部编:《共和国走过的路》,中央文献出版社,1991 年版,第 253 页。

花齐放"》。文章号召电影界要积极贯彻"百花齐放"方针,繁荣电影创作,满足人民群众的要求。在此前后,文化部电影局也召集了电影创作人员座谈会,讨论电影如何"百花齐放",讨论由此展开。

11月份,作为中国电影的发祥地和著名电影艺术家汇集地的上海,敲响了电影界的揭露问题、公开争鸣的"锣鼓"。上海《文汇报》发表了总标题为《为什么好的国产片这样少?》的24篇导演和演员的文章,掀起了关于电影的讨论,更引起各方面的注意。

上海《文汇报》11月间的24篇文章,就讨论的问题来看,可以分为两类:一是关于电影的组织领导问题,即批评以行政方式领导创作,以机关方式领导生产。如:师陀的《问题的症结在于工作制度》、孙景璐的《最重要的是关心人》、陈鲤庭的《导演应该是影片生产的中心环节》、东言的《演员的苦恼》、治华的《加强电影技术的领导》等。二是关于对电影的指导思想和认识问题,如中国电影的传统问题、题材编狭问题、"导演中心"问题等。如:韩非的《没有戏剧可演》、吴永刚的《政论不能代替艺术》、周涛的《放映员的意见和苦恼》、少先队员方正的《请满足我们的愿望》、孙瑜的《尊重艺术的传统》、司马瑞的《是前进还是要倒退?》、冯乙的《没有人主张倒退》。总的来说,对当时电影界的状况是不满意的。

11月29日,《文汇报》发表孙瑜的文章《尊重电影的艺术传统》,提出"导演是'三军的统帅'","不能粗暴干涉艺术处理"。孙瑜还说:"经过了几次文艺整风和学习的导演们(当然不敢说他们已经改造得十全十美了)好像还得不到必要的信任。""今天的观众在走进戏院的时候是以主人翁的姿态走进去的。他们不能容忍

乏味的、公式化概念化、没有思想性和艺术性的作品。我们不能不尊重他们。他们要政治,但不要政治口号。"

当时任《文艺报》编委兼艺术部主任的钟惦棐,以《文艺报》评论员名义发表了《电影的锣鼓》(1956年12月15日《文艺报》)。这篇文章非常尖锐,成为当时批评电影界问题的代表作。

《电影的锣鼓》提出检验电影好坏的标准应该是观众的多少,该文说:在上海,影片《一件提案》的上座率是9%,《土地》是20%,《春风吹到诺敏河》与《闽江橘子红》是23%,从1953年到1956年6月,国产片共发行了100多部,其中70%以上没有收回成本,有的只收回成本的10%。纪录片《幸福的儿童》竟连广告费也没有收回。由此钟惦棐说:"这是否就同时暴露了两个问题:一、电影是一百个愿意为工农兵服务,而观众却很少,这被服务的'工农兵'对象,岂不成了抽象?二、电影为工农兵服务,是否就意味着在题材的比重上尽量地描写工农兵,甚至所谓'工农兵电影'!"

文章批评了将电影的社会价值、艺术价值与票房价值对立起来,将为工农兵服务的方针与观众对立起来的做法,认为"绝不可以把电影为工农兵服务理解为'工农兵电影'"。

文章的另一个批评重点是"以行政方式领导创作"。这种方法"完全可以使事情按部就班地进行着,而且条理井然,请示和报告的制度都进行得令人欣慰。但是最后被感光在胶片上的东西却也如请示、报告、开会一样索然"。呼吁"艺术创作必须保证有最大限度的自由,必须充分尊重艺术家的风格,而不是'磨平'它"。

12月13日,《文汇报》发表的陈白尘的《从何说起》也感叹:"说到上海电影人

才之盛,不禁想起国产片产量(不管好与不好)之低。解放前,上海每年生产影片的部数是以百计的,而现在上海厂每年生产的影片不过十来部。"

1957年1月4日,《文汇报》又发表了钟惦棐用笔名"朱煮竹"写的文章《为了前进》。该文就司马瑞《是前进还是要倒退?》的批评,提出:这几年我国的电影界在电影的基本法则基本特征的问题上,"前进"得过远了,以致许多人不懂电影创作。"我以为,'倒退'一下也好,退到电影艺术创作的正常轨道上来,退到广大观众不仅要求教育,也要求娱乐,要求美的欣赏或享受。"

当然,对于上述以批评为主的文章,进行商榷和反批评的文章在1957年1月以后也陆续发表出来。如:1月13日《人民日报》发表的子布的文章《又一个联想》;1月23日《人民日报》发表的陈沂的文章《我也想到电影的问题》;《中国电影》1957年1月号发表的陈亚丁的文章《关键在于电影剧本的创作》。

1957年2月22日,《文汇报》发表陈荒煤的文章《坚持电影为工农兵服务的方针》。该文说:"《文汇报》发起关于电影工作的讨论,虽然出的题目是:'为什么好的国产片这样少?'似乎事先已经作好了结论,但许多同志的文章,提出对电影工作中缺点的许多批评和建议是好的,值得欢迎。但有些文章例如上述的两篇①,其中的论点,我却不能同意。"

文章提出:第一,"不能单以票房价值来评价电影的成就",批评《电影的锣鼓》引用的数字"极不完全,不科学,很难说明问题的实质"。第二,"国产片不如过去的看法是没有根据的",1956年发行的国产片《神秘的旅伴》、《虎穴追踪》、《董存瑞》、《平原游击队》、《天仙配》的观众人数一般都超过了旧国产片《一江春水向东流》和同期上映的香港片《春》、《秋》和其他外国片。第三,"题材广阔与描写工农兵并不矛盾"。第四,"确定影片题材比例是贯彻方针的重要关键"。第五,"离开解放后的成绩就没有基本阵地可言"。1957年2月22日《人民日报》发表张骏祥的文章《为了电影艺术的百花齐放》,可以说是与同日发表的上述陈荒煤的文章南北呼应的分量较重的反批评文章。

这次关于电影问题的讨论,从一开始就引起了文化部电影局的注意,并专门召开会议讨论电影的改革问题(舍饭寺会议)。同时,这场讨论也引起了毛泽东的关注。1957年3月全国宣传工作会议期间,毛泽东在与新闻出版界人士的座谈会上就说:"这次对电影的批评很有益,但是电影局开门不够,他们的文章有肯定一切的倾向,人家一批评,又把门关得死死的。我看大多数批评文章提出的问题,对于改革我们的电影是很有益的。现在的电影,我就不喜欢看,当然也有好的,不要否定一切。批评凡是合乎事实的,电影局必须接受,否则电影工作不能改进。"②毛泽东的讲话似乎为这次讨论作了结论,电影界也立即进行了传达和贯彻。不料1957年"反右"运动开始以后,情况又发生了转折,这已是后话。

国产影片虽然在1956年底"国产好影片为什么这样少"的争论中受到批评,但这只是思想解放、气氛宽松后人民的要求也相应提高的结果。1956年上映的国产好

---

① 指钟惦棐的《电影的锣鼓》和朱煮竹的《为了前进》。——引者注
② 《毛泽东新闻工作文选》,新华出版社,1983年版,第188页。

影片,在改革开放以前的28年里,无论是与1955年以前比,还是与1957年以后比,都是名列前茅的。1956年故事片的产量为40部,比1955年的18部增加一倍多。占建国7年来艺术片总产量的31%强。①

1956年的第一天,就公演了《平原游击队》,随后又上映了《董存瑞》、《虎穴追踪》、《天仙配》、《花木兰》、《扑不灭的火焰》、《新局长到来之前》。1956年,在"双百"方针的鼓舞下,电影艺术家们还拍摄了一批好故事片,如:《上甘岭》、《李时珍》、《铁道游击队》、《祝福》、《战斗里成长》、《激战前夜》、《国庆十点钟》、《冲破黎明前的黑暗》、《为了和平》。其中《上甘岭》、《铁道游击队》等电影深得人民群众的喜爱,久演不衰,其中的电影插曲也广为传唱。儿童美术片《神笔》也在国际电影节上屡屡获奖,深得中外儿童的喜爱。

4.文学创作方面

1956年《人民文学》9月号发表了何直(秦兆阳)的文章《现实主义——广阔的道路》,开始了关于"社会主义现实主义"还是"社会主义时代的现实主义"的争论。

何直认为:"社会主义现实主义"这个概念不够科学,容易引起庸俗或教条的解释,即变成只是"肯定的现实主义,而不同时是批判的现实主义";变成用"社会主义精神",甚至一些"教条"去指导创作;变成文学创作直接为临时性的政治任务服务。因此,何直在文章中提出:应该用"社会主义时代的现实主义"这个更广阔的概念来取代"社会主义现实主义",以避免教条主义对文学艺术的束缚,为创作提供无论是题材、还是形式方面更广阔的领域。

随后,周勃在《长江文艺》12月号上发表了《论现实主义及其在社会主义时代的发展》提出了与何直相同的观点。

针对上述观点,张光年在《文艺报》1956年第24期上发表了《社会主义现实主义还存在着、发展着》,提出了不同意见,认为:"他们的结论是取消社会主义现实主义;在我看来,这就是取消当代进步人类的一个最先进的文艺思潮,取消工人阶级手中的一个重要的思想武器。如果接受了这个结论,就会对我们青年的社会主义文学发生极其不利的影响。"

陈涌在《文艺报》1957年第2号上也发表了《关于社会主义的现实主义》的文章,支持张光年。文章说:"最近国内的文艺思想和创作的动态颇引人注意,其中最重要、最有普遍意义的是关于社会主义现实主义的存废问题,先后提出问题的何直、周勃两同志是主张取消社会主义现实主义这个口号的,接着发表文章的张光年同志则反对这种意见。"

文章接着说:"问题的提出并不是偶然的,它一方面反映出很久以来我们的文艺思想中的确存在着严重的教条主义,庸俗机械论的倾向;另一方面,正如张光年同志说到的,也反映出了我们一部分人对于马克思主义原则的动摇。这两个问题是互相联系着的,由于对长久存在着的教条主义、庸俗机械论的厌恶情绪,便可能对于马克思主义原则也发生怀疑,而滑到另一个极端去。和教条主义、庸俗机械论以及在创作上的公式主义相反,最近国内刊物上出现的理论上和创作上的资产阶级和小资产阶级倾向,正好说明这个问题。在我看来,何直、周勃两位的文章,是包含着一些好的意见的,但他们的根本观点,的确如张光年同志的批评那样,是错误的。"

---

① 张骏祥:《为了电影艺术的百花齐放》,《人民日报》,1957年2月22日。

这种争论的确反映了1956年文坛思想的活跃,这在以前和以后相当长的时间里是不可想象的。

1956年8月号的《人民文学》刊登了一篇名为《组织部新来的青年人》的短篇小说,由此拉开了长达半年多的热烈讨论,成为新中国文学领域中极少有的盛事之一。青年作者王蒙既因此声名鹊起,也因此被划为"右派",遭受了20余年的磨难。真是应了唐代诗人李白的话"文章憎命达"。

小说之所以引起人们的关注,特别是青年人的关注,主要有两个原因,一是小说揭露了"党"组织本身的官僚主义,而这在以前是没有的;二是小说反映了青年人从学校走向社会后所发现的对"社会主义"、"党组织"等美好的憧憬与实际生活差距很大的一种失落感。

《文艺报》从1956年12月起,组织了关于这篇小说的讨论。前后收到参加讨论的稿件1300多篇,并连续4期发表了其中的25篇;其他报刊如《人民日报》、《文汇报》、《光明日报》、《中国青年报》和《延河》等也都发表了讨论文章。这场讨论争论的主要问题有两个:①作品是否真实地反映了现实生活?②对人物的性格应该怎样理解?

对于第一个问题,讨论从一开始,就分为肯定和否定两种意见。林颖、刘绍棠、丛维熙等认为这篇小说"严酷地、认真地忠实于生活","王蒙同志没有一点歪曲这个作为典型环境的党组织,他逼真地、准确地写出了这里所发生的一切。我们不能要求他根据对我们党的整个概念来写这个党组织,因为这只能流于公式化"。邵燕祥也认为"作者是从丰富纷繁的实际生活里汲取主题直到每一个细节的"。否定的意见则是怀疑这篇作品所反映的真实性。增辉说它是"一篇严重歪曲现实的小说",马寒冰认为它是"一部不真实的作品"。

在对人物的性格理解方面,争论也很激烈。一些青年人认为"林震是我们的榜样";更多的人则认为林震是一个狂热的小资产阶级知识分子的典型,"在他身上与其说是看到青年人所具有的不怕官僚主义者的斗争,毋宁更妥当地说暴露了没有生活基础的知识青年按照书本子处理实际问题的弱点"。①

几乎可以说,王蒙的这篇小说,是1978年改革开放以前影响最大的短篇小说之一。上述作品引发的讨论和争鸣,只是从另一个角度反映了当时文坛和社会思想的活跃。

由于党和政府大力提倡和积极贯彻"百花齐放"的方针,1956年发表了一大批比较优秀的作品。短篇小说有王愿坚的《粮食的故事》、王汶石的《风雪之夜》、萧平的《三月雪》,中篇小说有孙犁的《铁木前传》,长篇小说有玛拉沁夫的《茫茫的草原》(上部)、徐怀中的《我们播种爱情》、秦兆阳的《在田野上,前进!》、袁静、孔厥的《新儿女英雄传》、端目蕻良的《科尔沁旗草原》。报告文学有徐迟的《我们这时代的人》。散文特写有《志愿军一日》、柳青的《皇甫村的三年》、巴金的《秋夜》、李若冰的散文集《在勘探的道路上》、秦牧的《社稷坛抒情》。诗歌则有艾青的《在智利海峡上》,郭小川的《致大海》、《雪与山谷》,邵燕祥的《贾桂香》,流沙河的《草木篇》,蔡其矫的《川江号子》、《雾中汉水》,穆旦的抒情诗。

①　《关于小说〈组织部新来的青年人〉的讨论》,《新华半月刊》,1957年第7期。

文学创作的周期使得其作品面世有一个过程，1956 年创作环境的宽松也是 1957 年和 1958 年长篇小说丰收的播种期。1957 年出版的吴强的《红日》、曲波的《林海雪原》，高云览的《小城春秋》，张天翼的《宝葫芦的秘密》，1958 年出版的杨沫的《青春之歌》，冯德英的《苦菜花》，李英儒的《野火春风斗古城》，1959 年出版的柳青的《创业史》，都与 1956 年文坛的宽松环境有直接关系。

三

科技界贯彻"双百"方针

1956 年 5 月 18 日，九三学社率先召开贯彻"自由讨论、百家争鸣"方针座谈会。30 多位参加制定全国科学发展规划的科学家，热烈发言，拥护这个方针。座谈会上，几乎每一个科学家都强调：我们向别人学习要虚心，更重要的是要能够独立思考，不能人云亦云，东摇西摆，不加辨别地搬运过来。过去号召学习苏联，就有不少生搬硬套的教训。如有人盲目推广苏联威廉斯的草田轮作制，在华南农作物一年三熟地区，要求让土地休耕二三年；在西北则铲去多年生牧草。

1956 年 5 月 28 日，《光明日报》发表社论《民主党派有责任为"百家争鸣"创造条件》，文章说："各民主党派的成员和所联系的群众，绝大部分是知识分子。不少人在学术上已经有了一定的成就。他们衷心欢迎中共中央提出的在学术上开展'百家争鸣'的方针。"鼓励民主党派成员打消顾虑，在"百家争鸣"中起带头作用。

1956 年 5 月 25 日和 28 日，《光明日报》报道了该报记者与首都一些著名的科学家和教授的采访谈话。

清华大学教授钱伟长说："我们科学界所以衷心地欢迎'百家争鸣'这个方针，是因为'百家争鸣'是科学发展的客观规律，是科学发展的必然的道路。"

清华大学教授张光斗说："以往在技术科学方面，不是'百家争鸣'，而是根本没有'鸣'过。这里有一些思想障碍，比如权威思想、保守思想等等。"

科学院生物研究所副所长朱洗说："过去几年来，中国学术上缺乏争论的风气。思想改造以前还稍微好些，思想改造以后争论就更少了。没有争论，并不等于没有意见，而是有意见不敢说。为什么不敢说，主要的是怕说得不对，会挨到'这是什么思想'的批评。……向苏联学习，也应向别的国家学习。'只此一家，别无分店'，这是不好的。"

北京大学教授傅鹰说："共产党和政府过去也是提出学术上的自由讨论、自由争论的。但是，几年来这方面的情况并不怎样好，讨论少，争论更少。这和有些人对待争论者的态度不好有关，他们随便给人扣帽子。"

7 月 7 日，钱伟长在《人民日报》发表《"百家争鸣"是科学发展的历史道路》。文章指出："'百家争鸣'是科学发展的历史道路，是同科学发展的客观规律相符合的"，"自然科学几百年以来长期发展的历史，都说明了科学是在不断的争论中成长起来的。""百家争鸣是科学发展的正常情况。百家不争正是表明科学发展暂时趋于停顿的情况。"

7 月 15 日，竺可桢在《人民日报》发表《百家争鸣和发掘我国古代科学遗产》，7 月 21 日，胡为柏在《人民日报》发表《在技术科学领域中实现"百家争鸣"》。

1956 年 6 月 11 日至 13 日，国务院科学规划委员会组织了有 600 多位社会科学工作者参加的贯彻"百家争鸣"讨论。讨论会采取按学科分组讨论的办法,按照哲学、经济学、法学、历史学、教育学、语言学、文学艺术等十几个学科分组进行讨论。

社会科学界的讨论,首先遇到的问题就是:在学术研究中,要不要以马克思列宁主义为指导思想?历史学家范文澜等人认为:马克思列宁主义应该成为"百家争鸣"的指导思想,不能作为一家之言看待。

学者们还提出:"百家争鸣"只是达到真理的手段,不是目的。它的性质同春秋战国时代的百家争鸣和蔡元培所提倡的"兼容并包"都有着本质上的区别。

另外,在7月2日高等教育部举办的座谈会上,复旦大学校长陈望道也说:"百家争鸣"首先要肯定马克思列宁主义是衡量百家之说的共同标准,但这并不是说,非马克思列宁主义就不可以谈,可以的,不过我们谈它,正是为了锻炼和提高我们的马克思列宁主义的水平。

7月11日,马寅初在《人民日报》发表《我也来谈谈百家争鸣》。文章说:"我听了毛主席的'百家争鸣'的号召,不禁欢欣鼓舞,认为此举可以打破过去几年的沉闷空气。但是欲达到'百家争鸣'的目的,必须首先创造'百家争鸣'的条件。"认为目前的教学方法忽视了培养学生独立思考的能力,对当时高等院校的教学方法和教育制度提出了批评和改进意见。

针对"百家争鸣"方针提出后自然科学和社会科学界产生的疑虑,《人民日报》于7月21日发表了该报评论员的文章《略论"百家争鸣"》。

文章针对有人担心"争鸣"变成"乱鸣",提出:"我们认为,'鸣得好'是一种合理的希望,但不必当作一种限制。只要百家争鸣的总的效果是促进了学术繁荣,推动了文化进步,那就是'好'。……很多人都提出,争鸣不是'乱鸣',但什么是乱鸣",各人的解释却并不一致。其实,既然要'争',就不能绝对'不乱'。如果'乱鸣'指的是众说纷纭,或者'立论新奇',这种'乱鸣'未必是坏的;只有那种毫无研究,信口开河的'乱鸣',才是我们所不取的。"

针对有人提出"争鸣要以马克思主义为基础"、"要以辩证唯物主义为衡量是非的标准"、"要用马克思主义作为指导思想",文章指出:"马克思主义是我们国家活动和文化科学的指导思想,这是已经确定的。但是,在学术问题上,在科学研究中,如果有人不采取辩证唯物主义的方法,或达到了和马克思主义不一致的结论,他仍然可以有权发表自己的见解。因此,是不是要以马克思主义为基础或评判是非的标准,那也要看个人的自愿。我们是主张辩证唯物主义的,是提倡大家来学习和运用辩证唯物主义的观点和方法的,但是我们也主张别人有怀疑和批评辩证唯物主义的自由,正像我们也有权利批评非辩证唯物主义的思想一样。如果规定必须以唯物主义为基础或标准,那实际上是取消唯心主义者争鸣的资格。"

开展"百家争鸣"的另一个突出事例,是1956年公开宣布可以有"宣传"唯心主义的自由。

1956年5月26日,中宣部部长陆定一代表中共中央在报告会上宣布:"在人民内部,不但有宣传唯物主义的自由,也有宣传唯心主义的自由。只要不是反革命分子,不管是宣传唯物主义或者是宣传唯心主义,都是有自由的。两者之间的辩论,也是自由的。"[①]这对于中华人民共和

---

① 陆定一:《百花齐放,百家争鸣》,《人民日报》,1956年6月13日。

国成立以来就不断地经历"知识分子改造运动",几乎批判了各个领域的资产阶级和"唯心主义"思想的知识分子来说,无疑感到大大松了一口气,也感到学术研究的氛围确实非常宽松和自由了。

在这种宽松的气氛下,许多大学又重新开设了新中国成立以后停止讲授的所谓"资产阶级"的西方哲学。

1956年10月18日,《人民日报》发表了郑昕的文章《开放唯心主义》。作者分析了自己过去的认识:马克思列宁主义是"治国平天下"的,康德哲学是"安身立命"的,因此"一个腔子里关着两个灵魂"。认为公开提倡宣传两种"主义"的自由,可以避免"政治即是学术"和"为学术而学术"两种错误思想。"今天,学术观点不再和政治直接联系了,批判和辩护唯心主义,是自由争论的两方,这就给有唯心主义思想的人以无限自由的感觉。自由是改造的起点。只许批判,不许辩护,就很难使人心服。不能心服的拥护和不能心服的批判,都是不彻底的,表面的。"

文章还提出:"我们将要开设两类唯心主义的课程,一类是马克思主义以前的唯心主义,像德国古典唯心主义;一类是现代的唯心主义,像罗素哲学。对前一类的唯心主义包含马克思主义继承性问题。对两类唯心论都需要作正确的估价,或用什么样的态度对待它们,才对我们的马克思列宁主义的学习有用处。""过去的宣传品或课堂中对现代的唯心主义的批判都是用'一棍子打死'的办法,事实证明这样做,对我们并无好处。我们对现代西方资产阶级的唯心主义者的估计是不够全面的。"

1957年1月13日,张岱年在《人民日报》上发表《如何对待唯心主义》。文章认为郑昕对知识分子"思想改造"运动成效估计太低。并且认为"百家争鸣"政策作为一种"思想解放",首先应该是"对于教条主义的解放,对于那些妨害思想发展的清规戒律的解放,从此创造性的思想可以在事实的基础上自由自在地飞翔。对唯物主义者也是如此。至于唯心主义思想得到了辩护的自由,那倒是次要的事情"。张岱年还特别赞同郑昕对现代唯心主义的评价,认为其"在认识论(和逻辑)方面,有它细致和深入的一面,尽管是歪曲的、片面的"的评价是完全正确的。

1956年在自然科学方面开展"百家争鸣"的突出事件,就是青岛遗传学座谈会和为摩尔根学派"平反"。

有关遗传学的争论是导致确定"百家争鸣"方针的重要原因之一。早在30年代前后,苏联发生了震惊世界遗传学界的"李森科事件"。事件起源于李森科学派同以瓦维洛夫为代表的遗传学家之间不同学术观点的争论。其争论涉及遗传的物质基础、获得性遗传等基本问题以及遗传学的一些概念。由于这场争论一开始就带有浓厚的政治色彩,因此在政治上受宠的李森科学派成为绝对真理的化身,在苏联生物科学界大行其道,一派独霸,李森科本人也青云直上;而与之对立的摩尔根学派则被戴上"资产阶级"、"唯心主义"、"形而上学"、"伪科学"等帽子,政治上受排斥,学术上被禁止。

中华人民共和国成立以后,在"学习苏联"的号召下,这种做法也传入我国,遗传学界也出现李森科学派一花独放,全盘否定摩尔根学派的现象。1952年6月29日《人民日报》发表的《为坚持生物科学的米丘林方向而斗争》则起了推波助澜的作用,从1952年秋季开始,摩尔根学派遗传学课程在各大学基本停止,以摩尔根学派理论为指导的研究工作全部停止,甚至中学教材也重新编写。受这种风气影响,有些人在其他自然科学研究中,也将学习苏联演变成"生搬硬套"和完全排斥西方的科学理论和观点。有人简单地将苏联科学家的理论和观点说成是"无产阶级的",将西方科学家的理论观点说成是"资产阶级的",限制了科学研究。例如有一个研究人员在苏联学生物学,回国后要搞多枝小麦,他就说这是米丘林学说,是社会主义的,谁要反对这个就是反对米丘林,反对米丘林就是资产阶级。

1956年4月18日,毛泽东将康生摘报的德国统一社会党中央宣传部部长哈格尔的谈话纪要批转中宣部副部长张际春,要求中宣部邀请科学院和其他有关部门负责同志讨论一下这个问题。哈格尔说,过去教条主义的错误,在于过分强调苏联的先进经验和科学成就,否定其他国家的科学。如宣传李森科,就将德国的魏尔啸、奥地利的孟德尔一切都否定了。

4月27日,陆定一在中共中央政治局扩大会议上谈到了这个问题。陆定一说:"在生物学方面,有的说摩尔根、孟德尔是资产阶级的,李森科、米丘林是社会主义的。这根本同社会主义没有关系。在物理学方面,不能说牛顿的物理学是封建的,爱因斯坦的物理学是资本主义的,这种说法是没有道理的。""我们中国现在发展科学,向科学进军,他出来一个主张,把大帽子一扣,说某某学者或某某学派是资产阶级的,那科学的发展就完蛋了。这样对我们的建设是很不利的。"[1]

5月3日,周恩来在司局长以上干部会议上进一步谈到这个问题:"听说国内外对李森科的学说是有争论的。我们不能因为李森科的学说产生在社会主义国家就认为一定不会有错。前天,我对科学院的同志说过,可以先把科学和政治分开,科学是科学,政治是政治,然后再把二者结合起来。这是怎么讲呢?比如李森科的学说,应该先从科学领域内研究一下,看哪一些是对的,哪一些是不对的;再把李森科否定的那些学说研究一下,看哪些是对的,不应该否定的,哪些是不对的,应该否定的;然后再拿中国的科学家比如胡先啸批评李森科的文章看一看,到底批评得对不对,或者是一部分对,一部分不对,这样就把科学和政治分开了,然后再把科学与政治结合起来,不使科学和政治脱节。在科学问题上,共产党应该服从真理,共产党不服从真理,那就不是共产党。如果共产党不服从真理,共产党会被推翻的。"[2]

1956年8月10日至25日,根据中宣部的布置,中国科学院与高等教育部在青岛联合召开遗传学座谈会。参加会议的约130名专家分别来自中国科学院、高等教育部、教育部、农业部、林业部。其中既有米丘林、李森科学派的学者,也有摩尔根学派的学者,还有持其他观点的科学家。著名科学家童第周、竺可桢、谈家桢等也参加了会议。当时任中宣部科学处处长的于光远也参加了会议。

由于中宣部希望通过遗传学的学术讨论,为贯彻落实"百家争鸣"方针提供一个样板,因此会议就当时遗传学上争论的4个焦点问题,展开了充分讨论,会议气氛热烈,与会者态度认真、畅所欲言、关系融洽。在半个月的会议期间,有56人,170多人次作了大会发言。会议为摩尔根学

---

①　中共中央文献研究室编:《共和国走过的路》,中央文献出版社,1991年版,第246页。

②　周恩来:《向一切国家的长处学习》(1956年5月3日),《党的文献》,1993年第1期。

派摘掉了"反动的"、"资产阶级的"、"唯心主义的"三顶帽子。

教育革命和教育事业的整顿

1956 年在对生产资料私有制的社会主义改造基本完成以后,开始全面建设社会主义。为了探索社会主义建设道路,教育工作和全国其他领域一样,也经历了曲折的发展,既有成绩,也有失误;既有经验,也有教训。

一

社会主义教育方针的提出

关于社会主义教育方针,在 20 世纪 50—60 年代主要有四个方面的内容。

一是要全面发展。毛泽东在中华人民共和国成立之初的 1950 年 6 月和 1951 年 1 月前后,给当时中央教育部部长马叙伦写过两次信,针对当时学生学业负担过重、健康日益恶化的状况,提出"健康第一,学习第二"的方针。政务院为贯彻毛泽东提出的方针,于 1951 年 6 月颁发了《关于改善各级学校学生健康状况的决定》,从作息时间的合理安排、减轻课程作业和减少社团活动负担、改进卫生工作、增加文体活动、改善伙食管理、增加人民助学金六个方面作出了具体的规定。毛泽东后来又要求青年们做到"身体好、学习好、工作好"。1954 年 2 月,周恩来在政务院 205 次会议讲话中指出:"我们向社会主义、共产主义社会前进,每个人要在德、智、体、美等方面均衡发展。不均衡的发展,一定会有缺陷,不仅影响个人能力的发挥,对国家也不利。均衡发展要思想和身体都健康。"1957 年 2 月,毛泽东在《关于正确处理人民内部矛盾的问题》中提出:"我们的教育方针,应该使受教育者在德育、智育、体育几方面都得到发展,成为有社会主义觉悟的有文化的劳动者。"这里所说的劳动者既包括脑力劳动者,又包括体力劳动者。1958 年以后,又进一步要求青年要把坚定正确的政治方向放在第一位。实行政治上的红与业务上的专相结合,体力劳动与脑力劳动相结合,知识分子与工农相结合,把自己锻炼成长为无产阶级革命事业接班人。

二是教育要为无产阶级政治服务,要与生产劳动相结合。1958 年,中共中央、国务院发布的教育工作指示中,进一步明确党的教育工作方针是:教育必须为无产阶级政治服务,教育与生产劳动相结合,为了实现这个方针,教育必须由中国共产党来领导。同年,毛泽东视察天津大学时指出:"高等学校应抓住三个东西,一是党委领导;二是群众路线;三是把教育和生产劳动结合起来。"他再三提倡学校师生要学工、学农、学军,实行半工半读。刘少奇从 1958 年起,提倡实行半工(农)半读的两种劳动制度和两种教育制度,这样做既有利于社会主义建设,又有利于青年一代的健康成长,还可以减轻国家和家庭对于教育的负担,有利于教育的普及。

三是教育者要首先受教育,知识分子要思想改造。新中国建立之初,毛泽东领导和启发知识分子(学校教师)自觉地进行思想改造,提高觉悟。他指出:"在我国的文化教育战线和各种知识分子中,根据人民政府的方针,广泛地开展了一个自我教育和自我改造的运动,这同样是我国值得庆贺的新气象。……思想改造,首先是各种知识分子的思想改造,是我国在各方面彻底实现民主改革和逐步实现工业化的重要条件之一。"1951年9月,周恩来对京津大学教师作的《关于知识分子的思想改造问题》的讲话中,要求学校教师"首先要站稳爱国的立场,到站稳人民的立场,再站到工人阶级的立场;要在政治上分清敌、我、友;思想上解决为谁服务,即要全心全意为人民服务的问题。为了解决站稳立场、分清是非、为谁服务的问题,就要通过学习马列、学习社会、向人民学习的途径,进行批评与自我批评。"1956年1月,周恩来在全国知识分子会议上的报告中再次重申这一要求。

四是要"两条腿走路",实行多种形式办学。1944年10月,毛泽东在《文化工作中的统一战线》讲话中就指出:"在教育工作方面,不但要有集中的正规的小学、中学,而且要有分散的不正规的村学,读报组和识字组。"①要根据农村的特点、人民的需要和自愿的原则,采取适宜的内容和形式来办教育。1956年,他亲自主持制定的《农业发展纲要》规定:"农村办学应采取多种形式,除了国家办学以外,必须大力提倡群众集体办学,提倡勤工俭学。"1958年,中共中央、国务院《关于教育工作的指示》提出,在统一目标下,实行国家办学与厂矿企业、农业合作社办学并举,普通教育与职业技术教育并举,成人教育与儿童教育并举,全日制学校与半工(农)半读业余学校并举,学校教育与自学(包括函授学校和广播学校)并举,免费的教育与不免费的教育并举。这些都是毛泽东

的一贯办学思想,也是在教育工作中贯彻群众路线的具体化,它有利于充分调动广大人民群众办学的积极性。

此外,还有诸如"理论联系实际"、"洋为中用"等也是教育工作需要遵循的方法,但由于这些具有普遍性,不是专对教育而言的,因而也就不将其单列出来。

二

"教育大革命"

1958年至1960年的教育革命是在中共中央提出的"大跃进"和人民公社化运动的背景下进行的,是在经验不足的情况下探索走中国自己道路的一次尝试。这次"教育革命"。中共中央和各地提出了不少改革教育的好主张,有些在后来的教育实践中还起着作用。但是,总的看来,存在着"左"的错误。

当时教育革命的出发点是可贵的,是为了纠正学习苏联经验过程中出现的教条主义,开创适合中国情况的社会主义教育的发展道路。但实际上并没有完全按照原来的出发点去进行。1958年3月24日至4月8日,教育部召开第四次全国教育行政会议,在"反掉保守思想、促进教育事业大跃进"的口号下,交流了各地教育"大跃进"、"大改革"的经验。同年4月,中共中央召开的全国教育工作会议,强调批评教条主义、右倾保守思想和在一定程度上忽视政治、脱离共产党的领导的错误。这次会议指出,在学习苏联经验中结合中国实际不够,教育与劳动生产相结合没有得到正确的解决。5月,中国共产党第八次代表大会第二次会议确定了鼓足干劲,

---

① 《毛泽东选集》第四卷,人民出版社,1967年版,第912、913页。

力争上游,多快好省地建设社会主义的总路线。这条总路线的基本点是反映了广大人民群众迫切要求改变中国经济文化落后状况的普遍愿望,但后来在实际工作中,却过分强调了主观能动性,忽视了客观的规律性。

本来社会主义改造完成以后,广大群众渴望提高文化教育水平,在1957年出现了群众办学的新高潮,对这种积极性应该保护和加以正确的引导。但中共八大二次会议以后,全国各条战线都在多快好省地建设社会主义,加上中共中央、国务院在《关于教育工作的指示》中明确规定出全国3至5年内基本上完成扫除文盲,普及小学教育,学龄前儿童大多数都能入托、入园的任务,15年普及高等教育的目标。教育部门也过高地估计群众办学的能力,任凭群众盲目地、不切实际地大办各级各类学校,而且大事宣传,予以鼓励,造成形式主义泛滥,虚夸成风,使教育事业出现了盲目冒进的混乱状态。

"左"倾错误表现在教育事业的发展上,是一味盲目"大办",只求数量增加,不顾实际可能,违反了教育发展的客观规律。据统计,1958年高等学校由1957年的229所发展到791所;在校学生数由1957年的44.1万人,增加到66万人,"红专大学"蜂拥而上,不计其数。中等专业学校(含中师)由1957年的1320所,增加到3113所,在校学生数由1957年的77.8万人增加到147万人。农、职业中学原来没有一所,一下子发展到2万多所,在校学生达到200万人。幼儿园由1957年1.6万多所,发展到659万多所,在园儿童由1957年的108万多人,增加到2950多万

人。成人中等学校在校学生数由1957年的330万多人增加到564万多人,成人小学由1957年的626万多人增加到2600万多人。而教育经费却所增无几,1957年为19.52亿元,1958年只增加3100万元,教育经费占国家财政总支出的比重由1957年的6.4%下降到4.84%。这一事实说明,教育事业的发展大大超过了国民经济所能承担的能力,造成了教育与经济严重的比例失调。[①]

据1958年10月1日《光明日报》社论披露的数字,从1月至8月,全国扫除文盲9000万人;全国学龄儿童入学率已达93.9%;87%的县、市基本普及小学教育;新建中学2.6万余所,比1957年增长47%;全国中等专业学校已达6000余所,在校学生比1957年增长220%;新办高等院校800余所,全国已有高等院校1000所以上,在校学生比1957年增长2/3。半年多的时间能发展这么快,其中显然有许多浮夸、虚假的现象。[②] 比如学龄儿童入学率,直到1964年共青团中央统计的资料仍表明,农村7岁到25岁的学龄儿童和青少年总计约2.2亿人,在各级各类学校学习的只有6000万人,仅占27%。有关此项,山东省提供了比较翔实的材料。山东省在1958年3月的省文教工作"大跃进"誓师大会上提出了"百日奋战"的口号,全省"反保守",表决心,组织突击,十几天内就有24个县市传出捷报——普及了小学教育,学龄儿童入学率达到95%—98%。有的县仅用5天时间就"普及"了小学教育;有的县3昼夜就使全县7万多文盲、半文盲"全部入学";有的县不仅在12天内"普及"了小学教育,而且动员92%的文盲、半

---

① 《当代中国教育》,当代中国出版社,1996年版,第71页。

② 《全民办学,全民上学,加速社会主义建设》,《光明日报》,1958年10月1日社论。

文盲入学,建了 588 处幼儿园、120 处俱乐部,基本上达到了村村有俱乐部、社社有幼儿园。相继出现了无文盲乡社、无文盲厂矿、无文盲街道、无文盲县、无文盲专署、无文盲市。仅 10 月份各类中学在校学生就比年初增长 1.15 倍。这些数字"后来的事实证明,绝大多数是浮夸、虚报,或者是东拼西凑的"。

问题不仅仅在于这种虚夸的"教育大跃进",还在于近似荒唐的"教育大革命"。

1958 年 6 月 10 日,中共中央决定成立直隶中央政治局和书记处的文教、科学小组。中央文教小组组长陆定一,副组长康生。康生以副组长身份利用视察教育、参加会议的机会,到处宣传他的"教育革命"主张。7 月 17 日,他在北京师范大学说,师大有两大任务:大办工厂、大办学校。每一个班都可以办一个工厂。还要办学校,从小学办到大学,今年至少办 100 个各种类型的学校。7 月 19 日,他又到北京农业大学。他说,一个学校最低要挂 5 个牌子:一学校、二工厂、三农场、四研究所、五农林局。最好挂那么十几个牌子。还说,教授要按所种作物的产量评级。搞(亩产)1000 斤的只能当五级教授,2000斤的四级,3000 斤的三级,4000 斤的二级,5000 斤的一级。10 月 12 日,他对河南教育厅的同志说,学校是整个劳动大军的一个组成部分,要与社会大生产结合,可以上课 2 小时,劳动 3 小时;可以劳动 6 小时,上课 2 小时。在另一种情况下,也可以劳动 5 小时,上课 3 小时。现在钢铁潮流下,也可以只劳动,不读书。他在合肥工业大学竟说:"你们有一个基础,再加上一条,就是敢于胡搞,胡搞就是科学研究。"①

从 9 月开始,全国大中小学教职工和小学高年级以上学生普遍开始停课,投入大炼钢铁和三秋劳动。9 月中旬,国务院抽调 2.76 万名大、中、小学教师分赴各地参加全民大炼钢铁运动。据 20 个省、市 9 月底统计,有 2.21 万所各级各类学校建立小炼铁炉、小炼钢炉 8.6 万多个。据 10 月中旬 20 个省的不完全统计,有 397 所高等学校共办 7240 个工厂;1.3 万个中专、中学共办 14.4 万多个工厂。②

劳动过多,挤占上课时间,使正常的教学秩序受到冲击。据广西黎塘中学一个干部反映,从 1958 年 9 月开学至年底这 4 个月内,学期开始的一周上午上课,下午搞自己的农业劳动。但不久,就开始建工厂。工厂建完后,校长在专区开会拍回紧急电报,要求在国庆节前炼出几吨生铁。全体师生又集中去拉矿石、运料、炼铁。苦战 17 昼夜,任务刚完成,又接通知去搬木材,然后是采树种,这时已是 11 月初了。回来后的几天,上午两三节课,下午全部劳动。不久,团委书记在县里开会打来紧急电话,苦战一晚,每人写几封给钢铁战士的慰问信。接着,镇委又紧急通知,要苦战一周,做好 5000 件棉衣(平均每人要做 8 件多),送给炼钢前线的工人。几天后,上级又布置集中力量,上山采集树种 2 万斤。其后,又接紧急电话,要抽调 700 人全部去某大队支援秋收。县生产办又布置苦战 5 天,种下 400 亩亚麻。除了生产劳动外,还搞什么文艺大放卫星、体育大放卫星,苦战 3 天,实现劳卫制一级,苦战 4 天通过二级。临近年底,镇委又全面动员,苦战 20 天,突击完成深耕、水利、积肥

---

① 《中华人民共和国教育大事记》,教育科学出版社,1983 年版,第 225 页。
② 《中国教育年鉴(1949-1981)》,中国大百科全书出版社,1984 年版,第 467 页。

等中心工作。这一学期就这样过去了。①

这可能是一个比较典型的例子。但就总体情况而言,差别也不会太大。到1959年,有的小学2个月内应上课52天,但劳动了41个工作日,有的停课37天。按教学进度,语文教学一年级应教10课,但只教了3课;二年级应教15课,只教了6课;三年级应教18课,只教了9课;四年级应教12课,只教了3课;五年级应教12课,只教了3课;六年级应教12课,只教了2课。②

不仅以生产劳动冲击或替代课堂教学,还出现了把教学与生产劳动相结合理解为"学习跟着生产走,学习生产两相长","工地是学校,炉旁是课堂"的片面的形而上学的做法。教学也"以钢为纲"。有个大学的数学系结合厂址规划就土高炉、土方炉的体积、面积、容量、测绘等方面讲解高等数学;理化系结合炼钢生产按炸药、选矿、冶炼、炼焦、热机、喷气式发动机讲授;历史系则讲钢铁的出现、钢铁生产在社会发展中的作用和意义等等。把原有的教学大纲完全抛开,按生产拟定大纲和讲义,其教学理论完全是支离破碎的。

学校体制也受人民公社化运动的影响而出现变化。河南、河北、广东、山东等一些地区,把学校合并集中,学生同学习、同劳动、同食宿。河南省有40个县农村中小学合并集中后,实行"四集体":集体住宿、集体吃饭、集体读书、集体劳动。合并后的学校一般规模千人左右。江苏省有些县将单班小学合并,部分中小学、幼儿园集中住校。广东省大部分中小学实行了"三集体":同学习、同劳动、同吃饭。各地还将中小学校全部下放给公社管理。这股风很快吹到高等学校。北京、河南、浙江等许多省、市的部分高等学校,成立或参加当地人民公社。河南郑州大学等7所院校成立了人民公社。北京政法学院参加了海淀区东升人民公社,中国人民大学参加了四季青人民公社。

实践上的错位常常与理论上的荒谬分不开。当时有人竟然提出"学习"二字在社会上要把它消灭掉,用"劳动"二字来代替,因为"劳动"二字包括了任何生产和学习的含义。更有甚者,主张"可以去掉'学校'的名称","'学校'可以叫'新生一代成长之家',或'新生一代劳动生产园地'"。还主张不再按大、中、小学来划分学习阶段,而"在劳动程度上分阶段"。这种理论不仅违背了教育科学的基本规律,也违背了马克思列宁主义关于社会发展的辩证唯物主义的基本观点。③

1959年7月至8月,中共中央在江西省庐山举行政治局扩大会议和中共中央八届八中全会,原定会议的主旨是继续纠正"左"倾错误。但是,在会议后期,错误地发动了对彭德怀的批判。认为他提出的意见是否定"人民公社"、"大跃进"的成绩,是"右倾",是"一场阶级斗争"。进而在全国错误地开展了反对"右倾机会主义"的斗争。在这种思想指导下,教育战线"左"倾错误还没有得到纠正,却又展开了反右倾的斗争,从而使"左"的偏差愈演愈烈。"反右倾"运动一直持续到1960年

---

①　教育部档案,1959年永久卷,卷49,转引自毛礼锐、沈灌群主编:《中国教育通史》第六卷,山东教育出版社,1989年版,第142页。

②　教育部档案,1959年永久卷,卷50,转引同上,第143页。

③　教育部档案,1959年永久卷,卷49,转引自毛礼锐、沈灌群主编:《中国教育通史》第六卷,山东教育出版社,1989年版,第144页。

下半年。在批判所谓"彭德怀右倾机会主义"运动中，批判了教育战线上一批干部、知识分子，使之蒙受不白之冤。同时，又提出为了加速教育的发展与改革，小学、初中、高中、农中、中专和高等学校增设春季班；大规模进行学制改革试验，要求在9年或10年达到大学一年级乃至大学二年级程度；还组织师生频繁地下厂、下乡劳动。当时号召师生参加思想革命、技术革命和文化革命融为一体的生产劳动和"革命实践"，导致相当多的学校以劳动代替了教学，正常的教学秩序还没有完全恢复就又被打乱。高等学校由1958年的791所发展到1960年的1289所，在校学生由147万人增加到221.6万人。其他各级各类教育，也有大量增加，而教育经费一共只增加1亿多元，教育经费占国家财政总支出的比重只增加0.02%。在这种情况下，有许多学校不能维持正常的办学条件，加之，在不少地方师生过多地参加大炼钢铁和生产劳动，过多地参加政治运动，严重地冲击了正常的教学秩序，否定了教师在教学工作中的主导作用，这只能导致教育质量的继续下降。[①]

这个时期进行的"教育革命"，虽有严重的失误，但是也有一定成绩，取得了一些可贵的经验。当时学校党委或支部和校长，仍然处于领导地位，在一定程度上能够掌握教育改革的主动权，有些领导人头脑比较清醒，对"教育革命"中的错误做法进行节制。中共中央、国务院在1958年的《指示》中还提出了几个"并举"，实行权力下放，扩大地方自主权等等。这些，在今天看来，对于改革中国教育体制也具有一定的积极意义。特别是在教育改革的实践中，有些高等学校闯出了教学、科研、

生产劳动三结合的新路子，高等学校实行"真刀真枪"地搞毕业设计（论文），与业务部门合作搞科研，在大、中、小学开展半工半读、勤工俭学，实行两种教育制度，发展半工半读学校等等。所有这些，都为中国后来的教育改革提供了经验。在"教育革命"中，许多高等学校调整了学科、专业，组建高新技术专业，修改教学计划，将生产劳动列入正式课程，这些对于改变高等学校教学脱离社会实际的缺点，起了积极的作用。一些高等学校，还改革了毕业设计，实行与生产实践结合，既可以促进学校的教学与科研，又可以直接为生产建设服务。例如，清华大学承担了密云水库和北京历史博物馆工程的设计，南京工学院承担了北京火车站的工程设计，等等。1959年创建的中国科技大学，设立了原子物理和原子核工程、高分子化学、高分子物理等新兴学科，对于中国科学技术的发展和科技人才的培养起了重要作用。1960年7月，教育部和国防科学技术委员会在青岛市联合召开会议，研究国防高技术专业的设置和布局问题，对高等学校为促进国防现代化服务，也起了一定的作用。

1958年还开始了较大规模的中小学教学改革试验。当时已经觉察到，中小学的教学内容新的东西较少，循环过多，烦琐重复，课程门类繁多，且教学不甚得法，教学设备严重短缺，落后于青少年的智力发展。因此，就提出要适当合并学科，精简内容，减少循环，改革教材，去掉烦琐的东西，增加或加深现代科学技术和生产方面的应用知识；改进教学方法，提高教学水平。现在看来，对教学上存在问题的分析和采取的一些改革措施，也是有积极意

义的,尽管当时不适当地采取了群众运动的方法,一时难以取得成熟的经验。教改方面影响比较大的是成立于 1960 年的北京景山学校和从 1958 年开始进行"集中识字"实验的辽宁省黑山县北关实验学校。北京景山学校将小学 12 年学制缩短为 9 年,将儿童入学年龄由 7 岁提前到 6 岁。半年后,根据实验结果,将 9 年一贯制改为 10 年一贯制。从 1961 年至 1965 年,景山学校的语文教学实验加入文言文、作文和书法三方面的教学。精选了一批脍炙人口的优秀古诗词和古代散文做教材,从小学起就要求熟记熟背,还把作文教学定为语文教学的首要任务。为了提高学生的外语水平,从小学一年级就开设外语,借鉴新中国成立前教会学校外语教学经验,自选外国名家的原著做教材,专门编写会话教材,让学生学习地道的外语。进入高中阶段,用外文的数学、物理、化学课本作为正式教材,学生先翻译原文再解题,与此同时学习整本的外文原著。为了提高数学水平,引进了当时数学水平较高的法国、日本和民主德国的中学的数学课本进行试教,在取各家之长的基础上,编出自己的数学教材。北关实验学校采取先识字后读书的方法,陆续实验了"以歌带字"、"看图识字"、"四声带字"、"同音归类"尝试。其中"同音归类"的集中识字方法引起省内外教育同行的关注。1960 年 4 月,辽宁省委在黑山召开教学改革现场会,肯定并推广该校的教改经验,由此而影响全国。

三

教育事业的调整

从 1961 年到 1963 年,中国的教育工作贯彻了中共中央提出的"调整、巩固、充实、提高"的方针,对教育事业进行了大规模的调整。

中共八届九中全会以后,教育部从 3 月起,对京、津高校继续调查研究,发现跟踪等,学校存在几个比较突出的问题,一是以政治代替业务,把认真读书说成是"白专道路"。二是把军事和生产中的群众运动方式,不适当地搬用到学校里来,用群众运动破除理论体系。三是片面理解做"普通劳动者"的口号,不准学生学习业务。四是把学术问题与政治问题混淆起来,违背"双百"方针,挫伤知识分子的积极性。五是把党的领导绝对化,思想政治工作中宁"左"毋右。在邓小平直接领导下,中央宣传部、教育部党组开始草拟《教育部直属高等学校暂行工作条例》(草案)(共 60 条,故简称"高教六十条")。1961 年 7、8 月间,中央书记处讨论通过,提交 9 月的中央工作会议审议。9 月 15 日,中央政治局常委讨论通过,正式发布施行。中共中央在颁发"高教六十条"时指出:高等学校必须以教学为主,努力提高教学质量;科学研究、生产劳动、社会活动时间应安排适当,以利教学;正确执行知识分子政策,团结一切可以团结的知识分子,为社会主义高等教育服务;贯彻"百花齐放,百家争鸣"的方针,提高科学研究的学术水平,实行中国共产党学校党委领导下的以校长为首的校务委员会负责制,充分发挥校长、校务委员和各级行政组织的作用,做好总务后勤工作,保证教学和生活的正常进行,改进共产党的领导作风,加强学校的思想政治工作。

"高教六十条"先在教育部直属 26 所高校中试行,取得试点,然后推广。1963 年初,全国已有 220 多所高校试行这个条例。

从 1961 年 7 月起,教育部开始起草《全日制中学暂行工作条例》(简称"中学五十条")和《全日制小学暂行工作条例》(简称"小学四十条")。1963 年 3 月 23 日,中共中央在批准试行"中学五十条"和"小学四十条"的指示中指出:中小学教学是国民教育的基础,提高中小学的教育质量是一项具有战略意义的任务,在中小学阶段,必须十分重视德育;在智育方面,小学必须注重语文和算术的教学,中学必须注重语文、数学和外语的教学,中学小学都要注意体育;各级共产党的委员会必须加强对中小学教育的领导,充分发挥各级教育行政部门的作用,并注意改进教学计划,抓紧教材建设,建立一支又红又专的教师队伍,切实办好师范学校。

上述大、中、小学暂行工作条例,对办好各级学校作了明确具体的规定,总结了新中国教育工作的经验,特别是 1958 年至 1960 年"左"的错误的教训,对稳定教学秩序,改进教学工作,提高教学质量,调动知识分子积极性起到了积极作用,使中国的学校教育工作走上了比较符合中国国情的正常发展轨道。

此外,教育部还制定了《教育部直属高等学校自然科学研究工作暂行简则》、《高等学校培养研究生暂行工作条例》、《研究生专业目录》和《制定研究生培养方案的原则规定》等。

与此同时,教育部还抓紧调整工作,首先从高等学校开始。1961 年 1 月召开全国重点高等学校工作会议,确定了各个重点高等学校的规模、任务、方向和专业设置,并要求对非重点高等学校的发展规模和专业设置进行调整。此后,又经过半年的调查研究,于同年 7 月教育部召开了全国高等学校及中等学校调整工作会议。会议讨论了缩短战线、压缩规模、合理布局和提高质量的问题。会后各地又经过调查,拟订方案。教育部于同年 12 月召开了第二次全国高等学校和中等学校调整工作会议,研究确定进一步调整的方案。首先从高等学校开始。教育部研究贯彻"八字"方针,对全国重点高等院校实行"四定"(定规模、定任务、定方向、定专业),强调通过调整建立完善的教学秩序,大力提高教学质量。调整后的学校规模一般都在五六千人之间。为保重点,在缩短战线,集中力量的基础上,对专业设置加以适当调整。经过讨论,确定保留高等学校 774 所,中等专业学校 1670 所。到该年年底,吃商品粮的学生数比 1960 年减少了 400 万人。1961 年 5 月,中共中央批准教育部的报告,对北京地区高等及中等专业学校分别采取定(定发展规模)、缩(缩小发展规模)、并(与他校合并)、迁(全部或部分迁离北京)、放(下放北京市领导)、停(停办)等不同方式进行调整。经过调整,北京地区高等学校由原来的 90 所调整为 51 所,中等专业学校由原来的 130 所调整为 80 所。

1962 年 4 月召开的全国教育工作会议,根据以调整为中心的"八字"方针,从当时国民经济处于困难时期的实际出发,确定办少些、办好些和提倡人民群众办教育事业的方针。会议经过研究提出:进一步大幅度裁并高等学校,特别是专科学校;大量裁并 1958 年以后新建的条件差和布局不合理、重复设置的中等专业学校;压缩全日制中小学的规模,调整学校布局,以利学生就近入学;认真办好一批重点学校,提高教育质量。同年 9 月,针对 1958 年以后招收研究生过多,部分质量太差,有的学校又无力培养,不能完成培养计划的情况,确定采取各种措施加以整顿。中共中央指示,必须下最大决心,对教育事业特别是高等学校和中等专业学校进一步调整，必须坚决贯彻执行国家办学与人民群众办学的"两条腿走路"的方针，坚决改变国家对教育事业包得过多的做法，必须适当发展半日制学校及夜校、函授、广播等各种形式的业余教育。教育部根据中共中央的指示，在同年10月召开全国教育事业计划会议，总结了1962年的教育事业调整和精简教职工的工作，并对1963年教育事业的调整、教职工的精简和教育事业的计划作了安排。

1962年12月，周恩来对进一步调整教育事业又作了指示，要求认真搞好高等学校的专业调整；小学以公办为主，同时也搞一些民办。对小学教师可以实行教龄津贴制度（未能实行）。按照这一指示，1963年对高等学校和中等专业学校的专业设置大力进行了调整，并制定了《高等学校通用专业目录》和《中等专业学校通用专业目录》。经过专业调整，全国高等学校专业调整为549种、2527个，比1962年减少191种、982个。

经过三年的调整，到1963年底，全国普通高等学校已由1960年的1289所压缩为407所，在校学生由96.2万人减少为75万人；中等专业学校由1960年的6225所压缩为1355所，在校学生由221.6万人减少为45.2万人；普通中学由1958年的2.8万多所压缩为1.9万多所，在校学生由1960年的167.5万人减少为123.5万人。同时还安置了精简的教职工43万多人，安置了裁并下来中等以上学校的学生45万多人。[①]

中国教育事业经过调整和改革，质量有显著提高，中等教育结构也趋向合理，同时学校数量也得到迅速发展。据1965年底统计，全日制高等学校达到434所，在校学生达到67.4万人；有117所全日制高等学校试办了半工半读专业班，在校学生达到4.4万人；独立设置及工厂、农场、人民公社试办的半工（农）半读高等学校达到109所，在校学生达到2.9万人。中等学校达到8万多所，在校学生达到1430.87万人，其中：中等专业学校1265所，在校学生54.7万人；半工半读中学6.1万多所，在校学生443.3万人，普通中学1.8万多所，在校学生933.8万人。小学发展到168万多所，在校学生突破了1.1亿人。[②] 在教育结构上，当时只注意到中等教育的结构，其他方面仍存在着不合理状况。例如：普通高等学校在校学生已达67.4万人，中等专业学校在校学生只有54.7万人，仍处于比例失调的状态。成人高等教育中，函授教育和夜大学有所加强。1957年，全国高等学校举办函授教育的有58所，函授生3.5万人；举办夜大学的有36所，学生1.2万人。到1965年，全国有123所高等学校举办函授教育，有函授生13.2万人；举办夜大学的高等学校83所，学生1.8万人。从1960年开始，北京创办了面向北京地区的北京广播电视大学，上海、天津、沈阳等市也试办了地区性的电视大学。但是，从整个成人高等教育来看，其在校学生人数几乎没有多大增长。成人中等学校比1963年增加了近300万人，成人学员比1963年增加400多万人。普通高等学校本科与专科的比例也极不合理，本科生占95.5%，专科生只占4.5%；从普通高等学校分科学生数的比重看，工科类占43.8%，财经类只占

---

① 《当代中国教育》，当代中国出版社，1996年版，第75—76页。

② 同上，第79页。

2.7%，政法类只占 0.6%，师范类则由 1957 年的 26% 下降为 14%，这说明文法财经等社会科学专业不仅没有相应发展，反而下降了。①

17 年教育工作的问题主要是：第一，由于中国共产党和国家的工作重心没有转移，所以教育没有摆到应有的位置，教育的战略地位没能确立。第二，对知识分子，特别是对教师的基本估计过低。1956 年以后不短时期内仍然把旧中国过来的知识分子作为资产阶级知识分子，从政治上进行批判，甚至错划了大批右派分子，1962 年虽有所纠正，但未能从根本上改正错误。第三，以阶级斗争为纲，政治运动频繁，劳动过多，冲击了正常的教学秩序，在学校数量、规模的发展上一度有盲目追求高指标的错误。以上这些问题，在三个条例贯彻以后得到一定程度的解决，但由于总的指导思想"左"的倾向没有转变，所以没有得到彻底解决。1963 年 10 月，教育部按照中共中央的指示发出通知，要求组织高等学校文科学生参加"四清"运动（即"社会主义教育运动"）。1964 年 11 月，毛泽东在一次谈话中，强调阶级斗争是学校的一门主课，应让学生到农村去搞"四清"，到工厂去搞"五反"。据此，1965 年 2 月，中共中央、国务院又发出通知，要求高等学校理工科师生参加一期"四清"的全部或主要过程。同年 5 月，高等教育部发布了《关于高等学校师生参加社会主义教育运动的几项规定》。据不完全统计，到 1965 年底，全国有 395 所高等学校的师生 22 万余人参加了"四清"运动。与此同时，中共中央于 1964 年 11 月决定派出工作队进驻北京大学进行"社会主义教育运动试点"，旨在抓"党内资产阶级代理

人"。由于在试点中出现了过火行为，造成学校内部的混乱。1965 年 3 月，中共中央总书记邓小平指示要求纠正北京大学"四清"运动试点中"左"的错误，但没有很好地贯彻下去，形成了两种不同看法。1966 年 5 月 25 日，北京大学聂元梓等人贴出的大字报，就是该校"四清"运动中实行极"左"路线的产物。与北京大学"四清"的同时，北京的几所中学也开展了"社会主义教育运动"。

四

对教育工作和形势的错误判断

1964 年 2 月 13 日，毛泽东在人民大会堂召开了教育工作座谈会，当时正逢春节，所以这次座谈会又称春节座谈会，毛泽东在会上的讲话又称春节讲话。毛泽东说：学制可以缩短。学制缩短后，中学毕业生只有十五六岁，不够当兵年龄，也可以过军队生活。不仅男生，女生也可以办红色娘子军，让十六七岁的女孩子去过半年到一年的军队生活。学校课程多，害死人，使中小学及大学生天天处于紧张状态。课程可以砍掉一半。学生天天看书并不好。现在的考试，用对付敌人的办法，搞突然袭击，出一些怪题、偏题，整学生。他主张题目公开，出 20 个题，学生能答出 10 题，有创见，可以打 100 分，平平淡淡，没有创见，20 题都答对了，给 50 分，60 分。考试可以交头接耳。旧教学制度摧残人才，摧残青年，他很不赞成。马克思主义的书要读，读了要消化。读多了，又不能消化，也可能走向反面，成为书呆子，成为教条主义者、修正主义者。

① 《当代中国教育》，当代中国出版社，1996 年版，第 84 页。

3月10日，毛泽东在3月6日编印的《群众反映》第16期摘登的北京铁路二中校长魏莲在1964年2月提出关于减轻中学生负担问题的意见的来信中批示说："现在学校课程太多，对学生压力太大。讲授又不甚得法。考试方法以学生为敌人，举行突然袭击。这三项都是不利于培养青年们在德、智、体诸方面生动活泼地主动地得到发展。"毛泽东要求把这份材料发给中央宣传部各正副部长，中央教育部各正副部长、司局长每人一份，北京市委、市人委负责人及管教育的同志每人一份，团中央三份。

7月5日，毛泽东同他的侄子，当时在中国人民解放军军事工程学院上学的毛远新谈话，指出：阶级斗争是你们的一门主课。你们学院应该去农村搞"四清"，去工厂搞"五反"。不搞"四清"就不了解农民，不搞"五反"就不了解工人。阶级斗争都不知道，怎么能算大学毕业？中国历史上凡是中状元的，都没有真才实学，反倒是有些连举人都没有考取的人有点真才实学。不要把分数看重了，要把精力集中在培养分析问题和解决问题的能力上，不要只是在教员的后面跑，自己没有主动性。教改的问题，主要是教员问题。教员就那么点本事，离开讲稿什么也不行。高年级学生提出的问题，教员能回答50%，其他的说不知道，和学生一起商量，这就是不错的了。不要装着样子去吓唬人。

8月29日，毛泽东在接见尼泊尔教育代表团时指出：中国的教育制度正在进行改革，"最脱离实际的是文科"，"文科要把整个社会作为自己的工厂，师生应该接触农民和城市工人，接触工业和农业，不然，学生毕业，作用不大"。9月1日，中共中央、国务院发出通知，要求组织高等学校文科师生参加社会主义教育运动，主要是农村的"四清"运动。这个通知对教育领域形势作出错误的判断："我国高等学校文科脱离实际的倾向十分严重，资产阶级和修正主义的思想相当普遍。有些单位的领导权不是在无产阶级手里，不少资产阶级专家正在同我们争夺青年学生，这种状况，必须从根本上加以改变。"

11月，高等教育部转发了毛泽东与毛远新的谈话。若干天以后，高等教育部直属高等学校理工科教学会议就把"阶级斗争锻炼作为一门主课"，将参加"四清"和军训正式列入教学计划。11月5日，中共中央宣传部开始在北京大学进行社会主义教育运动试点，工作队由5人小组领导，即张磐石（中宣部副部长）、刘仰峤（高教部副部长）、徐子荣（公安部副部长）、庞达（中宣部教育处副处长）、宋硕（中共北京市委大学部副部长）。工作队成员包括从各中央局和各省、市自治区党委宣传、文教部门及高等学校抽调的干部250余人。由此开始，到1965年8月，全国共有148所高等学校的10万多名师生参加农村"四清"运动。另据1966年初教育部统计，全国还有约147所全日制中学进行了社教运动试点。

宣传舆论也不断升温。当时教育部负责人对教育形势是这样估计的："我们的任务就是要在教育战线上，坚决地、不断地同资产阶级的侵蚀和复辟进行斗争"，"当前在教育战线上两条道路、两种思想的斗争中，最根本的问题是：教育由谁来领导，依靠谁来办学，培养什么样的人的问题，这里有政治斗争，有意识形态的斗争。"1965年1月号《人民教育》上刊载了数篇文章，其中《教育战线上的阶级斗争和半工（农）半读问题》一文说："有些地富反坏分子混进我们的队伍，伙同一些蜕化变质分子，在学校中为非作歹。他们利用课堂公开宣传资本主义和现代修正主义,腐蚀毒害青少年。他们采取种种手段对工人、贫下中农子女进行压制和排挤。《一定要闯出这种路》一文说:"在整个社会主义时期,在学校中都严重存在无产阶级和资产阶级两条教育路线的斗争","如果我们觉得学校里很平静,肯定不是好事,那是资产阶级进攻我们,熔化我们","我们自己还不知道,还自以为很舒服,这正是真正的危险"。

既然作者向人们描述了这样一幅情景,阶级斗争的弦当然不能不绷得紧紧的。于是,许多地方开始揭露"学校阶级斗争的严重情况"。某中学"已为地主分子篡夺领导权,学校成为地富反坏的大本营";某小学"有反革命活动","对工人和其他劳动人民的子弟实行残酷的阶级报复";某学区党支部书记"把学区当作自己的独立王国,树立私人势力,重用地富反坏,整个学区被阶级敌人弄得乌烟瘴气"等等。

在高等教育部召开的直属高等学校(扩大)理工科教学工作会议上有人说,大学里的教研室只有1/3是我们掌权,1/3是我们在起一定作用,1/3完全掌握在资产阶级专家手里。有人则认为没有几个教研室是由我们的人真正当权的。还有的说,某系领导权实际操纵在资产阶级专家手里。山西交城一个反映阶级斗争问题的调查报告,把教师中各种大小缺点错误如教师忙家务、对人一团和气、工作不深入、学生学习不努力、不爱护公共财物、不遵守公共秩序、上自习课不守纪律、男女同学不敢接近、占小便宜等等都说成是阶级斗争的表现,把大多数师生都看成阶级斗争的对象,造成阶级斗争扩大化。不少地方撤销剥削阶级家庭出身的教师的学校行政和社会工作职务。有的市教育局宣布:凡地富家庭出身的教师,一律不许当班主任;有的县委决定:凡家庭出身剥削阶级的小学教师一律清洗。在"左"倾错误思想指导下,高等学校社教运动出现了严重问题,有些工作队轻率地认为学校党委烂掉了,变质了。于是采取过"左"的做法,或进行夺权斗争,展开猛烈的大字报攻势,召开大大小小各种会议,使学校气氛异常紧张,造成严重后果。

中学的社教试点由于工作队本身就分不清什么是学校里的走资本主义道路的当权派,把问题较多的学校看成是夺权单位,采取了扩大打击面的夺权斗争的做法,导致教师精神压力大,学生狂热情绪日趋按捺不住。1965年1、2月,教育部在反映"北京市中学生要求进行教育革命","上海市中学生要求进行教育革命"的编者按中指出:"随着社会主义教育运动的逐步深入,思想文化战线上阶级斗争的广泛开展,学校中社会主义教育和阶级斗争的加强,广大师生的政治觉悟有了提高。最近以来,北京市部分中学的学生开始揭露出学校工作中的许多问题,要求贴大字报,揭开学校阶级斗争的盖子,进行教育革命。据了解,福建、上海、南京等地也有类似情况。"

这一切,不能不说是为"文化大革命"运动作了思想上、理论上的准备,它同时还多少说明缺乏社会经验和政治阅历、头脑发热的青年学生为什么会在"文化大革命"初起时充当了狂飙啸起的潮头。

两种教育制度的提出与实施

两种教育制度是刘少奇根据我国国情提出和倡导的新型教育制度。所谓两种教育制度是指小学、中学、大学整天读书的全日制学校教育制度和学校、工厂、机关、农村广泛地采用半工半读的教育制度。

一

两种教育制度的酝酿

在我国试办半工半读教育的设想是由刘少奇首次提出的。1957年11月8日，《参考资料》刊载了《美国大学生有三分之二半工半读》一文。中共中央副主席刘少奇阅后，作了批示："此件送团中央一阅。中国是否可个别试办？请你们研究。"11月19日，共青团中央印发了这个批示和文章，并通知各省、市、自治区团委请示当地党委，与有关方面一起，选择个别单位重点试办勤工俭学、半工半读的制度。这是在全日制教育制度存在的情况下探索半工半读教育制度的发端。

刘少奇关于两种教育制度的设想，是联系中国教育的实际情况而提出的。1957年上半年，刘少奇深入各地调查研究。他先后调查了河北、河南、湖北、湖南、广东等地，在调查中发现全国高小毕业生500万人中，约有400万毕业生不能

升初中，初中毕业生109万人中，约有80万升不了高中；高中毕业生中大约有8万升不了大学。现行教育制度不能满足广大青年学生升学的愿望，与此同时，各行各业发展生产，需要补充大批有文化的劳动者、特别是技术人才。根据这种情况，刘少奇提出各级政府部门要对未能升学的毕业生统筹安排，提供就业机会，而且要求改变过去"教育行政部门对劳动教育重视不够，对中小学学生毕业后参加工农业生产的教育重视不够"的现象，"提倡勤工俭学，开展课余劳动"。因此，在1957年11月，刘少奇提出试办半工半读、半农半读学校的主张。

1958年1月22日，《人民日报》报道了西安第一航空技工学校实行半工半读、经费自给自足的做法，并发表了中共陕西省委负责人的谈话，认为该校的做法，体现了社会主义的办学原则，应该大力推广。1月27日，共青团中央发布《关于在学生中提倡勤工俭学的决定》。决定指出：勤工俭学是具体实现知识分子和工农相结合、脑力劳动和体力劳动相结合的一个重要途径，也可以起到移风易俗的作用，还可以节约国家财政开支。2月4日，教育部发出通知，要求各地教育行政部门积极支持和帮助共青团执行这个决定。2月7日至12日，教育部召开部分省、市教育厅、局负责人和中学校长参加的勤工俭学座谈会，提出要打破陈规，积极地、有计划地开展勤工俭学和半工半读活动。是年春天，在党的号召和领导下，广大学生把劳动和学习结合起来，广泛地开展了参加生产劳动的活动，很快就发展成规模宏大的下厂下乡劳动。中学以上学校的师生，分批到工矿、农村，与工农同吃、同住、同劳动，向工农学习，在劳动中锻炼自己。小学师生也参加了力所能及的社会公益

劳动。半工半读、半农半读教育实践由此拉开了序幕。

1958年1月31日，毛泽东在《工作方法（草案）》中提出了学校办工厂、农场实行半工半读的思想。毛泽东还指出："红与专、政治与业务的关系是两个对立物的统一。"刘少奇提出的半工半读教育制度的设想得到了毛泽东的肯定和支持。随后，又得到国务院副总理薄一波的支持。在一届人大五次会议上，薄一波指出："应当根据脑力劳动和体力劳动相结合的原则，进一步地改进我们的教育制度。"其具体措施是，有步骤地实行半工半读的教育制度；尽可能地增加高等学校学生的工农成分；中等专业学校毕业生一律参加工农业生产；工农速成中学准备分别改为大学的工农预科或正规的工农中学等。3月24日至4月8日，教育部在北京召开第四次全国教育行政会议。会议认为应当根据毛主席提出的教育方针，改革教育制度、教育内容和教育方法，而勤工俭学、半工半读是体现教育方针的一项根本措施，它应该服务于教育目的。生产劳动必须列入教学计划。

"勤工俭学、半工半读"一经提出，迅速得到了各地的响应。在刘少奇、林枫等同志和天津市委的直接关怀下，5月27日，天津市第一所厂办半工半读学校——国棉一厂半工半读学校开学了。51名四级以上条件较好的老工人，实行"六二"制半工半读，即每天6小时生产，占用生产时间2小时学习。为此，《人民日报》于5月29日发表社论《举办半工半读的工人学校》。社论指出："工人学校是培养工人成为知识分子的重要形式。它代表着我国教育事业发展道路中的一个新的方向，是多快好省地培养工人阶级知识分子的一项重要办法。这种做法，对我国社会主义建设大有好处，值得大大提倡！"在筹办这所学校时，刘少奇尤为重视，专门同河北省委和天津市委的负责人商量试办问题，并要天津市尽快落实，抓紧试办。1958年5月25日，刘少奇在给毛泽东和政治局常委各位同志的信中，专门提出了教育制度与劳动制度相结合的问题。他在信中说：我曾同周恩来、陆定一同志，以及几个省市委的个别同志谈过这样两个问题：一个是在实行现在的学校教育制度和工矿机关的劳动制度之外，是否可以同时实行一种半工半读的学校教育制度和半工半读的工矿机关劳动制度？另一个是除在城市职工和农业合作社中集中注意组织生产运动之外，是否可以在为生活服务事业的基础上，把职工家属和农村中的妇女及其他半劳动力也组织起来，并与生产运动相配合？毛泽东很郑重地作了批示：此件已看过，同意你的意见。

二

两种教育制度的正式提出

1958年5月30日，在中共中央政治局的扩大会议上，刘少奇正式提出了"我国应有两种教育制度、两种劳动制度"的思想。他在会上说：勤工俭学"这个问题，我最近又想了一下，又有所发展，就是搞半工半读。我想，我们国家应该有两种主要的学校教育制度和工厂农村的劳动制度。一种是现在的全日制的学校教育制度和现在工厂里面、机关里面八小时工作的劳动制度。这是主要的。此外，是不是还可以采用一种制度，跟这种制度相并行，也成为主要制度之一，就是半工半读的学校教育制度和半工半读的劳动制度。就是说，不论在学校中、工厂中、机关中、农村中,都比较广泛地采用半工半读的办法"。他指出,这样,我们就可以多办学校,国家不多花钱,比较充分地满足青年人的升学要求。同时工厂里人多的问题也可以解决,劳动就业的人可以多些。他认为,这是采用群众路线,多快好省地培养工人阶级和劳动人民的知识分子的一种方法。

6月8日和20日,刘少奇又在两次会议上提出:"半工半读问题是从中国条件、中国特点提出的。中国的特点是:人多、穷、生活水平低,要进行技术革命,人多劳动力够用。""教育同劳动结合的道路,现在还没有走出来,还要想很多办法。""学校分两类:一类是全日制学校,一类是半工半读。""两类学校都算正规学校","这些都要规定为国家制度"。①刘少奇上述关于教育工作的指示,在中共中央于6月10日至28日召开的北京教育工作会议上进行了传达。

为解决学校教育与生产劳动相结合等问题,刘少奇于6月21日写信给劳动部部长马文瑞,建议在新建的工厂中试办半工半读。信中指出:学校教育问题不只是同教育部门有密切的关系,而且同劳动部门以至其他许多产业部门也有密切的关系。因此要社会各方面都来重视这个问题。教育与生产劳动相结合,在农业方面比较容易,而在工业方面则比较复杂。因为,实行这种结合,一方面,工厂和学校的管理教育制度都要相应地作出若干改变,妥善地安排好学生们和工人们生产和学习的时间,才能使学校教育与工业生产劳动相对固定地结合起来;另一方面,工厂的管理机关不单是管理工厂生产,还要管理学校教育;不单是添置工厂用房,还要加建教学楼、教员宿舍;不单是使用人才,还要教育、培养人才。"实行这种劳动制度和学校制度的工厂,就使工厂和学校完全合二为一了"。

1958年下半年刘少奇到各地视察已经出现的半工半读、半农半读学校,在各地多次讲到两种教育制度、两种劳动制度的问题。

通过深入考察,刘少奇深刻地认识到,教育与生产劳动相结合,是我国教育发展的具体道路。在刘少奇的大力提倡、推动下,两种教育制度在全国各地逐步推广了。

为了进一步明确党的教育方针,7月《红旗》杂志第7期发表中共中央宣传部部长陆定一的文章:《教育必须与生产劳动相结合》,8月16日《人民日报》全文转载。文章指出:"中国共产党的教育方针,向来就是,教育为工人阶级的政治服务,教育与生产劳动相结合;为了实现这个方针,教育必须由共产党领导。"从而肯定了两种教育制度的正确性。

8月1日,江西共产主义劳动大学响应中央指示,明确提出了该校的办学方针是:"半工(农)半读,勤工俭学,学习与劳动相结合,政治与业务相结合。"

这时,毛泽东同志对两种教育制度再次给予肯定,并不断作出指示。8月13日,毛泽东视察天津大学和南开大学,他在天津大学说:"高等学校应抓住三个东西:一是党委领导;二是群众路线;三是把教育和生产劳动结合起来。""以后要学校办工厂,工厂办学校","学生要勤工俭学,教师也要搞"。9月12日,他在视察武汉大学时又说:"学生自觉地要求实行半工半读,这是好事情,是学校大办工厂的必

① 刘崇文、陈绍畴主编:《刘少奇年谱(1898—1969)》下卷,中央文献出版社,1996年版,第427—428页。

然趋势,对这种要求可以批准,并应给他们以积极的支持和鼓励。"并提出:"在教学改革中应注意发挥广大师生的积极性,多方面集中群众的智慧。"

两种教育制度实施的曲折

1958年9月19日,中共中央、国务院发布《关于教育工作的指示》,明确指出:"在全国统一的教育目的下,办学的形式应该是多样的。""全国将有三类学校:全日制学校、半工半读学校、各种形式的业余学校。在这三类学校中,有一部分要担负提高的任务。用大量发展业余的文化技术学校和半工半读学校的形式来普及教育。"这个指示发出后,试办的半工半读学校、半农半读学校,在全国各地如雨后春笋般涌现出来。农业中学、劳动大学、工业大学相继成立,仅天津市就出现了100多家工厂试办的半工半读中等技术学校。当时,刘少奇对半工半读、半农半读学校抱有极大的期望,他说:工厂"可以办中学,也可以办中等技术学校,一直到办大学。这样工作七八年,上十年,他们大学毕业了,那个时候他们就有条件转业了,不会闹情绪了。训练这么一些技术工人、技师、工程师,文化程度比较高的人,各个地方都需要,这样,我们就可以多办学校,比较充分地满足青年人的升学要求"。"农业中学可以半日读书,半日种地,也可以一日读书,一日种地,还可以考虑半年种地,半年读书"。半工(农)半读学校在《关于教育工作的指示》发出后大量涌现,客观上形成了两种教育制度,它带来了我国教育事业新的发展和进步。

教育界和各级各类学校掀起学习、贯彻执行中共中央和国务院《关于教育工作的指示》的热潮。中央和地方报刊发表社论,大量刊登了有关文章。各级各类学校展开教育方针大辩论。从开展勤工俭学运动发展到学校大办工厂、农场、工厂、农村人民公社大办学校。一些高等学校和中等专业学校还搞厂(农场)校合一,实行半工半读。一些中小学也与附近的工厂、农场、人民公社合并,搞半工半读。一些工厂、人民公社、机关、街道宣布办起了高等学校、中等专业学校、农业中学、普通中小学、幼儿园及红专大学、劳动大学、市民学院等名目繁多的各种形式的学校。有的工厂、人民公社还宣布办成了从幼儿园到高等学校的"教育体系"、"教育网",实现了"人人劳动、人人学习"的"共产主义教育制度"。11月1日至12月31日,教育部、共青团中央在北京联合举办教育与生产劳动相结合展览会,展览会共设一个综合馆和27个地方馆。共接待观众104万人次。展览期间举行了43次座谈会,有75个单位介绍了经验。《人民日报》、《光明日报》为展览会开幕发表了社论。

1959年1月12日至3月1日,中共中央在北京召开教育工作会议。会议认为:在1958年的教育革命中,党的领导建立起来了,师生对劳动的态度有了变化,学生的道德品质、世界观大有提高,然而在身体好了的同时,智育却有所降低。下半年部分学校没有很好上课。会议提出,全日制学校应该贯彻教学为主的原则。会议讨论和修订了《关于全日制学校的教学、劳动和生活安排的规定》的重要文件,以指导全日制学校在两种教育制度同时施行时健康地发展。4月3日《人民日报》发表社论——《把教学、生产劳动、科学研究结合起来》。社论明确提出:高等学校在贯彻教育与生产劳动相结合的方针时,必须把教学、生产劳动、科学研究密切结合起来。社论强调学校的主要工作是教学,全日制高等学校还担负着提高的任务,因此,三结合应该以教学为中心,作好全面安排。

为了继续发展两种教育制度,周恩来于4月18日在二届人大一次会议上作《政府工作报告》时指出:"除了各级全日制正规学校外,还应当根据实际可能,继续发展半日制学校、农村和厂矿的业余学校。""去年一年,各级学校都有了很大的发展,现在需要在这个发展的基础上进行整顿、巩固和提高的工作。"5月28日,周恩来视察南开大学和天津大学时指出:"教育与生产劳动相结合,教育是主导方面,因为学生来学校就是为了学习。"9月19日,中共中央、国务院发布了《关于教育工作的指示》,《人民日报》以《进一步贯彻执行党的教育方针》为题发表社论,重申教育为无产阶级政治服务,教育与生产劳动相结合的教育方针。

1958年,方兴未艾的半工(农)半读学校受到了"大跃进"和人民公社化的影响。9月全国大、中、小学教职工和高小以上学生,响应中共中央的号召,投入大炼钢铁运动。各地师生夜以继日地劳动,教学工作基本停顿,据9月底20个省、市统计,有21100所各级各类学校,共建小炼铁炉、小炼钢炉86000多座。随着农村人民公社化运动的发展,河南、河北、山东等地区,出现学校合并集中,学生实行同学习、同劳动、同食宿的做法。1958年以后的国民经济三年困难时期,半工(农)半读的学校大部分处于自流状态,自生自灭,小部分坚持下来了。其中最好的是江西共产主义劳动大学,毛泽东同志在1961年7月30日写信给该校,庆贺该校成立三周年。信中说:"你们的事业,我是完全赞成的。半工半读,勤工俭学,不要国家一分钱,小

学、中学、大学都有,分散在全省各个山头,少数在平地。这样的学校确是很好的。""我希望不但在江西有这样的学校,各省也应有这样的学校。""再则党、政、民(工、青、妇)机关,也要办学校,半工半学。"

当然,半工半读、勤工俭学运动中也在一定程度上存在着"左"的倾向:有的条件不具备,为赶时髦而兴办;有的因教学条件不足,采取多劳动、少教学的方法;有的则徒有虚名。教育上的"左"的倾向,与当时政治经济上的冒进相关联。1961年1月,中共八届九中全会制定了对国民经济实行"调整、巩固、充实、提高"的八字方针。与此同时,教育部贯彻执行八字方针,也通过制定各种暂行条例,进行了全面的整顿。刘少奇等领导人特别认真地总结了兴办半工半读、半农半读学校的经验教训。

四

刘少奇与两种教育制度高潮的出现

1964年,刘少奇再次正式向中央提出试行两种教育制度的设想。这年7—8月间,刘少奇在向中央各部和北京市党员干部作报告以及在天津、安徽、山东、湖北、广西等地视察时,多次讲到两种劳动制度和两种教育制度。他指出:半工半读既是劳动制度又是教育制度。两种劳动制度和两种教育制度是结合的。从当前看,既能够办学校,有希望普及教育,又能减轻国家和家庭负担;从长远看,能够培养新的人,培养既能从事脑力劳动又能从事体力劳动的人。他建议各省、市、自治区,每个大城市都着手试验、试办。至少五年才能初步总结经验,扩大经验,十年以后推

广。他还在中央学制问题研究小组会上指出：全日制学校现在还是需要的，还得好好地办。等到半工半读的大、中、小学大量办起来，而且办好了以后，全日制学校就可逐步缩小。经刘少奇的再次提议，中央学制问题研究小组召开扩大会议，7月下旬邀请中央各有关业务部门和13个省、市、自治区学制小组（或教育厅、局）的代表，集中研究学制改革问题，草拟了《学制改革初步方案（征求意见稿）》。方案提出：建立两种教育制度。一方面继续改革和办好全日制学校，另一方面大力发展各级各类半工半读、半农半读学校和业余学校。方案规划我国的新学制中将有全日制、半工半读、半农半读、业余三类学校。后来，因情况变化，学制改革方案未能形成正式文件。

两种教育制度的观点经刘少奇再次提出后，在1964年5—6月间的中央工作会议上，曾经受到毛泽东和与会人员的称赞和肯定。7月，为了推行两种教育制度，刘少奇在同河北省委负责同志谈半工半读的问题时，还明确提出，要另设一个教育厅，专门管理这件事。8月，刘少奇向在中央工作的同志作《关于社会主义教育运动和两种劳动制度、两种教育制度问题的报告》中又指出：我说的两种劳动制度、两种教育制度，有一部分是结合的，既是劳动制度，又是教育制度，又是学校制度。就是在农村里面办半农半读的学校，在工厂里面办半工半读的学校。农忙的时候种地，农闲的时候读书。工厂里面一个星期做工，一个星期读书。既是劳动制度，又是学校制度。而这都是正规的，要把它作为正规的劳动制度，正规的教育制度。他说：从普及教育来讲，我看是必须采取这个办法。由此，半工半读教育出现了新的高潮。

1964年下半年，天津、北京、上海等大中城市开始举办各种形式的半工半读学校。全国各地农村半农半读的农业中学、中等农业技术学校迅速发展。一些全日制的中等专业学校和技工学校试改为半工半读学校。各地报刊展开了关于半工半读学校的宣传工作。《人民教育》8月号发表社论《坚决扶植半农半读、半工半读学校》，介绍天津感光胶片厂坚持办半工半读学校的经验。9月号、10月号又相继刊登和推荐了一些1958年创办的坚持半工半读、半农半读学校的经验。对此，《人民日报》、《光明日报》都作了广泛的宣传。

根据刘少奇的指示，一些省、市和中央部门成立了专管半工（农）半读的教育机构，领导和推进半工（农）半读教育的试验工作。中共北京市委、中共天津市委、中共江苏省委分别成立半工半读教育领导小组，中共甘肃省委成立工读教育委员会。天津成立第二教育局。江苏省成立工读教育局。安徽省成立半工半读教育工作领导小组。农业部、化工部分别成立半工半读领导小组。教育部成立半工半读教育办公室。在各级半工（农）半读教育机构领导下，半工（农）半读教育的试办工作大大加强了。如农业部于10月7日至9日召开了北京农业大学、北京农业机械化学院、南京农学院、西北农学院、沈阳农学院、西南农学院、华中农学院7所高等农业院校办半农半读座谈会。会议讨论了改革的步骤和培养目标，认为这类院校实行半农半读，应当为半农半读的农业技术学校培养半农半读的专业课教师和为农村培养新型的农业技术干部。

为了认真总结半工（农）半读教育的经验，教育部于10月印发了中共中央宣传部加了批语的《城市半工半读学校情况汇编》。中央宣传部的批语指出："1958年以来,已经六年,对于半工半读和半农半读的学校,我们应该拿出些经验来,为今后实行两种教育制度开辟道路。"11月17日,中共中央转发江苏省委《关于发展半工(耕)半读教育制度的规划(草案)》。中央批示又一次强调:半工半读、半农半读学校代表了我们今后教育的发展方向。我们已经办了六年,应该总结出经验来了。这种经验,对于今后实行两种教育制度,对于发展我国的社会主义教育学的理论,都是非常重要的。

12月21日至22日,周恩来在三届人大一次会议上作《政府工作报告》。他指出:"在今后若干年内,一方面对现行的全日制学校制度继续进行改革,认真贯彻执行教育为无产阶级政治服务、教育与生产劳动相结合的方针";"另一方面要试办半工半读、半农半读的学校。半工半读、半农半读的学校,是一种教育同劳动相结合的新型学校","是社会主义、共产主义教育的长远发展方向"。

1965年两种教育制度的实施在全国进一步铺开,并不断地总结经验,深入发展。3月26日至4月23日,教育部在北京召开全国农村半农半读教育会议,会议总结和交流了各地试办半农半读学校的经验,提出今后农村教育的任务是要在办好全日制学校的同时,坚定不移地推行半工(农)半读教育制度。会议认为,近年来各地试办的半农半读教育制度为在我国农村多快好省地普及小学教育和发展中等教育开辟了一条新的道路,是我国教育事业中一次深刻的革命。要继续高举毛泽东思想红旗,学习大寨、解放军的革命精神,在巩固已有成绩基础上,实行全日制和半农半读两条腿走路,普及小学教育,扩大试办农业中学,积极试办半农半读中等技术学校。7月14日,中共中央批

转了教育部党组关于这次会议的报告。5月30日,《人民日报》发表社论《努力办好半农半读学校》。早在4月7日《人民日报》就开辟了专栏,开展"怎样办好半工半读、半农半读的新型学校"的讨论。这一讨论因这次会议的推动出现了高潮,直至10月29日结束,共出专刊15期。

在全国农村半农半读教育会议期间,3月31日,刘少奇听取教育部部长何伟、副部长刘季平汇报时指出:"一切国家的无产阶级取得政权以后,都会产生资本主义复辟的问题,包括我们国家在内。问题是如何防止。现在我们所想到的办法有两个:一个是发动群众搞'四清',一个是改革教育制度和劳动制度。我们办半工半读学校也是为了解决这个问题。"7月15日至30日,农业部召开全国高等和中等农业教育会议,会议认为,必须采取积极稳妥的方针,逐步实行半农半读、社来社去和进行教学改革。刘少奇听取汇报并作了指示。8月19日,中共中央批转了这次会议的报告。

半农半读教育在许多院校得到实施,据1965年统计,全国66所高等农业院校中,已试行半农半读的有37所,半农半读的学生占在校学生数的15%。307所中等农业学校中,实行半农半读的220所,半农半读学生占在校学生数的52%。农业系统的160所中等农业学校的绝大部分和个别高等农学院还实行了"学生从社里来回社里去"的办法。

10月25日至11月23日,教育部在北京召开全国城市半工半读教育会议。会议期间,中共中央政治局召开扩大会议,听取了汇报。刘少奇对实行半工半读的方针、方向,长远目标和当前任务,理论和实际工作,以及具体办法作了指示。他说:"我们的国民教育有三种形式:一种是

全日制;一种是业余教育;一种是半工半读、半农半读。"并对半工半读的形式作了具体指示,提议补充"四四制"的形式,"四小时工作,四小时读书",厂校结合。他指出:我们的目标应该培养到能当干部、当技术员、当工程师的水平。但是也要当工人、农民。"半工半读试验的重点是中等专业学校和高等学校"。"我的意见,还是坚持五年试验,十年推广,不能动摇,发展不能太快"。"在实践过程中总结经验"。会议在讨论了刘少奇及其他中央领导讲话后指出:在我国逐步推行两种劳动制度、两种教育制度,是巩固无产阶级专政、防止资本主义复辟的根本措施之一。全国各地试办的城市半工半读学校,今后必须坚持"五年试验,十年推广"的方针,坚定方向,继续积极试办,以便掌握它的规律。此外,通过举办半工半读学校,组织城市青年上山下乡。会后,12 月 11 日,《人民日报》发表社论《坚持五年试验、十年推广的方针,办好半工半读教育》。1966 年 5 月 21 日中共中央转发了教育部党组关于这次会议的报告。

1965 年,半工半读教育制度迅速在全国各地贯彻执行,办起了一批多种形式的耕读小学。全日制小学进行了改革,有的附设了耕读班。农业中学有很大发展,半农半读的中等技术学校和共产主义劳动大学等高等学校也进一步发展了。城市的半工半读学校也有很大发展,北京、上海、天津等城市各行各业都试办了半工半读,有的还办了半工半读的工业、师范院校。全日制的高等和中等学校也采取多种形式,进行半工半读的试点。据 1965 年的粗略统计,全国半农半读教育,耕读小学在校人数 2400 万(不包括青海、西藏),比 1964 年同期增长 1.5 倍,约占全国小学生总数的 20%。农业中学(包括半农半读初级技术学校)53000 多所(不包括西藏),学生 310 余万人,比 1964 年同期增长近 3 倍,约占全国中学生总数的 25%。半农半读中等技术学校 1300 多所,学生 18 万人,比 1964 年同期增长 12 倍。城市半工半读学校 1700 多所,学生 26 万多人,中级的约占初级中学的 70%,初级的约占高小毕业生的 30%。高等教育中全日制高等学校进行半工半读试点的有 177 所,占总数的 40.8%,学生 2.6 万人,占招生总数的 15.6%;独立设置半工半读专业总数达 477 个,占 2865 个专业总数的 16.6%。①

12 月 4 日,三届人大常委会举行第二十一次会议(扩大),听取教育部部长何伟关于半工半读、半农半读教育情况的报告。12 月 25 日至 1966 年 1 月 16 日,高等教育部在北京召开全国半工(农)半读高等教育会议。会议确定:按中央指示"决心要大,步子要稳"的精神进行半工半读试验和对全日制的改革。1966 年 1 月 8 日,高等教育部部长蒋南翔向中共中央书记处汇报了会议讨论情况。周恩来指出:发展半工(农)半读教育要谨慎一点、稳妥一点。文科改革,至少要经过两年的试点。高等学校的专业,分科不要分那么细。邓小平指出:半工半读方向是肯定的,步子要适当。总之,一个原则,不能降低教育质量和科学技术水平。步子要稳点儿。其他的改革,都先搞试点,工科更要谨慎些。教育工作这几年尽管有错误,但总的说是有成绩的。

两种教育制度和两种劳动制度、半工半读教育在"文化大革命"中因刘少奇被打倒而遭到批判,半工(农)半读学校被全

---

① 毛礼锐、沈灌群主编:《中国教育通史》第六卷,山东教育出版社,1989 年版,第 185—187 页。

部砍光,中等教育结构遭到严重破坏,成人业余教育也基本上被搞垮了。

第一颗原子弹的研制与爆炸成功

1964年10月16日15时(北京时间),中国自行制造的第一颗原子弹在西部地区爆炸成功。这是中国国防和科学技术方面取得的一次重大的突破,标志着我国国防现代化进入了一个新的阶段,在国际上引起了巨大的反响。

一

中国核工业的建立与发展

我国核工业创建于20世纪50年代中期,经历了从无到有的艰难发展历程。周恩来、聂荣臻主持制定的我国两次科学技术长远发展规划,即1956年到1967年12年科技发展规划和1963年到1972年10年科技发展规划,都把发展核科技、核工业列为重点任务之一,有力地推动了我国核工业的发展。

1956年,首先组建了导弹研究院,不久成立了原子能研究设计院。由于中共中央、国务院、中央军委的高度重视,有关部门的大力支持,各种技术人才和先进设备源源不断地向研究院集中。在钱学森、钱三强、邓稼先等我国一批高水平科学家的技术指导下,我国的原子能科研进展很快。1958年10月16日,中共中央批准成立了国防科学技术委员会,聂荣臻任主任。此后,原子能方面的研究工作,由国防科委统一领导。开始时,中方曾对苏联承诺的帮助寄予期望。但不久,这种期望被苏中关系的恶化所打破,中国开始了自力更生研制核武器的努力。

导弹、原子弹是现代各种科学技术成果的高度结晶。两弹的复杂性几乎牵涉到国民经济所有的生产部门和技术领域,是一个国家综合国力的体现。我国的国防尖端技术在1958年以前还是一片空白。从50年代后期到60年代初,在中央的统一领导下,充分依靠全国的支援,各部门、各地方、各部队大力协同,执行"自力更生,过技术关,质量第一,安全第一"的方针,经过一大批科技人员、指战员、干部和职工的共同努力,艰苦奋斗,攻克了一个又一个技术难关。在原子弹研究设计方面,已经拥有数千人的大学毕业以上专业技术干部队伍。一批科学家已集中摸索了一段时间,找到一些关键的技术问题,并且有的已经突破,有的正在攻关;铀原料储量的探查,从选矿到原子武器装配的工厂、设备业已基本具备。对几个短缺的关键设备,也已经在国内安排试制,待这一套建设项目完成后,我们就可以自己制造原子弹了。为了发展国防尖端武器的需要,国内还开拓了新型原材料、精密仪器仪表和大型设备的攻关。各种耐高温材料、高能燃料、多性能的特种材料、半导体材料、精密合金、稀有金属元素、人工晶体、超纯物质、稀有气体的研制陆续上马。精密光学器材、大吨位的锻压与冷热轧机设备的研制,也于1961年5月以后上马。实践证明,搞"两弹",可以带动我国许多现代科学技术向前发展。

1961年7月,中央在北戴河召开了国防工业会议,对国家经济困难时期的"两弹"上马还是下马问题展开了热烈的讨论。正在这时,毛泽东让秘书传达指示给聂荣臻说:中国的工业技术水平比日本差得很远,我们应采取什么方针,值得注意。毛泽东的指示,成为解决这一争论的契机。聂荣臻立即召集各有关部门和人员研究,共同认为,只要坚持攻关,加上政策、措施得当,争取不迟于1963年拿出原子弹初步设计方案,争取三五年或更长一些时间得到突破是完全可能的,到会的同志对坚持攻关都充满了信心。

聂荣臻把设想和决心报告中共中央,得到毛泽东、周恩来等中央领导同志的同意。陈毅同志多次对聂荣臻说:现在我这个外交部长的腰杆子还不太硬,你们把导弹、原子弹搞出来了,我的腰杆就硬了。为了把"两弹"搞出来,聂荣臻主持制定了《科研十四条》,抓知识分子政策的落实,还抓知识分子物质生活待遇的改善。他出面从一些大军区和海军呼吁支援,拨给国防科研战线一批猪肉、鱼、海带、黄豆、水果等副食品,以中央和军委的名义分给每个专家和科技人员。陈毅元帅对此也甚为热心,表示:向各单位"募捐",也加上我的名字。与此同时,聂荣臻又抓研制的方针和具体安排。确定了"缩短战线,任务排队,确保重点"的方针。具体安排是:以科研为主,以尖端为主。在原子能方面,集中解决核燃料生产基地的建设和原子弹的研制,争取用4年左右时间搞出来。

1962年11月,中共中央决定,成立以周恩来为首的中央15人专门委员会,负责加强"两弹"研究试验工作的领导和更好地组织全国大协作。毛泽东明确指示:"要大力协同,做好这件工作。"此后,周恩来主持这个专门委员会多次听取和研究"两弹"研制进展情况和解决存在的问题,使全国的大协作大大加强。

第一颗原子弹的爆炸成功

经过几年的艰苦攻关,先是成功地试验了自己研制的若干种导弹、火箭武器,在做好充分的准备后,1964年10月16日在西部地区成功地爆炸了中国的第一颗原子弹。试验由张爱萍在现场组织指挥。当时,集中了几百名科学技术人员和几千名勤务保障人员,在戈壁滩上夜以继日地紧张战斗,克服了许多困难,反复演练,完成了极其复杂的试验准备工作。试验当天,周恩来和聂荣臻在北京一直守在电话机旁,与在前方的张爱萍始终保持着联系,并根据试验场地的情况,将"零时"(即原子弹爆炸的准确时间)确定为当天15时。当我国第一颗原子弹准时爆炸成功的消息传来,人们都抑制不住内心的喜悦。第二天,在人民大会堂召开了第二届人大常委会第一百二十七次会议,听取原子弹爆炸成功的汇报,有关方面的领导同志和科学家列席了会议。当周恩来总理在会上宣布这一喜讯时,大家热泪盈眶,长时间地响起了暴风雨般的掌声,热烈庆祝我国首次核试验成功的伟大胜利,欢呼中国人民依靠自己的能力制造的原子弹试验成功!

我国的这颗原子弹,比美国1945年第一次投在广岛、长崎的原子弹在技术上要先进,比英国1952年10月在蒙特比罗岛核试验的水平要高,比法国1960年2月在撒哈拉沙漠爆炸的"原子装置"也高级得多。这是中国共产党自力更生路线的伟大胜利,也是中国人民有志气、有能力的最好说明。中国终于打破了帝国主义、霸权主义的核垄断和核讹诈,这对于加强和巩固国防具有十分重要的意义,是中国人民对于保卫世界和平的重大贡献,并使中国的国防地位进一步提高。

中国在经济严重困难之后很快搞出核弹,大大出乎外国的意料。1963 年 7 月,美国副国务卿哈里曼曾同赫鲁晓夫讨论过中国发展核能力的可能性问题。赫鲁晓夫表示:对于这样一种发展"并不过分不安"。因为,"自 1960 年以来,苏联不曾向中国提供过任何工业性质的援助"。他断言:"中国缺乏发展核能力——包括核武器和运载系统——的工业基础。"他没有想到他会于 1964 年 10 月 15 日下台,更没有想到中国自行设计和制造的原子弹会在他下台次日爆炸成功。1954 年,毛泽东便提出要搞原子弹,说 10 年工夫可能成功。他的期望正好在 10 年中实现了。

三

中国政府的立场

原子弹爆炸同日,中华人民共和国政府发表声明,详细地阐明了中国对核武器问题的一贯立场。指出:"中国进行核试验,发展核武器,是被迫而为的。"中国政府一贯主张全面禁止和彻底销毁核武器。中国发展核武器,不是由于中国相信核武器是万能的,要使用核武器。恰恰相反,中国发展核武器,正是为了打破核大国的核垄断,要消灭核武器。中国掌握核武器,完全是为了防御,为了保卫中国人民免受美国发动核战争的威胁。中国政府郑重宣布,中国在任何时候,任何情况下,都不会首先使用核武器。为此,中国政府向全世界各国政府郑重建议:召开世界各国首脑会议,讨论全面禁止和彻底销毁核武器问题。同日,中共中央、国务院致电给参与我国首次核试验工作的全体工人、工程技术人员、科学工作者和解放军官兵,以及一切从事国防建设的同志,向他们表示热烈的祝贺。

10 月 17 日,周恩来总理致电世界各国首脑,转达中国政府关于召开世界各国首脑会议,讨论全面禁止和彻底销毁核武器的建议,重申了中国政府的立场,表示:"在任何时候,任何情况下,中国都不会首先使用核武器。"作为实现全面禁止和彻底销毁核武器的第一步,"各国首脑会议应当达成协议,即拥有核武器的国家和很快可能拥有核武器的国家承担义务,保证不使用核武器,不对无核武器国家使用核武器,不对无核武器地区使用核武器,彼此也不使用核武器。防止核战争,消灭核武器,是全世界一切爱好和平的国家和人民的共同愿望。中国政府真诚地希望,中国政府的上述建议将得到贵国政府的有利考虑和积极响应"。随后,越南、朝鲜、阿尔巴尼亚、塞内加尔、古巴、老挝、巴基斯坦、罗马尼亚、阿尔及利亚等国领导人和政府纷纷致电我国,祝贺我国第一次核武器试验成功,表示完全支持我国政府全面禁止和彻底销毁核武器的建议。法国、苏联、民主德国、捷克斯洛伐克、蒙古等国也对这一建议作出了积极的响应。

以除四害为中心的爱国卫生运动

从 1952 年起,在党和政府的直接领导下,全国掀起了轰轰烈烈的爱国卫生运动。特别是在爱国卫生运动明确了除四害消灭疾病的内容之后，就更能够充分地动员全国人民和全体卫生人员有目的地向自然、向疾病进行斗争。

一

除四害运动的发动

1952 年，美国侵略朝鲜，并在朝鲜和我国发动了灭绝人性的细菌战。12 月，毛泽东同志为第二届全国卫生工作会议题词，号召全国人民："动员起来，讲究卫生，减少疾病，提高健康水平，粉碎敌人的细菌战争。"1952 年 3 月 14 日，政务院召开会议，决定成立中央爱国卫生运动委员会。3 月 19 日，发布了粉碎美帝国主义细菌战的指示，明确了爱国卫生运动的任务和必须采取的措施，并指示各地成立领导这一运动的专门机构。随后，各大区、省、市、县、区等各级政府和机关、部队、团体都成立了爱国卫生运动委员会，广泛发动群众，掀起了全民性的、轰轰烈烈的爱国卫生运动高潮。

1953 年初和 1954 年朝鲜停战后，政务院又先后发出了继续开展爱国卫生运动的指示。

1956 年 1 月 23 日至 2 月 4 日，卫生部召开全国卫生工作会议，制定了卫生事业 12 年规划，以及除四害和消灭危害人民最大疾病的规划，并确定了当年的工作方针和任务。1956 年《农业发展纲要（修正草案）》提出："从 1956 年起，在 12 年内，在一切可能的地方，基本上消灭老鼠、麻雀、苍蝇和蚊子"，"基本上消灭危害人民最严重的疾病，例如：血吸虫病、天花、鼠疫、疟疾、黑热病、钩虫病、血丝虫病、新生儿破伤风和性病"。也应当"积极培养医务人员，包括中医在内"。《纲要》还指出："积极开展群众的经常性的爱国卫生运动，养成人人讲卫生、家家爱清洁的良好习惯。讲究清洁卫生的根本精神，是为了消灭疾病，人人振奋，移风易俗，改造国家。"由此掀起了除四害的一个高潮。

1957 年，中共八届三中全会对除四害、讲卫生、消灭疾病运动进行了讨论。在同年 11 月间，中央爱国卫生运动委员会和卫生部召开了 15 个省市爱国卫生运动经验交流大会，为当年冬季和 1958 年的爱国卫生运动大跃进作了充分的准备。

1958 年 1 月 8 日，中共中央发布了《关于开展以除四害为中心的爱国卫生运动的通知》。2 月 12 日，中共中央和国务院发出了《关于除四害讲卫生的指示》。《指示》要求各地在以除四害为中心的爱国卫生运动中，应当切实注意这样几个问题："（一）除四害讲卫生的运动必须同城乡生产相结合，使运动直接为生产服务，并且把除四害讲卫生的计划放在总的生产建设的计划之内。""（二）在除四害讲卫生的运动中，必须使群众力量和技术力量相结合，使突击工作和经常工作相结合。""（三）除四害讲卫生运动的决定关键，在于党的领导。各级党组织的第一书记对于这一运动必须亲自动手，抓规划，抓宣传，抓检查评比，并且要推动各单位的行政负责人同样亲自动手。"《指示》最后号召说："十年看三年，三年看头年，只要各级党政组织认真负责，雷厉风行，坚持到底，我们就一定能够在今年内为这一工作打下巩固的基础，在几年内消灭四害，基本上消灭危害人民最严重的疾病，使全国的卫生状况大为改观。"至此，一个规模巨大的除四害运动在全国展开了。

3 月 16 日，毛泽东视察了四川郫县红星农业生产合作社的卫生工作。

5月5日,刘少奇在中共八大二次会议上作工作报告指出:要将"消灭'四害',讲究卫生,提倡体育,消灭主要疾病,破除迷信,移风易俗,振奋民族精神"作为文化革命的重要内容。

8月29日,中共中央政治局会议通过了《关于继续开展除四害运动的决定》。决定指出:"除四害、讲卫生、消灭疾病,是增强人民体质、保护劳动力、提高劳动效率的一项带根本性的重要措施。为了保障工农业生产大跃进,除四害、讲卫生运动也应该大跃进。"决定要求经常地坚持这项运动,"使已有的'四无乡'、'四无县'巩固起来,创造出更多的'四无乡'、'四无县'、'四无省',使我们的国家成为一个没有老鼠、麻雀、苍蝇、蚊子,基本消灭传染病的危害的国家,人人体格健康,个个身强力壮,以促进我国工农业生产更大地跃进"。大跃进运动与除四害为中心的爱国卫生运动相互促进,使得除四害运动逐步走向深入。

12月,全国农业社会主义建设先进单位代表会议及全国爱国卫生运动评比会议合并召开。刘少奇代表党中央在会上致辞,他说:"在卫生战线上,1958年也取得了重大的成就。但是我们的艰巨任务还远没有完成。当前的任务,就是要总结和推广1958年的成功经验,继续开展广泛的群众运动,坚持团结整个医药卫生战线上的全体工作人员,贯彻执行中西医密切结合、专门人才和广大群众密切结合的方针,争取在最近几年内,除尽四害,逐步消灭危害人民最严重的疾病,把我国卫生事业的水平大大提高一步。"

在以除四害为中心的爱国运动中,毛泽东同志和党中央的许多负责同志,亲自检查了一些地区的除害灭病工作,给广大群众以巨大的鼓舞,运动高潮迭起。

二

爱国卫生运动的成绩与经验

1958年以除四害为中心的爱国卫生运动空前发展,并取得了很大的成就。运动中各级领导带头,宣传教育工作十分深入广泛,做到了家喻户晓,人们充分认识到这场运动的重要性和意义,自觉自愿地以极大的热情和冲天的干劲投入到这场运动中去。到1958年12月为止,据不完全统计,全国共消灭老鼠19.3亿只,消灭麻雀21.1亿只,并消灭了大量的蚊蝇、蛆蛹和孑孓。在消灭四害的同时,结合积肥、兴修水利和市政建设,疏通了沟渠,填平了坑洼,清理了垃圾粪便,修建了厕所,铲除了大量的四害滋生地,为彻底除四害创造了条件。

在除四害过程中,群众创造出许多除害灭病的好方法和效果良好的土工具,利用不少野生植物,采取捕打、掏堵、毒杀、围歼、反复扫荡的措施,消灭四害。在运动中涌现出一大批除四害能手。如山西稷山县董家庄农民薛回义,在除四害运动中灭鼠1753只,在他的带动下,董家庄一年内灭鼠19000多只,薛回义因此出席了全省农村社会主义建设积极分子代表会议。

在除四害的同时,普及了卫生知识,环境卫生和个人卫生有了显著的改进。人人养成了良好的习惯,清除了大量垃圾污物。个人卫生方面,许多人逐渐养成了勤洗澡、勤理发、勤剪指甲、勤洗晒衣被、饭前便后洗手等良好的卫生习惯。

在运动中人民群众总结了丰富的除四害经验,如突击与经常相结合,治标与治本相结合,中西结合,土洋结合,采取综合措施,反复扫荡,逐片肃清,巩固经常。所谓治标与治本相结合,即治标要打早(在春暖到来之前,及时在四害滋生最弱的时候消灭它们)、打小(在四害小的时候消灭它们)、打了(消灭四害和钉螺等工作要彻底,留下几个,就会再度繁殖)。治本要求推行几光(塘坝、沟边和居住的周围杂草铲光,干脚泥和阴阳沟挖光,垃圾扫光等)、几净(厕所净、厨房净、牲畜棚圈净、环境净、衣被净等)、几改良(改良厕所、改良牲畜棚圈、改良饮水井、改良居住条件等)、几清除(经常清除厕所、栏圈的人畜粪便、垃圾、脏水、积水,等等)、几定(定时、定点、定人、定措施,等等))的办法。

在消灭疾病方面采取了防治结合的方针,如在消灭血吸虫病时,就注意了这一方针的实施,抓住了治疗、灭螺、粪管、安全用水和个体防护等五个环节。

1959 年 11 月 12 日至 21 日,卫生部在山西省稷山县召开了全国农村卫生工作现场会,树立了稷山县太阳村这面爱国卫生运动的旗帜。

1960 年 3 月 18 日,中共中央又发出了关于卫生工作的指示,强调指出,环境卫生,极为重要,一定要使居民养成卫生习惯,并提出了"以卫生为光荣,以不卫生为耻辱"的口号,"卫生工作之所以重要,是因为有利于生产,有利于工作,有利于学习,有利于改造我国人民低弱的体质"。并要求把爱国卫生运动与保护劳动力、移风易俗、改造世界紧密联系起来。

总之,这个时期以除四害为中心的爱国卫生运动,是以党中央和国务院的一系列重要决定和指示为指引,全国上下齐动员,把卫生工作与群众运动结合起来,促进了爱国卫生运动的健康发展。全国涌现出不少卫生先进典型,如广东省佛山市、水东镇,山西省稷山县太阳村、晋城县的东四义等。

60 年代的农村合作医疗

中国是一个农业大国,农村人口占全国总人口的 80％以上。新中国建立前,大部分的医疗卫生机构和医务人员主要集中在城市和沿海地区,乡村医疗卫生组织几乎是一片空白,一些零散的个体中医为农村群众提供极其有限的医疗服务。新中国建立以后,由于农村地广、面大、人多,医疗基础薄弱,国家一时还没有能力将城镇职工医疗保障制度扩展到农村,只能采取对一些危害性较大的流行性疾病和特困群众实行免费治疗的医疗救助。农业合作化运动后,集体经济得到了壮大,农民自发创办了合作医疗制度。因其积极有效,又符合社会主义发展方向而得到了国家的肯定和积极推广。

一

农业合作化与农村医疗保障制度的选择

1950 年 6 月,旨在解决农村医疗卫生问题的全国农村卫生座谈会召开。基于农村医疗卫生的恶劣状况,为了巩固土改成果,促进农业生产,卫生部副部长苏井观指出:"今后卫生建设的重点在农村,城市是对旧有卫生机构加以改造的问题。"① 为此,要求卫生人员要明确认识农村卫生的重要性,纠正对农村卫生工作的忽视态度与偏差认识,不怕困难,为农民解除痛苦。紧接着,在第一届全国卫生会议上提出,近几年卫生建设的重点不在大城市,而在中小城市、农村、工矿与部队。9月,周恩来在《政府工作报告》中提出:"人民政府决定在最近几年内在每个县和区建立起卫生工作机关,以便改进中国人民长期的健康不良状况。"② 到 1952 年底,全国县卫生院已达 2123 所,也就是说,全国 90% 的地区建立了县级卫生机构。沿袭陕甘宁边区医药合作社的做法,1950 年前后,东北各省积极倡导采用合作制和群众集资的办法举办基层卫生组织,以缓解农村缺医少药的紧迫状况。据原东北人民政府卫生部门统计,1952 年东北地区的 1290 个农村卫生所中,属于合作社举办的有 85 个,群众集资办的有 225 个,两者合计 310 个,占东北农村卫生所总数的 44%。其中原热河和松江省的一些农村地区,还发动农民群众以粮食、土豆和鸡蛋等实物入股投资,建立起了一批医药合作社。依据 1951 年 4 月 4 日卫生部公布的《关于调整医药事业中公私关系的决定》精神,全国各地乡村纷纷组建合作性质的联合诊所。1954 年,全国已有联合医院 99 所,联合诊所 2.7 万多所,联合妇幼保健站 700 多所。次年召开的全国文教工作会议肯定联合诊所是"由独立脑力劳动的医务人员自愿组织起来的合作性质的社会卫生福利事业"③。到 1956 年,全国由私人开业医生组织起来的联合诊所、乡卫生所从

1950 年的 803 所发展到 5.1 万所以上。④ 它们在预防疾病、指导群众性的卫生工作方面,起到了重要作用。然而,大部分农民自费医疗的状况仍然没有改变。怎样从实际出发,采取适宜的形式,给予农民医疗保障,成为医疗卫生工作中的一个重要问题。

1955 年合作化运动后,山西高平、河南正阳、山东招远、湖北麻城等一些地区的农民自发创建合作医疗制度,也称为集体保健医疗制度。即从集体公益金中提留一部分作为医疗基金,建立保健站,农民自己只需缴纳少量的费用即可获得诊疗。这是具有保险性质的合作医疗制度出现的标志。这一办法起自农民群众看病吃药的需求,是适应合作化后农村集体经济的逐步壮大而产生的。"合作医疗制度"一词最早公开出现在 1958 年 8 月 24 日的《人民日报》上,正式见于中央文件则是到了 1960 年,而农民在实践中最早使用这一词语则可追溯到 1956 年 9 月的河南(原正阳县)王店乡团结农庄。

1953 年,山西省高平县米山乡 3 家私人药铺和 10 个民间医生自愿组合,创办了高平县第一个联合诊所。1955 年 5 月 1 日,在联合诊所的基础上,在有关部门的大力支持下,米山联合保健站正式挂牌成立,这是全国第一个农村医疗保健站。该保健站的基本做法是:在乡人民委员会(乡政府)的领导下,由农业生产合作社、农民群众共同集资建立保健站;在自愿的原则下,每个农民每年缴纳 0.2 元作为保健费,免费享受预防保健服务,患者就医只交药费,免收挂号费、出诊费等;保健站的医生是从农村中选拔,并经卫生部门培

① 张芹:《关于农村卫生建设问题——记中央卫生部农村卫生座谈会》,《人民日报》,1950 年 7 月 25 日。
② 周恩来:《为巩固和发展人民的胜利而斗争》,《周恩来选集》下卷,人民出版社,1984 年版,第 48 页。
③ 洪明贵:《加强对联合医疗机构的领导》,《人民日报》,1955 年 8 月 10 日。
④ 黄树则、林士笑主编:《当代中国的卫生事业》上,中国社会科学出版社,1986 年版,第 13 页。

训的;坚持预防为主,巡回医疗,送医送药上门,医生分片负责所属村民的卫生预防和医疗工作;保健站的经费来源是在农业社公益金中提取的 15%—20%、农民缴纳以及药品经营中的利润;采取记分与支付现金结合的办法,解决保健站医生的报酬。这些做法被称为"合医合防不合药"的医疗制度。① 与此同时,合作医疗还出现了其他多种形式,如合药不合医、合医又合药等等。米山乡保健站创立的这种合作医疗保健制度,引起了中央有关部门的高度重视。1955 年 6 月,国家卫生部副部长徐运北在山西省卫生厅厅长高宏昌的陪同下到米山视察。同年 11 月,卫生部、国务院文教办和山西省卫生厅组成联合调查组到米山调研,他们召集农民、农业社干部和保健站医务人员召开了一系列座谈会,详细了解他们的做法和经验,并给予了高度评价:"米山乡举办农业社联合保健站的经验,初步实现了走集体化农民的无病早防,有病早治,省工省钱,方便可靠的理想","为农村的预防保健工作建立了可靠的社会主义的组织基础"。② 随后,经卫生部报请国务院同意,米山乡联合保健站的经验在全国部分地区得到推广。到 1956 年,全国以集体经济为基础、由合作社举办的集体保健医疗站发展到了 1 万多个。③

1956 年 6 月 30 日,一届全国人大三次会议通过了《高级农业生产合作社示范章程》,规定合作社要"开展公共卫生工作和社员家庭卫生保健工作","对于因公负伤或者因公致病的社员要负责医治,并酌量给以劳动日作为补助"。④ 这是首次提出农民的疾病医疗不仅是个人的私事,而且集体对此要负有职责。1956 年河南正阳县王店乡团结农庄创建"社办合作医疗制度",湖北麻城县、河南登封县和正阳县吕河店、山东商河正店等人民公社也都自发办起了合作医疗。这一制度的实施初步缓解了农民自费医疗的负担,参加合作医疗的农民切身体会到了它的好处。湖北省麻城王福店公社一大队社员陶守耀,合作医疗前因胃病,先后卖了 2000 多斤粮食和一口大肥猪,搞得倾家荡产,才把病治好。后来他旧病复发,病情比过去还严重,治疗一个多月,吃了 20 多服药,只花了块把钱的挂号费就把病治好了。他激动地说:"多亏党领导我们办了合作医疗,穷人治病有办法了,否则我还得破产治病。"⑤

"大跃进"运动与合作医疗的第一次高潮

1958 年"大跃进"运动开始后,全国农村掀起了大办人民公社的热潮。到年底时,全国 74 万个农业合作社合并为 2.6 万个人民公社。"一大二公"是人民公社的主要特征,全公社范围内统一核算,统一分配,实行部分的供给制。很多公社提出了实行"七包",即包吃饭,包穿衣,包医

① 张琪:《中国医疗保障理论、制度与运行》,中国劳动社会保障出版社,2003 年版,第 148 页;刘军强等:《合作医疗的前世今生》,《南风窗》,http://www.nfcmag.com/ReadNews—4174.html,2006 年 1 月 21 日。
② 张自宽:《对合作医疗早期历史情况的回顾》,《中国卫生经济》,1992 年第 6 期。
③ 徐杰:《对我国卫生经济政策的历史回顾和思考》上,《中国卫生经济》,1997 年第 10 期。
④ 张琪:《中国医疗保障理论、制度与运行》,中国劳动社会保障出版社,2003 年版,第 148 页。
⑤ 张自宽:《论合作医疗》,山西人民出版社,1993 年版,第 14 页。

疗,包生育,包教育,包居住,包婚丧。河北徐水县和山东范县甚至提出了"八包"、"十包",宣布社员的衣食住行、生老病死、男婚女嫁所需要的费用都由公社供给。在尽快向共产主义迈进的理想追求中,合作医疗与大食堂、托儿所等一起成为人民公社的主要内容。因此,在"大跃进"运动中出现了创办合作医疗的第一次高潮。

1958年河南省广大农村开展合作医疗运动,全省有963个人民公社先后实行了合作医疗制度,占全省农村公社总数的71.1%。这些人民公社共建立了乡村医院7692所,医疗站4992个,简易病床2万多张,妇幼院1.61万所,产床9万余张,迅速地形成了一个医疗保健网。① 广东省曲江县樟市镇人民公社群星大队1957年开始办合作医疗,一直到1964年医药费实行大队包干,病者只出挂号费。这种办法,大队每年要付出医药费8千元左右。② 1958年,湖北省麻城县全县96个公社全部实行了合作医疗,并计划逐步减少收费标准。③ 新疆南部维吾尔族聚居的麦盖提县1958年办起合作医疗,他们的具体办法是,每年年终分配时,社员自愿报名登记(地、富、反、坏、右分子除外),每人每年交2.5元,由生产队按照参加人数,在年终分配时一次扣除;"五保户"的合作医疗费从公社公益金中开支;个别经济困难的社员,经贫下中农讨论同意,也从公益金中给以适当补助;合作医疗费由公社合作医疗管理委员会统一掌握,社员凭合作医疗证看病,除挂号费自付外,药费、医疗费、

接生费不再花钱;转到县、专区、自治区医院诊治的病人,医药费用均由公社合作医疗管理委员会报销。④ 在"大跃进"运动中河南遂平县卫星人民公社制定了第一个人民公社试行简章,其中第十八条规定,公社要逐步建立和健全医疗机构,逐步做到:社有中心医院,能够收容一般重病号;大队有门诊所,能够诊治轻病号;生产队有保健员和接生员,能够进行预防疾病、看护病人和为产妇接生的工作;在有条件的时候,公社要建立疗养院。公社实行合作医疗,社员按照家庭人口多少,每年交纳一定数量的合作医疗费,就诊不另交费。中心医院对无法治疗的特殊重病号,应该介绍到适当的医院治疗,并负责开支旅费和医药费,但对衰老病和慢性病的人,暂时不作介绍。在经济充足的时候,公社实行公费医疗。⑤ 这里对公社、大队、生产队医疗工作的分工与协作是富有创见性的,在后来的实践中被证明是积极有效的。但是对经费开支的设计和安排开口过大,超过了当时公社经济所能承受的范围,带有明显"共产风"的痕迹。不久在中央纠正人民公社的某些错误做法时,不切实际的免费医疗得以控制和改正。

山西省稷山县是这一时期农村医疗卫生工作的典型。自1956年开始,在全面实现了高级合作化的基础上,稷山县彻底改造原有的联合诊疗所和私人医生,逐步建立起一套与生产相适应的卫生保健网。在5个集镇上,把原来的联合诊疗所和公立卫生所合并,成立4个综合性的地区医

① 《人民公社化带来的幸福,河南推行合作医疗制度》,《人民日报》,1958年9月24日。
② 《广东省、曲江县、群星大队坚持合作医疗制度十一年的情况调查》,《人民日报》,1969年1月11日。
③ 《沿着毛主席的无产阶级卫生路线前进就是胜利——湖北省麻城县实行合作医疗十年的调查报告》,《人民日报》,1969年1月16日。
④ 《新疆麦盖提县坚持合作医疗十年的情况调查》,《人民日报》,1969年1月18日。
⑤ 《卫星人民公社试行简章(草案)》,《人民日报》,1958年9月4日。

院和 1 个规模较大的卫生所。在 13 个乡里,把原来的联合诊疗所和私人诊疗所合并改组为 13 个联合保健站和 13 个分站,分片包干进行医疗、预防和群众性的卫生保健工作。在 229 个自然村里,各建立了 1 个保健室,室内设有保健箱和保健员,分工负责全村的急救工伤、卫生防疫、新法接生、儿童保育等项工作。两年间训练农业社的保健员 470 人、接生员 883 人。强调贯彻执行预防为主的卫生工作方针,从思想上改造旧医务人员,使他们树立为人民服务的新的医疗作风,把卫生医疗事业纳入了社会主义的轨道。其卫生保健网的经费来源是:地区医院由国家负责,收部分保健费补助;保健站采取收保健费、医疗收入与农业社公益金补助三者相结合的办法。保健网既是医疗保健事业的专业机构,又是群众性卫生保健工作的领导机构,成为开展群众爱国卫生运动的宣传者和组织者。卫生保健工作的内容和方法,紧紧地围绕着农业生产进行,发挥了直接为生产服务的作用。人民群众这样称赞保健网:"保健室,真方便,换药只花几分钱;保健室,不算啥,村村都能办到它;生产队,样样全,后面跟个保健员。""自从有了保健站,全村大小都方便;保健站真是宝,家家户户离不了;治病手续又简便,只要到社挂病签;一年只花三角钱,医生就来把病看。"①

稷山县医疗卫生的工作成绩很快传开,层层汇报到卫生部。1959 年 11 月 12 日至 21 日,卫生部在山西省稷山县召开全国农村卫生工作现场会,以现场参观和大会经验交流的方式,向全国介绍和推广稷山县农村医疗卫生工作经验。会后,卫生部党组向中央上报了《关于全国农村卫生

工作山西稷山县现场会议情况的报告》及附件《关于人民公社卫生工作几个问题的意见》,肯定了人民公社社员集体保健医疗制度,并提出了如下意见:"根据目前的情况,以实行人民公社社员集体保健医疗制度为宜,即现在各地所说的'保健费'或'合作医疗',每年由社员交纳一定的保健费,看病只交药费或少量挂号费,在尽可能的范围内,由公社、生产队的公益金补助一部分。随着生产的发展逐步增加公益金补助部分。具体办法由各地根据不同情况自行规定。目前有极少数富裕的人民公社坚持实行社办公费医疗的办法,仍可继续试行,但不要忙于推广。另有一些人民公社实行谁看病谁出钱的办法,也不要急于都改过来,而应该根据公社的生产发展水平和群众的觉悟程度,逐步改变为集体保健医疗制度。"②此外,"合作医疗"一词首次出现在中央文件中。1960 年 2 月 2 日,中共中央对报告进行转发,并要求各地参照执行,由此在全国掀起了学稷山、赶稷山、超稷山的热潮,有力地推动了农村合作医疗的推广。1959 年至 1962 年 4 年间,全国合作医疗覆盖率达到 50%。"小病不出大队,大病不出公社"的服务优势,初步满足了农民对医药的需求,因此,被群众称赞为"农业合作化挖了穷根,合作医疗挖了病根","天灾靠人民公社,人病靠合作医疗"。

三

调整方针下的合作医疗

"大跃进"和紧接着的三年自然灾害,

---

① 仪耀文:《稷山县的农村卫生保健网》,《人民日报》,1958 年 5 月 17 日。
② 李长明主编:《农村卫生文件汇编(1951—2000)》,卫生部基层卫生与妇幼保健司,2001 年版,第 22 页。

给农业生产带来了巨大破坏,给农民生活造成了巨大损失。全党和中央在严重困难的教训中逐步清醒过来,并决心调整政策,纠正错误。

1960年11月,中央发出《关于农村人民公社当前政策问题的紧急指示信》,要求全党用最大的努力来纠正"中央和毛主席从一九五八年冬季以来再三再四地指示必须坚持纠正"的"共产风"。1961年八届九中全会正式决定对国民经济实行"调整、巩固、充实、提高"。这两件事情标志着党的指导方针的重要转变。1962年1月召开的"七千人大会",全党进一步总结经验,统一认识。在刘少奇主持起草,经与会者反复讨论和修改而最后形成的《在扩大的中央工作会议上的报告》中,列举了几年来社会主义建设的成就,着重指出了4条在工作中发生的主要缺点和错误,其中一条即为:在人民公社工作中,曾经混淆集体所有制和全民所有制的界限,急于过渡,违反按劳分配和等价交换原则,犯了刮"共产风"和其他平均主义的错误。"七千人大会"后,调整工作得到了实质性的进展。鉴于农村医疗工作中也存在相似的问题,卫生部在1962年8月下达了《卫生部关于调整农村基层卫生组织问题的意见(草案)》和《农村医生集体办的医疗机构和开业医生暂行管理办法(草案)》。两个文件指出了农村公社化后,卫生组织出现了改变所有制过急过快,不适当地把联合诊所和个体开业医生由公社或国家包下来,在布局上集中过多过大,在工作上统得过多,管得过死等问题。文件对进一步加大调整力度提出了要求,规定:"农村基层卫生组织在相当长的时间内,应该以医生集体举办为主要形式;少

数确有条件的公社、生产大队也可以举办;还要允许医生个人开业;县以下国家办的卫生所、地区医院等,可以转变为集体办(少数情况特殊的地区可保留一部分,作为县医院的派出机构)。"[①]为了确保医生集体办的医疗机构和个体医生能完成农村的医疗卫生工作,1963年4月,卫生部向各省、市、自治区卫生厅、局再次下达了《关于进一步整顿和加强农村基层卫生组织问题的通知》,要求各地做好农村基层卫生组织的整顿工作。在中央的严格督办下,1962年后农村基层卫生组织发展情况有所改变,大办合作医疗的势头逐步低落,一些不顾条件急于组建的卫生所、保健站有的解散,有的转制,有的维持原状,这在一定程度上减轻了集体经济的压力。为了进一步调查和研究农村合作医疗制度的情况,1965年,钱信忠、贺彪、崔义田等卫生部的领导同志亲自带队,选取湖北省麻城、江苏省句容、北京市通县、湖南省湘阴等地进行合作医疗的具体研究和试点,想要通过调查研究和农村防病治病的实践,把一个县的卫生整顿建设好,总结经验,寻找到指导全国农村卫生工作的办法和出路。湖北省麻城从1958年全县实行合作医疗,并一直坚持下来。1965年8月,卫生部工作队到麻城蹲点,采取深入实地、召开座谈会等形式了解当地合作医疗情况,最终批驳了对合作医疗的一些错误认识,得出结论:合作医疗是符合实际,深受群众欢迎和拥护的制度。在反复研究、总结经验的基础上,帮助县委、县政府制定了《关于加强合作医疗管理若干问题的规定》和《麻城县合作医疗暂行管理办法(试行草案)》。《管理办法(试行草案)》条款内容十分周详、缜密,包

---

① 李长明主编:《农村卫生文件汇编(1951—2000)》,卫生部基层卫生与妇幼保健司,2001年版,第274页。

括合作医疗的性质、什么人可以参加合作医疗、缴费办法、医疗费的管理、社员就诊办法和诊疗费的报销以及成立合作医疗管理委员会等,就连合作医疗证的式样设计也包括其中。可见当时合作医疗的研究试点工作何等深入、细致,这对于完善合作医疗制度起到了较好的示范作用。1965 年时,全国有陕西、湖北、江西、江苏、福建、广东、新疆等 10 余个省、自治区及直辖市的一部分县实行了合作医疗制度。农村合作医疗处于平稳、有序的发展状态中。然而"文革"爆发后,却将这一时期农村医疗卫生的调整政策说成是阻碍农村医疗卫生事业的发展,破坏合作医疗,不顾农民群众的身体健康,并将此作为"内奸、工贼、叛徒"刘少奇"反革命修正主义路线"的一条罪状。

经过全国人民 16 年的艰苦奋斗,1965 年时医疗卫生事业取得了长足发展,人民群众的健康状况也有了显著改善。建国初期确立的两大卫生工作重点,此时都已成绩斐然。建国后,霍乱很快在我国绝迹。1955 年,人间鼠疫就基本得到了控制。1959 年,性病在全国范围内基本被消灭。60 年代初天花已告灭绝,比天花在世界范围灭绝早了 10 余年;结核病的死亡率从建国初期的 250/10 万下降到 40/10 万;脊髓灰质炎、麻疹、乙脑、白喉、破伤风、百日咳等传染病的发病率明显下降。1965 年,接生员的队伍已经增长到 685740 人,产妇的产褥热和新生儿破伤风显著减少,母亲和婴儿的健康得到了一定的保证。①农村绝大多数地区的县、公社和生产大队都建立起了医疗卫生机构。以江苏省为

例,1949 年时,全省卫生所只有 8 个,没有床位,1965 年时,卫生所达到了 5864 个,有床位 11770 个。②以公社卫生院为中心形成的三级农村基层卫生组织网,在改善农村卫生环境、保障农村群众健康中发挥了积极作用。新中国成立后,毛泽东直接参与了卫生工作方针的制定,为新中国医疗卫生工作指明了方向。对于当时有些干部轻视卫生工作,把疫病看成是无法避免的"天灾"的情况,他以中共中央的名义提出批评:"中央认为各级党委对于卫生、防疫和一般医疗工作的缺乏注意是党的工作中的一项重大缺点,必须加以改正。今后必须把卫生、防疫和一般医疗工作看做一项重大的政治任务,极力发展这项工作。……至少要将卫生工作和救灾防灾工作同等看待,而决不应该轻视卫生工作。"③1952 年,毛主席发出了"动员起来,讲究卫生,减少疾病,提高健康水平"的伟大号召,爱国卫生运动轰轰烈烈地开展起来。在他的关怀下,新中国以最快的速度完成了第一次卫生革命。以毛泽东对血吸虫病治疗的关心为例,最能体现他对人民群众健康的关怀。血吸虫病在我国由来已久,新中国成立前在长江以南 12 个省、市、自治区 200 多万平方公里的区域流行蔓延,患病人数达 1100 万人以上。④血吸虫病的泛滥致使人民家破人亡,甚至整村、整乡人丧命的情况令毛泽东十分焦虑。1953 年,在回复沈钧儒的来信中,他对血吸虫的防治给予了高度重视。在他的指示下,1955 年 11 月,中央防治血吸虫病领导小组成立,并在疫区逐级建立了

① 黄树则、林士笑主编:《当代中国的卫生事业》上,中国社会科学出版社,1986 年版,第 10—13 页。
② 江苏省地方志编撰委员会:《江苏省卫生志》,江苏古籍出版社,1999 年版,第 88—89 页。
③ 毛泽东:《必须重视卫生、防疫和医疗工作》,《毛泽东文集》第六卷,人民出版社,1999 年版,第 176 页。
④ 黄树则、林士笑主编:《当代中国的卫生事业》上,中国社会科学出版社,1986 年版,第 2 页。

省、市、县、村各级防治机构,制定了4年奋战、2年扫尾、7年消灭血吸虫的规划。1956年2月17日,毛泽东在最高国务会议上的讲话中发出了"全党动员,全民动员,消灭血吸虫病"的指示。此后,国家投入了大量资金和人力,发动开展群众性的消灭血吸虫病运动。为了尽快找到消灭血吸虫的有效办法,他多次与专家座谈、交流,中国科学院水生动物专家秉志、广东省从事血防工作的陈心陶教授等所提出的意见都受到了他的重视。1958年,毛泽东在安徽视察工作时,专门到省博物馆察看了防治血吸虫病的规划图,询问其进展情况,并督促其尽早实现。1958年6月30日,当毛泽东得知江西省余姚县消灭了血吸虫时,竟夜不能寐,在微风旭日中挥笔写下了脍炙人口的《七律·送瘟神》,为昨日"千村薜荔人遗矢,万户萧疏鬼唱歌"而悲,为今日"春风杨柳万千条,六亿神州尽舜尧"而喜,抒发了伟人感天动地的英雄气概和对人民群众的灼热情怀。诗词发表后,不仅将血吸虫病的防治工作推向了高潮,同时也激发了人民群众建设社会主义的巨大热情。1966年,毛泽东又指示对血吸虫病实行免费治疗。在他的关心和指挥下,血吸虫病的防治取得了重大胜利。

1958年反教条主义的斗争

1958年开展的反教条主义的斗争从军事学院开始,进而波及军队各个院校,并蔓延到各个部队和机关,"使军事学院乃至全军的军事训练遭到严重的挫折","使全军的训练工作走了一段大的弯路,从而大大延缓了人民解放军正规化、现代化的进程"。[①]

一

反教条主义的缘起

新中国成立后,人民解放军开始了由低、中级阶段向高级阶段转变的建军新时期。1951年1月,人民解放军军事学院在南京正式开学。刘伯承为第一任院长,中共中央军委为学院题词:"为建设正规化、现代化的国防军而奋斗。"为适应正规化、现代化建设的要求,1952年全军掀起了以文化教育为中心的学习热潮。在此基础上,1953年起全军转入正规的军事训练。与此同时,组织力量参照苏联军队的条令,考虑到人民解放军的人员编制情况,并吸取自己以往的经验,制定和颁发了内务条令、队列条令和纪律条令等各种条令

---

① 《刘伯承传》,当代中国出版社,1992年版,第650页。

和规范,在全军贯彻执行,从而加速了军队正规化、现代化进程。

在这期间,军队的建设工作在取得辉煌成就的同时,也存在某些缺点。主要表现在:①在学习了苏军许多有益经验的同时,也机械地搬用了某些不适合中国情况的东西。②学习苏军经验没有很好地与人民解放军的优良传统结合起来,一些人对党的集体领导制度和政治工作制度发生动摇,提出了"要实行单一首长制"、"政治机关要大大压缩"、"政治干部要大批改行"等错误意见。

1953 年 12 月至 1954 年 1 月召开了全国军事系统党的高级干部会议。彭德怀在会上传达了毛泽东关于"建设我军为世界上第二支最优良的现代化的革命军队"的指示。会议批评了以单一首长制来抵消和削弱政治工作的偏向,强调在建设正规化、现代化军队时要坚持党对军队的领导,发扬我军的优良传统。会议明确规定:既要学习苏联先进的军事科学,又要与我军特点结合,与我军战争经验结合;既要克服骄傲自满、墨守成规,又要防止完全不问实际情况的机械照搬。

1956 年 6 月中共中央发出关于学习《改造我们的学习》、《整顿党的作风》、《反对党八股》、《关于若干历史问题的决议》、《论无产阶级专政的历史经验》5 个文件的通知,要求全党"克服实际工作中的主观主义即教条主义及经验主义,特别是克服学习马克思列宁主义和外国经验中的教条主义倾向"。中共中央特别强调:"第一,学习苏联是完全必要的,一定要学";"第二,不能采取教条主义的方法去学习苏联经验"。"总之,我们在对待苏联经验上,必须采取学习和批判的严肃态度。同时,必须搞好同苏联专家的关系。"

随后,军队内部同全国各条战线一样,开始进行检查纠正学习苏联经验中的教条主义偏向的工作。1957 年 2 月,彭德怀、谭政到南京军事学院检查工作,向中共中央和中央军委作了《军事学院反教条主义问题》的书面报告,认为学院"教学工作中的教条主义相当严重",并批评学院领导对反对教条主义"仍然徘徊、犹豫、拖延,未能下定决心"。对此,在上海养病的刘伯承非常重视,抱病数次写信给学院主持日常工作的钟期光副政委、陈伯钧副院长,要求切实贯彻执行。遵照刘伯承院长的意见,学院党委于 3 月召开全体委员会议,作出了《关于深入开展反对教条主义的决定》,对学院中教条主义的主要表现及克服办法作了检查和规定。

二

对军事学院和训练总监部工作的不同看法

在检查纠正学习苏军经验中照搬的缺点的过程中,各总部和军事学院,对于军事学院和训练总监部几年来的工作,存在着一些不同的看法。争议主要在于:是思想方法上和工作中的缺点,还是建军方针上、路线上的错误? 一些人认为"军事学院是全军教条主义的大本营","几年来的教学是教条,危险的是继续学下去";另一些人则认为彭德怀对军事学院缺点错误估计过重,不符合实际。

彭德怀在坚决贯彻执行中共中央1956 年关于反对教条主义指示的同时,把中华人民共和国成立以来建军方针的历次提法分为两种,认为 1951 年至 1953 年所提的"建设正规化、现代化的"军队,没有"革命化"三字,"当作全面的建军方针,这显然是错误的,因为正规化和现代化这两个口号没有联系政治内容,所以在军队中曾引起了一些认识上的偏差";1953年以后所提"建设优良的现代化的革命军队"才是正确的方针。

主持训练总监部常务工作的萧克副部长不同意彭德怀的这一看法。1958年2月21日,他上书彭德怀,提出不应把中央军委、毛泽东开始时提的"正规化、现代化"口号同毛泽东后来提的"现代化、革命化"口号对立起来,而应看做都是对的。他提出:"建立优良的现代化的革命军队这个口号,较之正规化、现代化的口号,要好些,口号本身就明确了革命化的问题,不像正规化、现代化的口号,还要解释才能明确——虽然我们过去的解释是这样明确的。但这口号并不否定正规化,因现代化的军队,是一定要正规化的。"萧克还认为:军事训练中是有教条主义和形式主义的倾向,反对这种倾向是正确的和必要的。但在进行中也产生了很多的问题:以为凡是学习理论就有教条主义嫌疑,或就是教条主义;把按规章制度办事,按操作规程训练,与死搬硬套和不民主混淆起来;把军队中应有的形式看成是形式主义,把学术上的争鸣和民主,与行政关系混淆起来。之所以产生这种情况,是在反对教条主义的时候,只是一般号召,对怎样反和反什么,没有具体的分析和研究,产生了否定一切或者否定太多的偏向。

叶剑英一直是主张既要批评和纠正教条主义式的态度和方法,也要反对经验主义的态度和方法。他不赞成关于"军事学院是教条主义大本营"的说法,指出:"全军包括院校和部队都有教条成分,当然也不必安上一个教条主义的帽子。"

当时,毛泽东也认为在经济工作和文教工作中产生了教条主义,军事工作中搬了一部分教条,基本原则坚持了,还不能说是教条主义。因此,1958年3月中共中央成都会议决定召开军委扩大会议时,确定的会议重点是检查军委和各总部对工作的领导。林彪参加成都会议回到北京后,听说在1958年3月至5月召开的训练总监部四级干部会议上,对怎样认识和反对教条主义有争论,便认定萧克、李达一方是搞教条主义的,"反对反教条主义",而另一方是反教条主义。他向毛泽东作了汇报,并建议将军委扩大会议的主题改为开展反教条主义斗争。毛泽东同意了林彪的建议,在莲花池会议上决定要刘伯承检讨。

三

军委扩大会议激烈批判教条主义

军委扩大会议于5月24日举行小型会议,27日正式开幕,继续开小型会议。彭德怀宣布会议内容一是整风,二是整编,方法是大鸣大放大争大辩论。他说:要解决人民军队的3个问题:一是建军原则,包括党的领导、军民关系、军队内部关系等问题;二是建军方针,原先提的是现代化、正规化,后来毛泽东提出建设优良的现代化的革命军队;三是战略方针问题。这次会议最根本的目的,就是要把这3个问题搞一致。讲话点了萧克的名。

经过一段小型会议,会议温度越来越高,又陆续点了李达、陈伯钧、宋时轮、粟裕、叶剑英、刘伯承的名。6月1日,彭德怀批评萧克,6月7日起,小型会议转成大会。出席大会的有中央军委委员、军队系统中的中央委员和候补中央委员,各军区、各军兵种的负责人及一些军、师的负责人,共1400余人。大鸣大放的会议方式,不断加强了斗争气氛。训练总监部、南京军事学院、原总高级步兵学校的一些领导干部，数次检讨，但仍难以过关。

6月21日、23日、29日，毛泽东在会上讲了话。他说：军事工作基本上做得好，有成绩，也有缺点。1949年胜利后办了许多学校，产生了教条主义，请那么多专家来，教条主义自然有了。到底教条主义有没有？我看有点，分量问题可以研究。不加分析地搬外国是妄自菲薄，不相信自己。要坚决打倒奴隶思想，埋葬教条主义。苏联经验有好的、不好的、坏的三种，要有选择地学，要注意不要因为反教条主义而否定一切。

但是，随着会议的进行，否定一切的倾向却日益严重起来。7月上旬，刘伯承应召进京参加会议。10日，带病由人扶上中南海怀仁堂讲台，作了检讨发言。他以严格要求自己的态度，分析了军事学院教学上的缺点错误、产生的原因和自己的责任。萧克也在会上作了检讨，但会议对萧克的批评言词甚重，他在某些问题上与彭德怀有不同意见，竟被说成是"反党"、"反军委领导"。

7月19日，彭德怀作了会议总结发言。他说："在军事训练部门和某些院校中，极少数同志具有资产阶级的军事思想，他们一直坚持反马克思主义的军事路线，抗拒中央和军委关于反教条主义的指示，严重地阻碍了反教条主义运动的开展。其中，萧克同志，不仅一贯坚持资产阶级的军事路线，反对马克思主义的军事路线，而且从极端严重的资产阶级个人野心出发，进行反党反领导的宗派活动，企图以他的面貌来改变我们人民军队的面貌。"彭德怀进一步分析说："错误的军事路线产生的主要根源是：过渡时期，资本主义和社会主义，资产阶级和无产阶级，两条道路，两个阶级的斗争，在我军内部

的反映。"

7月22日，大会通过了《中共中央军事委员会扩大会议决议》。其中说："训练总监部和一些院校，教条主义直到最近仍然占着统治地位。而且个别同志，还坚持了一条与党的军事路线相对抗的资产阶级军事路线"，"现在我军中两条军事路线的斗争，基本上是我军历史上正确路线和错误路线的斗争在新的历史条件下的反映"，"这两条军事路线的斗争，贯穿着我军30多年的历史"，"目前军队中的错误军事路线，实际上是历史上的错误军事路线在某些范围的复活"，是"有计划有组织地向中央军委的正确路线猖狂进攻"。决议还要求"目前的斗争必须在全军认真展开"。

会议还通过了《关于处理萧克同志所犯错误的决议》，规定"本次会议对萧克同志的错误，暂不作最后结论"，待大会闭幕后在军委、总政治部领导下，进一步彻底揭发检查后，再作结论。

根据军委扩大会议决议，8月至11月，举行了训练总监部200余人出席的部党委扩大会议，采用"四大"方式，对所谓"以萧克同志为首的资产阶级军事路线和反党宗派活动"进一步揭发批判。会议给萧克、李达作了所谓一贯坚持"资产阶级军事路线"，"公开抗拒中央关于反教条主义的指示"，"有组织、有计划地向党的正确路线开展猖狂进攻"的结论。

与此同时，高等军事学院和军事科学院也举行了两院党委联席扩大会议，对刘伯承、陈伯钧、宋时轮等也进行继续揭发批判。会议给刘伯承和南京军事学院作出犯了"资产阶级军事路线的错误"的结论，说"这条错误路线在较长时间内和中央军委正确路线相对抗，是我军历史上两条路线斗争在新条件下的反映"。

经过这场斗争,军队内部作了组织上的变动。刘伯承被免去高等军事学院院长兼政治委员的职务;叶剑英被解除了主管全军军事训练和院校的领导工作,调任军事科学院院长;粟裕被免掉了总参谋长职务,调任军事科学院副院长。萧克、李达被免除国防部副部长职务,训练总监部撤销,所任职务自行免除;萧克调出军队,任国家农林部副部长,李达也调出军队,任国家体育运动委员会副主任。还有一些干部也受到牵连,被处分或处理。

这场反教条主义的斗争,致使绝大多数担任过训练工作和军队院校工作的领导干部受到程度不同的批判,被迫进行检查,引起许多干部不安心训练工作和院校工作,严重地伤害这部分干部的工作积极性。同时,由于批判和否定某些旧的做法,一时又拿不出新的做法来代替,打乱了军队正规化和现代化的建设进程,使军队训练和院校教学遭受很大危害,给军事建设带来不良后果。

中印边界自卫反击战

一

麦克马洪线与印度对中国的领土要求

1962 年 10 月,印度军队在中印边境挑起了一场大规模的武装冲突,中国军队被迫进行自卫还击,并取得了胜利。

冲突是由中印边界问题引起的。两国边境全线在历史上从未正式划定过,但存在着一条由双方历来的行政管辖所及而形成的传统习惯线,全长 2000 公里,分为西段、中段和东段。西段是中国新疆、西藏同印度拉达克地区接壤部分,中段是中国西藏阿里地区同印度马偕尔邦和北方邦接壤部分,东段是不丹以东的一段边界。

中印边界问题究其根源是帝国主义和殖民主义在印度独立以前造成的。在西段,英帝国主义在 19 世纪 60 年代为了寻找一条通向新疆腹地的捷径,派遣军事情报人员深入中国的阿克赛钦地区进行勘察,并设置了种种割裂新疆的界线。由于英帝国主义的阴谋活动遭到中国政府的反对,英印当局未敢把阴谋策划的非法边界线公布出来,在过去的英印地图上都没有画出这段边界线,或者只用同克什米尔相同的颜色模糊地表示出来,但仍然注明"边界未经标定"。在中段,印度将历来属于中国西藏地方政府管辖的 2000 多平方公里的地区划入它的国土。在东段,1911 年辛亥革命时,英国就利用这个时机,企图把西藏从中国分裂出去。为此,它们在西藏上层分子中扶植亲英集团,并发动反对中央政府的叛乱,但被袁世凯北洋政府军打败。英国对此进行了直接干涉,并提出"中国不得干涉西藏内政"等无理要求,被北洋政府驳回。接着,英国政府提出要中国派代表到印度参加讨论西藏问题的会议,否则就与西藏直接订约。当时,袁世凯称帝心切,无意抗外,最终屈服于英国的压力,派出代表西藏宣抚使陈贻范。1913 年 10 月至 1914 年 7 月,英、中、藏三方举行西姆拉会议,讨论所谓内外藏界线,会外英国代表亨利·麦克马洪与西藏地方代表夏扎司伦背着中国中央政府代表陈贻范,用秘密换文的方式,确定了一条中印边界线,即"麦克马洪线",把传统习惯线以北约9万平方公里的土地划归印度。但自北洋政府以来历届中国政府根本不承认这条非法的边界线,英印政府也迟迟未敢公布。1947年印度独立后,印度当局奉行扩张主义政策,继承了英帝国主义在中印边界问题上的立场。1950年,印度刚刚独立不久,便在东段侵占了传统习惯线以北和非法的"麦克马洪线"以南的9万平方公里的中国领土。1954—1957年,又侵占了中印边界中段的巨哇、曲惹、波林三多、香扎、拉不底,以及西段的巴里加斯等地共约2000多平方公里的中国土地。1959年,又公然策动和支持西藏农奴主叛乱,并提出了中国阿克赛钦地区3万多平方公里的领土要求。1959年3月22日,印度总理尼赫鲁致函中国周恩来总理,提出了总共为12.5万平方公里的全面的领土要求。8月25日,印度在东段的朗久地区南侧首先开枪,挑起第一次武装冲突事件。同年10月,又在西段的空喀山口制造流血事件。

二

中国政府的原则立场

中国政府一贯认为,中印边界问题系历史遗留问题,处理时应既考虑历史背景,又考虑到实际情况。中印双方都不应把自己的要求强加给对方,而应在和平共处五项原则的基础上,通过和平谈判,互谅互让,求得公平合理的解决。在此,双方应该维持现状。1954年9月8日,周恩来总理在给印度总理尼赫鲁的复信中提出了这一原则。1959年,中国政府多次建议双方武装部队沿边界全线各自后撤20

公里,并且停止边境巡逻,以求双方武装部队脱离接触,避免冲突。1960年4月,周恩来总理亲自前往印度,同尼赫鲁就边界问题进行会谈,并在4月25日的记者招待会上,就边界问题作了书面讲话。从双方的立场和观点中归纳了6个共同点,建议肯定下来,这6点是:①双方边界存在着争议。②在两国之间存在着一条各自行政管辖所及的实际控制线。③在确定两国边界时,某些地理原则,如分水岭、河谷、山口等应该同样适用于边界各段。④两国边界问题的解决应该照顾到两国人民对喜马拉雅山和喀喇昆仑山的民族感情。⑤在两国边界问题经过商谈得到解决之前,双方应该恪守实际控制线,不提出领土要求作为先决条件,但可以进行个别调整。⑥为了保证边界安宁,便于商谈的进行,双方在边界各段应该继续停止巡逻。周恩来阐述中国的态度仍然是:①愿意通过友好协商,全面解决边界问题;②在全面解决之前,双方维持边界的久已存在的状况;③对于已经发生的局部争执,可以商谈临时的解决办法。

三

印度当局发动进攻和
我边防军的反击

然而,中国政府寻求和平解决争端的努力,因印度当局毫无诚意而付诸东流。从1961年(特别是从1962年4月)后,印度军队更加大肆蚕食中国领土。到1962年8月底,在西段中国境内设立了43个侵略据点,在东段又越过"麦克马洪线",侵占中国克节朗地区,并距中国边防哨所几百米、几十米,甚至只有几米的地方建立侵略据点,不断向中国边防人员开枪。中国政府以大局为重,命令边防部队决不开第一枪,并先后三次向印度政府提出举行谈判的建议。对此,印度当局置之不理,断然关闭了谈判的大门。

事实上,尼赫鲁政府已进行了侵华战争的准备。①从 1962 年 9 月份以来,连续召开了各级军事会议,特别是 10 月初,尼赫鲁同国防部长梅农等高级将领会谈,召开了内阁会议和全体参谋长参加的国防委员会会议,讨论对中国的作战问题。②为了组织对中国发动大规模的进攻,调整指挥机构,组成了第 4 军,任命尼赫鲁、梅农的亲信陆军参谋局长考尔为该军司令,并授予可自由决定发动"有限战争"的权力,军部设在提斯浦尔,负责指挥中印边境东段及不丹、锡金等一线的印军。③印度在东段指挥作战的各级司令部从 10 月 9 日开始向中印边境靠近。④调整战争部署,增加前沿兵力。在西段中国边境沿线部署兵力,计 5600 余人。东段是印军的主要进攻方向,有 16000 余人。东西两段,印军共集结 22000 余人。10 月 12 日,尼赫鲁宣布,他已下令把中国军队从印度妄图侵占的中国领土上"消除掉"。10 月 14 日,梅农宣称,不管是用一天、一百天、还是一千天的时间,都坚持要打到只剩最后一个人、最后一支枪。10 月 17 日,印军飞机同时从东、西两段对中国领土进行轰炸。印度对中国发动侵略的决策,是建立在对一系列问题的错误判断之上的。印当局认为:①中国经济困难,已严重到不可克服的程度;②西藏、新疆地区内部不稳;蒋介石国民党军队准备反攻大陆,中国军队主力已用于东部,西南防务空虚;③中国一忍再忍,不会还手;④国际上,美、苏支持印度。印度当权者发动侵华战争的另一动机是当时印度经济不景气,引起了严重的政治危机,尼赫鲁想通过对外战争,转移国内人民的视线。

1962 年 10 月 20 日,印度政府按照尼赫鲁的命令,调集陆军 10 多个旅的兵力,在空军的配合下,从东西两段同时发动大规模的武装进攻。中国边防部队被迫进行自卫还击。东段的西藏山南克节朗地区,是中国边防部队自卫反击作战的主要方向。印军在这一地区配置了第 4 师第 7 旅,共计 4 个营 3000 多人,企图在固守已侵占的中国领土的基础上,积极向克节朗河以北推进。为了粉碎印军这一企图,中国边防部队把主攻方向放在克节朗地区右翼。10 月 20 日 10 点,中国边防部队强渡克节朗河,拉开了自卫反击作战的序幕。到 25 日,经过几天的艰苦作战,中国边防部队歼灭了入侵印军 1 个旅,收复了克节朗河以南、达旺河以北、不丹以东、达旺以西的被占中国领土。西段的加勒万河谷和红山头地区,在新疆阿克赛钦西部,是印军入侵中国新疆阿克赛钦、西藏阿里地区的必经之地。印军第 114 旅 5 个营 5600 人配置在这一带。10 月 20 日,中国新疆边防部队为配合东段的反击,向入侵印军发动了反攻。

10 月 24 日,中国政府发表声明,郑重提出停止武装冲突、重开和平谈判、合理解决边界问题的三项建议:①双方确认中印边界问题必须通过谈判和平解决。在和平解决以前,中国政府希望双方尊重在整个中印边界上双方的实际控制线,双方武装部队从这条线上后撤 20 公里,脱离接触。②在印度政府同意前项建议的情况下,中国政府愿意通过双方协商,把边界东段的中国边防部队撤回到实际控制线以北。同时,在边界的中段和西段,中印双方保证不越过实际控制线,即传统习惯线。③中国政府认为,为了谋求中印边界问题的友好解决,中印两国总理应再一次举行会谈。中国边防部队遵照政府声明，于 28 日停止了对入侵印军的反击。对此，印度政府再一次拒绝了中国政府的建议。

11 月 4 日，中国政府发出了第二次呼吁，希望重开谈判。印度政府不但不作反应，而且宣布全国处于"紧急状态"，成立了应急情况的内阁，进行军事动员，公开要求美国给予军事援助，从全国各地调兵，决心同中国进行新的军事较量。并加紧迫害华侨，封闭中国银行在新德里的分支机构，限制中国使馆人员的活动，甚至考虑与中国断交。同时，重炮轰击中国领土，向中国边防部队攻击，重新在中国境内设立据点。11 月 6 日，在东段又向我发起全线进攻。到 11 月中旬，印军在中印边境地区部署了 2 个师、9 个旅以及大量炮兵、装甲部队，总兵力由 2.2 万人增加到 3 万人。11 月 14 日，印军再次向中国边防部队发动猛烈进攻。我边防部队奋起反击，再次击退敌人的进攻，并解放一部分国土。印军在交战中惊慌失措，溃不成军，自第 7 旅旅长达维尔准将以下 927 名官兵被我俘虏。到 11 月 20 日为止，全部清除了印军的侵略据点，我前锋部队抵达或接近传统习惯线，完成了反击任务。在西段，从 11 月 18 日上午开始，中国边防部队也实施了猛烈反击，到 20 日取得了重大胜利。

11 月 21 日，中国政府再次发表声明，正式宣布，自 1962 年 11 月 22 日零时起，中国边防部队在中印边界全线停火；12 月 1 日开始，从 1959 年 11 月 7 日存在于中印双方之间的实际控制线（在东段，实际控制线即非法的"麦克马洪线"）后撤 20 公里，在实际控制线东侧，设立若干民政检查站，并经外交途径把检查站位置通知印度政府。这个声明，充分表达了中国政府的诚意，得到全世界人民的高度赞扬。随后，我国政府又将中印边境武装冲突中俘虏的包括准将 1 名、校级军官 26 名、尉级军官 29 名在内的全部印度军事人员 3942 名和 26 名被俘人员的尸体和骨灰以及缴获的军用物资全部还给了印度政府。由于中国政府的努力，使中印边界的武装冲突缓和下来。

在中印边界自卫反击战中，我边防部队实行了"有理、有利、有节"的原则，取得了军事上的重大胜利，保卫了祖国领土的完整和边境安全。中国政府始终坚持和平解决边界问题的立场，并在胜利的条件下主动停火，得到全世界人民，特别是亚非人民的普遍赞扬，提高了我国的国际威望。

全军大比武活动

全军大比武活动，是人民解放军在 20 世纪 60 年代中期开展的一场大规模群众性的练兵活动。比武通常以班、排、连和个人为单位，比赛项目几乎遍及所有军事科目。

全军推广郭兴福教学法

1959 年以后，人民解放军认真总结了在训练中实行按级任教的经验教训，提出要发扬传统的群众性练兵方法，实行官教兵、兵教官、兵教兵。这种练兵方法体现了按级任教与专长任教相结合的原则，在训练中得到广泛运用,极大地调动了广大官兵的群众性练兵积极性,促进了基地训练的迅速发展。中央军委和总部的一些领导人,各部队的各级军政长官,深入到连队和训练现场,带头言传身教,和战士们一起摸爬滚打,发现和培养典型,总结推广先进经验。

1961年秋,第十二军军长李德生到步兵一〇〇团二连蹲点时,发现了副连长郭兴福一套行之有效的教学方法,马上派人总结出来。1962年11月,由南京军区司令员许世友、第二政治委员肖望东等主持召开了现场会,在南京军区推广了郭兴福教学法。"郭兴福教学法",是以郭兴福为核心,在3年刻苦训练中不断总结摸索出来的一整套部队单兵训练方法。这个教学方法有很多特点,主要是:善于抓思想工作,提高自觉性,使部队带着阶级仇恨练兵,带着敌情观念练兵,带着保卫祖国的任务练兵,带着问题练兵;发扬军事民主,集中群众智慧,谁的意见对,就采纳谁的意见,谁的技术好,就推举谁作示范,不仅互相当学生,而且互相当先生;干部以身作则,带头苦练,练就一身硬本领,不但会讲,而且会做;严格要求,耐心说服,对一切战术和技术训练讲究质量,一丝不苟,同时又采取表扬为主,启发诱导的方法,充分调动战士的积极性,自觉自动练兵。这一方法把练技术、战术与练思想、作风紧密结合,在继承和发扬人民解放军传统练兵方法的基础上,又有新的突破。

1963年底,叶剑英在江苏省参观总参谋部召开的郭兴福教学方法现场表演会后指出:郭兴福教学方法是我军传统练兵方法的继承和发扬,它比较集中而又全面地贯彻了军委提出的训练方针和原则,是军队教学方法的重大革新。"这些方法不仅适合部队,而且适合学校;不仅适合步兵,而且适合各军兵种"。并将其集中归纳为五个特点:"第一,善于在教学中抓活思想,充分调动练兵的积极性,并能发扬教学民主,集中群众智慧,实行官兵互教,评教评学;第二,把练技术、练战术、练思想、练作风紧密结合在一起,把兵练得思想红、作风硬、技术精、战术活,而且身强力壮,一个个都像小老虎一样;第三,采取由简到繁、由分到合、情况诱导、正误对比的方法,逐步加深认识,掌握要领;第四,把言教与身教、苦练与巧练结合起来,使战士百听不厌,百练不倦;第五,严格要求,一丝不苟,循循善诱,耐心说服。"12月27日,叶剑英向中央军委和毛泽东主席作了书面报告,建议在全军推广郭兴福教学法。毛泽东看了报告很高兴,对报告中把每个战士都练成像小老虎一样等提法尤为赞赏,指出:叶剑英的这一发现是找到了一个好方法。并说:郭兴福教学法对解放军的传统练兵方法,"不仅是继承,而且有发展"。

1964年1月3日,中共中央军委转发了叶剑英元帅的报告,总政治部也发出了《关于宣传推广郭兴福教学法的指示》,号召全军立即行动起来,掀起一个学习郭兴福教学方法的运动,提高全军的训练工作水平。1月25日至30日,罗瑞卿总参谋长在南京军区主持召开推广郭兴福式的教学方法现场会议。各总部、各军区、各军兵种、各军事院校主管训练工作的领导干部以及参观者共2000余人出席会议。会议强调要加强相互学习,要从本单位的实际情况出发,经过典型试验,分期分批地推广郭兴福教学法。随后,各军区、各军兵种、各军事院校迅即开展了创造郭兴福式教练员的活动,先后召开了现场观摩评比大会,一个学习郭兴福教学法的练兵高潮蓬勃兴起。

二

全军大比武

在各部队推广郭兴福式教学方法、掀起群众性练兵热潮的形势下，为了检查军事训练效果，进一步促进部队的军事训练，提高部队的军政素质，1964 年 6 月，中共中央军委决定，在全军举行一次全面的"比武"活动。6、7、8 三个月，比武活动掀起了高潮，全军分 18 个区举行了"比武"大会。据不完全统计，参加比武的单位共3318 个，分 3766 个项目。通过比武评选出 694 个尖子单位、3070 名尖子个人。参加表演的部队和民兵 13700 余人，参观者达 10 万人（其中军内干部 4.5 万余人、地方干部 4.2 万余人）。罗瑞卿还亲自领导组织北京、济南等部队的军事表演，请毛泽东等中央领导同志观看。1964 年 6 月15、16 两日，毛泽东、刘少奇、周恩来、朱德、邓小平等党和国家领导人，检阅了人民解放军北京和济南部队的比武表演，对受阅部队的汇报表演给予高度的评价和赞扬。参加这次受阅的还有民兵队伍，济南地区的祖孙三代民兵和女民兵代表还现场表演了对陆地和水上目标的射击。毛泽东对比武表演极感兴趣，并指示要在全军普及"尖子"经验。

当学习郭兴福教学法的热潮在全军兴起之后，1964 年 7 月 28 日，《解放军报》发表社论《把主要精力转到普及方面来》。社论指出："全军学习和推广郭兴福教学方法运动，已经取得了巨大成就。目前，摆在我们面前的新课题是：把郭兴福教学方法更加深入地普及到各个方面，把'尖子'的经验逐渐变成集体的财富，推动学习郭兴福教学方法的运动更全面地发展，

使全军的训练工作取得更加扎实、更加显著的成绩。"在普及郭兴福教学法的过程中，全军上下苦练过硬本领。有些部队在盛夏雨季开展野营；有些部队摸索夜间训练经验，练就了"夜老虎"的本领；水兵们在舰艇上苦练水上"夜老虎"的硬工夫；有些部队训练武装泅渡、水上格斗等本领。这期间涌现出许多过硬的连队和硬骨头战士，如：硬六连、红九连、神枪手四连、雪山铁九连、草原铁骑红四连等等，使练武、比武活动开展得轰轰烈烈，有声有色。8月份，陈毅观看了济南部队通信兵泅渡黄河等表演后，连声称赞表演出色。8 月底，叶剑英观看许多部队"尖子"分队表演时指出：要尽快尽好地普及"尖子"经验，普及郭兴福教学方法，要贯彻勤俭练兵原则，练好近战夜战本领，步兵除学好五大技术外，还要学游泳、打坦克和擒拿格斗；要加强地方武装和民兵训练。当得知某部七班从单项过硬向多项过硬发展时，叶剑英称赞他们搞得好，值得大家学习。

全军大比武活动，充分显示了人民解放军广大官兵奋发的革命精神，高昂的战斗意志，顽强的战斗作风和精湛的军事技术。同时，它使部队交流了经验，检阅了成绩，发现了典型，树立了标兵，对部队的军事训练起到了示范和推动的作用。但是，这一时期的训练和"比武"中也存在一些偏重技术基础训练，忽视战役战术训练的问题；有的部队在大比武中出现了拼凑尖子和搞花架子的现象。

三

林彪的批评与压制

对于大练兵和大比武，当时主持军委日常工作的林彪开始表示沉默，以后又派

出叶群(时任"林彪办公室"主任)等人到基层单位蹲点了解情况,抓住有些单位军事训练占用时间多了一些,比武中有的单位有锦标主义、形式主义等非主流的问题,大做文章。他诬蔑这场全军性的群众性练兵运动是"不突出政治"、"单纯军事观点"、"冲击了政治"等。1964年11月30日,他借全军组织工作会议召开之机,提出要"突出政治",说:"各级党委一定要把政治思想工作放在首要地位,一定要突出政治。"12月29日,林彪又紧急召见总政治部领导人,提出"四个第一不落实的问题",说这"是带有全军性的问题",批评说:"现在出现了不好的苗头,军事训练搞得太突出,时间占用得太多,冲击了政治。"强调:军事训练等"要给政治工作让路";军事训练等"不应冲击政治,相反政治可以冲击其他"。还提出:"1965年应当着重抓政治。"林彪的讲话作为《关于当前部队工作的指示》,下发全军。

对于林彪对大比武的批评,罗瑞卿接受不了,认为:"1964年军事训练工作是建国以来最好的一年","去年是不是冲击了政治,冲击了学毛著?主要的不是,有一些是,主要的我看不是"。对于林彪关于"突出政治"的指示,罗瑞卿说:政治"也不能乱冲一气"。1965年1月9日,他在军委办公会议第八次扩大会议的总结讲话中说:一方面,"不要犯单纯军事观点和单纯技术观点的错误,另一方面必须把政治思想工作落实到军事训练和其他各项工作之中,使各项工作都过得硬,不搞空头政治"。对于罗瑞卿这些话,林彪极为不满,给罗瑞卿扣上反对他和反对"突出政治"的罪名。

大比武这场群众性的练兵运动刚刚兴起,就被林彪以所谓"要突出政治"为由压了下去,使全军的军事训练遭到严重破坏,削弱了部队的战斗力。

国防战略的变化与"大三线"建设的确定

一

国防战略的变化

随着朝鲜战争的结束和日内瓦会议后印度支那和平的实现,国际形势趋向缓和。毛泽东估计新的侵华战争和新的世界大战短时期内打不起来,可能有10年或者更长一点的和平时期。他提出要利用这一时期充分发挥沿海地区原有的经济优势。1956年4月,毛泽东发表《论十大关系》,在谈到"沿海工业和内地工业的关系"时,他指出:"最近几年,对于沿海工业有些估计不足,对它的发展不那么十分注重了。这要改变一下。""不说10年,就算5年,我们也应当在沿海好好地办4年的工业,等第5年打起来再搬家。"在此之后,国家建设的重点转向了沿海地区。

进入20世纪60年代之后,中国周围的国际环境急剧恶化,由此引起了毛泽东对经济发展总体战略考虑的变化。当时,中国面临的国际环境是:南部方向,美国在越南的侵略战争严重升级。1954年法国撤出印度支那后,美国取而代之,支持吴庭艳并出兵越南南方,发动了一场"不宣而战"的特种战争。1964年8月5日,美国进一步扩大战争,悍然轰炸北方的越南民主共和国,将战火迫近到中国的南大

门。8 月 6 日,中国政府发表声明,表示
"越南民主共和国是中国唇齿相依的邻
邦,越南人民是中国人民亲如手足的兄
弟,美国对越南民主共和国的侵犯,就是
对中国的侵犯,中国绝不会坐视不救"。
中国不但要做越南的战略后方,随时准备
支援越南的作战,而且还必须准备应付美
国可能发动对中国的直接侵略。东南沿
海方向,美国一直占据台湾海峡并支持国
民党残余势力袭扰大陆。西南方向,中印
关系因为边境冲突而日趋紧张,1962 年 10
月发生了印军入侵和中国边防军的自卫
反击作战。西部新疆方向,中苏边境也发
生了问题,边界纠纷日益增多。东北方
向,美国驻兵朝鲜南部和日本,对中国和
远东和平也构成了威胁。上述情况表明,
中国正处在主要是美国军事力量的战略
包围中,不能不对可能的战争有所准备。
鉴于苏联卫国战争中乌拉尔以东工业基
地虽然建得迟了,但也发挥了较大作用的
经验教训,毛泽东决定改变建设方针,首
先集中建设大三线,作为全国的战略大
后方。

二

三线建设的确定

1964 年 8 月中旬,中共中央书记处开
会讨论三线建设问题。毛泽东在会上讲
话说:要准备帝国主义可能发动侵略战
争。现在工厂都集中在大城市和沿海地
区不利于备战。工厂可以一分为二,要抢
时间搬到内地去。各省都要建立自己的
二、三线,不仅工业交通部门要搬家,而且
学校、科学院、设计院都要搬家。成昆、川
黔、滇黔这 3 条铁路要抓紧修好。会议决
定:三线建设在人力、物力、财力上给予保

证,新建的项目都要摆在第三线,现在就
要搞勘察设计,不要耽误时间。第一线能
搬的项目要搬迁;明后年不能见效的续建
项目一律缩小建设规模。在不妨碍生产
的条件下,有计划有步骤地调整第一线,
一、二线企业要有重点地搞技术改革。这
一决定,标志着我国的经济建设指导方针
发生了重大变化,即由以发展农业、提高
人民生活为中心,转向加强国防实力、加
速三线建设、准备打仗为中心。

根据这次中央书记处会议的决定,国
家计委组织了工作组,对大西南、大西北
三线建设进行考察和规划。

三线建设,有大、小三线之分。大三
线是就全国而言,当时包括的范围有云、
贵、川、陕、甘、青、宁、豫、鄂、湘、晋 11 省。
小三线指各省、市、自治区自己的小后方。
全国的第一线是指东北及沿海各省,第二
线是第一线与第二线之间的广大地区。

中共中央经过研究后确定,大三线建
设初始阶段重点是打基础,大部分投资集
中建设以成昆、湘黔等铁路和攀枝花钢铁
基地、酒泉钢铁厂和重庆工业基地为主的
铁路、冶金和国防工业。为使三线能在较
短时间内形成生产能力,国家对一、二线
经济建设采取了"停"(停建一切新开工项
目)、"缩"(压缩正在建设的项目)、"搬"
(将部分企事业单位全部搬迁到三线)、
"分"(将部分企事业单位一分为二或一分
为三,将分出的部分搬迁往内地)、"帮"
(从技术力量、设备等方面对三线企业对
口帮助建设)的方针,并于 1965 年 3 月 27
日专门成立了以谷牧为主任的国家基本
建设委员会(简称国家建委)。同年 8 月
21 日,国家建委主持召开全国搬迁计划工
作会议,决定:搬迁工作立足于战争,对项
目实行大分散、小集中的原则,少数国防
尖端项目按"靠山、分散、隐蔽"的原则建

设,有的还要进洞(即"山、散、洞"的原则)。随后,大规模的搬迁和建设工作陆续展开。

为了加强对三线建设的领导,1964年底,成立了以李井泉为主任的西南三线建设委员会和以刘澜涛为主任的西北三线建设委员会,并加强国家计委,使之成为中央领导下的国民经济工作总参谋部。中共中央和毛泽东决心用10年到15年时间把三线建设起来。

三线建设的决策也直接影响了"三五"计划的制订。1963年2月,国家计委着手编制"三五计划"(1966—1970)时,提出:"第三个五年计划的目标是,集中力量解决吃穿用。"1964年4月,国家计委作出了《第三个五年计划(1966—1970)的初步设想》,规定"三五"期间的基本任务是:第一,大力发展农业,基本上解决人民的吃穿用问题;第二,适当加强国防建设,努力突破尖端技术;第三,加强基础工业,继续提高产品质量,增加产品品种和产量,使我国国民经济进一步建立在自力更生的基础上。对此,毛泽东概括为:农业是一个拳头,国防工业是一个拳头,"要使拳头有劲,屁股就要坐稳",屁股就是基础工业。随着中共中央和毛泽东对国防和经济发展战略的考虑发生变化,"三五"计划也相应地由"吃穿用计划"转变到备战计划。

1965年6月16日,毛泽东对编制"三五"计划和长期计划提出意见。他说:农、轻、重的次序要违反一下,吃、穿、用每年略有增加就好。他要求考虑三个因素:第一是老百姓,不能丧失民心;第二是打仗;第三是灾荒。

同年7月21日,国家计委向周恩来汇报调整和修改后的"三五"计划初步设想,提出"'三五'计划实质是一个以国防建设为中心的备战计划,要从准备应付帝国主义早打、大打出发,把国防放在第一位,抢时间把三线建设成具有一定规模的战略大后方"。

9月12日,国家计委向中共中央和毛泽东报送了《关于第三个五年计划安排情况的汇报提纲》。《汇报提纲》强调"三五"计划期间,必须集中国家的人力、物力、财力,把三线的国防工业、原料、材料、燃料、动力、机械、化学工业以及交通运输系统逐步建立起来,使三线成为一个初具规模的战略大后方。这一方针在9月18日至10月12日召开的中共中央工作会议上得到批准,成为"三五"计划时期经济建设的指导思想。

三

三线建设的成就与问题

三线建设在短短几年里取得了很大的成就。从1965年到1972年,国家投入建设资金800多亿元,约占8年基本建设投资总额的50%左右。三线地区建成和初步建成了一批骨干企业,其中有攀枝花钢铁厂、酒泉钢铁厂、成都无缝钢管厂、四川德阳第二重型机械厂、六盘水、宝顶山和芙蓉山等大型煤矿、贵州铝厂、刘家峡、丹江口等大型水力、火力发电厂等。经过扫尾到70年代末,共形成固定资产原值达1400亿元,约占全国固定资产的1/3,基本形成了具有一定规模、以重工业为主体、门类比较齐全的战略大后方,使全国的经济布局发生了很大的变化。三线建设还带动了内地资源的开发,促进了地方经济,特别是少数民族地区经济与社会的发展。

但是,三线建设由于上马急、规模过

大,并且过分强调隐蔽、分散,以及政治动乱、管理混乱等原因,也存在大量问题。特别是投资效益差,投资又集中于国防工业和重工业,加剧了国民经济的比例失调。

中苏关系的分歧与恶化

中苏两国关系经历了20世纪50年代初的"蜜月"时期,即从朝鲜战争中两国全面合作到苏联大规模援助中国经济建设。但是从1958年起,两国开始出现分歧,逐渐发展到关系恶化,个中原因主要是苏联的大国沙文主义。当然,两党在意识形态上的分歧起了催化剂的作用,再加上两国在对外政策上的不一致更加深了分歧的程度。

长波电台和联合舰队风波

1958年,苏联方面连续向中国提出两项有损中国主权的建议,给中苏友好关系蒙上了一层浓厚的阴影。

1958年4月18日,苏联国防部长马利诺夫斯基元帅致函中国国防部部长彭德怀元帅说:为了指挥苏联在太平洋地区活动的潜艇,迫切希望在1958年至1962年间,由中国和苏联共同建设一座大功率的长波发射无线电中心和一座远程通讯的特种收报无线电中心(即长波电台)。信中还具体提出:建成这两座中心所需的费用,苏联出7000万卢布,中国出3000万卢布。由于是中苏合资共建,而且资金的大部分又是来自苏联,这就涉及一个建成后的电台归谁所有、由谁控制的问题。中国方面不能不慎重考虑,严肃对待。6月12日,中国国防部长复信苏联国防部长表示:中国政府同意建设大功率长波电台,欢迎苏联在技术方面给予帮助,一切费用由中国承担,建成后可由中苏两国共同使用,但所有权应属于中国。复信建议两国政府就此签订一项协定。

7月11日,苏联向中国方面提出一项协定草案,坚持长波电台应由中苏共同建设和管理,实际上是要求把电台作为中苏共有。这是中国所不能接受的。中国对苏联提出的协定草案提出修改意见,明确建议:电台由中国负责建设,主权属于中国,建成后两国共同使用;装备器材凡中国不能自行解决的,向苏联订货;技术方面请苏联专家来华帮助。后来,毛泽东主席接见苏联驻华大使尤金,强调说明在军事上搞"合作社"不好。当时在座的彭德怀也说:长波电台既然苏联认为有必要建设,我们同意,费用全部由我们负责。共同使用,但所有权归我们,否则政治上不好。

就在中苏关于"共建长波电台"问题发生争执的过程中,苏联又向中国提出了建立共同潜艇舰队的问题。1957年11月彭德怀率领中国军事代表团访苏时,曾与赫鲁晓夫就苏联援助中国加强海、空军建设问题交换了意见。以后,苏联方面便不断向中国方面介绍现代海军舰艇的发展趋向和苏联试制新型潜艇的情况,并建议中国向苏联订购新的海军装备。考虑到苏联的这些意见,1958年6月28日,周恩来写信给赫鲁晓夫,希望苏联在中国海军建设方面给予新的技术援助。但在中国提出上述要求后,苏联大使尤金于 7 月 21 日求见毛泽东主席,转达赫鲁晓夫的以下意见:由于苏联的自然条件使它不可能充分发挥新型潜艇舰队的作用,黑海会被敌人封锁,波罗的海更不用提了,北面也不宽阔,东面的海面不能算安全,而中国的海岸线很长,条件很好,因此希望同中国商议建立一支共同的潜艇舰队。毛泽东听后当即表示:首先要明确方针,是我们办,你们帮助,还是只能合办,不合办,你们就不给帮助。

毛泽东认为,如同合资建设长波电台一样,建立共同潜艇舰队也是一个涉及主权的政治问题。第二天,7 月 22 日,毛泽东再次召见尤金大使,明确表示:中国决定撤销关于苏联为中国新型的海军舰艇提供技术援助的要求。他生气地说:打起仗来,苏联军队可以过来,中国的军队也可以到苏联去,我们是同盟国;可是搞共同舰队,就是要控制,要租借权。提出所有权各半,是政治问题。要讲政治条件,半个指头也不行。你们可以说我们是民族主义,又出现了第二个铁托。如果你们这样讲,我也可以讲,你们要把俄国的民族主义扩大到中国的海岸。毛泽东要求尤金大使把他的话如实地向赫鲁晓夫汇报。

接到尤金的报告后,赫鲁晓夫急忙于 7 月 31 日秘密来到北京。自即日起至 8 月 3 日,毛泽东与赫鲁晓夫举行了会谈。中国方面参加会谈的有:周恩来、彭德怀、陈毅、王稼祥;苏联方面参加会谈的有马利诺夫斯基元帅、代外长库兹涅佐夫及波诺马廖夫。会议开始,赫鲁晓夫就长波电台和共同潜艇舰队一事向毛泽东等中国领导人进行了解释,但他的解释很不光明磊落。关于长波电台,赫鲁晓夫推托说苏共中央没有讨论过共同投资建设长波电

台的问题,这只是国防部长马利诺夫斯基个人提出的。至于建立共同潜艇舰队一事,赫鲁晓夫把它说成是因为尤金大使没有明白苏联领导的意图,把话传错了而造成的误会。赫鲁晓夫解释说:根据一致协定,苏联的飞机可以在中国的机场停留加油,现在苏联的远程潜艇开始服役了,而且苏联的舰队现在正在太平洋活动,而他们的主要基地在符拉迪沃斯托克。此前中国已经提出要求,请苏联把潜艇的设计图纸交给中国,并教会中国同志建造潜艇的技术。现在台湾海峡局势紧张,美国第七舰队活动猖狂,苏联舰队进入太平洋活动是为了对付美国的第七舰队。远程潜艇服役后,需要在中国建一个长波电台。赫鲁晓夫表示希望就此事与中国领导共同商量。

毛泽东认为这不是什么共同商量的问题,赫鲁晓夫是想通过建立共同潜艇舰队来控制中国的海军和沿海港口。他尖锐地指出:我(先后)跟你们谈了 3 次,我得出一个结论:你们不信任中国。搞舰队要搞"合作社",这是政治问题,这叫政治条件。这样,我提出几个方案:第一,你们帮助我们搞,给我们技术资料,派专家帮助我们搞。第二,搞共同舰队,不搞。你们要坚持第二方案,我们不干。不干没有原子潜艇,没有关系。第三个方案,撤回我们的请求,不搞了,你们又不同意。第四个方案,所有的海岸线都给你们,我们不要海军,我们打游击。第五个方案……

这样,赫鲁晓夫碰了个硬钉子,会谈出现僵局。为了打破尴尬的局面,赫鲁晓夫提议由中苏达成某种协议,让苏联的潜水艇在中国沿海某个港口加油、修理或作短暂停留,作为交换条件,中国海军可以在苏联北冰洋沿岸的摩尔曼斯克建立潜水艇基地。毛泽东断然拒绝说:"我们不

想去你们的摩尔曼斯克，不想在那里搞什么名堂，也不希望你们来我这儿搞什么名堂。"最后，赫鲁晓夫沮丧地说："毛泽东同志，北大西洋公约组织国家在互助合作和供应方面没有什么麻烦，可是在我们这里竟连这样的一件事情都达不成协议！"

由于遭到中国方面的坚决抵制，苏联领导人便不再坚持他们原先提出的建议。8月3日，两国国防部长签署了关于援助中国建设长波电台的协定和有关订购设备及聘请专家的合同。苏联同意长波电台由中国自己建设，所有权归中国，苏联可提供贷款和技术帮助。后因苏联撤走专家，撕毁合同，由中国自己完成了这一长波电台的建设。

二

1959 年赫鲁晓夫访华

1959 年 9 月 15 日至 27 日，赫鲁晓夫率领苏联政府代表团正式访问美国。赫鲁晓夫先后访问了纽约、洛杉矶、旧金山、衣阿华州、得梅因、匹兹堡，最后与艾森豪威尔总统在戴维营举行会谈，双方发表了联合公报。赫鲁晓夫通过这次美国之行，感觉到"某些资本主义国家的领导人，开始表现了一定的以现实主义态度来了解世界上的既成形势的倾向"；"得到不少人支持的美国总统是明白必须缓和国际紧张局势的"。因此，赫鲁晓夫更加坚定了谋求与西方资本主义国家和平共处的决心。他对中国领导人坚持独立自主的外交政策越来越不满，认为中国与帝国主义坚决斗争的立场是他推行美苏缓和政策的一大障碍。

为了协调中苏之间对国际形势的看法，促使中国接受他的美苏合作战略，赫鲁晓夫结束访美后，于 9 月 30 日匆匆赶到中国，出席中华人民共和国国庆 10 周年庆典，并同中国领导人会谈。

9 月 30 日，赫鲁晓夫出席周恩来总理主持的国庆招待宴会，并在会上发表了长达 40 分钟的即席讲话。他一方面盛赞新中国 10 年来所取得的伟大成就，称"中国社会主义建设是亚非国家的榜样"；另一方面又说，现在"用武力去试探资本主义制度的稳定性"是不正确的，影射攻击中国不该如此坚决地反对美帝国主义。

10 月 1 日，赫鲁晓夫参加了国庆检阅。他在天安门城楼上对毛泽东说："关于生产原子弹的事，我们决定把专家们撤回去。"毛泽东平静地回答说："需要是需要，也没有什么大关系。技术上能帮助一下更好，不能帮就由你们考虑决定。"

10 月 2 日，中苏领导人在中南海怀仁堂举行了长达 7 小时的会谈。中方出席的有毛泽东、周恩来、刘少奇、朱德、陈毅，苏方出席的有赫鲁晓夫、苏斯洛夫、葛罗米柯、波诺马廖夫、安德罗波夫。由于双方观点对立，会谈气氛相当紧张。争论主要发生在以下两个问题上：

其一，台湾问题。赫鲁晓夫不仅埋怨中国 1958 年炮击金门、马祖给苏联"造成了困难"，而且对中国在整个台湾问题上的政策表示不满。他认为"美国宣布支持蒋介石，我们宣布支持你们，这样就造成了大战前夕的气氛"。他举出苏联内战中于 1920 年 4 月到 1922 年 11 月成立远东共和国的例子，说"台湾应该用列宁处理远东共和国的办法来解决"。这实际上是强烈暗示中国应该考虑暂时让台湾独立，或允诺不用武力解放台湾。毛泽东当即反驳说：远东共和国是列宁建立的并由共产党控制的。你赫鲁晓夫是否认为今天的台湾也是由中国共产党控制的呢？赫鲁晓夫又说,1958年对金门打炮你们没拿下来。毛泽东指出,就是不拿下来,目的是维持同台湾国民党的内战关系,不让美国插手。

其二,中印边界冲突问题。赫鲁晓夫公开偏袒印度,说谁先开枪我不知道,反正印度人被打死了。周恩来说,印度人先入境,打了12个小时,怎么能说我们错了呢?陈毅质问赫鲁晓夫,苏联方面为何要发表这样一个关于中印边界冲突的塔斯社声明?赫鲁晓夫辩解说:尼赫鲁没有和美国签订什么条约,尼赫鲁还是主张中立和反帝的,因此,苏联不同意采取疏远或削弱尼赫鲁在国内地位的政策;对印度民族主义者我们还应团结。陈毅指出,我们对民族主义者的政策应是既团结又斗争,而不是采取迁就主义的态度。赫鲁晓夫对陈毅说他采取迁就主义的态度很恼火,提高嗓音说:指责我们是迁就主义,这没有根据。陈毅反驳道,你们塔斯社9月9日的声明就是证明,在中印边界问题上,你们采取了偏袒印度的立场。赫鲁晓夫继续为印度当局的亲西藏叛乱分子立场进行辩解,指责中国在西藏问题上犯了错误。他说,西藏本身不能对印度构成任何威胁,而一个属于中国的西藏就会对印度构成威胁;在印度边界上有一个中国的西藏,在印度看来是很不舒服的。赫鲁晓夫甚至说:你们为之战斗的土地只是一块人口稀少、荒凉的高地,边界也是几十年前确定的,没有必要拿它来小题大做。这一番话明白无误地说明,赫鲁晓夫是想要求中国让西藏独立,把中印边界地区的所有中国领土让给印度。对此,周恩来举例反驳说:既然人烟稀少的地区不那么重要,那你苏联为什么要强占芬兰的卡雷里亚地区呢?这指的是苏德战争爆发前夕,苏联为了建立"东方战线",武装占领了芬兰

的卡雷里亚地区,并通过1940年3月在莫斯科签订的《苏芬和约》,将卡雷里亚地区约4.1万平方公里土地强行划入苏联版图。周恩来一语击中要害,赫鲁晓夫理屈词穷,无言以对。

此外,赫鲁晓夫还发泄了他旧日的积怨。他说,去年毛泽东同志在尤金面前严厉批评了我们党,我们认为是不公平的。1956年中共八大,米高扬讲话,毛主席中途退了场(米高扬讲话批评中国对经济的领导,并说中国的许多创造都是列宁的意见。毛泽东听不下去,退了席),这是不恭敬。1957年初,周恩来同志到莫斯科给我们上大课,我们也忍受了,等等。赫鲁晓夫还抱怨说:你们说社会主义阵营要以苏联为首,但我们提出的意见,你们并不接受。

这是一场双方都很不愉快的会谈。两国领导人面对面地唇枪舌剑,表明中苏分歧已达到相当尖锐的程度。会谈无果而终,最后连一个会谈公报都没有发表。赫鲁晓夫在会谈中对中国的指责充分暴露了苏联外交政策上的大国沙文主义,给中苏关系造成了巨大的创伤。10月4日,赫鲁晓夫带领苏联党政代表团悻悻地离开中国。10月6日,赫鲁晓夫在海参崴劳动者群众大会上发表讲话,大骂中国领导人"像公鸡好斗那样热衷于战争",以此发泄他的不满。

三

布加勒斯特会议两国分歧的扩大

1960年,中苏关系发生了根本的转折。中苏两党的争论从内部转向公开,并扩大到国家关系领域。赫鲁晓夫在华沙

条约政治协商委员会会议和布加勒斯特会议上对中国代表团进行攻击,并且背信弃义撕毁合同,撤走专家,向中国施加压力,从而使中苏关系严重恶化。

1960年2月4日,华沙条约政治协商委员会会议在莫斯科举行,参加者有华沙条约成员国党政主要领导人。中国代表康生以观察员身份出席了会议。这次会议主要讨论了当前国际局势以及裁军、对德和约等问题。赫鲁晓夫在会上宣布苏联单方面裁军120万人,华约各国共裁军379.5万人。康生代表中共中央在会上作了发言,指出:国际局势虽然出现了某些和缓趋势,但帝国主义本性不会改变,美帝仍然是主要敌人;战争危险仍然存在,要警惕帝国主义的两面手法;普遍裁军是长期、复杂的斗争,目前不现实;"没有中国参加签字,赫鲁晓夫和艾森豪威尔签订的任何条约对中国没有约束力"。这个发言阐明了中苏双方在一系列重大问题上的分歧和中方的立场,对国际舆论震动很大。赫鲁晓夫非常恼火,他在会后举行的宴会上讲话攻击中国共产党,说有的人口头上宣传社会主义阵营以苏联为首,实际上是在拆苏联的台。

1960年6月初,苏共中央提出,利用6月间各兄弟党参加罗马尼亚工人党第三次代表大会的机会,在布加勒斯特举行社会主义国家共产党和工人党代表会议,就当时的国际形势以及中苏两党的分歧等问题交换意见。中国共产党不赞成匆忙地召开这样的会议,也不赞成只召开社会主义国家共产党和工人党代表会议。中共建议经过充分准备在稍晚些时候召开世界各国共产党和工人党的代表会议。这个建议得到苏共中央的赞同。中苏两党同意在布加勒斯特就已出现的分歧和召开兄弟党会议问题进行内部讨论交换

意见,但不作决定和不发表任何正式文件。

1960年6月20—25日,罗马尼亚工人党三大在布加勒斯特召开,包括中共在内的50个党的代表列席了会议。6月21日,赫鲁晓夫在大会上致辞,同时向出席大会的各党代表团散发和宣读了苏共中央致中共中央的通知书,发起对中共的突然袭击(苏方直到23日下午才将这个通知书中译本交给中共代表团。这个通知书长达84页,显然是在莫斯科准备好的)。赫鲁晓夫在致辞和通知书中指责中共是"教条主义"、"宗派主义"、"左倾冒险主义",拉开了对中共进行全面攻击的序幕。

6月24日至26日,出席罗马尼亚工人党三大的各党代表团召开了布加勒斯特会议。会议包括24日首先召开的12个社会主义国家党代表会谈和25日至26日召开的51个党代表团会谈。苏共代表团一开始就控制了会议;带头发难和指挥对中国共产党进行猛烈围攻,指责中共是"要发动战争的疯子"、"假革命的极'左'路线"、"托洛茨基方式"、"民族主义"等等。大多数党的代表跟着苏共纷纷指责中共,只有阿尔巴尼亚、朝鲜、越南三国党没有参加对中共的围攻。阿尔巴尼亚劳动党代表团团长卡博在会上表示,希望苏共和中共之间的分歧,能通过两党之间的讨论来解决,现在让各国党共同来讨论这个问题是不适时的。

在布加勒斯特会议上,以中共中央书记处书记彭真为团长的中共代表团按照中共中央规定的"坚持原则,留有余地;坚持团结,反对分裂;坚持斗争,后发制人"的原则,与苏共代表团进行了针锋相对的斗争。6月26日,中共代表团发表公开声明,指出苏共中央代表团和赫鲁晓夫同志在这次会谈中完全破坏了历来国际共产

主义运动中兄弟党协商解决共同问题的原则,完全破坏了在会谈以前关于这次会议只限于交换意见,不作任何决定的协议,突然地提出了会谈公报草案,极端粗暴地把自己的意见强加于人,这种做法在国际共产主义运动中开了一个极端恶劣的先例,将会产生非常严重的恶果。声明强调:"我们在马克思列宁主义的一系列的基本原则上是同赫鲁晓夫同志有分歧的。""国际共产主义运动的命运,取决于各国人民的要求和斗争,取决于马克思列宁主义的指导,而决不是取决于任何个人的指挥棒。""我们党只信服马克思列宁主义真理,而不会向违反马克思列宁主义的错误观点屈服。"声明表示,中国人是压不倒的,中国人"宁可被碾得粉碎也不屈服"。

6 月 26 日,会议最后 3 小时,赫鲁晓夫作总结性发言。他对中共又作了全面、系统的攻击。彭真即席发言,指出:赫鲁晓夫的做法是为所欲为,听不得别人的意见,谁不听他的话就组织对谁的围攻,还不准别人为自己辩护,这是"只许州官放火,不许百姓点灯",这种行为完全违背了国际准则。

由于苏共的坚持,布加勒斯特会议最后通过了一个会谈公报。尽管中共代表团不同意苏共的观点,但为了顾全大局,对外缓和已出现的严重分歧和对立,仍然在公报上签了字。

四

苏联撤走专家

苏共在国际会议上组织对中共的围攻,遭到中共的坚决抵制后,便进一步在国家关系方面向中国施加压力,从 1960 年

7 月起,相继采取了一系列恶化国家关系的步骤。7 月 6 日,苏联单方面决定停止中苏分别出版和互惠发行的《友好》杂志(俄文版)和《苏中友好》杂志(中文版)。7 月 16 日,苏联驻华大使契尔沃年科向中国外交部副部长章汉夫递交了一个照会,指责中国有关方面向苏联专家散发《列宁主义万岁》小册子,是把"自己的观点强加于苏联专家",中国当局对苏联专家的劳动"公开的不尊重",因此决定召回在中国的所有专家和顾问。不等中国答复,苏联政府又于 7 月 25 日通知中国政府说,在华工作的全部苏联专家均将于 7 月 28 日至 9 月 1 日离境,同时,终止派遣按照两国协议应该派遣的 900 多名专家。7 月 31 日,中国政府复照苏联,希望苏联政府重新考虑并且改变召回苏联专家的决定,表示愿意挽留在华工作尚未期满的全部苏联专家,继续按原定聘期在中国工作。照会还解释说:中国为满足大批苏联专家到中国后一再提出希望了解中国情况和政策的愿望,多年来一直向苏联专家提供材料,这并不是把自己的观点强加给苏联专家。但是,苏联对中国的照会不予理会,以毫无商量余地的态度,在短短 1 个月内,撤走了在华帮助工作的 1390 名专家,撕毁了中苏两国政府签订的 12 个协定和两国科学院签订的 1 个议定书以及 343 个专家合同和合同补充书,废除了 257 个科学技术合作项目,停止供应许多重要设备和物资。

苏联单方面撕毁合同,撤走专家,对中国经济的打击是十分沉重的。当时中国正在承受"大跃进"和人民公社化运动带来的不良后果,苏联的这一行动无异于雪上加霜。当时,苏联专家分布在中国经济、国防、文教、科研等部门的 250 多个企业和事业单位,在技术设计、工程施工、设备安装、产品试制和科学研究等方面担负

着重要的任务。苏联专家突然撤回,使中国一些重大的设计项目和科研项目中途停顿,使一些正在施工的建设项目被迫停工,使一些正在试验生产的厂矿不能按期投产。

苏联政府背信弃义的行为,不仅使中国经济蒙受了巨大的损失,而且在政治上造成了严重的后果,极大地伤害了中国人民的感情。为了解决布加勒斯特会议后,两党意识形态分歧发展到国家关系恶化的若干问题,1960 年 9 月 17 日至 22 日,中苏两党代表团在莫斯科举行了内部高级会谈。中方以邓小平、康生为首,苏方以赫鲁晓夫、苏斯洛夫为首。在会谈中,邓小平对苏联领导人说:"中国共产党永远不会接受父子党父子国的关系。你们撤退专家使我们受到了损失,给我们造成了困难,影响了我们国家经济建设的整个计划和外贸计划,这些计划都要重新进行安排。中国人民准备吞下这个损失,决心用自己的双手劳动来弥补这个损失,建设自己的国家。"邓小平表示希望苏联放弃美化美帝、反对中国的态度,回到加强团结、共同反美的立场上来。苏共代表团在会谈中,也从各方面指责中共,继续向中共施加压力。由于双方各自陈述自己的观点,指责对方,这次会谈没有取得积极成果。

尽管中苏关系濒临破裂的边缘,中国方面仍为改善两国关系作了积极的努力。1960 年 11 月,参加庆祝十月革命胜利 43 周年的 81 个共产党和工人党的代表在莫斯科举行会议。刘少奇、邓小平率领中共代表团出席。会议开始后,苏共领导再次组织一些党的代表对中共进行围攻。中、苏两党代表团就向社会主义过渡、时代、帝国主义性质、战争、两国关系、中印边境冲突等问题进行了反复激烈的争论。赫鲁晓夫坚持要在 81 国会议的文件上写上:世界各国共产党一致赞成苏共二十大对当前国际形势和国际共产主义运动的正确分析,苏共二十大提出的一系列新理论都是对马克思列宁主义的新发展。中共代表团则坚持寸步不让的方针,对苏共提出的会议声明草案提出修改意见。刘少奇指出:1957 年《莫斯科宣言》,我们已经照顾了苏共的观点。在这个问题上我们不能再让步,只能照抄《莫斯科宣言》。你们不能强迫各兄弟党都接受你们一家的观点。各国情况不同,别的党的会议通过了什么决议,是不是也可以像你们这样提要求,让国际共运承认是总路线呢?由于双方都坚持自己的立场,致使会议不能达成协议。

当时,参加会议的绝大多数党都对国际共产主义运动面临分裂的状况表示忧虑,希望中苏两大党停止争论,加强团结。在这种情况下,苏联共产党终于采取了协商和妥协的态度。苏共领导同意在声明中取消苏共关于和平共处与经济竞赛是社会主义各国对外政策总路线的论点,关于资本主义总危机新阶段的出现是由于和平共处、和平竞赛的论点,关于和平过渡的可能性越来越大的论点,关于反对社会主义各国"单干"的论点。中共方面也相应地作了一些妥协,对苏共二十大的评价以及和平过渡等问题,同意照抄 1957 年《莫斯科宣言》的文字。中共代表团同时表示:这是最后一次对苏共领导的照顾,以后再也不能照顾了。这样,81 国共产党和工人党代表会议终于通过了共同签署的文件《各国共产党和工人党代表会议声明》即《莫斯科声明》。

由于 81 国共产党和工人党代表会议取得了比较好的成果,中苏两党的争论暂告一段落,两国关系也有了一定的改善。

12月1日会议结束后，邓小平先期回国，刘少奇则率领中国党政代表团继续访苏，由苏联最高苏维埃主席团主席勃列日涅夫陪同访问了列宁格勒、明斯克等地。访苏期间，中苏领导人多次讲话，强调要加强和巩固两国的友谊和团结。两国的报刊也对这次访问做了大量报道。12月10日，《人民日报》就刘少奇的这次访问发表社论《最亲密的兄弟，最伟大的友谊》，同一天，《真理报》也发表社论《伟大的友谊》。中国党政代表团此次访苏，使两党、两国日趋紧张和恶化的关系有了暂时的一定程度的缓和。

与此同时，苏联方面也主动采取了一些措施来改善中苏关系。1961年2月27日，赫鲁晓夫亲自致函毛泽东，表示愿意在1961年8月底以前，以借用的方式向中国提供100万吨谷物和50万吨古巴糖，缓解中国的经济困难。对赫鲁晓夫的这一表示，周恩来于1961年3月8日代表中共中央向苏联驻华大使口头答复说：对苏共中央基于国际主义的好意表示非常感谢。但现在苏联也有灾情，我们不愿加重苏联的负担，中国争取以延期付款方式从国际市场上再进口一些粮食。周恩来表示我们接受50万吨古巴糖的援助，100万吨粮可暂不运来，留作备荒储备。

但是，中苏关系的缓和是短暂的。不久之后，由于苏共二十二大攻击阿尔巴尼亚劳动党，苏联支持印度反华，中苏关系再度紧张并最终走向破裂。

五

"伊塔事件"与两国关系的恶化

20世纪60年代初，中苏关系出现破裂，苏联政府加紧了在中国边境地区进行颠覆活动，挑拨中国居民逃往苏联。1962年4月16日前后，新疆维吾尔自治区伊犁哈萨克自治州的中苏边境地区，苏联当局在白天用巨大的广播声指示方向，夜间则打开探照灯，光柱射入中国境内几公里远，诱骗中国居民逃往苏联。到6月，伊犁、塔城地区的塔城、裕民、霍城等数县居民6.7万余人逃到苏联。在此期间，苏联驻新疆机构和人员还煽动群众制造了多次流血事件。

5月25日，伊犁哈萨克自治州所在地伊宁市的斯大林大街上，上午9时左右出现一伙身份不明分子，他们手持木棍、扁担，一边高喊"打死汉人，打死汉人"的口号，一边对马路两边行走的汉族群众，不分青红皂白地拳打脚踢，边打边向州委大院冲去。

这些人用棍棒、砖头、石块砸烂了岗楼，砸破了传达室的门窗。州委的干部正准备坐吉普车外出办事，刚开出不远，就被挡住，车被人群团团围住，人群中有人喊了一声："砸！"顿时把车窗全砸碎了，受伤的州委干部在车里还没有爬出来，小车已经被掀翻了，又有人高喊："烧车！"汽车的油箱被砸漏了，汽油流了出来，有人划着了火，在这紧要关头，警卫战士和州委干部不顾一切地冲了上去，救出了车里的同志。这时冲进州委大院的有两三千人，不少人手里还举着土枪和火铳，冲着州委办公大楼开枪。随后暴乱的人群冲进办公室抢走了档案和机密文件，砸烂了办公室。几小时后，围攻的人群又冲到离州委不远的军区党委的大门前，人群中有人高呼反动口号，挑起群众打砸抢。在喊叫声中，人群冲进院子里。

这时伊犁军分区警卫连赶到，战士们挎着枪连成一排人墙，挡住了冲击的人群。可是人群又冲了上去，战士们开始后退。警卫战士在朝天鸣枪示警无效的情况下，又朝地上射击，子弹打到了前面一排人的腿上，有十几个人倒下去。这时州委办公楼上召开紧急会议决定采取果断措施冲出包围，州委干部用枪向楼下还击，围攻的人群开始撤走。与此同时，在塔城、阿尔泰、博尔塔拉等地的当地政府和军营都遭到了冲击和包围。

由于当时中苏分裂还没有完全公开，为了不让帝国主义国家利用这些事件掀起反共反马克思主义浪潮，中国政府外交部于1962年8月30日向苏联政府发出备忘录，指出苏联驻中国新疆机构和人员"策划和组织的这次大规模越界"，是一起严重的颠覆活动，希望苏联方面归还中国公民。苏联政府拒不承认其颠覆活动，9月19日，苏联政府照会中国政府外交部，反称中国对苏联驻新疆领事机构进行了一系列的挑衅行为。1963年7月18日，苏中双边会谈时，中方声明说，苏联在新疆机构的工作人员，对中华人民共和国进行了颠覆活动，再次要求苏联政府将中国公民遣返中国。

鉴于苏联政府对解决中国公民遣返问题毫无诚意，1963年9月6日，《人民日报》编辑部、《红旗》杂志编辑部发表《苏共领导同我们分歧的由来和发展——评苏共中央的公开信》一文，指出："1962年4月到5月间，苏共领导通过他们驻中国新疆的机构和人员，在伊犁地区进行了大规模的颠覆活动，引诱和胁迫几万中国公民跑到苏联境内。在中国政府再三提出抗议和交涉之后，苏联政府还以'苏维埃法制感'、'人道主义'为借口，拒绝遣返这些中国公民。这一事件直到现在还没有解决。这在社会主义国家关系中是史无前例的、骇人听闻的事件。"随后在1964年2月29日，中共中央给苏共中央的信中再一次指出："随着苏共领导反华活动的发展，近年来苏联方面不断地破坏边界现状，侵占中国领土，挑起边境事件。更严重的是，苏联方面还明目张胆地在中国边境地区进行大规模的颠覆活动，公然通过报刊和广播挑拨中国各民族的团结，煽动中国的少数民族从祖国分裂出去，并且诱骗和胁迫几万中国公民逃往苏联。所有这些，不但破坏了社会主义国家相互关系的准则，而且从一般的国家关系来说，也是绝对不能允许的。"

但苏联政府对中国政府的抗议和遣返中国公民的要求置之不理，顽固地坚持认为："逃往苏联境内的是俄国和苏联的移民。"致使逃往苏联的中国公民长期不能返回祖国的怀抱。

中苏论战

中苏两党的分歧与矛盾，经过一段缓和以后，到1962年底，又发展到一触即发的地步。随着对意识形态问题争论的升级，由一些观点的不同发展到双方激烈的论战。

一

积怨由来已久

1956年苏共二十大上，赫鲁晓夫作了《关于个人崇拜及其后果》的秘密报告，全盘否定斯大林，在各国共产党内引起极大的震动和思想混乱，也打破了包括中国在内的各国党对苏共和苏联的迷信,削弱了苏共和苏联在国际共产主义运动中的地位,也促进了各国党的独立自主和独立思考。

苏共二十大,在怎样看待斯大林和斯大林体制问题上,引发了中苏之间意识形态的分歧和裂痕,成为中苏关系恶化的开始。毛泽东评价苏共二十大时说,赫鲁晓夫反斯大林的秘密报告,一是揭了盖子,这是好的;二是捅了娄子,全世界都震动。揭开盖子,表明斯大林及苏联的种种做法不是没有错误的,各国党可根据各自的情况办事,不要再迷信了。捅了娄子,搞突然袭击,不仅各国党没有思想准备,苏联党也没有思想准备。这么大的事情,这么重要的国际人物,不同各国党商量是不对的。①

在这种情况下,毛泽东等中国领导人认为这种分歧涉及重大的原则问题,要发表自己的不同看法。1956年4月5日,经毛泽东等中央领导同志多次修改,以《人民日报》编辑部名义发表了《关于无产阶级专政的历史经验》,这是中国共产党第一次对当代国际共产主义运动的重大问题发表独特意见。这篇文章坚持了马克思列宁主义的原则立场,以历史唯物主义的观点对斯大林作了客观公正的评价,充分肯定了苏联、苏共和斯大林的主要的正确的方面,也批评了他们次要的错误的方面。《关于无产阶级专政的历史经验》发表以后,发生了波匈事件,1956年12月29日,中共中央以《人民日报》编辑部的名义发表了《再论无产阶级专政的历史经验》。这篇文章分为四个部分:第一,关于苏联的革命和建设的基本道路的估计;第二,关于斯大林功过的估计;第三,关于反对教条主义和修正主义;第四,关于各国无产阶级的国际团结。文章在对待斯大林问题上同赫鲁晓夫的观点有所不同。

从1958年春天开始,中苏间的分歧和裂痕扩大到了国家关系方面,苏联不尊重中国主权,要中国在军事上外交上受制于苏联、服从苏联全球战略的需要。1958年中苏之间有关长波电台和联合舰队问题,毛泽东等中国领导人觉得这些问题涉及国家主权,苏联领导人有控制中国的企图,因而无法接受。从1958年年底开始,赫鲁晓夫不断地对中国的"大跃进"和人民公社化运动等内政进行影射攻击。毛泽东认为"大跃进"和人民公社化运动是真理,是对马克思列宁主义的发展,而赫鲁晓夫们所持的反对态度则是违背马克思列宁主义的,他们的公开批评更是粗暴地干涉中国的内政。

1959年6月20日,苏共中央单方面撕毁《国防新技术协定》,激起了中方的愤慨和警惕,迫使中国领导人开始对苏联援助进行反思。1959年9月9日,苏联塔斯社关于中印边界冲突发表实质上是偏袒印度的声明,第一次公开不支持中国的正确立场,向全世界暴露了中苏两国的分歧。中苏两国还在国际战略,特别是在对美政策上也产生了分歧。1959年9月,赫鲁晓夫访问美国。赫鲁晓夫认为,由于这次访问和艾森豪威尔即将回访苏联,国际关系已经缓和,还大力宣扬所谓的"戴维营精神"。毛泽东等中国领导人却认为,帝国主义是导致"冷战"和国际形势紧张的根源,是世界战争的根源,美帝国主义是全世界人民最凶恶的敌人,它们的本性是不会改变的,因此,要缓和国际紧张局势,要维护世界和平,只能发动和联合世

---

① 吴冷西:《十年论战》,中央文献出版社,1999年版,第6页。

界各国人民起来同帝国主义,特别是同美帝国主义进行坚决的斗争。1959 年 10 月 2 日,赫鲁晓夫同中国领导人会谈时,抱怨中国炮击金门、马祖事先没有通知苏联。赫鲁晓夫为了讨好美国,要中国领导人放弃台湾和释放在中国的美国罪犯。赫鲁晓夫访华后,多次公开攻击中国是"好斗的公鸡"和"不战不和的托洛茨基主义"等等,中苏分歧日益扩大,中苏关系日益恶化。

从 1960 年开始,中苏的矛盾越来越多,分歧愈来愈大。1960 年 7 月 16 日,苏联政府突然照会中国政府,单方面召回全部在中国工作的苏联专家,给中国造成很大的损失和困难。1960 年,苏联边防军在新疆博孜艾格尔山口附近地区挑起第一次边境事件。此后,苏方不断破坏边界现状,挑起冲突事件。

二

中方的反驳

由于中苏在意识形态和国家关系方面不断发生分歧和争执,毛泽东作出了判断:以赫鲁晓夫为首的苏联领导人已经背离了马克思列宁主义原则,走上了"修正主义"或"半修正主义"道路。面对这种情况,中国共产党人捍卫马克思列宁主义的纯洁性,坚决同现代修正主义者作斗争,同时教育和帮助那些已经和正在误入歧途的共产党人。中国共产党制订了对赫鲁晓夫领导集团的斗争的方针:"坚持原则,后发制人;坚持斗争,留有余地;坚持团结,反对分裂。"这就是著名的二十四字方针。中苏论战不可避免地发生了。

中苏论战中,中国的辩驳过程主要有三个阶段:

第一阶段:初次交锋——《列宁主义万岁》

1960 年 2 月,华沙条约组织参加国在莫斯科举行政治协商会议,中国派康生列席会议。康生在发言中,重申毛泽东的东风压倒西风的论点,强调国际形势出现某些缓和是社会主义阵营各国共同努力的结果,指出现在美国是想以"和平取胜战略"来麻痹世界人民的斗志,破坏社会主义阵营以及世界和平力量的团结。康生的讲话,不指名地批评了赫鲁晓夫的一系列论点,引起赫鲁晓夫的强烈反应。

1960 年 4 月 22 日,是列宁诞辰 90 周年纪念日。1960 年 4 月间,《红旗》第 8 期首先发表了由该杂志编辑部署名,题为《列宁主义万岁》的文章。4 月 22 日,《人民日报》又发表了由该报编辑部署名,题目是《沿着伟大列宁的道路前进》的文章。同日,北京隆重举行了纪念列宁诞辰 90 周年大会,中共中央政治局候补委员、中共中央宣传部部长陆定一在大会上作了题为《在列宁的革命旗帜下团结起来》的报告。此后不久,人民出版社将上述三篇文章和报告汇集在一起,出版了题为《列宁主义万岁》的小册子。

《列宁主义万岁》三篇文章就列宁主义是否过时、国际形势和时代特征、战争与和平、和平共处、和平过渡等问题引述了马克思列宁主义的观点,谈到了修正主义产生的根源、无产阶级政党等问题,批驳了所谓的现代修正主义和半修正主义。文章点的虽是南斯拉夫铁托的名,实际上是针对赫鲁晓夫的一系列观点、理论,进行比较全面的、公开的但是不指名的批判。

这三篇文章所具有的共同特点是:首先,都集中对美帝国主义,对南斯拉夫的"修正主义"观点进行了揭露和批判;其次,从正面阐述列宁的观点,回答现代修正主义对列宁观点的歪曲、篡改和阉割;再次,高举团结旗帜。文章发表以后,使中苏分歧和矛盾进一步扩大,导致双方新一轮的激烈争吵。

1960年6月,赫鲁晓夫在布加勒斯特会议上,有计划、有预谋地组织了一大批党的代表,发言围攻中国共产党,赫鲁晓夫还亲自作了指名攻击中共的发言。中共代表团进行了面对面的、针锋相对的斗争。1960年7月,为了对中国施加经济压力,迫使毛泽东等中国领导人屈服,苏联单方面决定撤回在中国的所有苏联专家,使中苏分歧和矛盾进一步尖锐。

第二阶段:留有余地——7篇答辩文章

1962年4、5月间发生在新疆中苏边境地区的中国公民外逃事件,使中国领导人开始从中感受到了苏联对中国国家安全的威胁。1962年12月12日,赫鲁晓夫在苏联最高苏维埃会议上,围绕着中印边界武装冲突问题发表讲话,袒护印度,对中苏两国关系造成很大冲击。

从1962年11月初到1963年1月下旬,保加利亚共产党第八次代表大会、匈牙利社会主义工人党第八次代表大会、捷克斯洛伐克共产党第十二次代表大会、意大利共产党第一次代表大会和德国统一社会党第六次代表大会先后召开。在这五个党的代表大会上,苏共领导人按照苏共二十二大的方式,从公开指名攻击阿尔巴尼亚,发展到公开指名攻击中国共产党,一直到在德国统一社会党第六次代表大会上,赫鲁晓夫亲自指名攻击中国。中苏的公开论战不可避免。

从1962年12月15日起,中共中央连续在《人民日报》和《红旗》杂志上发表文章,批驳苏联和亲苏派对阿尔巴尼亚和中

国的攻击,批驳所谓的各种修正主义的观点,阐明中共对一系列重大问题的看法:

第一篇答辩文章,是1962年12月15日发表的《人民日报》社论《全世界无产者联合起来,反对我们的共同敌人》。

第二篇答辩文章,是1962年12月31日发表的《人民日报》社论《陶里亚蒂同志同我们的分歧》。文章着重批驳陶里亚蒂在一些重大问题上的观点,包括战争与和平、对核武器和核战争的态度、"纸老虎"论断、和平共处和陶里亚蒂主张的"结构改革论"等。

第三篇答辩文章,是《红旗》杂志1963年第1期刊登的长篇社论《列宁主义和现代修正主义》。这篇社论着重从正面论述列宁主义和现代修正主义的区别。其中包括关于时代的看法,关于两大阵营和平共处的问题,关于"帝国主义和一切反动派都是纸老虎"的论断,关于马克思列宁主义的基本原理是否过时等。

第四篇答辩文章,是1963年1月27日发表的《人民日报》社论《在莫斯科宣言和莫斯科声明的基础上团结起来》。这篇社论点出了一个重要的原则问题,就是:要什么样的团结?在什么基础上团结?是在莫斯科宣言和莫斯科声明基础上的团结,还是在别的纲领基础上的团结?并且指出,中苏的公开论战是从苏共二十二大开始的。

第五篇答辩文章,是1963年2月27日发表的《人民日报》社论《分歧从何而来?——答多列士等同志》。这篇文章第一次公开指明中苏两党的分歧是从苏共二十大开始。文章指出:"某些兄弟党的同志,屡次企图把一个党的代表大会的决议置于各国兄弟党的共同纲领莫斯科宣言之上,这就不可避免地引起了国际共产主义运动内部的分歧。"这篇文章的发表,

则把争论的深度向前推进了一步,指出了这场争论是由谁引起的,谁应对此负主要责任。

第六篇答辩文章,是1963年3月1日至4日在《人民日报》上连载的《红旗》杂志编辑部文章《再论陶里亚蒂同志同我们的分歧》。文章全面阐明了中国共产党对时代主题和国际局势的基本看法,以及对于国际共产主义运动一些重大理论问题的基本看法。名义上是批驳陶里亚蒂,矛头锋芒所向实际上是赫鲁晓夫。文章一共讨论了7个问题。第一个问题是:"这一次各国共产党人大争论的性质是什么?"文章认为:目前国际共产主义运动中,正在理论问题、根本路线问题和政策问题上展开一场大规模的论战。论战中的思潮,归根到底,一种是革命的马克思列宁主义思潮,一种是反马克思列宁主义思潮。当前这场争论是马克思列宁主义者同现代修正主义者的国际规模的论战。第二个问题是关于当代世界的矛盾。文章重申了毛泽东在1946年同美国记者斯特朗谈话中提出的"中间地带"理论,列举了16年来世界形势的重要变化,指出:"美帝国主义者的奴役政策同世界各国人民之间的矛盾,美帝国主义者向全世界的扩张政策同其他帝国主义国家之间的矛盾,是第二次世界大战后世界矛盾的焦点。这种矛盾,特别表现为美帝国主义者及其走狗同亚洲、非洲、拉丁美洲各国被压迫民族和被压迫人民之间的矛盾,表现为新老殖民主义者之间争夺这些地区的矛盾。"第三个问题是关于战争与和平。文章重申列宁关于战争与和平的基本原理和"战争是政治的另一种手段的继续"的论断,提出:"马克思列宁主义者主张依靠社会主义国家力量的团结和发展,依靠被压迫民族和被压迫人民的斗争,依靠国际无产阶级的斗争,依靠全世界一切爱好和平的国家和人民的斗争,来保卫世界和平,防止新的世界战争。"第四个问题是关于国家与革命。文章重申马克思、恩格斯根据1848年到1851年经验和1872年巴黎公社经验总结出来的关于摧毁资产阶级国家机器和用什么代替被摧毁的国家机器的有关论述,重申列宁提出并为俄国十月革命证实了的无产阶级战略原则,着重批评了"结构改革论",实际上是批评苏共二十大提出的"和平过渡"理论。第五个问题是关于"在战略上藐视敌人,在战术上重视敌人"。文章重申毛泽东关于帝国主义和一切反动派都是纸老虎的论断,强调要"敢于藐视敌人,敢于斗争,敢于胜利",反对"畏惧敌人,不敢斗争,不敢胜利"的改良主义或投降主义思想。第六个问题是关于反对现代修正主义。文章阐明如何正确地对待马克思列宁主义、如何把马克思列宁主义普遍真理和本国革命的具体实践相结合、如何正确地坚持原则性和灵活性等问题,认为"现代修正主义是国际工人运动中的主要危险",并试图划清同修正主义和教条主义的界限。第七个问题是关于国际共产主义运动内部团结。这篇文章中的许多观点,是多年逐步形成的,可以说是对中苏两党分歧和争论的一个初步总结。

第七篇答辩文章,是1963年3月8日发表的《人民日报》社论《评美国共产党声明》。

这七篇答辩文章都对苏共还有保留,仍没有公开点苏共及其领导人的名字,没有对苏共领导人进行指名道姓的批评。上述文章中,只点了陶里亚蒂、多列士等人的名,但文章所批评的观点,既是陶里亚蒂、多列士等人的,也是苏共中央和赫鲁晓夫的。

第三阶段:彻底决裂——"九评"

7篇答辩文章发表以后,中苏两党之间的论战暂时平息。1963年2月21日,苏共中央致函中共中央,要求停止两党的公开论战和举行双边高级会谈。3月9日,中共中央发出对苏共中央2月21日来信的复信,赞成停止公开论战,举行两党会谈,宣布从3月9日起,暂时停止发表论战文章。

1963年3月30日,苏共中央又致信中共中央,详细地提出了苏共关于国际共产主义运动的总路线问题,并且建议以他们来信中关于这个问题所阐述的一系列观点作为中苏两党会谈的基础。这封信充分表明:苏共中央不打算在拟议中的中苏会谈中作任何妥协,它要坚持自己的观点和立场;苏共中央之所以同意两党会谈,显然是为了说服或压服中共,迫使中共承认错误,接受自己的观点,其结果只能激怒中共,引发新的争执。在这种情况下,毛泽东和中共中央决定,既然苏共中央在来信中明确提出了总路线的问题,我们就要起草一封复信,全面阐明中国共产党对于国际共产主义运动总路线的基本观点。中共中央于6月14日对苏共中央的信作出了答复。毛泽东把复信的题目正式定名为《关于国际共产主义运动总路线的建议(中国共产党中央委员会对于苏联共产党中央委员会一九六三年三月三十日来信的复信)》。17日,在国内各主要报刊上全文发表。

复信全文共25条,每条着重阐明一个意思。第一条,指出《莫斯科宣言》和《莫斯科声明》是国际共运的共同纲领,必须坚决捍卫。第二条,阐明中国共产党关于现阶段国际共运总路线的基本内容,即"全世界无产者联合起来,全世界无产者同被压迫人民、被压迫民族联合起来,反对帝国主义和各国反动派,争取世界和平、民族解放、人民民主和社会主义,巩固和壮大社会主义阵营,逐步实现无产阶级世界革命的完全胜利,建立一个没有帝国主义、没有资本主义、没有剥削制度的新世界"。第三条,说明这条总路线是同苏共纲领中所说的"和平共处"、"和平竞赛"、"和平过渡"相对立的,指出如果把国际共运总路线片面地归结为"和平共处"、"和平竞赛"、"和平过渡",那就是违反1957年宣言和1960年声明的革命原则。第四条、第五条,分析当代世界的基本矛盾和批判在这个问题上的错误观点。第六条,是关于社会主义阵营各国共产党和工人党在国内和国际的主要任务。第七条,是关于美帝国主义的侵略政策和战争政策,指出美帝国主义企图在全世界建立一个空前未有的大帝国。第八条、第九条,是关于亚洲、非洲、拉丁美洲民族民主革命运动的问题。第十至十二条,是关于无产阶级革命与和平过渡的问题。第十三条,是关于社会主义国家同被压迫人民、被压迫民族的革命斗争是互相支持、互相援助的。第十四至十六条,是关于战争与和平、和平共处以及全面禁止和完全销毁核武器的问题。第十七至十九条,是关于无产阶级专政条件下的阶级斗争与"全民国家"、"全民党"的问题。第二十条,是关于"反对个人迷信"问题。第二十一条、第二十二条,是关于社会主义国家之间的关系和兄弟党关系的准则。第二十三至二十五条,是关于反对现代修正主义的问题,划清无产阶级革命党和资产阶级改良党的界限问题,以及国际共运的公开论战问题。

为了解决或缓和两党之间日益尖锐的矛盾和分歧,1963年7月6日至20日,中苏两党会谈在莫斯科举行。中国共产党代表团由中共中央总书记邓小平率领,苏联共产党代表团由苏共中央主席团委员、中央书记苏斯洛夫率领。在会谈中，双方互相指责，没有取得任何实质性的结果。双方发表的会谈公报中说，双方就现代世界形势发展，国际共产主义运动和中苏关系等一系列重大原则问题阐述了各自的观点和立场。根据中共代表团的建议双方达成协议：代表团的工作暂时告一段落，再过一些时候，继续举行会谈。会谈地点和时间由双方另定。

就在中苏两党会谈期间，1963 年 7 月 14 日，苏共中央在《真理报》上发表了给苏联各级党组织和全体共产党员的公开信，对中共中央 6 月 14 日复信作了全面的批驳。这份公开信是自中苏公开论战以来，苏共中央首次系统地、详尽地叙述两党的分歧和争论，首次公开点名指责中共领导的"特殊路线"的一份重要文件。在公开信的主要部分，苏共中央不仅回顾了中苏分歧产生和扩大的过程，而且谈到了分歧和争执的主要内容。公开信列举了几个重要问题，如关于战争与和平、关于热核战争、关于和平共处、关于反对个人迷信和批判斯大林、关于世界革命、关于社会主义阵营和国际共产主义运动的团结、关于阿尔巴尼亚、关于南斯拉夫等等问题，阐述了苏共中央在这些问题上的看法，尖锐地抨击了中共中央在这些问题上的"错误"立场。

中共中央发言人声明于 7 月 19 日发表。声明指出，所以要重新广播 6 月 14 日中共中央的复信，同时发表 7 月 14 日苏共中央的公开信，是为了让自己的党员和中国人民了解中共中央和苏共中央双方的观点，进行比较和研究。《人民日报》7 月 20 日刊登苏共中央公开信时，有一个编者按，列举了苏共中央公开信中采取歪曲事实、颠倒是非的手法攻击中共领导人的事例。例如，关于核战争问题，说中共领导人不惜通过世界核战争，牺牲亿万人，来取得社会主义；关于对苏共二十大的评价问题，说中国领导人对它来了一个 180 度的转弯；关于把思想意识分歧扩大到国家关系方面的问题，本来是由苏联造成的中苏经济贸易缩减，却反而责怪到中国方面。"我们将在以后的文章中提供材料，加以澄清"，这是毛泽东审定编者按时加写的，立此存照。这就是后来以《人民日报》和《红旗》杂志编辑部的名义发表评苏共中央公开信 9 篇文章的由来。

在这样的形势下，毛泽东等中国领导人经过分析、研究后认为，以赫鲁晓夫为首的苏共领导人形成一整套修正主义的路线，走上了反对无产阶级革命、反对无产阶级专政、在苏联复辟资本主义的道路，对此，中国共产党必须高举起马克思列宁主义的旗帜，把反对苏共领导的"现代修正主义"的斗争进行到底。在此以前，中共中央已开始批评苏共领导的"现代修正主义"观点，但毛泽东等人仍对重建中苏友好关系，对恢复社会主义和国际共产主义运动的团结抱有希望，故在具体做法上还留有一定的余地。现在，毛泽东等中共中央领导人已经完全失望了，下决心要同以赫鲁晓夫为首的苏共领导的"现代修正主义"彻底决裂了。

1963 年 7 月 23 日，毛泽东召开会议，确定书记处的分工，写文章评苏共中央公开信的事由康生负责。从 1963 年 9 月到 1964 年 10 月，中国共产党发表了 9 篇评苏共中央公开信的文章，通称"九评"。从理论到实践全面系统地阐述了中国共产党对斯大林、国际共产主义运动、民族解放运动、和平共处、和平竞赛、和平过渡、全民党、全民国家等问题的观点：

"一评"，题为《苏共领导同我们分歧的由来和发展》，1963 年 9 月 6 日发表。

文章把中苏两党自 1956 年苏共二十大以来的矛盾和分歧,及其发展、升级和扩大的过程,公之于众。文章指名道姓地批评了赫鲁晓夫,并且指出,目前国际共运的大论战,是由苏共领导一手挑起和扩大起来的。

"二评",题为《关于斯大林问题》,1963 年 9 月 13 日发表。文章谈到了斯大林的错误和对他一生的评价,谈到了中国共产党抵制斯大林对中国的某些错误的影响,谈到了中国共产党人对待犯错误同志的态度。文章进一步阐明了中国共产党在斯大林问题上的一贯立场、中苏两党在斯大林问题上的原则分歧,对赫鲁晓夫在这个问题上的言行作了揭露和批驳。

"三评",题目是《南斯拉夫是社会主义国家吗?》,1963 年 9 月 26 日发表。文章把中苏两党在南斯拉夫问题上的分歧摆了出来,阐明了中国共产党的看法。从经济、政治、外交等方面,通过对南斯拉夫的对内对外政策的分析,勾画了当时所称的"资本主义复辟"的基本轮廓和标志。

"四评",题目是《新殖民主义的辩护士》,1963 年 10 月 22 日发表。这篇文章着重批驳苏共领导在对待亚洲、非洲、拉丁美洲民族解放运动上的政策。文章重申,民族解放运动和社会主义工人运动,是当代两大革命潮流。亚非拉是当代世界各种矛盾集中的地区,是帝国主义统治最薄弱的地区,是目前直接打击帝国主义的世界革命风暴的主要地区。文章认为,苏共领导对亚非拉民族解放运动实行的政策是:以和平共处与和平竞赛代替民族解放运动,主张由苏、美两国合作援助落后国家,通过裁军来消灭殖民主义,通过联合国消灭殖民主义。文章对苏共领导散布的所谓"黄祸论"进行了有力的批驳。

"五评",题目是《在战争与和平问题

上的两条路线》,1963 年 11 月 19 日发表。文章共 6 个部分。在第一部分"历史的教训"里,回顾了第二国际修正主义者关于战争与和平问题的主要论点,以及列宁对这些论点的揭露,指出赫鲁晓夫在战争与和平问题上的观点是第二国际修正主义的翻版;第二部分"最大的骗局",揭露了赫鲁晓夫对于美国所抱的种种幻想,指出美国是当代侵略和战争的主要力量,以及他们推行"和平战略"的企图;第三部分"关于防止新的世界战争的可能性问题",详细阐明了毛泽东关于新的世界战争可能防止的论点,同时又强调要消灭帝国主义的观点;第四部分"核迷信、核讹诈是现代修正主义的理论基础和政策指南",着重批驳苏共领导关于"核武器改变了以前关于战争的概念"的种种论点;第五部分"是斗争还是投降",阐明了毛泽东关于针锋相对的斗争策略,指出只有依靠人民群众,同帝国主义的侵略政策和战争政策进行针锋相对的斗争,才能有效地保卫和平;第六部分"保卫和平的道路和导致战争的道路",是对全文的总结,试图说明中苏两党在战争与和平问题上的分歧,是既取得革命胜利又赢得世界和平的路线同适应美国"全球战略"、助长战争危险的路线的对立。

"六评",题目是《两种根本对立的和平共处政策》,1963 年 12 月 12 日发表。文章概述了列宁和斯大林的和平共处政策,把列宁关于和平共处政策的基本思想概括为五条,强调同帝国主义国家和平共处是靠斗争得来的,强调列宁所说的社会主义国家对外政策的根本原则不是和平共处而是无产阶级国际主义,强调被压迫阶级同压迫阶级、被压迫民族同压迫民族不能和平共处。文章阐明了中国共产党在新的历史条件下,坚持和丰富了列宁的和平共处政策,在国际事务中,对于不同类型的国家,对于同一类型国家的不同情况,采取区别对待的方针:把社会主义国家同资本主义国家加以区别,把新获得独立的民族主义国家同帝国主义国家加以区别,把一般资本主义国家同帝国主义国家加以区别,以及对不同的帝国主义国家也区别对待。文章指出,中国政府坚持和平外交政策,并批驳了苏共领导人关于和平共处问题的主要观点。

"七评",题目是《苏共领导是当代最大的分裂主义者》,1964 年 2 月 4 日发表。文章从总结国际共产主义运动的历史教训,特别是第一国际、第二国际和第三国际的历史教训中破题,提出三个论点:第一,无产阶级同资产阶级的阶级斗争,不可避免地要反映到共产主义队伍里来,不可避免地产生机会主义以及由此而产生的分裂活动,马列主义和国际工人运动正是在这种同对立面的斗争中发展起来的。第二,在共产主义运动发展的各个不同的历史时期,维护团结和制造分裂的斗争,实质上是马列主义同机会主义、修正主义的斗争,机会主义和修正主义是分裂主义的政治和思想根源。第三,无产阶级的团结是在同机会主义、修正主义和分裂主义的斗争中巩固和发展起来的。义章指出,以赫鲁晓夫为首的苏共领导,已经成为现代修正主义的主要代表,也是国际共运中最大的分裂主义者。文章揭露了苏共强加于人的老子党作风和把本国利益凌驾于兄弟国家利益之上的大国沙文主义,并驳斥了强加给中共的种种罪名,如所谓"反苏"、"争夺领导权"、"抗拒多数的意志"、"支持兄弟党的反党集团"等等。文章阐述了中国共产党关于加强国际共运团结的主张。

"八评",题目是《无产阶级革命和赫鲁晓夫修正主义》,1964 年 3 月 31 日发表。文章从苏共二十大讲起,由此联系到伯恩施坦和考茨基第二国际的修正主义,联系到列宁对伯恩施坦和考茨基的批判,联系到第二次世界大战以后国际共运内部主张"和平过渡"的一些代表人物,着重批驳赫鲁晓夫的"议会道路"和"和平过渡"的观点。文章重申了关于暴力革命的思想,阐述从苏共二十大以来中苏两党在这个问题上的分歧。这篇文章第一次指名道姓地给赫鲁晓夫戴上了修正主义者的帽子。

"九评",题目是《关于赫鲁晓夫的假共产主义及其在世界历史上的教训》,1964 年 7 月 14 日发表,是 9 篇评论文章中最重要的一篇。文章包括 7 个部分。第一部分是讲社会主义社会和无产阶级专政。第二部分是讲苏联存在着敌对阶级和阶级斗争。第三部分是讲苏联的特权阶层和赫鲁晓夫修正主义集团。第四部分是驳斥所谓的"全民国家"。第五部分是驳斥所谓的"全民党"。第六部分是讲赫鲁晓夫的假共产主义。第七部分是讲无产阶级专政的历史教训。

文章从怎样认识社会主义社会、怎样认识社会主义社会的阶级斗争问题破题,阐述了中国共产党对无产阶级专政理论的认识,强调"社会主义社会是一个很长很长的历史阶段。在这个历史阶段中,贯穿着资产阶级和无产阶级的阶级斗争,存在着资本主义和社会主义两条道路'谁战胜谁'的问题,存在着资本主义复辟的危险性"。文章分析了苏联的社会状况,认为苏联存在着敌对阶级和阶级斗争,认为"赫鲁晓夫修正主义集团篡夺了苏联党和国家的领导,在苏联社会上出现了一个资产阶级特权阶层","苏联人民与他们之间的矛盾,是目前苏联国内的主要矛盾,是不可调和的对抗性的阶级矛盾"。

文章总结无产阶级专政的历史教训，主要是回答怎样才能防止资本主义复辟，怎样才能防止和平演变。文章把毛泽东提出的关于反修防修的理论和政策加以系统整理，概括成为15条内容。第一条，必须用马克思列宁主义对立统一的规律来观察社会主义社会。第二条，社会主义社会是一个很长的历史阶段，社会主义社会还存在着阶级和阶级斗争，存在着社会主义和资本主义两条道路的斗争。第三条，无产阶级专政是工人阶级领导的，以工农联盟为基础的专政。第四条，社会主义革命和社会主义建设必须坚持群众路线，放手发动群众，大搞群众运动。第五条，不论在社会主义革命中，或者在社会主义建设中必须解决依靠谁、争取谁、反对谁的问题。第六条，必须在城市和乡村中普遍地、反复地进行社会主义教育运动。第七条，无产阶级专政的基本任务之一就是发展社会主义经济，必须在发展生产的基础上，逐步地、普遍地改善人民群众的生活。第八条，全民所有制和集体所有制经济是社会主义经济的两种形式。第九条，"百花齐放，百家争鸣"的方针，是促进艺术发展和科学进步的方针，是促进社会主义文化繁荣的方针。第十条，必须坚持干部参加集体生产劳动的制度。第十一条，绝不要实行少数人的高薪制度。第十二条，社会主义国家的人民武装部队，必须永远置于无产阶级政党的领导和人民群众的监督之下，永远保持人民军队的光荣传统。第十三条，人民公安机关必须永远置于无产阶级政党的领导和人民群众的监督之下。第十四条，在对外政策方面，必须坚持无产阶级国际主义，反对大国沙文主义和民族利己主义，必须真正实行全世界无产者联合起来和全世界无

产者同被压迫民族联合起来的战斗口号，坚决反对帝国主义和各国反动派的反共、反人民、反革命的政策，援助全世界被压迫阶级和被压迫民族的革命斗争。第十五条，作为无产阶级先锋队的共产党，必须同无产阶级专政一起存在，在一切部门中都必须实行党委领导的制度。这15条，包括了毛泽东在探索中国社会主义建设道路中的一些正确的思考，但也比较系统地体现了"以阶级斗争为纲"的"左"的指导思想，把中共八届十中全会以来迅速发展的关于在社会主义条件下继续进行阶级斗争的一系列思想系统化了。文章关于国际共运历史经验教训的论述，是针对苏共二十二大提出的一些突出论点，同时直接引申到中国国内的反修防修问题上。

"九评"的发表，标志着中苏间的大论战达到了高潮。

此外，中苏两党还通过一系列信件来往的方式不断地互相指责。

1963年11月29日，苏共中央给中共中央写了一封长信，提出了停止公开论战和采取具体步骤，改善中苏关系的问题。苏共中央在来信中，要求停止公开论战，并表示希望改善中苏两国关系，包括加强经济、科技合作联系，可以提供成套设备，可以派苏联专家到中国帮助建设，在制定新的五年计划时两国能够互助合作，对中苏边界的某些地段可以通过谈判解决分歧。

1964年2月12日，苏共中央给各国共产党、工人党写了一封信。据中共中央后来说，苏共中央的这封信歪曲目前国际共产主义运动中的公开论战的真相，制造谣言诬蔑中国共产党。2月20日，中共中央给苏共中央复了一封信。但这封复信并没有直接答复苏共中央1963年11月29日来信所提的问题，而是抓住苏共中央

几天前背着中共给各国共产党写信一事，斥责苏共中央搞两面派。2月22日，苏共中央就对中共中央2月20日的信作出了回答。这封信一方面为自己辩护，另一方面则改变了1963年11月29日来信中的缓和态度，重新对中共中央进行指责。中共中央分别于2月27日和2月29日连续写了两封复信。2月27日的信是答复苏共中央2月22日来信的，内容不多。2月29日的信是答复苏共中央1963年11月29日来信的。这封信比较长，涉及的问题也比较多。针对苏共中央1963年11月29日来信所涉及的内容，集中地谈了5个方面的问题：一是关于中苏边界问题。二是关于援助问题。三是关于苏联专家问题。四是关于中苏贸易问题。五是关于停止公开论战问题。这些问题已经超出中苏两党关系的范围，特别是已经涉及日益敏感的中苏边界问题。

1964年3月7日，苏共中央对上述中共中央的两封信作了答复。除了为自己辩解和对中共中央进行反指责外，苏共中央还说，尽管中共中央的信实际上拒绝了苏共改善苏中关系的建议，但中共中央同意继续两党会谈和举行兄弟党国际会议，这还是值得肯定。5月7日，中共中央复信苏共中央，对此作出了强烈的反应。这封信一开始就"停止公开论战"问题，再一次斥责了苏共中央的两面派手法，认为苏共中央的话说得十分冠冕堂皇，实际上"完全是骗人的"。接着，中共中央的信使用较长的篇幅对举行两党会谈和召开兄弟党国际会议的问题作出了评论，不赞成马上举行中苏两党会谈和召开兄弟党国际会议。

苏共中央于6月15日给中共中央复信，大加批驳。7月28日，中共中央写了一封长信，答复苏共中央6月15日的来信。复信全面地批驳了苏共中央对中共的攻击，并明确地表明了自己的主张和态度。这个复信，可以看做是对苏共中央公开信9篇评论文章的继续，着重批驳苏共领导人的老子党作风，揭露了赫鲁晓夫以兄弟党国际会议作为"指挥棒"、让兄弟党服从于自己的大国沙文主义。

7月30日，苏共中央在事先没有举行中苏两党会谈，没征得中国方面同意的情况下，写信给中共中央，通知将于1964年12月15日召开26个兄弟党起草委员会会议。这表明，赫鲁晓夫已下决心，不论中共同意与否，都要召开筹备会议和国际会议。8月30日，中共中央再次复函，决定不参加苏共中央召集的二十六国筹备会议。

三

尾声和结局

1964年10月16日，苏共中央全会和苏联最高苏维埃主席团宣布解除赫鲁晓夫苏共中央第一书记、苏共中央主席团委员和苏联部长会议主席的职务，选举勃列日涅夫为苏共中央第一书记，任命柯西金为苏联部长会议主席。毛泽东和中共中央感到，赫鲁晓夫下台，扫除了改善中苏关系的一大障碍，为中苏关系的缓和带来了某种可能性。中共中央决定抓住这个时机，做苏共新领导人的工作，重新加强中苏团结，扭转中苏关系继续恶化的趋势。11月5日，周恩来率中国党政代表团抵达莫斯科。周恩来等在同苏联新领导人勃列日涅夫等的会谈中，苏方表示：苏共是集体领导的，在同中共中央分歧的问题上，苏共中央内部甚至在细节上也是一致的。并坚持说，苏共中央7月30日信中关于12月15日召开二十六国筹备会议一事仍然有效。在12日最后一次会谈中,苏共还表示:他们二十大至二十二大通过的路线和纲领都是正确的,不可动摇的。至此调整中苏两党关系的大门被封闭了。

1964年11月21日,《红旗》杂志发表社论《赫鲁晓夫是怎样下台的》,这篇社论,只讲赫鲁晓夫,对苏共新领导一句话也不谈。社论指出,赫鲁晓夫搜罗了历来所有机会主义和修正主义的反马克思主义观点,拼凑了一整套所谓和平共处、和平竞赛、和平过渡、全民国家、全民党的修正主义路线。社论指出,赫鲁晓夫下台是一件大好事,是全世界马克思列宁主义者坚持反对修正主义斗争的伟大胜利,表明了现代修正主义的大破产、大失败。《赫鲁晓夫是怎样下台的》,为中苏大论战画上了句号。

随后,中苏两国关系急剧恶化。1966年3月以后,苏联在中苏边境和中蒙边境逐步陈兵百万,使中国在国家安全方面感受到巨大的威胁。虽然两国并没有正式断交,但彼此已经成为敌国了。

从1956年3月到1966年3月的十年中苏论战,是中苏关系从两党之间的思想分歧发展到国家关系恶化的过程。尽管我们党做了一系列的努力,最终未能阻止中苏关系破裂。中苏论战,我们是被迫迎战的。毛泽东曾经说,我们也不是愿意公开论战的,公开争论是赫鲁晓夫他们挑起来的。既然已经挑起来,就需要有一个公平合理的解决办法。而且他认为,这种公开争论不要紧,不要那么紧张。第一条不死人,第二条天不会塌下来,第三条山上的草木照样长,第四条河里的鱼照样游,第五条女同志照样生孩子。①

我们党反对苏共领导人的大国沙文主义是十分必要的。从积极意义上讲,它在全世界共产党人面前,特别是社会主义国家的共产党人面前,提出了怎么样防修,怎么样防止资本主义复辟,怎么样防止社会主义和平演变成为资本主义这么一个重大的、历史性的理论和实践的问题。关于中苏论战中我们的坚决态度,毛泽东曾经说,中国人就是这样顽固的,叫做寸步不让,寸土必争,针锋相对。赫鲁晓夫给我们来信,说他不跟中国搞针锋相对。他搞针锋相对也好,不搞针锋相对也好,反正我们是要搞的。苏联的2000多篇文章,每一篇都要答复的。还有40多个党作出的决议,我们也要答复的。无论作决议也好,没有作决议也好,每一篇文章,每一个决议统统要答复。②

中苏论战,是国际共产主义运动和国际政治中的重大事件,它导致了中苏关系走向对抗和国际共产主义运动的大分裂。中苏论战的主要原因可以概括为四个主要方面,即历史积怨、国家利益的冲突、意识形态的分歧和领导人个人因素。中苏两国关系上的不平等、苏共大党主义和大国沙文主义是中苏论战的根本原因,表现为国家关系的不平等、控制与反控制的斗争。毛泽东曾经说,苏联领导搞大国沙文主义,这是中苏关系中的核心问题,是要害所在。这个问题不解决,我们跟苏联之间的纠纷是一天也不会停止的。③

中苏论战留下的历史经验教训是很深的。中苏论战中,中苏两党在对马克思主义和社会主义的理解上有巨大的分歧。

① 吴冷西:《十年论战》,中央文献出版社,1999年版,第716页。
② 同上。
③ 同上,第852页。

中共指责苏共是修正主义、分裂主义，苏共指责中共是教条主义、左倾机会主义。论战中，我们党提出了的某些论点，今天看来是值得商榷的。1989年5月16日，邓小平会见苏联最高苏维埃主席团主席、苏共中央总书记戈尔巴乔夫时说："多年来，存在一个对马克思主义、社会主义的理解问题。从一九五七年第一次莫斯科会谈，到六十年代前半期，中苏两党展开了激烈的争论。我算是那场争论的当事人之一，扮演了不是无足轻重的角色。经过二十多年的实践，回过头来看，双方都讲了许多空话"，"这方面现在我们也不认为自己当时说的都是对的。真正的实质问题是不平等，中国人感到受屈辱。"[1]

中美大使级会谈

冷战期间，中美进行了长达16年的大使级会谈。这是中国和美国之间官方接触的唯一渠道。对于中国政府来说，这一会谈在不同时期具有不同的功能。会谈之初，中国政府曾希望通过大使级会谈使双方的紧张关系缓和下来，由此带动中国国际地位的进一步改善，并引导中美两国朝着建立正常关系的方向发展。1956年以后，会谈陷入僵局。1957年12月，美国政府企图降低会谈的级别，遭到中国的抵制，并成为第二次台海危机爆发的重要起

因。中美两国避免台海危机导致两国军事冲突的努力使两国大使级会谈得到恢复。此后，中国更多地把会谈看做稳定两国关系的一种缓冲。60年代末期，随着国内外形势的恶化，中国越来越希望改善与美国的关系，在这种情况下，中国逐渐将大使级会谈看做试探中美和解可能性的测试。

一

日内瓦会议上的意外收获

朝鲜战争结束，中美两国能否从对抗的阴影中走出来，人们拭目以待。不打仗了怎么办？这对中美两国来说都是一个问题。中国面对的问题相对简单。在对外关系中，中国政府的首要目标是创造和维持一个和平安定的国际环境，发展因朝鲜战争而受到极大制约的对外关系；从较长期来看，中国还需要积蓄力量，最后完成因朝鲜战争而推迟了的大陆对台湾的统一。在这种情况下，中国的对美政策，首要的问题是突破美国的孤立、封锁和禁运，如果同美国的关系能够缓和下来，局面将为之改观。当时看来，这种可能是存在的。中国领导人认为，中华人民共和国的存在是一个不争的现实，不管美国愿意还是不愿意，最终还是要承认它并与之打交道。如毛泽东所言，中国大陆有6万万人，台湾只有1千万人，这也是不容改变的现实。如果美国为了台湾的1千万人与中国大陆的6万万人作对的话，那就再愚蠢不过了。[2]

美国将如何处理与中国的关系？朝

① 《邓小平文选》第三卷，人民出版社，1993年版，第291页。
② 转引自王炳南：《中美会谈九年回顾》，世界知识出版社，1985年版，第73、23—24页。

鲜停战给美国提出一系列问题。虽然1954年美国国内出现了一些主张承认新中国的意见,认为美国"真正的利益在于从苏联那里把中国分离出来"①;但是,美国政府并不打算改变既定的对华政策,即不承认中国政府,反对中国进入联合国,继续阻止中国解放台湾,继续对中国实行经济封锁。

不过,中国和美国毕竟是世界上的两个大国。在非战争状态下,双方建立某种联系实在是一种客观需要。一方面,双方的对抗需要加以控制,以不伤害各自更为根本的利益;另一方面,在彼此看来是尖锐冲突的利益之下,也仍有一些利益是互相重合的,需要双方进行协调。朝鲜战争爆发后中美之间在沟通问题上的教训双方都无法忘记。正是在这一复杂背景的映衬下,中美大使级会谈漫长而曲折的历程展开了。

1954年4月至7月举行的日内瓦会议,为新中国提供了一个以大国身份参与国际事务的机会。中美接触的机会是突然降临的,敏锐的周恩来一下抓住了它。5月下旬,美国通过英国和苏联要求中国释放犯罪的美国侨民,并表示美国政府对中国的某些政策是不现实的。得到这个消息后,周恩来连夜召集会议加以研究,他认为不应该拒绝和美国接触。在中美关系如此紧张,美国对华政策如此敌对和僵硬的条件下,我们可以抓住美国急于要求在华的被押人员获释的愿望,开辟接触渠道。于是,中国代表告诉英国代办,现在中美双方都有代表团在日内瓦开会,有关中美双方的问题可以由两个代表团进行直接接触,没有必要通过英国作为第三

者插手。为争取主动,5月27日,中国代表团发言人向新闻界发表关于美国政府无理扣押中国侨民和留学生的谈话,并表示中国愿意就被押人员问题同美国举行直接谈判。②

在中方的考虑中,首要的问题是究竟能不能开辟一条联系渠道。最初制定的政策既是针对谈判将会遇到的具体问题,也是为了试探美方的意图。6月3日,周恩来致电毛泽东、刘少奇并中共中央:中国代表团已经答复英国方面,中美双方可经英国介绍直接接触。"如美方果真来谈,我们即按既定方针和他们进行接触,并以接触情况决定在何处举行谈判"。在谈判中,将"首先联系到中国留美学生被扣问题",同时也说明中国将区别对待犯法的美国侨民和其他美国人。③ 6月4日,中美双方代表团派出的代表经英国代表团杜维廉介绍,就两国侨民问题进行了初步商谈。中方代表为王炳南,美方代表为驻捷克斯洛伐克大使约翰逊。随后,中美双方又举行了两次正式会谈。根据这两次会谈的情况,周恩来于6月11日致电中共中央并告公安部、外交部,说明中方采取的谈判方针是:①主动提出保护我国在美侨民、留学生的权益问题,拟指出美国强制扣留我留学生,既违犯国际法又不合人道主义,要求立即恢复他们自由离美返回祖国的权利;②关于美国在押人员,准许被扣美国人与家属通信,将已死亡三人的消息告诉美方,宣布被扣留的美空军人员罪状;③如果美国改善对我留学生之待遇,准许他们回国,届时看情况,我方也可考虑批准几个美国侨民出境,或将几个

① 贾庆国:《未实现的和解:中美关系的隔阂与危机》,文化艺术出版社,1998年版,第91页。
② 转引自王炳南:《中美会谈九年回顾》,世界知识出版社,1985年版,第73、23—24页。
③ 《周恩来年谱1949—1976》上卷,中央文献出版社,1998年版,第375页。

犯罪被监禁的美侨驱逐出境。此点拟相机行事,目前尚不宜采取行动。① 此后,中美双方代表又举行了第三、第四次会谈。在会谈中,美方坚持认为中方关押美国犯人是非法的,而美方禁止中国留学生回国是有法律根据的,因此反对将两者联系起来。此外,美国还刻意采取种种措施避免给外界造成美国外交上承认中国政府的印象。② 在这种情况下,会谈无法取得进展。7月21日,日内瓦会议闭幕。为不使渠道中断,中美双方商定自9月2日起,在日内瓦进行领事级会谈。在日内瓦的最初谈判没有取得任何成果,但作为中美两国官方接触的开端,其历史意义是深远的。

二

台湾问题构成会谈的主题

事实上,中美大使级会谈是由第一次台湾海峡危机促成的。台湾问题,这是长达16年的中美大使级会谈始终围绕的尖锐的主题,是双方之间的实质性谈判无法取得进展的关键障碍。

1954年7月,中共中央作出一定要解放台湾的决定。这个决定再次明确了解放台湾的战略任务,而不是打算立即解放台湾。中国领导人希望通过显示解放台湾的决心来迫使美国放弃与台湾订立条约,以阻止两岸分裂局面的固定化。9月3日,人民解放军开始炮击金门。这是中国第一次以最强烈的方式表达要实现国家

统一的决心,但中国领导人打掉美台防御条约的目的并没有达到。事实上,中国炮击金门的行动使得美国政府不再犹豫,匆匆与在台湾的国民党当局签订了《共同防御条约》,并促使美国国会在没有经过充分讨论的情况下于1955年2月初通过了该条约③,使之生效。此后,中国人民解放军仍按照原定计划占领了浙江沿海的一系列岛屿,拔除了国民党军队对大陆东南沿海进行骚扰破坏的最主要的据点。

第一次台海危机使中美关系处在极度紧张的状态中,但中美双方并不希望卷入一场新的战争。可是,随着时间的推移,直接对抗的可能性不断增大。在无法进行有效沟通的情况下,双方开始作出各种努力来缓和这一紧张关系。中国的政策适时地转向了寻求缓和。1955年4月23日,周恩来在亚非会议上声明:"中国人民同美国人民是友好的。中国人民不要同美国打仗。中国政府愿意同美国政府坐下来谈判,讨论和缓远东紧张局势的问题,特别是和缓台湾地区紧张局势的问题。"④这一出人意料的声明在国际上引起重大反响。随后,杜勒斯也表示,美国不排除同中国进行谈判的可能。台湾海峡的局势有所缓解。在中国发动炮击金门行动之前,毛泽东曾明确表示过中国愿意缓和同美国的关系。他对来华访问的英国工党代表团表示,中国愿与社会制度不同的国家和平共处,他特别强调"这也包括美国在内"⑤。中国的炮击行动表明,中国领导人坚定地把实现国家统一的目标置于首位,置于同美国缓和关系之前,不

① 《周恩来年谱 1949—1976》上卷,中央文献出版社,1998年版,第376页。
② 贾庆国:《未实现的和解:中美关系的隔阂与危机》,文化艺术出版社,1998年版,第125页。
③ 贾庆国:《简析美台"共同防御条约"的缔结》,《美国研究》,1989年第1期。
④ 《周恩来外交文选》,中央文献出版社,1900年版,第134页。
⑤ 《毛泽东外交文选》,中央文献出版社、世界知识出版社,1994年版,第161页。

承认任何外国势力有干涉中国内政的权力,反对任何有可能造成"两个中国"或"一中一台"的图谋。由于美国坚持保护台湾的政策,中国在处理同美国的关系时面临着一个两难的困境——只要美国坚持支持台湾的政策,中国就无法真正缓和它同美国的关系,而如果不能设法同美国缓和关系,中国又不可能最后解决台湾问题。这一矛盾贯穿于整个 50 年代和 60 年代。

无论如何,为了同美国进行谈判,周恩来还是很快制定了中国方面的政策框架。4 月 30 日,他向中共中央提交了关于台湾问题的报告,其中强调:在台湾问题上存在着两个性质不同而又互相关联的问题,中国和蒋介石集团的关系是内政问题,中美之间的关系是国际性的问题。由于美国的干涉,台湾地区随时有爆发国际战争的可能。现在的问题首先是如何和缓和消除台湾地区的紧张局势,中美两国应该坐下来谈判。中美之间并不存在战争,因此谈不到停火的问题。美国提出停火的问题,是要做一笔买卖,以蒋介石军队撤出金门、马祖来换取中国人民放弃解放台湾的要求和行动,换取中国在事实上承认美国侵略台湾的合法化,换取中国承认两个中国的存在。这是中国在任何时候、任何情况下所绝对不能同意的。只有在美国放弃侵略和干涉,从台湾和台湾海峡撤走一切武装力量后,和平解放台湾,以完成中国的完全统一,才有可能。①

5 月中旬,印度驻联合国代表梅农专程来华为中美会谈进行斡旋。周恩来在同他会谈时着重指出:①和缓紧张局势必须是双方的。在金门、马祖,美国应该促

使国民党的武装力量从那里撤走,中国可以同意在规定的期限内不进行攻击,以和平的方式收复这些岛屿。但这个行动绝不意味着,中国同意杜勒斯所说的那个"停火",同意美国以敦促国民党集团撤出沿海岛屿来换取中国放弃解放台湾的要求和行动,承认美国侵占台湾的合法化和"两个中国"。②中美双方还应该在其他问题上采取步骤和缓紧张局势。在美国方面有两件事应该做:一是取消对中国的禁运;二是允许要求回国的中国留学生和其他中国侨民自由回国。在中国方面,也有两件事可做:一是美国在中国的犯法人员,包括飞行人员和侨民,可以根据中国的法律程序,并依照各人犯罪事实和被监禁后的表现,决定是否宽赦释放或驱逐出境。二是中国允许对中国友好的美国团体和个人到中国来访问。虽然这种事应该是对等的,但是中国愿意先开放,让美国人来看看中国究竟是对他们友好,还是要同他们打仗。③中国既愿意同美国谈判,也愿意同国民党集团谈判。这两种谈判虽有联系,但属于不同性质。前一个谈判是国际性的谈判,为的是要美国放弃干涉,从台湾和台湾海峡撤出它的一切武装力量。后一个谈判属于内政,应该谈中国中央人民政府和国民党集团之间的停火问题和中国的和平统一问题。②

5 月 26 日,周恩来接见英国驻华代办杜维廉,进一步阐明中国对于同美国谈判的看法。他指出:中美谈判的主题是和缓和消除台湾地区的紧张局势,至于谈判的方式,我们现在没有最后意见;我们同意并支持苏联建议的十国会议,但也可以开比十国多或少的会议;中美还可以直接谈

① 《周恩来年谱 1949—1976》上卷,中央文献出版社,1998 年版,第 474—475 页。

② 裴坚章主编:《中华人民共和国外交史 1949—1956》,世界知识出版社,1997 年版,第 344—345 页。

判,由别的国家从旁赞助;台湾当局则在任何时候、任何情况下,都不能参加上述的国际会议,但中国政府不拒绝,相反地建议同台湾当局直接谈判。有两种方式来解放台湾,一种是和平方式,另一种是战争方式。在可能的条件下,我们争取用和平方式解放台湾。这两种谈判,我们都争取,它们可以平行地或者先后地进行。它们彼此虽有联系,但不能混为一谈。①周恩来的上述报告和一系列谈话基本阐明了中国方面在即将到来的中美谈判中的原则和政策。

7月中旬,经过英国斡旋,中美双方确定将原来在日内瓦举行的领事级会谈升格为大使级会谈。中国方面对即将开始的中美会谈十分重视。外交部专门成立了会谈指导小组,负责研究会谈中的对策。组长是章汉夫,副组长是乔冠华。小组置于周恩来直接领导下,担负具体工作的是乔冠华。

8月1日,中美大使级会谈在日内瓦国联大厦举行。中方代表是驻波兰大使王炳南,美方代表是驻捷克大使约翰逊。双方就会谈的两项议程达成了协议:一是双方平民回国问题;二是双方有所争执的其他实际问题。王炳南在回忆录中说明,当时中美双方对会谈的议程和所要达到的目的,从一开始就有很大的距离和分歧。中方认为,会谈应着重讨论台湾问题以及安排杜勒斯国务卿和周恩来总理的直接会谈和建立两国的文化联系等一些实质性问题。美国则只想先要回扣押在中国的美国人,并要求中国保证不对台湾使用武力。最后,为使会谈先开起来,中方便同意先谈遣返侨民问题,然后再讨论其他。②

从8月4日至9月10日,中美大使级会谈首先讨论了双方平民回国问题。在中方的一再努力争取下,双方终于达成了遣返平民的协议。这份奇特的各说各话的联合公报是长达16年的中美大使级会谈所达成的唯一协议。第一阶段的会谈清楚地反映出,美方十分注意坚守不承认中华人民共和国是一个完全独立的主权国家,即使是在一些具体问题上,美国政府也会敏感地联想到是否会形成承认中国的印象和结果。

9月中旬,中美大使级会谈进入第二项议程。中国代表提出了禁运问题和准备高一级的中美谈判问题。王炳南一再指出,只有通过外长级会谈的切实可行的途径,才能实现解决美国军队撤出台湾、缓和台湾地区紧张局势等严重问题,并讨论两国建立文化交流、贸易关系等等。但是,美国在第二阶段的会谈中采取了极为敷衍的态度,并且不断在第一个议题已经解决了的问题上纠缠不休,致使会谈几乎是寸步难行。事实上,美国政府的目的就是要把中国钉在谈判桌上,以稳定台湾海峡的局势。③ 从10月起,中美双方开始讨论美方提出的,在台湾问题上双方保证互不诉诸武力的问题。概括地说,美方坚持的是:美国在台湾地区有单独或集体防御的权力;中国必须首先宣布不对台湾使用武力,美国才考虑举行两国外长级会谈。中方坚持的是:任何关于中美之间互不使用武力的声明,都不能使美国侵占台湾的现状得到承认,中国用和平或武力方式解放台湾的问题不能成为中美会谈的议题;

① 裴坚章主编:《中华人民共和国外交史 1949—1956》,世界知识出版社,1997 年版,第 345 页。
② 王炳南:《中美会谈九年回顾》,世界知识出版社,1985 年版,第 47 页。
③ 贾庆国:《未实现的和解:中美关系的隔阂与危机》,文化艺术出版社,1998 年版,第 208—209 页。

如果中美之间能够达成互不使用武力的声明，必须同时规定举行两国外长会议，以使这一声明得到实施。双方的立场大相径庭，谈判中的僵局是不可避免的。

在会谈迟迟不能取得进展的情况下，周恩来分析了美国的目的。6月，他在全国人民代表大会第三次会议上指出：中国不反对同美国发表一个在中美关系中互不使用武力威胁的声明，但"美国的企图是要取得一个对它片面有利的声明，一方面保持美国侵占台湾的现状，另一方面继续干涉中国人民解放台湾。在不能取得这样一个声明的情况下，美国就企图无限期拖延中美大使级会谈，以便同样达到冻结台湾地区现状的目的。美国的这种企图正是中美会谈至今不能达成协议的症结所在"。① 当月，在向印度驻华大使介绍中美会谈的情况时，他说：摆在美国面前有两条可能的道路：一是达成协议，一是不达成协议而拖下去。我们也有两条道路：一是达成协议；一是如果美国要拖下去，我们有自由，如果拖对我们有利，我们就跟它拖，如果拖对我们不利，我们随时都可以不跟它拖。这就是我们对中美会谈前途的看法。② 显然，这时中方对中美大使级会谈已不抱什么希望了。

在中美大使级会谈处于僵局的情况下，中国方面试图通过其他途径来打破中美之间的僵局，这就是邀请美国记者访华。1955年8月初，中国政府就批准了8名美国记者访华。但美国国务院随即发表声明，禁止包括新闻记者在内的美国公民到中国访问。1956年8月初，中国政府单方面宣布取消不让美国记者进入中国的禁令，并向美国16个重要新闻机构拍发电报，邀请他们派记者来华作为期一个月的访问。中国的这一主动行动对突破美国的新闻封锁产生了作用。在此后将近一年的时间里，美国新闻界一直向国务院施加压力，有几名记者甚至不顾禁令访问了中国。随后，在苏联参加世界青年联欢节的美国青年代表团也于联欢节结束后集体来到中国。然而一年以后，当美国政府宣布"在试验的基础上"允许24名记者赴中国采访时，中国的政策却改变了。1957年8月17日《人民日报》发表社论，抨击美国在记者访问问题上做文章。9月12日，王炳南在大使级会谈中提出建议，要求在记者访问问题上实行对等做法，即美国也允许中国记者访美。这一改变的部分原因是国内政治气氛的变化，部分原因是对杜勒斯重申美国不承认新中国的政策所作的反应。

1956年8月，中方建议讨论禁运问题，要求双方各自主动采取措施来消除两国之间的贸易障碍。从9月至次年12月，中方又先后提出关于促进中美人民来往和文化交流、关于中美两国在平等互惠基础上准许对方新闻记者前来进行新闻采访、关于彼此给予司法协助等协议声明草案，想以此推动会谈，使中美关系有所松动。但美方始终以"互不使用武力"问题未达成协议和美国在华犯人未全部释放为由，拒绝讨论。在1957年12月12日第73次会议上，美方试图单方面降低会谈级别，会谈从僵局发展到中断。

① 《人民日报》，1956年6月29日。
② 《周恩来年谱1949—1976》上卷，中央文献出版社，1998年版，第588页。

三

危机处理成为会谈的新功能

1958 年 8 月 23 日,中国人民解放军再次炮击金门。与此同时,王炳南也奉命回国,向中央汇报前一阶段中美大使级会谈的情况。毛泽东、刘少奇等高层领导人一起听取了他的汇报。9 月 4 日,艾森豪威尔授权杜勒斯发表声明,威胁要把美国在台湾海峡的防御扩大到金门、马祖等沿海岛屿,同时表示美国不放弃和平谈判的希望。同一天,毛泽东在政治局常委会上提出,准备恢复中美会谈,以配合福建前线的斗争。两天后,周恩来发表声明,谴责美国对中国进行严重的战争挑衅,同时宣布,鉴于美国已经指派了大使级代表,中国准备恢复两国间的大使级会谈。事实上,中美双方都把恢复大使级会谈作为控制危机升级,防止双方发生直接冲突的一个手段。

在准备新一阶段的谈判时,陈毅指示王炳南,前一段会谈分别提出的种种问题难以分别解决,今后要确定"一揽子"解决问题的原则,就是说台湾问题不解决,其他问题都谈不上。① 会谈前夕,毛泽东于 9 月 13 日指示周恩来:"华沙谈判,三四天或者一周以内,实行侦察战,不要和盘托出。彼方亦似不会和盘托出,先要对我们进行侦察。"当天,周恩来复信说明,已告王炳南,"先与美方周旋,逼其先我露底"。② 显然,对中方来说,谈判的直接目的并不是争取缓和同美国的关系,而是要

恢复接触渠道,便于了解美国政府的动向。

9 月 15 日,中美大使级会谈在华沙恢复。美方新代表为驻波兰大使雅各布·比姆。由于美方在谈判中态度强硬,不仅要求中方立即停火,而且声称美国不能容忍"盟友的领土"被武力侵犯。在收到会谈报告后,周恩来决定下一步会谈,对美方"应该采取积极进攻的方针",提出要求美国从台湾、澎湖列岛和台湾海峡撤出它的一切武装力量的反建议。③ 9 月底,在第 78 次会议中,美方提出一个"声明草案"。中方研究后认为这个草案并无新内容,加以拒绝。此后,王炳南和比姆的谈判几乎千篇一律,在互相提防和抑制的气氛下各说各话。

在第二次台海危机期间,中国领导人最关心的问题是,美国政府是否打算要国民党军从沿海岛屿撤走。周恩来十分注意从中美会谈的情况中发现美方的意图。9 月 30 日,杜勒斯在答记者问时说,美国没有保卫沿海岛屿的义务,也不想承担这种义务。这个讲话引起了中国领导人的高度注意。中共中央政治局在分析这一讲话时认为,这个声明表明,美国明显的是要制造"两个中国"。周恩来说,杜勒斯想要我们承担不用武力解放台湾的义务,以此为条件,美国可能要台湾放弃所谓"反攻大陆"的计划并从金、马撤军。这同我们最近在华沙中美大使级会谈中侦察到的美方底牌的情况是一致的。美方在华沙会谈中说得更露骨。④ 毛泽东由此决定,还是不攻占金门、马祖,而把它们留在

---

① 王炳南:《中美会谈九年回顾》,文化艺术出版社,1998 年版,第 71 页。
② 金冲及主编:《周恩来传 1949—1976》下,中央文献出版社,1998 年版,第 1428 页。
③ 同上,第 1429 页。
④ 同上,第 1431 页。

蒋介石手中更好些。

从第二次台海危机结束直至肯尼迪政府时期，中美关系一直处于冻结状态。中美大使级会谈也毫无进展，在台湾问题上双方依然坚持各自的政策。虽然美方在1961年提出过一些新建议，诸如双方交换记者和以优惠条件向中国出售粮食等；但按照"一揽子"解决的原则，中方对这类建议几乎不屑一顾。肯尼迪执政时期，中美大使级会谈中值得注意的一幕是双方联手消除台湾海峡可能出现的一次潜在危机。1962年，中国的周边形势相当严峻。5月底，王炳南回国休假，周恩来亲自约他谈台湾海峡局势。稍后，又要他立即中断休假返回华沙。周恩来说，经中央认真研究，认为蒋介石反攻大陆的决心很大，但他还存在着一些困难，今天的关键问题要看美国人的态度如何，美国是支持还是不支持，要争取让美国来制止。要尽快通过会谈，找机会了解美国的态度。①王炳南返回华沙后，立即以喝茶聊天为名约当时的美国驻波兰大使兼中美会谈代表卡伯特到官邸会面。6月23日，卡伯特应邀前来。谈话中王炳南提出，请美国政府注意台湾海峡的紧张局势，并指出蒋介石窜犯大陆的准备是在美国的支持、鼓励和配合下进行的。美国政府必须对蒋介石的冒险行动和由此而产生的一切严重后果负完全责任。卡伯特立即表示，他将尽快将王炳南所谈的情况电告美国政府。并说，在目前情况下，美国决不会支持蒋介石发动对中国大陆的进攻。蒋介石对美国承担了义务，未经美国同意，蒋介石不得对中国大陆发动进攻。他还说："我们绝不要一场世界大战，我们要尽一切力

量来防止这种事情……如果蒋介石要行动，我们两家联合起来制止他。"中共中央了解美国政府的态度，对作出决策起了很大作用。②

1964年中，王炳南奉调回国出任外交部副部长。在总结9年的会谈经历时，他说："在某种意义上说，大使级会谈就是中美在当时特定历史条件下的两国关系，甚至比有外交关系的国家在某些方面的联系更多。如果没有大使级会谈，我们有些话确实还难于找到表达的场合。每一次重大的国际事件发生后，中美两国都可以在大使级会谈中表明观点，提出看法，使每一方对对方的态度、做法有所了解。因此，两国虽然隔绝，却是互相了解底细的。"③

四

探测新方向是会谈最后的使命

1964年10月中旬，中国爆炸了第一颗原子弹。与此同时，莫斯科也传来了赫鲁晓夫下台的消息。在此后一年多的时间里，中美大使级会谈的气氛悄悄发生了变化。中美两国先后就禁止和限制核武器问题在大使级会谈中交换了意见，双方在会谈中也减少了关于"实质性问题"的聋子式对话。

1966年3月，在中美大使级会谈第129次会议上，中国收到了美国约翰逊政府发出的一个信号。当时，中方的谈判代表是任驻波兰大使的王国权，美方代表是新任驻波兰大使格罗诺斯基。美方代表

① 王炳南：《中美会谈九年回顾》，文化艺术出版社，1998年版，第86—87页。
② 同上，第88—90页。
③ 同上，第93页。

抢先发言,称:"美利坚合众国政府愿意与中华人民共和国政府进一步发展两国关系……"美方使用"中华人民共和国政府"的称呼,这是美方在此前的128次会谈中从未使用过的用语。但是,当时中国已处在"文化大革命"前夕,当王国权将美方的这一变化向国内报告后,却没有引起足够的重视和及时的研究。1967年6月第133次会谈后,由于王国权回国参加"文化大革命",中美大使级会谈无法在原级别进行。1968年1月8日,中国驻波兰临时代办陈东同美大使举行了第134次会谈。此后的第135次会谈则由于种种原因,一拖再拖。就在中美大使级会谈毫无进展的时候,中美苏关系发生了众所周知的重大变化,一些有利于中美接近的因素出现了。1968年11月25日,陈东致函美国驻波兰大使小沃尔特·斯托塞尔,建议中美大使级第135次会谈于1969年2月20日举行。美方表示同意。第二天,中国外交部新闻司发言人就此发表谈话,再次说明中国政府在中美大使级会谈中一贯坚持两项原则:第一,美国政府保证立即从中国领土台湾省和台湾海峡地区撤出它的一切武装力量;第二,美国政府同意中美两国签订关于和平共处五项原则的协定。发言人还说,如果美国方面不改变以往的做法,不管美国是哪个政府上台,中美大使级会谈绝不会有什么结果。①这是中方为恢复中美大使级会谈所采取的一个主动行动,也是对即将上台的尼克松政府发出的改善中美关系的呼吁。然而,这次会谈却因中国驻荷兰使馆的一名外交官叛逃到美国而再次搁浅了。

然而,中国领导人一直在寻找有利时机恢复大使级会谈。1969年6月,雷阳出任中国驻波兰大使馆临时代办。据雷阳回忆,行前周恩来特别指示他:到华沙后要密切注视中美关系的发展,特别是来自美国方面的新动向。有情况要立即汇报。周恩来强调:要保持"华沙渠道"不能中断。9月初,罗马尼亚党代表团访华。罗马尼亚人转告中国方面,尼克松最近访罗时,他明确地、无保留地表示愿意寻求同中国关系正常化的途径。对此,周恩来的答复是:关键就是台湾问题和联合国问题。他们想解决,有渠道嘛!渠道就是华沙谈判。②当年11月中旬,尼克松又通过巴基斯坦传话,表示希望同中国建立最高级的、秘密的联系和接触。16日,周恩来就此致信毛泽东说:"尼克松、基辛格的动向可以注意。"③此后,他答复巴方:尼克松如要同我接触,尽可利用官方渠道。

1969年12月3日晚间,南斯拉夫驻波兰大使馆举行时装展览会,这时发生了美国新任驻波兰大使小沃尔特·斯托塞尔追逐中国外交官的有趣事件。这件事反映出美方想要恢复大使级会谈的急迫心情。当夜,周恩来就收到了来自中国驻波兰大使馆的电报,并立刻向毛泽东报告。在获得毛泽东同意之后,第二天一早,周恩来就作出回应,批准外交部关于释放两名于年初乘游艇进入中国海域的美国人的报告,并通知美国驻波兰大使斯托塞尔,并以此暗示中美会谈渠道仍然有效。

12月10日,美国大使访问了中国大使馆。11日,中国代办亦到美国大使馆进行了访问。这种访问对中美双方官员来

---

① 李长久、施鲁佳主编:《中美关系二百年》,新华出版社,1984年版,第209页。

② 王永钦:《1966—1976年中美苏关系纪事》,《当代中国史研究》,1997年第4、5、6期。

③ 周恩来致毛泽东的信,1969年11月16日。

说都是第一次。12 日,周恩来将有关雷阳与斯托塞尔会晤的三份电文转报毛泽东,提出:中美接触一事,"拟搁一下看看各方反应,再定如何回答"。① 当天,周恩来又告诉巴基斯坦驻华大使,尼克松可以直接通过他的大使起用华沙渠道,不需要迂回曲折耍花招,至于效果多大还要看。对美关系,中国的立场一是和平共处五项原则,一是美国一切武装力量从台湾和台湾海峡地区撤出去。显然,周恩来对尼克松的用意仍有所怀疑,态度谨慎。台湾问题一直是中美会谈的关键所在,而美方对此尚无表示。对中国来说,这是实现中美关系正常化的前提,是无法回避的实质问题。12 月底,经毛泽东、周恩来反复考虑,终于批准恢复中断了将近两年的中美华沙会谈。

1970 年 1 月 20 日,中美大使级会谈恢复,第 135 次会议在华沙举行。在这次会谈中,双方都表示出改善关系的意愿,并提出了举行更高级会谈的可能。从这次会谈起,双方不再使用波兰政府提供的地点,而改为在两国大使馆轮流举行。

2 月 12 日,周恩来主持中共中央政治局会议,讨论修改外交部给中国驻波兰代办雷阳的电稿和参加第 136 次中美华沙大使级会谈中方代表发言稿。周恩来认为,下一次中美大使级会谈"是一个重要的时机和步骤"。根据周恩来提议,将中美会谈中方发言稿中"如果美国政府愿意派部长级的代表或美国总统的特使到北京进一步探讨中美关系中的根本原则问题,中国政府愿予考虑"中的"考虑"二字改为"接待"。② 在 2 月 20 日举行的第 136 次

会议上,雷阳按照国内的指示告诉美方,如果美国政府愿意派部长级的代表或美国总统的特使到北京进一步探讨中美关系中的根本原则问题,中国政府愿予以接待。

3 月 20 日,中国驻巴基斯坦大使馆报来叶海亚·汗总统转达的尼克松口信:白宫和往常一样,完全不能控制美国报纸对华沙会谈的任何猜测。困难在于像华沙那样通过正式外交途径进行的这类谈判,要白宫保持完全的自由决断和沉默,就不那么容易。因为太多的人看到在那里正在发生什么。因此,"准备开辟一条白宫通向北京的直接渠道,如果北京同意的话。这样一条渠道的存在,将不会被白宫以外的人知道,而且我们可以保证完全的自由的决断"。21 日,周恩来阅后批道:"尼克松想采取对巴黎谈判办法,由基辛格秘密接触。"③ 为此,周恩来和毛泽东就在北京举行中美会谈的问题进行了一些讨论。他们甚至考虑这一会谈是否能在 4 月中旬举行。④

此后,因美军入侵柬埔寨,中国方面再次推迟了原定举行的中美华沙会谈第 137 次会议。事实上,这次中美大使级会谈一直未能举行。在美军从柬埔寨撤退之后,中美双方通过别的渠道加快了相互接近的步伐,并安排好基辛格秘密访华事宜。有关过程无须赘述。尽管直到这时,美方仍未对台湾问题表示新的意见,但周恩来有理由相信,如果尼克松派遣基辛格来华,他必将在台湾问题上有所改变。1971 年 7 月 9 日至 11 日,基辛格秘密访

① 《周恩来年谱 1949—1976》下卷,中央文献出版社,1998 年版,第 338 页。
② 金冲及主编:《周恩来传 1949—1976》,中央文献出版社,1998 年版,第 2047 页。
③ 周恩来 1970 年 3 月 21 日对中国驻巴基斯坦大使张彤转来叶海亚总统转达的尼克松口信的批语。
④ 《周恩来年谱 1949—1976》下卷,中央文献出版社,1998 年版,第 357 页。

华。周恩来和基辛格在会谈中商定,尼克松总统于1972年5月前访华,并确定巴黎作为今后双方秘密联系的渠道,中美华沙渠道不再恢复。中美大使级会谈作为两国关系史上的重要一页终于被翻过去了。

台湾海峡紧张局势与炮击金门

台湾问题一直是中美关系中的主要障碍。50年代发生的两次台湾海峡危机,加剧了中美相互敌视、对抗的程度。

第一次台湾海峡危机发生在1954年,持续了10个月之久。中国领导人通过炮击金门的行动获得了一种新的外交斗争手段,这就是通过"打"来传递信息,"打打谈谈"互为补充。在被封锁、缺乏渠道的情况下,炮击金门既可以表达中国人民的意愿,又可试探美国政府的反应,同时又不会冒爆发全面战争的危险。这种手段在第二次台湾海峡危机中得到了更充分的运用。

一

第二次台湾海峡危机与炮击金门的准备

第二次台湾海峡危机发生在1958年。1955年8月以后,中美关系一度有所缓和。8月1日,中美首次大使级会谈在日内瓦举行。在会谈中,中国主动提出释放11名在押美国间谍。9月10日,中美双方达成了第一个协议——《关于平民回国问题的协议》。但是,美国遏制、孤立中国的政策不但没有丝毫松动,反而进一步在国际上推行"两个中国"的方针。杜勒斯在各种场合多次重申了美国对华政策三原则,即不承认中华人民共和国,反对中华人民共和国进入联合国,继续实行对华贸易禁运与经济封锁。中美日内瓦大使级会谈自1955年8月举行首次会议以来,除了当年9月达成第一个协议以外,再无任何进展。美国甚至于1957年12月单方面中断了会谈。同时,美国继续在军事上武装台湾。自1955年3月美台《共同防御条约》生效后,美台军事人员定期举行会议,研究协防问题,美军顾问也大大增加,人数达2600人。1957年5月,美军驻台司令殷格索宣布,美在台部署了可携带核弹头且可深入数百公里打击中国大陆腹地目标的"斗牛士"导弹。同时,台湾还修建了可供B—52战略轰炸机使用的机场并接受了B—52飞机的驻扎。国民党台湾当局自1955年以来,一直强化金门、马祖的防务,到1958年,岛上驻军已达10万人,占台湾总兵力的1/3。

1958年夏季,国际形势骤然紧张。7月,伊拉克发生贝勒·卡塞姆政变,推翻了费萨尔王朝,宣布成立伊拉克共和国。美英调兵遣将,美国海军陆战队在黎巴嫩登陆,英国在约旦投入军事力量。中东地区一时成为世界舆论关注的焦点。在远东,中美关系再度出现紧张。8月11日,美国国务院发表长篇备忘录,重申不承认中国,并对中国进行了猛烈的攻击;17日,美国又宣布派美舰6艘与士兵2000人进驻新加坡,更增加了远东局势的紧张。与此同时,台湾当局叫嚷要"反攻大陆",以金门、马祖为基地对大陆不断进行骚扰和破坏活动。

对中美军事对抗的升级,毛泽东认为,面对美台的挑衅,中国如果示弱,将不利于世界范围内的反帝斗争,将挫伤正在大跃进的中国人民的斗志,将长美帝的威风,灭自己的志气。他说,不要怕鬼,你越怕鬼,你就不能活,他就要跑进来把你吃掉。我们不怕鬼,因此炮击金门、马祖。

为了反击国民党军队对大陆的骚扰,支持中东人民的革命斗争,毛泽东于1958年8月17日在北戴河会议上作出了炮击金门的最后决定。同日,国防部长彭德怀根据毛泽东的指示,向人民解放军总参谋部传达了中央军委的决定:空军和地面炮兵立即开始行动。空军转场入闽越快越好,地面炮兵和海岸炮兵的任务是封锁金门及其海上航运,利用一切时机打击国民党军的运输船只。福建前线陆、海、空三军均在一个月内迅速而隐蔽地完成了炮击金门的一切准备工作。

8月20日,毛泽东决定:立即集中力量,对金门国民党军予以突然猛烈的打击(不打马祖),把它封锁起来。毛泽东还指出:"经过一段时间后,对方可能从金、马撤兵或困难很大还要挣扎,那时是否考虑登岛作战,视情而定,走一步,看一步。"21日,中央军委向福建前线部队下达命令,决定于23日开始,对大、小金门实施一次大规模炮击,着重打击敌指挥机关、炮兵阵地、雷达阵地和停泊在料罗湾码头的国民党军舰艇。同时还确定:先打3天,走出第一步,看看台湾当局的动态后,再决定下一步。

21日晚,参战的陆军炮三师、第二十八军、三十一军等所属各炮兵团、营极其隐蔽地进入发射阵地,并均于23日拂晓前完成了一切射击准备。为了达到射击的突然性,炮兵一律不进行试射,而以精密法确定射击诸元,精心安排,力求首批炮弹同时落达各自目标。

<h1 style="text-align:center">二</h1>

万炮齐轰金门岛

8月23日下午,福建前线天气晴朗,和风轻拂,海面一片宁静。下午17时30分,前线指挥员发出"开始突击"的命令,随着一串串红色信号弹的升起,2600余发炮弹顷刻间从不同方向落到金门北太武山国民党军阵地上。金门岛立即陷入烟雾和火海之中。

猛烈的炮击,使得金门国民党军陷入一片混乱。岛上的国民党军官兵纷纷慌忙逃入掩蔽部,而停在料罗湾的运输船"台生"号,被炮弹击中,岛上的有线通讯网完全被炮火破坏,指挥中断,国民党军的炮兵在解放军炮击20分钟后才自发地还击,共发射了炮弹2000余发,但是很快就被解放军炮兵压制下去。这次炮战共持续了85分钟,解放军发射炮弹3万余发(其中海岸炮兵发射2600发),台湾国民党军后来承认自己伤亡近600人,其中有3名是驻军副司令。

8月23日的炮击,在人民解放军炮兵作战史上是较大的一次炮战,从规模上看仅次于攻克锦州、攻击天津、上甘岭战役和星城反击战中的炮战,而且这次炮战在打击的突然性、组织的严密性上都有独特之处。这次炮战,显示出人民解放军在现代化建设的道路上的可喜进步,并达到了中央军委的预期目的。

8月23日的炮战一时震动了台湾乃至美国白宫,蒋介石还向艾森豪威尔紧急求援,声称金门形势危急,已有3名副司令官阵亡,要求美军迅速帮助防守金门。

8月23日炮战发生后,艾森豪威尔立

即与杜勒斯研究对策，随后又日夜听取报告，亲自掌握美国在台湾海峡的海空军行动。8月27日，艾森豪威尔发表公开声明，声称他将行使国会1955年通过的"福摩萨决议案"的职权，命令美军协防金、马。根据艾森豪威尔的命令，美国从中东地区调来两艘航空母舰支援第七舰队。

8月24日，解放军福建前线部队决心扩大战果，一面继续炮击金门岛上的国民党军，一面出动海军舰艇打击海上目标。结果，国民党军的大型运输舰"中海"号被鱼雷击中负重伤，4000吨的"台生"号中鱼雷沉没。战斗中，解放军的鱼雷艇也有一艘中弹沉没，舰上的12名艇员弃艇后经30个小时的拼力游水，最后有5人在渔船的救援下回到大陆。他们的英勇精神，受到海军领导机关的奖励。

严密封锁金门，切断孤岛外援

经过8月24日人民解放军对国民党军运输船队的沉重打击，台湾国民党当局于8月25日起停止对金门的海运两天，自27日起又改变对金门的海运方式。我人民解放军海空军也随之采取新部署。8月26日，彭德怀根据中共中央指示，通过电话向福建前线部队副司令员张翼翔中将提出严密封锁大、小金门和大担、二担等岛屿，以火力割断诸岛之间的联系，使其不能支援，以炮兵打击金门机场起降的运输机，海军要加强对国民党军中、小舰艇的打击；要坚决打击进入大陆上空的国民党军飞机，但不要越出领海上空作战。

自8月25日起，解放军炮兵将金门机场作为重要封锁目标，对机场设施和起降的飞机实行炮火打击。解放军炮兵为了完成封锁任务，根据投诚人员的报告仔细研究了敌情，空军也在金门侧边上空进行了航空侦察，提供了航空照片，炮兵据此在地图上确定射击坐标，建立了对空观察哨。当发现国民党军的飞机出现后，先不射击，待其快要在金门机场降落时，再根据准备好的射击诸元向机场跑道屡施急袭。这样，国民党军的运输机一试图在金门降落，炮弹的炸点就落在附近，从8月25日至9月2日，国民党军有4架运输机在试图降落时被击伤。西村、沙头两个机场的跑道因落弹太多，不堪使用，自此，台湾飞来的飞机已无法在金门降落，机降运输又被迫中止。9月1日，解放军在海域上又胜利阻击了一个由4艘军舰护航的运输队。

这样，经过10天的封锁作战，至9月3日，除了运量极有限的空投外，金门已被封锁，解放军预定的第一步作战目标基本已达到。

9月4日，人民解放军福建前线的炮兵沉寂下来，同时中华人民共和国政府郑重发表了关于领海的声明，宣布中国领海宽度为12海里，一切外国飞机和军用船舶，未经中国政府许可，不得进入中国领海及其上空。

中华人民共和国第一次宣布中国的领海线，在国际上一时又引起不小的反响，中国政府的声明发表后仅几个小时，美国政府发言人以及英外交部、日外务省纷纷声称：不承认超过3海里的领海。

9月4日，艾森豪威尔和杜勒斯联合发表新港声明，宣布美国为台湾军舰护航。9月中旬，美国声称在台海地区已集结了战后以来美国在海外最大的原子打击力量，合众社也报道说，美国已为其核打击作好了准备。但美国出于自己利益的考虑，实际上并不想卷入战争。

远东的紧张局势和美国使用原子武器的恫吓使得苏联领导人极为担心。赫鲁晓夫派外长葛罗米柯于9月初秘密来到北京。毛泽东、周恩来对葛罗米柯说：中国炮击金、马并不是就要用武力解放台湾，只是要惩罚国民党部队，阻止美国搞"两个中国"；如果打出了乱子，中国自己承担后果，不拖苏联下水。在了解到中国的底牌后，赫鲁晓夫于9月7日和19日，两次致信艾森豪威尔提出警告：如果美国对中国发动核攻击，"那么，侵略者就将立即遭到应有的、同类武器的反击"。

9月6日，周恩来总理发表《关于台湾海峡地区局势的声明》，重申解放台、澎、金、马是中国的主权，任何外国不得干涉。声明强烈谴责美国的战争挑衅，强调指出，如果美国政府悍然不顾中国人民的再三警告和世界人民的和平愿望，继续对中国进行侵略和干涉，把战争强加给中国人民，美国政府必须承担由此而产生的一切严重后果。

9月8日，毛泽东主席在最高国务会议上发表讲话。他指出：台湾、黎巴嫩以及所有美国在外国的军事基地，都是套在美帝国主义脖子上的绞索；美国自己制造这种绞索，并把它套在自己的脖子上，而把绞索的另一端交给了中国人民、阿拉伯各国人民和全世界一切爱和平反侵略的人民；美国在这些地方停留得越久，套在它脖子上的绞索就将越紧。这篇讲话在谴责了美国侵略中国的行为之后，仍然重申了中国同美国通过谈判和平解决彼此争端的愿望。

9月7日，国民党海军副总司令黎玉玺和美国顾问率领国民党海军的2艘运输舰、5艘作战舰，美军的2艘巡洋舰、5艘驱逐舰编队，驶进金门海域，11时，国民党海军的2艘运输舰驶入金门料罗湾码头，卸下货物，美国军舰则停在中国领海范围之内(3公里之外)，当天中华人民共和国外交部发言人奉命发表声明，向美国政府提出严重警告。

9月8日上午，台湾国民党军由于前一天靠美舰护航得以平安运输，十分得意，又出动4艘登陆舰，在5艘美军舰只的护航下再次向金门驶来，然而这一天解放军前线炮兵已经接到明确的命令，并做好了射击国民党舰只的准备，上午11时，中国方面就美舰侵入金门海域再次向美国发出严重警告，这时美舰又停在金门外海，由国民党军的登陆舰驶向岸边卸货。12时43分，解放军以43个地面炮兵营又6个海岸炮兵连组成的强大炮群突然开火，连续发射了2.17万发炮弹，猛烈射击金门的军事目标和驶入料罗湾的国民党登陆舰。在弹雨中，"美乐"号登陆舰当即被击中起火，继而爆炸沉没，"美珍"号中弹累累后向外海逃窜，另外两艘登陆舰也在中弹后逃走。人民解放军炮击开始后，美军军舰根本不管国民党军舰只，急忙退到料罗湾以南5海里—12海里，徘徊观望，始终未敢妄动，这次炮战持续至18时结束。

通过9月8日的炮击，中共中央、毛泽东初步摸到美国的底。

9月13日，毛泽东对解放军前线炮兵自月初以来开展的零炮射击活动加以肯定，电令参战部队炮兵全面开展这一活动，要求做到白天黑夜打零炮，每天24小时，特别是在料罗湾3海里以内，打零炮，使敌昼夜惊慌，不得安宁，以增强全面封锁的效果。根据这一指示，前线炮兵在发现重要目标时才集中火力进行大规模炮击，而平时则转入零星炮击，使金门岛上的国民党军日夜都需要隐蔽在阴暗潮湿的坑道中，岛上的地面活动基本陷入停顿。

从 9 月 14 日至 10 月 5 日，台湾当局不惜重大损失，变换各种方式对金门实行运输补给，虽然运输量较之 8 月 23 日至 9 月 4 日这一阶段有较大增加，但是平均日运输量只有 171 吨，仍只能达到金门守军每天最低需求量的 40% 左右。解放军对金门的封锁虽然因避免同美军冲突的限制（特别是空军的限制），国民党军以水陆输送车零星上岸和夜间的空投运输尚不能完全封死，但是也使金门守军陷入极大的困境。长此以往，仅靠火力封锁就将使金门守军无法继续支持。

四

美蒋矛盾的发展与毛泽东的决策

随着金门地区战事的发展，美蒋之间的矛盾也日益激化了，已经公开表现出美国企图在金、马脱身，而蒋介石坚持不撤，仍想以金、马把美国拖在中国内战之中。1955 年美国出动运输舰只运载国民党军从浙东大陈岛撤退时，曾施加压力要蒋介石一并撤出金门、马祖，或只留象征性的守军。根据美国政府和多数政客的打算，台湾应该作为一个单独的"政治实体"，并斩断同大陆的联系，因而他们认为台湾当局保留大陆沿海这几个小岛在军事上政治上都是不可取的。

蒋介石对于美国要他撤退金、马守军一直十分不满。从政治上讲保留金、马对蒋介石至关重要。在中国大陆 20 多个省区中只有属于福建省的这两个岛屿还留在蒋介石手中，因而它们成为蒋介石和大陆还有联系的唯一政治纽带，也是台湾所谓"中华民国"政府在国际上仍"代表"中国法统这一神话的唯一实际象征。如果主动撤出金、马，那么台湾同大陆的实际关系就将断绝，蒋介石用以维系逃台人员和威压台湾民众的"反攻大陆"口号也将破灭。这样，美国就可以更露骨地支持"台湾独立"的运动，甚至会以台湾"地位未定"为理由实行"国际托管台湾"，蒋家父子为首的逃台国民党政权的统治基础也势必会动摇。所以，只要金门、马祖还有一线希望能坚守，蒋介石对它们也不会放弃。因此美台关于金、马防御问题的争执白热化、公开化，引起了毛泽东的高度重视，促使毛泽东重新审视中国的外岛政策。

经过反复权衡，毛泽东最后决定暂缓收复金、马，让金、马继续留在国民党手中，以便将来时机成熟时，将台、澎、金、马一揽子解决。10 月 5 日夜，毛泽东以中共中央军委名义发出停火指示；10 月 6 日，《人民日报》发表毛泽东亲自起草的《国防部长彭德怀告台湾同胞书》，宣布对金、马暂停炮击 7 天，让国民党军队可以充分地、自由地输送供应物资。

台湾当局在金门虽然不敢破坏为时 7 天的事实上的休战，但是为显示自己尚有战斗能力，于 10 月 10 日"双十节"这天又出动飞机到大陆上空挑衅，当天，国民党空军共飞 44 批共 182 架作战飞机，至大陆沿海岸地区，其中有 6 架窜入福建龙田上空，解放军空军当即以航空兵第 14 师起飞一个大队迎战，双方又进行了一场空战。空战中，国民党军被击落战斗机 3 架，解放军被击落歼击机 1 架，我军优秀飞行员杜凤瑞光荣牺牲。此后，国民党军的战斗机基本上不再进入大陆上空，其活动线退到福建的海岸线以外，从解放军空军 7 月末入闽至 10 月，福建上空共进行空战 13 次，解放军航空兵共击落国民党军飞机 14 架，击伤 9 架，解放军飞机被击落 5 架（其中空军4架,海军航空兵1架),被击伤5架。

10月12日午夜,《告台湾同胞书》宣布的7天暂停炮击的期限已满,金门国民党军和当地居民又全部进入坑道和掩体,可是解放军一炮未发。13日凌晨,福建前线广播站又播送了国防部长彭德怀对福建前线人民解放军的命令,宣布继续停止炮击两周。

自10月13日"文告"宣布后,美国政府就在"放弃使用武力"上大做文章,让台湾当局成为"事实上存在的政治单位",而蒋介石则于14日接见澳大利亚记者时公开说:"不撤退,不姑息",美蒋矛盾进一步发展。

美国政府为了要蒋介石听从自己的安排,派杜勒斯于10月21日赴台同蒋介石会谈。双方经过讨价还价,在都作出让步的基础上达成妥协。美国同意增加对台湾的援助,不再要求国民党军从金、马撤退,蒋介石则答应:"减少金、马驻军",并宣布今后对大陆"不使用武力"。

蒋杜联合公报发表后,杜勒斯表示"感到非常满意"。随后,美国就在"不使用武力"上大做文章。杜勒斯离台后一面说他看到了共产党的存在,并愿意与之打交道;一面又鼓吹在台湾海峡完全实现"停火",将台湾称为一个"事实上存在的政治单位"。杜勒斯的这些话,虽然贬斥了蒋介石自称代表全中国的吹嘘,却将台湾说成是一个小中国即"自由中国",明显是在制造"两个中国"。

看到蒋美矛盾的进一步发展,为了在民族大义的前提下团结一切可以团结的人,在杜勒斯回华盛顿后的第二天,即10月25日,由毛泽东起草、以国防部长彭德怀名义发表的《再告台湾同胞书》由中央人民广播电台和福建前线广播站播出。

这个文告首先对台湾当局和广大台湾同胞晓以民族大义,提议中国人自己解决自己的问题。文告表示逢双日不打金门机场、码头、海滩和船只,以利金门固守,并愿意向金门国民党军供应补给品。10月31日,中央军委又进一步发展了"四不打"的方针,决定:"今后逢双日,任何目标一律不打炮,使国民党军队人员能走出工事自由活动,晒晒太阳,以利其长期固守。逢单日可略为打一炮,炮弹一般不超过200发。"从此,正式确定了"双日不打单日打"的新方针。

在实行"双停单打"的方针后,人民解放军于11月初又组织了一次大规模的炮击。从3日早上6时起,人民解放军炮兵以33个营又1个连向金门国民党军的阵地实施全面而有重点的轰击,11月4日因是双日解放军未打炮,5日继续实施炮击,一时又造成"声势大,温度高"的场面。

1959年元旦过后,金门岛上的国民党军炮兵突然对大嶝岛滥施炮击,造成托儿所中31名儿童死亡,17人受伤。为了对这一罪行进行惩罚,中央军委决定于1月7日再对金门炮击,这次炮击只限于金门岛上的炮兵阵地。1月7日下午,解放军炮兵以28个营又8个连猛烈轰击金门,共发射炮弹2.6万余发,击中国民党炮兵阵地12处,观察所15个,国民党军也还炮约7000发,最后终于以解放军的炮火占压倒优势而结束。这次炮战,实际上成为金门地区最后一次真正的炮战。炮战结束后,1月9日,中央军委指示福建前线部队:今后单日不一定都打炮,此后单日的炮击只转入零炮射击,对金门国民党军彻底实行不封不锁,让其悠然固守的方针。自1958年8月23日开始的为时4个多月的炮击金门,到此基本结束。

自9日后,在对金门发射实弹的同时,兼向金门发射宣传弹,以揭露蒋美阴谋,阐明中国政府对台湾海峡局势的严正立场。

1960 年 6 月 16 日美国总统艾森豪威尔由马尼拉前往台湾访问时，美海军第七舰队侵入台湾海峡已 10 个年头，中国已提出 108 次严重警告，美置之不理。为了反对艾的访台，按照单日打的惯例，艾到达台湾的前夕和离开时，在福建前线举行炮击示威，这次共发射炮弹 3 万余发，美国国务院一反常态地对此提出抗议。

1961 年 12 月中央军委作了关于保持台湾海峡局势稳定，不主动打击金门国民党军的指示，福建前线部队主动停止了实弹炮击，此后福建前线部队只在单日向金门打宣传弹，国民党也偶尔打零炮，主要也是打宣传弹。

1979 年 2 月 1 日，中华人民共和国全国人民代表大会常务委员会发表《告台湾同胞书》，宣布争取和平统一祖国的大政方针，国防部长徐向前亦于当天发表《关于停止炮击大、小金门等岛屿的声明》，至此，解放军完全停止了对金门的炮击。

在炮击金门这场军事和外交斗争中，中国政府极其鲜明地划清了在台湾问题上中国内政和中美国际争端的界限，坚定地表达了中国人民反对美国侵犯中国主权、干涉中国内政、搞"两个中国"的严正立场。

60 年代的中日关系

60 年代的中日关系大致可分为两个阶段，即 60 年代前期的半官半民阶段和后期的严重受阻阶段。

从修复渠道到半官半民

1960 年 7 月 19 日，在推行敌视新中国政策的岸信介内阁下台以后，日本自民党总裁池田勇人继任日本首相，正式组阁。池田勇人上台后，决定顺应国内和国际形势的发展，在对华政策上采取了积极的姿态。在执政初期的几次谈话中都表现出对日中关系的重视，特别是对发展日中贸易表现出极大的热情。在他的推动下，岸信介时期冰冻的中日关系开始缓和，并逐渐被推进到半官半民阶段。

1. 中日贸易逐渐恢复

1960 年 8 月 27 日，周恩来总理在接见日本亚非团结委员会常务理事、日中贸易促进会专务理事铃木一雄等人时，就中日关系和中日贸易等问题发表了重要谈话，提出了著名的"中日民间贸易三原则"：政府协定，民间合同，个别照顾。随后，周恩来对"中日贸易三原则"进行了详细的阐述。他说：首先，一切协定今后必须由双方政府缔结，才有保证，因为过去的民间协定，日本政府不愿给以保证。至于政府协定，总要在两国政府向着友好方向发展，并且在建立起正常关系的情况下才能签订，否则不可能签订。关于两国政府的关系，还是坚持过去我们说过的"政治三原则"。其次，是不是没有协定两国之间就不能做买卖呢？不然。在条件成熟的时候是可以的，可以签订民间合同。比如日本某企业同中国某公司双方表示友好，又根据双方需要，就可以谈判签订合同，做一笔定期的生意。如果合同履行得好，双方关系也好，两国政治环境又向好的方向发展,也可以把短期合同变成比较长期的合同。再次,是个别照顾。中小企业有特殊困难,日本"总评"和中华全国总工会站在劳动人民的立场上进行斡旋,这是对的。今后还可以继续照顾,并且根据需要,数量也可以增加一些。

"中日贸易三原则"提出后,日本的许多商社、企业和热心于中日贸易事业的友好人士纷纷表示衷心地拥护和予以接受,愿意在遵循中日关系"政治三原则"、"中日贸易三原则"和政治、经济不可分离原则的前提下,恢复和发展与中国的贸易关系。他们先后请日中贸易促进会、日本国际贸易促进协会、日中友好协会、日本国际贸易促进协会关西本部等团体以及对华友好的人士,向中国国际贸易促进委员会推荐对中国持友好态度和承认中日关系"政治三原则"的商社成为"友好商社"。中国国际贸易促进委员会受理后,向其发出表示同意建立业务关系的信函,同时通报给中国有关的经营外贸业务的进出口公司和有关部门,这样它们即可以成为"友好商社"了。一些大型的综合商社和大企业,由于担心影响自己的业务不敢公开得罪美国和台湾当局,因此采取不直接出面而另组不同名称商号的"替身商社"的形式,也希望通过上述日本团体和个人的介绍成为"友好商社"。1960年11月15日,日本有关商社和中国的4个贸易公司签订了重开中日贸易的第一个合同。①1961年4月,首批38家"友好商社"收到了中国国际贸易促进委员会邀请它们参加广州出口商品交易会的邀请书。同年秋天,又有45家"友好商社"应邀参加了秋季广州出口商品交易会。参会期间,日本商社与中国方面签订了数额不等的贸易

合同。交易会结束后,一部分商社应邀前往北京继续进行贸易业务洽谈。到1962年末,被认定为"友好商社"的企业已达到181家,它们都曾先后来中国同中国的有关公司签订了具体的贸易合同。这样,被终止了两年半之久的中日贸易,通过友好贸易这条渠道得到了恢复。后来经过各种渠道的介绍,"友好商社"从最初的十几家增加到数百家,而这种贸易形式则被称作为"友好贸易"。

1962年12月15日,日中贸易促进会专务理事长铃木一雄、日本国际贸易促进协会副会长宿谷荣一、日本国际贸易促进协会关西本部专务理事木村一三应中国国际贸易促进委员会邀请前来中国进行访问。在华期间,他们同中国国际贸易促进委员会等中国有关方面的负责人就进一步加强中日友好贸易问题举行了会谈,并达成了一致意见。12月27日,中国国际贸易促进委员会主席南汉宸和来访的日本友人签订了《中国国际贸易促进委员会和日中贸易促进会、日本国际贸易促进协会、日本国际贸易促进协会关西本部议定书》及其附属备忘录。周恩来、陈毅、廖承志等出席了签字仪式,双方在《议定书》中再次确认中国政府提出的中日关系"政治三原则"、"贸易三原则"和政治、经济不可分的原则是加强中日两国人民间的友好贸易关系及促进两国关系正常化的基础,认为友好贸易今后仍然是中日民间贸易的重要方式之一,有着广阔、光明的发展前途,双方应为进一步加强两国人民间的友好贸易关系而不断努力。《议定书》还就双方相互在对方举办商品展览会、相互邀请经济及贸易界人士和团体进行访问、促进中日两国间的技术交流、加强两

---

① 总额为6万英镑。——编者注

国银行间的联系等问题达成了一致意见：双方同意在对方国家单独举办商品展览会，由展出者一方自行决定其展览会的内容，同时也要考虑另一方的建议，希望在各自举办的展览会上，展出足以反映本国工农业发展最高水平的展品。如果展出者一方愿意在展览会结束后就地出售展品，则另一方应协助介绍本国的贸易公司或商社根据需要选购。在各自举办展览会期间出售本国的小卖品，可以用出售展品和小卖品的款额支付举办展览会所需的费用。可以互相邀请参观团进行参观访问。《议定书》还决定：日本方面的商品展览会于 1963 年内在中国的北京和上海举行，中国方面的商品展览会在 1964 年内于日本的东京和大阪展出。

依据上述议定书，1963—1969 年，日本贸易促进团体先后在中国的北京、上海和天津举办了三次工业展览会和一次科学仪器展览会；中国国际贸易促进委员会也先后在日本的东京、大阪等地举办了两次经济贸易展览会，有 81 万人参观了 4 月的东京展览会，152 万人参观了大阪的展览会。通过举办展览会，不仅扩大了贸易额，而且还为中日两国贸易界人士的友好交往和会晤创造了条件。1963 年 10 月，此前已就任日本贸易促进协会总裁的石桥湛山前来北京主持日本工业展览会，并参加了中国的国庆活动，受到了毛泽东主席亲切接见。此外，日中贸易团体的其他领导人川濑一贯、宇都宫德马、宿谷荣一、荻原定司等也都曾率团参加或亲自参与展览会工作。同样，中国国际贸易促进委员会主席南汉宸于 1964 年 4 月也率团访日，主持于 4 月 10 日至 30 日在东京举行的中国经济贸易展览会的开幕式，并同日本的政界、贸易界人士进行了广泛的接触。中日间友好贸易的开展，使中日两国

的贸易额逐渐扩大。据统计，1961 年中日贸易额为 3600 万美元，1963 年超过 1 亿美元，恢复到了 50 年代最高水平，1969 年已超过 6 亿美元。

60 年代友好商社情况表

统计年度	统计数	备　注
1961 年 12 月	102	
1962 年 4 月	181	
1964 年 4 月	266	其中华侨商社 6 家
1965 年 4 月	332	不包括华侨商社
1966 年 9 月	342	华侨商社包括在内
1969 年 4 月	346	其中华侨商社 57 家

60 年代中日贸易额表

（单位：1 000 美元）

年　度	输出入总额	LT 贸易/备忘录贸易额 金　额	友好贸易额 金　额
1963 年	137 016	64 115	72 901
1964 年	310 489	128 427	182 026
1965 年	469 741	179 186	290 555
1966 年	621 387	205 228	416 159
1967 年	557 733	151 483	404 250
1968 年	549 623	115 920	433 703
1969 年	625 343	69 600	555 743

数据来源：李恩民：《中日民间外交 1945—1972》，人民出版社，1997 年版，第 390 页。

广州交易会中日民间贸易实绩表

（1961—1969）

年份	季节	总参加人数	日方参加人数	日本企业数	日方契约额（百万美元）
1961	春季	3 000	40	38	11
	秋季	2 500	51	37	18
1962	春季	2 500	110	64	12
	秋季	2 600	160	80	25
1963	春季	2 800	182	100	14
	秋季	3 300	228	101	39
1964	春季	3 700	296	140	34
	秋季	4 400	433	154	47
1965	春季	5 000	470	190	74
	秋季	5 600	602	202	131
1966	春季	6 000	688	206	92
	秋季	6 000	750	230	127
1967	春季	7 800	850	250	130
	秋季	9 000	928	280	130
1968	春季	6 000	900	280	113
	秋季	10 000	911	260	139
1969	春季	7 000	957	268	128
	秋季	6 000	900	260	210

数据来源：李恩民：《中日民间外交 1945—1972》，人民出版社，1997 年版，第 268 页。

2.签订《廖承志和高碕达之助贸易备忘录》（LT 贸易）

自 1958 年中日贸易几近完全中断以后，西欧各国趁机加强了同中国的贸易往来，用延期付款方式扩大了对华出口。对此，日本经济和贸易界深感不安，他们唯恐失去广阔的中国市场，因此强烈地要求池田政府在对华贸易上采取相应的有力措施，与西欧展开竞争。

1962 年 5 月，日本政府同经济、贸易界举行了最高出口会议。会上，化工、钢铁等业界都提出"中国是一个很大的市场，应当谋求对华贸易早日正常化"，同包括中国在内的社会主义国家进行贸易时，应灵活运用日本输出入银行贷款，采取延期付款方式。会议最终制定了在对华贸易上采取同西欧一样的延期付款的方针。[①] 6 月，全日本航空股份公司社长冈崎嘉平太向池田提出了"冈崎试行方案"，主张要签订长期贸易协定，向中国出口成套设备并采用延期付款方式，以及让日本厂商直接与中国有关公司联系等。

关于在向中国出口成套设备时使用延期付款方式，冈崎认为是否可以由中日双方有名望的人士作为担保，例如中国请廖承志担保，日本请日本政界元老松村谦三担保。池田内阁的官房长官黑金泰美表示原则上赞同冈崎方案。虽然松村谦三不想做经济担保人，但表示可以再一次访华，为扩大中日贸易从政治上铺架桥梁。松村谦三在 1959 年第一次访华的时候，陈毅曾向他建议说："中日两国的创伤应当弥补，而不应加深，不要在不愉快上再加不愉快……围棋、乒乓球、书法、兰花都可以交流，不谈政治，只谈友好。"在访问即将结束之际，松村谦三请求在中日两国贸易达到一定规模，需要进一步发展时，中国派一个围棋代表团访日，以围棋为突破口推动中日两国友好交往的发展。

在松村的推动下，1960 年名誉九段漱越宪作先生率领的第一个日本围棋代表团访问中国，与中国围棋界人士广泛接触，增进了相互间了解。1962 年，以国家体委副主任、中国围棋协会主席李梦华为

① 孙乃民主编：《日中关系史》，社会科学文献出版社，2006 年版，第 201 页。

团长,有"日本通"之称的孙平化为副团长的中国围棋代表团首次访问日本。出发前夕,周恩来嘱咐孙平化说:"如有机会见到松村、高碕①两位老先生,请转达我和陈毅副总理的问候,并欢迎他们来中国,就发展中日关系和长期贸易交换意见。"

孙平化在日本进行访问期间,按照周恩来的指示,专门拜访了松村、高碕两位先生。拜访中,孙平化转达了周恩来、陈毅的问候和对他们再次访华的邀请。两位先生对进一步发展中日关系讲了自己的想法和意见。松村提出希望通过访华,由他和中方先达成一个谅解,搞一个君子协定,然后再请高碕达之助率领产业界人士前去中国商谈具体的贸易事宜。松村还谈到可以用积累的方式,从贸易入手,逐步打开中日关系的设想。孙平化访日结束返国后,立即向周恩来、陈毅作了详细汇报。周恩来听后当场决定以他和陈毅的名义邀请松村、高碕来华访问。8月21日,廖承志致函松村谦三、高碕达之助,转达周恩来和陈毅对他们访华的正式邀请。

9月14日,松村谦三一行抵达北京。行前,池田首相会见了松村并向他作了嘱咐。松村的主要随行人员有古井喜实、小川平二(池田派众议员,经济贸易专家)、田林政吉(日本长期信用银行专务理事)、藤井胜志(众议员)、田川诚一、大久保任晴、小堀治子(松村之女)等。松村一行在北京受到了中国方面极其热情和友好的接待。抵达北京的当晚,正值中秋佳节的第二天;周恩来举行盛大宴会欢迎松村等一行,并用"花好月圆,人寿年丰"等语句,祝福已年届80岁高龄的松村先生健康长寿,为中日友好事业作出更大的贡献,使中日两国关系进入到"花好月圆"的新时期。松村听后非常兴奋和激动,他在讲话中也祝愿中日关系能够像中秋的明月一样,永远圆满、明亮、光辉,并表示愿在有生之年为打开中日两国关系而献身。

在京期间,松村等人同周恩来、陈毅、廖承志在9月16日、17日和19日先后举行了三次长时间的会谈。双方就国际形势和双边关系等问题交换了意见。周恩来着重阐述了中国政府的对日政策,重申了中日关系"政治三原则"和政治、经济不可分的原则,特别是坚决反对制造"两个中国"的阴谋,严厉批评了岸信介政府的反华政策。松村一再强调池田内阁是与岸信介内阁不同的,有改善中日关系的意愿,日本不会复活军国主义,并提出双方要采取积累方式,从扩大贸易入手,来改善中日两国的政治关系,逐渐谋求两国关系实现正常化。周恩来对松村所说的积累方式表示同意并补充说,日本叫积累,中国叫渐进,是一个意思。两国人民用渐进的积累方式把两国的政治关系和经济关系发展起来,以利于两国关系的发展。双方经过协商就经济问题确定了几项原则:①采用以货易货的方式,使双方进出口基本保持平衡;②进行综合性贸易;③贸易合同应当是长期的,以5年为期;④采用延期付款方式向中国出口成套设备。双方还商定依据上述达成的一致意见,在高碕达之助率团访华时由高碕与廖承志具体协商执行和落实。在19日会谈后发表的会谈纪要中说,中方重申坚持"政治三原则"、"贸易三原则"和政经不可分原则,并认为这些原则继续有效。双方表示愿意进一步促进和发展贸易。一致认为应以渐进和积累方式,使包括政治关系和

---

① 即高碕达之助,日本经济界著名人士,曾当选众议员。——引者注

经济关系的两国关系正常化。

松村谦三的访华之行遭到了美国、"台湾当局"以及日本自民党内亲台派的强烈反对,迫使池田内阁在下一步对华政策上有所动摇。但是经过高碕达之助、冈崎嘉平太等人的不懈工作,池田内阁还是同意了以民间名义派团前往中国商谈签订中日贸易协定。

1962年10月26日,高碕达之助率领包括22家大厂商代表在内的42人代表团抵达北京。中方由廖承志牵头,由外贸和外交部门的负责人组成的会谈小组同日方举行了多次会谈。11月9日,廖承志和高碕达之助签订了《关于发展中日两国民间贸易的备忘录》。《备忘录》规定:双方同意发展长期综合的易货贸易,以1963年到1967年作为第一个5年贸易期限,每年平均交易总额约为3600万英镑。中国向日本出口煤、铁砂、大豆、玉米、盐、锡等商品,日本向中国出口钢材、化肥、农药、农业机械、成套设备等。具体的交易合同,由日本厂商和中国对外贸易进出口公司个别签订。为了处理日常事务,还决定分别在日方和中方设立廖承志办事处及高碕达之助事务所。同意在对方国家互设常驻的联络机构,通过这个机构互派常驻记者。《备忘录》项目下签订的交易合同,采取"LT"作为编号,取自廖承志(LIAO)和高碕达之助(TAKASAKI)名字英文的第一个字母。因此,中日备忘录贸易又称作"LT贸易"。

在《备忘录》中,有一项规定是日本向中国出口成套设备。中国方面在50年代就对引进当时日本生产维尼龙的成套设备表示出极大的兴趣,并同日方进行过商谈。后来由于中日贸易中断,引进设备之事搁浅。岸信介内阁下台后,中国方面又开始与日本企业联系引进设备的事情。

并于1962年12月派遣以杨维哲为团长的代表团前往日本进行技术考察。

当时日本厂商对外出口成套设备,一般都利用日本输出入银行的贷款,采取延期付款方式,贷款条件亦较商业银行优惠,但是日本政府原则上不向社会主义国家提供这种贷款。经过松村、高碕等人的反复努力,池田首相同意向中国出口该设备并提供输出入银行贷款。为了应对美国和台湾方面的压力,双方商定,出口维尼龙成套设备可分两步走,即先引进仓敷公司的设备,然后再引进日纺公司的设备。

1963年6月29日,由中国技术进出口公司与日本仓敷公司签订了中国从该公司引进维尼龙成套设备的合同。该项合同总金额为73.58亿日元,日产30吨,使用日本输出入银行贷款,采用分期付款(5年)的支付形式,年息6%,厂址设在北京。8月20日,池田内阁正式批准了这个合同。按照"先仓敷,后日纺"的约定,中国技术进出口公司同日本纺织公司于1963年5月曾签订议定书,后经过多次洽谈,于1964年9月双方签订了日纺公司向中国出口第二套维尼龙成套设备的合同。合同金额120亿日元,日生产能力50吨,支付条件与向中国出口第一套维尼龙成套设备相同。1964年11月,中国机械进出口公司同日立造船公司签订了日立公司向中国出口一艘吨位为1.242万吨、金额116万英镑货轮的合同,支付条件也使用日本输出入银行贷款,延期5年付款。但是,池田首相因病已于1964年11月辞职。继任的佐藤荣作内阁虽然于1965年的1月和2月分别批准了这两项合同,但却都不允许提供日本输出入银行的资金贷款,致使合同难以履约,该两项合同相继于1965年4月、5月失效。

关于落实《备忘录》中规定的中日双方互设常驻机构和互派代表问题,中日双方也进行了多次商谈。1964 年 1 月,随同中国青年京剧团访日的孙平化在日本访问期间,同松村和高碕两位先生就此问题进行了商谈,双方都表示愿为促其实现而努力。2 月,日本国会众议员田川诚一和藤井胜志受松村、高碕两位先生的委托来华访问,就互设办事机构和互换新闻记者问题进一步同中国方面交换看法。双方很快就此事达成一致意见。

1964 年 4 月,松村率团第三次访华。到达北京后,同周恩来进行了长达 5 个多小时的政治会谈。其后,开始与中日友好协会会长廖承志就相互设立贸易办事机构和交换新闻记者问题充分地交换了意见,并终于 4 月 19 日圆满地达成了协议。

关于互派代表并互设联络事务所的协议规定:①廖承志办事处派驻日本的代表的办事机构名称为"廖承志办事处驻东京联络事务所",高碕办事处派驻中国的代表的办事机构名称为"高碕办事处驻北京联络事务所";②双方暂派代表 3 人、随员 2 人,共 5 人,但根据工作需要经双方协商同意后可以增加;③双方代表的一次停留时间定为 1 年以内;④双方负责保护对方人员的安全等。

关于中日双方交换新闻记者的协议规定:①交换新闻记者的人数各为 8 名以内;②双方新闻记者在对方国家一次停留时间为 1 年以内;③双方应保护对方新闻记者的安全;④双方应对对方新闻记者的采访活动提供方便;⑤双方记者必须遵守驻在国管理外国新闻记者的规定,并享受驻在国对外国记者所给予的同等待遇;⑥双方保证对方新闻记者的通讯自由等。依据双方达成的协议,8 月 13 日,中国驻东京联络事务所首席代表孙平化、代表吴

曙东、陈抗及 2 名随员抵达东京赴任。9 月 29 日,中国 7 名常驻日本新闻记者到达东京;同日,日本的 9 名常驻中国新闻记者也抵达北京。1965 年 1 月,日方驻北京联络事务所代表相马常敏、田中聪介、大和田又次等人来到北京履职。这是新中国成立后,中日双方在没有恢复正常外交关系的情况下,首次实现互设常驻机构和互换新闻记者。

3. 再签中日渔业协定,池田内阁妥善处理"周鸿庆事件"

"LT 贸易"签订以后,中日两国的民间贸易有了新的发展,两国的政治关系在一定程度上也有所改善。为了稳定地发展中日两国的渔业生产,日本渔业界期望能够恢复因岸信介政府的破坏而中断了的中日渔业关系,尽早地签订新的中日渔业协定。

1963 年 1 月,以日中渔业协议会会长平冢常次郎为团长的日中渔业协议会代表团访问中国。他们同中国渔业协会、中国人民对外文化协会的代表就中日两国在东海、黄海上的渔业关系问题举行了多次会谈,1 月 22 日,双方达成协议:认为中日间在签订了"LT 贸易"使中日贸易有了新的进展以后,双方就黄海、东海渔业关系问题进行商讨的时机已经成熟;中国渔业协会同日中渔业协议会在 1963 年年末之前,就黄海、东海上两国渔业关系问题再次进行正式会谈是必要的,双方在 1955 年协定的基础上续订两国民间渔业协议是有可能的,双方表示将愿为此而继续努力。

1963 年 11 月,日本日中渔业协议会代表团应邀来华访问,与中国有关方面商谈并签订新的中日渔业协定。11 月 9 日,中国渔业协会和日本日中渔业协议会的代表根据平等互利、和平共处的原则,经

过友好协商,签订了《关于黄海、东海渔业的协定》及其 4 个附件。《协定》和"附件"对中日双方在黄海、东海的捕鱼区范围、维持正常捕鱼生产秩序、渔船紧急救助和避难、交换渔业调查研究和技术改进资料、进行水产科学技术人员交流、纠纷的解决和处理、发生事故船只到对方港口寄泊等有关问题都作了详细的规定。协定的有效期为两年。这样,中日两国的渔业生产和渔业界的交往又恢复到有协议可以遵循的正常状态。

就在中日贸易有所进展之时,1963 年10 月发生了"周鸿庆事件"。1963 年 9 月,中国油压机械代表团应邀访问日本。在回国前夕的 10 月 7 日早晨,随团翻译周鸿庆悄然离开驻地,跑到苏联驻日本大使馆请求"避难"。事发后,日本法务省经过与苏联大使馆交涉,将周鸿庆拘留。当台湾当局得知这一消息后,施用各种手段,对周进行诱迫和策反,同时还向日本政府施加种种压力,企图将周弄到台湾去。可是,在当地旅日爱国华侨的工作和感召下,周鸿庆幡然悔悟。10 月 23 日向日本政府表示,要求返回中华人民共和国。池田政府则表示将尊重周本人的意愿,把周鸿庆交给了专程为此事赴日的中国红十字会代表团。12 月 27 日,周鸿庆在日中贸易促进会理事长铃木一雄的护送下,搭乘从大阪港起锚开往中国的货运轮船"玄海丸"返回中国。日本政府为了防止台湾方面劫持周鸿庆,还专门派出军舰护航到山东海面附近。中国政府和中国人民对池田政府和日本各界友好人士,帮助中国政府妥善地解决和处理"周鸿庆事件"的友好表现,表示非常满意,并予以充分的肯定。新华社 1964 年 1 月 12 日的新闻稿中写道:"日本政府始终尊重周鸿庆本人回归祖国的意愿,采取了公正、合理的态度。"

池田内阁的对华友好举动让台湾当局十分不满,甚至采取撤回其驻日"大使"、停止从日本进口物资等项措施。为了缓和日台关系,池田先是安排日本前首相吉田茂到台北安抚蒋介石,随后托吉田茂在 1964 年 5 月 7 日向台湾当局提交一份信件,信中表示日本对中国的融资仅限于民间商业贷款,日本政府无意再度批准日本织绩会社使用输出入银行贷款,这一事件被日本媒体称为"吉田书简"。

4.中日友好协会成立

成立于 1950 年的日本中国友好协会在日本政府追随美国敌视中国政策的极端困难情况下,不怕艰难险阻,为中日两国人民的友好事业付出了很多心血,作出了很大贡献。与此同时,日本友人长期以来也切盼中国方面尽早成立一个相应的组织,以便加强联系和更有利于推进中日两国人民的友好交往。池田内阁上台后,中日关系有所缓和。为了进一步发扬和加强中日两国人民之间的深厚友谊,增进相互间的团结合作和文化、经济交流,促进两国邦交正常化的早日实现,中国方面认为成立专门的对日民间友好团体的时机已经成熟。于是,由中国人民对外文化协会、中国人民外交学会、中华全国总工会、中国国际贸易促进委员会、中国人民保卫世界和平委员会、中华全国青年联合会等 19 个团体发起,决定成立中国日本友好协会。

1963 年 10 月 3 日,成立大会在北京的中国人民政治协商会议礼堂隆重举行。国务院副总理陈毅出席了会议。以宫崎世民理事长为首的日中友协代表团、以石桥湛山为团长的日本工业展览团以及工会、青年、妇女、贸易、文化、宗教等各方面的代表团、常驻北京的西园寺公一先生等

500 多日本朋友应邀出席成立大会。大会由中国人民对外文化协会会长楚图南致开幕词。中日友好协会名誉会长郭沫若、中日友好协会会长廖承志先后发表了热情洋溢的讲话。石桥湛山、铃木一雄、宫崎世民、西园寺公一也分别代表日本各界致辞表示热烈祝贺。大会还宣读了日本友好团体和友好人士发来的 120 多封贺电。大会选举郭沫若为中日友好协会名誉会长、廖承志任会长，南汉宸、赵朴初、周而复任副会长，赵安博任秘书长，林林、王晓云、孙平化任副秘书长，张香山、刘希文、肖向前等 21 人任常务理事，田汉、夏衍等 123 人任理事。10 月 5 日，《人民日报》发表了题为《中日友好的里程碑》的社论，称中日友好协会的成立"是中日两国人民友好的里程碑"。

5.民间交流进一步发展

池田内阁组成后，对华政策进行了局部调整，重开了中日民间贸易，并形成了友好贸易和"LT 贸易"两个车轮，实现了中日两国民间贸易机构的相互常驻对方和相互交换新闻记者，文化交流也渐趋活跃，把中日两国关系推进到实现正常化以前的最好状态——半官半民阶段。

1960 年 7 月底，日本中国文化交流协会理事长中岛健藏应中国人民对外文化协会的邀请来华访问。访问期间，同中国人民对外文化协会副会长阳翰笙就中日两国民间文化交流问题，进行了亲切、友好的会谈，双方签订了关于中日两国人民间文化交流的联合声明。同年 9 月，日中友好协会代表、常务理事吉田法晴、长谷川敏三应邀访华，也同中国人民对外文化协会副会长阳翰笙，就中日两国人民间的友好关系和中日两国有关团体进行文化交流等问题进行了亲切会谈，并达成一致意见。1961 年 7 月，中国人民对外文化协

会和日中友好协会签订了《关于 1962 年度中日两国人民间文化交流计划的议定书》。1963 年 1 月 12 日和 1964 年 12 月，又相继签订了 1963、1964、1965 年度中日两国人民间友好交流的议定书。1964 年 10 月 8 日，中国人民对外文化协会和日本中国文化交流协会，发表了关于中日两国人民间文化交流的共同声明。声明对此前两国人民间的文化交流给予了高度评价，认为它是完全符合两国人民的愿望和历史发展潮流的，它对于反对"两个中国"阴谋和促进中日邦交正常化，增进两国人民的团结和发展民族文化，都具有重要的意义。双方商定继续通过密切的联系和协商，进一步促进两国人民之间的文化交流计划的实现。

按照上述协议和议定书的规定，此后，两国民间的文学、艺术、学术、科学、新闻、体育、宗教、工会、工人、青年、妇女以及日本的地方自治、部落解放等各种代表团和个人，相继开展相互访问活动。例如，1960 年和 1961 年日本围棋代表团先后两次访问中国；1961 年 7 月，中国围棋代表团回访日本。日本乒乓球代表队应邀参加了 1961 年 4 月在北京举行的第 26 届世界乒乓球锦标赛。1964 年 3 月，中国排球代表团访日。1960 年 9 月，日本话剧团应邀来华演出；1963 年 1 月，北京杂技团一行 59 人应邀赴日本演出，受到热烈欢迎。从 1960 年 8 月到年底，日本国民救援会、日中友好协会、日本工会总评议会青年与妇女等许多代表团先后访问中国。仅 10 月份，就有日本阻止修改日美安保条约国民会议、日本国营铁路工会、私营铁路工会总联合会、煤矿工会、港湾工会、日本和平委员会、日本亚非团结委员会、新闻工作者会议、日本全国商工团体联合会、民主青年同盟、话剧访华演出团等 12

个团体和组织的代表团,相继来华,参加了中国国庆 11 周年庆祝典礼。1961 年,中国工会代表团、中国人民救济总会代表团、中国新闻工作者代表团等先后访问了日本。1963 年 4 月中国兰花代表团访日,等等。1963 年 8 月,日本著名学者古屋贞雄、安藤彦太郎应邀来华,同中国著名学者阳翰笙、朝鲜著名学者李升基、金锡亨在北京签订了《关于促进学术文化交流的共同声明》。声明指出,三国间要相互交换学术文献、学者、研究人员,开展相互间的自由交流、共同研究和互派留学生等活动。

1963 年 10 月 3 日,北京举行纪念鉴真和尚逝世 1200 年大会,以金刚秀一法师为团长的日本佛教代表团应邀来华访问。15 日,中国佛教协会和日本佛教代表团在扬州法静寺发表共同声明,双方宣布:"将进一步推动纪念鉴真和尚的活动,并为中日两国永不相犯世代友好而努力。"两国的民间和政界人士也不断往来。如 1960 年 12 月,日本禁止原子弹氢弹协议会理事长安井郁应中国人民保卫世界和平委员会邀请抵达中国访问。1961 年 6 月,日本社会党众议员黑天寿男、冈田春夫应邀访华。同月,中华全国总工会代表团应邀访日。6 月,日本共产党国会议员访华代表团抵达北京,中共中央主席毛泽东等会见了代表团一行。1963 年 2 月,日本亚非团结委员会访华团一行 5 人前来中国访问。日本社会党众议员帆足计、前议员宫腰喜助、中尾和夫应中国人民外交学会邀请到中国进行访问,等等。至于两国间的经济、贸易界的交流和往来,同样也日益频繁并取得了较大的进展。

60 年代中国部分访日团体

年份	时间	团体	团长
	3 月	中国影片《青春之歌》在东京上映	
1960 年	7 月 29 日—8 月 13 日	中国代表团赴东京参加日本工会总评议会 10 周年庆祝大会和第十五次代表大会以及第六届禁止原子弹、氢弹和争取全面裁军世界大会	刘宁一
	3 月 28 日—30 日	中国作家代表团参加在东京举行的第二届亚非作家会议	
1961 年	7 月 25 日	中国代表团参加在京都举行的世界宗教者和平会议	赵朴初
	8 月 14 日	中国新闻工作者代表团	
	11 月 20 日	中国文化代表团	楚图南
1962 年	4 月 23 日	中国电影代表团	司徒惠敏
	1 月 14 日	北京杂技团访日公演	丁 波
1963 年	2 月	北京曲艺团访日公演	
	9 月 11 日	中国艺术团公演	林 林
1964 年	4 月 6 日	中国经济友好团	南汉宸
1965 年	3 月 24 日	中国作家代表团	老舍等
	6 月 4 日	中国民族歌舞团访日演出	李 涂

	4 月 19 日	中国电影代表团	岳 林
	7 月 6 日	中国围棋代表团访日	仰 柱
	8 月 14 日	中国青年代表团	钱大卫
1966 年	9 月 13 日	天津歌舞团访日演出	顾毅然
	10 月 1 日	中国经济贸易展览会在东京举行	肖向前
	10 月 11 日	北京歌舞团访日演出	王 前
1967 年	10 月 9 日—12 月 8 日	中国东方红杂技团访日演出	利 化

王仲全等:《当代中日民间友好交流》,世界知识出版社,2008 年版,第 39—40 页。

60 年代日本部分访华团体

	2 月 1 日	日本前进座艺术团在北京公演
	6 月 4 日—7 月 5 日	日本文学家代表团
1960 年	7 月 26 日—8 月 10 日	日本话剧团在北京公演
	11 月 15 日	日本教职员代表团
	12 月 9 日	日中友好学术代表团
	7 月	日本文学家代表团
1961 年	10 月	日本民间教育代表团
	8 月 21 日—31 日	日本科学代表团
1964 年	11 月	日本芭蕾舞团演出芭蕾舞剧《祇园祭》
1965 年	8 月	北京举行中日青年友好大联欢万人欢迎集会

1966 年	7 月 23 日	28 名日本学者参加在北京举办的夏季物理学讨论会
	10 月	日本工业展览会于北京举行
1969 年	8 月	日本第五次教职员友好访华团

王仲全等:《当代中日民间友好交流》,世界知识出版社,2008 年版,第 40—41 页。

中日关系在艰难中前行

　　1964 年 10 月,池田勇人因病辞去首相职务。11 月 9 日,佐藤荣作就任日本首相。佐藤任职期间,一改池田内阁时期的对华政策,在对华关系上积极追随美国,推行敌视的政策,致使中日关系受到严重挫折。面对佐藤政府的反华举动,中国政府与之进行了针锋相对的斗争,中日关系在艰难中行进。

　　1. 推行"两个中国"的政策,干涉中国内政

　　1964 年 11 月 20 日,佐藤在他的第一次施政演说中便公然推行"两个中国"政策。他说"政府将一面维持迄今同中华民国之间的正规外交关系,一面以政经分离的原则同中国大陆之间继续民间贸易以及其他事实上的接触"。12 月初,为了配合美国阻挠中国恢复在联合国的合法席位,更是声称中国"实际上分成两个",并为美国提出的所谓"台湾自决论"和"台湾托管论"摇旗呐喊。① 1965 年 1 月,佐藤在访问美国期间表示要继续维持与台湾当局的"正规外交关系"。佐藤内阁的反

---

　　①　张蓬舟主编:《中日关系五十年大事记》第五卷,文化艺术出版社,2006 年版,第 153 页。

华言论,既遭到了日本国内有识之士的反对,中国政府也给予了严厉抨击。《人民日报》先后发表题为《佐藤反华绝没有好下场》、《佐藤荣作的白日梦》、《佐藤的拙劣表演》、《日本反动派休作梦想》等社论或观察员文章,对佐藤内阁推行的"两个中国"、干涉中国内政的政策予以揭露和批驳。1964年12月21日,周恩来在三届人大一次会议上所作的《政府工作报告》中严肃指出:"近年来,我国同日本的经济和文化往来有所增加,但是,现在由于佐藤政府对我国采取极不友好的态度,追随美国搞'两个中国'的阴谋,这就给两国关系制造了困难。佐藤这种做法,违反日本广大人民的意志,对中日友好是有害的。"

2. 阻挠中日交流,破坏中日贸易

佐藤上台后仅仅12天,就拒绝发给由彭真率领的应日本共产党中央委员会邀请前往东京参加日共第9次代表大会中国代表团入境签证。对佐藤的这一行为,中国政府当天就发表了严正声明,随后,《人民日报》又发表了题为《佐藤政府敌视中国人民的严重行动》的社论,对佐藤政府的这一无理举动进行了批驳和警告。但是,佐藤的反华行动并未停止。1966年7月,佐藤政府拒绝以刘宁一为团长的中国和平代表团访日;1967年8月,拒绝以周培源为团长的中日友好协会代表团访日。1965年8月,又拒绝发给前往中国参加中日青年的大联欢部分日本青年代表团护照。不仅如此,佐藤政府以受"吉田书简"约束为名,对中日民间贸易大肆干扰、阻挠,致使日本同中国签订的向中国出口第二套维尼龙成套设备合同、两万吨货轮合同以及化肥成套设备进口合同无法履行。对此,《人民日报》先后发表了题为《佐藤政府必须取消吉田信件》、《佐藤政府必须承担破坏中日贸易的责任》的社论,对其用心予以揭露和抨击。

3. 中日民间交流在艰难中行进

虽然佐藤政府在中日关系的发展道路上设置重重障碍,但中日民间交流并未因此而停滞不前,而是在困境中艰难前行。在民间贸易方面,1965年9月18日和1966年11月21日,"LT贸易"先后签订了第四次、第五次贸易协议事项,对实施1966年度和1967年度的贸易达成协议。1967年底,为期5年的"LT贸易"期限届满。受中日两国国内因素的影响,中国方面决定不再续签中日长期贸易协定,而改为每年签订一次年度协议事项的备忘录贸易方式。这种贸易方式取英文备忘录一词的第一个字母"M"和英文贸易一词的第一个字母"T",被称作"MT贸易";与此同时,将廖承志办事处和高碕事务所分别改称为中日备忘录贸易办事处和日中备忘录贸易办事处。此后,中国中日备忘录贸易办事处和日本日中备忘录贸易办事处的代表分别于1968年3月、1969年4月在北京就中日备忘录贸易举行会谈。在会谈结束后发表的公报中,都谴责佐藤政府追随美国推行敌视中国的政策,一再确认中日关系"政治三原则"和政治、经济不可分离的原则是中日关系必须遵守的原则,是中日民间贸易关系的基础,并表示要为遵守和维护这些原则和基础,为排除佐藤政府在中日关系上设置的重重障碍,为促进中日关系正常化作出新的有效的努力。

中日间相互举办的经济贸易展览会虽然遭到佐藤政府的干扰和阻挠,但是在两国有关团体和有识之士的共同努力及国民的支持下,展览会大都如期举行。1965年10月,日本工业展览会在北京举行。共有150个商社、团体和460多家厂商参加展出,展品多达3000余项,是当时日本在国外举办的规模最大的展览会。同年 12 月,日本工业展览会又顺利地在上海举行,有 81 万人前往参观。1966 年 10 月,中国经济贸易展览会在北九州市举行,共有 155.8 万多位观众前去参观。11 月,中国经济贸易展览会在名古屋市举行,在 23 天的展期内,有 216.93 万多名观众前往参观。

此外,中日两国民间友好经济贸易团体也克服各种障碍,积极进行协商和互访。1966 年 1 月 8 日,应中国国际贸易促进委员会的邀请,日本日中贸易促进会友好代表团来中国进行访问。22 日,双方发表了共同声明。在声明中日本方面表示:日本友好商社和许多友好的企业界决心站在"政治三原则"、"贸易三原则"和政治、经济不可分的原则基础上,排除一切政治障碍,为发展日中贸易而努力。同年的 9 月 18 日,中国国际贸易促进委员会与来华访问的日本国际贸易促进协会经济友好代表团发表了会谈纪要。在会谈纪要中,双方一致表示,要更高地举起中日人民友好的旗帜,加强联系,密切合作,克服一切人为障碍,为中日两国人民的友好和贸易关系的进一步发展而共同奋斗。1967 年 2 月 27 日,中国国际贸易促进委员会的代表张复生等与日本国际贸易促进协会等 6 个组织的代表获原定司等,在北京签署了《关于促进中日两国人民友好贸易议定书》。《议定书》再次重申中日关系"政治三原则"、"贸易三原则"和政治、经济不可分的原则,认为发展中日友好和贸易往来,是两国人民的共同愿望,是符合两国人民的利益的。双方还就 1968 年、1969 年间互相举办展览会问题,以及有关海运业务问题达成了协议。1967 年 3 月 17 日,中国国际贸易促进委员会与日本国际贸易促进协会友好贸易访华代表团,又

在北京签署了共同声明。1968 年 3 月 19 日,中国国际贸易促进委员会与日本国际贸易促进协会、日本国际贸易促进协会关西本部、日本国际贸易促进协会石川县支局、日本国际贸易促进协会京都支局、日本国际贸易促进协会神户支局、日本国际贸易促进协会东海总局等友好贸易团体的代表,在北京,双方就加强彼此间的友好往来、技术交流和友好贸易业务等事宜进行了协商并取得了一致的意见。

这一时期,中日两国在文学、艺术、学术、科学、新闻、体育、宗教等各方面的交流也有所进展。1965 年 11 月,日本中国文化交流协会理事长中岛健藏,应中国人民对外文化协会的邀请访问中国。12 月 8 日,双方就中日两国人民间文化交流问题发表了共同声明。声明重申了 1964 年 10 月 8 日双方发表的共同声明内容。1966 年 6 月,中岛健藏再次应邀访华。他同中国人民对外文化友好协会会长楚图南及中国文化界各有关团体的负责人举行了会谈,并于 7 月 5 日发表了共同声明。1967 年 2 月 10 日,中国人民对外文化友好协会的代表和日本中国文化交流协会的代表签订了《中日两国人民间文化交流备忘录》。

上述两国有关的中日文化友好团体所发表的声明和备忘录等,确定了双方进行交流的思想基础以及具体的交流事项,从而使中日两国人民间的文化友好交流事业能够冲破各种阻力而得以继续不间断地进行。1965 年 6 月,中国民族歌舞团赴日本进行访问演出。1966 年 4 月,由岳林率领的中国电影代表团和由吴印咸为团长的中国摄影代表团相继访问日本。5 月,中国男女乒乓球代表团在团长陈先率领下访问日本。6 月,北京广播事业局代表团、中国围棋代表团应邀访日。9 月,天

津歌舞团抵达日本进行访问演出。10月，北京歌舞团前往日本访问演出。1967年10月，中国东方红杂技团应邀前往日本进行访问演出，在将近两个月的访问中，先后在22个城市作了45场演出，观众达10万人。

1965年1月，日本戏剧家访华代表团一行7人、日本工艺家访华代表团一行4人、作家山岸一章和洼田精分别应中国人民对外文化协会及中国作家协会的邀请来华访问。4月，日本围棋代表团、日本话剧团一行72人访问中国。话剧团先后在北京、南京、上海、广州等地进行公演。5月，日本电影代表团、日本佛教天台宗访华代表团先后抵达北京访问。7月，日本体育代表团、书法家代表团访华。12月，日本摄影家代表团访华。1966年6月，亚非作家会议日本协议会代表团来中国进行访问。7月，日本体育代表团河野谦等一行访问中国；28名日本科学家应邀前来中国，参加北京科学讨论会。8月，以柏木正一为团长的日本传统医学代表团访问中国；以河原崎长十郎为团长的前进座剧团来华访问演出。1967年5月，日本社会科学访华团井上靖等一行抵达北京访问。7月至11月，日本齿轮座剧团应邀在中国进行访问演出。8月，应中日友好协会邀请，日本教职员访华团访问中国。1969年8月，日中友好第五次教师友好参观团48人，应邀前来中国访问。

除此以外，中日两国间的政党、议会、工会、青年、妇女、保卫和平等各种友好团体和友好人士间也不畏艰难，努力推进中日两国人民间的友好交流和交往，为改善中日关系而尽力。例如，1965年8月，日本共产党中央政治局委员、书记处书记绉田里见，中央委员、书记处书记砂间一良应中共中央邀请来中国进行访问；1966年

5月，日本社会党活动家代表团酒井郁造一行16人，应中国人民外交学会的邀请来华进行访问；1965年2月，全日本港湾工会访华代表团应中华全国总工会的邀请到达北京访问；1965年3月、6月，两个日本禁止原子弹氢弹协议会友好代表团应中国人民保卫世界和平委员会的邀请先后来华进行访问；1965年4月，京都府各界友好访华代表团一行10人来华访问；1966年7月，日本社会主义研究所第四次访华代表团应中国人民外交学会邀请到北京访问。

中国友好团体应邀前往日本进行友好访问的活动尽管遭遇到佐藤政府的阻挠和破坏，但在日本友好团体和友好人士的帮助和协助下，有一些仍然能够成行。例如，1964年12月，中国机械工会代表团应邀去日本进行访问。1965年7月，中国参加禁止原子弹氢弹世界大会代表团应日本禁止原子弹氢弹协议会邀请抵达日本。9月，中日友好协会赴日参加日中友好协会第15次全国大会。10月，中国轻工业工会访日代表团应日本造纸工会联合会之邀前往日本访问。1966年3月，中国亚非团结委员会代表团应日本亚非团结委员会邀请抵达东京。11月，中华全国总工会访日代表团康永和一行应日本工会总评议会邀请访问日本。1967年1月，中国公路运输工会代表团应日本汽车交通工会邀请访日。

周恩来三次出访和新中国第二次建交高潮

万隆会议后,中国同亚非各国的关系不断加强,领导人互访也越来越频繁。到60年代末,有22个亚非国家的元首和政府首脑应邀访问中国。刘少奇等中国国家领导人也不断到亚非地区进行友好访问,特别是周恩来不辞辛劳,对亚非国家进行了3次较大规模的友好访问,为增进中国同亚非欧国家的团结合作作出不懈努力。

一

50年代中期周恩来访问亚欧11国

1956年11月18日至1957年2月5日,周恩来在陈毅副总理的陪同下访问了越南、柬埔寨、印度、缅甸、巴基斯坦、阿富汗、尼泊尔和锡兰(今斯里兰卡)亚洲8国和在贺龙副总理以及王稼祥等的陪同下访问苏联、波兰、匈牙利欧洲三国。

当时国际上接连发生两件大事,使万隆会议后本来已趋缓和的局势又紧张起来。一件是发生在中东的"苏伊士运河战争"。英、法两国为霸占苏伊士运河,联合以色列发动了侵略埃及的战争。一件是发生在东欧的"波匈事件"。这两起事件,使一些国家,特别是中国周边的有些临国不仅反对英、法、苏等国的做法,而且也对

中国强大起来以后会不会向外侵略产生担心和恐惧。因此,周恩来把访问亚洲8国称为"寻求友谊,寻求和平,寻求知识"的访问。

周恩来在同各国领导人会谈中,说明中国的态度,强调殖民地人民要求独立的愿望必须予以实现,民族主义国家的和平中立政策应该得到尊重,各国内政不应受外来干涉。他还特别指出:社会主义国家间的关系是一种新型关系,还缺乏充分的经验,不能说一切都是完满的、正常的,关键在于各社会主义国家彼此间更应该遵守和平共处五项原则。

在越南访问期间,周恩来同越南劳动党中央政治局进行了5次会谈,同范文同总理进行了2次会谈。当时,越南党面临着两个突出要解决的问题,一个是国内财政经济发生困难,预算出现赤字;另一个是越南党在纠正国内第五期土改中,没有首先肯定成绩和对发生的偏差错误进行具体分析就开始纠偏,造成了极大的思想混乱,他们希望得到中国党的支持与帮助。周恩来在访问了柬埔寨后又回到越南,答复了越南党提出的问题,并就治理国家、建设国家的有关问题交换了意见,进一步沟通了双方的思想,加深了中越两党的友好关系。

在对印度的访问中,除和印度总理尼赫鲁会谈,举行记者招待会外,周恩来还做了一件重要的工作,就是争取滞留在印度的西藏十四世达赖喇嘛·丹增嘉措回国。达赖是应印度政府的邀请来印度参加释迦牟尼涅槃2500周年纪念活动的。达赖到印度后,受到他的哥哥——从美国赶来的晋美诺布·嘉乐顿珠,以及从江东(金沙江以东)跑出去的一些叛乱分子和长期在印度进行分裂活动的人的包围。周恩来3次同达赖谈话,做说服工作。周

恩来还约见达赖身边的几个主要官员,对他们说:"西藏的主要问题是改革问题","改革是要改了之后对当地人民对大家都有利才好。改了没利,那么就可不改"。他严肃地指出:在西藏搞叛乱、反对中国,我们是不允许的。① 周恩来在同尼赫鲁的接触中也谈到西藏问题。尼赫鲁表示,印度政府承认西藏是属于中国的,印度一向尊重中国对西藏的主权,有些不满意的人跑来住在印度是允许的,但不能进行政治活动,对西藏进行颠覆,危害中国主权,如果发现了要禁止。关于有些坏人在伦堡活动问题,尼赫鲁承认那里是国际间谍的活动地,他过去没有注意这个问题,以后注意;如果在伦堡发生问题,他要采取行动禁止。尼赫鲁还表示:"印度政府对西藏的态度只是宗教上联系,没有政治企图。"② 由于周恩来耐心细致的工作,以及阿沛·阿旺晋美等西藏爱国民主人士的协助,达赖返回西藏,避免了分裂事件的发生。

按照预订计划,周恩来访问完巴基斯坦后应该访问阿富汗,但他还在印度时就收到中央两封电报。前一封电报说,苏联大使会见刘少奇时口头转达赫鲁晓夫的意见,希望周恩来访问南亚后到莫斯科一谈。后一封电报说,波兰大使表示,他们的国会选举时间是1957年1月20日,迫在眉睫,希望中国予以帮助。中央认为周访问苏联和波兰是必要的。

赫鲁晓夫急切地邀请周恩来访问苏联,是由于"波匈事件"后,苏联陷入十分被动的处境,赫鲁晓夫想请中国帮助缓解一下苏联同一些东欧党的矛盾,"促进一下社会主义的团结"。③ 周恩来分两个阶段在苏联访问,中间访问了波、匈两国。周在同苏共领导人谈话中主要谈了民族主义国家问题。他说:在社会主义和帝国主义两个对立的阵营外,还存在正在形成的第三个阵营,他们处在中间状态,不是社会主义国家,也不是帝国主义国家。在反对战争、要求和平、反对殖民主义、要求独立的斗争中可以做我们的朋友,成为我们反对帝国主义的同盟军。但他们怕社会主义,怕社会主义革命的道路。所以我们强调反对大国主义,使他们安心。同时周谈到波兰问题,表示:"党内的问题,我们的经验主要靠他们自己","我们卷到中间去很不好办"。④

周恩来在波兰的访问中,公开表示支持以哥穆尔卡为首的波兰统一工人党,对改善波兰党内的情况和加强波兰统一工人党在大选中的地位起了重要作用。周恩来还就波苏关系问题做了耐心的说服工作。周恩来访问匈牙利是在匈牙利局势仍然比较混乱的情况下进行的。他不顾个人安危,出席匈牙利社会工人党在布达佩斯临时执行委员会召开的党和非党积极分子大会,发表了讲话,他说:匈牙利人民在对反革命阴谋的斗争中所取得的胜利,具有世界意义。6万万中国人民支持匈牙利人民的斗争。

1957年1月19日,周恩来从苏联转亚洲,先后访问阿富汗、尼泊尔、锡金。

周恩来的亚欧之行,历时80天,行程54000公里,取得圆满的成功。

① 周恩来会见达赖随行官员谈话记录(1957年1月1日),转引自金冲及主编:《周恩来传》,中央文献出版社,1998年版,第1268页。
② 同上,第1269页。
③ 周恩来会见卡达尔谈话记录,1957年1月11日,同上,第1276页。
④ 中苏两党第三次会谈记录,1957年1月10日,同上,第1277—1278页。

二

60 年代初周恩来访问亚洲 6 国

1960 年 4 月至 6 月,周恩来总理在陈毅副总理的陪同下访问了缅甸、印度、尼泊尔、柬埔寨、越南和蒙古 6 国。

当时中印边界第一次武装冲突刚刚过去,国际上对中国不友好的各种势力企图乘机挑拨中国同邻国的关系。周恩来通过这次访问,充分表示了中国愿意同邻国和睦友好的真诚愿望。

1960 年 1 月下旬,周恩来就邀请缅甸总理吴奈温访问中国,签订了《中华人民共和国政府和缅甸联邦之间的友好和互不侵犯条约》和《中华人民共和国和缅甸联邦政府关于两国边界问题的协定》。这次他利用出访印度的机会先到缅甸,就是为了进一步巩固中缅两国在边界问题上已经取得的重大成果。4 月 15 日,周恩来到达仰光,受到缅甸人民的热烈欢迎。当天下午,周恩来身穿缅甸的民族服装和欢乐的仰光市民们一起参加泼水节的活动,周总理在泼水节上与当地民众同乐的镜头成为那个时代中国友好形象的经典照片。4 月 17 日和 18 日,周恩来同重新出任缅甸总理的吴努进行了三次会谈,对中缅边界需要进一步解决的问题提出了具体措施。周恩来说:关于边界问题,通过多年努力,双方的观点一天天接近了,现在剩下的只是个面积大小的问题,已经不重要了。他表示:所谓麦克马洪线,也有一部分同中缅边界有关。我们的一贯态度是,一方面不承认这条线,另一方面,我们的行政和军事管辖不越过这条线,以等待边界问题的解决。他向吴努说:我们可以坦白地告诉你,我们完全可以根据中缅

解决边界问题的原则来解决中印边界问题,困难在于印度政府不同意这些原则。我们主观上是不希望会谈破裂的,而是想各种办法使它不破裂。亚洲国家之间,只应该用谈判解决相互之间的问题,不应该有冲突,就是有也应该把它排除掉。在周恩来的直接关怀下,中缅双方加紧对边界的勘察工作。这年 10 月 1 日,按照吴努的愿望,周恩来同他在北京签订了《中华人民共和国和缅甸联邦边界条约》。1961 年 1 月 4 日,周恩来到缅甸出席了中缅互换边界条约批准书仪式。这年 10 月 31 日,中缅两国总理在北京签订了边界议定书,为和平解决中缅边界问题画了一个圆满的句号。

1960 年 4 月 19 日,周恩来在副总理兼外交部部长陈毅陪同下,离开仰光到达印度首都新德里。这是周恩来第四次访问印度,等待着他的,无疑将是一场十分艰难的较量,周围的空气充满着敌意。周恩来在事前对这场斗争的复杂性和艰巨性作了充分的估计,制定出周密的会谈方案。方案确定会谈的方针是"争取就某些原则问题,或者具体问题达成协议,使目前的形势进一步和缓下来,为今后继续会谈和向合理解决准备条件"。根据会谈中可能出现的几种情况,这个方案确定了不同的对策。主要内容是:第一,会谈的最坏可能是达不成任何协议,在这种情况下,采取达成两国总理继续会谈的谅解,并且发表一个简单的联合新闻公报。如果这点也办不到,只能由双方分别发表声明,在中国的声明中可以表示仍愿遵守五项原则,维护中印友谊,维持边界现状,避免边境冲突,并且愿意继续会谈,寻找解决边界问题的途径。第二,如果达不成协议,对方还愿意保持一个良好气氛,在这种情况下,争取发表一个互表善意的共同

声明,包括重申五项原则和万隆精神,继续发展中印友好关系,继续会谈寻求边界问题的和平解决,避免边境的军事冲突等内容。第三,如果全面解决边界问题不可能,但也不是完全不解决,在这种情况下,除发表上述共同声明外,为防止边境冲突和缓和气氛,争取就下列具体问题达成若干协议:①成立边界问题联合委员会或者类似组织,寻求解决边界问题的途径,为两国总理继续会谈进行准备;②双方武装人员各自从实际控制线后撤20公里或者双方同意的一定距离;③建议双方对有争执的地点互不驻军。① 这份会谈方案清楚地表明中国的态度是真诚地期望能解决问题,使中印友好关系能继续得到发展。

但是,印度总理尼赫鲁已经打定了主意。他坚持的立场是:两国边界线早已划定,那就是印度地图上所画的那样,尽管两国间对这条线并没有商议过,更谈不上有条约的依据,但只要印度主张这条边界线在哪里,它就在那里,这是不容讨论的,中国方面所能做的只是接受它,并且按照它撤出自己的边境人员。否则,就是对印度的"侵略",印度军队就可以使用武装力量把中国边境人员赶出去。这条边界线也可以调整,那只是出于印度政府的需要和它对自己地图的改画。

从4月20日至25日,周恩来同尼赫鲁进行了7次会谈。印度坚持过去提出的那些观点,而没有提出任何一个积极的对双方有约束性的建议,其至连尼赫鲁在此前的2月5日来信中所说的探索解决问题的途径的愿望也没有表现出来。

会谈的最后一项任务是起草联合声明。在这个问题上,中印两国又出现了根本不同的两种态度。从现在保存的各自起草的声明草案中可以清楚地看出这一点。

中国方面起草的联合声明的主要内容是:

两国总理在会谈中,就双方有关的问题,特别是中印边界问题进行了友好的、坦率的讨论。双方回顾了中印两国人民之间深厚和悠久的友谊,一致认为巩固和发展两国之间的友好合作关系,不仅符合两国人民的利益,而且对于维护亚洲和世界的和平具有重大意义。双方重申将坚持以两国共同倡导的和平共处五项原则作为指导两国关系的基本原则。在会谈中,双方阐述了各自政府对中印边界问题的立场,并且就解决这一问题的原则交换了意见。双方认为,这种讨论有助于彼此了解,并且为两国边界问题的合理解决开辟了道路。双方经过友好协商一致认为:

一、双方边界存在着争议,有待全线正式划定或确定。

二、在两国之间存在着一条各自行政管辖所及的实际控制线。

三、在确定两国边界时,某些地理原则,如分水岭、河谷、山口等同样适用于边界各段。

四、两国边界问题的解决必须照顾到两国人民对喜马拉雅山和喀喇昆仑山的民族感情。

五、在两国边界问题经过商谈得到解决以前,双方各守实际控制线,不提出领土要求作为先决条件,但可进行个别调整。

---

① 《关于中印两国总理会谈边界问题的方案》,1960年4月5日,转引自金冲及主编:《周恩来传》,中央文献出版社,1998年版,第1515—1516页。

六、为了保证边界安宁，便于商谈的进行，双方在边界全线各段继续停止巡逻。

根据以上共同认识，两国总理同意双方官员应该会晤，审查、核对和研究各方用以支持其立场的有关边界问题的一切历史文件、记录、记述、地图和其他资料，并且拟出报告递交两国政府。这个报告应该罗列官员们之间一致的各点、不一致的或他们认为需要进一步审查和澄清的各点。官员们将从1960年6月至9月行使职务，并且轮流在两国首都会晤。第一次会议将在北京举行。官员们将在四个月之内向两国政府提出他们的报告，以利于两国总理的下一次会谈。

周恩来总理热情地邀请尼赫鲁总理在他方便的时候到中国访问。尼赫鲁总理愉快地接受了这一邀请。

印度方面起草的联合声明的主要内容是：

两国总理举行了多次长时间的坦率和友好的会谈。中华人民共和国的总理阁下和副总理阁下还同印度总统、副总统和印度政府的几位高级部长举行了长时间的会谈。

这些会谈没有取得解决已经产生了的分歧的结果。两国总理认为，双方的官员应该进一步对两国政府所占有的事实材料进行审查。

因此，两国总理同意，两国政府的官员应该会晤，审查、核对和研究各方用以支持其立场的有关边界问题的一切历史文件、记录、记述、地图和其他资料，并且拟出报告递交两国政府。这个报告将罗列一致的各点、不一致的各点或者在官员们看来需要进一步审查和澄清的各点。

双方还同意，官员们应该从1960年6月至9月轮流在两国首都会晤。第一次会议应该在北京举行，官员们将在1960年9月底以前向两国政府报告。在进一步审查事实材料期间，双方应该做出一切努力来避免在边境地区发生摩擦和冲突。[①]

由于印度方面的原因，在联合声明中，最后只达成两点协议：

第一，两国总理同意，两国政府的官员应该会晤，审查、核对和研究各方用以支持其立场的有关边界问题的一切历史文件、记录、记述、地图和其他资料，并且拟出报告递交两国政府。这个报告将罗列一致的各点、不一致的各点，或者需要更充分审查和澄清的各点。这个报告应该有助于两国政府对这些问题的进一步考虑。

第二，双方还同意，官员们应该从1960年6月至9月轮流在两国首都会晤。第一次会议应该在北京举行，官员们将在1960年9月底以前向两国政府报告。在进一步审查事实材料期间，双方应该作出一切努力来避免在边境地区发生摩擦和冲突。[②]

这两点协议根本没有反映出周恩来在谈判中所表达的中国政府的全部立场和积极的态度。因此，周恩来决定，除按原计划在25日发表联合公报外，他本人通过当晚10时半由中国代表团自行宣布举行的包括印度记者和其他国家的记者参

① 中印两国联合公报草稿，1960年4月25日，见《周恩来传》，第1521—1523页。

② 《人民日报》，1960年4月26日。

加的记者招待会,将中国方面起草的联合声明中的6点建议全部公布。参加了这次招待会的内维尔·马克斯韦尔后来在他的书中写道:"在边界争端中,几乎全部是同政府站在同一立场的印度记者们,都指望着提出一大堆问题来刁难周恩来,以便暴露他们所认为的中国对印度赤裸裸的侵略;但是,从他进入大厅的那个时候起,周恩来就控制了整个记者招待会。"①

怎么看待对印度的7天访问?周恩来认为取得了成功,因为尼赫鲁说我们不愿意谈判,我们去谈判了;说我们提出领土要求,我们没有提出。这样把他孤立起来了,证明我们愿意解决问题,他不愿意解决问题,我们取得了主动。

4月26日上午,周恩来一行离开印度飞抵尼泊尔首都加德满都。周恩来这次到尼泊尔访问的主要目的,是同尼泊尔领导人协商解决中尼之间长期未决的边界问题,这个问题也是历史遗留下来的。由于没有受到帝国主义的影响和干扰,所以,中尼两国建交以来,在1100公里长的、尚未划定过的边界线上没有发生过大的争执,两国人民一直根据传统的习惯线友好相处。因此,问题比较容易解决。

中印边界冲突发生后,也引起尼泊尔的关注。尼泊尔首相柯伊拉腊感到一个小国的不安,希望能早日解决中尼边界问题。周恩来在出访印度前一个月,邀请柯伊拉腊首相到北京访问。

从3月12日至22日,周恩来同柯伊拉腊进行多次会谈。周恩来表示,希望像中缅两国一样,签订一个边界协定,在协定中首先根据文件实事求是地肯定边界是否划定过,更重要的是要说明划界竖标

的基础是传统习惯线。经过会谈,3月31日,经过全国人大常委会和国务院会议的批准,周恩来和柯伊拉腊首相分别在《中华人民共和国政府和尼泊尔国王陛下政府关于两国边界问题的协定》和《中华人民共和国政府和尼泊尔国王陛下政府经济援助协定》上签字。柯伊拉腊说:"这些协定对我们两国是互利的,而且是很有意义的。"他特别强调,边界问题的协定"是一个好的范例,它指出了两个邻邦应该怎样和平和友好相处"。②

周恩来这次回访尼泊尔,就是要继续同柯伊拉腊首相解决中尼之间在北京会谈中没有解决的两个问题:一个是中尼和平友好条约,一个是珠穆朗玛峰的归属。对前一个问题,会谈很快达成一致意见。对后一个问题,双方进行了充分的协商。柯伊拉腊提出:珠峰"北边的山坡属于中国,南边的山坡属于尼泊尔,边界线划在山顶上,就我来说,是可以在这个基础上解决问题的。但是,我需要时间来教育人民,告诉他们,我们必须接受这样的安排"。周恩来同意他所说的解决办法,并表示可以等一等。谈判进行得十分顺利。4月28日,周恩来和柯伊拉腊签订了《中国和尼泊尔和平友好条约》,同时交换了关于两国边界问题协定的批准书。这件事澄清了一些人在中印边界冲突后对中国的一些误解,在亚洲引起很大的反响。日本亚非团结委员会代表委员中岛健藏认为,这是"为解决亚洲的一切国际争端树立了光辉的榜样,并且在建立包括整个亚非两洲在内的和平地区的工作方面向前迈进了重要的一步"③。此后,中尼两国

① 〔澳〕内维尔·马克斯韦尔:《印度对华战争》,生活·读书·新知三联书店,1971年版,第177页。
② 《人民日报》,1960年3月25日。
③ 《人民日报》,1960年5月1日。

领导人又通过互访,继续交换意见。到1961年秋,尼泊尔国王马亨德拉访华期间,双方就珠峰问题达成协议。协议规定:边界线将峰顶的南部划入尼泊尔境内,把峰顶的北部划入中国境内。任何人从北坡攀登珠穆朗玛峰,经中国政府批准后,应该通知尼泊尔政府;任何人从南面攀登萨加·玛塔峰(尼泊尔称珠穆朗玛峰为萨加·玛塔峰),经尼泊尔政府批准后,应该通知中国政府。10月5日,刘少奇和马亨德拉签订了《中尼边界条约》,彻底解决了这个问题。

在中印之间因边界问题爆发了第一次武装冲突的背景下,同样的边界问题,同样有历史遗留的复杂问题,中缅和中尼之间都比较顺利地合理地解决了边界问题,这充分展示了中国政府解决边界问题的真诚态度,这对于陷入僵局的中印会谈究竟责任在何方,对于国际上某些对中国不友好的势力企图乘机挑拨中国同邻国的关系都是一个有力的回答。

4月29日,周恩来回到昆明。第二天,到贵阳,在这里参加了"五一"庆祝活动。随后,他又在5月5日至14日到柬埔寨和越南访问,在5月27日至6月1日到蒙古访问,对世界局势和双方如何进一步友好合作广泛地交换意见。

在短短一个多月的时间里,周恩来对亚洲6国的访问,向全世界展示了中国人民爱好和平的形象,使中印边界冲突事件以来的紧张局势暂时缓和下来。

60年代中期周恩来出访亚非欧14国

1963年12月13日至1964年3月1日,周恩来用两个多月时间出访亚非欧14国,重点是非洲10国。新中国政府首脑首次出访非洲,并且一次访问那么多国家,是十分引人注目的重大外交行动。

进入50年代末,世界殖民主义体系正在加速崩溃。昔日被称为"黑暗大陆"的非洲的民族解放运动风起云涌,先后有30个国家获得独立。1955年4月万隆会议时,非洲的独立国家只有4个,到1963年底,已有34个。这些独立国家的面积和人口分别占整个非洲面积和人口的80%和84%,这在历史上被称为"非洲独立年代"。

周恩来首先访问非洲国家。出访非洲的目的,如他所说的:"增进同非洲友好国家之间的相互了解,加强中国和非洲国家的友好合作关系,增加我们的知识,向非洲人民学习有益的东西。"①

12月13日下午,周恩来在副总理兼外交部长陈毅、国务院外事办公室副主任孔原、外交部副部长黄镇、国务院总理办公室主任童小鹏等的陪同下乘坐荷兰皇家航空公司"波罗的海"号飞机飞离昆明,14日中午抵达出访非洲的第一站——阿拉伯联合酋长国首都开罗。阿拉伯联合酋长国(当时由埃及和叙利亚联合而成,后分为两个国家)是古代人类文明的发源地之一,是非洲最早掀起民族独立运动并

---

① 《人民日报》,1964年1月18日。

获得独立的国家,对非洲民族解放运动的兴起和发展产生了重要影响,也是第一个同中国建交的非洲国家。

鉴于阿联在阿拉伯国家中所处的重要地位,周恩来在阿联将中国政府对阿拉伯国家的一贯主张归纳起来,在会谈中郑重宣布:"中国政府在处理同阿拉伯各国的关系时,一向坚持不渝地采取以下的立场:一、支持阿拉伯各国人民反对帝国主义、争取和维护民族独立的斗争。二、支持阿拉伯各国政府奉行和平中立的不结盟政策。三、支持阿拉伯各国人民用自己选择的方式实现团结和统一的愿望。四、支持阿拉伯各国通过和平协商解决彼此之间的争端。五、主张阿拉伯各国的主权应当得到所有其他国家的尊重,反对来自任何方面的侵犯和干涉。"①

纳赛尔总统很欣赏这五点立场。它作为中国处理同阿拉伯国家和非洲国家关系的五项原则,写进了 12 月 16 日签署的中国和阿联政府《联合公报》中。几天后,这五项原则又写进中国和阿尔及利亚政府《联合公报》中。以后,中国政府根据这些原则恰当地处理中国同阿拉伯国家和非洲国家之间的关系,保证了中国同这些国家之间的友好关系持久稳定健康地发展。

12 月 21 日下午,周恩来一行飞抵阿尔及利亚首都阿尔及尔。阿尔及利亚是非洲第一个通过长期武装斗争取得民族独立的国家。阿尔及利亚民族解放战争坚持 7 年半的时间,牵制和消耗了法殖民主义者的大量兵力和财力,为北非以及其他法属非洲殖民地人民争取民族独立的斗争创造了有利条件,成为非洲和中东国家争取民族独立斗争的重要榜样。本·贝拉总统率领政府和军队高级官员到机场迎接周恩来。本·贝拉在致欢迎词时说:"阿尔及尔,在她重新获得自由的黎明时刻欢迎经历过长征的人们的使者,为此感到自豪高兴。""中华人民共和国和阿尔及利亚的手握在一起,这具有重大意义的象征。"②

访问中,周恩来同本·贝拉进行 4 次会谈。双方介绍了各自国家革命和建设的经验,并就进一步发展两国友好合作关系和共同关心的重大国际问题,充分地交换意见。周恩来说,我们的速度要比资本主义快,但也不能太快。经过十来年的经济建设,我们已经"摸出一些经验"。在回答中美关系紧张是否会引发第三次世界大战问题时,周恩来坦诚地说:"中美问题要解决,有两个原则:一、根据五项原则达成协议;二、美国原则上同意从台湾和台湾海峡撤出。""我们希望有原则的协议,有和平的环境来搞社会主义建设。但看来时机尚未来到,美国还要制造紧张,继续敌视我们。"至于"美国会不会对中国发动战争?我看危险是有的,但是否马上打,挑起二次大战,这种可能性也不大。原因是,美国如果在中国开辟战场,它在其他方面就要大大削弱,而它目前的主要矛盾还是在欧洲"。访问期间,周恩来出席了阿尔及尔市"北京大街"的命名典礼和阿尔及利亚民族解放阵线的干部会议,和陈毅一道接受了"阿尔及尔荣誉市民"的称号。还前往位于东部的阿里亚公墓,悼念在民族解放战争中牺牲的烈士。到阿尔及利亚"烈士子弟之家",看望生活在那里的为民族解放而牺牲的烈士们的孩

---

① 《周恩来外交文选》,中央文献出版社,1990 年版,第 387 页。
② 《人民日报》,1963 年 12 月 23 日。

子。参观了西部的第二大城市奥兰。

12月27日中午,周恩来抵达摩洛哥首都拉巴特,开始对摩洛哥进行为期三天的访问。

从60年代开始,国内正在从事开发石油的大会战。如何利用先进技术加工我国当时年产一两千万吨的原油,成为周恩来关注的一个重大问题。他在阿联、阿尔及利亚都参观了现代化炼油厂。在摩洛哥他又兴致勃勃地参观了由意大利、法国帮助建设的炼油厂。参观后他感慨地对大家说:苏联帮助我们在兰州建设的炼油厂与这个厂的生产能力差不多,但包括技术训练班的人在内,他们的职工总共才300多人,而我们却需要6000职工。相比之下,我们的人力资源浪费是何等惊人!记住,回国后一定要石油部派技术专家来这里考察,这里很值得看一看。① 10天后,周恩来、陈毅联名向中央写了报告,把出访阿联、阿尔及利亚和摩洛哥所看到的这些情况作了汇报,指出:“这些国家用外援兴建或接管的新工业,都采用现代化的设备,特点是投资少、设备新、自动化程度大、收效快、用的劳动力少。这对于我们进口工业装备和进行援外工作,提出了一个新的课题。”这直接导致60年代中期有关部委根据周恩来的指示,陆续从日本、英国和法国引进价值2.7亿美元、84个项目的石油化工、冶金、矿山、精密机械等国内短缺的先进技术和装备,填补了不少空白。②

阿联、阿尔及利亚、摩洛哥都是濒临地中海的北非国家。结束摩洛哥之行后,周恩来于12月31日开始到地中海北面的阿尔巴尼亚访问。他同霍查、谢胡等阿尔巴尼亚党政领导人举行了8次会谈,就国际形势和两国经济建设中的问题交换意见,还访问了斯库台和发罗拉等城市。两国总理共同签署了《联合公报》。

接着,周恩来从阿尔巴尼亚飞回非洲,访问突尼斯。原来并未安排访问还没有同中国建交的突尼斯。当访问阿联和阿尔及利亚期间,周恩来和陈毅得知突尼斯的哈比卜·布尔吉巴总统有同中国建交的意向后,向中共中央提出借访问非洲机会顺道过突尼斯一下,解决同突建交问题。随即,周恩来指示中国驻阿尔及利亚大使曾涛同突尼斯联系。12月26日晚,周恩来得到突尼斯政府的正式邀请。1964年1月9日,周恩来从阿尔巴尼亚飞抵突尼斯。中国和突尼斯过去相互都缺乏了解。为了深入探讨对方所关心的一些敏感问题,中国方面建议,由周恩来同布尔吉巴进行单独会谈,以增进相互间的了解。9日下午与10日上午周恩来和布尔吉巴进行了2次会谈,周恩来体谅对方对某些问题的误解和疑虑,总是以“求同存异”的精神给以答复,终于打动了布尔吉巴,就在这一天,两国关系获得突破性进展,中国和突尼斯的《联合公报》正式宣布:“决定两国建立外交关系。”③

1月10日深夜,周恩来离开突尼斯,向南飞越世界上面积最大的撒哈拉沙漠,开始对西非3国访问。11日上午,抵达加纳共和国首都阿克拉。加纳盛产黄金。1471年葡萄牙入侵后曾在沿海一带大规模开采,所以殖民主义者原来称加纳为“黄金海岸”。加纳是西非第一个冲破殖民主义枷锁获得独立的国家。克瓦米·

① 《周恩来外交文选》,中央文献出版社,1990年版,第60页。
② 参见顾明:《怀念与思考》,《周恩来研究学术讨论会论文集》,中央文献出版社,1988年版,第360页。
③ 《人民日报》,1964年1月12日。

恩克鲁玛总统曾向中国驻加纳大使黄华提出希望周恩来出访西非时首先访问加纳的要求。加纳在非洲事务中发挥着重要作用，为支持仍没有取得独立的非洲国家的民族解放运动做过不少工作，恩克鲁玛在非洲是个很有影响的人物，因此，周恩来高兴地接受了这个邀请。但就在周恩来访问加纳前夕的1月2日发生一名哨兵行刺恩克鲁玛的事件，案情还在调查中，加纳国内局势动荡不安。周恩来得知这一消息说："我们不能因为人家遇到了暂时困难就取消访问，这是对人家不尊重、不支持。发生这样的事情我们还是要去，才表现出我们的真诚，患难见真诚嘛！按原计划访问加纳，不能取消，至于外交仪式，可以打破通常的礼宾惯例。"为了安排好这次访问，周恩来派随访的外交部副部长黄镇先到加纳，带去三点建议：①为了两国领导人的安全，一切外交礼节可以从简，恩克鲁玛总统也可以不去机场迎接。②不去外地参观，可多进行会谈。③请加方指定安全保卫官员与使馆联系，具体布置安全保卫工作。恩克鲁玛收到黄镇转交的三点建议后，喜出望外。他原以为周恩来不会去加纳访问了。因为在他第一次遇刺时，当时正在尼日利亚访问的印度总理尼赫鲁就取消了访问加纳的计划。

周恩来到达加纳的当天下午，就从下榻的阿克拉总统府前往位于海滨的奥苏城堡去拜会两年多前曾访问过中国的恩克鲁玛。这时城堡周围仍然布满大炮和装甲车，门口戒备森严。脸上贴着纱布、一手缠着绷带的恩克鲁玛等候在门外。见面后，他向周恩来说的第一句话是："欢迎你，欣赏你能来。"周恩来面带笑容地送

上毛泽东给他的慰问信，并对行刺他的卑劣行为表示强烈谴责。

访问期间，根据事先商定的日程，周恩来把相当多的时间用到在城堡内同恩克鲁玛的5次会谈上。1月15日，周恩来同恩克鲁玛最后一次会谈时，提出中国政府对外援助的八项原则，并在答加纳记者问时向国际社会宣布：

第一，中国政府一贯根据平等互利的原则对外提供援助，从来不把这种援助看做是单方面的赐予，而认为援助是相互的。

第二，中国政府在对外提供援助的时候，严格尊重受援国的主权，绝不附带任何条件，绝不要求任何特权。

第三，中国政府以无息或者低息贷款的方式提供经济援助，在需要的时候延长还款期限，以尽量减少受援国的负担。

第四，中国政府对外提供援助的目的，不是造成受援国对中国的依赖，而是帮助受援国逐步走上自力更生、经济上独立发展的道路。

第五，中国政府帮助受援国建设的项目，力求投资少，收效快，使受援国政府能够增加收入，积累资金。

第六，中国政府提供自己所能生产的、质量最好的设备和物资，并且根据国际市场的价格议价。如果中国政府所提供的设备和物资不合乎商定的规格和质量，中国政府保证退换。

第七，中国政府对外提供任何一种技术援助的时候，保证做到使受援国的人员充分掌握这种技术。

第八，中国政府派到受援国帮助进行建设的专家，同受援国自己的专家享受同样的物质待遇，不容许有任何特殊要求和

享受。①

这以后,在周恩来亲自过问和对外援助八项原则的指导下,中国先后同13个非洲国家签订经济技术合作协定,双边经济贸易往来迅速发展。中国从1964年至1977年的经济援助金额比1950年至1963年增长了4.8倍。

1月16日上午11时,周恩来抵达马里共和国访问。当时正赶上伊斯兰国家为时一周的斋戒。在这期间,每天从黎明到落日之间不能进食和饮水。但是,首都巴马科市民几乎倾城出动,身着节日盛装,忍饥忍渴,载歌载舞,欢迎周恩来一行。从机场到周恩来下榻的总统府,总长约10公里的公路两旁,簇拥着密密麻麻的人群,形成周恩来访问非洲以来的又一个高潮。

这天晚上,莫迪博·凯塔总统举行盛大招待会。在马里国家交响乐队演奏的富有非洲特色的优美音乐的热烈气氛中,周恩来和凯塔带头跳起了欢快的舞蹈。17日上午,在凯塔陪同下,周恩来参观了位于首都东北60公里尼日尔河畔的库利科罗城。这是马里的水陆交通中心、主要的花生产区和有名的"芒果城"。在该市欢迎大会上,周恩来发表演说,周恩来感人肺腑的讲话,赢来了热烈的掌声和欢呼声。1月21日,中国和马里政府发表《联合公报》。中国政府对外经济技术援助的八项原则正式写进公报中。

21日上午10时,周恩来一行抵达几内亚首都科纳克里。几内亚西临大西洋,雨量充沛,土地肥沃,资源丰富,发展工农业生产的自然条件十分优越。境内的佛塔加隆高原,是西非几条大河流的发源地,有"西非水塔"之称。科纳克里坐落在

一个半岛上,三面是碧蓝碧蓝的海水。沿着海滨,高大的椰子树、芒果树突入天空。在塞古·杜尔总统陪同下,周恩来乘敞篷汽车前往坐落在漂亮的海滩旁的具有浓厚民族建筑特点的"美景别墅",沿途受到科纳克里群众倾城而出的欢迎。杜尔是几中友谊的积极倡导者。几内亚独立后,他积极推动几中两国的相互交往,并于1959年10月同中国建立外交关系。当时,杜尔应刘少奇的邀请访问中国,成为第一位访问中国的非洲国家最高领导人。周恩来代表中国政府在《中华人民共和国和几内亚共和国友好条约》上签字。1962年10月中印边界冲突发生后,11月6日杜尔领导的几内亚政府提出解决边界冲突的四项主张,受到中国政府和周恩来的高度重视。周恩来致电杜尔:几内亚政府的"这些主张是公正的、建设性的、有助于和平解决中印边界问题","中国政府十分赞赏"。访问期间,周恩来同杜尔进行了5次会谈和1次单独会谈。会谈中,杜尔申明:几内亚不像有的非洲国家那样,我们"向来不谈社会主义","主要是实际行动,那些讲社会主义的国家内并无适当的经济条件"。在谈到对外援助八项原则时,周恩来解释说:①正常情况下,中国援助的器材、设备按国际市场价格计价,因为没有别的标准可以作依据。但是,如果国际市场出现压价的特殊情况(如抵制古巴出口糖),我们将作特殊考虑,"就以高价格收买"。②中国的贷款是无息的,但偿还时间应有规定,这主要是为了尊重主权国家,保证该国在国际上能争取到其他国家的贷款。"贷款有两种方式:一是确定一笔贷款数目后再分配在各项目中,另一种方法是先确定项目,再根据项目确定贷

款。"贷款期限到了后,偿还有困难的,"可以延期","我们愿意在农业、轻工业、水利、动力方面提供援助"。

1月27日零时30分,周恩来向广播电台发表主题为《一个没有帝国主义和新老殖民主义的独立自主的新非洲一定会出现》的告别词后,飞离几内亚,向东横穿非洲大陆前往苏丹共和国。

苏丹位于非洲东北角的红海之滨,是非洲面积最大的国家。27日下午3时,周恩来一行抵达苏丹首都喀土穆。苏丹武装部队最高委员会主席易卜拉欣·阿布德率领苏丹高级军政领导人前往机场迎接。在有限的时间里,周恩来尽可能多地增加同苏丹人民的接触,参观了喀土穆市、苏丹民族博物馆和故都恩图曼、产棉区吉齐拉等重要城市。

1月30日上午,周恩来等启程前往埃塞俄比亚帝国。埃塞俄比亚是非洲最早武装反抗法西斯势力的国家,是非洲国家首脑会议的发起国,并在首都亚的斯亚贝巴召开了非洲统一组织成立大会,非洲统一组织的总部也设在这里。虽然它没有同中华人民共和国建交,但是同蒋介石集团也没有"外交关系"。70多岁的海尔·塞拉西皇帝邀请中国政府总理来访,但又迫于美国的压力,把会谈地点安排到远离首都的北部城市阿斯马拉。阿斯马拉坐落在海拔2400米的高原上。按照国际惯例,这样做是不礼貌的。但是,周恩来充分体谅东道主的难处,决定前往阿斯马拉。下午,双方开始会谈。31日下午,双方举行第二次会谈。会谈结束后,中国方面在《联合公报》中完全采纳了海尔·塞拉西皇帝提出的关于两国关系写法的建议,"埃塞俄比亚一直支持中华人民共和国在联合国的地位","如果我们要使同中国的关系正常化,我们不能不考虑同美国

的关系","我并非追随美国的政策。我们的政策是不结盟,我们相信这一政策是正确的"。两国在《联合公报》中"宣布中埃两国建立外交关系"。这以后,海尔·塞拉西皇帝努力推动中埃两国关系的进一步发展。两国在1970年正式建交。

2月1日中午,周恩来抵达索马里首都摩加迪沙,这是周恩来访问非洲10国之行的最后一站,受到阿卜迪拉希德·阿里·舍马克总理和首都市民载歌载舞的欢迎,这是周恩来对上一年舍马克访问中国的回访。这天晚上,在舍马克举行的国宴上,周恩来追溯了中索两国人民的传统友谊。

周恩来出访的10个非洲国家的领导人,几乎都十分关注恢复中国在联合国的合法席位问题。在索马里,周恩来再次重申中国政府的坚定立场:虽然承认中国已成为一种趋势,但"联合国是否能多数支持恢复中国合法权利并且驱逐蒋介石,那还不能肯定"。因为"美国在联合国操纵了多数"。假如它"看到联合国多数支持恢复中国席位","一定会提出台湾地位未定","会提出把台湾变成一个独立的政治单位,叫台湾政府,或台湾共和国,或者托管地"。拉丁美洲国家会追随美国,英国会赞成,"一部分亚非国家会动摇,会劝我们先进去,不要反对把台湾除外"。"把台湾除外,我们是绝对不能接受的。不然,等于我们承认台湾被割出去,承认美国占领台湾"。这是"蒋介石都不承认的事,我们承认,我们就变成民族罪人,出卖领土"!他斩钉截铁地说:"只要中华人民共和国存在,只要中国共产党在领导,我们绝不会承认把台湾割出去。"舍马克仍疑惑地提出:"如果联合国多数支持恢复中国席位,而美国有不同意见,要把台湾除外,中国是否可先接受安理会的席位,同

时宣布台湾是非法的?"周恩来直截了当地回答:"不可能,这两个问题一定得联在一起。中国的席位一恢复,蒋介石(在联合国的席位)应该是不存在了。""如果出现两个中国,我们宁可不进联合国。"因为"美国在搞鬼,许多国家受影响,要造成两个中国同时存在。我们只有不进去,没有别的办法。我们不能在美国的阴谋面前屈膝"。正是基于这种反对"两个中国"坚定立场的考虑,在周恩来指导下,1月27日,当他访问非洲期间,中国和法国政府发表了《联合公报》,宣布中法两国"一致决定建立外交关系",其中指出:"承认一个国家的新政府,不言而喻地意味着不再承认被这个国家的人民所推翻的旧的统治集团"。

2月4日,周恩来一行结束对非洲10国历时55天的访问,满载非洲人民的深情厚谊飞离索马里,这次出访的总面积和总人口,分别占非洲大陆总面积和总人口的32.5%和41%。

按照预定计划,在昆明、成都稍事休整后,2月14日至29日,周恩来和陈毅等再次出访南亚的缅甸、巴基斯坦和锡兰。他将这次访问称为:"旧地重游,倍感亲切。"在缅甸和巴基斯坦,他们分别同奈温主席和阿尤布·汗总统多次会谈。当结束对巴基斯坦访问时,应锡兰总理班达拉奈克夫人邀请前往访问的国家副主席宋庆龄从昆明飞抵达卡。26日下午,他们一起抵达锡兰首都科伦坡。同班达拉奈克夫人会谈中,周恩来再次介绍了中印边境的现状和中国政府的主张,说:中印边界问题只能和平解决,没有别的办法。并且表示,如果印军前进,我们将采取措施让科伦坡会议国家出来调解,不会直接和印度冲突。

3月1日,周恩来一行从科伦坡飞抵昆明。至此,周恩来结束了历时72天、行程108千里的对非洲、欧洲和亚洲14个国家的访问。

3月15日,周恩来一行返回北京,受到毛泽东、刘少奇、邓小平等5000多人的热烈欢迎。

四

新中国第二次建交高潮

1963年12月至1964年2月初的亚、非、欧14国之行,周恩来同各国领导人就反对帝国主义、殖民主义、种族主义和以色列扩张主义,保卫世界和平,加强亚非国家的团结,促进中国同亚非国家的友好合作关系等问题交换了意见,取得广泛的一致。

周恩来在访问中用自己的实际行动表明中国决不以大国自居,十分尊重亚非中、小国家的意愿,体谅它们的处境。

由于中国以积极的态度主动做工作,加上西亚和非洲的民族独立运动有重大的新发展,不愿意听从国际强权势力的摆布。它们对大力倡导和奉行和平共处五项原则,在国际事务中坚定地站在被压迫国家一边的中国,产生了发展关系的愿望,这种形势促成了新中国第二次建交高潮。到1963年底,中国已同12个非洲国家建立外交关系,一些非洲国家的领导人相继到中国访问。

在50年代初期的第一次建交高潮中,同中国建交的国家有23个,除了苏联和东欧人民民主国家外,主要是同邻近的一些亚洲民族主义国家建立外交关系。而在到1965年底以前的10年间的第二次建交高潮中,同新中国建交国家增加了1倍多,除法国外,都是亚、非、拉国家,其中除锡兰、柬埔寨、老挝和古巴外,又都是阿拉伯国家和非洲国家。

新中国建国之初,埃及曾表示要在中国设立领事馆;当时埃及尚未同台湾断绝"外交关系",中国决定在反对"两个中国"的前提下,先同埃及发展经济文化关系,互设商务代表处。亚非会议期间,周恩来总理同埃及纳赛尔总理有了友好接触,推动了中埃关系的发展。1956 年 5 月 16日,埃及政府正式撤销对台湾当局的承认,宣布愿同中华人民共和国建立外交关系。30 日,中埃两国政府发表了建交公报。

从 1957 年加纳独立到 60 年代末,有 30 多个撒哈拉以南的前殖民地国家获得了独立,其中仅 1960 年就有 15 个。中国对同这些非洲国家建立和发展关系持积极态度;几内亚于 1958 年 10 月宣布独立后,毛泽东主席和周恩来总理分别致电祝贺和承认。翌年 10 月,两国正式建交。鉴于当时台湾当局在美国支持下,也到非洲大肆活动,中国不但努力争取和那些独立后未同台湾当局"建交"的非洲国家建交,而且对那些独立后一度曾同台湾当局"建交"的非洲国家,只要它们改而同中国建交,也作出积极友好的反应,并在反对"两个中国"的前提下,对建交的具体方式和程序也采取了比较灵活的态度。在 1959年到 1964 年的几年中,先后同几内亚、加纳、马里、索马里、扎伊尔、乌干达、肯尼亚、布隆迪、突尼斯、刚果、坦桑尼亚、中非、赞比亚、贝宁等非洲国家建立了外交关系。

中国还同拉美国家增进交往,推动双边关系逐步发展。1959 年初,古巴革命胜利。9 月 28 日,中古就发表了建交联合公报。1965 年中国在智利设立了"中国国际贸易促进委员会驻智利共和国商务代表处"这个半官方性质的商务机构。

50 年代后期,美苏从两个方面对中国施加压力,中国除了更致力于加强同亚、非、拉国家的友谊外,也期望进一步开展同西欧国家的交往。1964 年毛泽东提出"两个中间地带"的战略思想,把亚、非、拉发展中地区称为美苏之间的"第一中间地带",西欧、日本、加拿大、澳大利亚和新西兰属于"第二中间地带";指出西方世界"不是铁板一块",强调对美国和西欧要有区别。1960 年,英国蒙哥马利元帅访问中国时,毛泽东对他说:我们不感到英法是个威胁,我们希望英法强大起来。1964 年1 月,毛泽东对法国议会代表团表示:我们做个朋友,做个好朋友。在这种思想指导下,中国不但同早已建交的瑞士、瑞典、丹麦、挪威、芬兰等国增进了友谊,而且于1964 年 1 月,同法国建交,又同意大利和奥地利互派了商务代表,沉重地打击了美国孤立中国的政策。

60 年代前期中国对外政策的转变

从历史发展的进程看,20 世纪 60 年代前期的中国对外政策和安全战略已经处于一个重大变化的过程中。中国的周边环境从 1959 年夏季开始恶化,而且这种恶化似乎是在几个方向同时发生的。由于印度坚持其对中国的领土的侵蚀,双方先后在朗久和空喀山口发生武装冲突,中印边界局势急剧地紧张起来。中印关系紧张无疑增加了中国平息西藏叛乱的困难,而且间接损害了中苏关系。1960 年夏季,苏联在中国新疆博孜艾格尔山口地区挑起边界事件,从此中苏边境地区开始不再安宁。与此同时,印度支那地区因老挝局势动荡而趋于紧张,特别是美国明显在加强对这一地区的直接干涉。

上述那些情况引起了中国领导人的严重关注,如何认识和应对开始出现动荡的周边局势,不可避免地成为他们议事日程中的一个重点。

一

60 年代的对外政策调整

从 1959 年 11 月开始到 1960 年上半年,中国领导层花费了相当多的精力和时间,反复讨论"国际问题",以便决定如何认识和应对开始恶化的周边环境及对外关系方面的困难。

目前可以接触到的历史文献表明,这时的中国领导人大多还是倾向于采取稳妥应对的方针。根据吴冷西的回忆,在 1960 年 1 月 7 日至 17 日毛泽东主持召开的中共政治局常委会上,与会者基本确定了"努力主动地在外交上开创新的局面"的基本方针。在随后一段时间里,中共政治局常委多次开会,肯定了一月会议的精神,并讨论了落实的具体办法。① 正是在这个方针的指导下,中国外交一度出现了比较务实的局面,它主要表现在以下几个方面。

1. 争取缓和和改善中苏关系

由于中苏两国不仅是盟国,而且苏联还是中国在经济建设和国防建设上的唯一援助国,中苏之间虽然发生了激烈的争

吵,但是事后中方仍旧希望避免与苏联破裂关系,为此,政治局会议明确提出,要争取"达到新的基础上的团结",甚至要"赖着跟他(赫鲁晓夫——引者注)搞团结,赖着不分裂"。

当然,中共中央并没有放弃与苏联党之间在意识形态上的正面斗争,1960 年在毛泽东的组织下,中共中央专门发表了《列宁主义万岁》等三篇分量极重的文件,将两党意识形态上的冲突公开化。紧接着,两党领导人更进一步在罗马尼亚党的代表大会期间发生了尖锐的冲突。而中共中央坚持向各国党以及苏联专家宣传中共正确主张的做法,甚至还促使苏联政府单方面于 1960 年 7 月宣布撤退了全部援华的专家。即便如此,中共中央依旧抱着"团结——批评——团结"的方针,积极参与了当年年底在莫斯科召开的 81 国共产党和工人党代表会议,并与苏联领导人达成了一定程度的谅解。会议以后,刘少奇还以国家主席的身份,率领中国党政代表团对苏联进行国事访问,从而使两国关系得到改善。

正是在上述情况下,两党之间的意识形态争论虽然已经日渐激烈,但直到 1961 年,中苏两国仍旧保持了友好关系,苏联甚至决定再次向中国转让如制造米格 21 战斗机一类的先进军事技术。

2. 争取缓和中印边界局势

这是这一时期中国调整对外政策的关键环节之一,因为中印边界冲突的解决关系到整个中国解决边界问题的大局和总政策。

1959 年间,中印关系在西藏叛乱和边界冲突的影响下极度恶化。中国领导人认为,印度的政策严重损害了中国的安全

① 吴冷西:《十年论战》上,中央文献出版社,1999 年版,第 236—248 页。

利益,特别是印度方面利用中印边界的紧张局势制造舆论,配合西方的"反华浪潮",所以中国必须予以坚决反击。不过经过8月边界军事冲突后,中国决策层显然既不希望两国关系继续恶化,也不希望中印边界冲突成为政治性议题的中心。在9月8日的政治局会议上了解并讨论了中印边界的情况后,中国领导人决定争取谈判解决中印边界冲突。

在中共政治局会议召开之前两天,中国已经向苏联方面通报了中印边界冲突的有关情况。但苏联不顾中方的建议,在中共9月8日政治局会议的第二天,以塔斯社声明的方式,公开表示对中印两国间的冲突表示"遗憾",以显示在这一问题上态度中立,实际上是对中国表示不满。

中国领导人的反应是相当严峻的,他们认为苏联那样做是"为了讨好美帝国主义"而"送给艾森豪威尔的见面礼"。不过,毛泽东亦深知与中立于社会主义阵营和帝国主义阵营之间的"不结盟国家"的主要代表印度发生冲突,将会对中国的国际形象产生负面影响。因此,他很快就决定,停止与印度辩论边界问题,并指示媒体亦停止一切相关的报道。

为了要找到解决中印边界问题的办法,在1960年1月的政治局常委会期间,中国领导人确认了和平解决中印边界问题的方针,并进一步提出用"互谅互让"的办法,即"我们做点让步,印度也做点让步",达成妥协。会议还决定派周恩来访问印度。这时驻守中印边界的中国军队也接到命令,在中方实际控制线20公里内实行不开枪、不巡逻、不平叛、不打猎、不打靶、不演习、不爆破等措施,尽可能避免军事冲突。

会议结束后,周恩来即着手准备访问印度,并拟订了《中印两国总理关于边界问题会谈的方案(草案)》。根据周恩来当时的估计,访印不可能完全解决问题,也不可能破裂,最有可能的是取得某种有限的协议。他建议应采取力争缓和紧张局势但不怕拖延解决的方针,将访印的目标定为进一步缓和两国关系,为未来继续会谈和合理解决边界问题准备条件。周恩来的建议获得其他领导人同意。

4月19日至26日周恩来对印度的访问证明,中国领导人的估计基本上是准确的。通过周恩来这次访问,暂时缓和了中印关系,使中印边界形势平静了下来。

3. 加快和平解决边界问题

缓和中印关系和解决中印边界问题,是当时中国领导人决定尽快解决与所有邻国的边界问题的重要组成部分,甚至可以说在当时被置于首要的地位。不过,与印度谈判的搁浅并没有减缓中国与其他邻国解决边界问题的步伐。

在1月的政治局常委会上,中国领导人全面讨论了与所有邻国的边界问题。可能是受到中缅边界谈判比较顺利完成和中印发生边界冲突的影响,中国领导人在会议期间制定了基本方针,概括地说就是尽快和有步骤地通过谈判解决边界问题。所谓有步骤就是安排了大致的顺序,即当前抓紧解决中印边界问题,同时尽快解决中朝、中蒙的边界问题;加快解决与缅甸、尼泊尔和老挝的边界问题;中越边界因越南还在与美国作战,可以暂不解决;与苏联的边界线最长,问题比较复杂,但也要争取解决。

与周恩来准备访问印度的同时,中国政府即开始着手解决与其他邻国的边界问题了。从后来的情况看,尽管中印边界问题未能解决,中国还是基本实现了1月政治局常委会的设想,先后同缅甸、尼泊尔、巴基斯坦、蒙古、朝鲜民主主义共和国等签订了解决边界问题的协议。可以设想，1964 年开始的中苏边界谈判如果不是被纳入到中苏论战中，也不是没有可能解决的。

4. 缓和印度支那紧张局势

在印度支那地区，随着紧张局势逐步升温，中国对该地区的政策面临着进行调整的外部压力。当时中国需要处理的是两个问题，即是否支持越南南方的武装斗争和如何解决老挝危机。相比较而言，中国领导人这一时期更关注的是老挝危机，而不是越南的局势。

1959 年和 1960 年，在越南南方局势急剧变化的压力下，越南劳动党领导人开始改变 1954 年日内瓦会议后执行的"加强北方建设，争取和平统一"的战略方针，认可并越来越明确地支持越南南方的武装斗争。1960 年 9 月召开的越南劳动党第三次全国代表大会，确立了加强解放南方武装斗争的政策。

越南劳动党的政策转变和越南南方解放战争的发展，使中国面临着相当复杂的情况。中国在 1958 年曾经比较明确地表示，越南劳动党应将巩固和建设北方作为首要任务，在南方则采取"长期埋伏，积蓄力量，联系群众，等待时机"的方针。现在中国不得不在既要维护印度支那地区的和平，又要防止美国大规模军事介入，同时还要在坚持支持传统盟友等相互交织的矛盾中作出选择。从随后中国有关政策的演变过程看，中国这一时期是逐步对越南形势作出反应的。

首先，越南南方的形势当时还不是中国外交中特别重要的议程，那里局势虽然出现动荡但并不严重，它对于中国甚至还不如老挝问题那么严峻和直接。有北越作为屏障，美国当时在越南南方相当有限的介入，并没有对中国的安全构成直接的

威胁；其次，越南劳动党的政策也是逐步发展的，至少在 1960 年还没有导致那里的局势出现剧烈的变化；再次，中国对印度支那的政策也不可能完全与中国领导人既定的大方针背道而驰。

这一时期中国坚持和平解决老挝问题的立场和努力，更能反映中国对印度支那政策的特点。这首先是因为老挝与中国接壤，美国在老挝的军事介入比它在越南南方的干涉对中国安全利益的威胁要直接得多。其次是当时老挝局势显得更复杂更紧张。这两个因素使中国领导人更关注老挝问题，为控制那里的危机投入了更多的精力。正因为如此，中国对老挝问题的政策比对越南的政策要稳定清晰得多。中国在这一时期积极促成了解决老挝问题的日内瓦会议，为最终签署《关于老挝中立宣言》及相关的议定书，发挥了重要的作用。

强调这一行动的重要性，并不仅仅是因为其结果缓和了印度支那形势和延缓了美国介入。从中国领导人处理老挝问题的过程看，他们几乎是在复制 1954 年日内瓦会议时期处理此类问题的思路、对形势的判断和选择的办法。从这个意义上说，作为解决印度支那问题政策的一个部分，和平解决老挝问题的决定更多地反映了这一时期中国的印度支那政策具有明显的延续性，而且这种延续性还是中国政策的主要方面，尽管它开始受到越来越强烈的冲击。

5. 尝试缓和中美关系

即使在美国被认为正在开始加强对印度支那的干涉时，中国领导人也还是为打开中美关系的僵局进行了努力。在 1960 年初的政治局常委会议期间，中国领导人确定了处理对美关系的基本方针："谈而不速，谈而不破"，即继续与美国谈

判,既不破裂,也不急于解决问题。这一方针指导下的中国对美政策表现出一定的弹性。

毛泽东在1月初对一份分析美国对华政策可能出现变动的报告明显表现出兴趣。该报告认为,美国基于若干理由,今后有可能增加与中国的接触,并利用华沙会谈进一步试探。迄今为止没有历史文献揭示毛泽东是否和如何进一步思考有关问题的,不过后来的一些发展表明,他很可能并不只是感兴趣而已。当然,中国领导人的决定也同美国正在举行总统选举有关,它毕竟为了解美国对华政策是否可能出现调整以及美国未来的政策执行者,提供了一个窗口。

1960年5月,周恩来在与英国元帅蒙哥马利(Bernard Law Montgomery)会谈时,明确表示中国愿意和平解决台湾问题,只要美国宣布愿意从台湾撤军,中美即可以开始谈判。8月30日,周恩来会见了美国记者斯诺(Edger P. Snow)。周恩来在美军撤出台湾的问题上,提出了比以往更富灵活性的建议,即美国首先承诺从台湾撤出其军事力量,至于何时和如何撤出,可以随后讨论。10月18日,周恩来再次会见斯诺,全面阐述了中国在裁军、恢复中国的联合国席位、核试验和台湾等问题上的立场和政策,并介绍了有关中苏分歧的情况。

周恩来在谈话中表现出对即将就任美国总统的肯尼迪(Joseph Kennedy)在对华政策上的立场了如指掌。因此可以合理地推断,他的谈话很可能是有准备的和有的放矢的。

4天以后,毛泽东接见斯诺,同他讨论了肯尼迪与尼克松(Richard M. Nixon)电视辩论的内容。他明确告诉斯诺,中国会将金门、马祖留在蒋介石手里,中国"要的是整个台湾地区",不过中国会承担维护和平的责任,不会主动向美国开战,并且"要谈判解决"台湾问题。①

从历史上看,中国领导人会见斯诺这样的美国记者从来都是有的放矢的。毛泽东和周恩来在美国总统大选期间,如此频繁地与斯诺讨论中美关系,显然是在为与美国的新领导人打交道进行试探。

肯尼迪当选总统后不久,中国驻波兰大使王炳南在中美大使级会谈中向美方表示,希望肯尼迪政府在"中美关系的进展方面有所建树"。他的表态当然是得到中国领导人允许的。此后不久中国外交部长陈毅在访问缅甸时,表达了同样的信息。将这些行动同"在外交上开创新的局面"的方针结合起来考虑,至少可以说,稳定甚至争取缓和与美国的关系,也是这一时期中国对外政策调整的一个重要环节。

以上种种表明,从1960年上半年开始,中国多数领导人的确认真地希望,通过积极推行务实温和的对外政策,稳定中苏关系和改善周边环境,并创造一个"外交新局面"。需要进一步探讨的重要问题是,是什么原因促使毛泽东能够同意,在面临"反华高潮"的情况下,全面推行务实灵活的对外政策?

有相当多的促使中国大多数领导人调整对外政策的因素,它们包括八大方针的持续影响、大家仍然认为国际形势的总趋势是以缓和为主、他们对苏联的赫鲁晓夫和印度的尼赫鲁等的看法仍然是矛盾的和不确定的,如认为赫鲁晓夫还不是完

---

① 毛泽东:《同斯诺谈台湾问题及其他》,1960年10月22日,中华人民共和国外交部、中共中央文献研究室编:《毛泽东外交文选》,中央文献出版社、世界知识出版社,1994年版,第448—454页。

全的修正主义者，尼赫鲁还有进步性，等等。而毛泽东则大致是从以下两个方面考虑调整对外政策的。

首先，毛泽东希望有一个比较安定和平的国际环境，以便集中精力较快地消除已经出现的问题，进一步完成"大跃进"。

尽管 1959 年夏季已经感觉到"大跃进"带来的问题，但包括毛泽东在内的中国领导人这时很可能并没有意识到其后果的严重性。特别是庐山会议批判彭德怀以后，"宁左勿右"的政治倾向严重削弱了许多人的洞察力，也使各地区干部宁愿浮夸虚报，结果掩盖了形势的严峻程度。毛泽东在年初的政治局常委会上说"国内形势是好的"，中国"如果能在国际上发生什么影响的话，主要靠我们自己把国内工作做好，在中国这块土地上把事情办好"。正是基于对国内的"大跃进"的前景仍然抱有不切实际的信心，以为在作某些局部性的调整后，仍然可以达到预定的目标，所以毛泽东再次提出争取"10 年、15 年"的和平建设。

其次，毛泽东对国际形势的发展趋势看得相当严重。在 1959 年 12 月于杭州召开的政治局常委会上，毛泽东就提出"国际上反华浪潮来势汹汹"。1960 年 3 月，毛泽东又一次专门提出国际上"所谓大反华"问题。他在一份有关中国在巴基斯坦举办展览的电报上所作的批示中提醒说，要认识"所谓大反华问题的性质和意义"，并"做出充分的精神准备"。

毛泽东认为，之所以出现"国际反华浪潮"，就是因为中国坚持了马克思列宁主义原则的纯洁性。面对可能日益恶化的国际环境，要打退反华浪潮，"一切问题的中心在于我们自己的团结和自己的工作都要做得好"。他号召"树立雄心壮志，一定要在经济上和文化上赶上和超过最发达的西方国家"。① 1960 年上半年中苏关系明显恶化，苏联突然撤退全部在中国的专家，不仅立即给中国带来直接和巨大的经济困难，而且也在干部中产生影响。据金冲及主编的《周恩来传》介绍，1960 年 7 月 14 和 15 日，周恩来向省、市、自治区领导人作有关中苏关系的报告，其中心就是告诉他们，不要因为中苏关系恶化而"灰心"。由此可见，在中国领导人看来，当时不调整对外政策，就不可能集中精力克服困难，实现"大跃进"的目标。

二

1962 年对外政策的再度转向

1960 年开始的对外政策调整取得了效果，但在国内外多种因素的影响下，对外政策再次出现波动，其结果是导致对外政策开始向与 1960 年的调整相反的方向发展。

国内经济首先是农业的严重衰退给对外政策带来了压力。1961 年的元旦社论显示了新中国成立以来少有的低调，与前一年相比，对国内形势的分析不仅分量增加，而且也务实得多。社论承认"农业两年歉收"，1960 年"农业生产计划和依靠农业供给原料的轻工业生产计划都没有能够完成"。国内经济困难在客观上形成了要求对外政策更加务实的巨大压力。例如，由于农业和部分轻工业没有完成预定的计划，给中国的对外贸易带来相当大

---

① 毛泽东：《关于反华问题》，《建国以来毛泽东文稿》第 9 册，中央文献出版社，1996 年版，第 95 页；吴冷西：《十年论战》上，中央文献出版社，1999 年版，第 234—235 页。

的麻烦。为了解决这方面的问题,中国领导人不得不向苏联及其他一些东欧国家请求推迟偿还1960年所欠债务,压缩同这些国家进出口贸易的规模,并接受苏联的经济援助。农业连年歉收,也迫使中国政府开始向非苏联阵营的国家寻求粮食进口,同时与西方国家在其他领域的贸易也出现了发展的趋势。1960年8月,中国领导人提出了逐步恢复1958年中断的中日贸易的"贸易三原则",11月签订了民间贸易协定,1961年中日贸易逐步恢复。中国领导人甚至认真考虑了签订协议,从美国进口粮食。在中国经济影响到偿还外债的能力的情况下,中国的对外援助必然需要压缩,这也间接地涉及对西方国家的政策,因为中国当时的外援主要是为了支持革命运动的。

与此同时,外部环境的变化也形成了需要进一步调整对外政策的压力。

首先,中苏关系虽然出现缓解的趋势,但是仍然相当脆弱。经过1959年夏到1960年上半年的冲突和莫斯科会议前后的妥协,中苏关系从形式上看有所缓和。1961年上半年双方的经贸、科技和军事技术合作都在恢复或发展。4月中国与苏联签订了新的贸易议定书,虽然其中规定的贸易额比上一年度少(主要是受中国经济状况的影响),但两国正常的贸易关系毕竟重新开始了。双方在国际事务上采取了相互协调的态度,相互通报有关情况,一些高层互访也在安排之中。中苏双方都对这种情况给予了积极的评价。苏联方面认为中苏已经恢复了"友好、信任和兄弟般的关系";中方也表示中苏分歧是社会主义大家庭的"内部问题",可以通过

协商妥善解决。① 从实际情况看,中国在同苏联进行意识形态斗争中的所谓克制,只是表现为暂时不点名,如1960年春纪念列宁诞辰100周年的三篇文章;或不直接批评,如对1960年莫斯科宣言中有关如何评价苏共二十大的处理方式等。这种指导思想决定了这个时期中国不可能终止同苏联的意识形态争论,只不过是时起时伏而已。这种状况一直是造成中苏关系难以稳定的主要因素之一。

1961年春,双方又因为应如何对待苏联与阿尔巴尼亚的关系问题发生了分歧。中国有关部门曾经建议,应在苏阿冲突中保持谨慎,以免严重损及中苏关系。但该问题仍然成为中苏关系再次恶化的导火索。毛泽东无法容忍苏联对待阿尔巴尼亚的做法,他尖锐批评了苏联,认为那不是"马克思列宁主义的郑重态度"。在10月中旬召开的苏共二十二大期间,中苏在苏阿关系上的矛盾迅速激化,其背后实际上是意识形态上的分歧,即中国领导人不赞成赫鲁晓夫在诸如斯大林问题、和平共处等问题上的政策,并认为苏联领导人攻击阿尔巴尼亚是指桑骂槐,攻击中国。苏共二十二大以后,中苏关系虽然没有立即恶化,也是暴风雨即将来临。

更为严重的是,1962年春夏之交,中国领导人曾经预见到的苏联制造边界事端的情况发生了。在新疆伊犁地区,6万多名中国居民大规模外逃到苏联。迄今为止还没有足够的证据证明,苏联决策层直接策划了这次事件,但它与苏共二十二大以后中苏关系趋于恶化有关,应是合理的推断。且不论其原因为何,这一事件不可避免地导致中苏边界地区出现了紧张

---

① 刘晓:《出使苏联八年》,中共党史资料出版社,1986年版,第107页;周文淇:《特殊而复杂的课题——共产国际、苏联和中国共产党编年史(1919—1991)》,湖北人民出版社,1993年版,第530—531页。

气氛。中国实际上面临着再次调整对苏政策的压力。

其次,如何应对越南日趋紧张的局势。中国当时在印度支那地区仍然是将防止美国的大规模军事介入作为首要目标的,维持地区稳定和支持那里的革命运动,都要受到这个战略目标的制约。但是就中国已经开始实行的支持越南南方解放斗争的政策而言,已经出现的发展趋势是越来越多地承担起援助的责任。

除中国领导人一贯主张的不干涉其他党的决定外,当时主要有两个因素决定了他们的选择方向。其一是在中苏意识形态分歧中,中国领导人所坚持的理论原则导致他们无法不支持越南南方的武装斗争。当他们坚持认为武装斗争是民族民主革命运动获得胜利的必由之路时,要他们不赞成、不支持一场发生在自己家门口的民族独立战争,是不可想象的。其二是中国领导人在当时曾经设想,与中国周边的亚洲社会主义国家(包括蒙古、朝鲜和北越)建立一个联盟体系。为达此目的,毛泽东提出设想中的协议可以包括中国提供军事援助的条款。根据这种考虑,当北越提出请求时,提供支持和援助也就是顺理成章的了。

从客观情况看,中国领导人中的确存在着援助越南统一战争的主观愿望,但这种援助的规模和性质等,直接受到美国加强在印度支那的军事干涉的巨大影响。1960 年底老挝内战升级,加剧了这一地区的紧张局势。1961 年初肯尼迪政府一上台,就将应付老挝局势作为重要议程,并从所谓“遏制中国”的战略层次,决定进行军事干预。3 月美国第七舰队开进中国南海,驻日本冲绳和泰国的美军宣布进入战斗状态。此后不久,美国在越南南方发动了“特种战争”,美军开始直接参加作战。

美国加强军事干涉使中国领导人感到,中国南部边疆的安全正受到越来越严重的威胁。1962 年初中国政府公开指出,美国在越南南方的军事行动对中国安全构成了威胁,认为美国的干涉“直接针对着越南民主共和国,而间接则针对着中国”。中国领导人更加相信,只有通过增加对北越的援助,才能打败美国的军事干涉。1962 年 5 月,肯尼迪政府宣布美地面部队和空军进驻泰国,中国立即作出了极强硬的反应,公开号召将美军“赶出东南亚”。此后不久,中国决定立即向越南无偿提供可装备 230 个步兵营的武器装备。①

可以说美国在这一地区的军事介入使中国加强援越成为不可逆转的趋势,而且其程度与美国干预升级的程度是成正比的。这时中国领导人对其他国家的外援还可以“量力而行”,在越南实行这个原则确实越来越困难了。

从 1962 年中国在整个印度支那地区的行动看,中国领导人选择的策略是与苏联配合,通过政治方式解决老挝问题,防止美国在与中国边界接壤的地区进行直接军事干涉;同时增加支持越南南方的武装斗争,挫败美国在那里的“特种战争”。这两方面的努力都在逐步加强,其中支持越南南方武装斗争却使中国的有关政策不得不直接面对两个问题并有必要作出决定。第一是越南南方的武装斗争是否会引起美国更大规模的军事干涉,甚至造成朝鲜战争中曾经出现的局面,即美军越过 17 度线,中国被迫直接参战。第二是中国在经济严重困难的情况下,是否应该以

① 《人民日报》社论:《把美国侵略者从东南亚赶出去!》,1962 年 5 月 19 日。

及能否负担如此沉重而且还在与日俱增的对外援助。

再次，中印边界冲突进一步加剧。1960年4月周恩来访印后，中印边界出现过短暂的平静。从1961年4月起，印度开始实施"前进政策"，随后于年底对中国边疆领土展开大规模的军事蚕食。作为对印度侵犯行为的反应，年末中国对印度的谴责明显尖锐起来。中国舆论批评印度挑起边界纠纷，是配合美国在国际上掀起的"反华逆流"。《人民日报》甚至公开点名批评印度共产党最高领导人，在中印边界问题上不分青红皂白。

1962年初，由于印军不断侵入中国领土，解放军开始恢复在边界地区巡逻，并逐步展开反蚕食斗争，加强边境地区的军事部署。与此同时，中国政府在给印度的照会中正式警告对方，如拒绝撤出其侵略据点并继续其军事挑衅，"中国边防部队将不得不被迫实行自卫"。

根据中国决策层当时的设想，还是要争取避免发生军事冲突。从2月1日中央军委下达的指示和5月6日解放军总参谋部下达的《关于恢复边境巡逻的具体措施和边防哨卡处置情况的原则》等命令的内容看，中国领导人几乎设想出了可以用来避免军事冲突的所有办法。

除中苏边界、印度支那和中印边界出现紧张形势外，在东南沿海也出现了紧张气氛。台湾的蒋介石政权试图利用大陆的经济困难，发动军事反攻。由于台湾与美国存在军事同盟关系，蒋介石的军事准备对东南沿海造成了巨大的压力。解放军于5月开始战备动员，在有关地区进行军事集结并提前开始征兵工作。中共中央于6月间专门发布战备动员指示，要求加强在东南沿海的战备，以打败蒋介石军队可能发动的"二三十万人的登陆作战"。东南沿海备战与中印边界的反蚕食斗争结合在一起，在解放军中造成了高昂的士气，而且当时解放军已经完成了作战的充分准备。

经济困难造成的压力和对外关系面临的严峻局面，终于导致中央出现全面系统地检讨对外政策的声音。

1962年1月，中共中央召开扩大的工作会议（即"七千人大会"）。这次会议没有专门讨论对外政策问题，不过刘少奇在代表中共中央所作的报告中，实际上为对外政策确定了基调。他在书面报告中照例提出，中共在取得国家政权后，要"支援世界各国人民的革命运动，一直到共产主义世界的实现"。但在随后的补充发言中，他从一开始就明确指出："毛泽东同志说，为了履行我们的国际义务，主要的是要把我们国内的工作做好。……我们的主要注意力，应该摆在国内问题方面"。① 刘少奇的这段讲话表明，当时中国领导层（包括毛泽东本人）一致同意，将"主要注意力"集中于解决国内经济问题，这等同于履行"国际义务"。

刘少奇讲话后不久，王稼祥于2月27日写给周恩来、邓小平、陈毅等一封信，阐述了对中国对外政策的意见和建议。这封信至今仍然没有公开发表，但其内容已经被有关的研究成果广泛引用。此后王稼祥又陆续起草了一些报告，就有关对外政策的一些重要问题提出建议。综合起来看，王稼祥的建议可以分为两方面的内容。其一是试图全面、深入和系统地检讨以往对外政策涉及的一些深层次的问题，

---

① 刘少奇：《在扩大的中央工作会议上的讲话》，《建国以来重要文献选编》第十五册，中央文献出版社，1997年版，第61、86页。

包括中国对外政策的根本目标,对爆发世界战争的可能性的基本判断,对战争、和平与革命三者之间相互关系的认识,对和平共处的可能性的理解,等等。其二是关于进一步调整对外政策的建议。

就第一方面的内容而言,王稼祥提出的问题用当时的话语来评估,已经达到对毛泽东的一些政策理念构成根本性挑战的程度,这可能是后来毛泽东严厉批评王稼祥的观点的主要原因。对于毛泽东来说,从来都是具体政策可以讨论,而深层的基本的理论思想则不容置疑。

关于第二方面的内容,那些建议包含两个层次的问题。第一层次是基本的外交策略原则,第二层次是处理一些具体问题的原则。从后来的情况看,那些策略原则至少在当年夏季以前,是与中国领导人的具体做法相吻合的。至于针对具体问题的建议,有的在随后形势变化的情况下,是难以行得通的,如他建议在处理中印边界问题上,要采取新措施打开僵局。而实际情况是,中国决策层不得不下决心使用武力驱逐入侵的印度军队。有的是后来从未被否定的,如在印度支那地区避免爆发"朝鲜式的战争",在这方面中国领导人几乎尽了最大的努力。

6 月间,肯尼迪政府通过华沙的大使级会谈,向中方表示美国无意支持台湾当局军事反攻大陆。没有美国的支持,台湾当局的军事行动只能是相当有限的。

新疆伊犁事件主要是通过外交渠道解决,至少在 11 月以前,并没有特别使中苏边界局势进一步恶化,也不是后来严重地冲击中苏关系的主要原因。中国领导人当时也认为,除了苏联方面的挑动外,中国自己的有关政策也是需要检讨和改进的。

在印度支那地区,美国军事介入对中国的安全威胁总的说来还是间接的,尽管从后来发展的趋势看也是严重的,但 7 月间包括中美在内的有关国家等,还就和平解决老挝问题达成了协议。

最严重的中印边界问题,即使在 10 月升级为较大规模的军事冲突,在中国领导人看来也是有限的和可以控制在一定范围内的,他们也确实是这样做的。中共中央在中印边界反击战取得成功,主动从印度境内撤兵后发出的《关于结束中印边界冲突和中印关系问题的宣传提纲》表明,中国决策层当时认为,危机已经过去,可以一面寻找与印度重开和谈的机会,一面继续抓紧国内的各项工作。

这个时期毛泽东对所谓"三风"(即"黑暗风"、"单干风"、"翻案风")的批评中,有两个观点是关键性的。其一是党内对"大跃进"及其后果的批评是阶级斗争在党内的反映,是"中国的修正主义"的表现;其二是"国内外修正主义都要里通外国",即他们是相互勾结的。这在逻辑上决定了他在考虑对外政策时,很容易将在这个时期出现的不同意见,特别是那些理论层次上的意见,同所谓"修正主义"问题联系起来。

正是在这两次会议期间,毛泽东批评了王稼祥建议中的观点。迄今为止,没有足够的证据证明,毛泽东本人当时已经读过王稼祥的信和报告。间接的历史记录表明,导致毛泽东当时批评外交工作的直接事件是他认为,在当年 7 月召开的争取普遍裁军和世界和平大会上,中国代表团接受了会议起草的没有反对美帝国主义字样的共同文件,是"脱离了'左'派,加强了右派,增加了中间派的动摇"。① 在八届

---

① 徐则浩编:《王稼祥年谱》,中央文献出版社,2001 年版,第 490—491 页。

十中全会的预备会上，王稼祥联系上述事件，就外交工作作了检讨发言。此后国务院外事办公室又点名批评了王稼祥。

不过将王稼祥的建议同所谓"三风"联系起来的最直接原因，很可能与9月14日外交部领导人在华东组的发言有关。发言说，现在有一股风叫"三面和一面少"，即对帝国主义、修正主义和反动派要和气一点，对民族解放运动的援助要少一点。他认为，同美苏和印度的斗争是不可避免的，对外援"要算政治账"，还要更多地支持民族解放运动。毛泽东对该发言显然很赞赏，在简报上批示"可看，很好"。此后"三和一少"同"三风"一样，开始被列入批判对象。

正是因为毛泽东批评"三和一少"是与批评"三风"联系在一起的，而所有这些批评又是上述两个观点的合逻辑的产物，所以说八届十中全会实际上改变了1960年以来对外政策的指导思想。当然，指导思想的改变要贯彻到具体的对外政策中还有一个过程，就像毛泽东的阶级斗争理论被最终贯彻有一个过程一样，而且它们实际上也是基本同步的。指出这一点是因为，还不能将八届十中全会结束后不久发生的中印边界反击战和其他一些外交方面的决定，简单归结为对外政策指导思想改变的结果。

这时中国对外政策的变化主要不是起因于足够严重的外部环境变化或外部冲击（如世界大战、大规模外敌入侵或其他威胁到国家根本利益的事件），也不是全面检讨对外政策各个方面的结果（如中共八大前和1960年初的情况），它主要是被国内政治变化所带动、是从对外政策的指导思想转变开始的。

三

中苏关系的破裂

经过中苏共同努力，两国关系从1961年起得到明显的恢复。但是这种局面并没有维持多久，10月苏共召开二十二大后，中苏关系再次恶化。

在10月17日召开的苏共第二十二次代表大会上，中苏双方在阿尔巴尼亚问题上几乎发生了直接的交锋。赫鲁晓夫在政治报告和总结报告中，以及其他领导人关于修改党章的报告中，都谴责了阿尔巴尼亚。由于阿尔巴尼亚是中国意识形态上的坚定支持者，中国代表团团长周恩来不能不委婉地批评了苏联党的做法。对此，苏方领导人也反唇相讥，对周恩来的讲话进行了明确的反驳。

苏共二十二大以后，中苏在阿尔巴尼亚问题上的矛盾明显激化。11月间，当时任苏共中央联络部部长的安德罗波夫（Yury Vladimirovich Andropov）约见中国驻苏大使刘晓，指责中共中央发表阿尔巴尼亚的反苏材料。12月苏联宣布与阿尔巴尼亚断交。中国代表在几次国际会议上都公开批评了苏联的决定，中国的舆论工具则不断地热情赞扬阿尔巴尼亚，并报道中国向阿尔巴尼亚提供各种援助的消息。

从后来的发展看，中苏在阿尔巴尼亚问题上的争论只是一个导火索，一个双方都认为是可以控制因而大加利用的矛盾发泄孔。围绕苏共二十二大激化起来的中苏争论的基本原因是苏共二十二大再次激烈地批判了斯大林，会议决定将斯大林墓迁出红场的列宁—斯大林墓地，安置在克里姆林宫旁。苏共二十二大还批判了所谓的莫洛托夫反党集团,并决定将莫洛托夫等人开除出党。赫鲁晓夫对不满其政策的莫洛托夫等人的这种做法清楚地表明,他是决心利用苏共二十二大宣布将继续奉行和平共处、和平竞赛和平过渡的政策,清除党内的反对派也势在必行了。

中共中央对苏共二十二大上可能出现的情况看来是有所准备的。周恩来抵达莫斯科后,即提出向列宁—斯大林陵墓献花圈并获苏方同意。中共代表团当时向列宁墓和斯大林墓各献花圈一个。在给斯大林的花圈的缎带上写上了“献给伟大的马克思列宁主义者斯大林”。苏联领导人对此必定是极为不满的。周恩来在苏共二十二大上发言后,引起参加会议的其他一些国家代表的不断指责。经中共中央同意,周恩来提前回国,并在机场受到毛泽东等中国领导人的热烈欢迎。彭真以中共代表团团长的身份,继续参加会议。苏共二十二大以后,毛泽东向路过北京的一些国家党的领导人强烈表达了他对赫鲁晓夫和苏共二十二大纲领的不满,认为赫鲁晓夫批判阿尔巴尼亚是指桑骂槐,是在攻击中国。

尽管在苏共二十二大期间事态已经如此严重,苏共二十二人结束后,中苏对双方的分歧还是采取了比较克制的态度。赫鲁晓夫之所以在苏共二十二大期间没有立刻向中国发难,而且在苏共二十二大以后一段时间里继续保持低姿态,主要是因为苏联的缓和政策没有得到美国等西方国家的响应。就在苏共二十二大召开期间,爆发了又一场的柏林危机,美苏两国的军队甚至发生了直接的军事对峙。直至1962年春天,苏联在东西德关系、核禁试和裁军等重大问题上,与美国等西方国家一直处于对抗的状态,8月间在柏林

还再度出现危机和军事对峙,10月间更进一步爆发了震动世界的古巴导弹危机。苏联在面临接连不断的严重危机时,当然不会蓄意恶化与中国的关系,以致给自己的外交环境雪上加霜。

中国自1960年确定的改善中苏关系的政策在苏共二十二大以后并没有立刻发生变化。尽管毛泽东本人对赫鲁晓夫已经是深恶痛绝,但党的多数领导人当时并不认为中苏破裂已经不可避免。他们认为中苏关系将是“时紧时松”,“中苏两国的团结,是中苏两国人民根本利益所在”。王稼祥这时在给中共中央的一系列报告中,甚至提出了更为稳健的建议。

中苏双方试图维持住两国关系的愿望终于未能经受住冲击。10月28日,古巴导弹危机以苏联的退让而告结束,中苏在此前的短暂合作也随之迅速结束。11月19日苏共中央召开会议,肯定了赫鲁晓夫在古巴导弹危机中的决策,从而使他从困境中摆脱出来。他立刻着手反击中国在危机期间对苏联政策的批评。从11月起相继召开的保加利亚、匈牙利、意大利、捷克斯洛伐克和东德等国的党代表大会上,苏联及其盟友对中国进行了公开的批评。中共中央进行了坚决的反击,从12月中旬起,连续发表了7篇评论文章,对苏联的内外政策进行了(不点名的)全面批判。

这场论战持续到1963年初。1月16日,苏共在德国统一社会党六大上提出了停止公开论战的建议。2月21日,苏共中央致函中共中央,建议停止公开论战,举行两党高级会谈。23日毛泽东在会见苏联大使契尔年科(Konstantin Chernenko)时,拒绝停止论战,但同意举行两党高级会谈,并邀请赫鲁晓夫访问中国。3月9日,中共中央在给苏共中央的复信中表示赞成举行两党高级会谈,并提出会谈应该

讨论那些涉及国际共产主义运动的重大战略和策略的问题,而不仅仅是讨论两国的关系。

3月30日,苏共中央致函中共中央,建议于5月15日举行会谈,并就中国提出的需要讨论的问题,全面阐述了苏共的主要观点。5月6日,中共中央决定派代表团前往苏联,并于5月9日通知苏联。双方最后商定,会谈于7月5日开始。

6月14日,在没有通知苏方的情况下,中共中央公开发表了对苏共3月30日来信的复信,题目为《关于国际共产主义运动总路线的建议》。中共中央在《建议》中强调说,苏共在来信中提出了关于国际共产主义运动总路线的问题,因此,中共中央有必要就一些有关的原则性问题表达自己的观点。

中共中央公开答复苏共中央来信和《建议》中的观点引起苏联的强烈反应。在此后不久召开的苏共中央全会上,赫鲁晓夫指责中共中央使中苏分歧"尖锐化到极点"。苏共中央全会还通过了《关于行将举行的苏共中央代表同中共中央代表会谈》的文件,要求苏共中央代表在会谈中必须坚决执行苏共二十大、二十一大和二十二大的路线。6月27日,苏联驱逐了3名中国使馆工作人员和2名中国公民,理由是他们在苏联非法散发中共中央的《建议》。7月1日,中共中央发表声明,指责苏联是在将意识形态的分歧扩大到国家关系方面。

与此同时,进一步加速中苏两党关系破裂的一个原因,则是苏联这时邀请美国和英国的代表到莫斯科,谈判签署核禁试条约。在5月之前,美国总统肯尼迪就向苏联提出了重开谈判的建议,苏联一直未作答复。5月下旬,苏联与美国签署了《和平利用核能的备忘录》。6月8日,赫鲁晓夫致函肯尼迪,表示将在莫斯科接待美英特使,谈判签署一项核禁试条约。两天后肯尼迪即作出了积极的回应。在这种情况下,赫鲁晓夫就中共中央《建议》所作出的激烈反应,包括其在公开讲话中对中国对外政策的赤裸裸的政治攻击,都不可避免地会被中国方面看成是苏联蓄意勾结美国对付中国的最恶劣的表现。

就在中苏两党会谈在莫斯科进行的过程中,美国代表团于7月14日到达了莫斯科,他们受到苏联领导人的热烈欢迎。《真理报》当天又发表了苏共中央的公开声明,再度指责中国领导人蓄意要在核战争中牺牲千百万人的生命,声称苏联不能同意"中国领导关于在亿万人尸体上创造出'高出千百倍的文明'的观点"。

在上述情况下,中苏两党会谈除了继续激烈争论外,不可能取得任何成果。7月20日,中苏发表了公报,实际上宣布了会谈的失败。但几天后,即7月25日,苏联在未通知中国的情况下,与美国和英国共同签署了部分《禁止核试验的条约》。

中苏两党会谈失败不仅仅是中苏关系全面破裂的标志。从中国对外政策的角度看,中苏关系破裂与美苏共同签署《核禁试条约》几乎同时发生,实际上预示着中国将面对美苏联手反华的困难局面。

中苏会谈破裂后不久,中国领导人开始更加猛烈地抨击苏联,指责苏联企图与美国共同"统治世界,要全世界都听他们的命令"。从1963年9月6日至1964年7月14日,中国共产党连续发表了总称为《关于国际共产主义运动的总路线的论战》的九篇文章(通常简称为"九评"),全面抨击苏共的对内对外政策。

"九评"阐述的重要观点包括:断定"在十月革命的故乡已经发生了修正主义集团篡夺党的国家领导权的事件,出现了资本主义复辟的严重危险"；赫鲁晓夫的修正主义路线在对外政策方面的表现是用所谓的"和平共处"、"和平竞赛"、"和平过渡"来反对无产阶级革命的理论和政策；在对内政策方面则是提出所谓"全民国家"和"全民党"，否定在苏联仍然有必要坚持无产阶级专政，等等。

毛泽东自始至终领导着中苏论战。中共中央 6 月 14 日的复信是经他定名的，随后以《人民日报》编辑部、《红旗》杂志编辑部名义连续发表的"九评"，也是经他审阅修改，并主持中央政治局会议讨论定稿的。他还为这场论战制定了"坚持原则，后发制人；坚决斗争，留有余地；坚持团结，反对分裂"的方针。这里需要指出的是，"九评"的最后一篇文章提出了如何防止资本主义复辟的问题。该文的重点是最后一节"无产阶级专政的历史教训"，它把毛泽东关于如何防止资本主义复辟的理论和政策归纳为十五个要点。

后来的发展表明，这些观点把当时国内已经开始形成的"左"的思想系统化和理论化，实际上为"文化大革命"作了思想上和理论上的准备。通过中苏论战，"能不能胜利地防止赫鲁晓夫修正主义在中国重演"，在毛泽东心目中，已成为一个比以往任何时期都更加迫切的压倒一切的问题。

1964 年 10 月，赫鲁晓夫因苏联领导层内部矛盾而被迫下台，勃列日涅夫当选为苏共中央第一书记，柯西金（A. N. Kosykin）被任命为苏联部长会议主席。中国领导人当时不了解苏联内部发生变化的原因，他们作出两个决定：①通过访问了解情况，②争取利用苏联国内变动，改善中苏关系。中共中央决定暂停论战，并派出以周恩来、贺龙为首的中国党政代表团赴苏参加十月革命 47 周年庆祝活动。

中共中央希望以赫鲁晓夫下台为契机，通过两国领导人的直接接触，寻求消除分歧和改善关系的新途径。然而，中苏双方都没有在意识形态主导权上向对方妥协的打算，因此，中共代表团对莫斯科的访问并不愉快。11 月 7 日，在庆祝酒会上，苏联国防部长马利诺夫斯基（Malinovskii）借着醉意，要求中共代表团的成员学习他们，搞掉毛泽东，引起了周恩来的严重抗议。

在随后举行的两党会谈中，中方清楚地意识到，苏方丝毫没有可能改变赫鲁晓夫时期的一些基本政策。苏方明确表示，赫鲁晓夫被解职只是因他的"工作作风和方法"，没有其他问题。对于两党之间的问题，苏方也只是要求停止公开争论，然后召开各国党的会议来寻求解决问题的途径。周恩来因此得出结论："情况比原来预计的更坏"，"苏共领导还要继续执行赫鲁晓夫的路线不变"。

1965 年 2 月，苏联部长会议主席柯西金在访问越南和朝鲜途中，先后两次在北京停留。周恩来、陈毅与柯西金会谈，劝告苏共不要举行由赫鲁晓夫提议召开的各国兄弟党会议，柯西金表示不能同意。3 月 1 日至 5 日，苏共中央不顾中共中央的一再反对，在莫斯科召开了没有中国共产党参加的各国共产党和工人党会议，并发表了会议公报。对此，《人民日报》和《红旗》杂志编辑部于 3 月 23 日联合发表了题为《评莫斯科三月会议》的社论，通过谴责苏共中央继续执行赫鲁晓夫的修正主义路线，宣布社会主义阵营不复存在，实际上也是公开宣布与苏联新领导人决裂。

面对这样一种不利的国际形势，毛泽东很快提出了他的一个基本判断，即大动荡、大分化、大改组，天下大乱。毫无疑问，中苏同盟的破裂进一步加深了毛泽东的危机感，使他对中国安全环境的估计更加严峻。也是从这时开始，中国领导人越来越关注苏联对中国的安全威胁。

四

援越抗美政策的形成

从 1963 年开始，中国明显加强了对越南祖国统一战争的支持和援助。这一年夏天，总参谋长罗瑞卿前往河内同越南领导人商定，如美军越过 17 度线北进，中国将出兵参战。9 月，在广东从化又召开了中、越、老、印尼四国党会议，讨论整个东南亚在美国干涉的情况下可能出现的形势。这一切表明了中国已经转向坚决支持整个东南亚地区的革命运动的立场。

中国决定积极支持越南南方开展武装斗争，除了美国对越南军事干涉不断升级对中国安全利益所构成的威胁，促使中国必须要采取积极的对策以外，毫无疑问与毛泽东决心在国际上全面开展反对修正主义的斗争的政治需要密切相关。由于赫鲁晓夫过去为了搞苏美缓和，拒不支持越南搞武装斗争，因此，随着中苏论战的全面展开，越南劳动党这时一改过去在中苏之间极力调和的态度，明显地赞同中国共产党的革命观点，自然得到了中共中央的高度重视。

1964 年中期，越南南方的武装斗争进入一个新的时期。据统计，到 1964 年 6 月，越南南方的主力部队发展到 10 万人，

民兵达到 20 万人。与此同时，美国先后启动了 34A 计划和海上封锁计划，加紧在对越南的军事干涉。

面对美国的干预，中越开始协商美军直接介入后的军事合作。越南当时认为美国的军事干涉有几种形式，即①继续强化目前的特种战争，不进攻越南北方；②直接出兵打殖民战争，在越南南方打局部战争；③将战争扩大到北方，打朝鲜式的局部战争，或对北方进行海空战争。北越提出，如果美国地面部队进攻北方，希望中国直接参战。

6 月下旬文进勇访问北京，毛泽东接见他时承诺，无条件共同对敌，你们的事就是我们的事。7 月，毛泽东指示把老挝爱国部队的后勤供应包下来。[①] 周恩来这时也表示，如果美国进攻越南北方，中国会作出最强烈的反应，具体措施则看战争进展的情况。在这个月里，中国、越南、老挝领导人在河内举行了三党会议，中方表明，中国的原则是尽一切可能将战争限制在目前的规模上，同时积极准备应付第二种可能，美国走一步，中国走一步，美国出兵，中国就出兵。中国军队随后开始军事部署，加强训练，与越南军队共同进行了协同作战的战场准备。

会议结束后不到一个月，"北部湾事件"爆发。8 月 4 日，美军发动大规模空中袭击，击沉、击伤北越 25 艘鱼雷快艇，摧毁荣市附近的大部分储油罐。5 日美国参众两院分别通过了《东京湾决议案》，声称"国会赞成和支持总统作为总司令决心采取的一切必要措施，以击退对美国部队的任何武装进攻，阻止进一步侵略"，以及"采取一切必要步骤，包括动用武装力量，

---

① 参阅曲爱国：《中国支援部队在越南战场的军事行动》，李丹慧编：《中国与印度支那战争》，天地图书有限公司，2000 年版，第 84—85 页。

援助求援保卫其自由的任何东南亚集体防务条约成员国或保护国"。①

1965 年 3 月 2 日,美军发动所谓"雷鸣行动",开始对北越进行持续轰炸。美地面部队则以保卫美空军基地为理由,开始直接在南越与越南人民武装力量作战。首批美海军陆战队于 4 月间在南越的岘港登陆。5 月间,美空军突破北纬 20 度线,将空袭扩大到整个越南北方。侵越战争变成了一场以美军为主体、以"南打北炸"为特点的局部战争。

与此同时,美国针对中国的军事行动也在增加,美海空军加强了对中国领海领空的侵扰活动,包括加强中越边境地区的侦察飞行,美军战机也不断侵入中国领空,甚至在中国海南岛地区上空攻击解放军的巡逻飞机。美海军舰只频繁地在中国南海巡弋,它们甚至袭击中国的商船和渔船。

在美国军事干涉的大规模升级和直接威胁中国南部边疆的情况下,中国领导人决定继续大力支持越方以升级方式与美国对抗。全力以赴地支持越南抗美救国战争是中国维护国家安全的重要措施。一个敌对的大国在如此接近中国的周边地区采取军事行动,中国很难袖手旁观,更何况美国在越南扩大战争本身就是针对中国的敌对行动。

据此,毛泽东在会见越南民主共和国代表团时声明,中国将全力以赴地支持北越抗战,中国也要准备打仗,并提出了中国参战的可能性。中国政府公开宣布:"不惜承担最大的民族牺牲,支援越南人民把抗美救国战争进行到底。"

"东京湾事件"发生后,北越领导人曾经向中国领导人表示,他们打算保持行动

谨慎,并尝试与美国进行谈判,以便尽可能地阻止美国直接进攻北越。中国领导人很有可能是基于同样的考虑,一度也曾赞成北越采取包括尝试和谈在内的谨慎措施。但从 1965 年春季起,中国领导人开始对北越与美国和谈持反对立场。

促使中国反对美越和谈的因素是相当复杂的,其中固然有美国在越南扩大战争的原因,也有中国反对苏联修正主义斗争的影响,因为苏联差不多从插手越南问题之日起,就透露出争取和平解决的意图。此外,在当时中国的政治宣传氛围中,北越的抗美救国战争也被赋予了同时具有反对美帝国主义斗争的第一线和代表世界革命的一面旗帜的双重意义。

1965 年 3 月 22 日,越南南方民族解放阵线中央委员会发表声明,阐述了"民解"在抗美救国战争中的五点宣言。声明同时提出两点和谈的先决条件:①从越南撤出一切美国军队及其装备和设施;②"民解"必须有决定性的发言权。这反映出越南方面接受了中国的劝告,事实上是拒绝同美国进行和谈的。

4 月 8 日,范文同在北越第三届国会第二次全体会议所作的《政府工作报告》中,阐述了北越关于和谈的四点立场,即①美国从越南撤退军事力量和设施,停止在越南南方的军事干涉和对越南北方的轰炸;②在越南实现统一以前,严格遵守日内瓦协议;③根据越南南方民族解放阵线的纲领,由南方人民自己解决自己的问题;④由越南两个地区的人民自己解决越南统一问题,外国不许干涉。对此,中国政府立刻发表声明,表示完全支持上述立场。

在中国的鼓励下,越方决定不向美国

---

① 转引自时殷弘:《美国在越南的干涉和战争》,世界知识出版社,1993 年版,第 174—175 页。

让步，坚决抵抗，在南方扩大战争规模。1965 年 4 月初越南劳动党第一书记黎笋（Le Duan）等访问北京，正式提出希望中国派支援军队进入北越。在中越两党会谈中，刘少奇表示：“你们不请，我们不去。你们请我们哪一部分，我们哪一部分去。”双方签订了一系列涉及中国向越南提供军事和经济援助的协定。5 月下旬，越南军事代表团访问中国，具体讨论军事援助和作战问题。

中共中央根据大规模援越工作的需要，组成了中央援越领导小组。6 月 9 日，第一批中国支援部队进入北越，从此中国人民解放军支援部队开始进入北越，参加防空作战和协助修筑军事工程、铁路和提供后勤保障。据统计，到 1970 年 7 月，中国先后向越南派遣防空、铁道、工程和后勤保障部队共达 32 万余人，其中最高年份达 17 万人。他们在北越主要承担防空、修路、修机场、建通信线路等项任务。

从 1963 年夏开始到 1965 年夏，经过两年左右的时间，在各种复杂因素的影响下，中国的抗美援越政策终于形成。这项政策的基本内容是通过除直接参战以外的一切手段，支持越南北方统一祖国、抗击美国军事干涉的斗争，维护中国南部边疆的安全。但是，这一政策是在与苏联尖锐对立和公开论战的背景下形成的，中越两党两国的密切合作，与苏联过去在越南战争问题上对美妥协、拒绝大力援助越南的情势密不可分。1964 年 10 月勃列日涅夫上台后，苏联对越南战争的政策出现了明显的变化，即从消极反对转变为积极插手，这就不可避免地会对中国的援越政策造成巨大的冲击。

苏联政府转而积极援助越南的标志，是 11 月 27 日苏联政府发表的声明。在这个声明中，苏联公开表示愿意向越南“提供必要的援助”。1965 年 2 月，苏联总理柯西金访问河内，双方发表《联合声明》，苏联在《联合声明》中表示不会对保障越南的安全“漠然视之”。4 月 10 日至 17 日，越南劳动党第一书记黎笋访问莫斯科，苏联在苏越《联合公报》中声称，苏联在必要的情况下，将应北越方面的请求，派苏联人员前往越南参加战斗。由于苏联有着较中国强大得多的经济、国防实力，掌握着大量中国所不掌握的可以用于对抗美国先进技术的先进武器装备，它的积极介入和援助，越南求之不得。因此，越南和苏联的关系迅速密切起来，苏联对北越的影响力也因此明显增强。

几乎从苏联公开表示积极介入越南战争开始，中苏即在有关问题上发生矛盾。2 月柯西金访华时，曾经提出两方面的建议。其一是双方协调援越行动，发表一个社会主义各国首脑援越抗美的联合声明。其二是争取和平解决越南问题，提出应让美国“从越南找到一个出路”。由于对苏联党极端不信任，且已将之视为与帝国主义同流合污的修正主义，毛泽东显然无意在越南问题上与苏联合作。中国方面不仅拒绝了苏联的上述建议，而且在 3 月莫斯科会议以后对苏联在印度支那问题上的居心进行了越来越严厉的谴责，并且一再声明反对苏联和平解决越南问题的任何建议，在越南问题上决不与苏联搞“联合行动”。①

中共中央不与苏联合作的方针必然反映到具体的政策中。1965 年 2 月柯西

---

① 参阅李丹慧：《中苏在援越抗美问题上的分歧和冲突》，《中国印度支那战争》，香港天地图书公司，2000 年版，第 148 页。

金访华后不久,苏联政府便向中国提出,通过中国铁路运送苏联军队前往北越,并请求中国为苏联军用飞机前往北越提供军用机场和开辟空中航线。中国出于自身安全的考虑拒绝了苏联的这些要求。中国领导人表示,苏联援越物资通过中国,只能按照协议进行,并以此为理由拒绝苏联利用中国港口向北越增运物资。中国领导人还一再向越南方面表示,中国坚决反对苏联志愿人员参加北越作战。

中国阻止苏联插手和利用越南问题,根源于中国这一时期的对外政策,它所产生的实际效果难免引起北越方面的反对。北越面临的首要问题是抗击美国扩大战争,它的对外政策的首要目标必然是要为民族的生存,争取一切可以得到的外援,因此不可能接受中国的立场。要求北越在反对美国扩大战争的同时,拒绝接受或有限制地接受苏联的援助,这不能不引起北越领导人的不满。再加上北越相当一部分领导人对1954年日内瓦会议期间中国坚持要求越南方面放弃武装斗争,接受大国调处,将越南一分为二的做法耿耿于怀,中国方面再度按照自己的意愿施加压力的做法,产生适得其反的效果也是自然的。

北越领导人这时直率地告诉中国领导人,他们不同意说苏联正在出卖北越,他们认为苏联的援助是"全心全意的"。他们坚持,一个社会主义国家评价另一个社会主义国家的标准应该是国际主义,在越南问题上尤其如此。意即北越只能以对它的援助作为制定对苏政策的出发点,而不能依据中方的观点来对待苏联。由此可以断定,不论中国是基于什么理由,北越方面对于中国反对与苏联联合行动以及拒绝苏联过境运送援越物资,肯定是不能接受的。

由1960年开始的中国对外政策的调整,是在国内外多种因素的影响下实施的。1962年,对外政策再次出现波动,导致与最初调整方向相反的趋势,同样是国内外多种因素作用的结果。尽管中国希望以谈判来缓和同美、苏之间的紧张关系,并为此作出努力,但事与愿违。此后,中国不得不同时面对两个超级大国都与中国为敌的局面,中国将经受严峻的考验。

开始全面建设社会主义时期经济建设与科技发展的主要成就

一

工交建设主要成就

长春第一汽车制造厂 长春第一汽车制造厂,是我国第一个五年计划时期由苏联援建的一项重点工程。1953年7月15日在长春市西南郊的一片荒原上破土动工。经过3年时间的艰苦奋斗,在630公顷的土地上,建造了37万多平方米的厂房,33万平方米的宿舍,安装了设备近万台,铺设铁路30多公里,管道8万多米。于1956年7月12日,总装配线装出了国产第一辆"解放"牌汽车,结束了中国不能制造汽车的历史。

官厅水力发电站 1956年9月15日,我国自己勘测设计、制造设备和建筑安装的第一座自动化发电站——官厅水力发电站正式移交生产。官厅水电站坐落在北京西郊永定河上游的官厅水库湖畔，1954 年 4 月开工。电站的主要工程包括一条引水隧洞、一座操纵水力的调压水塔和一座厂房。这座全部自动化的水力发电站共有 3 台机组，装备着我国自制的第一批大型水轮发电机，1956 年 4 月 7 日和 4 月 30 日先后建成发电。这个电站的建成发电，使北京、天津、唐山、张家口电力网的供电能力增加 14.28%，对保证这几个城市的工业建设和人民需要，具有重大价值。

玉门油矿 我国第一个天然石油基地——玉门油矿，1957 年基本建成。玉门油矿位于甘肃省西部的玉门市内，是我国最老的油田，被称为中国石油工业的"摇篮"。那里原是一片荒凉的戈壁滩，但石油资源丰富，远在隋唐时期，玉门城防部队就曾用石油从城墙上向来犯的敌人浇泼，并取得胜利。新中国成立前，整个矿区只有 3 部小型的钻机和一些古老的顿钻，钻井最深不到 333 米，大量的原油被遗弃在地层的深处。已开出的油井由于管理混乱，技术落后，报废的达一半以上。新中国成立后，玉门油矿开始了大规模的建设和开发。到 1957 年，已成为一座拥有地质勘探、钻井、采油、炼油、机械修配、油田建设和石油科学研究等部门的大型石油联合企业。

第一座实验性原子反应堆 1958 年 6 月建成。这座原子反应堆是重水型的，它的热功率是 7000 至 1 万千瓦，设计是世界最先进的。其回旋加速器可把 α 粒子加速，使它的能量达到 2500 万电子伏特。参加建设这个原子反应堆的我国工人和技术人员，在党和全国人民的关怀和支持下，在苏联专家的热情指导下，经过紧张的劳动，于 1958 年 6 月 13 日下午 4 时，反应堆开始发生链式反应，并逐步提高功率，进行科学研究工作。反应堆是使原子核分裂维持链式反应的一种装置，是当时利用原子核内部能量的主要形式。反应堆放出的热能可以用来发电，作为轮船、火车、飞机的动力装置。利用反应堆可以制造同位素和进行科学研究。我国建成的实验性重水型反应堆的主要用途是进行科学研究和制造同位素。它是用铀作燃料，用重水作慢化剂和导热剂，所以叫做实验性重水型反应堆。它的建成标志着我国已经开始跨进了原子能时代。

第一台内燃机车 我国第一台内燃机车，1958 年 9 月 9 日在长辛店机车车辆修理工厂诞生。和蒸汽机车相比，内燃机车具有耐用、经济、效率高等特点。我国制造的这台内燃机车是用电气传动，机车自重 60 吨，牵引能力为 600 匹马力，每小时最高车速为 85 公里。机车的 3 万多件配件全部是我国制造。

武汉重型机床厂 我国第一座现代化的、万能性的重型机床厂——武汉重型机床厂，1956 年 4 月破土动工，1958 年 9 月建成投产。当时，它的规模和设备完善程度，即使在工业最发达的国家，也是不多见的。由苏联帮助我国建设的 156 项重点工程之一的武汉重型机床厂是当时我国规模最大、设备最新的重型机床厂。整个厂区占地 50 万平方米，建筑面积 15 万平方米，共有铸造、锻造、第一和第二机械加工装配、工具、机修等 10 多个车间。这个高度自动化的生产能力强的工厂生产龙门刨床、龙门铣床、立式车床、卧式镗床、螺旋铣床等各种类型、各种规格的产品。这些重型机床都是我国机器制造史上从未制造过的，有的在当时世界上也是属于比较大的。

武汉钢铁公司一号高炉投产 武汉

钢铁公司位于长江中游南岸的武昌，它是第一个五年计划时期的重点建设项目，是中国继鞍山钢铁公司之后建设起来的第二个规模巨大的钢铁工业基地。国家选择在武汉地区建设新的钢铁基地，一方面，因为武汉是中国的水陆交通枢纽，联结长江南北的武汉长江大桥即将建成，有十分优良的交通运输条件；另一方面，是因为武汉市同蕴藏量多、质量好的大冶铁矿相距很近，并且有良好的地质、水文等条件。同时在这里建立起钢铁工业的新基础，能大大改变中国历史上形成的不合理、不平衡的工业布局。武汉钢铁公司在决策初期称为大冶钢铁厂，1952年中央财委向中共中央和国务院写了《关于建设大冶钢铁厂的报告》。为了搞好钢铁厂的建设，前期工作做得十分认真，厂址选择、编制设计任务书、落实协作配套关系、勘察设计、设备安排、施工准备等大体用了4年多的时间，其中厂址选择就进行了多种方案共16个地点的比较，最后确定在武汉市青山建厂，武汉钢铁公司一期工程于1957年4月8日正式动工。在建设过程中，得到苏联专家的帮助和指导，引进的技术装备和生产工艺是50年代较为成熟的。1958年9月，容积为1386立方米的一号高炉出铁。1959年9月，一号高炉出钢。1960年10月，原定主要生产设备及相应辅助设施的建设提前完成，初步形成年产钢150万吨的生产能力。

双水内冷汽轮发电机 1958年，在制造汽轮发电机只有4年历史的我国，制造成功了世界上第一台定子、转子双水内冷汽轮发电机。而当时，国外制造汽轮发电机的历史，已达六七十年之久了。汽轮发电机是火力发电站的主机之一，主要由静止不动的定子和高速旋转的转子组成。自18世纪80年代发电机问世以来，如何提高冷却技术，解决发电能力和电机发热之间的矛盾一直是各国科学家研究的重要课题。和空气、氢气冷却相比，水的冷却能力最高。国际上第一次出现水内冷是在1956年，而当时的水内冷只是用在定子上。对于转子水内冷，在国际文献上虽有过讨论，但一直未解决。上海电机厂在有关单位科技人员的协助下，经过几个月的努力，克服了既无现成技术资料，又无实物参考等困难，终于在1958年制造成功我国第一台一万二千瓦双水内冷汽轮发电机，解决了国外奋斗了六七十年而未解决的问题。双水内冷汽轮发电机的制造成功，为以后发展更大容量的发电机开辟了道路，是我国电机工业发展中的重大创举，也是我国科学技术的一项重大成就。

第一拖拉机制造厂 我国第一拖拉机制造厂，于1959年11月1日在洛阳举行了隆重的落成典礼。这个厂年产15000台54马力的东方红牌柴油拖拉机。中共中央政治局委员、国务院副总理谭震林参加了典礼，并讲了话。他说，第一拖拉机制造厂的建成投产，是我国今后10年沿着农业现代化道路迈进的一个胜利的开端。我国农民早已盼望着的"耕田不用牛，点灯不用油"的伟大时代已经开始来到了。第一拖拉机制造厂国家验收委员会主任、中共河南省委第一书记、河南省省长吴芝圃在讲话中说，第一拖拉机厂是在党中央和毛主席的英明领导下建成的，是中苏两国伟大友谊的结晶。这样一个规模巨大的现代化的拖拉机厂建成，是我国能够用自己制造的拖拉机来武装农业，逐步实现农业机械化的伟大创举，它对于高速度地发展农业生产、促进整个国民经济的继续跃进，有着极为重大的意义。

第一条跨江高压输电线 我国第一条跨越长江的220千伏高压输电线路，于

1960 年 1 月 27 日在武昌西湾和汉阳沌口胜利架通。这是我国电力工业建设史上新的科学成就。这条过江线，是沟通武汉、鄂北、丹江等地区强大电力网的主要干线之一。它的电压是 220 千伏，根据需要可升到 330 千伏，一天能输电 425 万度，可以把青山热电厂所发出的强大电流通过长江送至汉口、汉阳，供应工农业生产需要。这条罕见的高压输电线路，是我国自己设计施工的。工程于 1958 年 7 月 1 日动工。这是一项规模宏大、技术复杂、施工机械化程度很高的工程，电线跨越是用两座特高直路钢筋混凝土塔完成的。两面各固定在一个耐张塔上，直路塔高度为 146.75 米，相当于 40 多层的楼房，是我国电业史上最高的电线路塔，也是当时武汉最高的建筑物。

第一重型机器厂建成　第一重型机器厂坐落于嫩江和滨洲铁路交会处的工业城市富拉尔基（当地达斡尔族语意为"红色之岸"），是我国"一五"计划时期 156 项重点建设工程之一的最大的重型机器厂。第一重型机器厂 1956 年开始动工建设。在苏联专家的帮助下，于 1960 年 6 月建成并投入生产。在建设过程中，除通常的土建、安装工程外，最关键的是基础打桩、沉箱、金属构件制作和吊装三大工程。这三大工程代表了工厂施工的技术水平，也决定着工厂建设进度。这项工程施工技术复杂，工程质量要求很高，而且建筑工人要在地下 20 多米的深处作业，施工条件相当恶劣。1957 年 5 月破土动工，8 月下旬箱体开始下沉。英雄的建筑工人在恶劣的施工环境里，坚持不懈地奋战了 88 天，使箱体达到了下沉深度，开始了封底工作，比计划进度提前一年完成了沉箱任务。正是由于 2 万多名建设者的忘我劳动，该厂在 3 年多的时间内就建成了。

万吨水压机　上海江南造船厂在 1962 年制造成功 12000 吨压力的自由锻造水压机。这台水压机经过了 2 年多试验生产的检验，质量很好。在进行超负荷试验的时候，工人们把锻压能力加大到 16000 吨，水压机各个部件仍没有发现任何不良现象。在水压机安装完毕之后，工程技术人员们还在 200 多个主要部位进行了多次应力测定，证明所有应力都同设计数据吻合。这台水压机是当时我国机械工业中最大的一台锻压设备。过去我国由于缺乏这种大型的锻压设备，重型机械上的大锻件，多数要从国外进口。这台水压机的制造成功，为我国自力更生地发展现代工业提供了更有力的技术设备条件。

第一台工业沸腾炉　我国第一台工业沸腾炉，1965 年由广东省茂名石油公司在清华大学、抚顺石油设计院等单位的协助下设计并制造成功。沸腾燃烧是国际上近几十年来发展起来的一种新型燃烧技术，主要用于工业生产、取暖和发电。这项技术对燃烧劣质燃料，提高燃料效率以及脱硫、脱硝、减少烟尘污染等都有重要意义，国际能源界对于开发和研究沸腾燃烧技术日益重视。我国煤炭资源丰富，但资源分布不均衡，且有不少低质煤，因而发展能够利用低质燃料进行燃烧的沸腾炉，对于改变北煤南运、合理利用能源、改善人类居住的环境有着重要的意义。

鹰厦铁路　从江西省鹰潭到福建省厦门。1955 年 2 月开工，1956 年 12 月通车。全长 694 公里，沿线在江西境内是鄱阳湖盆地边缘的丘陵地带，进入福建后，除接近终点的沿海一带为平原外，峻山深涧，高低起伏，尤以跨越武夷山、戴云山两分水岭，地形险峻，且河流纵横，多以隧道高桥通过，工程极为艰巨。终点处（厦门岛）移山填海，建成的两座海堤同大陆相连。在来舟有支线通福州，称来福铁路，长 194 公里。鹰厦铁路还与浙赣、外福（外洋—马尾）线相连，是我国东南地区的交通干线。

新藏公路 1957 年 10 月 5 日，世界上最高的公路——新藏公路建成通车。新藏公路是从新疆维吾尔自治区塔里木盆地南部的叶城起，越过昆仑山和冈底斯山，到西藏高原阿里地区的噶大克，全长 1179 公里。这条公路有 915 公里在海拔 4000 米以上，有 130 公里在海拔 5000 米以上，最高点海拔 5500 米。新疆和西藏阿里地区之间有几百公里过去不但没有路，也从来没有人迹。新中国成立后才组织了骆驼运输队往来于新疆和噶大克之间，但由于阿里地区地处边陲，海拔平均 4000 多米，山路崎岖险峻，用骆驼驮运，来回一趟需要四五个月。同时，由于冬春雨季，大雪封山，每年仅能驮运一次，交通很不方便。新疆公路部门在中国人民解放军和维吾尔族、藏族人民的协助下，大力进行勘察，于 1954 年确定这条路线，即公路从叶城出发，穿过 100 公里的戈壁，沿着哈拉斯塘河进入喀喇昆仑山。再翻过 5 座海拔四五千米的高峰，然后进入阿里地区，循着 800 里的便道，才抵达噶大克。这条公路从 1956 年 3 月开始施工，由于喀喇昆仑山地形复杂，空气稀薄，气候变化多端，给施工增加了极大困难。但是，承担筑路任务的工人和解放军战士，以大无畏的精神克服一切困难，他们战胜了高山病的威胁和零下三四十度的严寒，经过 19 个月艰苦战斗，修成了这条横跨昆仑山和西藏高原的世界上最高的公路。新藏公路通车后，来往于新疆和阿里之间只需 5 天时间了，使物资供应和旅客往返较前大为方便，噶大克著名的羊毛也能运销内地。

武汉长江大桥 武汉长江大桥位于湖北省武汉市，在汉阳龟山和武昌蛇山之间跨越长江，是长江上建造的第一座铁路、公路两用桥。武汉长江大桥工程是中国和苏联技术合作的项目，1955 年 9 月开始施工，1957 年 10 月 15 日建成通车，比原计划提前两年。武汉长江大桥的江面正桥长 1155.5 米，连同两端公路引桥，总长 1670.4 米。正桥是铁路、公路两用的双层钢桁桥梁，上层公路桥面宽 18 米，两侧人行道各宽 2.25 米，下层为双线铁路桥面。正桥和引桥由桥头建筑分界。两岸的桥头建筑即桥头堡里有电梯、楼梯，专供行人上下桥使用。全桥工程用混凝土 95000 立方米，钢梁 21400 吨，投资 13700 万元。武汉长江大桥建成通车，把原京汉铁路和粤汉铁路连接起来成为京汉铁路，使中国南北铁路网联成一个整体，同时也使武汉三镇（汉阳、武昌、汉口）的干道连通，这对于促进全国的物资交流，发展国民经济有着重要的意义。

包兰铁路全线通车 中国第一条穿越沙漠的包兰铁路，东起包头，西到兰州，全长 990 公里。铁路自 1954 年 10 月开始动工修建，1958 年 8 月 1 日全线通车。包兰铁路横贯内蒙古、宁夏、甘肃三省区，是我国北方继陇海线之后第二条横贯西北、华北的重要铁路干线。它的建成，对于促进西北和内蒙古西部地区的经济建设和文化建设，对于进一步加强民族团结和改善沿线人民的经济文化生活，都有巨大作用。在包兰线上，火车要 6 次穿越腾格里大沙漠。铁路沿途经过的 55 公里的腾格里沙漠，全是几十米高的纵横交错、连绵起伏的流动沙丘。大风一来，沙丘飞快地顺风移动，给铁路行车安全带来严重威胁。20 多年来，广大沙漠科研人员和固沙工人，在铁路沿线的沙丘上共铺设固沙草障 67000 多亩，种植树木 1.4 亿株，形成了一条长 55 公里，宽 500 米的绿色长廊，使包兰线从通车到现在，从没有因沙害引起任何行车事故。考察过这个地方的联合国环境规划署和 20 多个国家的治沙专家称赞这条在沙漠里畅通无阻的铁路，是"中国人创造的奇迹"。

"跃进号"万吨远洋货轮　由大连造船厂建造的我国第一艘万吨远洋货轮"跃进号"，1958 年 11 月 27 日建成下水，这标志着我国造船工业的飞跃和我国远洋航运事业迈进了一个新的阶段。这艘由苏联设计的万吨轮自 1958 年国庆前夕开工到建成下水，只用了 58 天时间。而当时已有 100 多年造船历史的英国建造万吨级货轮的船台周期是 6 个月，造船速度居世界最前列的日本，也需要 3 个月。"跃进号"远洋货轮是用当时最新的技术装备起来的。它全长 169.9 米，载货量 1.34 万吨，排水量为 2.21 万吨，能在封冻的区域破冰航行。船上装备全套机械化、自动化的设备，从上海港出发，可以中途不靠岸补充燃料直接驶抵世界各主要港口。

重庆长江大桥　重庆白沙沱长江大桥于 1959 年 12 月 10 日胜利建成并举行了通车典礼。重庆白沙沱长江大桥北接成渝铁路，南连川黔铁路，重庆成为这两条铁路的枢纽。这座大桥的通车，使我国的首都北京，通过京广、陇海、宝成、成渝和川黔等铁路，和边远的西南更紧密地连接起来。特别是对四川和贵州两省之间的物资交流，促进经济繁荣，将起巨大的作用。过去，因为大江阻隔的川黔铁路没有修建，四川与贵州之间的物资运输极不方便。由重庆和四川其他地区运往贵州的钢材、机器设备等往往要经过成渝、宝成、陇海、京广等铁路或由长江水运、再由黔桂或湘黔铁路转运，差不多要绕半个中国才能运到贵州。由贵州和四川东南部运往重庆的矿石、煤焦、生铁等，运到重庆长江南岸后，全靠人力和木船运输，往往要辗转几天才能运到对岸的工厂区。白沙沱长江大桥通车后，就可大大改变四川、贵州两省之间运输不便的状况；增加运量，缩短运输时间和节约运费。

宝成铁路　宝成铁路是沟通中国西北、西南地区的第一条铁路干线，也是中国的第一条电气化铁路。宝成铁路 1952 年 7 月开工，1958 年 1 月 1 日全线正式通车运营。宝成铁路北起陕西宝鸡，南至四川成都，北与陇海铁路相接，南与成渝铁路、成昆铁路相连，中接阳安铁路于阳平关，贯穿陕、甘、川 3 省 19 个市、县，全长 668 公里，其中四川省境内长 378 公里。宝成铁路的建成通车是中国铁路史上的一座丰碑。它使"天府之国"的四川省以西地区与全国连成一片，成为中国内地南北交通的大动脉，对发展沿线地区的经济文化建设事业，特别是开发西南地区丰富的矿藏，利用四川丰富的农产品资源，有着非常重要的作用。

兰新铁路　由甘肃兰州至新疆的乌鲁木齐，长 1892 公里。1952 年 10 月开工分段修筑，1962 年全线通车。兰新铁路东起兰州，西行跨过黄河后，翻过海拔 3000 米的乌鞘岭，进入祁连山北麓的河西走廊，经武威、张掖、酒泉，出长城西端的嘉峪关，过马鬃山南麓的玉门、疏勒河，西跨红柳河进入新疆维吾尔自治区。经尾垭后，沿天山南麓过哈密、鄯善、吐鲁番，在达坂城穿过天山到乌鲁木齐。途中还分支了一条沟通天山南北的南疆铁路。兰新铁路东同陇海铁路相连，形成横贯我国东西的大动脉。从兰州往西还与兰青铁路相通（从兰州到西宁），由西宁向西延伸的是青藏铁路。从兰州往北，有新建的包兰铁路与京包铁路相连。这条铁路的建成,对建设新疆、巩固国防有重大意义。

"东方红"号海洋科学考察船　1966年1月9日,中国自行设计的第一艘2500吨综合性海洋科学考察船"东方红"号由上海沪东造船厂建造成功。它是供有关部门对海洋水文、气象、物理、化学、生物、地质、地貌、水产资源等进行综合调查及科学研究的。

新辟航空线　1956年10月12日,乌鲁木齐—阿勒泰航线正式通航。此线通航以后,以乌鲁木齐为中心的新疆地区航空网就正式形成了。

1956年12月2日,北京—莫斯科—布拉格直达航空线正式开航。

1957年1月4日,北京—塔尔丁(在青海柴达木盆地西部)新航线正式通航。

1958年10月21日,北京—包头—银川—兰州航空正式通航。

1959年4月1日,北京—平壤国际航空线正式通航。

1964年3月26日,北京—长沙—广州、北京—成都—昆明、北京—上海三条贯穿我国南北的空中航线正式通航。

1964年4月8日,四条以上海为起点的新辟直达民用航空线在本月第一周先后正式通航。这四条航空线是:上海—成都;上海—昆明;上海 沈阳;上海—兰州。

1964年4月29日,中国—巴基斯坦直达民用航空线正式开航。

1964年5月19日,中国—柬埔寨(广州—金边)民用航空线正式开航。

1964年8月6日,北京—杭州—广州直达航空线正式开航。

1965年1月6日,中国—印度尼西亚直达民用航空线开航。

国防科技重大成就　1958年,创建我国第一个火箭发射实验基地于我国西北戈壁地区。

1960年11月5日,第一枚导弹试验成功。

1964年6月29日,第一枚近程弹道式导弹试验成功。

1964年11月16日,第一颗原子弹爆炸成功。

1964年11月15日,首次击落美军无人驾驶高空侦察机。

农林水利建设重要成就

海河拦河大坝胜利合龙。1958年11月18日,海河拦河大坝合龙,使华北5条内河注入海河的淡水不再流向大海,并且使海水不再上溯内河,实现了海河水"咸淡分家"的目的。

黄河三门峡截流工程全部结束。三门峡铁路枢纽工程是1957年4月13日开工兴建,1958年12月9日完成。位于黄河中游的河南省陕县和山西省平陆县境内,是根治和开发黄河的规划中最大和最重要的一座防洪、发电、灌溉的综合性工程。黄河截流后,可造成一个3500平方公里的水库,容水量647亿立方米,灌溉农田4000万亩。

汉水丹江口水利枢纽工程完工。丹江口枢纽工程是根治和综合开发汉水的关键工程,是当时全国最大的水利工程之一。工程从1958年9月开工,1959年12月26日完成。有10万人参加修建。丹江口枢纽工程可灌溉1200万亩农田,发电装机容量为90万千瓦,年平均发电量为45.6亿度。

黄河刘家峡水利枢纽工程大坝截流。刘家峡水利枢纽工程于1958年9月开工兴建,1960年1月1日建设完工。它位于甘肃省兰州市100公里处。大坝截流后,可形成一个面积达100多平方公里的水库,可蓄水49亿立方米,灌溉农田1500多万亩。

黄河青铜峡水利枢纽工程拦河大坝合龙截流。该工程于1958年8月26日开工兴建,1960年2月24日完成。它位于宁夏回族自治区青铜峡县境内,是一个发电、灌溉、调节黄河水量等综合利用的水利枢纽工程。大坝合龙后,可控制宁夏、内蒙古等地区的黄河凌汛,并使宁夏地区形成一个面积1000万亩的黄河平原灌溉网和山区扬水灌溉网。

1961年3月17日,广东省珠江三角洲排灌电力网第一期工程完成并发挥效益,受益农田250万亩以上。

1963年3月12日,中国已有1000多个县市的农村用上了电力,全国农业用电量比1957年增长了10倍以上。在这些通电的农村中,有600多个县市是由国家大电网供电,共计铺设了将近7万公里的高压送电线路。其他一些县安装了500千瓦以上的发电设备,供应农村用电。

1963年9月22日,中国自行设计、施工和安装的浙江新安江水电站1960年春天开始发电。按设计,这座电站要安装9个7.25万千瓦的水轮发电机组,总容量为65万多千瓦。现已安装好3个机组,并已向上海、南京、杭州输电,还为长江三角洲地区的农田排灌提供了大量动力。

1963年11月25日,内蒙古乌兰布和沙漠前缘地区的各族人民用10多年时间营造成300里防沙林带,截住东侵流沙,使农牧业生产迅速发展,人民生活安定。

1965年7月5日,自1963年中共中央主席毛泽东发出"一定要根治海河"的伟大号召以后,中共河北省委根据国家主席刘少奇指示的"上蓄、中疏、下排"治水方针,对根治海河作出了安排:以排为主,以除涝治碱为重点,首先解除涝碱灾害。采取了集中优势兵力打歼灭战的办法,动员了70多万名劳动力,在涝碱最重的运河以东,大清河以南,黑龙港流域和唐山地区海滨地段,举办了26项大中型水利建设骨干工程,完成全省骨干工程总工程量1.2亿多立方米,完成开挖和疏浚骨干排水河道9条,中小型排水沟渠4万多条,并修建各种台田80多万亩。总计完成土方3.3亿立方米。

三

轻工、化工与电子产业主要成就

上海斯美玻璃纤维厂建成投产 我国第一座玻璃纤维厂——上海斯美玻璃纤维厂,1957年11月15日正式开工生产。高级玻璃纤维工业是第二次世界大战以后发展起来的新兴工业。由于用玻璃纺织出来的纱布,具有耐高温、耐腐蚀和拉力强等特点,是近代机电、航空、造船等工业的重要材料,而它的主要原料——矽砂价格低,且取之不尽、用之不竭,因此,凡有条件的国家都在大力发展这项工业。上海斯美玻璃纤维厂建成以前,高级纤维工业在我国还是一项空白,工业部门、国防部门所需高级玻璃纤维,只能从国外进口。1957年10月间,上海工业部门正式试制成功了高级玻璃纤维后,便决定建立这个实验性的工厂。这个工厂是利用旧厂旧设备加以修理改装而成的,厂里安装有我国技术人员自己研究和改制的设备,全部建设只花了22万元和1个多月的时间。

四川化工厂 我国第一座自己设计

施工的大型现代化化学企业——四川化工厂，1958年2月动工兴建，1959年第一期工程建成投产。四川化工厂位于川西平原金堂县，全厂分为合成氨、硫酸、硝酸三大系统，第一期工程全面投产后，年产合成氨7万2千吨，合成硫酸28万吨，硝酸10万多吨。这是我国第一座自行设计、自己施工的大型企业。

南京磷肥厂　我国第一座现代化磷肥厂——南京磷肥厂，1956年5月动工兴建，1958年6月28日正式开工生产。南京磷肥厂是在苏联专家指导下，由我国自行设计的，全部设备都是国产的，年产过磷酸钙40万吨。除此以外，这个厂还生产粒状磷肥、硫酸、氟盐、磷酸三钙等产品。

首次完成全部稀土元素的分离提取工作　1958年7月1日，中国科学院应用化学研究所在我国第一次实现了全部稀土元素(15个)的分离提取工作。经过鉴定，证明分离出来的15个稀土元素氧化物的质量全部赶上和超过国际水平。稀土元素亦称稀土金属，简称稀土。稀土可以广泛应用于冶金、机械、石油、化工、玻璃、陶瓷、电子、医药和建筑材料工业以及农业。我国是世界上稀土资源最丰富的国家。全部稀土元素分离成功，为我国生产稀土提供了技术条件。

北京合成纤维实验工厂　我国第一座合成纤维厂(即尼龙)厂——北京合成纤维实验工厂，1957年8月25日动工兴建，1959年下半年基本建成。北京合成纤维实验工厂是德意志民主共和国按照当时世界第一流水平帮助我国设计的。它以煤焦的副产品为原料，可年产合成纤维380多吨。北京合成纤维实验工厂的建成，为试制各种规格的合成纤维，积累技术资料和培养技术人才，发展我国的合成纤维工业打下了基础。

保定化学纤维联合厂　我国第一座现代化大型化学纤维工厂——保定化学纤维联合厂第一期工程1960年正式投产。保定化学纤维联合厂1958年春正式动工兴建。全厂占地60万平方米，全部设备由德意志民主共和国提供，生产过程的自动化、连续化程度都比较高。整个工程分两期建设，主要生产粘胶长纤维人造丝，专供纺织工业织造丝绸用。按设计能力，两期工程分别为年产普通人造丝5千吨和强力丝5千吨，是当时全国最大的化学纤维工厂。

兰州化学工业公司合成橡胶厂　我国第一个石油化工企业——兰州化学工业公司合成橡胶厂，1958年开始建设，1961年正式投产。兰化合成橡胶厂主要利用酒精作原料，生产合成橡胶，此外，还有耐油橡胶和塑料等多种产品和副产品，可以作为工业上的原料。这个厂还利用兰州炼油厂的废气做成酒精，或直接做成合成橡胶的原料，综合利用石油资源。它的投产，为全国发展有机合成工业和高分子化合物工业打下了基础。

上海吴泾化工厂一期工程建成投产　我国第一座由自己设计、自己制造设备和建设的大型氮肥厂——上海吴泾化工厂第一期工程，1963年9月26日正式投产。上海吴泾化工厂，是从1958年开始筹建，1960年6月开始动工。第一期工程主要包括年产2.5万吨合成氨车间、8万吨硫酸车间和10万吨硫酸铵车间，设计能力为年产10万吨氮肥——硫酸铵。上海吴泾化工厂是我国第一次以自己的力量建成的大型氮肥厂。工厂设备全部由我国自己制造。一期工程所需的2.5吨合成氨成套设备，要求耐高温、高压和耐腐蚀，过去我国从未制造过。上海市组织3100多家机械、电机和仪表工厂，完成了制造任务。工程的 470 多个项目、1000 多台设备、4 万多米大小管道等建筑和安装任务也均由自己完成。经验收,整个工程质量完全符合要求。

第一座维尼纶厂 1965 年 4 月 30 日,我国自建的第一座维尼纶工厂建成投入生产。该厂包括两个车间,聚乙烯醇车间已投产,纺丝车间于 8 月中旬投产。这项工程是由化学工业部第一设计院、纺织工业部设计院等部门采用国际先进工艺自行设计的。这项工程所需 1300 多台设备,是由北京、上海、沈阳、广州等地 90 多家机械工厂制造的。维尼纶工厂的建成,使我国从只能提供棉、毛、丝、麻、木浆等天然纤维,到开始能够用矿物原料做的合成纤维,是纺织工业原料来源的一次大飞跃,为解决我国 6.5 亿人民的穿衣问题,开辟了新天地。

第一座合成苯车间 我国于 1966 年在上海建成世界上第一座合成苯车间。苯是制造塑料、合成橡胶、合成纤维、染料以及农药等重要的基本原料。但当时,世界各国都只能从炼焦、炼油过程中提取苯,产量受到限制。近百年来,一些工业发达国家一直在研究用合成法生产苯,始终没有成功。上海有关研究单位的科研人员,经过反复试验,用自己创造出来的工艺路线,在短短的 8 年时间里,攻克了这一科学技术难题,成功地用合成法生产出苯,并建成了世界上第一座合成苯车间。用合成法生产苯,得率高,而且投资少,上马快,为我国苯的生产开辟了一条崭新的广阔道路。

"七一"牌照相机 1956 年 7 月,我国自己制造成功第一架标准小型折叠式照相机,作为向党的生日献礼产品,特命名为"七一"牌。照相机制造技术复杂,集中地反映了精密机械、仪器、高级光学、物理化学、数学等综合科学技术发展的水平。新中国成立前,没有一架照相机是我国自己制造的。天津照相机制造厂的工人在仅有一台六尺皮带车床、一台牛头刨和一个轴的研磨机的困难条件下,制造成功了这台照相机。

北京电子管厂建成投产 我国第一座现代化的电子管厂——北京电子管厂,1956 年 10 月 15 日正式建成投产。这个厂是无线电工业的基础工厂,除主要生产各种电子管,还同时生产钨丝、钡丝、杜美丝和玻璃。我国过去的电子管工业基础十分薄弱,生产规模小,设备陈旧,只能生产少量电子管,远远满足不了需要,因此,许多无线电设备和电子仪器上所需要的新型电子管都要依赖国外进口。北京电子管厂的建成,标志着我国无线电基础工业建设的开始,它对我国掌握真空技术和发展无线电工业起着十分重要的作用。

国营华北无线电器材厂 我国第一座现代化的无线电器材厂于 1957 年 10 月 5 日建成投产。建在北京的这个工厂是我国第一个五年计划中重要建设项目之一,由德意志民主共和国帮助设计和建设,主要生产各种性能优良的无线电零件。其中有硒整流器、稳定性很高的碳膜电阻、各种密封电容器和高频瓷介电容器、磁性瓷,以及各种高频电表、精密电表和电声器件等。这些产品中的绝大部分过去主要依靠国外进口。华北无线电器材厂以及北京电子管厂的建成,标志着我国无线电工业在通讯设备器材方面,已经摆脱了依赖外国进口元件进行装配的落后状态。

"地形一号"光学经纬仪 1958 年 7 月,中国科学院长春光学精密机械仪器研究所接受国家测绘总局的委托,试制成功了国产第一台光学经纬仪"地形一号"。它可用于地形测量和矿区勘探、农田水利、城市建设、国防建设等多种测量工作。它的测量度盘的直接读数为 1 分，估计值为 6 秒。

万伏高压电桥　我国 1 万伏高压电桥，1959 年 10 月在上海沪光科学仪器厂首次试制成功。高压电桥，这个被称为检验高压电路绝缘材料性能的"眼睛"，是电站、电器厂、石油厂、化工厂等工厂不可缺少的设备。50 年代末，随着我国工业的发展，东北、上海已经建立了 11 万伏高压输电线，而高压电桥自己还不能制造，要从国外进口。上海沪光科学仪器厂是一个弄堂小厂。这个厂的青工王林鹤等人克服文化水平低等困难，经过 371 次试验，终于试制成功高压电桥，填补了我国仪表工业上的这一重要的空白。以后王林鹤所在的小组又试制成功 35 万伏高压电桥。

红宝石激光器　我国第一台红宝石激光器，于 1961 年 9 月由中国科学院长春光学精密机械研究所研制成功。当时距世界上第一台激光器的出现（1960 年 7 月）仅 1 年多。激光器是利用受激辐射原理使光在某些激发的工作物质中放大或发射（振荡）的器件，是一种亮度极高、单色性和方向性很好的光源，可用于加工（如打孔、焊接、切割）高熔点的材料，也可用于医疗、精密计量、通信、测距和基本科学研究等方面。

大型电子显微镜　1965 年，我国第一台一级大型电子显微镜在上海试制成功。当时，世界上能够制造这种一级大型电子显微镜的，还只有少数几个工业和科学技术较先进的国家。电子显微镜是 20 世纪 30 年代才出现的一种精密仪器，被广泛应用于工农业、科学等各个领域，是现代科学技术向高精尖方向发展所必不可少的重要工具。这台放大倍数最大为 20 万倍、分辨本领达到 7 埃的大型电子显微镜是上海市光学科学研究所研制成功的。1959 年初，他们与有关部门协作，开始研制电子显微镜，经过 6 年多时间，在先后试制成功三级、二级电子显微镜基础上，终于试制成这台一级大型电子显微镜。这台一级大型电子显微镜的试制成功，说明我国工业科学技术提高到了一个新的水平。

第一台射电望远镜　我国第一台波段为 3.2 厘米的射电望远镜，1964 年年底由中国科学院北京天文馆筹备处科研人员试制并安装成功。射电望远镜不同于一般光学望远镜，它不是通过光线而是通过太阳发射出的无线电波来观测太阳。光学望远镜只能观测能发光的天体，而射电望远镜就可以不受这种限制，并且能解释一些光学望远镜所不能解释的天体物理现象。射电天文学是近二三十年来发展起来的一门新学科。过去在我国完全是个空白。这项研究成果在我国开辟了射电天文学这门新的学科领域。

第一架半导体收音机　我国第一台半导体收音机 1958 年在上海诞生。这台收音机是由宏音无线电器材厂、天和电化厂等 9 个工厂以及上海无线电技术研究所协作研制而成的。机内装有 7 只体积极小的半导体晶体管，50 多种零件都是特制的超小型的。以 3 节手电筒里用的干电池作电源，可以连续收音四五百个小时。

"八一"型小型通用数字电子计算机　1958 年 8 月 1 日，我国第一台命名为"八一"型的小型通用数字电子计算机由中国科学院计算技术研究所、北京有线电厂和其他有关单位合作研制成功。这台计算机由几万个零件构成，其中有近 4000 个半导体锗二极管和 800 个电子管。这台计算机可以进行大量数据及复杂问题的计算，如短期天气数值预报的研究方案，大地测量平差，水坝应力分析，河床不稳定流,空气动力学等方面的计算和其他工程设计。这项研究成果标志着我国计算技术这门学科已经开始建立起来。

"北京"牌电视机 我国第一台电视机是 1958 年 3 月由天津无线电厂试制成功的。为了纪念这台电视机的诞生,命名为"北京"。1941 年,美国在世界上首先发明了电视机。而我国在 1958 年以前,电视工业还是一片空白。1957 年 6 月,当时的第二工业部(现电子工业部的前身)把研制电视机的任务交给了天津无线电厂。在没有技术资料、材料,而仅有几台电视机散件的困难条件下,这个厂同研制电视发射机的北京广播器材厂密切配合,制订出适合我国情况的样机设计、安装、测试方案,终于在 1958 年 1 月装配成功第一台样机。同年 3 月 17 日,"北京"电视机试播成功。至此,结束了我国没有电视工业的历史。这以后,特别是党的十一届三中全会以后,我国电视工业突飞猛进的迅速发展,已形成产品门类齐全的工业体系,电视机的年产量也已进入世界前列。

四

首都"十大建筑"

被称为向国庆十周年献礼的首都"十大建筑"是:

人民大会堂 1959 年 9 月 24 日建成。庄严雄伟,位于天安门广场的西侧,它同天安门和中国革命博物馆、中国历史博物馆相鼎立。轮廓完美、庄严肃穆,是北京最雄伟的建筑物之一。建筑面积达 17.18 万平方米,体积有 159,65 万立方米。它由能容纳万人的大礼堂、5000 个坐席的宴会厅和人大常委会办公楼 3 个主要部分组成。建筑结构十分复杂,装修工程的工作量很大,仅大理石、花岗石、水磨石、剁斧石等就有 17 多万平方米。

人民大会堂,有各种现代化的设备。在顶棚、地下和四周墙壁,安装的声、光、电、空气调节和水暖等设备,有 1000 多个大小工程项目。各大厅、会议室和一些办公室的温度和湿度,都可通过电动的遥远控制的办法随时加以调节。热源有高压蒸气、高压热水和煤气。还有广播电视传真和拍摄电影等设备。通风管和风道全部穿行在地板下和顶棚、墙壁之间。大厅和会议室都按照室内装饰的特点安装照明设备。

这个规模宏大、设备现代化和有很高艺术水平的建筑,是于 1958 年 9 月开始草拟设计方案,10 月底破土兴建的。这项工程是由北京市第一建筑工程公司和 30 多个市政建筑施工单位协作负责施工的。施工过程中,连同 18 个省市 7000 多名建筑工人在内,共有 1 万 4 千多名建设者团结协作、艰苦奋斗,保证了建设任务的胜利完成。

中国历史、中国革命博物馆 位于北京市天安门广场东侧,为 1959 年建成的首都十大建筑之一,1961 年正式开放。中国历史博物馆系中国通史的专门性博物馆。着重反映中国古代历史发展过程,展示出现在这一历史时期的重大事件和杰出人物。该馆展览面积 8000 平方米,分布在二层和三层楼内。"中国通史陈列"是该馆的基本陈列,陈列内容分为原始社会、奴隶社会和封建社会三大部分(从 170 万年前元谋猿人起至公元 1840 年鸦片战争前夕止),共展出文物资料 9000 余件,其中绝大多数为 1949 年后的考古发掘品,具有较高的历史研究价值和艺术价值。它是中国规模最大的社会历史类博物馆。该馆每年接待观众达 200 万人次。中国革命博物馆,馆藏反映中国旧、新民主主义革命和社会主义革命与建设的有关文物和中国共产党党史资料,计有各类革命文物10多万件,各种历史照片3万多张,各类图书、报刊资料17万多册。其基本陈列是"中国近代史陈列"和"中国共产党历史陈列(民主革命时期)"。通过陈列出来的5000余件文献、实物、绘画、雕塑、照片、图表、模型等,展示了自1840年鸦片战争以来中国人民反帝反封建的悲壮斗争史实,以及中国人民在中国共产党领导下,推翻三座大山,建立社会主义新中国的历程。该馆每年接待观众达200万人次左右。

中国人民革命军事博物馆 陈列、研究中国革命军事历史的专门性博物馆。馆址位于北京西郊。1959年8月建成,次年8月1日正式开放。主要收藏中国革命战争史和中国军事方面的文物资料;研究和介绍中国人民及其军队在中国共产党领导下武装斗争的历史、人民解放军保卫祖国和自身革命化现代化建设的状况;研究和介绍毛泽东军事思想和中国兵器发展史等。馆藏有各种文物和资料以及珍贵照片等13万多件。基本陈列分第二次国内革命战争馆、抗日战争馆、第三次国内革命战争馆、历史综合馆、保卫社会主义革命和建设馆、兵器馆等。

北京民族文化宫 1959年建成的北京十大建筑之一。坐落在北京西城区复兴门内大街北侧,是一座具有我国民族风格的塔式高层建筑。楼体洁白,孔雀蓝琉璃瓦顶。主楼高耸,喷水池环抱,两翼平伸。建筑面积达3万多平方米,由展览馆、图书馆、礼堂、舞厅、餐厅和俱乐部等组成。

北京民族饭店 1959年建成的北京十大建筑之一。高11层,共有客房615套、1200余个床位。客房共分四种:三套间、双套间、特单间、单间。室内设有卫生间、空调、音响和闭路电视系统。店内有会议室、健身房、台球室、理发按摩室、兑换外币处、出租汽车站、邮局等服务设施。有中、西餐厅、咖啡厅、酒吧间及大、小宴会厅。可以承办宴会、酒会等。

华侨大厦 地处市区中心,主要接待来京观光游览的海外华侨和中国血统的外籍人士。香港、澳门、台湾同胞也在此下榻。

钓鱼台国宾馆 建筑面积共4.8万平方米,具有浓厚的中国庭院风格,有多幢小型宾馆楼,可同时接待十几个国家元首来访居住。

全国农业展览馆 位于北京市朝阳区三里屯,为全国农业展览中心。占地面积60多公顷,建筑面积25500平方米。建筑群宏伟宽敞,完整对称,由长廊和林阴大道连接为一个有机整体,布局严谨,富有民族特色。馆前3万多平方米的广场上有大型雕塑、草坪和花卉树木。馆后有一大型人工湖,环境幽雅静谧。展览馆对于交流农业生产经验、科研成果,展示中国农业所取得的丰硕成果和学习国外先进科学技术,促进农业发展有极其重要的作用。

北京火车站 占地18公顷,全站总建筑面积25万平方米,是当时全国规模最大、技术复杂、设备完善并且有民族特色的一座现代特大型车站。

北京工人体育场 1959年建成的北京十大建筑之一。场址占地35公顷;建筑总面积8.0514万平方米,其中包括竞赛场、游泳场、水上俱乐部等部分。竞赛场正面是一座高达23.33米的四层大厦。场内看台分为24个单元,56层座位,可容纳8万名观众,有24个宽阔的进出口。场中心是标准的草地足球场。环绕场地的是一条400米跑道。场地上还有跳远、跳高、标枪投掷点、障碍水池、链球投掷点、铁饼和铅球投掷点等设施。主席台设在场西面正中，两侧有电视、广播设施。在看台下面还有四层楼房。第一层有体操房、技巧房、摔跤房、乒乓球室、击剑室、电影馆、展览馆和对外餐厅等；第二层至第四层共有运动员宿舍 315 间，可容纳 1500 人住宿。还有客房 24 套，以及理发馆、中西餐厅。东西看台下面另有两条长达 150 米的室内跑道。游泳场在竞赛场的东南面，占地 2 公顷，由 1 个室内 3 个室外游泳池组成。水上俱乐部在竞赛场的西南方，由船坞、航海活动室、航海模型室和无线电报务活动室组成。在竞赛场的东北有 4 个排球场、8 个篮球场；两面有 2 个带跑道的足球场、4 个网球场和 1 个面积为 3.5 万平方米的人工湖。

开始全面建设社会主义时期文化卫生与体育事业的主要成就

一

文化卫生事业主要成就

第一批全国重点文物保护单位的公布　1961 年 3 月 4 日，国务院批准公布了第一批全国重点文物保护单位名单，共 180 处。其中包括革命遗址和革命纪念建筑物（如中共一大会址、天安门）33 处，石窟寺（如云冈石窟）14 处，古建筑及历史纪念建筑物（如河北的安济桥，北京和沈阳的故宫）77 处，石刻及其他（如西安碑林）11 处，古遗址（如周口店遗址）26 处，古墓葬（如黄帝陵）19 处。

第一届全国音乐周　第一届全国音乐周 1956 年 8 月在北京举行。来自全国各省、市、自治区及人民解放军，包括十几个民族的 4500 多位音乐工作者参加了音乐周的活动。历时 20 多天的表演活动，展示了我国音乐工作者队伍的雄厚实力和我国民族音乐的瑰丽色彩。音乐周的节目既有典雅古朴的古曲，如《广陵散》《阳关三叠》，又有带着浓厚民间风味和生活气息的歌曲，如《嘉陵江号子》；既有气势宏伟的大型声乐曲和器乐曲，如《祖国颂》《长征大合唱》，又有欢快优美的唢呐独奏《欢庆胜利》；既有“五四”以来优秀音乐家聂耳、冼星海的作品，又有少先队员们的声乐和器乐表演。音乐周的表演中，还有像粤剧演员红线女等人的地方剧表演、魏喜奎的大鼓书这样的曲艺表演，还有马思聪的小提琴、傅聪的钢琴表演，以及著名歌唱家喻宜萱、周小燕等人的独唱。音乐周集中了全国音乐界的主要力量，是音乐界的一次群英会。

第一次群众性的电影评奖活动　1957 年 1 月 11 日，我国第一次群众性的电影评奖活动结果揭晓。这次由《北京日报》举办的、以投票方式选举“你最喜欢哪部影片和哪位演员？”的活动历时两个月，全国各地 2 万名观众参加了投票，选举 1956 年上映的我国故事片中自己最喜欢的 5 部影片和 5 位演员。影片《董存瑞》、《家》、《为了和平》、《平原游击队》和《祝福》当选。当选的演员是白杨、张良、李景波、郭振清和香港演员吴楚帆。

北京画院　北京画院（原名中国画院）1957 年 5 月 14 日在北京成立，这是新中国成立后创建的第一个美术创作机构。

中国画历史悠久,有丰富的绘画理论,独特而完备的表现技法,是中国民族文化的一个重要组成部分,在国际上享有崇高的声誉。

北京画院荟萃了一批颇有声望的画家。艺术大师齐白石曾任画院的名誉院长,著名鉴藏家和书法家叶恭绰和著名花鸟画家王雪涛曾先后任院长。1958年,画院由中央文化部划归北京市领导。1965年,画院吸收了一批油画、版画、雕塑等创作人员,使画院由原来单一的中国画创作机构成为一个包括人物画、山水画、花鸟画、油画、版画、雕塑、壁画创作等综合性的美术创作机构,并改名为北京画院。北京画院为继承发扬民族传统,多次举办了老画家创作展览,还出版了《中国画》等杂志、画刊。

第一届全国摄影艺术展　第一届全国摄影艺术展1957年12月在北京举行。历时20多天的展览展出了292位作者的321幅作品。这些摄影作品中,有反映人民群众现实生活的,也有反映祖国江山秀丽、欣欣向荣的,还有人像、静物、花卉以及鸟、兽、鱼、虫等,题材广泛,风格多样,是新中国建国后优秀摄影作品的第一次大检阅。

上海美术电影制片厂　上海美术电影制片厂正式建立于1957年,这是我国第一个美术电影制片厂。以东北电影制片厂美术片组为前身的上海美术电影制片厂,多年来摄制了大量动画片、木偶片、剪纸片等,深受国内外广大观众的欢迎和好评,一些片子曾多次在国内外获奖。如《神笔》、《小蝌蚪找妈妈》、《牧笛》、《大闹天宫》、《哪吒闹海》等,被国际上公认为"第一流水平"的影片。

北京电视台　我国第一座电视台——北京电视台,于1958年9月2日正式开播。北京电视台开办时设有播音室、电影放映室、控制室、导演室、发射机室,并配备了外出转播实况的电视广播车。为适应我国广播、电视事业的发展需要,北京电视台从1978年5月1日起改名为中央电视台。1979年,另建立了专为北京地区播放电视节目的北京电视台。

中央广播文工团和第一部电视剧　我国的第一个电视剧团——中央广播文工团广播电视剧团演出的我国第一部电视剧《一口菜饼子》于1958年6月15日播出。《一口菜饼子》原是发表在《新观察》杂志上的一篇同名小说,是为配合宣传节约粮食而写的。先由张庚改编为广播剧并由梅村导演录制播出;以后张庚他们又将它搬上舞台参加北京市小话剧会演,并获奖;最后才由胡旭执导、广播电视剧团演出,把它作为电视剧播出了。

中外合拍故事片《风筝》　我国和外国合拍的第一部故事片是1958年北京电影制片厂与法国加郎斯艺术制片公司联合摄制的《风筝》。《风筝》描写一群法国儿童得到孙悟空的帮助,梦游北京,并和中国小朋友会见的故事。中方导演是王家乙,法方导演是罗歇·比果。中法两国儿童演员担任主演。

第一部彩色立休宽银幕故事片《魔术师的奇遇》　我国第一部彩色立体宽银幕故事片是1962年拍摄的《魔术师的奇遇》。这部由王炼、陈恭敏、桑弧编剧,桑弧导演的片子,是上海天马制片厂摄制的。

首届全国曲艺会演　1958年8月,由文化部举办的第一届全国曲艺会演在北京举行。参加这次会演的有来自26个省、市、自治区包括汉、蒙古、傣、白、满等民族的300多名著名曲艺艺人、曲艺工作者。他们演出的100多个曲种的167个节目,丰富多彩,争芳斗艳,展现了我国曲艺的瑰丽色彩。

西安半坡博物馆 1958年,我国第一座遗址博物馆——西安半坡博物馆在西安半坡村的一座距今约有5000年的新石器时代村落遗址上落成。博物馆有三个陈列室:第一陈列室、第二陈列室和遗址陈列室。第一、二陈列室分别陈列着已经发掘出来的一部分实物和模型等。有当时人们用的石斧、石纺轮、石网坠等生产工具;有绘着鱼形、鹿形、人头形等花纹的陶器;有精致的骨鱼钩;还有作装饰品用的骨珠子和珍贵的碧玉耳坠。遗址陈列室,面积约2300余平方米,是半坡先民长期居住的村落遗址。房屋遗址有方形的、长方形的、圆形的几种类型,共40多座。村落周围有防御野兽侵犯的深6米、宽6米多的很长的防御沟。还陈列有烧制陶器的陶窑。整个博物馆再现了当时人们使用生产工具以及居住、食物、穿着和社会生活等情况。

北京舞蹈学校实验芭蕾舞剧团 我国第一个芭蕾舞剧团——北京舞蹈学校实验芭蕾舞剧团,1959年12月30日正式成立。这个剧团就是中央芭蕾舞团的前身。芭蕾舞萌芽于文艺复兴时期的意大利宫廷,后逐渐流传于欧洲,20年代传入我国。我国正规学习芭蕾舞开始于1954年北京舞蹈学校的成立。北京舞蹈学校实验芭蕾舞剧团的成立,标志着我国有了一支较完整的具有独立编导和演出力量的芭蕾舞艺术队伍。50年代末60年代初,这个剧团就可以演出《天鹅湖》、《巴黎圣母院》等外国著名芭蕾舞。以后,还成功地排演了《红色娘子军》、《白毛女》、《鱼美人》等自己的剧目。在1984年10月的日本大阪世界芭蕾舞比赛中,中央芭蕾舞团的张卫强、唐敏获二等奖,成为我国第一批跻身于世界第一流的芭蕾舞演员。

首届"百花奖"电影评奖 1962年4月27日,第一届"百花奖"电影评奖结果揭晓。这次由《大众电影》杂志举办的、以"百花奖"命名的读者影片评选,《红色娘子军》获最佳电影故事片奖,《革命家庭》的编剧夏衍和水华获最佳电影编剧奖,《红色娘子军》的导演谢晋获最佳电影导演奖,在《红旗谱》中饰吴琼花的祝希娟获最佳电影女演员奖。在《红旗谱》中饰朱老忠的崔嵬获最佳电影男演员奖,在《红色娘子军》中饰南霸天的陈强获最佳电影男配角奖,《红旗谱》的摄影吴印咸获最佳电影摄影奖,《洪湖赤卫队》的作曲者张敬安和欧阳谦叔获最佳电影音乐奖,《马兰花》的美工丁辰获最佳电影美工奖,《两种命运的决战》获最佳长纪录片奖,《亚洲风暴》获最佳短纪录片奖,《征服世界最高峰》获最佳纪录片摄影奖,《没有"外祖父"的癞蛤蟆》获最佳科教片奖,《小蝌蚪找妈妈》获最佳美术片奖,《杨门女将》获最佳戏曲片奖。

大型音乐舞蹈史诗《东方红》 1964年国庆节前后,作为向新中国建国15周年献礼,我国第一部大型音乐舞蹈史诗《东方红》在北京人民大会堂演出。这部音乐舞蹈史诗是北京、上海和部队70多个单位的音乐舞蹈工作者、诗人、舞台美术工作者,以及工人、学生、少先队业余合唱团3000多人集体创作并演出的。全剧共分8场和1个序场,它以高度的艺术概括,以载歌载舞的形式,气势磅礴地、成功地表现了我国革命和社会主义建设的伟大历程。

人工单性生殖试验成功 世界上第一只"无父"母蟾蜍于1961年3月9日产卵3000多枚。这是我国第一次、也是世界上第一次用单性生殖的方法获得母蟾蜍和它的第二代——"无父"以至"无外祖父"的蟾蜍。这项实验是由生物学家、上海实验生物研究所所长朱冼和副研究员王幽兰等进行的。他们从1951年开始用蟾蜍体外成熟的卵球（卵外毫无胶膜，不能正常受精）作实验材料，用涂血的针刺法，产生人工单性生殖的蟾蜍。到1958年和1959年，终于从4万多个无膜受刺的卵球中，得到25只无父的小蟾蜍。各国生物学家在蛙科动物中进行人工单性生殖的实验，曾得到一些蝌蚪和极少数"无父"的子代。但是这些"子代"蛙科动物从来没有能达到产卵传种的阶段。因此，人工单性生殖的个体是否有传种的能力，是生物学界没有解决的一个问题。我国生物学家用单性生殖的方法获得世界上第一只"无父"的母蟾蜍并产卵传种，又一次打破了人们对于精子的神秘观念，证明在传种接代方面卵子比精子更为重要。同时，也又一次证明蟾蜍离体成熟的卵球具有完善的品质，能够正常发育，与母体产出的没有区别；而人工单性生殖的子裔是照常可以繁殖后代的。

断臂再植成功 1963年，上海第六人民医院的外科医师成功地施行了一次世界医学界少见的手术，把一个从腕部被完全轧断的右手重新接了起来。这种"前臂完全性创伤性截肢再植手术"在国内是第一次施行成功的。接肢手术是在受伤者断臂大约半个小时后进行的。主持手术的陈中伟和外科副主任钱允庆都是新中国成立以后成长起来的年轻医师。助手们也都是从大学毕业不久的住院医师。全部手术进行7.5小时。断手接活以后，一度发生了肿胀现象，医务人员采取各种措施，使肿胀很快消失。7个月以后，受伤者的手血液循环正常。接上的骨头、神经和肌腱生长良好，有冷热和痛的感觉，并能用这只手举杯喝水、写字、提物。这项手术的成功，是我国临床医学发展中的一件大事，表现了我国骨外科达到了高水平。此后，我国在断骨再植方面，借助于手术显微镜和小血管吻合器等装置及有关技术，形成了显微外科技术。其应用范围从四肢发展到神经外科乃至整形外科，用之于切割、碾轧、挤压、撕裂、爆炸、肿瘤侵害等各种性质的创伤。

人工合成牛胰岛素 1965年9月17日，中国科学院上海生物化学研究所等单位密切合作，在世界上首次人工全合成胰岛素（随后人工合成结晶牛胰岛素）。这是世界上第一次人工合成的一种具有生物活力的结晶蛋白质，也是迄今为止人工合成的具有生物活力的最大的有机化合物。这是在我国多肽化学原有基础比较薄弱的情况下，迅速超越美国、西德而取得世界领先地位的。这项研究方案的制定、合成路线的设计以及有关微量分离分析技术的建立等方面，都有独到之处。在这一科学研究领域中，在研究工作的各个阶段，我国始终居领先地位。

人造心脏瓣膜装置成功 1965年6月12日，上海长海医院蔡用之教授等人为一名心脏病患者装置了第一个我国自制的人造心脏瓣膜。手术后病人的健康迅速恢复。这个人造心脏瓣膜是长海医院同上海橡胶工业制品研究所、上海医疗器械厂等单位协作制成的。

首次发现翼龙类化石 1963年夏，我国石油勘探人员魏景明等在新疆准噶尔盆地采掘出一批化石，经专家鉴定，认为是距今约900万年到1亿年以前的翼龙类化石。这种古生物的化石在我国是第一次发现。被命名为"魏氏准噶尔翼龙"。这批化石中有一个较完整翼龙个体的头骨、下颌骨、脊椎骨、四肢骨。其中一只头骨相当大，向前伸出的嘴巴狭窄而且很长，并且生有开始退化了的牙齿，前肢的第四指特别长,一直伸延成为两个巨大的翅膀的骨架,两翼尖之间相距约长 3 米多。这次准噶尔翼龙化石的发现,不仅在我国有关中生代爬行动物的地区和生物系统的研究方面填补了很大的一个空白,而且为揭开我国下白垩纪地层的秘密提供了很好的材料。

二

体育事业主要成就

1956 年 6 月 7 日,解放军最轻量级举重运动员陈镜开在上海参加解放军和上海市举重联队同苏联队举行的一场友谊比赛中,以 133 公斤的成绩,打破了美国运动员温奇 1955 年创造的最轻量级双手挺举 132.5 公斤的世界纪录。这是中国运动员第一次打破世界纪录。

1956 年 11 月 29 日,中国最轻量级举重运动员陈镜开,在上海创造双手挺举 135.5 公斤的成绩,后来被国际举重和健身联合会承认为正式世界纪录。

1957 年 5 月 1 日,我国运动员戚烈云在广州创造男子 100 米蛙泳 1 分 11 秒 6 的世界纪录。

1957 年 6 月 13 日,全国总工会爬山队队长史占春和队员共 6 人,登上四川省中部海拔 7590 米的贡嘎山顶峰。

1957 年 8 月 6 日,我国运动员陈镜开在莫斯科国际青年友谊运动会上,创造最轻量级挺举 139.5 公斤的世界纪录。

1957 年 11 月 17 日,我国运动员郑凤荣在北京以 1.77 米的成绩打破女子跳高世界纪录。这是我国运动员在田径运动中第一次创造世界纪录。国际业余田径联合会 1958 年 1 月 14 日在伦敦宣布正式接受这一世界纪录。

1958 年 4 月 7 日,我国著名举重运动健将黄强辉,以 155 公斤的成绩打破轻量级双手挺举世界纪录。这项纪录是他在 1958 年全国 25 单位举重锦标赛中创造的。

1958 年 9 月 26 日,在东德莱比锡举行的第一届友好运动大会的举重赛中,我国运动员陈镜开以 140.5 公斤的成绩打破最轻量级挺举世界纪录。

1958 年 9 月 27 日,在我国北京举行的首届全国滑翔、跳伞竞赛中,赫建华、耿桂芳、崔秀英以 9.817 米的成绩,打破了女子 1000 米集体定点跳伞 14.94 米的世界纪录。

1958 年 9 月 30 日,在北京举行的庆祝国庆举重表演赛中,举重选手赵庆奎以 176.5 公斤的成绩,创造了轻重量级双手挺举世界纪录。

1958 年 11 月 5 日,我国女子跳伞运动员李淑花、崔秀英、李淑慧在 600 米集体联合跳伞中,以 12.39 米的成绩,打破了苏联运动员创造的 21 米的世界纪录。这项成绩是 3 名运动员在由中国人民航空俱乐部于北京良乡机场举行的航空表演会上创造的。

1958 年 11 月 29 日,我国举重运动员黄强辉在北京举行的中国、苏联乌兹别克、波兰 3 国举重比赛中,以 158 公斤的成绩,打破了轻量级双手挺举的世界纪录。我国举重运动员赵庆奎 11 月 30 日,以 177.5 公斤的成绩,刷新了轻重量级挺举的世界纪录。

1958 年 12 月 20 日,我国运动员穆祥雄,在北京举行的游泳比赛中,以 1 分 11 秒 4 的成绩,打破了男子 100 米蛙泳世界纪录。

1959 年 3 月 27 日至 4 月 6 日,我国运动员容国团(21 岁),在联邦德国的多特蒙德举行的第 25 届世界乒乓球锦标赛男子单打决赛中,以 3 比 1 的成绩战胜 9 次获得世界冠军的匈牙利选手西多,荣获世界冠军称号。这是世界乒乓球锦标赛从 1927 年举行以来,中国队第一次赢得世界冠军的称号,也是中国运动员在世界锦标赛中获得的第一个世界冠军。

1959 年 4 月 22 日,我国轻量级举重选手黄强辉,在太原举行的全国健将级举重锦标赛中,以 158.5 公斤的成绩,打破了他自己保持的 158 公斤的轻量级挺举世界纪录。

1959 年 4 月 24 日,解放军射击运动员张铉,在北京举行的解放军射击等级运动员比赛和个人冠军赛中,以 567 环的成绩打破小口径自选手枪 50 米慢射 60 发的世界纪录。

1959 年 5 月 6 日至 16 日,第二届全军运动会在北京举行。参加这届运动会有近 1 万名男女运动员。运动会除设有全国运动会规定的全部项目外,还根据军队的特点,增设了武装泅渡接力和军事实用项目的比赛。这届运动会共有 28 人次超过 16 项世界纪录,打破或创造了 50 项全国纪录。

1959 年 7 月 3 日,北京女子跳伞运动员吕学慧、华绍林和魏秀玲,在河北涿县以平均距靶心 6.80 米的成绩,打破了苏联运动员在 1957 年创造的 11.63 米女子日间 1000 米集体综合跳伞世界纪录。

1959 年 6 月 27 日,由王建业、郭荣廉、刘加林组成的男子混合跳伞队,6 月 27 日在成都举行的六省、自治区飞机跳伞比赛中,以平均距靶心 2.99 米的成绩打破了男子 1000 米日间 3 人集体定点跳伞世界纪录。由高明、王素珍、赵成英组成的女子混合跳伞队,6 月 29 日以平均距靶心 7 米的成绩,打破了女子 600 米日间 3 人定点跳伞的世界纪录。

1959 年 7 月 30 日,在徐州举行的上海、江苏、湖北、河北、山东和解放军跳伞对抗赛中,女运动员赫建华、李淑慧、李桂珍在女子日间 1000 米集体定点跳伞比赛中,以平均距靶心 2.21 米的成绩,打破了苏联女运动员这年 4 月创造的 8.77 米的世界纪录。

1959 年 8 月 30 日,我国运动员穆祥雄,在北京举行的游泳比赛中,以 1 分 11 秒 3 的成绩,打破了他自己在 1958 年 12 月 20 日创造的男子 100 米蛙泳 1 分 11 秒 4 的世界纪录。

1959 年 9 月 13 日至 10 月 3 日,第一届全国运动会在北京举行。党和国家领导人毛泽东、刘少奇、朱德、周恩来等出席了开幕式,贺龙代表中共中央和国务院致开幕词。在开幕式上,有 8000 余名大中小学生表演了大型团体操《全民同庆》。参加第一届全运会的全国各代表团人数为 9159 人,其中运动员为 7660 人。9 月 14 日,第一届全运会各项比赛和表演全面展开。比赛项目有:足球、篮球、排球、乒乓球、网球、羽毛球、手球、棒球、女子垒球、水球、马球、田径、公路自行车、体操、技巧、举重、游泳、跳水、赛艇、武术、中国式摔跤、射箭、中国象棋、围棋、赛马、障碍赛马、射击、摩托车越野、摩托车环行公路、无线电收发报、航海多项、航海模型、滑翔、飞机跳伞、伞塔跳伞、航空模型共 36 项;表演项目有赛场自行车、击剑、自由式摔跤、古典式摔跤、国际象棋、摩托艇共 6 项。在第一届全运会期间,有 7 名运动员在游泳、跳伞、射击和航空模型等项目中 4 次打破世界纪录;664 人 844 次打破 106 个单项的全国纪录;数以千计的运动员刷新了各省、市、自治区的各项运动的最高纪录,取得了大丰收。大赛期间有 200 多万人参观了比赛。10 月 3 日,第一届全运会胜利闭幕。在闭幕式上,周恩来和贺龙向新中国建国 10 年来打破世界纪录和获得世界冠军的 40 名运动员颁发了"体育运动荣誉奖章"。全运会上打破世界纪录的具体成绩是:穆祥雄以 1 分 11 秒 1 的成绩,打破了男子 100 米蛙泳世界纪录;郭新娥、梅严、张景文以平均距靶心 5.11 米的成绩,打破了女子日间 1000 米集体定点跳伞世界纪录;陈蓉以 589 环的成绩,打破了女子自选小口径步枪 50 米和 100 米各 30 发卧射世界纪录;赵家桢、王永熙以 1260 米的成绩,打破了无线电操纵活塞式发动机模型飞机飞行高度世界纪录。

1960 年 5 月 22 日,我国女运动员华绍林、赵慧华、梅严,在北京良乡举行的中、苏跳伞友谊比赛中,以平均距靶心 2.82 米的成绩,打破了女子 600 米日间集体定点跳伞世界纪录。

1960 年 5 月 25 日 4 时 20 分(北京时间),中国登山队的 3 名队员王富洲、贡布(藏族)、屈银华,从北坡安全地登上了海拔 8882 米(1975 年测准为 8848.13 米)的世界最高峰——珠穆朗玛峰顶峰,成为人类历史上首批从北路攀上珠穆朗玛峰顶峰的英雄,这是中国人民征服大自然的一大壮举。珠峰雄峙于喜马拉雅山的群峰之上,其北坡比南坡更加寒冷,地形亦更加险恶。这次登山活动从 3 月 25 日开始,由我国著名的登山运动健将史占春带领全体队员先后经过 3 次适应性行军,第四次突击主峰,共有 53 名运动员达到海拔 7600 米以上的高度,打破了 1957 年 6 月 13 日史占春等 6 名运动员创造的男子登山最高纪录;除了 3 人到达珠穆朗玛峰顶峰以外,还有 25 人达到了海拔 8100 米以上的高度。这是世界登山史上罕见的成就。

1960 年 7 月 21 日,安徽跳伞运动员杜菊芳、李文秀、武永兰在安徽合肥举行的一次跳伞测验中,以平均距靶心 5.546 米的成绩,打破了女子 600 米日间集体跳伞世界纪录。

1960 年 9 月 1 日,游泳运动员莫国维,在成都举行的全国游泳、跳水锦标赛中,以 1 分 11 秒的成绩打破了男子 100 米蛙泳 1 分 11 秒 1 的世界纪录。

1960 年 9 月 22 日,四川运动员高联珍、王素珍、赵成英,在成都举行的五省、自治区跳伞运动员友谊赛中,以平均距靶心 4.85 米的成绩,打破了女子日间 600 米集体综合跳伞世界纪录。

1960 年 10 月 12 日至 17 日,中国人民航空俱乐部在北京郊区良乡举行的航空模型创纪录测验中,李育廉的橡筋动力直升模型飞机飞行直线距离达到 746.75 米,打破了意大利佩莱季在 1958 年 7 月 27 日创造的 605.1 米的世界纪录。余灼志在同一项目的测验中,又以 1212.4 米的新成绩,超过了李育廉的纪录。郭浩洲的活塞式发动机直升模型飞机,以 4760 米的成绩,打破了苏联运动员 1959 年 8 月创造的这个项目飞行高度 2128 米的世界纪录。这个高度,还打破苏联运动员柳布什金保持了 13 年的飞行高度 4152 米的世界绝对纪录。

1960 年 10 月 20 日,中国人民航空俱乐部在北京良乡举行的飞机跳伞表演中,梅严、张敏兰、赫建华 3 名运动员,以平均距靶心 4.31 米的成绩,打破了女子 600 米日间集体综合跳伞平均离靶心 4.85 米的世界纪录。

1960 年 10 月 28 日,我国航空模型选手郇心祯、沈卜洲,在北京举行的无线电操纵航空模型创纪录测验中,分别操纵的无线电操纵牵引模型滑翔机,以 1443.92

米的飞行高度,打破了苏联运动员德罗任于 1959 年 6 月创造的飞行高度 603 米的世界纪录。

1960 年 11 月 2 日,中国人民航空俱乐部在北京良乡举行的飞机跳伞测验中,运动员李兴旺、王志先、孙庆瑞,以平均距靶心 2.548 米的成绩,打破了男子日间 1500 米集体综合跳伞的世界纪录。

1960 年 12 月 24 日,上海市航空模型选手张家鼎,在南京举行的一次航空模型创纪录测验中,以 2 小时 16 分 30 秒的成绩,打破了活塞式发动机直升模型飞机留空时间的世界纪录。

1960 年 12 月 25 日,上海市航空模型选手戚德里、陶德荣、俞汝震,在上海举行的航空模型飞机创纪录测验中,先后分别以 2383.2 米、1992.2 米和 1484.3 米的成绩,打破了橡筋动力直升模型飞机飞行直线距离的世界纪录。

1961 年 1 月 4 日,在西安举行的航空模型创纪录测验中,航空模型选手陶考德和江育林的一架无线电操纵模型飞机创造了飞行高度 2470 米的世界纪录。1 月 26 日,他们的另一架无线电操纵模型飞机创造了留空时间 6 小时 8 分 35 秒的世界纪录。薛民献的一架活塞式发动机模型飞机同日创造了飞行高度为 6880 米的世界纪录,并打破了航空模型飞行高度的世界绝对纪录。

1960 年 12 月下旬,9 名四川跳伞运动员,在成都举行的飞机跳伞比赛中,5 次打破四项世界纪录:王建业、张祖骞和张保琦 12 月 20 日在男子日间 600 米集体综合跳伞项目中,创造了平均距靶心 2.04 米的世界纪录;21 日,刘继龙、刘德欣和李昌伟在同一项目中,创造了平均距靶心 1.75 米的世界纪录;22 日,李昌伟在男子日间 600 米个人综合跳伞项目中,创造了平均距靶

心 0.75 米的世界纪录;同日,张保琦、王建业和张祖骞在男子日间 1500 米集体综合跳伞中,创造了平均距靶心 2.22 米的世界纪录;23 日,女运动员王素珍、赵成英和高联珍在女子日间 600 米集体综合跳伞中,创造了平均距靶心 2.94 米的世界纪录。

1961 年 3 月 16 日,女子跳伞运动员赵月英,在中国人民航空俱乐部于北京良乡举行的女子 1500 米个人综合跳伞表演中,创造了距靶心 0.365 米的世界纪录。

1961 年 3 月 28 日,女子跳伞运动员李淑花、耿桂芳在中国人民航空俱乐部于北京良乡举行的女子 1000 米个人定点跳伞表演中,分别创造了距靶心 1.15 米和 1.207 米的世界纪录。

1961 年 4 月 4 日至 14 日,第 26 届世界乒乓球锦标赛在北京工人体育馆举行。参加这次比赛的有来自五大洲的 32 个乒乓球协会组织的 220 多名男女乒乓球优秀选手。经过激烈角逐,中国乒乓球队荣获男子团体冠军和女子团体亚军。在 5 个单项比赛中,庄则栋、邱钟惠分别获得男、女单打冠军;李富荣获男子单打第二名,徐寅生、张燮林并列第三名,王健获女子第三名。中国队还获得男子双打第三名,女子双打第二名和第三名,以及男女混合双打第二名和第三名。

1961 年 5 月 7 日,我国举重运动员陈镜开,在全国举重分区比赛太原赛区,以 148.5 公斤的成绩打破了次轻量级挺举的世界纪录。

1961 年 6 月 17 日,我国女子登山运动员西绕和潘多,登上了新疆境内海拔 7595 米的公格尔九别峰顶峰。王义勤、查母金登上海拔 7560 米的高度,她们都打破了女子登山高度的世界纪录。

1961 年 12 月 9 日,四川省航空模型选手胡正忠、陈太平在成都举行的航空模

型创纪录测验中,以 8.05 公里的成绩,打破无线电操纵模型滑翔机飞行直线距离的世界纪录。

1962 年 8 月 4 日,我国著名男子跳高运动员倪志钦在北京以 2.1 米的成绩创造了"剪式"跳高的世界最高纪录。

1963 年 2 月 24 日,我国选手罗致焕在 1963 年世界男女速度滑冰锦标赛中,以 2 分 9 秒 2 的成绩,获得男子 1500 米冠军。

1963 年 4 月 5 日至 14 日,第 27 届世界乒乓球锦标赛在布拉格举行。我国男子乒乓球队荣获团体世界冠军;我国选手庄则栋获得男子单打冠军;张燮林和王志良获得男子双打冠军。

1963 年 4 月 11、12 日,解放军女子射箭选手李淑兰和男子选手徐开财,在广州举行的全国 7 单位射箭通讯赛中,共打破 7 项世界纪录。李淑兰打破的 5 项世界纪录是:以 2269 环的成绩,打破女子双轮全能 2173 环的世界纪录;以 1148 环的成绩,打破女子单轮全能 1143 环的世界纪录;以 327 环的成绩,打破女子 30 米单轮 321 环的世界纪录;以 650 环的成绩,打破女子 30 米双轮 624 环的世界纪录;以 553 环的成绩,打破女子 50 米双轮 530 环的世界纪录。徐开财打破的两项世界纪录是:以 302 环的成绩,打破男子 50 米单轮 299 环的世界纪录;以 585 环的成绩,打破男子 70 米双轮 571 环的世界纪录。

1963 年 4 月 20 日,我国举重选手陈镜开,在北京的一次举重比赛中,创造了 151 公斤的次轻量级挺举世界纪录。

1963 年 7 月 21 日,中国人民航空俱乐部跳伞选手崔秀英、耿桂芳、赵月英,在北京良乡的一次跳伞比赛中,以平均距靶心 2.987 米的成绩,打破了女子日间 1500 米集体定点跳伞的世界纪录。

1963 年 8 月 17 日,倪志钦在北京跳过 2.2 米,成为世界上第 3 个能跳过这个高度的男子跳高选手。

1963 年 10 月 16 日,我国跳伞选手郑德富、王志先和贾成祥,在成都举行的 1963 年全国飞机跳伞锦标赛中,以平均距靶心 0.73 米的成绩,打破了男子日间 1500 米集体定点跳伞的世界纪录。

1963 年 11 月 10—22 日,第一届新兴力量运动会在雅加达举行。11 月 11 日,我国举重选手黎纪元以 108 公斤的成绩打破了最轻量级抓举的世界纪录。11 月 15 日,我国射箭选手李淑兰以 628 环的成绩打破了女子 30 米双轮的世界纪录。我国运动员还打破 18 项全国纪录,一共获得 303 枚奖章。

1964 年 1 月 11 日,我国青年速度滑冰队在柏林举行的国际速度滑冰比赛中,获 3 项冠军、3 项亚军和 4 项第三名。

1964 年 3 月 16 日,我国乒乓球选手在莫斯科国际乒乓球比赛中,获得全部 5 项冠军。

1964 年 5 月 2 日,我国登山队首次登上地球上最后一座 8000 米以上的处女峰——西藏境内海拔 8012 米的希夏邦马峰峰顶。

1964 年 5 月 18 日,陈镜开在上海以 151.5 公斤的成绩,打破了由他本人 1963 年 4 月 20 日在北京创造的次轻量级挺举 151 公斤的世界纪录。这是陈镜开第九次破世界纪录。

1964 年 6 月 9 日,吴浮山在太原跳过 1.79 米的高度,成为迄今为止世界上第三个能够跳过这个高度的优秀女子跳高运动员。

1964 年 8 月 17 至 23 日,我国选手戚风娣和徐润珍在布达佩斯举行的国际网球比赛中,获得女子双打冠军,徐润珍获得女子单打亚军。

1964 年 10 月 11 日,我国 9 名男子跳伞运动员在北京良乡中国人民航空俱乐部举行的航空运动表演时,以平均距靶心 3.014 米的成绩,打破了男子日间 1000 米 9 人集体定点跳伞平均距靶心 5 米的正式世界纪录。这 9 名运动员是:方品宝、何贤礼、贾成祥、刘德欣、孙庆瑞、高宝林、陶俊华、张德永、刘执华。

1964 年 10 月 18 至 21 日,北京国际乒乓球邀请赛在北京举行。8 个国家的选手参加了这场比赛。中国选手徐寅生获男子单打冠军,庄则栋、徐寅生获男子双打冠军。

1964 年 10 月 19 日,广东举重选手叶浩波在广州以 108.5 公斤的成绩,打破了解放军选手黎纪元创造的最轻量级抓举 108 公斤的世界纪录。

同日,辽宁射击选手赵璧在贵阳以 595 环的成绩,打破苏联运动员泽列科娃创造的女子自选小口径步枪 50 米 60 发卧射 594 环的世界纪录。

1965 年 2 月 27 日,陈满林在北京以 118 公斤的成绩,刷新了波多黎各选手巴埃兹在去年创造的 117.5 公斤的最轻量级挺举世界纪录。

1965 年 4 月 15 至 25 日,第 28 届世界乒乓球锦标赛在南斯拉夫的卢布尔雅那举行。我国乒乓球队获得男子团体冠军和女子团体冠军;我国选手庄则栋获得男子单打冠军,林慧卿、郑敏之获得女子双打冠军,庄则栋、徐寅生获得男子双打冠军。

1965 年 4 月 20 日,由李淑兰、王荣娟、王锡华组成的解放军女子射箭队,在广州举行的解放军、西藏、青海三单位射箭友谊赛中,以 3271 环的成绩,打破美国女子射箭队保持的 3260 环的女子团体单

轮全能世界纪录。4 月 22 日,李淑兰以 555 环的成绩,打破她本人在 1963 年创造的女子 50 米双轮 553 环的世界纪录。

1965 年 4 月 23 日,在成都举行的一次跳伞比赛中,由王素珍、高联珍、赵成英、亢玉屏、粟昌碧、马蜜、敖光英组成的女子跳伞队,在女子日间 1500 米 7 人集体定点跳伞比赛中,以平均距靶心 4.062 米的成绩,打破了苏联选手保持的 4.74 米的世界纪录。

1965 年 5 月 11 日,山西省跳伞运动员高素英,在太原举行的一次跳伞选拔赛中,以两次跳伞着陆平均距靶心 1.14 米的成绩,打破了南斯拉夫运动员弗拉斯在 1961 年创造的女子日间 1500 米个人定点跳伞 2.34 米的世界纪录。

1965 年 5 月 22 日,广东省举重运动员叶浩波,在广东省参加第二届全国运动会举重选拔赛中,以 109 公斤的成绩,刷新了他本人 1964 年 10 月 19 日创造的最轻量级抓举 108.5 公斤的世界纪录。

1965 年 5 月 23 日,我国举重运动员刘殿武在布加勒斯特以 149 公斤的成绩,打破了中量级推举 148.5 公斤的世界纪录。

1965 年 5 月 26 至 29 日,我国 18 名男女跳伞运动员在北京举行的三单位跳伞比赛中,打破 4 项世界纪录:中国人民航空俱乐部女子队的梅严、彭意坚、华绍林、张敏兰、赫建华、赵慧华、赵月英,以平均距靶心 3.02 米的成绩,打破女子日间 1500 米 7 人集体定点跳伞的世界纪录;中国人民航空俱乐部男子队的方品宝、贾成祥、孙庆瑞、何贤礼、谢绍良、杜昆明、文进华、刘德欣和张引才,以平均距靶心 2.60 米的成绩,打破男子日间 1000 米 9 人集体综合跳伞的世界纪录;中国人民航空俱乐部队的彭意坚、赵慧华、华绍林、赵月英和

辛彩玲,以平均距靶心 2.31 米的成绩,打破女子日间 2000 米 5 人集体综合跳伞的世界纪录;解放军队陈秀兰、中国人民航空俱乐部队赵敏兰,分别以平均距靶心 0.40 米、0.82 米的成绩,打破了女子 1500 米个人定点跳伞的世界纪录。

1965 年 6 月 11 日,上海射箭女选手孙春兰在上海举行的 1965 年全国射箭通讯赛中,打破了两项世界纪录:以 582 环的成绩,打破了美国选手梅茵哈特在 1957 年创造的 60 米双轮 574 环的世界纪录;以 545 环的成绩,打破了我国选手王锡华 1963 年创造的 70 米双轮 540 环的世界纪录。

1965 年 6 月 21 日,由乔金、张爱玉、刘玉凤、陶惠芳、高明、张麦兰 6 人组成的跳伞队,在济南以平均距靶心 4.13 米的成绩,刷新了苏联运动员弗拉索娃等 6 人保持了 3 年多的距靶心 5.35 米的女子日间 1000 米 6 人集体定点跳伞的世界纪录。

1965 年 6 月 23 日,高明、陶惠芳、张麦兰 3 人,在济南以平均距靶心 2.11 米的成绩,创造了日间女子 1500 米 3 人集体定点跳伞的世界新纪录。

1965 年 8 月 1 日至 9 日,在北京国际乒乓球邀请赛上,中国乒乓球队获男子团体、女子团体、男子单打、女子单打、男子双打、女子双打、混合双打冠军。

1965 年 8 月 1 日至 15 日,在北京良乡中国人民航空俱乐部举行的 9 单位航空模型创纪录测验中,先后有 6 人 6 次打破了四项世界纪录:在无线电遥控模型飞机留空时间项目中,8 月 12 日,陕西选手江育林、陈寿祥的模型飞机,以留空时间 9 小时 55 分 3 秒的成绩,不仅打破了美国选手希尔在 1964 年 9 月 18 日创造的留空时间 8 小时 52 分 25 秒的世界纪录,而且打破了新西兰选手巴勃在 1960 年 10 月 9 日创

造的留空时间 9 小时 4 分的世界绝对纪录。在橡筋动力模型直升机飞行高度和留空时间的项目中,8 月 6 日,河北选手李德泉的模型直升机,以飞行高度 304.4 米的成绩,打破了中国人民航空俱乐部的杨洪杰在同年 6 月 21 日创造的飞行高度 248.8 米的世界纪录。8 月 7 日,中国人民航空俱乐部的甘颜龙的模型直升机,又以飞行高度 423.4 米的成绩,创造了更高的纪录。甘颜龙的模型直升机同时还以留空时间 12 分 39 秒的成绩,打破了苏联选手在 1963 年创造的留空时间 12 分 2 秒的世界纪录。8 月 13 日,辽宁选手董大为的模型直升机,以留空时间 13 分 20 秒 2 的成绩,也打破了世界纪录。8 月 14 日,北京选手王永利又把这项世界纪录提高到 18 分 21.4 秒。

1965 年 9 月 11 日至 28 日,第二届全国运动会在北京举行,共有 24 人 10 次打破 9 项世界纪录:①举重两项:叶浩波先后以 113 公斤和 115 公斤的成绩打破了最轻量级抓举的世界纪录;肖明祥以 153 公斤的成绩打破了次轻量级挺举的世界纪录。②射箭两项:李淑兰、王锡华和石桂珍以 3321 环的成绩打破了女子团体单轮全能的世界纪录;李淑兰、石桂珍和王锡华以 6574 环的成绩打破了女子团体双轮全能的世界纪录。③射击 3 项:徐惠敏以 389 环的成绩打破了男子自选大口径步枪 300 米 40 发跪射的世界纪录;韩昌瑞、林锋、赵元春和董富以 926 环的成绩打破了男子跑鹿射击 50 次单发射(团体)的世界纪录;韩昌瑞以 239 环的成绩打破了男子跑鹿射击 50 次单发射(个人)的世界纪录。④飞机跳伞两项:方品宝、吴绍裘、刘执华、陶俊华和曹加宣以平均距靶心 1.14 米的成绩打破了男子 1500 米 5 人集体定点跳伞的世界纪录;王建业、刘振荣、张富友、杜昆

明、朱瑞明、韩金堂、张保琦、谢绍良和张国政以平均距靶心4.31米的成绩打破了男子600米9人集体综合跳伞的世界纪录。

　　1965年10月24日,四川选手陈家全在重庆举行的田径汇报比赛中,以10秒的成绩平了男子100米赛跑的世界纪录。

　　1966年3月12日,我国选手在北京举行的1966年8单位举重比赛中,打破了3项世界纪录:广东选手陈满林以128.5公斤的成绩,打破了匈牙利选手福尔迪保持的次轻量级推举128公斤的世界纪录;广西选手萧明祥以124公斤的成绩,打破了日本选手三宅义信保持的次轻量级抓举123.5公斤的世界纪录;湖北选手季发元以153.5公斤的成绩,打破了萧明祥保持的次轻量级挺举153公斤的世界纪录。

港澳台地区概况

一

香港的社会与文化

1. 人口状况

　　1956—1966年是香港人口增长的高峰期,1951年、1961年、1971年香港人口总数分别为201.53万人、312.96万人和393.66万人。

　　从人口出生率来看,战后伊始,香港人口出生率便呈现出快速增长的态势。

50年代以后,人口出生率再上台阶。1951—1962年间,人口出生率始终保持在33‰以上,其峰值出现于1958年,为37.4‰。进入50年代以后,由于自由出入境政策的改变,香港人口无法如战前一样频繁地穿梭于粤港之间,来港移民被迫逐渐割断了与家乡的密切联系。过去抛家舍业、离妻别子的人们在香港安家立业,拥有了正常的家庭生活,这为繁育后代提供了最基本的条件。从人口死亡率来看,在人口出生率持续上升的同时,五六十年代,香港人口的死亡率呈现出逐渐下降的趋势。50年代,人口死亡率基本上稳定在7‰—9‰之间。60年代以后,人口死亡率的下降速度进一步加快,到1970年已跌至5.1‰。人口出生率的急剧上升和死亡率的迅速下降造成了人口自然增长率的居高不下。香港人口的自然增长率从1946年的9‰上升至1963年的27‰。60年代中期以后,随着人口出生率的下降,人口的自然增长率才逐渐回落。50年代的人口增长高潮来势凶猛,令人猝不及防。60年代初期,香港社会对于人口增长速度过快颇感棘手,人们普遍认为,"这实在是香港一切严重问题的主要因素……香港吸收人口之能力已濒于顶点"。

2. 社会生活

　　这一时期,香港民众的生活是希望与困境并存。50年代末以后,香港经济发展渐入佳境。工业化时代的香港移山填海、修路架桥,新兴工业区拔地而起,数年之中香港面貌焕然一新,充满着一片兴旺景象。随着工业化进程的推进以及社会财富总量的增加,香港民众的家庭收入呈现出普遍增长的态势。当时家庭收入增长的动力主要来自以下两个方面:

　　首先是劳工工资的提高。60年代初期,随着工业化步伐的加快,香港的纺织业、制衣业、针织业、塑胶业等劳动密集型工业进入全盛时期。各行业劳动力需求的空前高涨极大地改善了就业形势,并促使劳工工资水涨船高。60年代以后,香港劳动力市场历来供过于求的格局被彻底打破,转而出现了劳工紧缺的现象。1964年,香港许多行业大闹工人荒。根据统计,1959年以前香港劳工工资水平未发生明显变动。1959年以后,熟练工人的工资大幅度上升。1961年以后,半熟练工人及非熟练工人的工资也明显上扬。1951—1961年,熟练工人日平均工资上涨100%,半熟练工人上涨48%,非熟练工人上涨29%。

其次是家庭就业人数的增加所带来的收入。史彭年1955年底所作的调查显示,普通工人家庭收入的81%来自户主,来自其他家庭成员的收入不足20%。萨拉夫的调查也表明,1960年,父亲(或母亲)是家庭中唯一有收入的人。60年代以后,香港家庭的经济来源呈现出多元化的趋势。比较1961年和1971年的统计资料,可以看出有更多老人、妇女和青少年加入了劳动大军。反映到家庭收入的构成上,便是妻子和子女对家庭收入的贡献不容忽视。

总的来看,在香港进行工业化的年代里,经济的快速发展改善着大多数人的生活状况,这是毋庸置疑的,但与此同时,香港民众生活还存在着颇为窘困的一面。具体来说,当时香港民众生活中面临以下三个方面的问题。

第一,住房问题依然严峻。香港首批公共房屋建成后的数年内,政府在市区各地陆续兴建了一些公共楼群,楼宇规模和设备也逐步改善。到1964年3月,共建成徙置大厦247座,新区居民达到60多万人。到1965年底,徙置居民将近80万人,

这意味着每5位居民中就有1人住在徙置楼宇中。到1968年,香港政府共动用6亿港元,开辟了21个新区,建成449座徙置大厦。

香港政府的徙置工作经过多年努力,安置了数十万居民,不可谓没有成就。但是,徙置区建设存在着两个方面问题,一是早期的徙置区过于简陋,成为日后很多社会问题滋生的温床。早期徙置大厦的设计标准也过低,直到1969年面世的第六类徙置大厦才达到了世界卫生组织制订的标准——每人最低限度要有35平方英尺的居住空间。为此,以大规模提供廉租屋宇而美名在外的徙置区曾经遭到诟病。1966年,英国国会议员约翰·兰克健(John Rankin)访港,在巡视了一个徙置区之后,认为徙置区的居住环境是"对我们的文明的耻辱"。1972年4月,英联邦发展及人类环境会议在香港举行,参观了徙置区的会议代表认为,"政府建成的这些贫民窟使他们觉得震惊"。

二是徙置区建设速度仍显迟缓。由于人口爆炸,在新区拔地而起的同时,新旧木屋区仍然比比皆是,致使徙置工作了无终期。1963年底,新区居民已经达到64万人,而木屋居民自1956年以来却增加了73%,达到58万余人。如果得不到迁徙,每年还将增加3万木屋居民。与此同时,新区内的情形也令政府十分头痛。1963年底,新区人口比上年增加9万余人,其中4万属于区内新增人口,致使原先符合居住标准的新区又变得拥挤不堪。如果根据人口增长速度来安置全部木屋居民,则需要进一步扩大楼宇建设计划。在当时的经济条件和政府指导思想下,实现这一目标是困难重重的。所以,一般社会舆论仍以建设速度迟缓为憾。

第二,劳工阶层生活艰辛。工业化时

代,香港劳工阶层的境况随着经济的发展得到了一定的改善。但是,与香港经济的高速成长相比,同时期劳工阶层生活水准的改善速度未免显得黯然失色。香港劳工待遇的明显提高发生在 60 年代末期,在此之前,众多香港劳工的生活处境是相当艰辛的。一是劳动时间过长。当时普通工人每天工作 10 小时以上,每周 7 天。有评论说,"甚至按亚洲标准来看,1960 年代末的香港工人工作时间也过长"。二是收入微薄。1966 年,熟练工人工资起点为每天 9 元,普通工人为 4—5 元。月薪仅及百元的人比比皆是。大部分工人家庭入息只敷日给,由此造成 60 年代以后劳工工潮此起彼伏。如 1963 年,各行业工会接二连三提出加薪要求,仅上半年因劳资纠纷损失的工作日即将近 4 万个。

第三,物价急剧上升,人民生活充满不安定感。据统计,1958 年以后,除 1959 年生活费用略有下跌外,其余各年皆逐年上涨。以 1958 年为基数 100,1964 年底已经涨至 133。1960 年 2 月以后,港府先后提高了水费、汽油税、烟草税、物业税等,导致百物腾贵。以房租为例,新楼业主普遍提高租金 10%—15%。1961 年 3 月,港府将出租楼宇的物业税提高一倍,港九各区新楼马上加租 15%—20%。1962 年初,港府财政司郭伯伟公开表示,"增租是香港经济繁荣的朕兆",言外之意不外乎政府无意管制新楼租价,于是房租开始一路上扬。1965 年以后,政府开始新一轮加税加费,提高了水费、邮费、汽油税、烟叶税等。此外,政府还增加了中学学费,师范学校则由免费改为收费招生,社会各界表示强烈反对,但这也未能动摇政府加费的决心,其结果是物价全面上涨。在这种情况下,民众生活极不稳定。工人们为了应付物价飞涨的局面,纷纷要求雇主加薪,而加薪之后又掀起新的涨价浪潮。物价的轮番上涨,使民众生活充满了不安定感。

3. 社会冲突

1956 年"双十节"事件之后的 10 年间,经济的快速发展改善了大多数人的生活状况,香港社会一直比较稳定。但是,正如前文所述,在经济繁荣和社会稳定的表象下,隐伏着劳苦大众的艰难困苦。一般来说,在一定时期以内,人们可以承受或者忽略这种困苦,但必须以生活水平的不断提高为前提。一旦经济前景黯淡,或是人们觉察到对美好生活的期盼将化作海市蜃楼,种种社会不安定现象便会随之出现。

步入 60 年代以后,香港许多物品价格轮番上涨,平民百姓深感生活压力巨大。1965 年 10 月,天星小轮有限公司以员工薪水提高和码头、轮渡保养费用增加为由向政府申请提高轮渡票价。消息一经传出,社会舆论反应强烈。人们普遍认为,一家公共交通公司提高票价,势必导致其他公司群起效尤,引起物价全面上涨,扰乱经济及民生。11 月下旬,市政局民选议员叶锡恩女士向政府递送一份两万余人签名的呈文,反映民众反对加价的要求。但是,港府对此采取置之不理的态度,于 12 月将加价申请移送公共交通咨询委员会审议。1966 年 3 月,该委员会拿出多数委员的报告,声称轮渡票价支出只占一般家庭支出的 0.075%,因而对消费品价格以及整个经济的影响极其微小。其后不久,港府又宣布增加寄往中国内地等地的邮资,并提高若干廉租屋租金 10%。报告书及政府的加价措施激起民众的强烈反响,受到社会的广泛批评。人们指责咨询委员会置公共舆论而不顾,所谓加价对物价及居民生活毫无影响的说法根本经不起推敲;政府当局这种鼓励加费的做法,只能增加贫民的生活负担。一时间舆论沸沸扬扬,小轮加价案成为万众瞩目的焦点问题。

1966年4月4日上午,香港青年苏守忠身着写有"支持叶锡恩,参加绝食,反对加价"等中英文字样的外衣,在港岛天星码头以绝食方式抗议轮渡加价。苏守忠表示,他将绝食至死或至加价建议撤销为止。翌日上午,苏再次举行抗议时,有一些青年人参加进来。下午,警察以阻碍行人通行为由逮捕苏守忠。随后,一群示威者前往总督府呈递请愿书。当晚,人们以九龙天星码头广场为起止点,沿弥敦道巡回游行,沿途高呼"我们反对加价"。4月6日上午,苏守忠在西区裁判司署提堂,吸引大批支持者。同日,港岛和九龙发生了零星的示威。

4月6日黄昏,示威演变成为暴乱。暴乱的中心是弥敦道。暴乱人群意图占领弥敦道,警察则竭力遏制。暴乱分子向警察投掷石块,捣毁巴士,推倒警岗。警察动用警棍、催泪弹,并开枪示警驱散人群。凌晨时分,警方才将暴乱稍稍平息下去。7日傍晚,亚皆老街、西洋菜街、山东街一带又有大批人群聚集,致油街等地有一些青年放火焚车,弥敦道上人群阻止警察向北推进。警察部队设法驱散了几处人群。午夜以后,旺角和油麻地还有人在纵火,但后被警察开枪驱散。8日,港府为防止暴乱再现,预为严加警戒,在九龙和新九龙实行宵禁。九龙骚乱就此平息。5月2日,天星小轮开始加价,但仅限于头等舱。于是,大部分头等舱乘客改搭二等舱,作为无声的抗议。

事件发生后,香港政府组织了调查委员会,探究动乱产生的根源。当时,社会人士根据综合分析的结果指出,这次事件

在政治因素方面,与十年前的九龙暴乱迥异,其政治诱因是微不足道的;但经济方面的因素则不可忽视。1965年银行风潮以后,房地产业迅速衰退,人们对香港经济前景普遍持悲观态度。另外,香港经济繁荣在很大程度上得益于出口贸易,人们忧虑物价上涨会使出口货物价格过高,从而丧失海外市场,造成经济萧条。就社会因素而言,社会福利工作人员认为,暴乱发生在人口稠密的九龙地区,表明住房挤迫可能是酿成骚乱的原因之一。青年问题学者则指出,新的一代青年人对香港社会及经济情况有自己独特的看法,他们因成功机会有限,预期难以实现而感到苦闷,他们也不再如父辈那样能够逆来顺受,因此暴乱成了青年人借以对社会现实发泄不满的手段。应该说,这些剖析是切中要害的。但是,港府的调查委员会只是泛泛地承认,假如本港社会不隐藏着对社会和经济情况不满的情绪,则示威可能不会得到民众这么大的支持。委员会认为,香港各方面状况都已经获得极大改善,如过去十年来,政府为解决住房问题竭尽努力,对目前情况不满的情绪并不普遍。其结论是,骚乱的主要原因在于公共关系的失败,即市民与政府之间存有隔阂。这是一个避重就轻、避实就虚的结论。其实,暴乱的根源在于广大民众迟迟不能分享经济进步的果实,迅速提高生活水平的愿望屡遭挫折,同时还要无休止地承受各种经济压力。调查委员会认为,为了避免事件的再次发生,宜在政府与民众之间开通多种传达路线,并借助报纸、广播两大媒介保证上情下达或下情上达。这些建议着眼于及时疏导和宣泄民众的不满情绪,无疑是有益的。但是,它所解决的只是极其表层的问题,如果政府不能从根本上消弭骚乱产生的原因,那么社会的安定是难

以得到根本保证的。事实证明,就在人们对于天星小轮加价事件记忆犹新之时,一场更大规模的动乱再次降临。

4. 文化

报业。这一时期,有多家新报纸问世,其中较具影响力的有:创办于1958年的《明报》、创办于1959年的《新报》、创办于1960年的《天天日报》、创办于1963年的《快报》、创办于1969年的《东方日报》、创办于1971年的《信报》,等等。报业发展的主要特点是敏于追赶时代潮流,从形式到内容不断地推陈出新。为了满足不同经济社会环境下读者的不同需要,香港报纸努力捕捉时代脉搏和潮流时尚,迅捷地为大众提供各类资讯。综合性大报贴近大众的主要方法是不断地调整版面。50年代末60年代初,因大量外来资金流入香港,香港股票市场交投活跃,各报竞辟股市版。60年代,随着新的居民消费热点的形成,各报争辟汽车版、旅行版、食经版、娱乐版、狗马经版等。在本地新闻方面,随着新市镇的崛起,多家报纸增辟新界版。这一时期,由于娱乐新闻受到读者追捧,大、中型综合性报纸纷纷加大副刊、娱乐消息的报道分量,过度重视娱乐性报道构成了香港报纸的特色之一。副刊的娱乐性报道,有"娱乐"、"影剧"、"谈天"、"说地"、"生活圈"等,它们颇能适合一般市民的口味,文笔通俗,俚语方言并用,文化程度不高的人也能看懂。

文学。当外来势力渐次消退之后,真正意义上的香港文学开始浮出水面。战后的香港正在成为数百万人的永久家园,香港文学也告别了如同浮萍般漂泊的命运。这一时期,香港文坛拥有了一支比较稳定的作家队伍。50年代,属于南下文化人群体的作家主要有徐訏、曹聚仁、李辉英、叶灵凤、徐速、赵滋蕃、黄思聘、林以亮、张爱玲、南宫博、刘以鬯、梁羽生、金庸、李素、思果、慕容羽军、何达、王敬义等。属于香港本地的作家或久居香港的作家,则有杰克(黄天石)、吴其敏、侣伦、夏易、舒巷城等。这两个群体构成了当时香港文坛的中坚力量。60年代以后,本地新一代文学青年开始显露头角。这一群体的主要成员有陆离、西西、亦舒、蔡炎培、古苍梧、也斯、蓬草、海辛、李心台、甘莎(张君默)、韩中旋、谭艺莎、戴天等。60年代,戴天、蔡炎培、徐柏雄、也斯等人的诗作,无论在取材、视野、广度方面,都更显圆熟深刻。小说方面,以西西、亦舒、朱韵成、江诗吕等成就最好,他们在题材的取舍、内容的剪裁、文字的技巧、意象的运用方面,都是胜出一筹。但是,无论是诗歌、散文或者小说,都带有浓厚的西方色彩。这一班文学青年的最终成熟尚有待于岁月的打磨。

从文学园地来看,这一时期报纸副刊为文学发展,尤其是小说的发表提供了强大的助力。香港报纸副刊曾经流行过小说版,以整版篇幅刊登连载小说,以各种不同类型的作品,吸引不同爱好的读者。左派的园地以《大公报》、《文汇报》和《新晚报》的副刊为主。《金陵春梦》曾在《新晚报》连载长达10年以上。

由于作家队伍的壮大和文学园地的增多,这一时期香港文坛出现了一批比较有影响的作品。南下作家比较重要的作品有曹聚仁的《酒店》、唐人的《人渣》,均以逃港难民生活为题材;徐速的《星星·月亮·太阳》和《樱子姑娘》是以抗日战争为背景的爱情小说,在香港和东南亚地区颇为畅销;徐訏在60年代初发表了《江湖行》;唐人的《金陵春梦》是以蒋介石一生为题材的长篇多卷现代历史小说,发表后震撼文坛;刘以鬯则借助于《酒徒》尽情挥洒他的文学才情与文学理想。《酒徒》表达了一个极具艺术品位的香港职业作家的困惑与彷徨、挣扎与妥协,暴露出社会和文坛的黑暗。本地作家的重要作品则首推侣伦的《穷巷》。在通俗文学方面,最辉煌的作品是金庸、梁羽生的新派武侠小说,被誉为香港文学的奇葩。金庸的主要作品有《神雕侠侣》、《倚天屠龙记》等,梁羽生的主要作品有《龙虎斗京华》、《萍踪侠影录》等。金庸、梁羽生的新派武侠小说在努力吸收"五四"新文学以及世界优秀文学养分的基础上,创新求变,从情节布局、人物塑造到语言运用,都创建了独树一帜的鲜明个人风格。新派武侠小说情节紧凑逼人,语言典雅流畅,文学韵味浓郁,其独特魅力已经征服了全球华人世界。

电影。在国语电影方面,最值得一提的是李翰祥表现中国风味民间故事的电影品种——"黄梅调电影"。1958年,李翰祥的第一部黄梅调电影《貂蝉》问世,该片充分利用黄梅调易学易唱、无声不歌、无动不舞的特点,表现出悠远的神韵。此片是邵氏公司首次斥巨资拍摄的影片,标志着香港国语片的起飞。其后,李翰祥的黄梅调电影《江山美人》和《梁山伯与祝英台》均大获成功。在《江山美人》面世之前国语片在香港的卖座收入以"万"计,此后则以"十万"计。《梁山伯与祝英台》则达到"黄梅调"电影的高峰,全香港的影片成了"黄梅调"的天下。此类影片的成功,据香港著名导演张彻的分析,原因在于当时"海外、香港曾对中国传统戏曲兴趣极浓,几乎是崇拜,因此黄梅调电影才能兴盛一时"。

在粤语电影方面,香港粤语片的产量超过国语片,质量参差不齐。"中联"、"新联"、"华侨"、"光艺"等是比较著名的粤语电影制片公司。其中"中联"、"华侨"、"新联"注重家庭伦理、社会写实题材。"光艺"则走青春路线,关注爱情题材。这几家著名的制片公司基本上走30年代上海严肃电影文艺路线,主张电影的思想性和艺术性并重,表现出不甘向流俗低头的品质。他们推出了一批粤语电影的经典之作。如中联公司的《危楼春秋》,描写香港人生活的艰辛,便是粤语电影佳作之一。那个年代较具知名度的粤语故事片还有《慈母泪》、《家家户户》、《人伦》、《金玉满堂》、《父与子》、《人海孤鸿》、《可怜天下父母心》等,多是时代的真实写照。粤语戏曲片的代表作品有《宝莲灯》、《璇宫艳史》、《帝女花》等。

粤语电影中比较受欢迎的品种还有古装武侠片和喜剧片。借着武侠小说在香港和东南亚各地风靡一时的有利时机,香港电影界掀起武侠片热潮。其中最具影响力并且长盛不衰的功夫片当属《黄飞鸿》系列电影,50年代拍摄26部,大多为胡鹏导演,关德兴主演。到70年代《黄飞鸿》电影多达80余部。喜剧片,尤其是小市民式的闹剧也是一个令人怀念的粤语电影类型。五六十年代香港普通民众生活清苦,银幕上的小市民喜剧可以使他们暂时忘却生活中的烦恼,在得到片刻欢娱之时舒缓精神压力。饰演过许多小人物的新马师曾说:"因为一般大众生活上捱得透不过气,来看电影,在个多两个小时之内得到开心,以舒一日之辛苦。"

在二战以后的香港电影史上,粤语电影的粗制滥造是一个不容回避的话题。战前,香港电影以拍摄粤语片为主。战后初期,中国政府以同化方言为理由,严禁粤语片进口内地。粤语片损失了一个重要市场,令制片人一度不敢贸然投资。孰料战后第一套港产粤语片《归郎晚》在香港和海外销路极佳,制片人恢复信心,纷纷投拍粤语片。50 年代,粤语电影平均年产近 200 部。在投放市场的粤语电影中,低劣影片为数甚巨。粗劣粤语片的泛滥成灾,主要是由以下两个原因所造成的:其一,战后出现的众多电影公司,朝生暮死,梦想着以小搏大,粗制滥造,出片不少,但与艺术无缘。在当时的香港制片公司中,小资本的独立公司占大多数,妄想着收一本万利之效,以本小利大,多拍多卖为制片原则,有的可以 7 天完成一部戏,故有"七日鲜"之说,此类影片的水准可想而知。其二,有些粤语片专门迎合低级趣味。当时香港的中上层人士主要是观看西片,粤语片的观众群体以香港的小市民以及南洋仅懂广东话的老华侨为主,观众的文化水准相对较低。为了吸引观众,许多粤语片以神怪、迷信、色情为主要内容,制作粗滥。

60 年代,粤语片因出品过滥而遭市场冷遇,国语片日渐兴旺。1966 年度,在香港上映的国语片达百部之多,从质量到票房收入,皆可与西片分庭抗礼。据 1968 年《香港年鉴》记载:数年前盛极一时的粤语片令人丧气,产量与市况都在萎缩中。前些年粤片年产 200 部,本年不过百部左右。有人指出,粤语片萎缩,乃因粗制滥造,题材陈旧,故为观众所摒弃。但制作认真者往往也会人仰马翻,70 年代初,香港影坛一度出现了"粤语电影已告完全绝迹,电影行业中不复有粤语片之存在"的景象。

二

台湾加强"独裁统治",
进行政治新布局

随着台湾政局的稳定和自己年事渐

高,"反攻大陆"成为蒋介石的主要目标。他在极力维护和加强独裁权力的同时,开始着手进行政治布局,并为传位于子作准备。1965 年 3 月,陈诚因病去世,蒋介石经过再三考虑决定提名严家淦为"副总统"候选人。在蒋介石的铁腕支持下,严家淦以微弱优势勉强当选,从而为蒋经国的顺利接班扫清了障碍。

1. 中国国民党第八次"全国"代表大会

国民党在"七全"大会召开后的 5 年间,在美国的保护和支持下,通过实施一系列政治、经济、文化、军事措施,逐步在台湾站稳了脚跟。此时的蒋介石和台湾当局,又开始大做"反攻复国"的梦,积极推进从"保卫台湾"向"反攻大陆"目标的转变。

为确定国民党现阶段的政纲,也为了加强"反攻大陆"的前期准备工作,国民党于 1957 年 10 月 10 日至 23 日在台北召开了第八次"全国"代表大会。国民党中央委员、候补中央委员、中央评议委员 500 余人出席或列席会议。蒋介石主持会议并致开幕词。

会议听取、通过了陈诚所作的《政治报告》、张厉生所作的《党务工作报告》、王叔铭所作的《军事报告》以及俞鸿钧、张道藩、王宠惠、于右任、景佐纲分别代表"行政院"、"立法院"、"司法院"、"监察院"、"考试院"所作的施政报告,并作出相应的决议。

在《政治报告》中,陈诚认为,国民党"七全"大会以后的一切工作,都是为了达成"反攻复国"的任务。国民党今后要从"保卫台湾"、"建设台湾"进入"反攻复国"的实际工作阶段,把"反攻复国"作为工作的重心。为此,陈诚强调,必须"致力于建设台湾",在"国防"上加强台湾的军事力量;在政治上厉行"民主法制"建设;在经济上建立"自立的经济体系和自存的经济能力";在社会文化上培养"国民"精神。陈诚认为,为了实现"反攻大陆",必须集结海外的"反共"力量,在坚决"反共"的基础上,加强国际间特别是美台之间的"友好"合作,促成"反共救国联合战线";继续用"分散潜伏"政策,策进和发展在大陆的地下组织,以"充实反共复国的基本条件"。从陈诚的《政治报告》主题和内容来看,国民党现阶段一切工作的中心就是做好各方面准备工作,随时进行"反攻大陆"。

为适应"反攻大陆"的需要,国民党特地在"八全"大会上再次对其党章进行了修改、增列和删除。在这次党章修正中,最重要的是将原来"组织原则"所规定的"民主集权制"删除;将"组织基础"改为"本党结合全国信仰三民主义之革命青年和爱国同胞为党的构成部分";增加"社会关系"与"确立健全干部制度"等条文,对各级组织予以简化。国民党此举,就是要扩大党的组织,消除党内不同声音。

为确定"八全"大会后国民党的政治行动,扩大国民党的政治号召力,大会着重讨论并通过了《国民党政纲案》。《政纲》共3章35条,分为"基本纲领"、"建设台湾,策进反攻"、"光复大陆,拯救同胞"三大部分。在"基本纲领"部分,规定了国民党现阶段完成所谓"反共抗俄"、"复国建国"任务必须实现的目标和要求;在"建设台湾,策进反攻"部分规定了国民党在台湾有关政治、经济、军事、社会、侨务与教育方面的具体政策,目的在于把台湾建设成"三民主义模范省",奠定"建国"基础,完成"反攻大陆"的准备。在"光复大陆,拯救同胞"部分提出要在大陆进行积极的"策反"工作,以便里应外合,实现"反

攻复国"的目标。

大会讨论并通过了《国民党现阶段工作纲领案》,规定国民党要从现阶段负起"推行宪政"、"收复大陆"的使命,完成"党政军联合推行"的任务,充实"反共复国"的主客观条件,扩展"组织基地",联合"反共势力",通过"心战"、"政战"和"策反",实现"反攻复国"。

大会还讨论通过了《本党设立副总裁案》,宣称"八全"大会后,"反攻复国"任务"倍形艰辛","责任亦益加重大",决定增设"副总裁"一人,"辅助总裁处理党务";副总裁人选由总裁提名并经大会通过。增设副总裁之举,是为了从党务方面完成和加强1954年第一届"国大"二次会议之后逐渐形成的蒋陈体制,让蒋介石的心腹陈诚辅助完成"反攻复国"的庞杂工作,并考虑通过陈诚将权力逐渐转移到蒋经国手中。

大会一致决议推举蒋介石连任总裁,并通过蒋介石提名的陈诚为副总裁;选举产生陈诚、蒋经国等50人为中央委员,王升、谢东闵等25人为候补中央委员,于右任等76人为中央评议委员。在10月27日召开的八届一中全会上,蒋经国等15人被推举为中央常委。

国民党"八全"大会是国民党政纲政策演进和自身发展进入新阶段的重要会议。这次大会的召开,标志着国民党的工作重心开始由"保卫台湾"、"建设台湾"转向"反攻大陆",并根据这一重心的转变制定了政治、经济、军事等各方面的行动纲领和具体政策。特别是在党务方面,党章的修正和政纲的制定,强化了对党员的纪律约束,加重了干部责任,加强了"以党领政";领导体制和组织制度上加强了中央极权专制,增设副总裁使蒋陈体制更有效运作并使之具有合法性。可以说,国民党

"八全"大会为国民党实现其所谓"反攻大陆"作了政治上、思想上和组织上的准备。11月28日,国民党在全岛范围内举行了由11万人参加代号为"昆阳"的大规模军事演习,美军也频繁行动配合国民党军,海峡两岸军事对峙逐步升级,局势日益紧张。

2.所谓《光复大陆指导纲领》的制定

蒋介石一再叫嚣的"反攻大陆",无论是在国际形势还是海峡两岸的实力对比上,这都注定是无法实现的梦呓。但60年代初,国际形势的演变为台湾提供了"反攻"的一丝希望。

60年代初,国际间两大阵营的冷战局势更为严峻,1962年的"古巴导弹危机",使得美苏两国剑拔弩张,已走到战争边缘,美国更重视台湾在全球的战略地位;在中国大陆,中苏两党发生大论战,中印边境爆发军事冲突,国民经济发展遇到严重困难,社会内部矛盾加剧。相比之下,台湾经济则稳定发展,经济实力有所增强,军事装备有所改善,台湾当局认为大陆的暂时困难为其号召大陆人民"起义"、投奔"自由世界"提供了机会。

为了推进"反攻大陆总体战"的实现,国民党于1962年11月12日至15日召开了八届五中全会,讨论并通过了所谓的《光复大陆指导纲领》。

所谓的《光复大陆指导纲领》是根据蒋介石的"训示",由国民党中常会起草提交全会讨论的。《纲领》总计16条,分为"基本方针"、"实施要领"、"指导与执行"三部分,基本内容是:"确定光复大陆以完成国家统一,恢复人民自由,根绝共产暴政,建设三民主义新中国为目标,综合政治、军事、经济、文化各方面力量,以发挥总体战的功能,同时使军事反攻与大陆反共革命相互结合,创造里应外合的形势,

蔚成革命战斗的热潮,并团结国内、国外、敌前、敌后一切反共革命力量,共同反抗暴政,加速匪伪统治的崩溃与灭亡。"

将所谓的《光复大陆指导纲领》与蒋介石以往关于"反攻大陆"的讲话加以比较,可以发现有两处较为明显的变化,一是求得"反共军事"与大陆"内乱"的里应外合;二是要"团结国内、国外、敌前、敌后一切反共革命力量",共同努力,强调要更多地注意"大陆敌后工作",显示出蒋介石根据单凭台湾力量不足以"反攻大陆"的基本估计及对大陆内外形势的估计而进行的相应变化。

所谓的《光复大陆指导纲领》在蒋介石的"反攻"理论体系中具有重要的地位。蒋介石败退台湾后,念念不忘"反攻大陆",从1950年初开始蒋介石就不断地说"反攻在即",并作了不少政治、军事的准备,但在1958年前,台湾当局的"反攻"计划和政策是建立在"保卫台湾"之上的,没有能力大规模地具体实施。1958年金门炮战后,蒋介石在美国的压迫下不得不公开宣布,台湾坚持的"光复大陆"政策是以"七分政治、三分军事"为原则,即"不是以武力反攻,而是以政治方式光复大陆"。

所谓的《光复大陆指导纲领》制定前后,国民党派遣了一些武装游击队到大陆沿海地区进行骚扰,伺机从事爆破、暗杀、捣乱、破坏,并企图建立长期潜伏基地,幻想由此引发大陆人民的"响应"。据台湾情报机构公开公布的数字,自1962年3月至12月间,台湾派往大陆的游击人员共873名,其中绝大部分来自于国民党秘密设立的特务训练基地。他们大多通过乘船的方式潜入广东、福建、山东等沿海省份,少数通过飞机空投的方式进入广西十万大山、甘肃、宁夏等边远地区。台湾特务到大陆后,杀人放火,无恶不作,破坏的

目标"从金矿到渔船包罗一切,可详细分为23类,其中包括铁道、造船所、电力公司及粮仓等"。1963年,台湾对大陆的武装骚扰活动达到顶峰,据见诸报端的不完全统计,1963年间台湾至少有35支反共游击队骚扰大陆。台湾的海军军舰也不断在海峡进行挑衅式的游弋,设在金门的大功率电台不分昼夜对大陆广播,企图"策动大陆人民起义"。

3.中国国民党第九次"全国"代表大会

国民党"八全"大会以后的6年间,台湾当局秉持既定的大陆政策,积极推行"反攻大陆"的军事部署,不断派遣武装特务进入大陆东南沿海地区骚扰,均遭严重挫败;在政治上,采取极端措施压制党外民主力量,社会政治气氛低迷、沉闷;在经济上,受1959年"八七水灾"和"葛乐礼风灾"等自然灾害影响,生产、出口、税收骤减,财政陷入严重困难,各项建设被迫放缓。面对这一系列困局,国民党意识到以军事手段"反攻大陆"难以实现,特别是经历1958年第二次台海危机后,不论从国际形势还是从岛内实力都决定了国民党不得不改变策略,作长期经营的打算。国民党认为"反共斗争是一种长期的总体战,它包括政治、经济与文化、社会各方面,以及过去与将来的作战,并不仅仅限于一时的军事作战"。

为稳定社会,推行所谓军事、政治和思想多维一体的"反攻大陆总体战",国民党于1963年11月12日至22日在台北召开了由850人参加的第九次"全国"代表大会。大会的中心议题就是确定"反攻复国总体战"方略,筹组"中华民国反共建国"联盟,并发起所谓"中华文化复兴运动"。

会上听取了陈诚所作的《政治报告》。在报告中,陈诚声称:在"总体战"中,大陆

是"主战场",台海是"支战场",国民党的战略原则是以"政治为前锋,军事为后卫,使大陆革命和台海战争相结合"。因此,当前国民党的中心任务,就是以"七分政治"和"三分军事",策进对大陆的"政治作战",渗进大陆,发展"策反组织","冒险犯难",有计划有组织地从事各种破坏活动,以配合"军事作战"。同时,要加强"革新运动",扩大民生建设,充实"战斗力量"。

会议通过了《中国国民党现阶段工作纲领案》。在该案中,国民党制定了一系列"反共复国"的各项具体部署,强调以国民党"为领导核心,发挥政治、经济、外交、文化、心理一切力量,与军事紧密配合,组成一个战斗体,完成反攻大陆的战斗准备"。

在会上,蒋介石提出要筹组"中华民国反共建国联盟",并提交拟定的所谓的《反共建国共同行动纲领》提案交大会议决。提案的主要内容包括:①"中华民国反共建国联盟"以集中海内外意志与力量,提供"反共建国"大计,争取胜利为主旨;②"中华民国反共建国联盟"为在现行宪政体制下之"全民"性结合;③"中华民国反共建国联盟"以个人为主体。由各民族、各党派、各宗教、各社团、各侨团、各经济团体、各学术文化团体、各妇女及青年团体——特别是敌后组织,具有声望、成就与代表性之人物参加;④拟具所谓的《反共建国共同行动纲领草案》,融汇各方意见,提出联盟会议,以为今后共同行动之准据;⑤"中华民国反共建国联盟"会议决议事项,其属于政府职权者,经由政府有关方面采纳施行;⑥责成九届中央委员会根据上项原则,研拟具体方案,付诸实施并望于最短期内达成此一任务。

会议还以"集结全民意志与精神力量","充实反共准备"为由,以"三民主义

思想"为旗号,确定"致力于民族文化复兴运动",企图用中国传统文化、儒家的"道统"思想,融汇"时代思想",去遏止思想界"民主"、"人权"观念的传播,重新确立国民党的"道统",维护国民党在台湾的统治。

为加强国民党的组织功能,强化其在"总体战"中的核心主导作用,国民党还在此次会议上通过了《中国国民党党章修正案》,规定"加强各级纪律委员会之职权",运用监察权能处理违纪案件,整饬党纪,严密组织,达成巩固的战斗体。会议决定"加强各级组织的任务",健全基层组织,重新编组,加以"战斗知能的训练",使之"担负战时工作与非常任务","重复发挥党政军综合战力与联合作战的组织领导作用"。

会上,推举蒋介石为总裁、陈诚为副总裁,选举蒋经国等 74 人为中央委员,孙运璇等 35 人为候补中央委员,蒋介石指定的于右任等 144 人为中央评议委员。11 月 23 日,在国民党召开的九届一中全会上,推举蒋经国等 15 人为中央常委。

国民党"九全"大会虽然对"反攻复国"的方略进行了调整,并规划了一系列"宏伟"目标和计划,但诸多事项收效甚微,甚至不了了之,如所谓的"中华民国反共建国联盟"。在"九全"大会后,国民党开始积极组织筹划,并于 1964 年 4 月 30 日成立了"中华民国反共建国联盟"筹备委员会,但海内外对此心存疑虑,反响冷淡,响应者寥寥无几,组建工作无实质进展,最终不了了之。

4.终身"总统"

1960 年 2 月,蒋介石的第二届"总统"任期期满,按所谓的《中华民国宪法》规定,"总统"只能连选连任一次,是不能再当"总统"了,但他并不愿意"退位"。早在

1958 年即有各种"敦请"蒋介石连任的消息见诸报端,临近改选之时,更是"铺天盖地"。1960 年 2 月 20 日,第一届"国民大会"第三次会议在台北中山堂举行,就收到的 3 个有关修改法律的提案进行讨论,各方意见不一,争执不下,直至 3 月 11 日才达成修改《临时条款》的意见,决定以"国家"局势维艰,《宪法》之规定颇多不适合时势为由,修改《临时条款》。修改的主要内容为新增第三项,即"动员戡乱"时期"总统"、"副总统"得连选连任,不受《宪法》第 47 条连任一次之限制。至此,《临时条款》成为蒋介石担任终身"总统"的法律依据,蒋介石第三次担任"总统"的障碍扫除。3 月 12 日,国民党中央临时全体会议推举总裁蒋介石、副总裁陈诚分别为"中华民国第三任总统、副总统候选人";21 日,"国民大会"正式投票选举"总统"。有 1509 人参加投票,蒋介石以 1481 票当选。之后,蒋介石又依次出任第四任、第五任"总统"直至去世。

在顺利当选后,蒋介石在"国民大会"第三次会议闭幕式上对其六年任期总目标再次开出"反共复国"的空头支票:"今后六年,乃是我们国家民族存亡绝续最严重的关头……我深信必能在六年之内——乃至于更早的得到反攻圣战的胜利和复国大业的成功。"

1966 年 2 月 19 日,第一届"国民大会"第四次会议召开。这次会议又一次修正了《临时条款》。《修正案》第四条规定:"动员戡乱"时期,"本宪政体制,授权总统设置动员戡乱机构,决定动员戡乱有关大政方针,并处理战地政务"和"调整中央政府之行政机构、人事机构及其组织"的权力。根据这一规定,蒋介石于 1967 年 2 月 1 日下令颁布了《动员戡乱时期国家安全会议组织纲领》,随后成立了"国家安全会

议"，以此作为"决定动员戡乱时期有关大政方针，并处理战地政务的最高机构"。

"国家安全会议"主席为"总统"蒋介石，成员囊括了台湾几乎所有重要部门的头目。这一机构的设立使蒋介石能顺利地集中所有的权力，从而控制台湾的政治、经济、军事、文化、教育等一切领域。他可以将自己的意志通过"国家安全会议"形成决策，然后交由"行政院"院长及各部门长官分头执行。

由此可见，"反攻复国"成为蒋介石实现独裁的一个有利工具，他不断强调"反攻"意在不断提醒台湾民众有一个强大的外部敌人来凝聚内部团结并迫使民众接受国民党的"一党独大"，也使蒋介石实现了自己梦寐以求的终身"独裁"。

5."雷震事件"与《自由中国》杂志被查封

国民党退台时，一部分受美国民主政治思想影响较深的"自由知识分子"也跟随来台。与从政的"自由人士"不完全相同的是，他们既反对共产主义，也反对国民党蒋介石的专制独裁。50年代，他们主要以刊物来发表自己的政见，批评国民党，甚至幻想在台湾寻找社会群众基础，组织起一个与国民党分庭抗礼反对党。其中，最为著名的是雷震。

雷震，1897年生，浙江长兴县人。国民党元老。早年毕业于日本京都帝国大学法学院，1917年在日本东京由张继和戴季陶介绍加入中华革命党。他长期担任国民党内的重要工作，曾任国民党中央监察委员、国民参政会副秘书长、"政治协商会议"秘书长，与许多国民党党政要员、知识分子和民主人士都有广泛的联系，被视为国民党内的开明人物。1949年去台湾后，雷震一度任"总统府国策顾问"和国民党中央改造委员会下设的考核设计委员

会委员，负责与滞留海外的"第三势力"联络。然而，在"改造运动"中，他却未登记，等于自动脱离国民党。此时，他的主要精力放在了《自由中国》杂志的编辑工作上。

《自由中国》(半月刊)是一本以宣扬西方民主、自由和反共为宗旨的刊物。1949年11月20日创办于台北，由著名学者胡适、傅斯年、王雪艇、俞大维、毛子水、殷海光、雷震和时任"教育部长"的杭立武等人共同发起，胡适任杂志发行人，雷震任社长，毛子水任主编，但雷震和殷海光始终是杂志的主要负责人。创刊之初，杂志社每月由"教育部"负责提供500美元的经费，台湾"省政府"为其提供了一栋楼作为办公场所，杂志发往各级"党政机关"，甚至国民党军队。

随着台湾岛内政治经济情况的变化，这份以"反共"起家的刊物逐渐将政论的目标转向攻击台湾当局的独裁统治。从50年代初期开始，先后在敏感的"总统"连任问题、"反攻大陆"问题、"政体"问题、"修宪"问题、"反对党"问题上发表了不少与台湾当局相左的言论，影响巨大。双方的矛盾、冲突逐渐升级，到1960年双方的对抗达到顶点。

除了意识形态的对立外，更为严重的是雷震参与筹划、组织"反对党"的问题。从1957年4月开始，雷震以《自由中国》为基地，联合了一批对台湾当局不满而又有影响力的台籍人士、知识分子及民社党、青年党成员，如李万居(台湾《公论报》社长，台湾"省议员")、吴三连(原台北市长)、高玉树(原台北市长)、夏涛声(青年党领袖之一)、蒋匀田(民社党主席)筹划成立一个"能与国民党相匹敌的反对党"。5月18日，雷震、吴三连、李万居、郭国基、夏涛声、朱文伯等人商议成立"中国地方自治研究会"，并于7、8月间两次向台湾当

局提出社团登记申请,均遭当局拒绝。反对派在得到美国政府明确表示支持的态度后,加紧了筹组新党的活动。

1960 年间,时逢台湾有地方选举活动,反对派遂组织起"选举改进座谈会",在全省组合动员成立"在野党"。6 月 26 日,该会召集第一次委员会议,选举李万居、雷震、高玉树为未来新党的发言人,并推出雷震等 17 人为召集委员;以李万居为主席,雷震为秘书长,实际主持具体工作。9 月 1 日,雷震与部分台籍精英发表声明宣称将于 9 日前成立新党。台湾当局惊恐万分。4 日,台湾警备总司令部以"涉嫌叛乱",违反"反共抗俄国策"罪名逮捕雷震。是为著名的"雷震事件"。

按蒋介石于 9 月 14 日接见美国记者时的说法,"雷震事件"是因《自由中国》杂志发表反"政府"的言论与其幕后有间谍活动而起的,但深层原因还是因为雷震等人要在台湾组织一个与蒋介石唱对台戏的"反对党",这是蒋介石绝对不允许的。因此,尽管遭到来自多方的指责,蒋介石仍一意孤行。同年 10 月 8 日,台湾当局以雷震因"明知为匪谍而不告密检举"、"连续以文字为有利于叛徒之宣传"等罪名判处雷震有期徒刑 10 年,正式查封《自由中国》杂志。随着雷震入狱,一场引人注目的组党运动实际上已经结束,之后的 10 年,台湾的地方政治势力除在地方选举中略有斩获外,再也没能建立起有组织的反对力量来对抗国民党了。

6. 中西文化论战与《文星》事件

进入 60 年代后,海峡两岸的紧张局势稍有缓和,台湾经济开始起飞。伴随着工业化的到来,社会思想日益多元化,加上政治、经济、军事等各方面仰仗美国,大量西方的政治观、价值观和生活方式也随之渗透岛内。知识分子面对 50 年代以来台湾政治、经济、思想文化等方面的一系列矛盾,试图从西方文化中为台湾社会发展和文化趋向寻找一条出路,于是引发了一场蒋介石时期最激烈的"中西文化论战"。

这次论战是李敖和《文星》杂志所引发的。《文星》杂志是一个侧重于学术文化的综合性月刊,由萧孟能创办于 1957 年 11 月 15 日,创办初期以"生活的、文学的、艺术的"为宗旨,较少涉及社会问题。1961 年以后,由于李敖文章的大量发表,杂志的内容发生了重点的变化,其办刊宗旨也改为"思想的、生活的、艺术的"主题,成为台湾地区一个引人注目的刊物。

李敖,1935 年 4 月 25 日出生于哈尔滨,1936 年随全家到北平。幼年即喜好读书、买书、藏书。1949 年 4 月,李敖随全家迁居台湾,读书更勤。1954 年夏,李敖以同等学力,先考入台大法律系,后又考入台大历史系。1961 年再考入台大历史研究所。

从少年时起,李敖即对"中央集权、整齐划一"的台湾教育制度不满,更由对教育制度的不满逐渐深化到对传统和传统势力的厌恶。1961 年,李敖以《老年人和棒子》一文开始了他与《文星》杂志合作的历史。其后,李敖的大量文字频繁出现在《文星》杂志上,使《文星》杂志的声誉大增,一跃成为台湾知识界中有影响的言论工具。

李敖是选择胡适作为其反传统潮流的突破口的。1962 年初,李敖分别在《文星》杂志上发表了题为《播种者胡适》、《胡适先生走进了地狱》等评论性文章,拉开了李敖重塑胡适形象工程的序幕。

李敖论胡适思想的文章最主要的论点有三个:第一,充分肯定胡适的渐进的社会改良主义思想,认为胡适对我们国家走向现代化作出了重大的贡献,称赞胡适是"永不停止的"追求真理的"国中第一人"。第二,批评胡适的保守主义,强调胡适的"全盘西化"思想。他认为胡适作为一个曾经主张"全盘西化"的人,最终却屈服于东方的传统,因此认为胡适是一个自由主义的右派,是一个保守的自由主义者。第三,提出要超越胡适。

1962年11月,李敖又在《文星》杂志上发表了《给谈中西文化的人看看病》、《我要继续给人看看病》、《中国思想趋向的一个答案》等文章,再次以"全盘西化"的思想对中国的传统及传统文化的消极面进行了猛烈的抨击。

李敖把抨击的矛头指向传统文化和有国民党做后援的传统势力,势必引起台湾当局的严重不安。台湾当局感到李敖的言论对其的统治已构成了威胁。同时,李敖的文章又指名道姓地批评了朝野的一大批高官名流,触怒了一大批台湾的党政要员和社会知名人士,如张其昀、陈立夫、陶希圣、刘哲及胡秋原、任卓宣、郑学稼、陈启天、钱穆、毛子水、萨孟武等,顿时在社会上掀起了轩然大波。以胡秋原、郑学稼、任卓宣为首,一些人在《政治评论》、《民主评论》、《世界评论》上针对李敖的"全盘西化"提出了批评,展开了论战。

这场论战夹杂着情绪化的互相攻击,终于闹到了台北法院。1965年10月,李敖又在《文星》杂志上发表了《我们对国法党限的严正表示》一文,公开批评当局,引起了国民党的恐慌。1965年12月,国民党当局下令封闭《文星》杂志。1967年,台湾"高等法院"对持续攻击胡秋原的李敖以"妨碍公务罪"提起公诉。1971年3月19日,逮捕李敖。次年以"叛乱罪"判处李敖有期徒刑10年。这样,一场长达数年的中西文化论战终于在国民党当局的高压下结束,论战中要讨论的中国文化问题尚

未来得及充分展开就匆忙结束了。

7. 严家淦成为台湾政坛"黑马"

1963年12月3日,陈诚以肝病复发为由,辞去"行政院长"一职。12月,经蒋介石提名,严家淦就任"行政院长","内阁"改组。

在台湾的"政权"结构中,"行政院长"掌有较大的行政权力,是蒋介石之下的第二位实权人物,历来引人注目。国民党退台后,陈诚担任了两届"行政院长",前后长达9年。在职期间,陈诚做了大量具体工作,民间口碑不错。尽管陈诚一直以来唯蒋介石"马首是瞻",对蒋的地位也不构成威胁,但却严重影响蒋介石传位于子的安排。因此,在11月召开的国民党"九全"大会上,就有"发展经济,起用新人"之说。

此时,蒋介石之所以挑选严家淦接替陈诚出任"行政院长",有其通盘考虑。严家淦,1905年生,江苏吴县人。早年毕业于上海圣约翰大学。1939年任福建省建设厅长、财政厅长。1945年后任台湾交通处长、财务处长、财政厅长。国民党退台后,任"经济部长",台湾"省政府主席"兼"保安司令"、"财政部长"。严在国民党内的资历甚浅,但因其是一个个性谦和、治事严谨、生活朴素的技术官僚,无政治野心,对蒋经国接班无碍,故为蒋介石所器重。

为使严家淦能顺利"组阁",蒋介石以国民党总裁的身份花了大量时间和精力进行说服工作。12月10日,严家淦以83.2%的支持率当选新任"行政院长"。

两个月后,严家淦打破先例,呈请蒋介石钦定蒋经国为"政务委员"兼"国防部副部长"。1964年,"国防部长"俞大维以身体不适提出辞呈,并力荐蒋经国为"国防部长",获蒋介石认可。1965年1月13日蒋介石发表"内阁"局部改组明令,特任

蒋经国为"国防部长"。从此,蒋经国开始以主角的身份登上了公开的政治舞台,迈出了接班历程中最关键的一步。

1965年3月5日,国民党副总裁、"中华民国副总统"陈诚在台北逝世。陈诚的去世,固然使蒋介石失去了一位得力的助手,但也使蒋介石传位于子的计划得以顺利实施。此后,蒋介石加快培植蒋经国的步伐,让其早日接班。

1966年2月19日至3月25日,台湾召开"国民大会"一届四次会议,选举"总统"、"副总统"。此时的蒋介石年届80,如若在位期间"崩逝",依法将由"副总统"继任,而蒋经国尚不适合出任"副总统"。因此,"副总统"一职必须由一个既无政治野心,又不存在个人派系和班底,且愿意充当屏风和花瓶,甘心为蒋经国保驾护航的人来出任。于是,蒋介石再次将目光放在严家淦身上。

3月21日,"副总统"选举投票,当天共发出选票1417张,收回1416张,意味着过半票数即最低选票数为708张。结果,在蒋介石的力挺下,严家淦得票782张,仅以74票的多数当选。

台湾打击瓦解"台独"势力

蒋介石收退台湾后,始终坚持一个中国的基本立场,反对任何形式的"台湾独立"。从50年代中期开始,蒋介石就深刻地感受到了"台独"主张及其组织的危害性。此时,"台独"组织经常秘密派人到台湾,挑拨族群矛盾,实施暗杀、爆炸等恐怖活动,使蒋介石对"台独"分子更为痛恨。他多次召开专门会议,研究、部署打击"台独"活动。1959—1966年间,台湾当局先

后破获了多起"台独"大案。这些行动基本铲除了岛内的"台独"组织,"台独"骨干分子不是落网,就是潜逃岛外。

1.廖文毅策划刺杀蒋介石事件

以廖文毅为首的"台独"分子,为了取代"中华民国",建立所谓的"台湾独立共和国",于1961年主谋策划了刺杀蒋介石事件。廖文毅,1910年出生于台湾云林县,中学毕业后先入金陵大学后赴美留学,获得俄亥俄大学化学博士学位。回国后曾任浙江大学教授、军政部兵工署上校技正。台湾光复后,廖文毅被派回台北参加接收,担任台北市公共事业管理处处长。在竞选国民大会代表落选后,他开始专心于"台独"活动。1947年,他主持成立了"自治法研究会",开始鼓吹"台湾独立"。"二二八"事件后,因遭通缉逃到上海。在那里,廖文毅成立了"台湾再解放联盟"。在美国一些人的支持下,廖文毅四处活动散布"台独"思想,组建"台独"组织,成为当时"台独"势力的头面人物。1950年5月,他在日本将"台湾再解放联盟"改为"台湾民主独立党",自任主席,标榜反蒋、反共、亲日,要求台湾在联合国托管下"高度自治",进而建立独立、中立的"台湾国";1955年9月,又成立由其担任名誉议长的所谓"台湾共和国临时国民议会";次年2月,正式成立"台湾共和国临时政府",并自封为"大统领",发表《台湾独立宣言》和《台湾共和国临时宪法》。为了联合各地"台独"分子,1960年廖文毅在日本横滨组织"台湾独立统一战线",自任总裁。

台湾当局得知廖文毅在日本组织了"台独"政府,气恼至极,发出通缉令并查封没收了他的全部财产。蒋介石也多次指示蒋经国注意该组织的动态,并采取措施进行狠狠打击。由于廖文毅"台独"组

织的总部及主要成员不在台湾岛内,逮捕不太方便,蒋介石和蒋经国决定用软硬两手打击该组织:一面公开号召该组织成员主动投诚,并派特工到日本,打入廖文毅的"台独"组织内部进行策反;一面对其在岛内的同伙进行严惩,没收其所有财产。

根据蒋氏父子的指示,台湾情治机关多次派人赴日本,对廖文毅"台独"组织的主要成员进行跟踪、策反。经过艰苦努力,台湾情治机关特工成功策反了"台湾民主独立党"的中央委员陈哲民,然后以陈哲民为突破口,陆续策反了10余名"台湾民主独立党"的中央委员。

蒋介石的攻心战术令廖文毅惊慌失措,他派了一名杀手郑松焘潜回岛内,企图通过暗杀蒋介石使自己摆脱困境。谁知杀手行动败露,行刺未果反而被台湾特工人员盯上,杀手虽然成功地逃回了日本,但仍于1961年11月29日被台湾特工小组在日本街头暗杀。郑松焘之死,使廖文毅胆战心惊,意志更加消沉,"台独"调子越唱越低。蒋介石闻悉后,派人给廖文毅捎话:只要放弃"台独",欢迎他回台湾。与此同时,蒋介石派特工打入"台独"组织内部,接近廖本人进行游说,还把廖文毅侄子廖史豪劝说廖文毅的录音带到日本给廖文毅。在蒋介石恩威并施和重重压力下,廖文毅思前想后,认为只有放弃"台独"主张,才能保住性命。

1965年3月6日,廖文毅在东京宣布"台湾统一战线"解散,他本人放弃"台独",并希望他过去的追随者也放弃那种错误的主张。1965年5月15日廖文毅从日本回到了离别18年的台湾。返台后,廖文毅先后被委任担任曾文水库筹建委员会副主任、台中港筹建委员会副主任,直至1986年病卒于台北。

2."苏东启事件"与"廖启川事件"

苏东启为云林"县议员",曾参加云林县长选举。落选后,与"省议员"李万居一起参加"中国民主党"筹组工作。此时,云林县民众张茂钟联合詹益仁、林东铿密议组织反对国民党的组织,图谋"台湾独立"。他们为实现这一目标,乃决定积极争取在云林地区有声望的苏东启加入,并担任领导,以扩大影响力。1961年1月,张茂钟等人聚集在云林虎尾詹益仁所开的"国际照相馆"里,商议有关事项,决定成立武装行动队,推举张茂钟、詹益仁为正、副队长;还草拟了行动计划。9月9日晚,武装行动队欲趁国民党第一○四七部队换防之机,袭击兵营,夺取武器。但因人力单薄,加上国民党兵营戒备森严而未果。消息外露后,台湾"警备司令部"以"叛乱罪嫌",于19日凌晨逮捕了苏东启、苏洪月娇夫妇,并沿线追踪,陆续逮捕300余人。1962年5月17日,台湾"警备司令"以"阴谋叛乱、推翻政府"罪,起诉苏东启等50人,将苏东启、张茂钟、陈庚判处死刑,詹益仁等47人分别判处无期徒刑及15年、12年不等有期徒刑。

此事件判决后,引起台内部各方注目,许多人对审判所引证的事实有怀疑,认为判处不公平,云林"县议员"全体联名提出抗议,海外人士也纷纷召开记者会表示不满。为此,台军事当局不得不在1962年7月23日发表声明,承认"原判事实欠明"、"用法量刑失当",决定予以发回重审。1963年9月25日,台湾"警备总部"公布复审结果,苏东启等4人改判无期徒刑,其他47人则分别改判为15年以下有期徒刑。苏东启于1976年9月18日获释出狱。

1961年9月17日,廖启川、孙秋源因涉嫌反国民党和主张"台独",分别在台北的家中遭台湾"警备总部"逮捕。"廖启川事件"是与"苏东启事件"有着密切关系的事件。

廖启川,南投县人,1911年生,毕业于日本东京帝国大学法律系。1955年在南投县某校任教务主任时,曾参加竞选南投县长。但终因国民党"作票"而失利。其后,辞去原职迁往台北经营玩具批发。1960年初至1961年春,廖启川先后结识经商的蔡金铿、青年党人李万居的秘书及《自治杂志》经营人孙秋源等人,在主张"台湾独立"和"以暴力推翻国民党统治"问题上,相互"颇具共识"。1961年7月上旬,廖启川就此召集孙秋源、蔡金铿、曾壬癸、詹万财、陈东川、吴耿隆等人秘密开会,商定由蔡金铿负责筹募经费,孙秋源负责文宣,陈东川负责组织敢死队,曾壬癸负责在军队中发展力量,共谋成立"敢死队","以暴力推翻国民党",实现"台湾独立"。7月下旬,云林"县议员"苏东启因事到台北,孙秋源前往拜访,谈到"台湾独立"问题,彼此竟"不谋而合"。8月上旬苏东启再次到台北,与廖启川、孙秋源就"台湾独立"问题密谋,并取得一致意见后,商定苏东启在南部举事时,由廖启川等人在台北、桃园、基隆等地与之呼应,配合行动;举事时间则定为年内联合国大会召开之时。双方还指派陈一郎和孙秋源为中间联络人。其后,廖启川等人加紧进行一系列准备工作。事情暴露后,陈一郎于1961年9月15日被国民党特务带走侦讯;9月17日晚,廖启川、孙秋源等被捕。其后,苏东启、蔡金铿、陈东川、利足禹等人亦相继被捕。

1962年6月,廖启川等人被"军法处"检察官依所谓《整治叛乱条例》第2条第3项"阴谋以非法之方式颠覆政府"提起公诉,随后判决:廖启川、孙秋源、利足禹、陈东川各判有期徒刑12年,蔡金铿判有期徒

刑8年,詹万财、吴耿隆、曾壬癸各判有期徒刑5年,林森茂以"知情不报"罪判有期徒刑2年。

3.逮捕彭明敏

1964年9月20日,台湾大学教授彭明敏与其学生谢聪敏、魏廷朝等,因一起起草所谓《台湾人民自救运动宣言》,主张倒蒋和"台湾独立",被台湾"警备司令部"逮捕。

彭明敏,1923年生,祖籍台湾高雄,曾留学日本、加拿大、法国,获得法学博士学位,是台湾知名的国际法专家。1954年夏,彭明敏返台受聘于台湾大学政治系,34岁晋升为教授,成为台湾战后最年轻的教授,并于1961年8月出任台湾大学政治系主任。1960年和1962年,彭明敏先后两次获蒋介石接见,1963年还当选为台湾第一届十大杰出青年。

60年代初,彭明敏赴非洲考察,撰写专门报告《泛非思想的感情因素》,对非洲正在兴起的反对殖民统治争取民族独立的运动予以高度评价,并将该文发表在《文星》杂志上。不仅如此,彭明敏还与有极深"台独"意识的学生谢聪敏、魏廷朝一起以非洲人民反对殖民统治的逻辑,推导出"台湾自决"的错误结论,广泛传播。1964年春彭明敏秘密草拟了《台湾人民自救运动宣言》,该《宣言》鼓吹"一个中国、一个台湾",主张台湾人应"抛弃大国的幻想和包袱","建立一个民主自由的国土——台湾国",正式提出了"台独"的八大主张、三大目标、八点原则,印刷了1万份,本计划散布全岛。台湾当局严厉打击"台独"势力,仍如此大规模地宣传"台独"理论,实属罕见。9月20日,正当彭明敏与已是《今日的中国》杂志编辑的谢聪敏、"中央研究院"助理研究员的魏廷朝外出散发《宣言》回到一家藏有《宣言》的小旅

馆之际,被追踪而至的特工人员逮捕。

由于彭明敏在岛内外有一定的"国际影响",他被捕的消息一传出,台湾当局就承受着来自各方面的压力。1965 年 4 月 2 日,台湾"省警备总司令部军事法庭"以"从事颠覆破坏活动"的罪名起诉、判处彭明敏、魏廷朝有期徒刑 8 年,谢聪敏有期徒刑 10 年。虽然台湾当局在对三人的处罚上已考虑了"国际影响",从轻发落,可国际上"营救"彭明敏的活动有增无减。1965 年 11 月 3 日,蒋介石下令"特赦"彭明敏。彭实际关押仅一年多,这在国民党统治台湾以来是绝无仅有的。

彭明敏出狱后,继续与海外"台独"分子联络,从事"台独"活动。台湾当局容忍了彭明敏的活动,只是限制其出境。1970 年 1 月 2 日,彭明敏在一些美国人的精心安排之下,化装潜逃出台湾,后经欧洲转往美国,继续进行"台独"活动,成为"台独"运动的重要分子。

四

台湾经济发展战略实现从"进口替代"向"出口扩张"转变

50 年代末 60 年代初,台湾的"进口替代"任务完成,经济发展再遇瓶颈。如何解决台湾经济发展问题,找到一条适合台湾经济发展的道路,经多次论证,台湾当局决定实施"出口扩张"的经济发展战略。经过三期"四年计划"的实施和一系列经济政策的引导、扶持,台湾不仅成功地实现了发展战略的转向,且实现了台湾经济的起飞,创造了所谓的"台湾奇迹"。

1. 第二期"四年经济建设计划"

由于种种原因台湾第一期"四年经济建设计划"未能全部完成,但已经为台湾

的经济发展打下了基础。此时,台湾经济发展仍面临诸多难题。①尽管"国民收入"有所增加,但还远远落后于日本等发达国家;②50 年代初期和中期,人口增长速度过快,就业压力依然十分严重;③工业发展领域已超出原有工业范围,不得不开拓新的领域;④进口替代工业品日趋饱和,必须发展出口外销产品;⑤过去偏重轻工业的发展,大规模现代化工业,包括钢铁、车辆、船舶等颇显不足;⑥工业产品虽有增加,但设备陈旧,成本甚高,而质量甚低,须进一步追求管理与技术的进步;⑦为增加财政收入,节省外汇,应尽量注意运用开发岛内资源。

第二期"四年经济建设计划"(1957—1960 年)仍是第一期"四年计划"的延续,只是在内容上有了很大的变动。第二期"四年计划"要达到的总目标是:继续开发资源、增加农业生产、加速工矿事业发展、扩展出口贸易、提高"国民"所得、增加就业、平衡"国际收支"。总原则为:经济、"国际"并重;"国防"、民生兼顾;在保证公营发展的前提下,扩大发展民营工商业。

为完成以上计划,需投资新台币180.26 亿元,其中农业 56.32 亿元,工业99.21 亿元,交通运输 24.73 亿元。第二期"四年计划"确定农业的平均年增长率为 4.5%,工业为平均年增长率 12.2%,"国际收支"的逆差要比 1956 年的数额减少 5900 万美元。主要项目的具体指标是:①要求每年增产稻米 5 万吨,维持每年有相当数量的稻米出口;继续增产小麦和大豆,减少进口。②注重焦煤增长,到 1960年要增产至 350 万吨;扩充发电量 28 万千瓦;发展食品工业和轻纺工业。③要求改造铁路设施,完成东西横贯公路,增加船舶运输吨位。除上述领域外,第二期"四年计划"还涉及 4 项"专案建设计划",包括

石门水库、西部海涂新生地、退役兵就业指导和居民住宅兴建等。

第二期"四年计划"实施的结果是,形成了与第一期"四年计划"迥然不同的现象。从投资方面看,农、工、交通部门的实际投资额为新台币190.26亿元,略高于原计划。其中,农业的实际投资额为新台币49.84亿元,仅相当于原计划的88.5%;其余各项投资如工业(102.66亿元新台币)、交通运输(37.75亿元新台币)均超过了原计划。从各项指标的完成情况看,在农业方面,稻米产量750.1万吨,为计划指标的95%;小麦16.5万吨,为计划指标的149.8%;大豆17.2万吨,为计划指标的119.3%;木材293.7万立方米,为计划指标的90.8%。也就是说,除稻米和木材外,其余各项指标均超过了原计划。工业方面,则全部没有完成原计划,有的甚至只完成了原计划的一半。如煤产量为1362.3万吨,是原计划的90.8%;棉布产量6.944亿码,是计划指标的93.2%;水泥产量386.9万吨,为计划指标的99.2%;发电量为122.76亿度,是计划指标的91.5%;塑胶产量8215吨,仅为原计划的43.8%;硫化铁产量1.431万吨,仅为计划指标的36.9%;汽车轮胎仅生产2.3万套,是原计划的12.8%。外贸方面,4年出口总量达到了计划指标,但进口额却超过了计划指标1.04亿美元,因此平衡贸易收支的计划也没能实现。从总体上看,第二期"四年计划"实施期间,农业的实际年均增长率为5.3%,超过了计划指标;工业的年均增长率为12%,没有达到计划指标。

第一、二期"四年计划"实施期间是台湾农业发展的黄金时期。从1953年到1958年期间,台湾农业年平均增长率为5%。其中,以林业、渔业和牲畜业发展较快。这说明台湾农业在向多元化发展。但50年代台湾当局的主要目标仍是扩大粮食生产,因此种植业仍是农业中最主要的部门。这一时期,台湾农作物的单位面积产量有了大幅度的提高,不仅为非农部门提供了大量廉价的粮食和工业原料,也为工业的发展提供了资金和大量廉价的劳动力、提供了商品市场,从而为工业的发展奠定了基础。

2.第三期"四年经济建设计划"

第三期"四年计划"(1961—1964年)由台"经济部"和"交通部"承担,其实施的目标主要是改善投资环境,提高生产能力,增加产品的国际竞争力,扩展外贸市场,减少对美援的依赖,将经济导向新的结构。第三期"四年计划"所要求达到的基本目标共5个:①岛内GNP由第二期"四年计划"时的年均6.5%的增长率提高到年均8%的增长率;②岛内人均"国民"所得由第二期"四年计划"的年均3.2%的增长率提高到年均4.5%的增长率;③就业人口,4年内要求增加30万人,年均增长9.2%;④"国际收支"逆差减少到6100万美元;⑤外汇储备金从无到有,要求达到1亿美元。

第三期"四年计划"于1964年结束。4年实际总投资额达到新台币595.76亿元,是第二期"四年计划"总投资的331%。1964年的"国民生产总额"比1960年增长了44%,经济发展的年增长率为9.5%,均超过了计划要求。从具体部门看,农业方面,稻米产量848.5万吨,完成指标的98.8%;小麦产量12.5万吨,仅为计划指标的38.8%;香蕉产量66.5万吨,达到计划指标的133.1%;木材产量375.1万立方米,为计划指标的88.1%;渔业产量136.7万吨,为计划指标的116.3%。4年来农业年均增长率达6.3%,超过计划指标。工业方面,煤产量 1871.3 万吨,为计划指标的 105.1%;硫化铁产量 18.73 万吨,为计划指标的 95.6%;水泥产量 798.1 万吨,为计划指标的 107.1%;发电量 197.09 亿度,为原计划的 94.3%。4 年工业增长率则高达 14.9%,大大超过了原计划指标。外贸在 4 年中发展迅速,出口完成计划指标的 138.4%,为 12.732 亿美元;进口达到计划指标的 111.2%,为 13.988 亿美元。

第三期"四年计划"完成后,台湾经济发生了许多变化,可以说,这一时期是台湾经济发展的重要转折时期。在工业、农业的比重方面,到 1963 年时,台湾工业已占工农业总产值的 51.29%,农业下降为 48.71%,工业生产净值已超过农业,这是台湾光复以来的第一次。在外贸方面:从 1952 年至 1965 年,台湾的外贸额一般只占同期"国民生产总额"的 25.59%;到 1965 年时,外贸总额则达到"国民生产总额"的 35.2%。这些重要的变化,标志着台湾经济已开始从农业经济向工业经济过渡,从内向型经济向外向型经济发展模式过渡。

3. 第四期"四年经济建设计划"与台湾经济起飞

尽管如此,此时的台湾经济仍未完全摆脱农业型、内向型的束缚。从经济结构发展来看,一方面是台湾工业虽有发展,但以制造业为主,制造业中,又以轻工业为主的模式未能改变;另一方面,台湾农业仍然在经济中起着重要的作用,而农业还是基本处于一种传统种植业的发展状况。这使得台湾产品的外销仍受到了极大的限制。为此,台湾当局又制定了第四期"四年计划"。

第四期"四年经济建设计划"(1965—1968 年)的主要目标是"促进经济现代化","维持经济稳定","促进高级工业发展"。重点在于改善投资环境,增加投资,改进经济结构,提高生产技术管理水平,改善"国际收支"状况。第四期"四年计划"是一个较注重工业的发展计划,计划的实施,使台湾工业的年均增长率达到了 17.8%,其中 1968 年竟高达 22.3%,被称为台湾经济的起飞时期;在产业结构上,1966 年,重工业所占的比例首次突破 50%,达到 52.29%。

经过三期"四年计划"和一系列措施,台湾经济发展取得了明显的成效。台湾经济之所以得到快速发展,既有客观原因,也有主观原因。

客观原因主要有:第一,日本殖民统治留下的基础。台湾沦为日本帝国主义的殖民地共 50 年历史。在此期间,日本为了自己的利益,在保持台湾经济殖民地性质的同时,也采取了相应的措施来开发台湾经济。台湾光复时,台湾的经济已有一定的基础。如交通便利、电力丰富;农业生产比较成熟;工业具有一定的基础;"国民"教育有所发展;初步建立了一套金融体系;资料、制度比较多。第二,国民党从大陆带走的资金、技术和人才资源。1949 年国民党退台时,从大陆带走了大量的资金。尽管对这笔资金的具体数额有多种说法,但无论如何,对刚退台的台湾当局在控制通货膨胀、缓解财政危机,维持 800 万军民的生计方面,的确起到了重大的作用。国民党从大陆的上海等地迁台工业企业的设备、机器、器材及技术,对台湾经济的恢复贡献巨大。如纺织业的资本,几乎全是大陆带去的;木材、化学业中的绝大部分是由大陆资本经营;食品业中最大的罐头生产企业也是从上海迁台的。国民党退台时,从大陆后方调集了一批有学识、有经验的官员和工程技术人员到台湾,特别是退台的 60 万"大军",为台湾经济的发展提供了重要的人力资源。第三,美国给予的援助。自 1951 年美国恢复美援直至 1965 年 7 月 15 日结束(实际支付到 1968 年),前后的 15 年中,台湾当局共接受美国各种名目、类型的经济援助 14.822 亿美元,平均每年约 1 亿美元。以台湾的人口平均摊派,每人每年能得到 10 美元。美援的到来,有利于台湾弥补财政赤字,平衡外汇收支和抑制通货膨胀;有利于岛内资本的快速增长;有利于岛内投资环境的加速形成。这对台湾经济稳定和经济发展的贡献巨大,不可忽视。第四,较稳定繁荣的国际环境。台湾经济起飞时,正值国际货币制度稳定,能源价格低廉之时,对台湾经济发展的影响不大。此时,又值世界发达国家经济结构调整,部分传统劳动密集型产业产品的市场一度出现空虚时期,对台湾拓展国际市场极为有利。加之美国发动侵越战争后,台湾成为美军重要的物资供应地,使台湾的对外贸易异常活跃,从而奠定了其外向型经济发展的基础。

主观因素主要是:

首先,确立混合经济制度作为台湾的经济制度。

混合经济制度是国民党败退台湾以后逐步建立的。1945 年抗日战争胜利,国民党政府从日本人手中接收了 775 家较有规模的工矿企业,大多转为国营。1949 年国民党败退台湾,大陆一部分公营企业也随之迁台。此外,国民党当局也在台直接参与投资活动。这些公营企业逐步成为台湾经济的主体。据统计,光复初期,公营企业的产值占工业总产值的八成以上。

50 年代台湾经济发展之初,台湾政界、学界人士中一部分人士,包括尹仲容在内,认为台湾要增加生产,第一步要做到自给自足,第二步做到大量出口,必须充分发挥民力。他们认为:"国防"性之军事工业,独占性之公用事业,及关联太多之事业应以"国营"为宜。1955 年他又提出:凡有"全国"性和独占性的及人民不易举办的事业,如钢铁工业、"全国"铁路,大规模水电设施等等,应归"国营"。此外的一些经济事业可归于民营。在这种思想的指导下,台湾的混合经济制度最终形成。

为使混合经济制度发挥作用,台湾还积极完善了计划与市场混合的经济运行体制。这种经济运行体制是资本主义公有制和私有制两种形式兼容并包,以经济计划诱导自由经济,而非放任主义的自由经济运行体制:一方面,政府制订经济计划,实行多种经济控制,并以公营企业挟雄厚资本与关键部门之势,扶持民营企业又防止私人垄断,抑制贫富差距过大;同时控制金融机构,运行信贷、利率、税收、外汇管理等财经政策和基本建设,诱导公营、民营企业按政府总的经济战略发展,有时也以行政手段对民营厂商进行奖励和惩罚,对策略性工业加以保护等形式,参与经济运行与调控。另一方面,把市场经济作为全部经济活动的立足点,利用这种机制下个人的积极性和私人企业的活力促进经济迅速发展并取得巨额贸易顺差,同时以激发公营企业在市场经济中按经济规律去运行、发展。

在台湾经济建设的早期,台湾当局较多地采取了直接管控、积极干预的方式。经济计划除基本建设、关键产业由当局及公营企业投资安排外,新兴产业的投资多为辅导民间企业完成。随着民间力量在经济发展中的壮大,台湾当局在继续制订实施经济发展计划中的可变因素加大,政府管控、干预的程度日渐下降,政府经济建设计划的重要性也日渐降低。台湾当局只能通过不断增、修各类经济法规来规范社会经济活动，以适应计划性减弱、自由度加强的新形势。

台湾当局通过以下几个方面来调控整体经济运行。第一，通过制订经济发展目标计划，确定优先发展的行业以及基础设施方面的重点投资项目，对公营、民营企业进行诱导。第二，通过经济政策、法律规定、行政规章等手段，调节和控制公营、民营企业的行为。包括对响应计划和政策的企业的优惠奖励，对违法违规企业的经济、法规制裁等。第三，通过各类公营企业掌握有关"国计民生"的重要行业，以影响经济的整体走向，保证经济的稳定发展。第四，通过公营金融机构，运用经济手段和它拥有的某些行政管理职能，进行信贷、利率、汇率方面的调控，制约公营、民营产业部门按政府的意图经营和发展。第五，对民营企业予以大力的扶植，诱导民营企业家根据总的经济计划进行投资活动。一般来说，扶植可分为个别扶植和一般性扶植。个别扶植是针对具体工业企业、工业行业进行扶植；一般性扶植则主要表现在保护关税、银行贷款、外汇改革方面上。

其次，台湾经济发展与台湾经济建设中采取的发展路线有关。

台湾经济发展过程中采取的基本路线是：按照农业—轻工业—重工业—高科技工业的顺序。即首先狠抓农业，然后"以农业剩余来促进轻工业。透过轻工业品大量外销所积累的资金，来支持重工业与基础设施的扩张。再进一步发展靠科技工业"。

这是一条既符合国民经济发展一般规律，又针对台湾岛内实际情况的正确路线，对台湾经济的发展至关重要。1949年

国民党退台时，最为迫切的问题是稳定经济，解决岛内几百万人的吃穿问题。为此，抓农业成了50年代初期台湾当局的首要任务。与此同时，台湾当局也发展了部分资金需求不大、技术要求不高、资本回收期短的劳动密集型轻工业。待时机、条件成熟后，再发展资金需求大、技术水平高、资本回收期长的重化工业，为轻工业的持续发展准备基础。当传统工业发展空间缩小时，台湾又积极地调整产业结构，发展高科技产业，增强产品在国际上的竞争力。可以说，这一产业发展的顺序，有助于台湾在实现经济快速发展的同时实现经济的稳定和民众生活品质的改善，从而为经济的持续发展奠定了基础。

最后，台湾经济发展与大批财经专家、学者的运筹帷幄有关。

国民党退台后，在经济建设中较重视发挥专业人才的作用，一大批经济专家参与了台湾经济发展的战略决策、规划设计、政策研拟、指挥操作。其中，著名的有严家淦、尹仲容、孙运璇、李国鼎、王作荣、蒋硕杰、严演存等。

4.转向"出口扩张"的工业发展战略

"进口替代"的后期，台湾经济发展中的问题逐渐暴露出来。一方面，随着经济的发展，台湾劳动密集型工业产品使狭小的岛内市场很快进入饱和状态，耐用消费品和生产资料的销路更是有限。台湾的工业发展失去动力，许多工厂生产过剩，开工不足，经济上出现了停滞不前的困难状况。另一方面，台湾工业发展所需的能源和原料大量需要进口，而50年代台湾经济基本是内向型的，出口贸易还没有充分发展起来，因此外贸逆差及外汇缺乏问题仍十分严重。另外，自50年代以来，台湾的人口急剧膨胀。10年间，台湾人口增加了323.8万人，且大批农业剩余劳动力正

加速从农村游离出来,涌入城镇,形成了很大的就业压力。这表明内向型"进口替代"战略已到极限,负面效果日益明显,严峻的形势迫使台湾当局不得不聘请大批专家、学者反复论证,探讨下一步应该如何发展。

究竟是采取外向型还是内向型的发展策略呢? 台湾当局内部对此曾有过激烈的争论。争论的结果是,主张采取外向型发展策略的一方得到肯定。他们认为台湾属海岛型经济模式,应采取外向型工业化的发展战略,优先发展现有民营轻纺工业,并将其扩充转变为出口产业。如此既能满足岛内就业的需要,又能赚取大量的外汇。因此,在 1961 年开始的第三期"四年经济建设计划"中台湾当局调整了计划的内容,逐步转向新的发展方向。

为了配合经济发展战略的转变,台湾当局对原有的保护政策进行全面改革,先后推出了一系列新的财税金融政策,主要有:

(1)改革外汇制度。原有的外汇制度在 50 年代初期为保护台湾的经济发展作出了巨大的贡献,但这种过于谨慎的外汇制度使外汇市场极为混乱,且双重汇率(出口汇率低于进口汇率)形成的差价不利于扩大出口。为鼓励出口,台湾当局于 1958 年 4 月 12 日起首次实行了外汇制度大改革,将汇率层级逐渐减少,使原先极为复杂的复式汇率改为单一汇率。1960年 7 月 1 日,台湾实施了单一外汇制,统一汇率的目标得以实现。这次改革,不仅使汇率简化,易于操作;而且通过对新台币的贬值,使新台币的汇价接近实际,大大地促进了台湾出口贸易的发展。

(2)出口退税与租税减免。为降低出口厂商的生产成本,增强企业的国际竞争力,台湾当局更积极地运用出口退税和租税减免的政策。台湾的外销产品退税始于 1951 年 3 月,起初只限于少数工艺品,退税项目也仅限于进口原料所含的关税。1954 年 6 月后,退税的范围已扩大到全部外销产品,并增加了多种退税项目。1968年 8 月,台湾当局又针对出口退税手续过于繁琐的问题,决定采取定额定率退税制的方式加以解决。此外,台湾当局还适当地放宽了进口限制,以促进机械设备、农工原料及工业半成品的进口。在租税减免方面,1960 年 9 月台湾制定了《投资奖励条例》,以减免租税等优惠条件,鼓励岛内外投资者在台湾投资,并规定外销产品可免征营业税、货物税和营利事业所得税等。

(3)协助厂商扩展外销。为鼓励外销,台湾当局采取了一系列优惠政策和措施。其中最主要的是外销低利贷款。1957 年,台湾当局就以比一般性企业贷款利率低一半的优惠给予外销企业短期外汇贷款和新台币贷款。到 60 年代初期,出口厂商的贷款年利率更是只有一般贷款利率的 42.1%。与此同时,台湾当局还拨付 1 亿新台币给台湾"中国国际商业银行"专门作为出口贷款之用;设立"推广外销基金",采取保价的办法鼓励出口,并对各种推广外销活动予以大力支持。在这些优惠条件下,出口厂商极易解决资金,降低经营风险,扩展赢利空间,从而极大地调动了外销厂商出口的积极性,为经济发展战略的转变奠定了坚实的基础。

5.建立加工出口区

出口加工区是台湾首创的一种兼具出口和生产的体系,是一种保税加工性质的自由贸易区。这一特殊区域的设置非常适合台湾外向型经济发展的要求。

众所周知,台湾天然资源贫乏,原有工业基础薄弱,唯一有利的条件是有充足的劳动力资源。有鉴于此,台湾当局认为,唯一有效的途径就是发展劳动力需求量大且又有外销能力和外销市场的加工工业,特别是在特定区域,给予税收优惠和行政便利,营造出良好的投资环境,使之发展并成为带动台湾外向型经济发展的龙头。

早在1956年高雄港开辟新生地时,台湾当局的有关部门就曾有在新生地划出一特定区域设立加工外销工厂的设想。但直到1959年时,才开始对这一设想进行深入的研究。

1963年5月,台湾财经部门全面修订《奖励投资条例》,将设立加工出口区的条文列入条例修正草案中,报"行政院"审议。"行政院"认为,设立加工出口区,事关重大,不宜仅在《奖励投资条例》中笼统增列一条了事,遂责成"美援运用委员会"另拟《加工出口区条例》初稿,并经"行政院"有关部门反复研讨、修订,1964年,条例以《加工出口区设置管理条例草案》为名,经"行政院"通过,并交"立法院"的经济、财政、司法三个"委员会"联合审查,实地了解,终于1965年1月获"立法院"三读通过,于30日开始实施。

1965年2月,"国际经济合作发展委员会"组成"筹设加工出口区临时工作小组"。3月,"经济部"设立"高雄出口区筹备组"接管筹备业务。次年9月,正式成立了"经济部"高雄出口加工区管理处,加工出口区的筹划和建设加紧进行。到12月3日加工区的建设工程最后完工,占地68.36公顷。这是亚洲第一个出口加工区。之后,台湾又于60年代末70年代初在楠梓和台中(潭子)设立了两处占地面积分别为90公顷和23.5公顷的新区。

这些加工出口区享受当局赋予的特殊政策,主要有:①简化手续。包括投资设厂所需办理的各项手续和登记,工厂设立后的各项业务手续等。②放宽外汇及外贸管理,即可以在区内办理对外汇款的各项手续,可随时申请签证,结汇,输出经核定后的各种外销需要的进口原料,对部分指定商品可以不结汇的方式输出。③给予区内外销企业特定范围内的进口税、货物税、营业税、契税实行免税。④缩短过关时间等等。

加工出口区的建立,对台湾经济的发展起了巨大的推进作用。具体表现在:

第一,吸引外资。高雄区原计划目标是吸引1800万美元的投资,不到三年即超过预定目标,楠梓区和台中区的目标分别为3000万美元和750万美元,第二年和第三年即实现并超过了原目标。据1977年12月底的统计,三区合计吸引2.81691亿美元。其中外国资本占70.99%,华侨资本占11.65%,台湾本地资本占17.36%。可见,设立加工区,大量吸引外资的目的已经达到。

第二,拓展外销。加工出口区的产品自1966年9月23日输出第一批起,每年的外销金额快速增加。据1979年12月底的统计显示,外销贸易额已达12.04732亿美元。除前三年外,基本保持顺差的水平,且顺差额逐年扩大。其外销产品主要输往北美等地。加工出口区的外销金额占全台湾出口额的很大比重,部分产品已成为台湾外销创汇的中坚产品。

第三,增加就业机会。三大加工出口区建立后,吸纳了不少的劳动力。据统计,到1979年,加工出口区雇用职工人数已达80166人,大大超过原订该年加工出口区雇用职工65000人的目标。

第四,引进技术。鉴于加工出口区的产品限于外销,市场竞争激烈,故区内工厂必须不断采用境外先进的技术和管理经验,提高产品的竞争力。为此,区内工厂往往采用雇用外方技术管理人员和送员工外出培训的方法。通过各种交流,促进技术和管理水平的提高。

第五,经济效益显著。加工出口区建区成本为新台币6亿元。按原计划,必须每1000元新台币的建区成本要吸引投资额90美元,输出金额为360美元。但到1976年,两者已分别达到340美元和1110美元。

第六,带动区外企业发展。加工出口区建成后,通过扩大在岛内采购原料的方式带动岛内工业的发展。加工出口区所需原料有不少采自岛内。据统计,1967年从岛内采购部分仅占输入原料总额的2.6%,1971年为13%,1976年高达20.2%。由于加工出口区对原材料质量要求较高,也促进了岛内供应企业改善工艺水平,提高技术含量。

台湾"外交"空间的伸缩

50年代后期,美台虽仍处"蜜月",但双方的分歧越来越严重,一些明争暗斗也频繁出现。一方面,随着中国国际声望和地位的提高,在国际社会上的影响逐渐加大,美国从自身利益出发,并不愿意因为台湾问题与中国大陆发生正面冲突,故对台湾当局的行动严加控制;另一方面,台湾当局又急迫地希望借助美国的力量实现其"反攻大陆"的梦想。双方"同床异梦",彼此厌恶不可避免。

1."五二四"反美运动

1958年5月,台湾爆发了首次大规模的反美事件——"五二四"反美运动。事件的起因是1957年3月20日晚,美国顾问团上士雷诺在美军住宅区枪杀了他在"生意"场上的朋友——"阳明山革命实践研究院"职员刘自然。事发后,阳明山警察所派员到现场勘察,认为雷诺所述疑点重重,种种证据显示他有故意杀人之嫌,要将雷诺移送法办,遭美国宪兵拦阻,理由是根据台美间的有关协议,美军在台官兵和眷属享有"外交人员"的特权,故雷诺只能由美军军事法庭审判。5月23日上午,完全由美国人组成的军事法庭竟以"正当防卫"、任意杀人罪证不足为由,宣判雷诺无罪,并准备尽快将凶手及其家属空运回美国。

判决传出,舆论大哗。阳明山居民纷纷走上街头,直到很晚聚集的人群才散去,形势颇紧张。5月24日上午10时,刘自然的妻子奥特华身着黑衣,手举中英文抗议牌,到美国驻台"大使馆"抗议。英文的中文意思是:"杀人犯雷诺无罪吗?抗议美国军事法庭不公平的判决!"中文是:"杀人者无罪?我控诉!我抗议!"刘妻的行动招致越来越多的民众聚集在美"大使馆"前。在美方的要求下,台北市警察局长到场试图劝走刘妻,遭到拒绝。刘妻声泪俱下向围观群众和记者诉说:"今天我在这儿不光是为我无辜死去的丈夫作无言的抗议,我是为中国人抗议,我一向认为美国是一个讲自由民主的国家,没有想到。"驻台美军利用特权在台湾横行霸道,作威作福的劣行早就引起台湾民众的强烈不满,因此,刘妻的遭遇与抗议行动很快得到台北市民的普遍同情。围观群众达三四百人,到下午2时已增至6000人。群情激昂,高喊"打!"旋即有人越墙进入"大使馆"内,打开大门。愤怒的群众一冲而入,捣毁"大使馆"的门窗、家具,将美国星条旗扯下撕碎,将"使馆"内2名男性职员打伤,并将"大使馆"的14部汽车推翻烧毁。部分群众还把"美国佬滚回去"等标语写在"大使馆"的墙上。这时群众已超过万人。与此同时,美国在台新闻处及美军台湾协防司令部也遭到了 5000 多名群众的包围和袭击。

本来,台湾当局想利用这一事件,向美方施压,以发泄压抑已久的不满。因此,事件初期,当局予以特别关注,"外交部"向美方发出"照会",提出了二点处理意见;在事件恶化过程中,也隐约可见"引导"、"纵容"的痕迹。但后来事件的发展明显失控,演变为激烈的反美运动,与台湾当局的初衷相左。为维系台美关系,台湾当局宣布台北市实施宵禁,管制人员和车辆,又调集了三个师的军队开进台北,协助警察、宪兵到处捕人,直至深夜才将大规模群众反美运动镇压下去。据官方公布,冲突中有 1 人死亡、2 人重伤、24 名警察受伤。

5 月 25 日,台湾当局为处理此事件,撤销了台北卫戍司令黄珍吾、宪兵司令刘炜、警务处长乐干等人的职务,派驻美"大使"董显光向美方道歉并答应赔偿损失。6 月 18 日,台北卫戍司令部军法处对参与事件的爱国群众进行逮捕,41 名群众被提起公诉,28 日被保释,仅 2 人被判 1 年徒刑,其余只判 10 个月以下徒刑或无罪释放。这些人犯"妨碍邦交罪"之重,而所受的惩罚却如此之轻,在一向严刑重罚的台湾实属罕见。

参加"五二四"反美运动的有记者、工人、农民、店员、学生、低级公务员等,而且还波及台中、台南地区。同与美勾结交易的台湾当局的软弱无能相比,台湾人民的爱国和不畏强暴的精神在这次事件中得到了充分的显示。

2. 美台《联合公报》的发表

1958 年 8 月 23 日,金门炮战打响,人民解放军成功封锁了金门附近的海域和空域,阻止国民党军援助物资运往金门。由于金门物资供应困难,蒋介石乞求美国军舰为其运输补给舰队护航。美国为履行其"防卫"金、马的义务,不得不派第七舰队护航。但美国也不愿无限度地卷入到中国的内战中,特别是美国政策在其盟国和中立国中得不到支持,陷入孤立,故提出"金马中立化"的主张。

这一主张立即遭到国民党当局的强烈反对,称:"任何涉及国军金、马外岛中立化或非军事化的任何决定,均将被视为有损我合法权益。"在蒋介石看来,"无金门即无台湾,有台湾便有大陆;我们将不对任何压力屈服,决心打到最后一个人"。台湾的"副总统"陈诚也表示:"谁也无法叫我们把这些岛屿非军事化。"

美蒋矛盾,使中共中央了解了台美间的真实态度和相互关系,特别是了解美国以所谓"金马中立化"暗藏其"划峡而治"、分裂中国的阴谋时,采取了更主动的方式来处理海峡两岸三方的微妙关系。1958 年 10 月 6 日,我方发表了中华人民共和国国防部长彭德怀署名的《告台湾同胞书》,建议同台湾当局举行谈判,实现和平解决,以争取台湾人民。中共中央战略的转变,是要达到"美军不劝蒋军撤走"的目的,实际上是从反对美国制造"两个中国"或"台湾独立"的阴谋、扩大反美统一战线的长远目标出发考虑的。

为弥合美台双方因金门炮战而加大的分歧,美国国务卿杜勒斯 10 月 21 日奉命访台。23 日,双方会谈结束,发表了台美关系第三个重要文件——《台美联合公报》。《公报》中没有使用"反攻大陆"的口号,但关键的两点双方都有妥协:一是杜勒斯同意并再次确认"金门、马祖与台湾、澎湖在防卫上有密切之关联",对此蒋介石是满意的。二是关于统一全中国,蒋介石接受了《公报》中相关条款的限制,即"达成此一使命的主要途径,为实现孙中山先生之三民主义,而并非凭借武力"。这种要求台湾对大陆采取军事守势和政治攻势的协议消除了美国国内和盟国的顾虑。《公报》签署的第二天,美国众议院外委会远东小组主席萨布劳基说,台湾"将赖和平手段而不使用武力"达到目的,"将不采取可能使我们卷入战争的军事行动"。对此,台湾当局又有自己的说法,叶公超宣称:台湾没有向美国保证只在某种特定条件下才使用武力,对于"光复大陆",台湾并未放弃使用武力。

附　录

党、政、军、民主党派、人民团体、各级组织沿革和领导成员名录

中　央

中国共产党

中国共产党第八届中央委员会

（1956 年 9 月—1969 年 4 月）

中国共产党第八次全国代表大会

第一次会议

（1956 年 9 月 15 日—27 日在北京召开）

大会主席团

（63 人，按姓氏笔画排列）

习仲勋　毛泽东　　王稼祥　邓小平　邓子恢

邓颖超（女）　　　叶剑英　帅孟奇（女）

刘少奇　刘伯承　　刘格平　刘澜涛　朱　德

李井泉　李先念　　李雪峰　李富春　宋任穷

吴玉章　陈　云　　陈少敏（女）　　陈伯达

陈　郁　陈　毅　　陆定一　周恩来　周　扬

罗荣桓　罗瑞卿　　林伯渠　林　彪　林　枫

林　铁　欧阳钦　　郑位三　胡耀邦　柯庆施

徐向前　徐特立　　陶　铸　马明方　乌兰夫

张云逸　张闻天　　张鼎丞　张德生　康　生

黄克诚　黄　敬　　彭　真　彭德怀　贺　龙

杨秀峰　贾拓夫　　董必武　廖承志

钱　瑛（女）　　　蔡　畅（女）　　赖若愚

薄一波　聂荣臻　　谭　政　谭震林

秘书长　邓小平

中国共产党第八届中央委员会

（1956 年 9 月—1969 年 4 月）

中央委员（97 人，按得票多少排列，得票相同的按姓氏笔画排列）

毛泽东	刘少奇	林伯渠	邓小平	朱　德
周恩来	董必武	陈　云	林　彪	吴玉章
陈伯达	蔡　畅(女)		李富春	罗荣桓
徐特立	陆定一	罗瑞卿	徐向前	
邓颖超(女)	刘伯承	陈　毅	彭德怀	
廖承志	李先念	陈　赓	聂荣臻	林　枫
张鼎丞	彭　真	乌兰夫	黄克诚	滕代远
萧劲光	谭　政	柯庆施	粟　裕	贺　龙
王首道	王维舟	邓子恢	李克农	杨尚昆
叶剑英	宋任穷	张云逸	刘　晓	李维汉
王稼祥	康　生	叶季壮	刘澜涛	刘宁一
薄一波	胡乔木	杨秀峰	舒　同	赖若愚
张际春	程子华	陈　郁	刘长胜	伍修权
肖　克	钱　瑛(女)		王从吾	邓　华
马明方	张闻天	谭震林	刘亚楼	李雪峰
陈少敏(女)		李葆华	许光达	王　震
曾　山	林　铁	郑位三	徐海东	肖　华
胡耀邦	赵尔陆	欧阳钦	习仲勋	刘格平
谢富治	安子文	贾拓夫	李立三	黄　敬
李井泉	吴芝圃	吕正操	王树声	陶　铸
曾希圣	陈绍禹			

中央候补委员（73 人）

杨献珍	王恩茂	杨得志	韦国清	罗贵波
张经武	谢觉哉	叶　飞	杨成武	甘泗淇
章汉夫	潘自力	李大章	许世友	
帅孟奇(女)		杨　勇	刘　仁	陈锡联
万　毅	张宗逊	周　扬	黄火青	李　涛
陈奇涵	陈漫远	徐子荣	黄欧东	古大存
李志民	刘澜波	苏振华	冯白驹	周保中
吴　德	奎　壁	张德生	区梦觉(女)	
范文澜	朱德海	邵式平	张启龙	黄永胜
李坚真(女)		马文瑞	张霖之	张　玺
王世泰	阎红彦	桑吉悦希		张达志

高克林　赛福鼎　廖汉生　洪学智
章　蕴(女)　　徐　冰　江渭清　廖鲁言
宋时轮　谭启龙　周　桓　钟期光　陈丕显
赵健民　蔡树藩　钱俊瑞　潘复生　蒋南翔
江　华　韩　光　李　昌　王鹤寿　陈正人

第二次会议

（1958 年 5 月 5 日—23 日在北京召开）

增选中央候补委员（25 人，按得票多少排列）

王任重	张仲良	陶鲁茄	彭　涛	刘建勋
赵毅敏	孔　原	唐　亮	刘子厚	张　苏
杨一辰	江　锋	周小舟	方　毅	王尚荣
刘　震	张平化	张劲夫	韩先楚	李颉伯
廖志高	赵伯平	孙志远	张爱萍	姚依林

八届一中全会

（1956 年 9 月 28 日）

选举：
中央委员会
主　席　毛泽东
副主席　刘少奇　周恩来　朱　德　陈　云
总书记　邓小平
政治局常务委员会
委　员　毛泽东　刘少奇　周恩来　朱　德
　　　　　陈　云　邓小平
政治局委员　毛泽东　刘少奇　周恩来
　　　　　　　朱　德　陈　云　邓小平
　　　　　　　林　彪　林伯渠　董必武
　　　　　　　彭　真　罗荣桓　陈　毅
　　　　　　　李富春　彭德怀　刘伯承
　　　　　　　贺　龙　李先念
政治局候补委员　乌兰夫　张闻天　陆定一
　　　　　　　　　陈伯达　康　生　薄一波
书记处书记　邓小平　彭　真　王稼祥
　　　　　　　谭震林　谭　政　黄克诚
　　　　　　　李雪峰
候补书记　刘澜涛　杨尚昆　胡乔木

八届五中全会

（1958 年 5 月 25 日）

增选：

副主席 林 彪

政治局常务委员会委员 林 彪

政治局委员 柯庆施 李井泉 谭震林

书记处书记 李富春 李先念

递补：

中央候补委员 杨献珍 王恩茂

八届十中全会

（1962 年 9 月 24 日—27 日）

增选书记处书记：

陆定一 康 生 罗瑞卿

撤销书记处书记：

黄克诚 谭 政

政治局扩大会议

（1966 年 5 月 4 日—26 日）

增补：

书记处常务书记 陶 铸

书记处书记 叶剑英

停止职务：

书记处书记 彭 真 罗瑞卿 陆定一

书记处候补书记 杨尚昆

（八届十一中全会批准了上述决定,正式撤销了彭真、罗瑞卿、陆定一的书记处书记职务。）

八届十一中全会

（1966 年 8 月 1 日—12 日）

改组中央领导机构、调整中央领导成员：

中央委员会

主 席 毛泽东

副主席 林 彪

政治局常务委员会

毛泽东 林 彪 周恩来 陶 铸 陈伯达
邓小平 康 生 刘少奇 朱 德 李富春
陈 云

政治局委员

毛泽东 林 彪 周恩来 陶 铸 陈伯达
邓小平 康 生 刘少奇 朱 德 李富春
陈 云 董必武 陈 毅 刘伯承 贺 龙
李先念 李井泉 谭震林 徐向前 聂荣臻
叶剑英

政治局候补委员 乌兰夫 薄一波 李雪峰
谢富治 宋任穷

补选书记处书记 谢富治 刘宁一

递补中央候补委员：

杨得志 韦国清 罗贵波 张经武 谢觉哉
叶 飞

中国共产党第八届中央监察委员会

（1956 年 9 月—1969 年 4 月）

八届一中全会

（1956 年 9 月 28 日）

选举中央监察委员会：

书 记 董必武

副书记 刘澜涛 肖 华 王从吾
钱 瑛（女） 刘锡五

委 员（17 人,按姓氏笔画为序）

王从吾 王维舟 王维纲 帅孟奇（女）
刘格平 刘锡五 刘澜涛 李士英 李楚离
肖 华 吴溉之 高克林 高 扬 马明方
张鼎丞 董必武 钱 瑛（女）

候补委员 王 翰 刘其人 李景膺 龚子荣

八届十中全会

（1962 年 9 月 24 日—27 日）

增选：

副书记 张云逸

委 员（21 人）

张云逸 陈少敏 陈奇涵 李坚真 王世英

方仲如　刘亚雄　伍云甫　朱良才　吉雅泰
吴德峰　李运昌　周士第　周纯全　陈　刚
马国瑞　袁任远　郭述申　杨之华　谭余保
张子意

候补委员(21 人)

王鹤寿　孔石泉　刘慎之　刘永生　丘　金
朱涤新　李培之　李合邦　李干辉　周仲英
陈　鹏　陈先瑞　陈曾固　郑　平　张稼夫
喻缦云　廖苏华　赖　毅　薛子正　龚逢春
李梦龄

候补委员改选为委员　龚子荣

免除职务：

副书记　刘澜涛

委　员　刘格平

撤销职务：

候补委员　王　翰　刘其人

中共中央直属机关

中共中央办公厅

主　任

汪东兴(1965 年 11 月—1978 年 11 月)

副主任

李颉伯(1957 年 2 月—1962 年)

龚子荣(1958 年 9 月—"文化大革命")

田家英(1961 年 7 月—1966 年)

童小鹏(1966 年 6 月—1967 年 1 月)

杨　青(1966 年—1967 年 1 月)

王良恩(1966 年—1973 年)

中共中央组织部

部　长　安子文(1956 年 11 月—1966 年 8 月)

副部长

帅孟奇(女,1956 年—1960 年)

张启龙(1958 年—1965 年)

李步新(1960 年—1966 年)

陈野萍(1960 年—1966 年)

赵　汉(1960 年—1966 年)

乔明甫(1960 年—1966 年)

李力安(1964 年 8 月—10 月)

杨以希(1964 年—1966 年)

曾一涤(1965 年—1966 年)

中共中央宣传部

部　长　陶　铸(1966 年 6 月—1966 年 12 月)

副部长

许立群(1959 年—1966 年)

林默涵(1959 年—1966 年)

姚　溱(1959 年—1966 年)

吴冷西(1965 年—1966 年)

熊　复(1966 年 6 月—12 月)

雍文涛(1966 年 6 月—12 月)

张平化(1966 年 6 月—12 月)

刘祖春(1966 年 6 月—12 月)

中共中央统一战线工作部

部　长

徐　冰(1964 年 12 月—1966 年 12 月)

副部长

薛子正(1958 年 3 月—1966 年)

刘　春(1961 年 10 月—1967 年)

方　方(1961 年—　　)

刘述周(1965 年 5 月—"文化大革命")

张经武(1966 年—1967 年)

中共中央对外联络部

部　长

刘宁一(代,1966 年 6 月—1968 年 3 月)

副部长

伍修权(1958 年 9 月—1975 年 5 月)

熊　复(1961 年 2 月—1966 年 10 月)

王　力(1964 年 6 月—"文化大革命")

中共中央党校

校(院)长

王从吾(1961 年 2 月—1963 年 1 月)

林　枫(1963 年 1 月—1966 年 8 月)

副（院）校长

　　杨献珍（1961 年 2 月—1965 年）

　　艾思奇（1959 年 11 月—1966 年 3 月）

　　范若愚（1959 年 11 月—1966 年）

　　贾　震（1963 年 2 月—1966 年）

　　龚逢春（1963 年 8 月—1966 年）

　　李一非（1964 年 2 月—1966 年）

中共中央直属机关（工作）委员会

书　记　侯维煜（1961 年 11 月—1965 年秋）

人民日报社

总编辑

　　吴冷西（1957 年 6 月—1966 年 5 月）

　　唐平铸（代，1966 年 6 月—1967 年 1 月）

红旗杂志社

总编辑　陈伯达（1958 年 6 月—1970 年 9 月）

中共中央马恩列斯著作编译局

局　长　许立群（1961 年 1 月—1966 年 6 月）

全国人民代表大会

第二届全国人民代表大会

（1959 年 4 月—1964 年 12 月）

第二届全国人民代表大会第一次会议

（1959 年 4 月 18 日—28 日）

大会主席团

执行主席

刘少奇	周恩来	朱　德	宋庆龄	林　彪
李济深	沈钧儒	郭沫若	黄炎培	陈叔通
彭　真				

秘书长　彭　真

副秘书长

徐　冰	张　苏	齐燕铭	梅龚彬	余心清
连　贯	闵刚侯	孙晓村		

成　员（按姓氏笔画排列）

刀京版	韦国清	王崇伦	王绍鏊	邓初民
邓宝珊	邓芳芝	邓颖超	毛泽东	叶剑英
史　良	刘少奇	刘宁一	刘伯承	刘格平
朱　德	朱德海	华罗庚	沈雁冰	沈钧儒
宋庆龄	李大章	李四光	李济深	李范五
李烛尘	李顺达	李德全	陆定一	陈　云
陈叔通	陈　郁	陈绍宽	陈经畬	陈嘉庚
陈　毅	吴玉章	吴芝圃	吴耀宗	何香凝
林巧稚	林伯渠	林　枫	林　彪	林　铁
张治中	张难先	张奚若	张闻天	
阿沛·阿旺晋美		邵力子	果基木古	
罗荣桓	竺可桢	周文江	周谷城	周　林
周叔弢	周建人	周恩来	荣毅仁	胡厥文
胡耀邦	柯庆施	高崇民	唐生智	
班禅额尔德尼·确吉坚赞			桑吉悦希	
乌兰夫	徐向前	徐特立	章士钊	许广平
许德珩	郭沫若	郭棣活	习仲勋	崔建功
曾希圣	彭　真	贺　龙	黄炎培	舒舍予
盛丕华	程　潜	傅作义	杨汉先	杨明轩
董必武	熊克武	蔡廷锴	蔡　畅	黎锦熙
钱崇澍	赛福鼎	谢觉哉	韩望尘	

人大代表（单位和姓氏均按笔画排列）

广东省（62 名）

丁　颖	文敏生	王生保	邓文钊	卢焕章
叶季壮	刘思慕	朱　光	华凤翔	杜国庠
李坚真（女）	陈汝棠	陈其尤	陈　垣	
陈　郁	陈秋安	陈能兴	陈斯德	陈焕镛
陈镜开	吴冷西	谷源松	郑天保	郑铁如
林文彪	林克明	林岳川	林锵云	张汉明
张　建（女）		邵良础	罗明矫	罗范群
周林度	周婉如（女）		周　扬	赵光炬
柯　麟	梁　广	梁　巨	梁伯强	
许广平（女）		许崇清	郭棣活	梅日新
梅　益	曾　生	覃修典	黄鼎臣	黄　洁
焦林义	雷洁琼（女）		廖似光（女）	
廖梦醒（女）		蒋光鼐	蔡廷锴	蔡　翘

蔡楚生　钱学森　鲍国宝　谢志光
戴爱莲(女)

广西壮族自治区(38名)

韦国清　韦章平　区棠亮(女)　甘怀义
石兆棠　卢绍武　叶培　丘玉池　李任仁
李济深　陈此生　陈基义　成仿吾　林克武
张云逸　张声震　金宝生　赵世同　赵乐群
梁华新　郭城　莫乃群　莫寿全　覃应机
覃波　黄征　黄举平　黄荣
黄莲辉(女)　程曙天　雷荣珂　蓝昌法
杨文贵　杨东纯　蒋在球　黎明(女)
谢扶民　谢鹤筹

上海市(63名)

王怀琛　王性尧　王树森　王淑贞(女)
王菊生　左淑东(女)　叶企孙　史慕康
江庸　刘念义　刘述周　刘靖基　沈克非
沈钧儒　汪猷　宋庆龄(女)　苏步青
李福祥　陈云　陈见真　陈伯达　陈建功
陈望道　陈毅　吴若安(女)　吴梅生
吴耀宗　欧阳予倩　张方佐　张元济
张维桢　孟庆元　孟宪承　金仲华　周志宏
周信芳　计浩然　赵祖康　赵超构　荣毅仁
胡子婴(女)　胡厥文　柯庆施
袁雪芬(女)　徐森玉　曹荻秋
汤桂芬(女)　汤蒂因(女)　冯德培
项叔翔　黄佐临　舒新城　盛丕华　程门雪
裔式娟(女)　杨之华(女)
杨富珍(女)　韩忻亮　钟民　颜福庆
瞿希贤(女)　魏如　谭震林

山东省(76名)

丁履德　韦悫　王洵才　王美恭(女)
王首道　王深林　邓拓　丘金　刘宁一
刘民生　刘长胜　刘同浩　刘先志　刘惠民
孙晓村　朱学范　朱洗　沈雁冰　邢西萍
李克佐　李顺章　李澄之　陈少敏(女)
陈孟元　陈雷　吴德峰　吕鸿宾　余心清
谷牧　林遵　张天民　张公制　张兆美
张含英　张玺　金宝珍　金明　周仁
赵丹　胡绳　胡耀邦　范文澜　范式人
郎咸芬(女)　郝建秀(女)　夏衍
夏朏　晁哲甫　徐士高　徐运北　徐佐夏
徐建春(女)　徐眉生　许之桢　郭永怀

郭贻诚　康生　毕德显　崔德锡　童第周
冯沅君(女)　曾山　舒同　杨得志
杨蕴玉(女)　董边(女)　臧克家
蔡邦华　滕景禄　钱之光　钱昌照
钱瑛(女)　谢觉哉　魏秀英(女)
谭启龙　酆云鹤(女)

山西省(24名)

王世英　王贵英　王绶　邓初民
申纪兰(女)　杜沁云　李顺达
李辉(女)　武新宇　岳维藩　赵大庆
南汉宸　胡文秀(女)　凌大琦　高进才
高鸣钟　马六孩　郭兰英(女)　康永和
焦国鼐　傅作义　贾宝执　杨自秀　卫恒

云南省(45名)

刀京版　于一川　王少岩　召存信　卢汉
付一之　刘阿鲁子　刘春　刘荣显
刘淑清(女)　宋任穷　罕富有　更觉
李开荣　李光华　李自荣　李和才
李桂英(女)　李能　张子斋　张天放
张冲　张惠英(女)　张霖之　罗运通
竺良甫　和凤昭　周兴　周保中　赵九章
赵锺奇　胡忠华　高士其　秦仁昌　马坚
马继孔　徐嘉瑞　普贵忠　曾文昌　雷春国
楚图南　董福生　熊开友　魏崖景　龚绶

内蒙古自治区(16名)

王再天　刘秀梅(女)　达里札雅
苏谦益　李继侗　杰尔格勒　张稼夫
周北峰　赵斌　胡和勒泰　奎璧
特木尔巴根　乌兰(女)　乌兰夫
噶喇藏　谭振雄

宁夏回族自治区(5名)

刘格平　李景林　马玉槐　马腾霭　雷启霖

甘肃省(19名)

邓宝珊　任谦　汪德昌　李翰园
陈佩华(女)　张治中　高健君　马泳
马青年　马鸿宾　郭孟和　黄正清　杨明轩
杨复兴　杨澄中　杨静仁　蒋次升　霍维德
魏毓英(女)

辽宁省(77名)

丁贵堂　于振瀛　王文山　王玉吉　王世宗
王忠　王恒成　王炳南　王崇伦　王凤恩
邓兆祥　毛鹤年　刘立富　刘宝田　刘洪达

刘盛田　刘慎谔　刘澜波　巩天民

孙孝菊(女)　车向忱　严济慈　李成君

李廷顺　李宝书　李炳勋　李　风(女)

李恩业　李　熏　李锡奎　陈先舟　吴执中

吴英恺　吕正操　佟玉兰(女)　　庞观祥

郑锡坤　林汉达　林　枫　张大煜　张文春

张文裕　张俊秀　张振发　张　凯　孟　泰

邵象华　金肇野　邱新野　禹光韩　姜培禄

娄尔康　赵国强　赵　清　胡兆森　胡　明

胡愈之　高　扬　高凤琴(女)　　唐立言

栗德萃　许兴柱　郭述申　曹吉庆

尉凤英(女)　　宁　武　费广泰　黄欧东

喻　屏　靳树梁　杨克冰(女)　　杨树棠

杨海波　钱仲举　韩　光　魏　曦　顾敬心

北京市(29名)

万　里　王昆仑　毛泽东　乐松生　安朝俊

刘少奇　刘德珍　宋　汀(女)　　李　恕

吴　晗　林巧稚(女)　　张友渔　张百发

张晓梅(女)　　张奚若　罗淑珍(女)

周恩来　范　瑾(女)　　浦洁修(女)

殷维臣　梁思成　郭树德　梅兰芳　彭　真

黄润萍　舒舍予　载　涛　蒋南翔　诸福棠

四川省(117名)

王文彬　王寿才　王海民　王道周　王维舟

邓小平　邓芳芝(女)　　邓锡侯　巴　金

瓦渣木基　　尼古果果(女)　　卢子鹤

田一平　田　汉　田景琦　安登银　刘文辉

刘希媛(女)　　刘承钊　刘　昂(女)

刘星垣　阳翰笙　艾　芜　朱　德　伍文才

任白戈　华尔功成烈　　沙　汀　苏　新

李大章　李伯钊(女)　　李宗林　李初梨

李劼人　李斯炽　陈文贵　陈辛仁

陈书舫(女)　　陈晓岚　陈彭年　吴玉章

吴昱恒　余秋里　谷志标　成晓法　何　惧

何源海　但懋辛　郑绍文　林甲铺　张文治

张文金　张为炯　张天翼　张际春

张利珍(女)　　张秀熟　张泗洲　张经武

阿旺嘉措　　阿侯鲁木子　　邵荃麟

果基木古　　罗文才　罗世发　罗瑞卿

金锡如　周钦岳　周泽昭　施复亮　赵尔陆

荣　科　胡子昂　柯　召　降央伯姆(女)

侯外庐　侯光炯　侯德封　郎毓秀(女)

索观瀛　袁志先　夏克刀登　　夏康农

桑吉悦希　　徐伯昕　能　海　郭沫若

萧龙友　萧松立　萧则可　童小鹏　童少生

冯　铉　彭迪先　黄汲清　黄荣昌　黄鱼门

程子健　程绍迥　雷从民　蓝　田　杨开渠

廖井丹　廖世刚　廖志高　廖苏华(女)

裴昌会　熊克武　熊尚元　赖际发　阎红彦

谢立惠　钟体乾　聂荣臻　萨空了　谭文斌

龚饮冰

台湾省(暂缺)

江西省(21名)

白栋材　刘之纲　刘建华　刘俊秀

危秀英(女)　　李友秀(女)　　陈劭先

陈翊科　吴有训　吴学周　张诗英　邵式平

易瑞生　马廷士　许德珩　郭庆莱　郭清泗

黄家驷　程孝刚　杨惟义　潘震亚

江苏省(67名)

丁西林　王恒山　王绍鏊　孔　原　叶圣陶

史　良(女)　　刘国钧　刘树勋　庄铭耕

达浦生　朱兆雪　朱穆之　华君武　华罗庚

沙千里　冷　遹　李庆逵　李明扬　李维光

陆定一　陈永康　陈　光　陈忠经

吴贻芳(女)　　何碧辉(女)　　张志让

张曼筠(女)　　张洞伯　张汇兰(女)

张闻天　罗尔纲　罗　琼(女)　　金善宝

季　方　周培源　计雨亭　胡文耀　胡乔木

胡耐秋(女)　　柯仲平　茅以升　俞寰澄

侯德榜　浦安修(女)　　宫维桢　秦祥宝

徐肖冰　章央芬(女)　　许闻天　郭影秋

曹轶欧(女)　　曾世英　彭　冲　惠浴宇

斯行健　黄炎培　程茂兰　杨俊生　廖世承

管文蔚　潘梓年　潘　菽　钱正英(女)

钱俊瑞　薛暮桥　戴玉才　戴白韬

安徽省(38名)

方令孺(女)　　韦　滨　孙起孟　孙德和

朱蕴山　沈谷南(女)　　沈其益　汪世铭

汪胡桢　汪德昭　宋乃德　李有安　李克农

陈荫南　吴茂荪　余亚农　何世琨　何谦堂

庞明义　欧远方　张劲夫　张德宝　张锡祺

周鲠生　赵朴初　赵承嘏　查夷平　查　谦

纪明选　马乐庭　桂林栖　章　蕴(女)

许　杰　曾希圣　黄　岩　舒绣文(女)

　　黎锦熙　卫立煌

吉林省（23名）

　　于德泉　王玉贤　仁钦札木苏
　　刘亚雄（女）　关山复　朱德海　宋洁涵
　　李川江　李砥平　成盛三　宗希云　张文海
　　张德馨　金时龙　金信淑（女）　纪英林
　　唐敖庆　栗又文　徐寿轩　冯仲云　曾泽生
　　闵刚侯　喻德渊

西　藏（12名）

　　王其梅　协饶登珠
　　尧西·泽仁卓玛（女）
　　达赖喇嘛·丹增嘉措　　邦达多吉
　　张国华　阿沛·阿旺晋美
　　帕巴拉·格列朗杰　　周仁山
　　班禅额尔德尼·确吉坚赞　格桑旺堆
　　詹东·计晋美

华　侨（30名）

　　方　方　方君壮　王源兴　尤扬祖　卢　成
　　庄世平　庄希泉　庄明理　伍　禅
　　苏　惠（女）　李　华　陈宗基　陈其瑗
　　陈嘉庚　吴益修　吴桓兴　何香凝（女）
　　张国基　周　铮　邱　及　洪丝丝　蚁美厚
　　唐明照　梁金山　连　贯　黄长水　杨汤城
　　廖承志　谢南光　钟庆发

河北省（82名）

　　于学忠　万晓塘　王历耕　王光英　王　伟
　　王芸生　王　昆（女）　王国权　王国藩
　　王德滋　王泽华　王鹤寿　石志仁　卢郁文
　　田秀涓（女）　刘子厚　刘长福　刘白羽
　　刘仙洲　刘秀峰　刘宝忠　刘持钧
　　刘清扬（女）　刘澜涛　齐燕铭
　　戎冠秀（女）　孙桂珍（女）　朱宪彝
　　朱梦苏　朱继圣　李　永　李兆珍（女）
　　李国钧　李烛尘　李耕涛　李培之（女）
　　李凤兰（女）　李颉伯　李质忠
　　李德全（女）　陈翰笙　吴文焘　吴韫山
　　谷小波　林　铁　张庆春　张　苏　张国忠
　　张国藩　张　岩　张香桐　张　生　孟目的
　　罗玉川　金直夫　周叔弢　邱光河　荣高棠
　　俞霭峰（女）　昝　凌　侯宝政　高树勋
　　耿长锁　马万水　马卓洲　马彦祥　马思聪
　　马约翰　郗占元　徐　欣（女）　章靳以

　　康修民　萧长华　陶孟和　杨石先　杨扶青
　　杨秀峰　杨雨民　杨琍瑛（女）　钱嘉光
　　薄一波　谭　真

河南省（58名）

　　王少堂　王化云　王志杰　邓颖超（女）
　　尹　达　刘九学　刘文树（女）　刘名榜
　　刘　英（女）　刘晏春　刘鸿文
　　孙香云（女）　汪菊潜　邢肇棠　苏殿选
　　杜延庆　杜孟模　李世璋　李雪峰　李赋都
　　李　俨　陈凤桐　吴作人　吴芝圃
　　何泽慧（女）　林砺儒　张伯声　屈　武
　　秉　志　赵文甫　赵树理　侯德原　高镇五
　　马豫真　袁慧灼　徐子荣　郭则沉
　　康克清（女）　曹靖华　常香玉（女）
　　曾传六　贺升平　嵇文甫　傅子诚　须　恺
　　贾心斋　贾拓夫　杨廷宝　杨显东
　　杨　纯（女）　杨钟健　鲁定华　霍秉权
　　钱端有　谢为杰　魏　巍

青海省（9名）

　　札喜旺徐　　孙君一　官保加　松　布
　　马明基　袁任远　夏茸尕布　　曹菊如
　　喜饶嘉措

军　队（60名）

　　丁志辉（女）　王天保　王　平　王宏坤
　　王建安　王新亭　王　诤　叶剑英　刘兴胜
　　刘有光　刘华香　刘伯承　刘培善　刘善本
　　朱良才　向仲华　李天佑　李天焕　李　达
　　迟浩田　陈士榘　陈再道　陈伯钧　陈明仁
　　吴法宪　成　钧　武尚志　林　彪　张令彬
　　罗荣桓　周文江　周纯全　邱创成　赵毛臣
　　赵仁虎　赵兴元　唐　求（女）　秦基伟
　　徐立清　徐向前　徐恒禄　郭恩志　萧望东
　　陶峙岳　崔建功　彭绍辉　彭德怀　粟　裕
　　贺　龙　贺炳炎　程远茂　傅秋涛　傅　钟
　　杨至成　杨嘉瑞　董其武　詹才芳　赖传珠
　　魏志英　谭　政

浙江省（35名）

　　文　芸（女）　叶熙春　刘开渠
　　沈兹九（女）　沈凤英（女）　汪栖生
　　严景耀　陆士嘉（女）　陆巧生　陈有生
　　陈叔通　贝时璋　吴　宪　何燮侯
　　张琴秋（女）　邵力子　竺可桢　周建人

邱清华　赵忠尧　俞平伯　俞佐宸　唐巽泽
马叙伦　马寅初　倪斐君（女）　徐赤文
许宝驹　冯宾符　杨匡保　董聿茂　潘天寿
霍士廉　钱崇澍　顾功叙

陕西省（27 名）

方仲如　王保京　王菊人　王德彪　安文钦
严信民　苏资琛　李凤莲（女）
李馥清（女）　陆景云　陈大燮　陈雨皋
张寿荫　张金聚　张秋香（女）　岳劼恒
赵占魁　赵寿山　赵伯平　唐洪澄　马平甫
马明方　原政庭　习仲勋　虞宏正　熊应栋
韩望尘

湖北省（48 名）

王全煌　王　涛　王家楫　邓子恢
邓裕志（女）　田恩波　刘西元　刘　劲
朱早弟（女）　朱国蕴（女）　宋一平
李文宜（女）　李四光　李冬青（女）
李　达　李先念　李国伟　李范一　李书城
陈离　陈经畲　余益庵　官木生　张体学
张难先　周小燕（女）　周仲英　胡锡奎
涂长望　唐午园　唐棣华（女）　夏以焜
夏坚白　曹禺　梅龚彬　汤用彤　彭仰钦
黄序周　黄松龄　贾琏（女）　杨献珍
杨德重　董必武　熊子民　鲍鼎　戴芳澜
萨本炘　饶兴礼

湖南省（49 名）

王季范　王新元　石邦智　龙老保
帅孟奇（女）　白　杨（女）　刘正良
刘　斐　向洪良　沈其震　沈德建　言仁海
李明灏　李　贞（女）　李富春　李维汉
吴通行　吴道生　吕　骥　何长工　林伯渠
张万宏　张启龙　易礼容　易湘苏（女）
罗叔章（女）　周立波　周世钊　周　礼
周谷城　周震鳞　赵自现　凌霞新　高文华
唐生智　徐特立　章士钊　康菊英（女）
曹伯闻　曹孟君（女）　萧　三　陶大有
彭祖贵　贺贵严　程　潜　杨定安　翦伯赞
蔡　畅（女）　谭余保

黑龙江省（29 名）

于开泉　王孙慈　王喜明　王　震　邓国章
巴彦胡　毛　诚（女）　石增荣　白希清
刘长瑞　刘珮芝　任仲夷　苏广铭　李延禄

李范五　陆　平　林　纳（女）　金白山
高崇民　马永顺　马恒昌　徐志芬（女）
梁　军（女）　郭霁云（女）
陶淑范（女）　崔国山　杨显亭　褚应璜
韩幽桐（女）

贵州省（26 名）

韦茂文　王由仁　王兴才　王德安　王耀伦
田君亮　刘子毅　刘建熙　艾思奇　严希纯
李仿尧　李侠公　陆庆美　陈职民　吴通明
罗登义　周　林　胡玉仙（女）　高克林
秦必相　徐健生　彭桓武　杨汉先　杨彬奎
蒙素芬（女）　熊开明

新疆维吾尔自治区（21 名）

札克洛夫　　牙合甫大毛拉
司马益·亚生诺夫　　包尔汉
安尼瓦尔·汉巴巴
安尼瓦尔·贾库林　　买买提·哈吾力
吐尔逊阿吉　　色里曼（女）
伊敏·马合苏木　　汪　锋　辛兰亭
吾守尔加甫　　克德尔拜衣　　吕剑人
阿衣木汉（女）　阿克木西日甫　禹占林
祖龙·哈的尔　　马依努尔（女）　赛福鼎

福建省（18 名）

王亚南　田富达　江一真　刘永生　刘崇乐
庄长恭　陈绍宽　何　遂　郑依梼　林一心
张鼎丞　金　瀚　周菊珍（女）　洪顺利
侯振亚　梁灵光　谢冰心（女）　谢雪堂

补选代表：

王秉祥（甘肃）　　凤冠绥（辽宁）
张敬礼（江苏）　　王季午（浙江）
（1960 年 3 月 30 日二届人大第二次会议确
认）
林李明（广东）　　肖隽英（广东）
白如冰（山东）　　徐文园（山东）
马惇靖（甘肃）　　黄新廷（解放军）
张孟旭（湖南）　　周汝沆（湖南）
毛铁桥（贵州）
（1962 年 3 月 28 日二届人大第三次会
议确认）

第二届全国人民代表大会
常务委员会
（1959 年 4 月—1964 年 12 月）

二届人大一次会议
（1959 年 4 月 27 日）

选举常务委员会：

委员长 朱 德

副委员长

林伯渠 李济深 罗荣桓 沈钧儒 郭沫若
黄炎培 彭 真 李维汉 陈叔通
达赖喇嘛·丹增嘉措 赛福鼎 程 潜
班禅额尔德尼·确吉坚赞 何香凝 刘伯承
林 枫

秘书长

彭 真（兼）

委 员

王昆仑 王维舟 邓初民 邓颖超 卢 汉
叶剑英 史 良 刘宁一 刘长胜 刘格平
刘澜涛 朱良才 华罗庚 汪 锋 李雪峰
陈劭先 陈其尤 陈其瑗 陈 垣 陈嘉庚
吴玉章 吴耀宗 武新宇 张云逸 张 苏
张治中 张难先 张启龙 张闻天 邵力子
竺可桢 季 方 周叔弢 周建人 周纯全
施复亮 赵寿山 南汉宸 胡子昂 胡乔木
胡厥文 胡愈之 胡耀邦 茅以升 高崇民
唐生智 马明方 马叙伦 马寅初 徐 冰
徐向前 徐特立 许广平 梅龚彬 曾 山
彭绍辉 杨明轩 熊克武 蔡廷锴 蔡 畅
谢扶民 龚饮冰

副秘书长

张 苏 余心清 孙起孟 连 贯 胡愈之
陈此生

（1959 年 5 月 3 日二届人大常委会第一次会议通过）

副秘书长 姚 溱

（1962 年 8 月 28 日二届人大常委会第六十一次会议通过）

副秘书长 武新宇

（1962 年 9 月 12 日二届人大常委会第六十三次会议通过）

免去副秘书长 张 苏

（1962 年 9 月 12 日二届人大常委会第六十三次会议通过）

副秘书长 赵伯平

（1963 年 1 月 22 日二届人大常委会第八十次会议通过）

第二届全国人民代表大会
所属专门委员会

民族委员会

主任委员 刘格平（回）

副主任委员

包尔汉（维）　　奎 璧（蒙）
张 冲（彝）　　谢扶民（僮）
桑吉悦希（藏）

委 员（按姓氏笔画排列）

刀京版（傣）　　韦茂文（布依）
王其梅（汉）　　王美恭（回）
王海民（彝）　　王德安（苗）
扎克洛夫（维）　　牙合甫大毛拉（维）
札喜旺徐（藏）　　石邦智（苗）
司马益·亚生诺夫（维）　　召存信（傣）
田富达（高山）　　包尔汉（维）
付一之（傈僳）
安尼瓦尔·汉巴巴（乌孜别克）
安尼瓦尔·贾库林（哈萨克）
安登银（彝）　　关山复（满）
协饶登珠（藏）　　达理札雅（蒙）
朱德海（朝鲜）　　伊敏·马合苏木（维）
华尔功成烈（藏）　　汪 锋（汉）
苏 新（羌）　　苏谦益（汉）
克德尔拜衣（哈萨克）　　李开荣（瑶）
李光华（拉祜）　　李和才（哈尼）
陆庆美（水）　　陈基义（侗）
陈经畲（回）　　吴英恺（满）
吴通明（苗）　　吕剑人（汉）
邦达多吉（藏）　　林岳川（黎）

松 布(土家)　　张子斋(白)

张 冲(彝)

阿克木西日甫(柯尔克孜)　阿旺嘉措(藏)

果基木古(彝)　　罗运通(僮)

金信淑(朝鲜)　　和凤昭(纳西)

周仁山(汉)　　周 林(汉)

周保中(白)　　赵世同(僮)

赵乐群(僮)　　胡忠华(佧佤)

奎 璧(蒙)　　降央伯姆(藏)

马玉槐(回)　　马 泳(东乡)

马青年(回)　　马鸿宾(回)

马腾霭(回)　　夏克刀登(藏)

夏康农(汉)　　桑吉悦希(藏)

特木尔巴根(蒙)　　乌 兰(蒙)

普贵忠(彝)　　彭祖贵(土家)

喜饶嘉措(藏)　　覃应机(僮)

黄正清(藏)　　黄 荣(僮)

雷春国(景颇)　　蓝昌法(瑶)

杨文贵(苗)　　杨汉先(苗)

詹东·计晋美(藏)　　廖志高(汉)

蒙素芬(布依)　　翦伯赞(维)

噶喇藏(蒙)　　谢扶民(僮)

谢鹤筹(僮)　　龚 绶(傣)

法案委员会

主任委员 张 苏

副主任委员 武新宇 周鲠生 张友渔

委 员(按姓氏笔画排列)

卢 汉　卢郁文　史 良　刘西元　刘清扬
刘 斐　李书城　陈劭先　陈其尤　陈其瑗
吴有训　吴昱恒　吴德峰　何世琨　何 遂
武新宇　张友渔　张志让　张砺生　邵力子
周 兴　周鲠生　蚁美厚　俞寰澄　高克林
高崇民　徐子荣　章 蕴　许宝驹　康永和
梅龚彬　傅 钟　闵刚侯　雷洁琼　杨东莼
钱昌照

(1959 年 4 月 30 日第二届全国人民代表大
会法案委员会第一次会议互推武新宇、周鲠
生、张友渔为副主任委员)

预算委员会

主任委员 曾 山

副主任委员 王绍鏊 薛暮桥 孙起孟

委 员(按姓氏笔画排列)

王芸生　王绍鏊　邓宝珊　包尔汉　乐松生
刘文辉　刘靖基　孙起孟　李明灏　李范五
陈此生　陈绍宽　吴 晗　周叔弢　周纯全
屈 武　邱 及　胡子昂　许广平　许之桢
许崇清　汤桂芬　宁 武　盛丕华　潘震亚
薛暮桥

(1959 年 4 月 22 日第二届全国人民代表大
会预算委员会第一次会议互推王绍鏊、薛暮
桥、孙起孟为副主任委员)

代表资格审查委员会

主任委员 马明方

副主任委员 王维舟 车向忱 朱蕴山

委 员(按姓氏笔画排列)

王维舟　邓宝珊　田君亮　庄希泉　朱蕴山
车向忱　李 永　李澄之　陈汝棠　吴芝圃
罗叔章　胡厥文　涂长望　夏 衍　徐立清
陶孟和　杨之华　杨静仁

(1959 年 4 月 20 日第二届全国人民代表大
会代表资格审查委员会第一次会议互推王
维舟、车向忱、朱蕴山为副主任委员)

提案审查委员会

主任委员 张友渔

副主任委员 李烛尘 管文蔚

委 员(按姓氏笔画排列)

丁西林　韦 悫　孙晓村　朱学范　车向忱
李国伟　李烛尘　李颉伯　李德全　陈此生
陈劭先　陈其瑗　陈望道　吴有训　吴德峰
吴耀宗　谷 牧　张含英　邵力子　金 明
胡子昂　高树勋　唐生智　郭棣活　曾传六
彭迪先　傅秋涛　贾拓夫　靳树梁　杨秀峰
杨显东　杨静仁　管文蔚　钱 瑛　谢扶民
韩望尘

（1959 年 4 月 19 日第二届全国人民代表大会提案审查委员会第一次会议互推李烛尘、管文蔚为副主任委员）

第三届全国人民代表大会

（1964 年 12 月—1975 年 1 月）

第三届全国人民代表大会第一次会议

（1964 年 12 月 20 日—1965 年 1 月 4 日在北京召开）

大会主席团

执行主席

毛泽东　刘少奇　朱　德　周恩来　宋庆龄
邓小平　彭　真　康　生　郭沫若　黄炎培
陈叔通　程　潜　赛福鼎　林　枫　刘宁一
阿沛·阿旺晋美

秘书长　刘宁一

副秘书长

武新宇　周荣鑫　平杰三　胡愈之　梅龚彬
余心清　连　贯　孙晓村　姚　溱　陈此生
赵伯平　辛志超

成　员（按姓氏笔画排列）

丁长华　刀京版　马纯古　王　伟　王宏坤
王国藩　王承书　王淦昌　韦茂文　韦国清
毛阿卓　毛泽东　乌兰夫　邓小平　邓初民
邓芳芝　邓颖超　帅孟奇　叶圣陶　叶剑英
史　良　刘少奇　刘宁一　刘白羽　刘伯承
刘国钧　刘澜涛　庄希泉　许广平　许崇清
许德珩　邢燕子　成仿吾　朱　德　朱德海
华罗庚　伊尔哈力　　宋庆龄　宋任穷
严济慈　李井泉　李四光　李先念　李顺达
李烛尘　李素文　李雪峰　李富春　李斯炽
李聚奎　杨之华　杨汉先　杨明轩　杨静仁
杨蕴玉　吴元明　吴玉章　吴有训　吴贻芳
吴耀宗　余秋里　何香凝　张汉明　张百发
张治中　张洪池　张秋香　张奚若　张难先
陆定一　阿沛·阿旺晋美　阿旺嘉措
陈　云　陈少敏　陈永贵　陈伯达　陈叔通
陈绍宽　陈经畬　陈　垣　陈望道　陈　毅
林兰英　林巧稚　林　枫　林岳川　林　彪

果基木古　　罗世发　罗　琼　罗瑞卿
金时龙　竺可桢　季　方　岳振华　周　扬
周叔弢　周建人　周信芳　周恩来　周培源
孟　泰　洪秀樇　赵九章　郝建秀　荣毅仁
胡厥文　胡愈之　饶兴礼　贺　龙　高崇民
郭沫若　郭棣活　唐生智　聂荣臻　顾震潮
钱学森　钱信忠　钱崇澍　徐立清　徐向前
徐特立　桑吉悦希　　陶峙岳　陶　铸
章士钊　康　生　康克清　尉凤英　彭加木
彭　真　黄炎培　蒋南翔　董必武　董加耕
韩望尘　舒舍予　程　潜　傅作义　裔式娟
雷春国　赖传珠　赛福鼎　廖汉生　廖承志
谭震林　蔡廷锴　蔡若虹　蔡　畅　裴阿欠
熊克武　薄一波

人大代表（单位和姓氏均按笔画排列）

广东省（159 名）

马大猷　马　顺（女）　　王仲彦
王妚东（女）　　王育才　王国兴　王首道
王　铨　王鉴明　韦成栋　韦　憼
区梦觉（女）　　毛文书（女）　　邓文钊
邓戈明（女）　　邓秀球（女）　　邓　国
邓家栋　邓韵秋（女）　　冯广仁　冯德瑜
古大存　古　元　卢焕章　叶季壮　刘赤选
刘思慕　关山月　许广平（女）　　许涤新
许崇清　朱　才　朱明凯（女）　　乔尊华
伍觉天　华凤翔　危秀英（女）
红线女（女）　　沈济川　李世友　李　灶
李坚真（女）　　李球柏　李敦化　李善邦
杨大应　杨铁云　杨康华　吴冷西　吴　灼
余　本　余仲奎　余锡渠　余　慧（女）
谷源松　利　苏　何　杰　何　康　何　琦
何敬真　张汉明　张　均（女）
张　建（女）　　张桂耕　张　峨（女）
陆春龄　陈心陶　陈希豪　陈其尤　陈　郁
陈　垣　陈秋安　陈凌风　陈　庶　陈斯德
陈焕镛　陈蔚观　陈镜开　邵良础　郑天保
郑铁如　郑曾同　郑漱澜（女）　　林文彪
林克明　林李明　林炎城　林岳川　林举瑞
林锵云　欧阳山　欧　初　罗明燏　金　明
金淑仪（女）　　周文茵（女）　　周本荣
周　扬　周全根　周廷珍（女）　　周寿恺

周林度　周家炽　周婉如(女)　　周朝松
赵卓云　赵善欢　柯麟　钟麟　容祖诰
高兆兰(女)　郭尔恳　郭汝铭　郭棣活
唐耀祖　秦光煜　钱学森　徐广泽
陶涛(女)　陶铸　梁广　梁远成
梁伯强　梁威林　梁毅文(女)　　寇庆延
商承祚　萧隽英　萧焕辉　梅日新　梅益
戚元德(女)　曾生　曾志(女)
谢申　谢志光　彭加木　黄义子(女)
黄甘英(女)　黄秉维　黄洁　黄振勋
黄继芳　黄鼎臣　蒋光鼐　蒋英　覃修典
雷洁琼(女)　蒲蛰龙　鲍国宝
廖似光(女)　廖梦醒(女)　　蔡廷锴
蔡翘　蔡楚生　黎顺康　戴爱莲(女)
戴策安　鄞云鹤(女)

广西壮族自治区(87名)
王大中　韦日荣　韦玉堂　韦正辉　韦国清
韦孟坤(女)　韦章平　区棠亮(女)
甘加料(女)　甘怀义　甘澄泽　石兆棠
卢昌雄　卢绍武　卢显书　卢保庭　卢燕南
叶培　田克(女)　汤有雁　汤松年
刘青山　伍晋南　任国璋　那顺和　李为坤
李任仁　杨文贵　杨东纯　杨宗德
杨浩(女)　吴中伟　张云逸　张声震
张景宁　陆榕树　陆毅谦(女)　　陈此生
陈伯康　陈烟桥　陈真(女)　　郑建宣
林克武　林培华　欧致富　金宝生　施汝为
赵世同　赵尔陆　赵乐群　赵明坚(女)
赵佩莹　钟夫翔　钟济新　贺希明　郭城
秦振武　班玉环(女)　　莫乃群　莫寿全
莫春荣(女)　莫矜　晏秀英(女)
梁华新　麻菊妹(女)　　阎光彩　银应熬
谢扶民　谢英莲(女)　　谢福惠　谢鹤筹
黄汝绍　黄征　黄举平　黄荣
黄莲辉(女)　蒋在球　蒋丽贞(女)
覃应机　覃波　程瑞谅　蓝昌法　廖熙和
谭南鼎　潘士华　黎达愚　黎明(女)

上海市(140名)
丁根福　马纯古　马益三　方明　方福林
计浩然　王怀琛　王应睐　王良楣　王性尧
王淑贞(女)　王菊生　王簸　支少炎
巴金　冯德培　左淑东(女)　　厉彦资

卢于道　卢鹤绂　叶企孙　江厚栅
汤蒂因(女)　刘志仁　刘述周　刘念义
刘靖基　庄孝穗　关建(女)　　过静宜
朱元鼎　朱物华　朱德鑫　乔硕人　孙师白
孙洪钧　沈尹默　沈克非　沈品章　汪猷
宋庆龄(女)　宋季文　应元岳　寿进文
花义盛　苏元复　苏步青　李艮同　李国豪
李储文　李瑞林(女)　　杨之华(女)
杨村彬　杨俊生　杨富珍(女)　　吴中一
吴乐懿(女)　吴若安(女)　　吴梅生
吴景祥　吴耀宗　谷超豪　邹元燨
张汇兰(女)　张江树　张国铨　张维桢
张祺　张瑞芳(女)　　陆芙塘　陈云
陈见真　陈同生　陈秀珍(女)　　陈伯达
陈望道　陈铭珊　陈植　陈毅　林兆耆
郁永康　卓碧玉(女)　　金仲华　周予同
周光宇(女)　周同庆　周志宏　周信芳
孟庆元　孟宪承　施子京　施孔怀
施如璋　施惠珍(女)　　祝公健
赵祖康　赵超构　荣仁本　荣毅仁
胡子婴(女)　胡文耀　胡绳　胡厥文
胡懋廉　柯庆施　咸文和　钟民　姚溱
郭秀珍(女)　唐应斌　谈家桢
袁雪芬(女)　钱宝钧　徐名全
徐忠吉(女)　徐森玉　殷宏章　萨本炘
曹荻秋　屠开元　童村　黄佐临　黄鸣龙
蒋兰荪　蒋孝薮(女)　　葛和林　董承琅
韩忻亮　程门雪　傅培彬　裔式娟(女)
雷兴翰　谭其骧　谭震林　潘祖培　潘顺康
颜福庆　戴弘　魏如　瞿希贤(女)

山东省(183名)
丁莱夫　丁履德　于化虎　马楚珍　方宗熙
王云生　王玉德　王幼平　王光伟　王华
王序　王佩珍　王洵才　王美恭(女)
王保荣(女)　王深林　王捷臣　王葆仁
王磊　王德朋　丹彤　邓必仪　孔华轩
邝任农　冯沅君(女)　　冯雁忱　石建阳
叶连俊　叶学齿　叶德备　史通　白如冰
白季眉　江青(女)　　刘长胜　刘民生
刘加林(女)　刘同浩　刘先志　刘承先
刘省心(女)　刘惠民　刘智白(女)
关锋　许益蛟　许继曾　成仿吾　曲鹓新

曲赢洲	吕鸿宾	朱学范	朱洪元	朱 梅
任轮升	孙文明	孙云鸾	孙云铸	孙玉声
孙会生	孙怀义	孙晓村	孙鸿泉	
孙 湘(女)	沈雁冰	沈 隽	宋玉庆	
严中平	苏应宽	李凤英(女)	李正家	
李田英(女)	李春明	李艳芳(女)		
李敏华(女)	李澄之	杨汉章	杨亚超	
杨得志	杨嘉墀	杨蕴玉(女)	吴士锴	
吴汪乾	吴朔平	吴素萱(女)	吴德峰	
余心清	余冠英	谷 牧	何寿安	张天民
张公制	张兰阁	张正义	张汝梅	张兆美
张声亚	张含英	张 恺(女)	张 彦	
张 玺	张淑梅(女)	张富贵		
张普云(女)	张敬焘	张惠兰(女)		
陆味辛	陈少敏(女)	陈朴先(女)		
陈志静	陈 浩(女)	陈 雷	陈瑞泰	
郑凤荣(女)	郑柏林(女)	郑麟蕃		
郎咸芬(女)	金宝珍	金效先	周 仁	
周 兴	周希来	周姜兰(女)	周祖彭	
宫福城	赵 丹	赵兰英(女)		
郝建秀(女)	郝复俭	胡 朋(女)		
段 毅	姚周岐	凌 云	高扬文	高登岩
郭永怀	郭守明	郭聿静(女)		
郭 彤(女)	郭贻诚	秦 杰	袁也烈	
贾 震	夏 衍	夏 萧	顾鼎祥	顾懋林
晁哲甫	钱之光	钱昌照	钱临照	徐士高
徐文园	徐呈龙	徐佐夏	徐建春(女)	
徐眉生	康 生	盖玉凤(女)	萧涤非	
崔 嵬	崔德锡	童第周	羡书锦	曾广福
曾 山	曾在因	曾呈奎	董 边(女)	
董汝勤(女)	傅圣昌	傅曾矩(女)		
谭启龙	赫崇本	蔡邦华	蔡修本	臧克家
樊厚甫	薛廷耀	薛楚书	穆瑞五	戴松恩
魏 斌	瞿承铨			

山西省(68名)

于载畿(女)	卫 恒	马 杰	
王秀兰(女)	王幸生	王贵英	王躬武
王 绥	王德合	邓初民	冯家升
申纪兰(女)	申泮文	田振宗	田遇奇
白 涛(女)	刘邦闻	刘裕民	庄国绅
许传珂	朱文华(女)	朱长赢	任达理
李补娥(女)	李荫山	李顺达	

李素珍(女)	李 辉(女)	杨自秀	
吴外保	吴吉昌	张万福	张龙志	张连奎
张 喆	张瑾瑶	陈永贵	邵象伊	郑 林
武新宇	岳维藩	周明山	赵树理	南汉宸
胡文秀(女)	胡景沄	凌大琦	高庆春
高向适	高进财	郭日修	郭兰英(女)
贾宝执	徐荫祥	陶桓馥(女)	姬鹏飞
康永和	曹素滨(女)	常芝青	常乾坤
程子华	傅作义	楼钦忠	臧 仓	裴丽生
熊佑贞(女)	薄一波	薛耀伦	

云南省(93名)

刀京版	于一川	马 坚	方国瑜	方 墉
王少岩	王汝昌	毛阿卑(女)	孔志清
艾思奇	卢 汉	付一之	召存信	刘林元
刘明辉	刘 春	刘荣显	刘淑清(女)
刘湘屏(女)	关鹅鹅(女)	邢方群
朱彦丞	阮金妹(女)	罕富有	李文东
李开荣	李扎克	李老罕	李光华	李 乔
李自强(女)	李如琚(女)	李和才
李润开(女)	李桂英(女)	李 能
李 铣	杨阿玉(女)	杨益清	更 觉
肖子富	吴作民	何腊标	张子斋	张天放
张开才	张卯均	张 冲	张惠英(女)
张碧华(女)	陆发荣	林元惕	岩香砍
罗运通	金古抓达	金岳霖	竺良甫
和文华	和世生	侬惠莲(女)	孟宪民
赵九章	赵凤岐	赵钟奇	胡忠华
咪 格(女)	姚贞白	高士其	秦仁昌
袁水拍	袁随善	袁绩棠	袁慧灼	徐嘉瑞
阎红彦	曹本熹	龚 绥	普贵忠	曾文昌
谢富治	董福生	韩 忠	雷圭元	雷春国
摆 安(女)	楚图南	裴阿欠	熊世祯
熊秉信	霍志琨(女)	穆光荣	戴 渊
魏崖景			

内蒙古自治区(55名)

义德新浩日劳(女)	方炎军(女)		
王再天	王逸伦	云曙芬(女)	
云曙碧(女)	乌日哲(女)	乌兰夫
乌兰巴干	田万生	江福利	刘奎有
齐 越	关 布	达理札雅	苏谦益
李 风(女)	李 超	李熙祖	张立范
张稼夫	陈雅芬(女)	宝音图	

宝章德力格尔(女)　　　郑不留

旺庆苏荣　　　金　山　金世琳　周北峰

周荣鑫　洪朝生　赵家璞　赵　斌　奎　璧

昝　良　高布泽博　　　高西布　郭以青

郭老虎　郭翠兰(女)　　　特木尔巴根

徐治民　通　福　萨义尔　彭文和

斯琴塔日哈(女)　　　葛德鸿　朝克松扎布

解学恭　谭振雄　额尔很巴图

额尔敦朝鲁　　　额尔登扎布　　　噶喇藏

魏兆融

宁夏回族自治区(15 名)

马玉如(女)　　　马玉槐　马寿桃　马思忠

马腾霭　冯　茂　买树桐　李鸣盛　李景林

杨生桂　杨秀蓉(女)　　　杨静仁　姚以壮

夏似萍(女)　　　雷启霖

甘肃省(52 名)

丁占海　马全德　马青年　马惇靖　马德魁

王世泰　牛才什旦　　　毛鹏飞　邓宝珊

孔宪武　冯玉兰(女)　　　白超然　江隆基

沈华生　沈智扬　汪　锋　完　德　李文彬

李屺阳(女)　　　李奎顺　李景兰(女)

李蓝丁(女)　　　李翰园　杨万林　杨明轩

杨复兴　杨澄中　吴鸿宾　何全珍(女)

何炳彦　张汉豪　张　考(女)

张慧卿(女)　　　陈佩华(女)

陈楚平(女)　　　陈舜瑶(女)　　　郑国锠

拉姆什旦(女)　　　罗　俊　胡继宗　胡锡奎

高健君　郭孟和　夏行时　翁文波　钱予格

常书鸿　蒋次升　韩练成　韩荣鑫　潘自力

樊玉珍(女)

北京市(101 名)

万　里　王　义　王永贵　王昆仑　王　恺

王恺谋　毛泽东　邓小平　邓　拓　田文宽

乐松生　安　起　安朝俊　刘云生　刘少奇

刘白羽　刘宗悦　刘国娟(女)　　　刘德珍

庄则栋　朱兆雪　朱宝和　朱洪荫　朱　觉

朱　临　任新民　华罗庚　宋　汀(女)

严仁英(女)　　　杜仁懿(女)

杜　若(女)　　　李文富　李克佐　李　恕

李瑜铭　李墨林　李德寿　杨士惠　杨甲三

时传祥　吴作人　吴　晗　吴镜汀　张子锷

张友渔　张百发　张光斗　张怀祖　张体伦

张晓梅(女)　　　张奚若　张　鏓　陆　平

陈　发　陈素芝(女)　　　范柏林

范　瑾(女)　　　林巧稚(女)　　　林传光

易宗朴　罗淑珍(女)　　　周玉兰(女)

罗发岐　周恩来　孟继懋　赵燕侠(女)

侯幼临　姚淑平(女)　　　贺　霖

浦洁修(女)　　　郭树德　郭影秋　诸福堂

秦怀森　载　涛　贾庭三　徐仁祥　徐庆文

徐光宪　殷维臣　陶淑范(女)　　　梁思成

章旭昭(女)　　　崔广成　谢　莹　彭志忠

彭　真　黄　昆　黄润萍　蒋南翔　董维域

韩瑞兰(女)　　　舒舍予　裴维蕃　虞家锡

谭富英　蔡　旭　蔡乾汉　潘文淑(女)

潘本权　魏建功

四川省(240 名)

马力可(女)　　　马允武　马建猷　王文彬

王兆成　王　良　王寿昌　王定一　王绍南

王彦立　王海民　王素珍(女)　　　王维舟

王道周　瓦扎木基　　　仁钦多吉

邓芳芝(女)　　　邓祖根　冯天铭　甘祠森

甘　棠(女)　　　艾　芜　左立梁　左景鉴

石鉴元　石　璞(女)　　　田一平　田家英

田景琦　乐以成(女)　　　司徒愈旺

汪晴芬(女)　　　安登银　刘文辉

刘云波(女)　　　刘环玉　刘　昂(女)

刘建熙　刘承钊　刘星垣　刘恩铭

庄　涛(女)　　　米建书　许德纪　毕德显

朱宝粹(女)　　　朱　德　伍文才

华尔功臣烈　　　向光弟　牟泽衔　孙自全

孙自强　沙马乌芝(女)　　　沙云和(女)

沙　汀　闵恩泽　克拉·门太(女)　　　苏　新

杜琼书(女)　　　李大章　李开珍(女)

李井泉　李少言　李伯钊(女)　　　李宗林

李唐彬　李培根　李　斌　李斯炽　李德铨

杨万选　杨允奎　杨兴业　杨　沫(女)

杨坤朝(女)　　　杨尚昆　杨鸿祖

里古果各(女)　　　吴玉章　吴世英

吴全衡(女)　　　吴应琪　吴祖恺　吴　雪

吴锐菁(女)　　　吴锡瀛　余秋里　谷志标

邱金云(女)　　　何文俊　何玉兴(女)

何光玖　何应麟　何其芳　何忠孝(女)

何　惧　但懋辛　张子夫　张文治　张文金

张为炯　张天翼　张云湘　张平江(女)

张如宾　张连华　张利珍(女)　　张秀熟

张际春　张泗洲　张奇　张经武　张宾吾

张莉蓉(女)　　张韶方　陆焕生

阿旺嘉措　　　阿侯鲁木子　　　陈之长

陈文贵　陈书舫(女)　　陈辛仁　陈禹平

陈晓岚　陈离　陈湖　陈道充(女)

陈彭年　陈漫远　邵荃麟　郑兰华　郑寿

郑衍芬　郑培亮　郑瑛(女)

郎毓秀(女)　　拉达　范明朗

林田(女)　　　林克勤(女)

果基木古　　　明宗秀(女)　　　罗文才

罗世发　罗青长　罗承烈　罗家蕙(女)

金锡如　周同璧(女)　　周泽昭　周国铨

周钦岳　周晦若　周绪德　降央伯姆(女)

洪辉(女)　　　洛让增根　　　施复亮

项扎巴松典　　赵世兰(女)　　　赵先海

赵苍璧　胡子昂　胡云生　胡绩伟　胡道济

胡耀邦　柯召　钟复光(女)　　侯外庐

侯光炯　侯策名　侯德封　贺昌群

海乃石古　　　竞华(女)　　　高德厚

郭沫若　唐清泉　唐璞　索观瀛　袁志先

晋川　聂荣臻　梭得·扎西拉措(女)

夏更芳(女)　　夏康农　顾康乐

倪冰(女)　　　徐中舒　徐伯昕　徐僖

桑吉悦希　　　萧则可　萧华清　萨空了

曹钟梁　曹惠文　龚钦冰　笪远纶　温少鹤

童小鹏　童少生　曾一凡　曾勉　谢立惠

彭仕义　彭光伟　彭究成　彭迪先　黄汲清

黄克维　黄鱼门　黄荣晶　黄隐　蒋导江

蒋明谦　蒋金涛(女)　　辜茂芝

韩惠卿(女)　　税西恒　程子健　程世抚

程绍迥　傅文祺(女)　　鲁波　雷从民

蒲云德　蓝田　廖志高　廖苏华(女)

谭文斌　裴昌会　熊克武　熊尚元　熊季光

缪海稜　潘清洲　樊培禄

辽宁省(193名)

丁丹　卜凡　于万贵　于蓝(女)

于锡恩　万籁天　马云阁　马龙翔

文淑珍(女)　　王凤恩　王凤琴(女)

王玉吉　王世宗　王达志　王秀兰(女)

王恒成　王崇伦　王鹏程　王鹤寿　支秉渊

车向忱　仇友文　凤冠绥　乌叔养　邓兆祥

宁汝济　宁武　白居(女)　　司钦

安波　刘化凤　刘宝田　刘洪达　刘荣霖

刘盛田　刘斌　刘慎谔　刘慕文　刘澜波

齐桂华(女)　　关文启　许兴柱　许西

许殿乙　巩天民　毕文廷　师小帆　师昌绪

吕正操　吕德顺　朱葆琳　孙孝菊(女)

沈洪涛　汪文清(女)　　宋则行　宋任穷

严济慈　杜玉珍(女)　　杜时松　李成君

李廷顺　李言　李学盈　李宝书　李松堂

李佩琳　李炳勋　李荒　李俊恩　李竞雄

李素文(女)　　李恩业　李锡奎

李颖生(女)　　李熏　杨伟(女)

杨克冰(女)　　杨树棠　杨海波

杨篾引(女)　　吴大有　吴大观　吴执中

吴英恺　吴集恩　余芹(女)　　余侠平

何怡贞(女)　　何国柱　何荫椿

佟玉兰(女)　　佟昱秀　张大煜　张文春

张文裕　张玉梅(女)　　张尔慈　张存浩

张全　张丽君　张忠善(女)　　张凯

张金厚　张洁梅(女)　　张省已　张俊秀

张海兰(女)　　张振发　张振华　张振凯

张勤　陆永升　陈一帆　陈先舟　陈育森

陈岱　陈恩凤　陈淑仁(女)

陈淑珍(女)　　邵宇　邵象华　庞然

郑孝燮　郑锡坤　范重模　林汉达　林洁

罗越嘉(女)　　金直夫　金爱濂(女)

金肇野　周明安　周家华　周镕

孟庆春　孟泰　洪宝顺　洪盈(女)

姜淑珍(女)　　姜培禄　娄尔康　赵国强

赵清　赵敬党(女)　　赵毓良　荣科

胡长诚　胡玉玺　胡兆森　胡国栋　胡明

胡愈之　柳文(女)　　俞守仁　禹光韩

侯毓汾(女)　　费广泰　贺之(女)

高扬　郭可信　唐之屏　栗德萃　顾谷同

顾金泉　顾敬心　翁心桐　钱令希　钱仲举

徐天锡　徐树刚　徐舜寿　章云龙　章用中

章守恭　章岩　章周芬(女)

阎顾行　曹吉庆　尉凤英(女)　　温建中

黄志千　黄欧东　黄新民　葛庭燧

韩秀芬(女)　　窦立芳　雷天壮　虞光裕

解玉芝(女)　　蔡昌年　翟瞻型(女)

魏 曦 瞿 赳

台湾省(暂缺)

江西省(63 名)

丁长华(女) 万尚荫 万泉生 邓典桃
冯 康 甘祖昌 白栋材 江善讲 刘之纲
刘财昆(女) 刘建华 刘俊秀 刘 寅
许德珩 孙善抡 汪东兴 宋连城
李友秀(女) 李世璋 李 柱 杨绍南
杨惟义 旷伏兆 吴有训 吴融锋 何世琨
张诗英 陈正人 陈劭先 陈陶琥(女)
陈翊科 邵式平 易瑞生 周志方(女)
孟宪荩 施作宇(女) 施 珍 赵长生
钟 毅 饶孟侃 高凌云 郭庆棻 郭清泗
袁 林 钱人元 徐永煐 康克清(女)
曹存昌 符式珪(女) 谢光道 彭 迪
黄火星 黄齐望 黄知真 黄家驷 程孝刚
鲁之俊 蔡若虹 蔡晬盎(女) 潘式言
潘震亚 戴亮侪 瞿兰香(女)

江苏省(154 名)

丁西林 丁光训 马 可 马君寿 马溶之
计雨亭 王之江 王 云(女) 王少堂
王守武 王治平 王 苹(女) 王绍鏊
王恒山 王淦昌 王蕙英(女) 王懋生
卢良恕 卢衍豪 叶圣陶 叶国英(女)
叶籁士 史 良(女) 史钟奇 包之静
江 坚 刘公诚 刘国钧 刘树勋 刘 峰
刘敦桢 刘曾达 刘静宜(女) 庄铭耕
许闻天 匡亚明 达浦生 吕叔湘 朱凤美
朱正元 朱春苑 朱 夏 朱穆之 仲崇信
华兴鼐 华君武 孙本忠 沈佩华(女)
沙千里 严 恺 李士英 李永锡 李庆逵
李明扬 李绍章 李维光 杨廷宝 吴公良
吴志华(女) 吴征铠 吴贻芳(女)
谷春帆 何碧辉(女) 何馥贞(女)
邹云翔 张光中 张志让 张阿舟 张泂伯
张钰哲 张曼筠(女) 张敬礼 陆仁福
陆定一 陈立平 陈永康 陈邦杰 陈志定
陈忠经 陈椿寿 单宗肃 范北强(女)
范存忠 范绪箕 茅以升 林 遵 林 镕
罗尔纲 罗清生 罗 琼(女) 金善宝
金静芬(女) 竺水招(女) 季 方
周立三 周兆瑜(女) 周培源 周赞衡
周巍峙 宫维桢 赵访熊 胡乔木
胡耐秋(女) 胡萃华(女) 柳大纲
俞寰澄 侯德榜 贺文杰 高秀英(女)
高啸平 郭庆贵 诸惠芬(女) 顾青虹
顾知微 顾复生 奚元龄 钱信忠 徐玉均
徐芝纶 徐芝寅(女) 徐肖冰
徐 敏(女) 章央芬(女)
章瑞英(女) 章德慎 梅藉芳 曾世英
曾昭燏(女) 彭 冲 斯 霞(女)
黄力行 黄文熙 黄辛白 黄炎培 葛庭之
董加耕 惠浴宇 程开甲 程茂兰 程暄生
傅抱石 廖世承 管文蔚 潘 菽 潘梓年
颜守民 薛暮桥 戴玉才 戴白韬 戴安邦
戴桂蕊 魏文伯 魏玉华 魏荣爵

安徽省(99 名)

丁继哲 于吉位 马乐庭 文 芸(女)
王 成 王志稼 王泽农 卢 鋈 叶笃正
刘季平 许 杰 吕兆祥 朱伯禄 朱淇昌
朱蕴山 孙大光 孙邦昌 孙起孟
孙 瑛(女) 孙景厚 孙德和
沈谷南(女) 沈其益 汪世铭 汪坤仁
汪胡桢 汪德昭 严坤元 苏知检 李凡夫
李有安 李焰松 李琦涛 李葆华 李 强
杨允植 杨承宗 杨新和 吴几康 吴 波
吴学谦(女) 吴茂荪 吴和珍(女)
吴 溢 谷 羽(女) 何东昌 何谦堂
佟元贞 张六一 张 庄(女) 张劲夫
张治中 张 凯 张恺帆 张涤华 陈百屏
陈自在(女) 陈学孟 陈昌华 陈鸿佑
陈 基 陈登科 陈粹吾 庞明义 房师亮
范涡河 欧远方 周怀衡 周叔迦 周鲠生
孟 雨 赵朴初 赵承嘏 赵敏学
胡早娣(女) 胡浩川 查夷平 贺丹成
唐元田 柴登榜 徐书明(女)
章 蕴(女) 萧开瀛 戚元香(女)
戚作钧 龚 澎(女) 黄 岩 黄 镇
蒋本沂 葛广芝 董希白 舒秀文(女)
储炎庆 傅焕光 慈昌淦 赖少其 黎锦熙
戴厚珍(女) 戴 戟

军队(120 名)

丁志辉(女) 卫小堂 马宜生 文年生
方光超 王天保 王必成 王 平 王宏坤

王秉璋　王海　王银虎　王新亭　王瑞生
叶剑英　皮定均　江文　江雪山　刘少文
刘仁福　刘玉堤　刘兴元　刘有光　刘华香
刘志坚　刘伯承　刘居英　刘培善　刘善本
刘道生　成钧　毕占云　朱良才　朱绍清
向仲华　李天佑　李长林　李凤鸣　李玉亭
李寿轩　李聚奎　杨印山　杨至成　杨宗泉
杨嘉瑞　吴元明　吴兴春　吴克华　吴法宪
吴岱　吴烈　邱会作　迟浩田　张令彬
张希春　张春礼　张南生　张廼更　张逸民
陆昌荣　陈士榘　陈再道　陈伯钧　陈奇涵
陈明义　陈明仁　冼恒汉　庞国兴　郑维山
林月琴(女)　林彪　虎日乐巴根
罗瑞卿　岳振华　周纯全　周建华　周贯五
赵毛臣　赵仁虎　赵兴元　郝忠云　胡修道
钟汉华　钟赤兵　贺龙　郭天民　郭林祥
郭恩志　郭鹏　秦基伟　袁升平　莫文骅
钱安良　徐文礼　徐立清　徐向前　徐恒禄
陶峙岳　梁必业　萧向荣　萧劲光　萧望东
曹里怀　崔建功　曾思玉　彭绍辉　黄丑和
黄树英　黄新廷　董其武　粟裕　舒积成
傅钟　傅秋涛　赖传珠　詹才芳　廖汉生
谭甫仁　蔡莘　魏志英

吉林省(76名)
于敏　马明方　方传流　王大珩　王玉贤
王正绪　王亚东　王湘浩　王毅(女)
毛诚(女)　毛鹤年　仁钦札木苏
冯仲云　冯铉　叶德灿　刘亚雄(女)
刘克静(女)　刘诗昆　刘金美(女)
关山复　朴伟勋　成盛三　吕荣麟
朱宝英(女)　朱既明　朱德海　孙顺理
孙殿卿　阴毓璋　纪莫林　宋任远　李川江
李艺林　李永　李彤溪　李浩源
李载柔(女)　李砥平　李善馥(女)
杨敷海　吴学周　吴青(女)　张维
张德庆　张德馨　陈冠荣　陈钟　宗希云
郑万钧　林暾　金时龙　金信淑(女)
岳希新　姜兰春　赵万里　赵德贤　郝玉生
郭力　郭兰香(女)　唐川　唐敖庆
栗又文　顾又芬(女)　钱大卫　钱保功
徐寿轩　陶尉荪(女)　康镜世　崔其盛
隋铭珊　曾泽生　黄顺玉(女)　喻屏

喻德渊　傅桐生　蔡镏生

西藏(24名)
才朗大瓦　王其梅　丹巴坚作
生钦·洛桑坚赞　邦达多吉
协饶顿珠　多杰才旦　贡布
张国华　阿沛·才旦卓嘎(女)
阿沛·阿旺晋美　拉敏·索朗伦珠
帕巴拉·格列朗杰　周仁山
洛桑慈诚　钦差朗杰
格桑旺堆　崔科·顿珠才仁
登巴降村　错姆(女)
群配德吉(女)

华侨(30名)
方方　方君壮　王源兴　尤扬祖　庄世平
庄希泉　庄明理　伍禅　苏惠(女)
李华　杨汤城　连贯　吴益修　吴桓兴
邱及　何香凝(女)　张国基　陈宗基
陈其瑗　周铮　洪丝丝　蚁美厚　钟庆发
唐明照　梁金山　谢应瑞　谢南光　黄长水
黄钦书　廖承志

河北省(223名)
丁绪淮　于钟汉　于致远　万晓塘　马约翰
马卓洲　马国瑞　马彦祥　马闻天　马思聪
马瑞增　方先之　方璜　王之玺　王亢之
王云生　王历耕　王书堂　王兰序　王守融
王光英　王光美(女)　王同伦　王竹泉
王伟　王志琪　王芸生　王佐民　王冶秋
王昆(女)　王国藩　王顺桐　王思华
王涛江　王莘　王振铎　王健　王植
王德溥　邓恩诚　尹丁凡　尹善　尹赞勋
冯世英　冯碟(女)　石志仁　卢册
申庆荣　申仲义　申希礼　田间
田秀涓(女)　田章武　刘大本　刘子厚
刘长福　刘宁一　刘仙洲　刘时和　刘宝忠
刘持钧　刘涟漪(女)　刘格平
刘清扬(女)　刘淑琴(女)　刘燕铭
祁仲马　许明(女)　邢燕子(女)
戎学珍(女)　戎冠秀(女)　朱宪彝
朱剑寒(女)　朱继圣　朱康　朱梦苏
优铁儒　阮智成　孙亚明　孙志彦
孙桂珍(女)　纪云龙　沈希咏(女)
汪寅人　沙小泉(女)　沙梦弼

桂近芳(女)　　杜孟庸(女)　　李广臣
李子光　李凤兰(女)　　李庄
李兆珍(女)　　李宝光(女)　　李枝谦
李质忠　李柏棠　李润杰　李烛尘　李耕涛
李雪峰　李培之(女)　　李瑞山(女)
李德全(女)　杨玉文　杨石先　杨亦周
杨扶青　杨连坤　杨雨民　杨春林　杨家凤
杨珋瑛(女)　杨培生　吴文焘　吴中枢
吴启秀(女)　　吴洁　吴钟岭　吴韫山
谷德振　邱光河　邱宗岳　何炳林
张士珍(女)　张文佑　张汉文　张永清
张玉　张本林　张庆春　张同钰　张初阳
张苏　张佐汤　张若麟(女)　　张国藩
张岩　张洁清(女)　　张香桐　张海泉
张竞(女)　　张砺生　张铄
张琬(女)　　张霖之　陈凤皋　陈顺祥
陈敏　陈博君　陈路得(女)　　陈翰笙
邵清华(女)　郑天挺　郑连玉　郑恩缓
郎钟骙　武振声　林一(女)　　林铁
林德时　郁洛善　罗玉川　罗霈霖　周叔弢
周海元　周福祥　孟目的　施复信　祖德明
赵今声　赵以成　赵烽(女)
赵惠兰(女)　　赵路　赵锡武　赵鹏飞
郝庆山　荣高棠　胡长海　胡昭衡　胡毅
俞德浚　俞履圻　俞霭峰(女)　　郗占元
段凤栖　侯宝政　昝凌　姚哲明(女)
高树勋　高镜莹　袁复礼　耿长锁
贾桂兰(女)　　顾宜孙　钱嘉光
徐光(女)　　徐欣(女)　　徐鸿济
徐博文　徐鲤庭　康修民　阎海登　萧长华
曹轶欧(女)　　崔竹宣　谢光巨　谢震亚
彭克明　黄建中　董子桢　韩启民(女)
程范吾　虞福京　路金栋　谭真
綦秀蕙(女)　　翟向东　翟英(女)
缪天瑞　潘承孝　魏鼎

河南省(144名)
丁声树　于宝榘　马鹏程　马镇西　文敏生
方子重　王万钧　王化云　王守纯　王志杰
王国权　王美真(女)　　王培信
毛子莲(女)　　毛萃初　邓颖超(女)
尹达　冯寅　卢凤皋　史来贺　白寿彝
刘文树(女)　　刘方生　刘玉峰　刘同圻

刘名榜　刘应祥　刘祝宜　刘晏春　刘逢举
刘鸿文　齐合只　许屺生　许照　朱弘复
孙以瑾(女)　　孙玉泰　孙香云(女)
汪庭霈　汪菊潜　宋憬　苏殿选　杜延庆
杜孟模　杜燕孙　李平一　李向甫　李来财
李波人　李春英(女)　　李临洹　李俊甫
李准　李素琴(女)　　李赋都　杨少桥
杨纯(女)　　杨明昆　杨显东　吴绍骜
何伟　何泽慧(女)　　张士遇　张文奇
张自清(女)　　张杰　张昌龄
张金凤(女)　　张绍宁　张炳　张树芝
张致一　张新芳(女)　　张瑞华(女)
张燕刚　张邃青　陆元九　陈永贵　陈正诗
陈汝梅　陈舜英(女)　　林同骥　林砺儒
尚德明　虎轩昌　金超　秉志　周士礼
赵文甫　赵凤岐　赵书阁　赵汎　赵伯基
赵青(女)　　赵毅敏　胡立声　胡备三
段永健　侯德原　须恺　高文彬
高云峰(女)　　高洁(女)　　高镇五
高璐(女)　　郭巧(女)　　郭则沉
郭培鋆　秦含章　袁宝华　莫馨一　贾子毅
钱伯煊　钱端有　钱澄海　倪海曙
倪桐岗(女)　　徐子荣　徐旭生　陶恩瑞
寇华亭　章汉夫　梅祖懿(女)　　曹孚
曹靖华　常香玉(女)　　崔洞源　屠守锷
曾传六　谢子贞　谢为杰　黄敦慈　蒋德麒
董子干　董民声　鲁定华　靳锡庚
蓝家璧(女)　　蔡无忌　樊里(女)
黎兴尧　霍秉权　魏兆铭　魏巍

青海省(18名)
马进孝　马明基　马海如　马鲁格牙(女)
王昭　巴桑卓玛(女)　　札喜旺徐
生根达结　刘秀梅(女)　　米福堂
先巴太　孙增荣　官保加　松布　骆世杰
高克亭　夏茸尕布　韩应选

陕西省(69名)
万建中　山秀珍(女)　　马桂馥(女)
方仲如　方自达　王受符　王秉正(女)
王炳南　王修桐　王保京　王菊人　王德彪
邓以纯　冯一航　冯勤为　史念海　江仁寿
刘文蔚　刘江汉　刘因哲(女)　　刘素菲(女)
刘毓中　刘澜涛　严克伦　严信民　苏金河

苏资琛　李守林　李　达　李启明
李馥清(女)　　杨存富　杨钟健　张寿荫
张伯声　张金聚　张秋香(女)　　陈大燮
陈雨皋　陈叔陶　陈季丹　陈俊德　陈端柄
武伯纶　林秀英(女)　　周　楫　赵寿山
赵伯平　胡景儒(女)　　钟师统　侯宗濂
姚　沃　海　涛(女)　　高克林　高步昆
高景德　原政庭　龚祖同　温启祥　彭天琦
韩望尘　惠中权　舒　同　虞宏正
路端谊(女)　　蔡子伟　熊应栋　潘铭紫
霍子乐

贵州省(67名)

王天贵　王由仁　王兴才　王　凯　王德安
王耀伦　韦茂文　毛铁桥　孔　原　龙贤昭
田兴才　田君亮　安启崇　成　克
毕昌兰(女)　　朱　侃　汪受衷　汪福清
宋吟可　宋和海　严希纯　李仿尧　李国庆
李侠公　李贵真(女)　　李顺臣　杨汉先
杨彬奎　吴　实　吴通明　吴培信(女)
张光明(女)　　陆庆美　纳星斋　郑义兴
郑周庆　林兰英(女)　　罗星芳(女)
罗登义　周民轩　周　林　宦　乡
赵蓉霞(女)　　胡立教　胡玉仙(女)
贺萃芝(女)　　秦必相　袁家玑　顾光中
顾晓光(女)　　晏珍喜　徐　冰　徐运北
徐采栋　徐健生　曾宪辉　彭桓武　蒙明儒
蒙素芬(女)　　赖其芳　谭　学
赫建华(女)　　裴　桐　熊开明　潘迎华
穆　欣　蹇先艾

浙江省(82名)

丁振麟　丁舜年　方文均　方令孺(女)
计　策　王一定　王季午　贝时璋　冯宾符
厉矞华(女)　　叶熙春　刘天香(女)
刘开渠　朱　颜　任一力　孙　用　沈学年
沈宜春(女)　　沈兹九(女)　　汪栖生
严景耀　李绍元　李培增　吴又新　吴　江
吴仲廉(女)　　吴　宪　吴耕民　邱式邦
邱清华　张方佐　张英杰　张琴秋(女)
陆士嘉(女)　　陆学善　陆星垣　陈双田
陈世骧　陈有生　陈志蔚(女)　　陈叔通
陈建功　邵力子　邵裴子　范文澜　罗大冈
金士宣　竺可桢　周庆祥　周　坚(女)

周建人　赵忠尧　胡永财　胡德华(女)
俞凤英(女)　　俞平伯　俞佐宸　侯虞钧
高小霞(女)　　唐巽泽　夏之栩(女)
顾功叙　顾春林　顾培怡(女)
钱正英(女)　　钱祖恩　钱崇澍　倪好善
倪斐君(女)　　徐洽时　陶若菊(女)
梁纯夫　章　涛　崔东伯　黄建英(女)
董聿茂　程纯枢　傅彬然　廖锡龙　潘天寿
潘圭绥　霍士廉

湖北省(126名)

于光元　马学礼　方壮猷　王之卓
王玉珍(女)　　王全煌　王竹溪　王治梁
王宝楹　王昌炎　王承书(女)　　王　度
王　涛　王家楫　邓子恢　邓　祥
邓裕志(女)　　冯　健　冯维华　叶再元
叶君健　田恩波　汤佩松　刘　劲
刘叔鹤(女)　　刘峻峰　刘乾才　刘惠农
许道琦　吕富华　朱汝瑶(女)　　朱光亚
朱早弟(女)　　任祖雄　孙昭熊　沈克昌
宋一平　辛志英(女)　　严文井　严铁生
李人林　李文宜(女)　　李凤恩　李书城
李四光　李冬青(女)　　李　达　李先念
李范一　李茂顺　李国伟　李明灏　李镇南
杨述祖　杨树根　杨显素(女)　　杨善基
吴志美(女)　　余传斌　余益庵　何兰阶
何浣芬(女)　　张水华　张光年　张时富
张体学　张　茜(女)　　张难先　陈永龄
陈华癸　陈秀山　陈伯华(女)　　陈宗鼎
陈茂力　陈经畲　陈荒煤　易钟英(女)
金昭典　季　沾(女)　　周小燕(女)
周仲英　周泳曾　祝秉珩　赵本寅　胡仲紫
胡金魁　胡恒山　查　谦　段文兰(女)
侯廷仁　饶兴礼　姚永政　高欣荣(女)
贾　琏(女)　　夏以焜　夏坚白
夏菊花(女)　　顾震潮　钱　瑛(女)
梁彦斌(女)　　萧洪启　梅龚彬　曹华卿
曹　禺　曹德华　曾宪九　彭开熙　彭仰钦
黄存正　黄序周　黄寿人　黄　杰(女)
黄松龄　黄国光　黄忠学　黄海明(女)
蒋大经　董必武　董籔才　傅兴贵　詹剑峰
鲍　鼎　廖居仁　熊子民　熊全沫(女)
戴芳澜

湖南省（117名）

马松生　文心正　王华彬　王定寰　王季范
王晓青　王新元　王槐三　石邦智　龙海生
龙跃前　卢惠霖　帅孟奇（女）　　叶向云
田启发　田奇璁　白方森　白　杨（女）
皮三秀　刘大年　刘长庚　刘永初　刘正良
刘仲容　刘宜伦　刘　昆　刘　斐　许　兴
成希颢　吕　骥　朱端绶（女）　任邦怀
华国锋　沈其震　沈祖显　沈德建　言仁海
苏又泉　李　贞（女）　李津身　李惇谊
李富春　李聪甫　杨本连　杨定安　吴文德
吴树基　吴　钰　吴通行　吴道生
余福星（女）　邱创成　张万宏
张玉珍（女）　张巧训（女）　　张德隆
陈士衡　陈政平　陈能宽　陈梅生　官健平
郑在校　林筱周　欧阳恒文　　易礼容
易湘苏（女）　罗宗贤　罗叔章（女）
罗迭开　周立波　周　礼　周世钊　周　劢
周汝沆　周行健　周谷城　屈绍元
姜国仁（女）　赵方民　赵自现　赵　琦
柳同仁　饶　兴　凌霞新　高文华
郭　建（女）　唐生智　秦化龙　袁鹤皋
聂炳发　桂铭敬　顾　楫　柴彩林　徐启文
徐季含　徐特立　陶大有　章士钊　章伯森
康菊英（女）　萧友明　萧玉君（女）
曹伯闻　曹国智（女）　　曹孟君（女）
曾炎宋（女）　谢国藩　彭祖贵　黄玉成
喻　杰　程　潜　廖春山　谭余保
谭爱兰（女）　蔡　畅（女）　翦伯赞
蹇先佛（女）

黑龙江省（132名）

丁逢水　于开泉　于清贤（女）　马永顺
马龙图　马恒昌　王立疆　王孙慈　王进喜
王　净　王金陵　王炳诚　王　哲　王桂林
王清正　王　震　尤志贤　尹　坤　宁玉川
冯天益　石增荣　卢令长　卢庆骏　由心传
丛　深　白希清　刘长瑞　刘生标　刘廷勋
刘树森　刘珮芝　刘　潜　庄逢甘　关胜启
成慎舆　吕其恩　吕　和　吕　清　朱广颐
朱亚杰　朱洪昌　朱莲青　朱康福　牟　森
孙本旺　孙茂松　孙维宝　沈正功　沈岳瑞
沈　鸿　汪德熙　严梅和（女）　苏广铭

杜若牧　李云川　李在根　李在德（女）
李延禄　李宜璋　李范五　李　奇（女）
李　荣　李荆和　李奎生　李桂英（女）
杨小亭　杨若震　杨易辰　杨显廷　肖步阳
吴天霖　吴中伦　吴克骊　余友泰　张世军
张兆英（女）　张启龙　张　林
张金兰（女）　张洪池　张复生（女）
张家琪　陆景云　陈友宝　陈光熙　陈　浚
陈铁铠　武　迟　武竟天　林　纳（女）
林　枫　金致洪　周梅影（女）　孟书纲
孟尔盛　洪　晶（女）　赵国华　南景元
胡启立　胡祥璧　俞炳元　钟子云　费启能
高崇民　郭　颂　秦东滨　袁钟云
贾焕章　晁　楣　钱三强　徐志芬（女）
梁一鸣　梁　军（女）　康世恩　阎沛霖
曹秀英（女）　曹鹤荪　崔行恕
富娴寿（女）　曾石虞　黄　葳（女）
葛明裕　董殿福　韩云岑　韩　光
韩幽桐（女）　褚应璜　蔡金涛　翟凤亭
熊天荆（女）　薛兰斌　薛绥宸

新疆维吾尔自治区（53名）

王玉胡　王彬生　王鹤亭　牙合甫大毛拉
邓力群　巴　岱　卡米里江　田　仲
包尔汉　司马益亚生诺夫　司的克吾守尔
尼科来·瓦西里维奇·孜缅科　许恒通
托乎提汗马木提（女）　达吾提沙塔尔
早日阿比提（女）　吕剑人　伊尔哈力
买合苏德　买买提·乃买提
买买提·哈吾力　买买提·敏艾力
买的汉库那皮亚　买斯吐日汗巴吾东（女）
玛依努尔（女）　克尤木尼牙孜　李维汉
李翠凤（女）　吴士璧　张仲瀚
阿不拉衣不拉音　阿不都克里木买买提力
阿不都阿郎乌拉孜阿力
阿不都热衣木阿吉　阿衣木汗（女）
阿衣木尼莎（女）
阿衣木汗铁里瓦里德（女）　阿衣吐拉（女）
阿克木和加　卓尔汗（女）
迪牙尔库玛西　帕坦木库尔班（女）
肉孜宛（女）　哈　完　哈的尔　禹占林
唐国华　夏里夫汉　铁木尔达瓦买提
塔衣尔买买提艾力　黄和瓒　赛福鼎

德 林

福建省(54 名)

方 毅	王 力	王文波	王世锐	王亚南
王炜钰(女)		王荣瑸	卢世钤	卢浩然
卢嘉锡	叶中央	叶渚沛	田富达	江一真
刘永生	刘崇乐	刘 银(女)		
刘静和(女)		任曼君(女)		李来荣
李芝卿	李焕之	吴皎如	何其信	何 遂
张兆汉	张鼎丞	陆 财	陈绍宽	
陈桂贞(女)		郑丹甫	郑 重	林一心
林海云	林碧英(女)		林默涵	罗炳钦
金 瀚	洪秀欑(女)		钟大湖	侯振亚
贺敏学	郭瑞人	袁留忠	梁守槃	
常 绮(女)		谢冰心(女)		谢雪堂
黄国璋	黄新民	傅承义	蔡启瑞	潘仲鱼
魏金水				

第三届全国人民代表大会
常务委员会

(1964 年 12 月—1974 年 12 月)

三届人大一次会议

(1964 年 12 月 21 日—1965 年 1 月 4 日)

选举常务委员会:

委员长 朱 德

副委员长

彭 真	刘伯承	李井泉	康 生	郭沫若
何香凝	黄炎培	陈叔通	李雪峰	徐向前
杨明轩	程 潜	赛福鼎	林 枫	刘宁一
张治中	阿沛·阿旺晋美		周建人	

秘书长 刘宁一

委 员(按姓氏笔画排列)

马纯古	王世泰	王昆仑	王淦昌	王维舟
区棠亮	贝时璋	邓初民	邓颖超	孔 原
古大存	卢 汉	帅孟奇	叶剑英	叶渚沛
史 良	刘长胜	刘亚雄	刘澜涛	庄希泉
许广平	朱良才	华罗庚	严济慈	李 达
李延禄	杨之华	杨至成	杨尚昆	杨蕴玉
吴玉章	吴有训	吴冷西	吴耀宗	张云逸
张 苏	张经武	张难先	张 鏓	陈少敏

陈劭先	陈其尤	陈其瑗	陈奇涵	陈 垣
邵力子	武新宇	范文澜	茅以升	林兰英
林巧稚	林锵云	罗叔章	罗 琼	竺可桢
季 方	周 礼	周纯全	周叔弢	孟继懋
施复亮	赵九章	赵寿山	赵忠尧	赵毅敏
南汉宸	胡子昂	胡乔木	胡厥文	胡愈之
胡耀邦	俞霭峰	郭 建	唐生智	钱崇澍
钱 瑛	徐子荣	徐立清	徐 冰	徐特立
梁思成	章士钊	萧劲光	梅龚彬	曹孟君
龚饮冰	童第周	曾 志	谢扶民	谢南光
彭绍辉	韩 光	粟 裕	蔡廷锴	蔡 畅
熊克武				

副秘书长

武新宇	余心清	连 贯	胡愈之	陈此生
姚 溱	赵伯平	罗叔章		

(1965 年 2 月 13 日第三届人大常委会第二次会议通过)

副秘书长 冯 铉

(1965 年 10 月 28 日第三届人大常委会第十六次会议通过)

第三届全国人民代表大会
所属专门委员会

民族委员会

主 任 谢扶民(僮)

委 员(按姓氏笔画排列)

丁占海(东乡)	刀京版(傣)
马玉槐(回)	马全德(保安)
马青年(回)	方国瑜(纳西)
王其梅(汉)	王美恭(回)
王 昭(汉)	王海民(彝)
王德安(苗)	云曙碧(蒙)
韦茂文(布依)	尤志贤(赫哲)
牙合甫大毛拉(维)	仁钦多吉(藏)
丹 彤(回)	乌兰巴干(蒙)
孔志清(独龙)	巴桑卓玛(藏)
冯玉兰(回)	札喜旺徐(藏)
石邦智(苗)	龙贤昭(侗)
卡米里江(塔吉克)	卢显书(毛南)

田兴才(仡佬)　　田富达(高山)
付一之(傈僳)　　司马益亚生诺夫(维)
司的克吾守尔(维)　　司 钦(蒙)
尼科来·瓦西里维奇·孜缅科(俄罗斯)
召存信(傣)　　安登银(彝)
刘 春(汉)　　刘格平(回)
关山复(满)　　协饶顿珠(藏)
吕剑人(汉)　　朱德海(朝鲜)
华尔功臣烈(藏)　　伊尔哈力(哈萨克)
多杰才旦(藏)　　买买提·乃买提(维)
苏 新(羌)　　李开荣(瑶)
李世友(京)　　李光华(拉祜)
李和才(哈尼)　　李润开(白)
杨文贵(苗)　　杨汉先(苗)
吴英恺(满)　　吴通明(苗)
何腊标(崩龙)　　张子斋(白)
张 冲(彝)　　张 杰(回)
陆庆美(水)　　阿克木和加(乌孜别克)
阿旺嘉措(藏)　　陈经畲(回)
拉姆什旦(裕固)　　林岳川(黎)
松 布(土)　　果基木古(彝)
岩香砍(布朗)　　罗运通(僮)
金信淑(朝鲜)　　和文华(普米)
和世生(恕)　　周仁山(汉)
降央伯姆(藏)　　洛桑慈诚(藏)
赵世同(僮)　　赵乐群(僮)
胡忠华(佤)　　奎 璧(蒙)
咪 格(傣)　　哈 完(哈萨克)
哈的尔(维)　　钟大湖(畲)
高布泽博(蒙)　　高西布(鄂温克)
秦振武(侗)　　莫 矜(僮)
夏里夫汉(塔塔尔)
铁木尔达瓦买提(维)
特木尔巴根(蒙)　　桑吉悦希(藏)
梁华新(僮)　　崔科·顿珠才仁(藏)
银应熬(仫佬)　　普贵忠(彝)
谢鹤筹(僮)
塔衣尔买买提艾力(柯尔克孜)
彭祖贵(土家)　　黄 荣(僮)
葛德鸿(鄂伦春)　　韩应选(撒拉)
覃应机(僮)　　程子健(汉)
雷春国(景颇)　　蒙素芬(布依)

蓝昌法(瑶)　　错 姆(门巴)
熊世祯(苗)　　额尔登扎布(达斡尔)
翦伯赞(维)　　德 吉(藏)
德 林(锡伯)　　穆光荣(阿昌)
(第三届全国人民代表大会民族委员会第一次会议互推:奎璧、张冲、桑吉悦希、朱德海、马玉槐、铁木尔达瓦买提、石邦智为副主任委员。)

法案委员会

主任委员 张 苏
委 员 (按姓氏笔画排列)
王光伟　王 伟　王昆仑　卢 汉　史 良
刘清扬　刘 斐　李书城　杨东莼　吴有训
吴茂荪　吴德峰　何兰阶　何世琨　何 遂
张友渔　张志让　张砺生　张稼夫　陈劭先
陈其尤　陈其瑗　邵力子　武新宇　周鲠生
赵伯平　赵鹏飞　蚁美厚　俞寰澄　高崇民
钱昌照　徐子荣　章 蕴　康永和　萨空了
梅龚彬　黄火星　韩幽桐　傅 钟　雷洁琼
(第三届全国人民代表大会法案委员会第一次会议互推:武新宇、周鲠生、张友渔、赵伯平为副主任委员。)

预算委员会

主任委员 谷 牧
委 员 (按姓氏笔画排列)
丁西林　王芸生　王绍鳌　王崇伦　邓宝珊
宁 武　乐松生　刘靖基　许广平　许崇清
协饶顿珠　　华罗庚　李范五　李明灏
杨海波　吴 晗　邱 及　张天民　陈此生
陈绍宽　茅以升　林默涵　周纯全　周叔弢
周明山　施惠珍　胡子昂　钱正英　康世恩
韩 光　潘震亚　薛暮桥
(第三届全国人民代表大会预算委员会于12月29日举行第一次会议,互推王绍鳌、薛暮桥为副主任委员。)

代表资格审查委员会

主任委员 马明方

委　员（按姓氏笔画排列）

王维舟	车向忱	田君亮	刘　春	庄希泉
朱蕴山	苏谦益	李　永	李澄之	杨之华
杨静仁	吴鸿宾	张启龙	罗叔章	周　杨
周培源	胡厥文	高克林	莫乃群	钱　瑛
徐立清	徐寿轩	曹孟君	曹荻秋	楚图南
路金栋	廖志高	谭余保		

（第三届全国人民代表大会代表资格审查委员会于 12 月 22 日举行第一次会议，互推王维舟、车向忱、朱蕴山、钱瑛为副主任委员。）

提案审查委员会

主任委员

委　员（按姓氏笔画排列）

王进喜	贝时璋	卢绍武	朱学范	孙晓村
杜　若	李文宜	李世璋	李国伟	李烛尘
杨显东	吴　波	吴学周	吴耀宗	谷　牧
张含英	陈永康	陈劭先	周建人	赵国强
胡子婴	高树勋	郭棣活	夏之栩	曾一凡
曾传六	彭迪先	蒋南翔	董汝勤	韩望尘
傅秋涛	管文蔚			

（第三届全国人民代表大会第一次会议提案审查委员会于 12 月 22 日举行第一次会议，互推李烛尘、管文蔚、曾一凡为副主任委员。）

中华人民共和国政府

中华人民共和国主席、副主席

1959 年 4 月—1965 年 1 月
（第二届全国人大期间）

主　席　刘少奇
副主席　宋庆龄（女）　董必武
（1959 年 4 月 27 日第二届全国人民代表大会第一次会议选举）

1965 年 1 月—1966 年
（第三届全国人大期间）

主　席　刘少奇
副主席　宋庆龄（女）　董必武
（1965 年 1 月第三届全国人民代表大会第一次会议选举）

中华人民共和国最高人民法院

1959 年 4 月—1965 年 1 月
（第二届全国人大期间）

院　长　谢觉哉
（1959 年 4 月第二届全国人民代表大会第一次会议选举）
副院长　吴德峰　王维纲　张志让

1965 年 1 月—1975 年 1 月
（第三届全国人大期间）

院　长　杨秀峰（1965 年 1 月—1975 年 1 月）
（1965 年 1 月中华人民共和国第三届全国人民代表大会第一次会议选举）
副院长　谭冠三　王维纲　曾汉周　何兰阶
　　　　邢亦民　王德茂　张志让

中华人民共和国最高人民检察院

1959 年 4 月—1965 年 1 月
（第二届全国人大期间）

检察长　张鼎丞
（1959 年 4 月第二届全国人民代表大会第一次会议选举）

1965 年 1 月—1975 年 1 月
（第三届全国人大期间）

检察长　张鼎丞
副检察长　张　苏　黄火青
（1965 年 1 月中华人民共和国第三届全国人民代表大会第一次会议选举）

中华人民共和国国务院

1959 年 4 月—1965 年 1 月
（第二届全国人大期间）

总　理　周恩来
副总理

陈 云　林 彪　彭德怀　邓小平　邓子恢
贺 龙　陈 毅　乌兰夫　李富春　李先念
聂荣臻　薄一波　谭震林　陆定一　罗瑞卿
习仲勋
秘书长　习仲勋（兼）

（1959 年 4 月 27 日第二届全国人民代表大会第一次会议决定）

1965 年 1 月—1975 年 1 月
（第三届全国人大期间）

总　理　周恩来
副总理

林 彪　陈 云　邓小平　贺 龙　陈 毅
柯庆施　乌兰夫　李富春　李先念　谭震林
聂荣臻　薄一波　陆定一　罗瑞卿　陶 铸
谢富治
秘书长　周荣鑫

（1965 年 1 月 4 日中华人民共和国第三届全国人民代表大会第一次会议决定）

外 交 部

1959 年 4 月—1965 年 1 月
（第二届全国人大期间）

部　长　陈 毅

（1959 年 4 月第二届全国人大一次会议决定任命）

副部长

章汉夫　姬鹏飞　曾涌泉　罗贵波　耿 飚
黄 镇　刘 晓　乔冠华　韩念龙　刘新权

王炳南

1965 年 1 月—1975 年 1 月
（第三届全国人大期间）

部　长　陈 毅

（1965 年 1 月第三届全国人大一次会议决定任命，1972 年 1 月逝世）

部　长　姬鹏飞（1972 年 1 月—1974 年 11 月）
乔冠华（1974 年 11 月—1975 年 1 月）

副部长

章汉夫　姬鹏飞　曾涌泉　罗贵波　刘 晓
乔冠华　韩念龙　刘新权　王炳南　徐以新
陈家康　李耀文　何 英　仲曦东　余 湛
符 浩　马文波　王海容

国家计划委员会

1959 年 4 月—1965 年 1 月
（第二届全国人大期间）

主　任　李富春（1959 年 4 月—1965 年 1 月）

1965 年 1 月—1975 年 1 月
（第三届全国人大期间）

主　任　李富春（1965 年 1 月—　）
余秋里（革委会主任 1970 年 6 月—　）

国家经济委员会

1959 年 4 月—1965 年 1 月
（第二届全国人大期间）

主　任　薄一波

1965 年 1 月—1970 年 6 月
（第三届全国人大期间）

主　任　薄一波(1965 年 1 月—1970 年 6 月)

(1970 年 6 月中共中央决定撤销国家经济委员会)

教 育 部

1959 年 4 月—1965 年 1 月

（第二届全国人大期间）

部　长　杨秀峰(1959 年 4 月—1964 年 7 月)
　　　　何　伟(1964 年 7 月—1965 年 1 月)
副部长
　蒋南翔　周荣鑫　刘季平　刘皑风　董纯才
　叶圣陶　刘子载　林砺儒

1965 年 1 月—1966 年 6 月

（第三届全国人大期间）

部　长　何　伟
副部长
　刘季平　刘皑风　叶圣陶　林砺儒　董纯才
（1966 年 6 月 22 日,中共中央决定撤销教育部,成立国务院科教组,刘西尧、李四光等任组长。）

高等教育部

1964 年 7 月—1966 年 7 月

（第三届全国人大期间）

部　长　杨秀峰(1964 年 7 月—1965 年 1 月)
　　　　蒋南翔(1965 年 1 月—1966 年 7 月)
副部长　蒋南翔　刘仰峤　刘子载　高　沂
　　　　段洛夫　黄辛白
（1966 年 7 月并入科教组）

科学技术委员会

1958 年 11 月—1959 年 4 月

（第一届全国人大期间）

主　任　聂荣臻
（1958 年 11 月成立）

1959 年 4 月—1965 年 1 月

（第二届全国人大期间）

主　任　聂荣臻

1965 年 1 月—1975 年 1 月

（第三届全国人大期间）

主　任　聂荣臻(1965 年 1 月—　　)

民族事务委员会

1959 年 4 月—1965 年 1 月

（第二届全国人大期间）

主　任　乌兰夫
副主任
　汪　锋　刘　春　萨空了　杨静仁　谢鹤筹
　余心清　谢扶民　丹　彤　薛向晨

1965 年 1 月—1975 年 1 月

（第三届全国人大期间）

主　任　乌兰夫
副主任
　刘　春　萨空了　谢鹤筹　丹　彤　谢扶民

公 安 部

1959 年 4 月—1965 年 1 月

（第二届全国人大期间）

部　长　罗瑞卿
　　　　谢富治(1959 年 9 月—　　)
副部长

杨奇清　徐子荣　汪金祥　王　昭　梁国斌
李天焕　王近山　汪东兴　凌　云　刘复之
严佑民　于　桑

1966 年 1 月—1975 年 1 月
（第三届全国人大期间）

部　长　谢富治
　　　　（后）李　震
副部长
杨奇清　徐子荣　汪金祥　梁国斌　汪东兴
刘复之　凌　云　严佑民　于　桑　施义之
曾　威　赵登程　李　震　黄庆熙

内　务　部

1959 年 4 月—1965 年 1 月
（第二届全国人大期间）

部　长　钱　瑛(女)（ —1960 年 11 月）
　　　　曾　山(1960 年 11 月— ）
副部长
陈其瑗　王一夫　郭秉坤　章夷白　程　坦
王子宜

1965 年 1 月—1970 年
（第三届全国人大期间）

部　长　曾　山
副部长
陈其瑗　王一夫　程　坦　熊天荆　李景膺
黄庆熙
（1970 年以后，未设内务部。）

财　政　部

1959 年 4 月—1965 年 1 月
（第二届全国人大期间）

部　长　李先念

副部长　金　明　吴　波　王学明　陈如龙
　　　　曾　直　李树德　申　平　杜向光

1965 年 1 月—1975 年 1 月
（第三届全国人大期间）

部　长　李先念（ —1967 年 1 月）
副部长　吴　波　王学明　曾　直　杜向光
　　　　江东平　陈希愈　王丙乾

劳　动　部

1959 年 4 月—1965 年 1 月
（第二届全国人大期间）

部　长　马文瑞
副部长　刘子久　刘亚雄(女)　郗占元
　　　　于光汉　吕文远　李正亭

1965 年 1 月—1970 年 6 月
（第三届全国人大期间）

部　长　马文瑞
副部长　郗占元　于光汉　李正亭
（1970 年 6 月，中共中央决定撤销劳动部。
1982 年设立劳动人事部。1988 年 4 月分设
劳动部和人事部。）

地　质　部

1959 年 4 月—1965 年 1 月
（第二届全国人大期间）

部　长　李四光
副部长　许　杰　何长工　宋　应　卓　雄
　　　　刘景范　李济寰　刘汉生　旷伏兆
　　　　胥光义

1965 年 1 月—1970 年 6 月
（第三届全国人大期间）

部　　长　李四光

副长部　许　杰　何长工　宋　应　刘景范
　　　　旷伏兆　胥光义　张同钰　邹家尤
　　　　李　轩　刘汉生

（1970年6月中央决定撤销地质部）

国家基本建设委员会

1958年10月—1959年4月
（第一届全国人大期间）

主　任　陈　云

（1958年10月成立）

1959年4月—1961年1月
（第二届全国人大期间）

主　任　陈　云

（1961年1月第二届全国人大常委会第三十
五次会议决定撤销国家基本建设委员会）

1965年3月—1975年1月
（第三届全国人大期间）

主　任　谷　牧

（1965年3月第三届全国人大常委会第五次
会议决定恢复设立国家基本建设委员会）

建设工程部

1959年4月—1965年1月
（第二届全国人大期间）

部　　长　刘秀峰（　—1964年11月）
　　　　　李人俊（1964年11月—?）

副部长
　宋裕和　杨春茂　许世平　赖际发　孙敬文
　陈云涛　刘裕民
　李人俊（　—1964年11月）

1965年1月—1970年6月
（第三届全国人大期间）

部　　长　李人俊（　—1965年3月）
　　　　　刘裕民（1965年3月—　）

副部长
　宋裕和　许世平　赖际发　孙敬文　陈云涛
　刘裕民（　—1965年3月）　汪少川
　任朴斋　苗树森　李景昭　何郝炬

（1965年，第三届全国人大常委会第五次会
议决定将建筑工程部分为建筑工程部和建
筑材料工业部。1970年6月，中央决定撤销
建筑工程部，并入国家基本建设委员会。）

建筑材料工业部

1965年3月—1970年6月
（第三届全国人大期间）

部　　长　赖际发

（1965年3月第三届全国人大常委会第五次
会议决定恢复设立建筑材料工业部）

煤炭工业部

1959年4月—1965年1月
（第二届全国人大期间）

部　　长　张霖之

1965年1月—1970年6月
（第三届全国人大期间）

部　　长　张霖之（　—1967年1月）

（1970年6月中央决定撤销煤炭工业部）

石油工业部

1959年4月—1965年1月

（第二届全国人大期间）

部　长　余秋里

1965 年 1 月—1970 年 6 月
（第三届全国人大期间）

部　长　余秋里
（1970 年 6 月中央决定撤销石油工业部）

铁 道 部

1959 年 4 月—1965 年 1 月
（第二届全国人大期间）

部　长　滕代远
副部长
　　吕正操　武竞天　石志仁　刘建章　余光生
　　汪菊潜　郭　鲁　钱应麟　苏　杰

1965 年 1 月—1970 年
（第三届全国人大期间）

部　长　吕正操
副部长
　　武竞天　石志仁　刘建章　余光生　汪菊潜
　　郭　鲁　钱应麟　苏　杰　彭　敏
（1970 年撤销铁道部，合并入交通部，1975 年
重新恢复建制。）

交 通 部

1959 年 4 月—1965 年 1 月
（第二届全国人大期间）

部　长　王首道（　—1964 年 7 月）
　　　　孙大光（1964 年 7 月—　）
副部长
　　邝任农　谭　真
　　彭　德（1960 年 4 月—　）

于　眉（1960 年 4 月—　）
肖　民　葛　琛　朱田顺　陶　琦
（以上四人，1964 年 4 月—　）

1965 年 1 月—1975 年 1 月
（第三届全国人大期间）

部　长　孙大光
副部长　彭德清　马耀骥

第四机械工业部

1963 年 5 月—1965 年 1 月
（第二届全国人大期间）

部　长　王　净
（1963 年 5 月第二届全国人大常委会第九十
七次会议决定成立）

1965 年 1 月—1975 年 1 月
（第三届全国人大期间）

部　长　王　净

第七机械工业部

1965 年 1 月—1975 年 1 月
（第三届全国人大期间）

部　长　王秉璋
（1965 年正式设立）

第八机械工业部

1965 年 1 月—1970 年 6 月
（第三届全国人大期间）

部　长　陈正人
（1970 年 6 月中央决定撤销第八机械

工业部）

第一机械工业部

1959 年 4 月—1965 年 1 月
（第二届全国人大期间）

部　长　赵尔陆（ 　—1960 年 9 月）
　　　　段君毅（1960 年 9 月— 　）
副部长
　　段君毅　汪道涵　张连奎　刘　鼎　刘　寅
　　朱涤新　钟夫翔　白　坚　杜星垣　方　强
　　周子建　杨寿山　饶　斌　周建南　沈　鸿
　　杨殿奎　郭　力

1965 年 1 月—1975 年 1 月
（第三届全国人大期间）

部　长　段君毅
副部长
　　白　坚　周子建　杨寿山　周建南　杨殿奎
　　郭　力　范慕韩　沈　鸿　孙友余　徐斌洲
　　刘湘屏　马　仪　阎济民　纪兆全　李本海
　　刘　昂　杨　铿

农业机械部

1959 年 8 月—1965 年 1 月
（第二届全国人大期间）

部　长　陈正人
（1959 年 8 月第二届全国人大常委会第五次
会议决定成立）

第二机械工业部

1959 年 4 月—1965 年 1 月
（第二届全国人大期间）

部　长　宋任穷（ 　—1960 年 9 月）

　　　　刘　杰（1960 年 9 月— 　）
副部长
　　刘　杰（ 　—1960 年 9 月）
　　袁成隆　钱三强　雷荣天　刘　伟　刘淇生
　　刘西尧　李济寰　牛书申　钱信忠

1965 年 1 月—1975 年 1 月
（第三届全国人大期间）

部　长　刘　杰
副部长
　　袁成隆　钱三强　雷荣天　刘　伟　刘淇生
　　刘西尧　牛书申　钱信忠　李　觉

第五机械工业部

1963 年 9 月—1965 年 1 月
（第二届全国人大期间）

部　长　邱创成
（1963 年 9 月第二届全国人大常委会第一〇
二次会议决定成立）

1965 年 1 月—1975 年 1 月
（第三届全国人大期间）

部　长　邱创成

第六机械工业部

1963 年 9 月—1965 年 1 月
（第三届全国人大期间）

部　长　方　强
（1963 年 9 月第二届全国人大常委会第一〇
二次会议决定成立）

1965 年 1 月—1975 年 1 月
（第三届全国人大期间）

部 长 方 强

冶金工业部

1959 年 4 月—1965 年 1 月
（第二届全国人大期间）

部 长 王鹤寿（ —1964 年 6 月）
　　　吕 东（1964 年 6 月— ）
副部长
　吕 东（ —1964 年 6 月） 夏 耘
　高扬文 刘 彬 徐 驰 林泽生 袁宝华
　周赤萍 王玉清 叶志强 李 超 杨殿奎

化学工业部

1959 年 4 月—1965 年 1 月
（第二届全国人大期间）

部 长 彭 涛（ —1962 年 7 月）
　　　高 扬（1962 年 7 月— ）

1965 年 1 月—1970 年 6 月
（第三届全国人大期间）

部 长 高 扬
（1970 年 6 月中央决定撤销化学工业部）

轻工业部

1959 年 4 月—1965 年 1 月
（第二届全国人大期间）

部 长 李烛尘
副部长
　王新元 罗叔章（女） 宋乃德 张道吾
　邓 洁 孔祥桢 夏之栩（女） 王毅之
　曹 鲁
（1965 年 1 月撤销，成立第一轻工业部，1970 年 6 月重新成立轻工业部。）

第一轻工业部

1965 年 1 月—1970 年 6 月
（第三届全国人大期间）

部 长 李烛尘（ —1965 年 2 月）
副部长
　王新元 孔祥桢 夏之栩（女） 王毅之
　曹 鲁 姜昌彦 王雨洛 谢鑫鹤 焦善民
　陈维稷
（1965 年 1 月成立第一轻工业部，1970 年 6 月撤销）

第二轻工业部

1965 年 2 月—1970 年 6 月
（第三届全国人大期间）

部 长 徐运兆
（1965 年 2 月，第三届全国人大常委会第三次会议决定设立第二轻工业部。1970 年 6 月中央决定撤销第二轻工业部。）

纺织工业部

1959 年 4 月—1965 年 1 月
（第二届全国人大期间）

部 长 蒋光鼐
副部长
　钱之光 陈维稷 张琴秋 王达成
　荣毅仁（1959 年 8 月— ）
　李中一（1960 年 5 月— ）
　张永清（1964 年 4 月— ）
　李竹平（1964 年 4 月— ）

1965 年 1 月—1970 年 6 月
（第三届全国人大期间）

部　长　蒋光鼐（　—1967 年 6 月病故）
副部长
　钱之光　陈维稷
　张琴秋（　—1968 年 4 月）
　王达成　荣毅仁　张永清　李竹平　王雨洛
　焦善民
（1970 年 6 月中央决定撤销纺织工业部）

邮　电　部

1959 年 4 月—1965 年 1 月
（第二届全国人大期间）

部　长　朱学范
副部长
　范式人　王子纲　钟夫翔　申　光　赵志刚
　谷春帆　李玉奎　诚安玉

1965 年 1 月—1975 年 1 月
（第三届全国人大期间）

部　长　朱学范（　—1970 年 6 月）
　　　　钟夫翔（1973 年 7 月—　）
副部长
　王子纲　申　光　赵志刚　谷春帆
　钟夫翔（　—1973 年 7 月）
　李玉奎　诚安玉　朱春和
（1970 年 6 月，邮电部撤销。1973 年 7 月，恢
复邮电部建制。）

水利电力部

1958 年 2 月—1959 年 4 月
（第一届全国人大期间）

部　长　傅作义
副部长
　李葆华　刘澜波　张含英　钱正英（女）
　冯仲云　程明升　李　锐　王　林
（1958 年 2 月成立水利电力部）

1959 年 4 月—1965 年 1 月
（第二届全国人大期间）

部　长　傅作义
副部长
　李葆华（　—1961 年 2 月）
　刘澜波　张含英
　钱正英（女）　冯仲云　程明升
　李　锐（　—1960 年）
　李代耕（1961 年 7 月—　）
　郝执斋（1961 年 7 月—　）
　杜星垣（1961 年 7 月—　）
　罗文坊（1964 年 6 月—　）
　张　彬（1964 年 5 月—　）

1965 年 1 月—1975 年 1 月
（第三届全国人大期间）

部　长　傅作义（　—1972 年 7 月）
副部长
　刘澜波　张含英　钱正英（女）　冯仲云
　程明升　李代耕
　（以上六人，任职至 1967 年）
　郝执斋（　—1965 年 8 月）
　杜星垣（　—1965 年 8 月）
　张　彬（　—1967 年）
　王英先（1965 年 7 月—1967 年）

农　业　部

1959 年 4 月—1965 年 1 月
（第二届全国人大期间）

部　长　廖鲁言
副部长
　刘瑞龙　蔡子伟　顾大川　杨显东　何基沣
　魏震五　程照轩　朱　荣　吴　振

1965 年 1 月—1970 年 6 月
（第三届全国人大期间）

部 长 廖鲁言

副部长

蔡子伟 顾大川 杨显东 何基沣 程照轩
朱 荣 吴 振

（1970年6月中央决定撤销农业部）

农 垦 部

1959年4月—1965年1月

（第二届全国人大期间）

部 长 王 震

1965年1月—1970年6月

（第三届全国人大期间）

部 长 王 震

（1970年6月中央决定撤销农垦部）

水 产 部

1959年4月—1965年1月

（第二届全国人大期间）

部 长 许德珩

1965年1月—1970年6月

（第三届全国人大期间）

部 长 许德珩

（1970年6月中央决定撤销水产部）

林 业 部

1959年4月—1965年1月

（第二届全国人大期间）

部 长 刘文辉

副部长

罗玉川 惠中权 张克侠 雍文涛 周骏鸣
陈 离 唐子奇 张 昭 梁昌武 杨天放
荀昌五

1965年1月—1970年6月

（第三届全国人大期间）

部 长 刘文辉（ —1966年）

副部长

罗玉川 惠中权 张克侠 陈 离 唐子奇
张 昭 梁昌武 杨天放 荀昌五 张世军

（1970年6月，中央决定撤销林业部。1975
年—1979年，设农林部。1979年2月第五届
全国人大常委会第六次会议决定恢复设立
林业部。）

商 业 部

1959年4月—1965年1月

（第二届全国人大期间）

部 长 程子华（ —1960年2月）
姚依林（1960年2月— ）

副部长

姚依林（ —1960年2月）
王 磊 吴雪之
曾传六（ —1963年11月）
张永励
闫顾行（1959年8月—1962年4月）
李哲人（1959年8月—1961年4月）
胡子婴（女）
梁 耀（1960年8月—1962年4月）
郭献瑞（1961年7月— ）
王文波（1960年8月—1964年10月）
邓辰西（1961年4月—12月）
喻 杰（1962年6月—1963年11月）
牛荫冠（1962年10月—1965年1月）
王化民（1964年4月—1965年1月）
任泉生（1964年4月—1965年1月）
高 修（1964年4月—1965年1月）

1965 年 1 月—1970 年 6 月
（第三届全国人大期间）

部　长　姚依林
副部长
　王　磊　吴雪之　张永励　胡子婴(女)
　牛荫冠　王化民　任泉生　高　修
（1970 年 6 月中央决定撤销商业部）

粮　食　部

1959 年 4 月—1965 年 1 月
（第二届全国人大期间）

部　长　沙千里
部　长
　黄静波（　—1959 年 11 月）
　喻　杰（　—1962 年 6 月）
　聂洪钧（　—1964 年 10 月）
　高锦纯(1960 年 6 月撤职)
　陈国栋　赵发生
　杨少桥(1960 年 2 月—　)
　周康民(1960 年 9 月—1964 年 7 月)
　安法乾(1960 年 9 月)
　邓　飞(1963 年 11 月)

1965 年 1 月—1970 年 6 月
（第三届全国人大期间）

部　长　沙千里
副部长
　陈国栋　赵发生
　杨少桥（　—1966 年 10 月）
　安法乾　邓　飞
（1970 年 6 月中央决定撤销粮食部）

第一商业部

1958 年 2 月—1958 年 9 月
（第一届全国人大期间）

部　长　陈　云
（1958 年 2 月，第一届全国人大第五次会议
决定撤销商业部，设立第一商业部。1958 年
9 月，第一届全国人大常委会第一〇一次会
议决定撤销第一商业部，重新设立商业部。）

第二商业部

1958 年 2 月—1958 年 9 月
（第一届全国人大期间）

部　长　杨一辰
副部长　王兴让　张永励
（1958 年 9 月，第一届全国人大常委会第一
〇一次会议决定撤销第二商业部，与第一商
业部合并，设立商业部。）

全国供销合作总社

1962 年 5 月—1970 年 6 月

主　任　潘复生(1962 年 2 月—1965 年 10 月)
副主任
　闫顾行（　—1967 年 7 月）　梁　耀
　史兰德　王越毅　王卓如　王念基　程宏毅
（1958 年 2 月，第一届全国人大第五次会议
决定全国供销合作总社与城市服务部合并，
改称第二商业部，1962 年 5 月，中央决定分
设全国供销合作总社。1970 年 6 月，并入商
业部，1975 年，恢复独立机构。）

对外贸易部

1959 年 4 月—1965 年 1 月
（第二届全国人大期间）

部　长　叶季壮

1965 年 1 月—1975 年 1 月
（第三届全国人大期间）

部 长 叶季壮(—1967 年 1 月)
代理部长
　林海云(1967 年 1 月—1970 年 6 月)
革命委员会
主 任 白相国(1970 年 6 月—1973 年 11 月)
部 长 李强(1973 年 11 月—1975 年 1 月)

对外经济联络委员会

1964 年 6 月—1965 年 1 月
（第二届全国人大期间）

主 任 方 毅
（1964 年 6 月,第二届全国人大常委会第一
　一九次会议决定设立对外经济联络委员会。）

1965 年 1 月—1975 年 1 月
（第三届全国人大期间）

主 任 方 毅(—1970 年 6 月)

物资管理部

1964 年 11 月—1965 年 1 月
（第二届全国人大期间）

部 长 袁宝华
（1964 年 11 月第二届全国人大常委会第一
　二九次会议决定设立物资管理部）

1965 年 1 月—1970 年 6 月
（第三届全国人大期间）

部 长 袁宝华
（1970 年 6 月中央决定撤销物资管理部）

文 化 部

1965 年 1 月—1966 年
（第三届全国人大期间）

部 长
　陆定一(兼)(1965 年 1 月—1966 年 5 月)
　肖望东(1966 年 6 月—)
副部长
　肖望东　石西民　林默涵　赵辛初　颜余生
　刘白羽　徐光霄　徐平羽　李 琦

对外文化联络委员会

1958 年 2 月—1959 年 4 月
（第一届全国人大期间）

主 任 张奚若
（1958 年 2 月第一届全国人大第五次会议决
　定设立对外文化联络委员会）

1959 年 4 月—1965 年 1 月
（第二届全国人大期间）

主 任 张奚若

1965 年 1 月—1970 年 1 月
（第三届全国人大期间）

主 任 张奚若
（1970 年 6 月中央决定撤销对外文化联络委
　员会）

中央广播事业局

1959 年—1965 年

局 长 梅 益
副局长
　周新武　金 照　李 伍　顾文华　董 林
（以上人员 1959 年 8 月国务院第九十一次会
　议通过任命）

李哲夫(1961 年—　　)

卫　生　部

1959 年 4 月—1965 年 1 月
（第二届全国人大期间）

部　长　李德全(女)
副部长
　　苏井观　徐运北　贺　飚　崔义田　张　凯
　　郭子化(1961 年 7 月—　　)　钱信忠
　　伍云甫(　　—1963 年)

1965 年 1 月—1975 年 1 月
（第三届全国人大期间）

部　长　钱信忠(　　—1973 年 7 月)
　　　　刘湘屏(女)(1973 年 7 月—　　)
副部长　苏井观(　　—1965 年 2 月)
　　　　徐运北(　　—1965 年 3 月)
　　　　史书翰(　　—1966 年 8 月)
　　　　贺　飚　崔义田　张　凯　郭子化
　　　　(以上四人，"文革"初期离职)
　　　　黄树则(1965 年 6 月—　　)

国家体育运动委员会

1959 年 4 月—1965 年 1 月
（第二届全国人大期间）

主　任　贺　龙
副主任
　　蔡廷锴　卢　汉　荣高棠　黄　中　李　达
　　赵正洪(1961 年 7 月—　　)
　　李梦华(1960 年 12 月—　　)

1965 年 1 月—1975 年 1 月
（第三届全国人大期间）

主　任　贺　龙(　　—1968 年 5 月)

副主任　蔡廷锴(　　—1968 年 5 月)
　　　　卢　汉(　　—1968 年 5 月)
　　　　荣高棠(　　—1966 年 12 月)
　　　　黄　中(　　—1966 年 12 月)
　　　　李　达(　　—1966 年 12 月)
　　　　赵正洪(　　—1966 年 12 月)
　　　　李梦华(　　—1966 年 12 月)
军管会
主　任　曹　诚(1968 年 6 月—1971 年 7 月)
　　　　王　猛(1971 年 7 月—1974 年 12 月)
　　　　庄则栋(1974 年 12 月—　　)
副主任　李梦华(1972 年 5 月—　　)
　　　　赵正洪(1972 年 5 月—　　)
　　　　李青川　姚晓程　于步血
　　　　庄则栋(1972 年 5 月—1974 年 12 月)

中国人民银行

1959 年 4 月—1965 年 1 月
（第二届全国人大期间）

行　长　曹菊如
副行长
　　胡景云　黄亚光　陈希愈　乔培新　吴　波
　　江东平　胡立教　丁冬放　李绍禹　方　皋

1965 年 1 月—1975 年 1 月
（第三届全国人大期间）

行　长　曹菊如(　　—1973 年 5 月)
　　　　陈希愈(1973 年 5 月—　　)
副行长
　　胡景云　陈希愈(　　—1973 年 5 月)
　　乔培新　江东平　丁冬放　李绍禹　方　皋
　　袁子扬

中国科学院

1959 年 4 月—1965 年 1 月
（第二届全国人大期间）

院　长　郭沫若
副院长
陈伯达　李四光　陶孟和　竺可桢　吴有训
张劲夫　裴丽生

1965 年 1 月—1975 年 1 月
（第三届全国人大期间）

院　长　郭沫若
副院长
陈伯达　李四光　竺可桢　吴有训　张劲夫
裴丽生

华侨事务委员会

1959 年 4 月—1965 年 1 月
（第二届全国人大期间）

主　任　廖承志

1965 年 1 月—1970 年 6 月
（第三届全国人大期间）

主　任　廖承志
（1970 年 6 月中央决定撤销华侨事务委员会）

中国人民政治协商会议

中国人民政治协商会议
第三届全国委员会
（1959 年 4 月 17 日—1963 年 12 月 17 日）

委　员（1959 年 4 月 11 日政协第二届常委会第
五十四次会议通过，按姓氏笔画排列）

中国共产党（60 名）
于江震　王从吾　王维纲　王稼祥　孔　原

孔祥桢　平杰三　安子文　刘　晓　刘景范
刘锡五　刘澜波　孙志远　伍修权　李六如
李井泉　李立三　李克农　李步新　李卓然
李葆华　李楚离　李维汉　陈奇涵　陈　毅
吴岱峰　吴溉之　吕正操　何长工　郑位三
张子意　张执一　张邦英　张际春　张经武
张曙时　周士第　周恩来　邹大鹏　姚依林
高文华　唐天际　马文瑞　徐子荣　徐立清
徐　冰　许涤新　郭化若　康　生　陶　铸
曾　山　彭　真　贺炳炎　贾拓夫　杨奇清
杨尚昆　滕代远　赖际发　薛子正　龚饮冰

中国国民党革命委员会（40 名）
丁超五　王昆仑　王葆真　邓宝珊　甘祠森
卢　汉　卢郁文　刘文辉　刘仲容　刘孟纯
刘　通　朱蕴山　任芝铭　任崇高　李平衡
李济深　李俊龙　李　蒸　陈此生　陈劭先
陈建晨（女）　　陈铭枢　吕集义　余心清
张治中　邵力子　侯镜如　唐生智　袁金章
翁文灏　梅龚彬　宁　武　贺贵严　黄方刚
程　潜　楚溪春　杨亦周　蔡廷锴　阎熔冰
卫立煌

中国民主同盟（40 名）
寸树声　千家驹　双　清　邓初民
史　良（女）　　关梦觉　沈钧儒　沙彦楷
辛志超　杜光预　杜孟模　李文宜（女）
李相符　陈中凡　陈望道　吴富恒　吕季方
谷霁光　林仲易　林植夫　罗隆基　周新民
胡愈之　高一涵　高崇民　唐　哲　章伯钧
萧华清　冯友兰　冯素陶　闵刚侯　费孝通
黄执中　杨一波　杨子廉　杨明轩　闻家驷
潘光旦　谢高峰　萨空了

中国民主建国会（40 名）
刁沼芬　王艮仲　毛铁桥　古耕虞　叶宝珊
刘念智　孙友樵　孙起孟　孙晓村　孙耀华
华煜卿　李烛尘　陈子彬　陈希仲　陈维稷
陈调甫　陈邃衡　吴大琨　吴晋航　吴觉农
吴羹梅　张蔚岑　金学成　周士观　周焕章
施复亮　荣毅仁　胡厥文　侯启兴
浦洁修（女）　　徐永祚　章乃器　章元善
郭守昌　汤绍远　黄炎培　黄凉尘　资耀华
潘式言　薛品轩

无党派民主人士（20 名）

丁西林　向　达　任鸿隽　沈尹默　沈　浮
汪胡桢　贝时璋　吴有训　吕叔湘　郑　昕
张子高　张奚若　唐　钺　马一浮　马寅初
翁独键　黄鸣龙　熊庆来　谢无量　饶毓泰

中国民主促进会（20名）

王绍鏊　李平心　李霁野　陈礼节　吴研因
张纪元　金通尹　周建人　柯　灵　马叙伦
徐伯昕　徐楚波　梁纯夫　戚景龙　冯少山
喻传鉴　杨东莼　葛志成　潘承孝　顾颉刚

中国农工民主党（20名）

丁贡南　王人旋　邓作楷　丘　辰　庄明远
李伯球　陈伊林　吴彦求　罗任一　季　方
周太玄　范　权　秦伯未　徐彬如　郭则沉
黄琪翔　杨清源　杨惠安　董爽秋　练惕生

中国致公党（8名）

刘成鹏　伍觉天　严希纯　陆榕树　陈其尤
张友仁　黄鼎臣　雷沛鸿

九三学社（20名）

干　铎　方　亮　王之相　卢于道　刘恢先
孙承佩　乔启明　劳君展（女）　　　陈　立
陈恩凤　金克木　周培源　茅以升　袁翰青
许德珩　游国恩　黄友谋　税西恒　裴文中
薛　愚

台湾民生自治同盟（8名）

王天强　田富达　丘　琳　苏子蘅　陈　文
陈文彬　徐萌山　杨春松

中国共产主义青年团（10名）

王宗槐　王照华　田　心　白纪年　朱语今
汪行远　陈　琏（女）　　　罗　毅　胡耀邦
高天辉

中华全国总工会（38名）

王亦清　王国骥　安力夫　刘子久　刘达潮
孙维忠　朱学范　宋　川　李　永　李时良
李淑英（女）　　　李景韩　李颉伯
陈少敏（女）　　　陈　宇　陈兆毅　何英才
狄子才　郑晶华　张金保（女）　　　张树荣
张修竹　张　祺　邵子言　易礼容　祝志澄
马佩勋　马纯古　马辉之　栗再温　梁永福
郭绍江　莫家瑞　戚元德（女）　　　冯诗云
黄民伟　黄德茂　顾大椿

农民（16名）

王玉坤　王　录　王观澜　龙冬花（女）

李登瀛　陈正人　吴德简　张庆孚　张维城
罗文瑞　周桂林　高凤志　曾广福　廖鲁言
蔡子伟　鲁桂兰（女）

中华全国妇女联合会（32名）

丁果仙（女）　　　丁是娥（女）
于滋潭（女）　　　于　蓝（女）
王国秀（女）　　　王承书（女）
王雪莹（女）　　　云秀桐（女）
邓裕志（女）　　　尹　羲（女）
刘王立明（女）　　　关瑞梧（女）
沈方成（女）　　　沈粹缜（女）
严仁英（女）　　　严凤英（女）
陆　秀（女）　　　吴　绩（女）
拉希达（女）　　　张秀岩（女）
阿沛·才丹卓嘎（女）　　　邹仪新（女）
秦　怡（女）　　　草　明（女）
章　蕴（女）　　　许广平（女）
郭明秋（女）　　　曹孟君（女）
曹冠群（女）　　　汤蒂因（女）
曾宪植（女）　　　曾昭燏（女）

中华全国青年联合会（10名）

叶至善　刘西元　刘良模　孙孚凌
李　林（女）　　　张　超　施如璋（女）
胡启立　侯仁之　钱李仁

合作社（11名）

于树德　邓　洁　江仲华（女）　　　安翰华
刘昆水　张赵霞（女）　　　赵品三　梁　耀
程子华　董昆一　阎顾行

中华全国工商业联合会（40名）

丁佐成　王少岩　王德舆　刘次玄　刘靖基
巩天民　孙　鼎　朱继圣　宋子纯　李国伟
李勉之　陈朵如　陈叔通　陈祖沛　陈经畬
吴雪之　邦达养璧　　　张香圃　张敬礼
金润庠　周叔弢　周苍柏　胡子昂　苗海南
席文光　唐君远　凌其峻　梁尚立
郭秀珍（女）　　　郭琳爽　郭棣活　汤元炳
黄玠然　盛丕华　焦寰五　温少鹤　杨子霖
董仁明　经叔平　廖霭庭

中国文学艺术界联合会（52名）

刁光覃　方晓天（女）　　　王个簃　王朝闻
丰子恺　石少华　叶浅予　关玉和
孙维世（女）　　　沈佩华（女）　　　沈雁冰

苏育民　杜鹏程　李再雯（女）　　陆　地
陈其通　陈荒煤　陈鲤庭　吴天保　吴晓邦
何其芳　郑君里　郑奕奏　张士勤（女）
张景祜　张瑞芳（女）　　张骏祥　金国富
周　扬　周惠依（女）　　赵得贤　俞振飞
侯宝林　唐　弢　马　可　马师曾
康巴尔汉（女）　　梅兰芳
纳·赛音朝克图　彭俐侬（女）
黄　虹（女）　　喻宜萱（女）　　舒舍予
焦菊隐　傅抱石　杨荫浏　蓝　马　熊佛西
蒋兆和　卫仲乐　韩世昌　韩俊卿（女）

中国科学技术协会（60名）

王大珩　王之玺　王仲富　王淦昌　邓叔群
尹赞勋　卢　鋈　叶渚沛　刘　杰　刘述文
刘恩兰（女）　　庆承道　孙云铸　孙保基
孙越崎　朱元鼎　朱树屏　宋叔和　杜　巍
李四光　李连捷　李赋都　陆学善　陈世骧
陈康白　陈　嵘　吴世鹤　吴学周　吴学蔺
余名钰　何之泰　何作霖　张劲夫　张钰哲
张德庆　罗宗洛　周　立　赵九章　赵庆杰
赵宗燠　胡师童　范长江　涂　治　马大猷
徐振骐　陶述曾　费启能　黄育贤　黄秉维
黄振勋　单宗肃　雷天壮　靳树梁　杨　伟
蔡方荫　钱崇澍　谢荣　谢家泽　韩　光
简根贤

社会科学团体（20名）

丁声树　王学文　李剑农　陈伯达　陈岱孙
吴半农　吴德峰　吕振羽　张友渔　张　颐
金岳霖　季羡林　范文澜　夏石农　郭大力
陶孟和　冯　定　傅懋绩　杨献珍　韩寿萱

教育界（42名）

丁振麟　王　越　王　玨　王遵明　江泽涵
刘子载　刘皑风　刘锡瑛　孙淑芝（女）
曲仲湘　朱光潜　朱物华　辛树帜　车向忱
李方训　李沛文　李舜琴　李麟玉　陈汉标
陈序经　陈鹤琴　利翠英（女）　　何炳麟
郑建宣　郑晓沧　张　铨　周庆祥　姜立夫
赵洪璋　胡庶华　柳野青　俞大绂
桑热喜措　梁思成　许崇清　汤用彤
贺绿汀　黄叔培　谈家桢　钱令希　聂　真
顾宜孙

新闻出版界（11名）

王子野　王芸生　孙文石　严独鹤　吴景崧
张明养　徐迈进　曹谷冰　黄洛峰　傅彬然
穆　欣

医药卫生界（40名）

方先之　王兆俊　尤家骏　兰锡纯　石筱山
叶橘泉　冉雪峰　应元岳　苏井观　杜自明
陈桂云（女）　　陈景云　余　溃
林巧稚（女）　　林范洪（女）　　张孝骞
张　毅　孟继懋　易见龙　施今墨　赵锡武
胡献尚　胡懋廉　侯宗濂　姚克方　高凤桐
梁毅文（女）　　章次公　曹依秀（女）
汤腾汉　黄天启　黄克纲　黄省三　傅连暲
蒲辅周　蔡　堡　鲍鉴清　谢少文　钟惠澜
戴正华

对外和平友好团体（22名）

刀有良　刘泽荣　沈兹九（女）　　吴　晗
郑森禹　张致祥　张醵村　屈　武　周竹安
周炳琳　赵毅敏　胡克实　侯德榜　涂允檀
郭沫若　程希孟　楚图南　杨　朔　黎照寰
冀朝鼎　钱俊瑞　邝健廉（女）

社会救济福利团体（12名）

丑子冈（女）　　刘清扬（女）　　伍云甫
邢赞亭　李德全（女）　　陈其瑗　陈维博
胡兰生　浦化人　康克清（女）　　黄　乃
熊瑾玎

少数民族（36名）

刀承宗（傣族）　　刀栋庭（傣族）
王乐楷（藏族）　　甘春雷（回族）
包尔汉（维族）　　吉雅泰（蒙族）
达赖喇嘛·丹增嘉措（藏族）
李呈祥（哈尼族）　　陆真藩（布依族）
吴宗烈（苗族）　　吴鸿宾（回族）
拉敏·益喜楚臣（藏族）　张超伦（苗族）
阿不都热河满·托合诺夫（哈萨克族）
阿木提（维族）　　阿沛·阿旺晋美（藏族）
阿旺嘉措（藏族）　阿侯尼日哈格（彝族）
罗大英（彝族）　　周保中（白族）
胡玉堂（佤族）
胡赛音·木拉托夫（塔塔尔族）
高耀星（佤族）
班禅额尔德尼·确吉坚赞（藏族）
索观瀛（藏族）　　马兴泰（回族）

崔　采（朝鲜族）　纳旺金巴（藏族）

博彦满都（蒙族）　黄松坚（僮族）

黄穆如（土家族）　载　涛（满族）

詹东·计晋美（藏族）　察雅洛登协绕（藏族）

裴阿欠（傈僳族）　穆芝房（回族）

华侨（17 名）

方　方　王一知（女）　王汉杰　王炎之

王纪元　卢心远　伍治之　苏振寿　李有箴

陈书乐　陈嘉庚　何香凝（女）　　张有权

张楚琨　赵　昱　许志猛　杨新容

宗教界（18 名）

丁光训　王文成　巨　赞　皮漱石　达浦生

陈樱宁　吴耀宗　吕　澂　松溜·阿戛牟尼

张士琅　帕巴拉·格列朗杰　　赵朴初

涂心卿　喜饶嘉措　夏拉僧丹比扎拉森

杨士达　董文隆　阎迦勒

特别邀请人士（308 名）

丁武选　于洪深　方与严　方少逸　方光焘

方鼎英　王　之　王云霖　王只谷　王世英

王达甫　王冷斋　王克俊　王伯祥　王树常

王复初　王家桢　王致中　王笑一　王启贤

王　弼　王宽诚　邓士章　邓哲熙　仇　鳌

甘思和　石志本　龙　云　卢庆骏　卢宗澄

申伯纯　叶长庚　叶恭绰　叶景华　田奇㻞

田厚义　白志文　白　薇（女）　　江炳灵

江恒源　安春山　安若定　刘子奇　刘少白

刘先胜　刘多荃　刘向三　刘定五　刘定安

刘学文　刘昌义　刘　型　刘显宜　刘俊峰

刘　斐　刘道衡　刘敬宜　刘瑶章　刘　颐

刘芦隐　米暂沉　孙文淑（女）　　孙兰峰

孙本旺　孙仲逸　光　升　朱大纯　朱石麟

朱启钤　朱　遂　朱涤新　朱鼎卿　朱洁夫

乔明礼　伍培英　伍献文　华国英　沈从文

沈志远　沈体兰　沈济川　沈肇年　宋云彬

宋任远　宋　应　宋　筠　辛葭舟　苏延宾

劳敬修　杜春晏　李力果　李子诵　李木庵

李世杰　李乐平　李学海　李运昌　李春田

李保森　李祖荫　李　振　李根源　李书城

李培基　李　觉　李　隆　李嘉仲　李　耀

陆殿栋　陈云章　陈公培　陈半丁　陈丕扬

陈正湘　陈北辰　陈　达　陈先瑞　陈克非

陈明仁　陈豹隐　陈寅恪　陈　铁　陈铭德

陈瑾昆　吴文藻　吴化文　吴自立　吴家象

吴景超　吴诚忠　余纪一　谷　牧　何思源

何维忠　何　贤　何　辉　何　鲁　何德全

郑洞国　郑辟疆　武和轩　武惕予　林之翰

林葆骆　林　虎　松　谋　张广才　张之江

张仁初　张汉武　张有谷　张学铭　张松龄

张述祖　张家树　张振汉　张瑞麟　张震球

张慕尧　张德含　张濯清　孟庆山　邵循正

罗仁全　罗　英　罗　明　罗培元　罗湘涛

金芝轩　金　城　周子祯　周文龙　周玉成

周亚卫　周仲英　周祥初　周凤九　周瘦鹃

周嘉彬　周鸣鸿　周骏鸣　邹秉文　洪　沛

赵世兰（女）　　赵君迈　赵承金　赵启骒

赵　熔　胡金魁　柯　璜　范治农　茅祖构

侯　政　侯策名　浦熙修（女）　　高卓雄

唐生明　唐　星　唐登岷　秦德君（女）

晋　巩　马保三　马锡五　袁牧之　袁敦礼

茹欲立　倪志亮　倪征燠　徐介藩　徐长勋

徐洽时　凌其翰　梁从学　梁守槃　梁漱溟

章士剑　郭子化　郭宝珊　郭宗汾　康心之

康同璧（女）　　曹焕文　梅汝璈　陶亨咸

陶峙岳　陶晋初　萧新槐　崔载之　汤传篯

童炎生　曾昭抡　曾苏元　曾泽生　彭文和

彭杰如　彭明治　彭镜秋（女）　　惠世如

覃异之　费彝民　黄子卿　黄文熙　黄启汉

黄绍竑　黄觉庵　黄　翔　黄药眠　黄新彦

黄　雍　喻楚杰　喻缦云　盛彤笙　程　坦

程悦长　焦实斋　焦鸣鉴　傅作义　傅柏翠

傅道伸　傅　鹰　贾亦斌　杨公庶　杨松青

杨尚儒　杨拯民　杨建新　杨梅生

杨崇瑞（女）　　杨第甫　董守义

董竹君（女）　　董其武　董渭川　端木杰

廖安邦　廖沫沙　廖运泽　裴丽生　蒙定军

熊十力　熊大仕　熊秉坤　潘寿才　潘伯鹰

潘　峰　蔡金涛　鲁崇义　赖　毅　阎又文

阎宝航　冀春光　钱　钧　钱端升　穆成宽

韩　伟　韩祖德　韩诵裳　薛笃弼　钟成亮

钟赤兵　聂洪钧　戴文彬　戴济民　戴　戟

魏自愚　顾卓新　顾懋勋　饶国模（女）

中国人民政治协商会议

第三届全国委员会第一次会议

（1959 年 4 月 17 日—29 日）

主席团（71 人，1959 年 4 月 17 日通过，按姓氏笔画排列）

王学文	云秀桐	龙冬花	史 良	包尔汉
刘子载	刘文辉	刘良模	刘靖基	吉雅泰
巩天民	达浦生	孙起孟	孙淑芝	朱继圣
伍云甫	华煜卿	沈雁冰	沈钧儒	严仁英
李四光	李时良	李国伟	李济深	李维汉
陈正人	陈伯达	陈其尤	陈其通	陈叔通
陈嘉庚	陈鹤琴	吴学蔺	吴晋航	吴鸿宾
何香凝	林 虎	张孝骞	张治中	张明养
张修竹	张奚若	阿沛·阿旺晋美	罗宗洛	
罗 毅	季 方	周士第	周建人	周恩来
胡子昂	班禅额尔德尼·确吉坚赞		粟再温	
徐 冰	徐伯昕	章 蕴	许德珩	郭沫若
康 生	彭 真	黄炎培	舒舍予	傅作义
杨士达	杨子廉	杨亦周	杨尚昆	杨春松
廖鲁言	蒲辅周	熊佛西	鲁桂兰	

秘书长 徐 冰

三届政协一次会议

（1959 年 4 月 29 日）

推举全国委员会名誉主席：

毛泽东

选 举：

主 席 周恩来

副主席

彭 真	李济深	郭沫若	沈钧儒	黄炎培
李维汉	李四光	陈叔通	陈嘉庚	包尔汉
陈 毅	康 生	帕巴拉·格列朗杰		
阿沛·阿旺晋美				

秘书长 徐 冰

常务委员（143 人）

王从吾	王世英	王宗槐	王芸生	王绍鏊
王稼祥	邓初民	邓宝珊	孔 原	平杰三
龙 云	卢 汉	卢郁文	史 良	安子文
刘文辉	刘西元	刘 晓	刘清扬	刘 裴
刘锡五	刘澜波	吉雅泰	达浦生	
达赖喇嘛·丹增嘉措		孙志远	孙晓村	

孙起孟	朱学范	朱蕴山	伍修权	沈雁冰
汪胡桢	车向忱	李六如	李立三	李运昌
李克农	李国伟	李烛尘	李书城	李葆华
李楚离	李颉伯	李德全	陈少敏	陈正人
陈此生	陈先瑞	陈伯达	陈其尤	陈明仁
陈豹隐	陈寅恪	陈望道	贝时璋	吴有训
吴 晗	吴溉之	吴德峰	吴鸿宾	吕正操
何长工	何香凝	郑位三	拉敏·益嘉楚臣	
林巧稚	林 虎	张子意	张友渔	张执一
张邦英	张劲夫	张际春	张治中	张奚若
张经武	屈 武	邵力子	季 方	周士第
周建人	周保中	周培源	周 扬	周苍柏
施复亮	赵九章	荣毅仁	范文澜	侯德榜
姚依林	高文华	高崇民	唐天际	唐生智
班禅额尔德尼·确吉坚赞			马叙伦	徐子荣
徐立清	梁思成	章士钊	章伯钧	章 蕴
许广平	许崇清	许德珩	郭化若	郭棣活
梅兰芳	陶孟和	陶峙岳	汤用彤	曾泽生
喜饶嘉措		闵刚侯	贺炳炎	黄琪翔
舒舍予	盛丕华	程 潜	傅作义	傅连暲
贾拓夫	靳树梁	楚图南	杨士达	杨东莼
杨奇清	杨尚昆	杨献珍	董其武	
詹东·计晋美		蒲辅周	蔡廷锴	赖际发
钱俊瑞	钱崇澍	卫立煌	韩 光	钟惠澜
萨空了	龚饮冰			

三届政协二次会议

（1960 年 4 月 11 日）

补选副主席：

何香凝

三届政协全国委员会常委会第一次会议

（1959 年 5 月 12 日）

推举常务副主席：

康 生 李维汉 陈叔通 包尔汉

三届政协全国委员会常委会第三十九次会议

（1963 年 3 月 7 日）

撤销委员：

　　章乃器

政协第三届全国委员会所属主要工作机构

（1954 年 4 月—1965 年 3 月）

文化教育组

　　组　长　胡愈之

　　副组长　徐迈进　傅彬然　叶浅予　徐楚波
　　　　　　李　蒸

国际问题组

　　组　长　楚图南

　　副组长　周竹安　张明养　李平衡　甘祠森

科学技术组

　　组　长　茅以升

　　副组长　吴觉农　陈康白　严希纯　裴丽生

工商组

　　组　长　孙起孟

　　副组长　浦洁修　吴羹梅　汤绍远

华侨组

　　组　长　方　方

　　副组长　王炎之　卢新远

宗教组

　　组　长　达浦生

　　副组长　赵朴初

医药卫生组

　　组　长　傅连暲

　　副组长　黄鼎臣　秦伯未　严仁英

民族组

　　组　长　卢　汉

　　副组长　载　涛　吕振羽

妇女组

　　组　长　许广平

中国人民政治协商会议
第四届全国委员会

（1964 年 12 月 20 日—1978 年 2 月 23 日）

委　员（1964 年 11 月 18 日政协第三届常委
会第四十四次会议通过，按姓氏笔画排列）

中国共产党（60 名）

于江震　王从吾　王观澜　王学文　王宗槐
王维纲　王稼祥　孔祥桢　平杰三　甘渭汉
叶剑英　安子文　刘西元　刘　晓　刘锡五
刘澜涛　许　立　吕正操　伍修权　孙志远
汪金祥　李立三　李初梨　李运昌　李步新
李卓然　李维汉　李楚离　杨奇清　邹大鹏
张子意　张邦英　陈伯达　陈　毅　郑位三
欧阳毅　金如柏　金城　周士第　周恩来
赵汉　胡耀邦　段君毅　姚依林　高文华
郭化若　郭明秋（女）　唐天际　袁任远
徐冰　陶铸　梁国斌　龚子荣　曾山
曾宪植（女）　谢觉哉　彭真　谭冠三
滕代远　薛子正

中国国民党革命委员会（40 名）

丁超五　五昆仑　王葆真　邓宝珊　龙泽汇
卢汉　卢郁文　刘文辉　刘风竹　刘孟纯
刘通　吕集义　朱蕴山　任芝铭　任崇高
孙恩元　苏从周　李平衡　李俊龙　李　蒸
何香凝（女）　张治中　陈此生　陈劭先
陈建晨（女）　陈铭枢　邵力子　周范文
屈武　侯镜如　唐生智　袁金章　聂　轰
夏仲实　翁文灏　梅龚彬　黄方刚　程潜
楚溪春　蔡廷锴

中国民主同盟（40 名）

寸树声　千家驹　戈福鼎　双　清　邓初民
冯友兰　冯素陶　史　良（女）　关梦觉
吕季方　沙彦楷　辛志超　闵刚侯　杨一波
杨子廉　杨明轩　吴从征　吴汉家　吴富恒
谷霁光　张毕来　陈中凡　陈望道　林仲易
林植夫　罗涵先　周新民　闻家驷　胡愈之
俞大纲（女）　费孝通　贺　麟　高一涵
高崇民　唐弘仁　唐　哲　谢高峰　萨空了
黄执中　潘光旦

中国民主建国会（40 名）

丁忱　刁沼芬　王艮仲　毛铁桥　古耕虞
叶宝珊　汤绍远　刘念智　华煜卿　孙友樵
孙起孟　孙晓村　孙耀华　李贻赞　李烛尘
吴大琨　吴觉农　吴晋航　吴羹梅　张蔚岑
陈子彬　陈希仲　陈维稷　陈邃衡　金学成
周士观　周焕章　施复亮　荣毅仁　胡厥文

侯启兴　浦洁修(女)　　郭守昌　资耀华

莫艺昌　章元善　黄炎培　黄凉尘　董林哲

虞效忠

无党派民主人士(20名)

马一浮　马寅初　王　力　向　达　沈　谦

杜春晏　李书城　张奚若　陈石英　郑　昕

柳野青　俞大绂　饶毓泰　唐　钺　翁独健

徐　正　章士钊　傅作义　傅　鹰　熊庆来

中国民主促进会(20名)

马叙伦　王绍鏊　冯少山　李平心　李霁野

杨东莼　杨坚白　吴研因　张纪元　陈礼节

陈麟瑞　周建人　柯　灵　顾均正　顾颉刚

徐伯昕　徐楚波　戚景龙　葛志成　喻传鉴

中国农工民主党(20名)

丁贡南　邓作楷　丘　辰　刘大杰　庄明远

杨清源　杨惠安　吴彦求　陈伊林　陈邦贤

范　权　罗任一　季　方　周太玄　练惕生

郭则沉　秦伯未　徐彬如　黄琪翔　董爽秋

中国致公党(8名)

刘成鹏　严希纯　何上举　张友仁　陈其尤

柯朝阳　黄鼎臣　雷沛鸿

九三学社(20名)

方　亮　王之相　刘恢先　许德珩　乔启明

孙承佩　劳君展(女)　李　毅　陈　立

陈鹤琴　茅以升　金克木　周培源　袁翰青

游国恩　黄友谋　程希孟　裴文中　薛公绰

薛　愚

台湾民生自治同盟(8名)

王天强　田富达　丘　琳　苏子蘅　李纯青

陈　文　陈文彬　徐萌山

中国共产主义青年团(10名)

边春光　刘　平　任景德　孙轶青　辛国治

李立功　张学彦　张　超　胡克实　黄大仿

中华全国总工会(38名)

马辉之　王国骥　王家扬　冯诗云　刘子久

刘达潮　刘英源　朱学范　向明华　孙维忠

宋　川　李　仙　李时良　李淑英(女)

李颉伯　李景韩　何英才　狄子才

张金保(女)　张树荣　陈书乐　陈　宇

陈兆毅　陈国珍　郑晶华　易礼容　赵占魁

郭绍江　莫家瑞　栗再温　顾大椿　徐　光

徐畹珍(女)　梁永福　彭思明　黄民伟

黄德茂　戴　云(女)

农民(16名)

王玉坤　王　录　龙冬花(女)　李登瀛

吴春安　吴德简　何基沣　张庆孚　张修竹

张维城　罗文瑞　周桂林　钟成亮　高凤志

鲁桂兰(女)　廖鲁言

中华全国妇女联合会(32名)

丁果仙(女)　丁是娥(女)　于滋潭(女)

王国秀(女)　王雪莹(女)　尹　义

刘王立明(女)　　刘守璞(女)

刘碧清(女)　关瑞梧(女)　许广平(女)

朱旦华(女)　孙文淑(女)　沈方成(女)

沈粹缜(女)　严凤英(女)　苏　华

杜君慧(女)　吴　靖(女)　吴琳涛(女)

邹仪新(女)　张秀岩(女)　陆　秀(女)

陈介平(女)　陈　琏(女)　拉希达

草　明(女)　秦　怡(女)　章　蕴

曹冠群(女)　盛　愉(女)　彭　青(女)

中华全国青年联合会(8名)

马娴华(女)　王照华　闵　豫　李文耀

李淑兰(女)　胡松华　萧洁萍(女)

黄永安

合作社(11名)

于树德　马　载　王念基　田　坪

江仲华(女)　安翰华　张越霞(女)

梁　耀　董昆一　程启光　潘复生

中华全国工商业联合会(40名)

丁佐成　马金庆　王少岩　王德舆　冯和法

汤元炳　刘靖基　邦达养璧　　巩天民

朱继圣　孙　鼎　宋子纯　李宗坊　李国伟

李勉之　杨子霖　杨天受　杨受百　吴雪之

张香圃　张敬礼　孙叔通　陈经畲　陈祖沛

苗海南　周苍柏　周叔弢　经叔平　胡子昂

郭琳爽　郭棣活　席文光　唐君远　凌其峻

梁尚立　黄玠然　董仁明　焦寰五　程秉文

廖霭庭

中国文学艺术界联合会(52名)

刁光覃　卫仲乐　方晓天(女)　丰子恺

王个簃　王朝闻　石少华　石　羽　叶浅予

田　汉　刘芝明　关玉和　孙维世(女)

阳翰笙　沈　浮　沈雁冰　苏育民　李少春

李　波(女)　杨荫浏　吴天保

张士勤(女)　　张丽云(女)　　张骏祥　　　黄洛峰

张景祜　张德成　陆　地　陈其通　陈鲤庭

纳·赛音朝克图　郑伯璋　郑君里　郑奕奏

医药卫生界(40 名)

金国富　周　扬　周惠依(女)　祝志澄

马文昭　王兆俊　尤家骏　兰锡纯　叶心清

柳　青　俞振飞　侯宝林　唐　弢　梁　斌

叶橘泉　汤腾汉　朱章赓　吴朝仁　余　瀆

崔美善(女)　　彭俐侬(女)

何　穆　张孝骞　张　毅　陈中伟

黄　虹(女)　　蒋兆和　韩世昌

陈桂云(女)　　陈景云　郑守谦

韩俊卿(女)　　喻宜萱(女)　　舒舍予

林范洪(女)　　林葆骆　易见龙　施今墨

焦菊隐　熊佛西

胡正详　胡传揆　胡献尚　钟惠澜　侯宝璋

中华人民共和国科学技术协会(60 名)

姚克方　贺　彪　郭子化　曹依秀(女)

方　强　王子纲　王成武　王仲富　王宪钊

崔义田　谢少文　黄天启　黄省三　傅连暲

邓叔群　乐天宇　刘纯俭　刘　杰　刘述文

蒲辅周　鲍鉴清　蔡　堡　戴正华　戴济民

刘恩兰(女)　　庆承道　关绍宗　许宝骙

对外和平友好团体(22 名)

吕　东　朱树屏　朱惠方　孙保基　孙越崎

刀有良　卢绪章　刘泽荣　朱　良　汪道涵

宋叔和　杜　巍　李四光　李连捷　杨　伟

李　昌　杨　朔　张化东　张酥村　郑森禹

吴世鹤　吴学蔺　何之泰　何长工　何作霖

罗贵波　罗静宜(女)　　周文龙　周竹安

张劲夫　张震球　陈芳允　陈家镛　陈　嵘

俞志英(女)　　侯德榜　郭沫若　钱俊瑞

范长江　罗宗洛　周　立　施洪熙　赵庆杰

曹　瑛　楚图南　熊　复　黎照寰

赵宗燠　胡师童　俞启葆　俞建章　涂　治

社会救济福利团体(11 名)

郭洪涛　郭慕孙　徐振骐　陶亨咸　陶述曾

刘清扬(女)　　邢赞亭　伍云甫

陶鼎来　梁翕章　章名涛　谢家泽　谢家荣

李　云(女)　　李德全(女)

黄育贤　程裕淇　赖际发　简根贤　裴　鉴

张淑义(女)　　陈其瑗　陈维博　浦化人

熊大仕

黄　乃　熊瑾玎

社会科学团体(20 名)

少数民族(36 名)

冯　定　安绍芸　许立群　杨献珍　吴半农

刀承宗　刀栋庭　才旦卓玛(女)　马五达

张友渔　张仲实　张　颐　陈岱孙　范若愚

木沙也夫司的克　甘春雷　包尔汉

季羡林　周有光　孟用潜　容　庚　郭大力

江金·索朗杰布　吉雅泰　李呈祥　吴忠烈

夏石农　黄文弼　黄肇兴　韩寿萱　傅懋勣

吴鸿宾　张超伦　陆镇藩　阿木提

教育界(42 名)

纳旺金巴　拉敏·益喜楚臣　欧尔孝

王一知(女)　　王　璡　王　越　王遵明

罗大英　帕夏依夏(女)　　周　霖　赵承金

车向忱　冯乃超　叶雪安　乐森璕　江泽涵

胡玉堂　哈丰阿　哈米阿斯力汉　高耀星

刘子载　刘皑风　刘锡瑛　刘塘如　曲仲湘

班禅额尔德尼·确吉坚赞　桑颇·才旺仁增

朱光潜　辛树帜　李沛文　李春芬　李舜琴

崔　采　博彦满都　　　黄松坚　黄穆如

李麟玉　杨秀峰　利翠英(女)　　何炳麟

傅正松　熊亮臣　潘一志　穆芝房

张子高　张秋华(女)　　张　铨

华　侨(17 名)

陆　慈(女)　　陈汉标　陈序经　郑晓沧

王一知(女)　　王汉杰　王纪元　王炎之

周明牂　姜立夫　赵群陶(女)　　赵洪璋

王雨亭　卢心远　许志猛　伍治之　苏振寿

胡庶华　俞调梅　贺绿汀　聂　真　夏承焘

李有箙　李　梅(女)　　杨新容　张楚琨

桑热嘉措　　　章守玉　黄叔培

林修德　赵　昱　郭福长　颜西岳

新闻出版界(11 名)

宗教界(16 名)

王子野　王芸生　叶至善　孙文石　严独鹤

巨　赞　皮漱石　刘良模　刘品一　达浦生

吴景崧　张明养　陈翰伯　徐迈进　曹谷冰

吴耀宗　张家树　阿旺嘉措　　　陈撄宁

松溜·阿夏牟尼　帕巴拉·格列朗杰

赵朴初　涂羽卿　阎迦勒　喜饶嘉措
戛拉僧丹比扎拉森

特别邀请人士（439名）

丁武选　丁秋生　于明涛　于洪深　于毅夫
万昕　马文瑞　马连良　马明德　马佩勋
方与严　方少逸　方善境　方鼎英　王大甫
王文义　王凤振　王凤梧　王世英　王只谷
王达甫　王启贤　王克俊　王伯祥　王学明
王诗恒（女）　王珊（女）　王致中
王宽诚　王家桢　王尊三　王弼　王慰曾
王耀武　戈定远　牛佩琮　毛钟鸣　毛懋卿
仇鳌　邓士章　邓汉祥　邓金鉴　邓洁
邓洪　邓哲熙　邝安堃　冯兰洲　冯平
冯达　甘思和　石志本　卢宗澄　申伯纯
叶胥朝　叶恭绰　叶培大　叶景莘
叶毓芬（女）　田心　田厚义　田裕民
史永　白纪年　白志文　白薇（女）
司徒慧敏　江炳灵　汤传箕　安志藩
安若定　安春山　刘士豪　刘飞　刘少白
刘先胜　刘向三　刘多荃　刘志汉　刘芦隐
刘君实　刘定安　刘雨岑　刘昆水　刘昌义
刘昌毅　刘绍庭　刘型　刘显宜　刘逊夫
刘家琦（女）　刘道衡　刘敬宜　刘斐
刘楷　刘瑶章　刘嘉树　刘赜　庄田
关士聪　关学文　米暂觉　吕斯百　吕澂
朱大纯　朱子帆　朱石麟　朱洁夫　朱涤新
朱遂　朱鼎卿　乔明礼　伍培英　伍献文
华国英　孙兰峰　孙廷芳　孙仲逸　孙孚凌
孙揆一　孙瀛洲　沈从文　沈从龙　沈志远
沈体兰　沈肇年　沈德纯　宋云彬　宋应
宋希濂　宋君复　宋劭文　宋维静（女）
宋裕和　辛葭舟　苏延宾　杜聿明　杜新波
李力仁　李子诵　李六如　李世杰　李乐平
李冲和　李伯球　李学海　李宝实
李果珍（女）　李觉　李春田　李荫桢
李保森　李悦言　李振　李根源　李雪三
李培基　李隆　李嘉仲　李整武　李耀
杨公庶　杨汉章　杨运珊　杨松青　杨尚儒
杨国夫　杨建新　杨济生　杨拯民　杨种兰
杨梅生　杨崇瑞（女）　杨耀德　束世澂
吴山民　吴文藻　吴世昌　吴仲华　吴仲超
吴咏湘　吴志超　吴诚忠　吴岱峰　吴家象

吴崇筠（女）　吴溉之　吴善多　吴敬业
吴景超　吴嘉民　余纪一　余非　余洪远
邱先通　何如愚　何克希　何贤　何思源　邹秉文
何维忠　何辉　何鲁　何德全　邹春座　邹钟林　张广才　张之江　张弓
张天云　张中　张仁初　张汉武　张世纲
张执一　张有谷　张有龄　张怀璞　张克明
张克侠　张作梅　张泊泉　张学铭　张宗燧
张英　张述祖　张松龄　张承祜　张宪武
张荣臻　张振汉　张瑞　张瑞麟　张慕尧
张曙时　陆殿栋　陈公培　陈半丁　陈正湘
陈丕扬　陈北辰　陈达　陈先瑞　陈华
陈克非　陈国栋　陈明仁　陈茹玉（女）
陈铁　陈涵奎　陈寅恪　陈康白　陈铭德
陈舜礼　陈璧如（女）　邵子言　邵均
邵循正　郑易里　郑洞国　郑辟疆　武惕予
范汉杰　范治农　范秉哲　范琪（女）
茅以新　茅祖构　林之翰　林文鎏　林平一
林达光　松谋　罗仁全　罗明　罗培元
罗隆基　罗绳武　罗湘涛　岳劼毅　周子祯
周玉成　周亚卫　周诚浒　周鸣鸿　周祥初
周骏鸣　周康民　周韧　周瘦鹃　周嘉彬
孟庆山　孟绍濂　洪沛　施嘉干　项叔翔
赵君迈　赵品三　赵深　赵镕　胡春圃
胡弼亮　胡懋华（女）　茹欲立　柳士英
侯仁之　侯政　饶辅民　费彝民
姚维钧（女）　贺东生　贺诚　贺培真
浦熙修（女）　高卓雄　郭汝瑰　郭宗汾
郭宝钧　郭宝珊　郭和夫　郭增恺　唐生明
秦元珍（女）　秦德君（女）　袁世海
袁敦礼　晋巩　聂洪钧　贾亦斌　顾启文
顾卓新　顾家杰　顾懋勋　晏福生
爱新觉罗·溥仪　钱希钧（女）　钱钧
钱端升　倪志亮　倪征噢　徐介藩　徐长勋
徐肇和　陶峙岳　陶晋初　凌其翰　梁从学
梁国兴　梁漱溟　章伯钧　康心之
康同璧（女）　阎宝航　阎揆要　萧丹峰
萧贤法　萧新槐　梅汝璈　曹承宗　曹冠英
曹菊如　曹焕文　龚苏民　盛彤笙　童炎生
童宪章　曾泽生　曾昭抡　曾碧漪（女）
谢威　谢瑞阶　谢锡璋　彭加伦　彭杰如
彭明治　彭镜秋（女）　蒋全（女）

蒋丽金(女)　　蒋　溶　　黄子卿　　黄异生
黄启汉　黄绍竑　黄觉奄　黄药眠　黄逖非
黄　翔　黄新彦　黄　雍　葛敬恩　董守义
董竹君(女)　　董其武　　董渭川　　韩文信
韩　伟　韩铁声　惠世如　覃异之　喻楚杰
喻缦云　程　坦　程明升　焦实斋　傅其芳
傅柏翠　傅崇碧　傅道伸　鲁崇义　雷天觉
雷　平(女)　　雷　震　　裘法祖　　蒙定军
蓝　马　楼福卿　赖西龥　赖　毅　端木杰
廖安邦　廖运泽　廖沫沙　廖耀湘　谭少佳
谭希林　蔡佩莹(女)　　熊十力　　熊正必
熊秉坤　潘寿才　潘孝硕　潘伯鹰　潘　峰
薛立平　薛笃弼　冀春光　穆成宽
蹇先任(女)　　戴文彬　　魏自愚

中国人民政治协商会议
第四届全国委员会第一次会议

（1964 年 12 月 20 日—1965 年 1 月 5 日）

主席团（84 人，1964 年 12 月 20 日通过，按姓氏笔画排列）

丁是娥　马寅初　王学文　王绍鏊　王雪莹
王照华　木沙也夫司的克　　韦国清　　车向忱
邓子恢　平杰三　龙冬花　叶剑英　史　良
刘子载　刘文辉　刘良模　刘清扬　刘靖基
刘澜涛　许德珩　吉雅泰　巩天民　朱继圣
朱蕴山　伍云甫　华煜卿　沈雁冰　苏子蘅
李四光　李时良　李　昌　李国伟　李烛尘
李德全　杨子廉　杨东莼　杨秀峰　杨明轩
吴晋航　吴鸿宾　何香凝　张友渔　张孝骞
张劲夫　张治中　张明养　张修竹　张奚若
陈先瑞　陈其尤　陈叔通　陈　毅　邵力子
林修德　帕巴拉·格列朗杰　　　　季　方
周士第　周恩来　赵宗暐　胡子昂　胡愈之
高崇民　郭沫若　顾大椿　徐　冰　陶　铸
章　蕴　曹冠群　曾泽生　曾宪植　谢觉哉
彭　真　黄炎培　董其武　舒舍予　傅作义
鲁桂兰　蒲辅周　廖鲁言　蔡廷锴　蔡佩莹
熊佛西　滕代远

秘书长　平杰三

四届政协一次会议

（1965 年 1 月 5 日）

推举全国委员会名誉主席：

毛泽东

推　举：

主　席　周恩来

副主席

彭　真　陈　毅　叶剑英　黄炎培　陈叔通
刘澜涛　宋任穷　徐　冰　高崇民　蔡廷锴
韦国清　邓子恢　李四光　傅作义　滕代远
谢觉哉　沈雁冰　李烛尘
帕巴拉·格列朗杰　　　　许德珩　李德全
马叙伦

秘书长　平杰三

常务委员

于树德　于毅夫　寸树声　马寅初　马辉之
王子纲　王从吾　王世英　王芸生　王学文
王绍鏊　王首道　王雪莹　王维纲　王照华
王稼祥　车向忱　邓初民　邓宝珊　邓　洪
孔祥桢　卢　汉　卢郁文　史　良　安子文
刘文辉　刘良模　刘　晓　刘清扬　刘　裴
刘锡五　吉雅泰　巩天民　达浦生　朱学范
朱蕴山　伍修权　伍献文　孙起孟　孙晓村
汪金祥　宋裕和　闵刚侯　严希纯　苏子蘅
李书城　李立三　李运昌　李初梨　李国伟
李　昌　李淑英　李楚离　杨东莼　杨奇清
杨明轩　吴研因　吴鸿宾　吴溉之　何长工
张子意　张友渔　张邦英　张孝骞　张秀岩
张劲夫　张治中　张奚若　阿旺嘉措
陈此生　陈先瑞　陈伯达　陈其尤　陈明仁
陈国栋　陈寅恪　陈望道　陈维稷　邹大鹏
邵力子　郑位三　拉敏·益喜楚臣　　林修德
金如柏　季　方　周士观　周士第　周　扬
周苍柏　周培源　屈　武　施复亮　赵朴初
赵宗暐　荣毅仁　胡克实　哈丰阿　俞大绂
钟惠澜　侯德榜　饶毓泰　贺　诚　闻家驷
高文华　郭化若　郭沫若　郭棣活　唐天际
唐生智　班禅额尔德尼·确吉坚赞　　袁任远
聂洪钧　徐伯昕　徐楚波　陶峙岳　章　蕴
康克清　阎宝航　萨空了　曹菊如　曹　瑛
龚子荣　曾宪植　曾泽生　董其武　舒舍予

程 潜 程 坦 傅连暲 楚图南 赖际发
熊庆来 蒲辅周 谭冠三 潘复生

四届全国委员会常委会
第一次会议

（1965 年 3 月 18 日）

通 过：

常务副主席 徐 冰 陈叔通 高崇民

政协第四届全国委员会
所属主要工作机构

（1965 年 3 月—1978 年 2 月）

文化教育组
　　组 长 胡愈之
　　副组长 刘子载 徐楚波 彭友今
国际问题组
　　组 长 楚图南
　　副组长 孟用潜 张明养 聂 轰 石 磊
科学技术组
　　组 长 茅以升
　　副组长 范长江 俞大绂 郭 彤
工商组
　　组 长 孙起孟
　　副组长
　　浦洁修 黄玠然 孙揆一 吴羮梅 万景光
华侨组
　　组 长 林修德
　　副组长 王炎之 卢心远
宗教组
　　组 长 赵朴初
　　副组长 肖贤法 皮漱石 刘品一
医药卫生组
　　组 长 傅连暲
　　副组长 郭子化 钟惠澜 秦伯未 王锡珍
民族组
　　组 长 卢 汉
　　副组长 关学文 韩戈鲁
妇女组

组 长 章 蕴

中国共产党中央军事委员会
（1959 年 9 月—1969 年 5 月）

主 席 毛泽东
副主席 林 彪 贺 龙 聂荣臻
委 员
　　朱 德 刘伯承 陈 毅 邓小平 罗荣桓
　　徐向前 叶剑英 罗瑞卿 粟 裕 陈 赓
　　谭 政 萧劲光 王树声 许光达 萧 华
　　刘亚楼 苏振华
常 委
　　毛泽东 林 彪 贺 龙 聂荣臻 朱 德
　　刘伯承 陈 毅 邓小平 罗荣桓 徐向前
　　叶剑英 罗瑞卿 谭 政
秘书长 罗瑞卿
副秘书长 萧 华 苏振华 萧向荣
1966 年 1 月决定：
军委副主席 陈 毅 刘伯承 徐向前
　　叶剑英
军委常委 萧 华
秘书长 叶剑英
副秘书长 杨成武 王新亭

中国人民解放军

中国人民解放军各总部、军兵种

中华人民共和国国防部

部 长 林 彪(1959 年 9 月—1971 年 9 月)

中国人民解放军总参谋部

总参谋长
　　黄克诚(1958 年 10 月—1959 年 9 月)
　　罗瑞卿(1959 年 9 月—1965 年 12 月)
　　杨成武(代)(1965 年 12 月—1968 年 3 月)

中国人民解放军总政治部

主 任
 谭 政(1956年12月—1961年1月)
 罗荣桓(1961年1月—1963年12月)
 萧 华(1964年9月—)

中国人民解放军总后勤部

部 长
 洪学智(1956年12月—1959年10月)
 邱会作(1959年10月—1971年9月)
政治委员
 余秋里(1957年5月—1958年3月)
 李聚奎(1958年3月—1967年7月)

中国人民解放军总干部部

部 长 萧 华(1956年12月—1958年9月)

中国人民解放军训练总监部

部 长
 萧 克(1957年11月—1958年12月)

中国人民解放军海军

司令员 萧劲光
政治委员
 苏振华(1957年2月—1967年6月)
 王宏坤(第二)(1966年3月—1977年10月)

中国人民解放军空军

司令员 吴法宪(1965年5月—1971年9月)
政治委员
 吴法宪(1957年2月—1965年5月)
 余立金(1965年5月—1968年3月)

中国人民解放军防化兵

司令员 张乃更
政治委员
 萧学林(1958年11月—1963年8月)
 曹广化(1963年8月—1965年8月)
 李 真(1965年8月—1969年10月)

中国人民解放军装甲兵

司令员 许光达
政治委员
 向仲华(1957年2月—1965年5月)
 黄志勇(1965年8月—1970年12月)

中国人民解放军工程兵

司令员 陈士榘
政治委员
 黄志勇(1957年2月—1965年8月)
 谭甫仁(1965年8月—1968年5月)

中国人民解放军炮兵

司令员 邱创成(1959年10月—1963年9月)
   吴克华(1963年9月—1969年11月)
政治委员
 邱创成(1957年2月—1959年10月)
 陈仁麒(1959年11月—1970年12月)

中国人民解放军通信兵

主 任 江 文(1960年5月—1969年6月)
   周世忠(1969年6月—1975年3月)
政治委员
 朱 明(1956年10月—1963年3月)
 黄文明(1963年3月—1965年8月)
 陈鹤桥(1965年8月—1975年3月)

中国人民解放军各大军区

北京军区

司令员　杨　勇(1958 年 9 月—1967 年 3 月)
政治委员
　　赖传珠(1958 年 11 月—1959 年 10 月)
　　廖汉生(1959 年 10 月—1960 年 11 月)
　　廖汉生(第二,1960 年 11 月—1967 年 3 月)
　　李雪峰(第一,1960 年 11 月—1971 年 1 月)

南京军区

司令员　许世友
政治委员
　　唐　亮(第二,1958 年 9 月—1963 年 12 月)
　　柯庆施(兼,第一,1958 年 9 月—1965 年 4
　　　月)
　　江渭清(兼,第三,1958 年 9 月—1967 年 4
　　　月)
　　肖望东(第四,1961 年 3 月—1963 年 12 月)
　　江　华(兼,第五,1962 年 9 月—1967 年 4
　　　月)
　　李葆华(兼,第六,1962 年 9 月—1967 年 4
　　　月)
　　杜　平(第七,1963 年 3 月—1974 年 11 月)
　　肖望东(第二,1963 年 12 月—1965 年 5 月)

福州军区
(1956 年 7 月成立)

司令员　叶　飞(1956 年 8 月—1957 年 10 月)
　　　　韩先楚(1957 年 10 月—1973 年 12
　　　　　月)
政治委员
　　叶　飞(兼,1956 年 8 月—1967 年 4 月)
　　刘培善(第二,1959 年 12 月—1968 年 5 月)
　　杨尚奎(兼,第三,1962 年 9 月—1967 年 1
　　　月)

成都军区

司令员　黄新廷(1960 年 8 月—1967 年 3 月)
政治委员　郭林祥(第二,1959 年 12 月—1965
　　　　　年 11 月;第三,1965 年 11 月—　)
　　　　　廖志高(第二,1965 年 11 月—　)
　　　　　甘渭汉(第四,1965 年 11 月—　)

兰州军区

司令员　张达志
政治委员　冼恒汉
　　　　　刘澜涛(兼,第一,1960 年 11 月—
　　　　　1966 年)

广州军区

司令员
　　李天佑(代,1958 年 11 月—1962 年 9 月)
政治委员
　　刘兴元(第二,1959 年 12 月—1972 年 3 月)
　　韦国清(兼,第一,1966 年 11 月—1980 年 1
　　　月)
　　赵紫阳(兼,第三,1966 年 11 月—1967 年 5
　　　月)
　　孙石泉(第四,1966 年 11 月—1967 年 5 月)

济南军区

司令员　　(　　　)
政治委员
　　梁必业(第二,1959 年 12 月—1960 年 12 月)
　　曾希圣(兼,1960 年 11 月—1961 年 5 月)
　　袁升平(第二,1960 年 12 月—1973 年 8 月)
　　谭启龙(第一,1961 年 5 月—1967 年 4 月)

武汉军区

司令员　陈再道
政治委员
　　谭甫仁(第二,1959 年 12 月—1963 年 12 月)

钟汉华(第三,1961 年 1 月—1963 年 12 月)

钟汉华(第二,1963 年 12 月—1967 年 7 月)

昆明军区

司令员　秦基伟(1957 年 10 月—　　)

政治委员

阎红彦(第一,1959 年 11 月—1967 年 1 月)

金如柏(第二,1959 年 12 月—1962 年 10 月)

李成芳(第二,1962 年 10 月—1968 年 5 月)

沈阳军区

司令员

陈锡联(1959 年 10 月—1973 年 12 月)

政治委员

赖传珠(1959 年 10 月—1960 年 11 月)

赖传珠(第二,1960 年 11 月—1965 年 12 月)

宋任穷(兼,第一,1960 年 11 月—　　)

曾绍山(第二,1966 年 3 月—1980 年 1 月)

中国各民主党派、工商联

中国国民党革命委员会

第四届中央委员会

(1958 年 11 月　1979 年 10 月)

四届一中全会

(1958 年 12 月 4 日)

选举中央委员会

主　席　李济深(1959 年 10 月 9 日逝世)

副主席

何香凝(女)　程　潜　蔡廷锴　张治中

熊克武　　邓宝珊　陈绍宽

秘书长　梅龚彬

常务委员

于振瀛	卫立煌	王昆仑	甘祠森	卢　汉
卢郁文	朱学范	朱蕴山	刘文辉	刘仲容
刘孟纯	刘　斐	余心清	吴茂孙	李世璋
李任仁	邵力子	屈　武	陈此生	陈劭先
陈其瑗	唐生智	翁文灏	梅龚彬	许闻天
贺贵严	甯　武	蒋光鼐	钱昌照	龙　云

四届二中全会

(1960 年 8 月 15 日)

选　举

主　席　何香凝(女)

补　选

常务委员　孙蔚如　但懋辛　李澄之　侯镜如

中国民主同盟

第三届中央委员会

三届中央常务委员会第一次会议

(1958 年 12 月 6 日)

推　举

秘书长　闵刚侯

三届中央常务委员会第四次会议

(1963 年 12 月)

辞　职

秘书长　闵刚侯

推　举

秘书长　胡愈之

三届四中全会

(1963 年 12 月)

选　举

主　席　杨明轩

中国民主建国会

第二届中央委员会

(1960 年 2 月—1979 年 10 月)

第二次全国代表大会

(1960 年 2 月 21 日)

选举中央委员会
  主任委员
  副主任委员　李烛尘　南汉宸　盛丕华
　　　　　　施复亮　胡厥文　胡子昂
　　　　　　孙起孟　郭棣活
  秘书长　孙晓村
  常务委员

王光英	王艮仲	王绍鏊	王新元	乐松生
刘国钧	刘念义	刘靖基	巩天民	朱继圣
华煜卿	沈子槎	沙千里	陈经畬	陈维稷
吴大琨	吴晋航	吴觉农	吴羹梅	吴韫山
张洞伯	张敬礼	罗叔章	周士观	荣毅仁
胡子婴	侯德榜	俞寰澄	姚维钧	浦洁修
唐巽泽	徐崇林	凌其峻	章元善	许涤新
莫艺昌	黄长水	黄玠然	黄凉尘	童少生
项叔翔	资耀华	董林哲	潘式言	薛品轩
韩望尘	魏如			

中国民主促进会

第五届中央委员会

(1958 年 12 月—1979 年 10 月)

五届一中全会

(1958 年 12 月 10 日)

选举中央委员会
  主　席　马叙伦
　　　　周建人(1966 年 7 月任代理主席)
  副主席　王绍鏊　周建人　许广平(女)
　　　　车向忱　杨东莼
  秘书长　徐伯昕

常务委员
  方　明　王绍鏊　严景耀　吴若安(女)
  吴研因　吴贻芳(女)　　车向忱　陈礼节
  陈秋安　周建人　金通尹　赵朴初　柯　灵
  徐伯昕　徐楚波　马叙伦　许广平(女)
  许崇清　梁纯夫　张明养　张纪元　冯宾符
  杨石先　杨东莼　雷洁琼(女)　　葛志成
  谢冰心(女)　　林汉达　金芝轩

中国农工民主党

六届三中全会

(1957 年 4 月)

补选中央委员会副主席
  黄琪翔
增选中央执行局委员
  王一帆　杨逸棠

中央执行局第三十五次会议

(1958 年 4 月 4 日)

推选中央委员会
  代理主席　季　方

第七届中央委员会

(1958 年 12 月—1979 年 10 月)

七届一中全会

(1958 年 12 月 11 日)

选举:
中央主席团
  主　席　季　方
  委　员
　　周谷城　唐午园　刘树勋　郭则沉
　　夏康农　严信民　徐彬如　王人旋
中央委员会
  秘书长　郭则沉

九三学社

第五届中央委员会

（1958 年 12 月—1979 年 10 月）

五届一中全会

（1958 年 12 月 5 日）

选举中央委员会

主　席　许德珩

副主席

梁　希　周培源　潘　菽　茅以升
涂长望　严济慈

秘书长　孙承佩

常务委员

干　铎　王家楫　方　亮　卢于道　刘锡瑛
许德珩　孙承佩　严济慈　劳君展（女）
李　毅　杨钟健　吴学周　茅以升　金克木
金善宝　周培源　侯宗濂　涂长望　梁　希
税西恒　谢立惠　裴文中　黎锦熙　潘　菽
薛公绰　魏建功

中华全国工商业联合会

第二届执行委员会

（1956 年 12 月—1960 年 2 月）

二届执行委员会第一次会议

（1956 年 12 月 24 日）

选举执行委员会

主任委员　陈叔通

副主任委员

李烛尘　章乃器　许涤新　盛丕华　荣毅仁
陈经畲　黄长水　胡子昂　巩天民　沙千里
吴雪之　乐松生　毕鸣岐　邓文钊　韩望尘

秘书长　项叔翔

第三届执行委员会

（1960 年 2 月—1979 年 10 月）

三届委员代表大会

（1960 年 2 月 21 日）

选举执行委员会

主任委员　陈叔通

副主任委员

李烛尘　许涤新　盛丕华　荣毅仁　陈经畲
黄长水　胡子昂　巩天民　沙千里　吴雪之
乐松生　邓文钊　韩望尘　刘国钧　孙起孟
罗叔章

人 民 团 体

中华全国总工会

中国工会第八次全国代表大会

（1957 年 12 月 2 日—12 日）

第八届执委会第一次会议

（1957 年 12 月 13 日）

选　举：

主　席　赖若愚

副主席

刘长胜　朱学范　许之桢　陈少敏

第八届执委会第四次会议

（1962 年 12 月 13 日）

增　选

副主席　马纯古

中国共产主义青年团

中国新民主主义青年团第三次
全国代表大会

（1957 年 5 月 15 日—25 日）

三届一中全会
（1957 年 5 月）

选举：

书记处第一书记 胡耀邦

书 记

刘西元 罗 毅 胡克实 王 伟 梁步庭
项 南

三届六中全会
（1960 年 2 月 27 日—3 月 4 日）

增选：

书记处书记

杨海波 张 超 李琦涛 王照华

候补书记

路金栋 曾德林

中国共产主义青年团第九次
全国代表大会
（1964 年 6 月 11 日—29 日）

九届一中全会
（1964 年 6 月）

选举：

书记处第一书记 胡耀邦

书 记

胡克实 王 伟 杨海波 王照华 路金栋
王道义 惠世昌

候补书记

张德华 李淑铮 徐惟诚 胡宜立

中华全国青年联合会

中华全国青年联合会第三次代表大会
（1958 年 4 月 9 日—14 日）

选举中华全国青年联合会第三届委员会

主 席 刘西元

副主席

胡 绳 杨静仁 张 超 吴学谦 王光英
李梦华 李 林(女) 刘良模

四届一次会议
（1962 年 4 月 16 日—27 日）

选举：

主 席 刘西元

副主席

王照华 丹 彤 王光英 李梦华 刘良模
魏 巍 钱李仁 孙轶青 林兰英
雪康·土登尼玛 杜近芳(女)

四届二次会议
（1965 年 1 月 15 日—27 日）

选举：

主 席 王 伟

副主席

王照华 胡启立 李文耀 钱大卫
杜近芳(女) 徐寅生 曹锦如(女)
徐建春(女) 布林贝赫 刘厚明
胡 颖(女) 陆钟武 傅德喜 罗冠宗

中华全国学生联合会

中华全国学联第十五次代表大会
（1957 年 7 月 20 日—26 日）

十五届一次会议
（1951 年 7 月）

选举：

主 席 田德民

副主席

宋锡恒 方光宇(女) 关若鸾(女)
陈震雷 冯荫复 张文洁 董学隆
托乎其艾力

中华全国学联第十七次代表大会

（1960 年 2 月 4 日—10 日）

十七届一次会议

（1960 年 2 月）

选举：

主　席　胡启立

副主席

胡寅安　潘丽华(女)　　马娴华(女)

李清泗　林敏瑞(女)　　关东明　暨植榆

索　更　彭仲皓(女)　　滕世甲　徐　葵

中华全国学联第十八次代表大会

（1965 年 1 月 15 日—27 日）

十八届一次会议

（1965 年 1 月）

选举：

主　席　伍绍祖

副主席

黄伯诚　曹小冰(女)　　魏章玲(女)

屈　忠　张明卿　曲耕莘　范顺荣　唐文合

张永子(女)　　王同亲(女)　　易之双

白姚生　赵淑敏(女)

阿不都拉·哈木都拉

中华全国归国华侨联合会

中华全国归国华侨第一次代表大会

（1956 年 10 月 5 日—12 日）

选举第一届委员会：

主　席　陈嘉庚

副主席

方　方　尤扬祖　王源兴　庄希泉　庄明理

李铁民　陈其瑗　罗理实　高明轩　郭棣活

黄长水　彭泽民　颜子俊　蚁美厚

二

各省、市、自治区

北　京　市

中国共产党北京市委员会

第二届市委

（1956 年 8 月—1962 年 5 月）

第一书记　彭　真

第二书记　刘　仁

书记处书记　张友渔（　—1958 年 12 月）

郑天翔　陈　鹏　范儒生

万　里(1958 年 3 月—　　)

邓　拓(1958 年 9 月—　　)

陈克寒(1958 年 9 月—　　)

第三届市委

（1962 年 5 月—1971 年 3 月）

1962 年 5 月—1966 年 5 月

第一书记　彭　真

第二书记　刘　仁

书记处书记　郑天翔　万　里

陈　鹏（　—1963 年 6 月）

邓　拓　陈克寒

冯基平（　—1964 年 7 月）

赵　凡(1964 年 10 月—　　)

贾庭三(1964 年 10 月—　　)

1966 年 5 月—1967 年 4 月

第一书记　李雪峰

第二书记　吴　德

书记处书记

万　里(1966年6月—1966年10月)

陈克寒(1966年6月—1966年10月)

赵　凡(1966年6月—1966年7月)

高扬文　郭影秋　马　力

刘和赓(1966年8月任命,未到职)

王一平(1966年8月任命,未到职)

池必卿(1966年8月—　)

刘建勋(1966年9月—　)

雍文涛(1966年9月—　)

丁国珏(1966年10月—　)

北京市人民委员会

（1955年2月—1967年4月）

1955年2月—1957年8月
（北京市第一届人大期间）

市　长　彭　真

副市长

张友渔　吴　晗　王昆仑　薛子正　冯基平
程宏毅　贾庭三　乐松生

（1955年2月北京市一届人大二次会议选举）

1957年8月—1958年8月
（北京市第二届人大期间）

市　长　彭　真

副市长

张友渔　吴　晗　王昆仑　冯基平　程宏毅
贾庭三　乐松生

（1957年8月北京市二届人大二次会议选举）

1958年8月—1962年6月
（北京市第三届人大期间）

市　长　彭　真

副市长

万　里　冯基平　吴　晗　王昆仑　程宏毅
贾庭三　乐松生

（1958年8月北京市三届人大一次会议选举）

副市长　王　纯　赵鹏飞

（1960年6月北京市人大三届三次会议增
选）

1962年6月—1964年9月
（北京市第四届人大期间）

市　长　彭　真

副市长

万　里　冯基平　吴　晗　王昆仑　程宏毅
贾庭三　乐松生　王　纯　赵鹏飞

（1962年6月北京市四届人大一次会议选举）

1964年9月—1966年6月
（北京市第五届人大期间）

市　长　彭　真

副市长

万　里　贾庭三（　—1965年2月）

吴　晗　王昆仑

程宏毅（　—1965年1月）

赵　凡　范　瑾(女)　王　纯　崔月犁
乐松生

（1964年9月北京市五届人大一次会议选
举）

1966年6月—1967年4月

代理市长　吴　德

副市长

牛连壁　高　修　杨寿山　谢北一　杨少桥

（1966年6月3日中央改组北京市人民委员
会决定任命）

中国人民政治协商会议
北京市委员会

第二届委员会
（1959年9月—1962年12月）

主　席　刘　仁

副主席

万　里　陈　鹏　蒋光鼐　吴　晗　梁思成

陈　垣　王　炯　余心清　凌其峻

林巧稚(女)

(1959 年 9 月政协第二届第一次会议选举)

第三届委员会

(1962 年 12 月—1965 年 9 月)

主　席　刘　仁

副主席

万　里　陈　鹏　蒋光鼐　吴　晗　梁思成

陈　垣　余心清　凌其峻　林巧稚(女)

廖沫沙　王源兴

(1962 年 12 月政协第三届第一次会议选举)

第四届委员会

(1965 年 9 月—1977 年 11 月)

主　席　刘　仁

副主席

万　里　蒋光鼐　吴　晗　余心清　凌其峻

林巧稚(女)　　崔月犁　王源兴　杨宽麟

夏　翔

(1965 年 9 月政协第四届第一次会议选举)

北京卫戍区

司令员

吴　烈(1959 年 1 月—1962 年 4 月)

曾　美(1963 年 11 月—1965 年 5 月)

李家益(1965 年 7 月—1966 年 5 月)

傅崇碧(兼,1966 年 5 月—1968 年 3 月)

政治委员

刘　仁(第一,兼,1959 年 1 月—1966 年 8
月)

刘绍文(第二,1963 年 9 月—1966 年 5 月)

吴　德(第一,1966 年 7 月—1968 年 7 月)

天　津　市

中国共产党天津市委员会

第二届市委

(1956 年 7 月—1971 年 5 月)

第一书记

黄火青(　—1958 年 6 月)

万晓塘(1958 年 6 月—1966 年 9 月)

第二书记

赵武成(1963 年 9 月—"文化大革命")

书记处书记

吴砚农(　—1958 年 6 月)

万晓塘(　—1958 年 6 月)

李耕涛(　—"文化大革命")

王亢之(　—"文化大革命")

谷云亭(1958 年 6 月—"文化大革命")

张淮三(1958 年 6 月—"文化大革命")

赵　克(1958 年 12 月—1960 年 11 月)

曹庶范(1961 年 2 月—6 月)

宋景毅(1961 年 2 月—"文化大革命")

候补书记

胡昭衡(1963 年 9 月—"文化大革命")

书记处书记

崔荣权(1961 年 2 月—1965 年 4 月)

李权超(1961 年 2 月—1966 年 7 月)

牛　勇(1961 年 2 月—1966 年底)

天津市人民政府委员会

1956 年 12 月—1958 年 7 月

(天津市第二届人大期间)

市　长　黄火青(1956 年 12 月—1958 年 6 月)

副市长

李耕涛　周叔弢　万晓塘　杨亦周　李华生

张国藩　宋景毅　毕鸣岐

(1956 年 12 月天津市二届人大一次会

议选举)

1958 年 7 月—1961 年 2 月
(天津市第三届人大期间)

市　长　李耕涛(1958 年 6 月—1961 年 2 月)
副市长
宋景毅　周叔弢　李权超　郭春原　张国藩
娄凝先
(1958 年 7 月 4 日天津市三届人大一次会议
选举)
副市长　曹庶范(1958 年 12 月—1960 年 3 月)
牛　勇(1960 年 3 月—1961 年 2 月)

1961 年 2 月—1963 年 12 月
(天津市第四届人大期间)

市　长　李耕涛(1961 年 2 月—1963 年 9 月)
副市长　宋景毅(1961 年 2 月—1962 年 7 月)
周叔弢(1961 年 2 月—1963 年 12 月)
李权超(1961 年 2 月—1962 年 7 月)
张国藩(1961 年 2 月—1963 年 12 月)
娄凝先(1961 年 2 月—1963 年 12 月)
牛　勇(1961 年 2 月—1962 年 7 月)
樊青典(1961 年 2 月—1962 年 7 月)
杨振亚(1961 年 2 月—1963 年 12 月)
李中垣(1961 年 2 月—1963 年 12 月)
(1961 年 2 月天津市四届人大一次会议选
举)
副市长　崔荣汉　王培仁
(以上二人 1962 年 7 月增补)

1963 年 12 月—1965 年 12 月
(天津市第五届人大期间)

市　长　胡昭衡(1963 年 9 月—　　)
副市长
宋景毅　周叔弢　杨拯民　张国藩　樊青典
王培仁　李中垣
(1963 年 12 月 28 日天津市五届人大一次会
议选举)

1965 年 12 月—1967 年 12 月
(天津市第六届人大期间)

市　长　胡昭衡
副市长
宋景毅　周叔弢　杨拯民　张国藩　樊青典
王培仁　白　桦　路　达　李中垣　王占赢
(以上人员 1965 年 12 月天津市六届人大一
次会议选举)

中国人民政治协商会议
天津市委员会

第二届委员会
(1960 年 3 月—1963 年 12 月)

主　席　万晓塘
副主席
王亢之　杨亦周　赵　克　张国藩　刘锡瑛
孟秋江　李霁野　杨春林　朱继圣　王光英
范　权　唐家礼　杨坚白　穆芝房
(1960 年 3 月政协第二届第一次会议选举)

第三届委员会
(1963 年 12 月—1965 年 12 月)

主　席　万晓塘
副主席
王亢之　杨亦周　张国藩　刘锡瑛　周　茹
杨春林　朱继圣　王光英　范　权　唐家礼
杨坚白　穆芝房　赵今声
(1965 年 12 月政协第四届第一次会议选举)

第四届委员会
(1965 年 12 月—1977 年 12 月)

主　席　解学恭
副主席
谷云亭　周叔弢　毛　平　路　达　李　定

韩　震　王培仁　樊青典　赵今声　杨坚白
范　权　何宗谦　黄遴菲　黄钰声　吴廷锡

天津警备区

司令员
　方三中（1959 年—1965 年 2 月）
　朱　彪（1965 年 2 月—1967 年 2 月）
政治委员
　王三平（1959 年 7 月—1965 年 2 月）
　韩德富（1964 年 7 月—1967 年 2 月）

河　北　省

中国共产党河北省委员会

第一届省委
（1956 年 7 月—　　）

第一书记　林　铁（　—1966 年 8 月）
　　　　　　刘子厚（1966 年 8 月—　）
第二书记
　刘子厚（1964 年 3 月—1966 年 8 月）
书　记
　马国瑞（　—1963 年 10 月）
　阎达丹（　—1966 年 12 月）
　张承先
　谷云亭（　—1958 年 4 月）
　刘子厚（1958 年 4 月—1964 年 3 月）
　吴砚农（1958 年 4 月—1965 年 7 月）
　解学恭（1958 年 4 月—1961 年 3 月）
　万晓塘（1958 年 4 月—1966 年 9 月）
　赵武城（1963 年 9 月—1966 年 10 月）
　李颉伯（1964 年 1 月—1966 年 12 月）
候补书记
　邓振西（1960 年 10 月—1961 年 6 月）
　裴仰山（1960 年 12 月—　）
　王路明（1960 年 12 月—　）

河北省人民委员会

1958 年 10 月—1964 年 10 月
（河北省第二届人大期间）

省　长　刘子厚
副省长
　阎达开　杨英杰　李耕涛　高树勋　阮伯生
　胡开明　张明河　杨亦周　马　力　张克让
　（以上人员 1958 年 10 月河北省人大二届一
　次会议选举）

副省长
　牛树才　段　毅　王金山　王　力
　（以上人员 1960 年 2 月河北省人大二届二次
　会议补选）
副省长　杨一辰　郭　芳　谢　辉
　（以上人员 1962 年 12 月河北省人大二届三
　次会议增选）

1964 年 10 月—1968 年 2 月
（河北省第三届人大期间）

省　长　刘子厚
副省长
　杨一辰　高树勋　郝田役　杨亦周　王东宁
　王金山　王　力　郭　芳　谢　辉　杨磊之
　（以上人员 1964 年 10 月河北省三届人大一
　次会议选举）

中国人民政治协商会议
河北省委员会

第二届委员会
（1960 年 2 月—1964 年 10 月）

主　席　马国瑞
副主席
　阎达开　李子光　杨亦周　杨雨民
　刘清扬（女）　杨石先　王笑一　郭　芳
　周思诚　刘锡瑛　吴韫山　王乃堂　赵辉楼

齐璧亭　李兴中　白志文　姜占春　何宗谦

（1960 年 2 月政协第二届第一次会议选举）

副主席　牛树才　徐　正

（1962 年 12 月政协第二届第二次会议增选）

第三届委员会

（1964 年 10 月—1977 年 12 月）

主　席　阎达开

副主席

张承先　杨亦周　杨雨民　刘清扬（女）

王笑一　杜新波　孟庆山　徐　正　牛树才

高仰云　刘锡瑛　吴韫山　潘承孝　王乃堂

齐璧亭　白志文　姜占春　何宗谦

（1964 年 10 月政协第三届第一次会议选举）

河北省军区

司令员

王道邦（1957 年 9 月—1959 年 11 月）

肖思明（1960 年 5 月—1964 年 5 月）

马　辉（1964 年 5 月—1983 年 3 月）

政治委员

肖思明（1964 年 4 月—1965 年 5 月）

曾　美（1965 年 5 月—1981 年 10 月）

山　西　省

中国共产党山西省委员会

第一届省委

（1956 年 8 月—1965 年 8 月）

第一书记　陶鲁笳

书　记　卫　恒

王世英（　—1964 年）

王　谦（1959 年后任常务书记）

池必卿（　—1963 年）

朱卫华　郑　林

袁　振（1964 年—1965 年 8 月）

王大任（1964 年—1965 年 8 月）

候补书记　王右任（1958 年—1964 年）

黄志刚（1958 年—1961 年）

第二届省委

（1965 年 8 月—1967 年 1 月）

第一书记　卫　恒

第二书记　王　谦

书　记

王大任　朱卫华　郑　林　武光汤　赵雨亭

袁　振　贾　俊

山西省人民委员会

1958 年 11 月—1964 年 10 月

（山西省第二届人大期间）

省　长　卫　恒

副省长

郑　林　武光汤　焦国鼐　刘开基

张天乙（　—1961 年）

王中青　岳宗泰（　—1961 年）

刘贯一（1963 年 9 月增补）

（以上人员 1958 年 11 月山西省二届人大一

次会议选举及其后历次会议增补）

1964 年 10 月—1967 年 3 月

（山西省第三届人大期间）

省　长　卫　恒（　—1965 年 12 月）

副省长

郑　林　武光汤　焦国鼐　王中青　刘开基

刘贯一　贾云标　卫逢祺

（以上人员省三届人大一次会议选举）

省　长　王　谦

副省长　刘格平　黄克诚　贾冲之

（以上四人 1965 年 12 月山西省三届人大二

次会议补选和增选）

中国人民政治协商会议
山西省委员会

第二届委员会

（1959 年 8 月—1964 年 10 月）

主　席　陶鲁笳
副主席

王世英　郑　林　马　林　王梦龄　冯素陶
刘少白　乔启明　宋子纯　张隽轩　张德含
杨自秀　冀贡泉

（1959 年 8 月政协第二届第一次会议选举）

第三届委员会

（1964 年 10 月—1977 年 12 月）

主　席　陶鲁笳
副主席

郑　林　刘少白　冀贡泉　何英才　马　林
张德含　宋志藩　张隽轩　宋子纯　杨自秀
冯素陶　乔启明

（1964 年 10 月政协第三届第一次会议选举）

主　席　卫　恒

（1965 年 12 月政协第三届第二次会议选举）

山西省军区

司令员

王紫峰（1957 年—1961 年）
陈金钰（1962 年—1968 年）

政治委员　张日清（1961 年—1969 年）

内蒙古自治区

中国共产党内蒙古自治区委员会

第一届区委

（1956 年 7 月—1963 年 4 月）

第一书记　乌兰夫（蒙古族）
书　记　苏谦益　杨植霖　奎　璧（蒙古族）
　　　　王　铎　王再天（蒙古族）　王逸伦

候补书记　权星垣　胡昭衡

第二届区委

（1963 年 4 月—1966 年）

第一书记　乌兰夫（蒙古族）
　　　　　解学恭（1966 年 8 月—　）
书　记
　奎　璧（蒙古族）　王　铎　王再天（蒙古族）
　王逸伦　权星垣　胡昭衡　高锦明（满族）
　刘景平　毕力格　巴图尔（蒙古族）
　李树德（1966 年 8 月—　）
　康修明（1966 年 8 月—　）

内蒙古自治区人民委员会

1958 年 6 月—1964 年 9 月

（内蒙古自治区第二届人大期间）

主　席　乌兰夫（蒙古族）
副主席

　苏谦益　杨植霖　奎　璧（蒙古族）
　哈丰阿（蒙古族）　王再天（蒙古族）
　孙兰峰　王逸伦　达理扎雅（蒙古族）
　古雅泰（蒙古族）　高增培　刘景平
　朋斯克（蒙古族）　李　质

（以上人员 1958 年 6 月内蒙古自治区二届人
大会议选举）

1964 年 9 月—1967 年 11 月

（内蒙古自治区第三届人大期间）

主　席　乌兰夫（蒙古族）
副主席

　奎　璧（蒙古族）　王再天（蒙古族）
　孙兰峰　王逸伦　达理扎雅（蒙古族）
　吉雅泰（蒙古族）　刘景平　朋斯克（蒙古族）

李 质 沈新发 张鹏图
（以上人员 1969 年 9 月内蒙古自治区三届人
大会议选举）

中国人民政治协商会议
内蒙古自治区委员会

第二届委员会

（1959 年 3 月—1965 年 5 月）

主 席 杨植霖
副主席
吉雅泰（蒙古族） 孙兰峰 李世杰
朋斯克（蒙古族）
（1959 年 3 月政协第二届第一次会议选举）

第三届委员会

（1965 年 5 月—1977 年 12 月）

主 席 乌兰夫（蒙古族）
副主席
吉雅泰（蒙古族） 孙兰峰 李世杰
克力更（蒙古族） 特木尔巴根（蒙古族）
武达平
（1965 年 5 月政协第三届第一次会议选举）

内蒙古军区

司令员
乌兰夫（蒙古族）（1966 年—1976 年 10 月）
政治委员
乌兰夫（蒙古族）（1966 年—1976 年 10 月）

辽 宁 省

中国共产党辽宁省委员会

第二届省委

（1959 年 6 月—1963 年 4 月）

第一书记 黄火青
第二书记 黄欧东
书 记
喻屏 李荒 杨春甫 王 良 周 桓
李东治（1960 年 2 月— ）

第三届省委

（1963 年 4 月— ）

第一书记 黄火青
第二书记 黄欧东
书 记
李 荒 杨春甫 王 良 周 恒 白 潜
胡亦民（1965 年 12 月— ）
徐少甫（1965 年 12 月— ）
候补书记
黄 达 胡亦民 徐少甫
仇友文（1966 年 3 月— ）
张正德（1966 年 3 月— ）

辽宁省人民政府

1958 年 12 月—1963 年 12 月

（辽宁省第二届人大期间）

省 长 黄欧东
副省长
宁 武 车向忱 仇友文 黄 达 刘宝田
王梓木 陈先舟 巩天民 褚风岐 张正德
（1958 年 12 月辽宁省二届人大一次会议选
举）

副省长 苏 羽 张庆泰
（1962 年 8 月辽宁省二届人大三次会议补
选）

1963 年 12 月—1968 年 5 月

（辽宁省第三届人大期间）

省　长　黄欧东

副省长

宁　武　车向忱　仇友文　黄　达　刘宝田

王梓木　陈先舟　巩天民　张正德　黄　羽

张庆泰

(1963 年 12 月辽宁省人大三届一次会议选举)

副省长

王坤聘　曲　径

(1964 年 9 月辽宁省人大三届二次会议增选)

副省长

任志远

(1965 年 12 月辽宁省人大三届三次会议增选)

中国人民政治协商会议
辽宁省委员会

第二届委员会

(1959 年 6 月—1963 年 12 月)

主　席　黄火青

副主席

张雪轩　宁　武　车向忱　靳树梁　陈先舟

巩天民　陈北辰　王家善　陈恩凤　韩蓬台

(1959 年 6 月政协第二届第一次会议选举)

第三届委员会

(1963 年 12 月—1977 年 12 月)

主　席　黄火青

副主席

宁　武　车向忱　靳树梁　陈先舟　巩天民

陈北辰　王家善　陈恩凤　韩蓬台　李维民

(1963 年 12 月政协第三届第一次会议选举)

副主席

章　岩(女)　荆　杰　孙文采

(1965 年 12 月政协第三届第三次会议增选)

辽宁省军区

司令员

贺庆炽(1955 年 3 月—1968 年 2 月)

政治委员

黄火青(第一,1959 年 10 月—　　)

黄欧东(第二,1959 年 9 月—　　)

谭开云(第三,1960 年 8 月—1965 年 1 月)

杨　弃(第三,1965 年 1 月—1975 年 4 月)

李道之(第四,1960 年 10 月—1978 年 5 月)

吉　林　省

中国共产党吉林省委员会

第一届省委

(1956 年 7 月—1960 年 3 月)

第一书记　吴　德

书记处书记

李梦龄　赵　林　李砥平　富振声　栗又文

关山复　阮泊生(1954 年 4 月—　　)

第二届省委

(1960 年 3 月—1966 年)

第一书记　吴　德(　　—1966 年 6 月)

代理第一书记　赵　林(1966 年 6 月—　　)

第二书记　赵　林

书记处常务书记　阮泊生(1966 年 6 月—　　)

书记处书记

李梦龄　李砥平　富振声　栗又文　关山复

阮泊生　于毅夫

郑季翘(1965 年 9 月—　　)

兰干亭(1965 年 9 月—　　)

吉林省人民政府

1958 年 7 月—1963 年 12 月

(吉林省二届人大期间)

省　长　栗又文
副省长

于　克　徐元泉　徐寿轩　朱德海　刘慈恺
杨战韬　王奂如　周　光
（1958 年 7 月吉林省二届人大一次会议选举）

副省长

肖　靖　崔次丰　张文海
（1959 年 6 月吉林省二届人大二次会议补选）

副省长　张士英
（1962 年 7 月吉林省二届人大四次会议补选）

1963 年 12 月—1968 年 3 月
（吉林省第三届人大期间）

省　长　栗又文
副省长

于　克　张士英　徐寿轩　朱德海　肖　靖
王岳如　周　光　张文海
（1963 年 12 月吉林省三届人大一次会议选举）

杨战韬　严子涛
（1964 年 9 月吉林省三届人大二次会议增选）

张丹荆
（1965 年 9 月吉林省三届人大三次会议增选）

中国人民政治协商会议
吉林省委员会

第二届委员会
（1959 年 6 月—1963 年 12 月）

主　席　李砥平
副主席

徐寿轩　关俊彦　吴学周　张德馨　宋任远
成盛三　崔　采　刘风竹
（1959 年 6 月政协第二届第一次会议选举）

第三届委员会
（1963 年 12 月—1977 年 12 月）

主　席　李砥平
副主席

徐寿轩　关俊彦　吴学周　张德馨　宋任远
成盛兰　崔　采　刘风竹
（1963 年 12 月政协第三届第一次会议选举）
肖丹峰（1964 年 9 月政协第三届第二次会议增选）
高　峰（1965 年 9 月政协第三届第三次会议增选）

吉林省军区

司令员

罗坤山　（1960 年 8 月—1965 年 11 月）

政治委员

赵　林（第二，1961 年 5 月—1967 年 1 月）
朱士焕（第三，1961 年 5 月—1962 年 7 月）
曹德连（未到职，1962 年 7 月—1963 年 12 月）

黑龙江省

中国共产党黑龙江省委员会
（1954 年 8 月 1 日组成）

第一书记　欧阳钦
副书记

韩　光　强晓初　冯纪新　王一伦　王鹤峰
（以后到 1971 年，中经第一届、第二届省委，
先后担任）

第一书记　欧阳钦　潘复生　汪家道
第二书记　李范五　刘光涛
书　记

强晓初　冯纪新　王一伦　王鹤峰　杨易辰
李范五　曾祥仁　于　杰　李剑白　任仲夷
张林池　李力安　陈　雷　傅奎清　于洪亮

中国人民政治协商会议
黑龙江省委员会

第一届委员会
（1955 年 2 月—1959 年 8 月）

主　席　欧阳钦
副主席　张瑞麟　杜光预　王清正　刘佩芝
（1955 年 2 月政协第一届会议选举产生）

第二届委员会
（1959 年 8 月—1964 年 9 月）

主　席　欧阳钦
副主席
　杨易辰　李延禄　于　林　张瑞麟　杜光预
　王清正　杜国平　刘佩芝　黄方刚
（1959 年 8 月政协第二届第一次会议选举产生）

第三届委员会
（1964 年 9 月—1977 年 12 月）

主　席　欧阳钦
副主席
　杨易辰　张瑞麟　于天放　王清正　杜国平
　刘佩芝　黄方刚　薛绥宸　邵　钧
（1964 年 9 月政协第三届第一次会议选举产生）

黑龙江省人民政府

1958 年 8 月—1964 年 9 月
（黑龙江省第二届人大期间）

省　长　李范五
副省长
　杨易辰　王一伦　陈　雷　陈剑飞　王清正
　孙西岐　刘　潜　关　舟
（以上人员 1964 年 9 月黑龙江省三届人大一

次会议选举）
副省长　杨和亭　王逢源
（1965 年增补）

黑龙江省军区

司令员　汪家道（1962 年—1975 年 5 月）
政治委员
　强晓初（1960 年—1966 年 5 月）
　潘复生（1966 年 5 月—1971 年 8 月）
　刘光涛（1966—　　）

上　海　市

中国共产党上海市委员会

第一届市委
（1956 年 7 月—1958 年 12 月）

第一书记　柯庆施
书记处书记
　陈丕显　曹荻秋　魏文伯　马天水　许建国

第二届市委
（1958 年 12 月—1963 年 12 月）

第一书记　柯庆施
书记处书记
　陈丕显　曹荻秋　魏文伯　马天水
书记处候补书记　石西民　刘述周

第三届市委
（1963 年 12 月—1965 年 11 月）

第一书记　柯庆施（　—1965 年 4 月）
书记处书记
　陈丕显　曹荻秋　马天水
　石西民（　—1964 年 1 月）
　刘述周（　—1964 年 9 月）
　王一平（1965 年 3 月—　　）

张春桥（1965 年 3 月—　）

梁国斌（1965 年 7 月—　）

书记处候补书记

王一平（　—1965 年 3 月）

张春桥（1965 年 3 月—　）

杨西光（1965 年 3 月）

王少庸（1965 年 3 月—　）

1965 年 11 月—"文化大革命"前

第一书记　陈丕显

书记处书记

曹荻秋　马天水　王一平　张春桥　梁国斌

书记处候补书记　杨西光　王少庸

上海市人民政府

1957 年 1 月—1958 年 11 月

（上海市第二届人大期间）

市　长　陈　毅

副市长

牛树才　刘季平　刘述周　牛日昌　宋季文

金仲华　荣毅仁　赵祖康　许建国　盛丕华

曹荻秋

（1957 年 1 月上海市二届人大一次会议选举）

1958 年 11 月—1962 年 7 月

（上海市第三届人大期间）

市　长　柯庆施（1958 年 11 月—1962 年 7 月）

副市长

牛树才（　—1960 年 3 月）

刘季平（　—1959 年 3 月）

刘述周　宋日昌　宋季文　金仲华　赵祖康

荣毅仁　曹荻秋

许建国（　—1959 年 3 月）

盛丕华（　—1961 年 2 月）

（1958 年 11 月上海市三届人大一次会

议选举）

1962 年 7 月—1964 年 9 月

（上海市第四届人大期间）

市　长　柯庆施

副市长

曹荻秋（　—1965 年 12 月）

石　英　宋日昌　宋季文　李干成

李广仁（　—1966 年 1 月）

金仲华　张承宗　赵祖康　胡厥文

荣毅仁　梁国斌（1965 年 12 月—　）

（1964 年 9 月上海市五届人大一次会议选举）

中国人民政治协商会议上海市委员会

第二届委员会

（1958 年 11 月—1962 年 7 月）

主　席　陈丕显

副主席

刘季平　刘述周　刘靖基　沈体兰　金仲华

陈望道　胡厥文　舒新城　黎照寰　魏文伯

（1958 年 11 月政协第二届第一次会议选举）

第三届委员会

（1962 年 7 月—1964 年 9 月）

主　席　陈丕显

副主席

刘述周　刘靖基　陈同生　陈望道　沈体兰

金仲华　周谷城　孟宪承　黎照寰

（1962 年 7 月政协第三届第一次会议选举）

第四届委员会

（1964 年 9 月—1977 年 12 月）

主　席　陈丕显

副主席

石西民　金仲华　陈望道　陈同生　沈体兰

刘靖基　黎照寰　孟宪承　周谷城　王致中

吴若安　卢于道

（1964年9月政协第四届第一次会议选举）

上海警备区

司令员

饶子健　（1961年2月—1965年6月）

廖政国　（1965年6月—1970年4月）

政治委员

陈丕显（兼,1958年11月—1961年2月）

陈丕显（第一,兼,1961年2月—1965年6月）

秦化龙（第二,1961年2月—1964年4月）

王六生（第二,1964年7月—1965年6月）

刘文学（第三,1962年5月—1965年6月）

陈丕显（兼,1965年6月—1967年5月）

李世焱（第二,兼,1965年9月—1969年10月）

刘耀宗（第二,1969年8月—1978年5月）

江 苏 省

中国共产党江苏省委员会

第三届省委

（1956年7月—1962年12月）

第一书记　江渭清

代理第一书记　刘顺元（1957年1月—　）

书　记

刘顺元　惠浴宇　陈　光　许家屯

第四届省委

（1962年12月—1970年12月）

第一书记　江渭清

书记处书记

刘顺元　惠浴宇　陈　光　李士英　许家屯

彭　冲（1965年7月—　）

包厚昌（1965年7月—　）

张仲良（1965年8月—　）

江苏省人民政府

1958年10月—1964年9月

（江苏省第二届人大期间）

省　长　惠浴宇

副省长

许家屯　管文蔚　冷　橘　周一峰　陈书同

韦永义　吴贻芳（女）　刘国钧

（以上八人1958年10月江苏省二届人大一次会议选举）

李世英　包厚昌

（以上二人1959年12月江苏省二届人大二次会议增选）

1964年9月—1968年3月

（江苏省第三届人大期间）

省　长　惠浴宇

副省长

李士英　许家屯　包厚昌　管文蔚　陈书同

吴贻芳（女）　刘国钧　冯纪新

欧阳惠林　陈扬

（以上十人1964年9月江苏省三届人大一次会议选举）

中国人民政治协商会议
江苏省委员会

第二届委员会

（1959年12月—1964年9月）

主　席　江渭清

副主席

陈　光　彭　冲　李乐平　陈鹤琴　宫维桢

陆小波　任崇高　高一涵　杨廷宝
(1959 年 12 月政协第二届第一次会议选举)
张光中(1962 年 6 月政协第二届第二次会议
增选)

第三届委员会

(1964 年 9 月—1977 年 12 月)

主　席　江渭清
副主席

陈　光　彭　冲　李乐平　陈鹤琴　宫维桢
陆小波　任崇高　高一涵　杨廷宝　张光中

浙　江　省

中国共产党浙江省委员会

第三届省委

(1960 年 1 月—1963 年 4 月)

第一书记　江　华
书记处书记

霍士廉　林乎加　李丰平　曹祥仁　陈伟达
吴　宪

第四届省委

(1963 年 4 月—1971 年 1 月)

第一书记　江　华
书记处书记

霍士廉　林乎加　李丰平　曹祥仁　陈伟达
吴　宪　赖可可(1964 年—　　)

浙江省人民委员会

1958 年 10 月—1964 年 9 月

(浙江省第二届人大期间)

省　长　周建人

副省长

霍士廉　李丰平　吴　宪　陈伟达　任一力
(以上人员 1958 年 10 月浙江省人大二届一
次会议选举)
副省长　李维新　王　起　王　醒
(以上人员 1962 年 10 月浙江省人大二届二
次会议选举)
副省长　冯白驹
(1963 年 12 月浙江省人大二届四次会议增
选)

1964 年 9 月—1968 年 3 月

(浙江省第三届人大期间)

省　长　周建人
副省长

霍士廉　吴　宪　任一力　李维新　王　起
王　醒　冯白驹　刘　剑　王　芳
(以上人员 1964 年 9 月浙江省三届人大一次
会议选举)

中国人民政治协商会议
浙江省委员会

第二届委员会

(1958 年 11 月—1964 年 9 月)

主　席　江　华
副主席

李丰平　何燮侯　林　枫　汤元炳　余纪一
徐赤文　吴化文
(1958 年 11 月政协第二届第一次会议选举)
副主席　陈伟达　王　琎　吴山民
(1961 年 11 月政协第二届第四次会议增选)

第三届委员会

(1964 年 9 月—1977 年 12 月)

主　席　江　华
副主席

陈伟达　毛齐华　汤元炳　余纪一　王　珏
吴山民　唐巽泽
（1964 年 9 月政协第三届第一次会议选举）

浙江省军区

司令员
　钱　钧（1961 年 11 月—1965 年 11 月）
　张秀龙（1965 年 11 月—1967 年 8 月）
　熊应堂（1967 年 8 月—1972 年 5 月）
政治委员
　谢胜坤（1962 年 12 月—1965 年 11 月）
　龙　潜（1965 年 7 月—1967 年 10 月）
　南　萍（1967 年 8 月—1972 年 5 月）

安　徽　省

中国共产党安徽省委员会

第二届省委
（1963 年 7 月—1971 年 1 月）

第一书记　李葆华
书记处书记
　李丰平　李世农　张恺帆　李任之　王光宇
书记处候补书记　陆学斌　黄　岩

安徽省人民政府

1958 年 11 月—1964 年 9 月
（安徽省第二届人大期间）

省　长　黄　岩
副省长
　孙仲德　张恺帆　王光宇　苏毅然　陆学斌
　余亚农　马长炎　陈荫南　桂　蓬　王　中
　姚　克
（以上人员 1958 年 11 月 6 日安徽省二届人
大一次会议选举）
副省长　宋孟邻　黄耀南　彭宗珠　张祚甫

（以上人员 1960 年 5 月 11 日安徽省二届人
大二次会议增选）
副省长　戴　戟
（1962 年 7 月安徽省二届人大三次会议补
选）

1964 年 9 月—1968 年 4 月
（安徽省第三届人大期间）

省　长　黄　岩
副省长
　张恺帆　王光宇　陆学斌　马长炎　桂　蓬
　王　中　姚　克　彭宗珠　张祚荫　戴　戟
　李任之　李凡夫
（以上人员 1964 年 9 月 29 日安徽省三届人
大一次会议选举）
副省长　朱　光
（1966 年 3 月安徽省三届人大三次会议增
选）

中国人民政治协商会议
安徽省委员会

第二届委员会
（1958 年 11 月—1964 年 9 月）

主　席　曾希圣
副主席
　桂林栖　余亚农　陈荫南　程士厄　姚　克
　房秩五　戴　戟　光明甫
（1958 年 11 月政协第二届第一次会议选举）
副主席　黄耀南　吕季方
（1960 年 5 月政协第二届第二次会议增选）
主　席　李葆华
（1962 年 7 月政协第二届第三次会议选举）
副主席　李云鹤　朱子帆
（1962 年 7 月政协第二届第三次会议增选）

第三届委员会
（1964 年 9 月—1978 年 1 月）

主　席　李葆华

副主席

张恺帆　姚　克　戴　戟　李云鹤　房秩五

吕季方　朱子帆

（1964年9月政协第三届第一次会议选举）

安徽省军区

政　委

李葆华（第一，1962年6月—　）

王文模（第三，1964年4月—　）

宋　文（第二，1965年10日—　）

福　建　省

中国共产党福建省委员会

第一届省委

（1956年7月—1968年8月）

第一书记　叶　飞

第二书记　范式人（1961年7月—　）

书记处书记

江一真（　—1959年10月；1962年6月—

1962年9月）

魏金水（　—1959年10月；1962年6月—

1968年8月）

伍洪祥　林一心（　—1965年7月）

贾久民

钟　民（1960年12月—1964年1月）

侯振亚（1961年3月—　）

韩先楚（1966年12月—　）

候补书记

林修德（1960年5月—1963年8月）

郭　良（1960年5月—1962年4月）

梁灵光（1960年5月—　）

杨文蔚（1960年5月—1962年11月）

许　亚（1961年3月—　）

福建省人民委员会

1959年1月—1964年9月

（福建省第二届人大期间）

省　长　江一真（　—1962年12月）

副省长

陈绍宽　丁超五　魏金水　蓝荣玉　叶　松

梁灵光　许　亚　高磐九　贺敏学

（以上人员1959年1月29日—2月4日福建

省二届人大一次会议选举）

省　长　魏金水

（以上人员1962年12月福建省二届人大二

次会议选举补选）

副省长

刘永生（1962年4月—　）

钟　民（1963年10月福建省二届人大会议

补选）

1964年9月—1968年8月

（福建省第三届人大期间）

省　长　魏金水

副省长

陈绍宽　丁超五　蓝荣玉　叶　松　梁灵光

许　亚　高磐九　贺敏学　刘永生　许彧青

（以上人员1964年9月福建省三届人大一次

会议选举产生）

中国人民政治协商会议
福建省委员会

第二届委员会

（1959年2月—1964年9月）

主　席　叶　飞

副主席

魏金水　林一心　陈绍宽　王亚南　刘　通

林植夫　张兆汉　练惕生　陈希仲

（1959年2月政协第二届第一次会议选举）

副主席　尤扬祖

（1962年12月政协第二届第二次会议增选）

第三届委员会

（1964 年 9 月—1977 年 12 月）

主 席 范式人
副主席
　陈绍宽　林一心　黄亚光　刘 通　林植夫
　张兆汉　练惕生　陈希仲　尤扬祖
（1964 年 9 月政协第三届第一次会议选举）

福建省军区

司令员
　刘永生（1958 年 1 月—1959 年 7 月）
　雷 震（1959 年 6 月—1964 年 5 月）
　朱耀华（1964 年 6 月—1971 年 7 月）
政治委员
　卢 胜（1958 年 1 月—1961 年 2 月）
　张创初（1961 年 2 月—1964 年 3 月）
　刘健挺（1964 年 3 月—1978 年 5 月）

江 西 省

中国共产党江西省委员会

第六届省委

（1964 年 1 月—1970 年 12 月）

第一书记　杨尚奎（ —1967 年）
书 记
　邵式平　方志纯　刘俊秀　白栋材　刘瑞森
候补书记　郭光洲　黄 光　黄知真

江西省人民委员会

1958 年 6 月—1963 年 12 月

（江西省第二届人大期间）

省 长 邵式平
副省长
　方志纯　黄 先　李杰庸　王卓超　汪东兴
　饶忍诚　邓 洪　彭梦庚　欧阳武
（以上人员 1958 年 6 月江西省二届人大一次
　会议选举）
副省长　潘震亚　李世璋
（以上二人 1959 年 6 月江西省二届人大二次
　会议增选）

1963 年 12 月—1968 年 1 月

（江西省第三届人大期间）

省 长　邵式平（ —1965 年 9 月）
副省长
　方志纯　黄 先　李杰庸　王卓超　邓 洪
　黄 霖　潘震亚　李世璋　彭梦庚　欧阳武
（以上人员 1963 年 12 月江西省三届人大一
　次会议选举）
副省长　朱继先
（1964 年 10 月江西省三届人大二次会议增
　选）
省 长　方志纯
副省长 董 琰
（以上人员 1965 年 9 月江西省三届人大三次
　会议补选）

中国人民政治协商会议
江西省委员会

第二届委员会

（1959 年 7 月—1964 年 10 月）

主 席　杨尚奎
副主席
　郭光洲　罗孟文　黄 霖　莫 循　黄知真
　潘震亚　于洪琛　刘之纲　谷霁光　博肖先
　潘式言　王德舆
（1959 年 7 月政协第二届第一次会议选举）

第三届委员会

（1964 年 10 月—1978 年 2 月）

主 席 杨尚奎

副主席

郭光洲 黄知真 罗孟文 黄 霖 莫 循
潘振亚 于洪琛 刘之纲 谷霁光 潘式言
王德舆 平 戎

（1964 年 10 月政协第三届第一次会议选举）

江西省军区

司令员

吴端山（1964 年 3 月—1968 年 10 月）

政治委员

汤光恢（1961 年 8 月—1964 年 4 月）
方志纯（兼，1965 年 1 月—1967 年）
林忠照（1965 年 5 月—1968 年 10 月）

山 东 省

中国共产党山东省委员会

第二届省委

（1963 年 12 月—1971 年 3 月）

第一书记 谭启龙（ —1969 年 6 月）

书记处书记

白如冰 周 兴 苏毅然 刘秉琳 粟再温
穆 林

书记处候补书记

粟再温 穆 林 秦如珍 杨 岩

山东省人民委员会

1963 年 12 月—1967 年 3 月

（山东省第三届人大期间）

省 长 白如冰

副省长

晁哲甫 苏毅然 粟再温 刘尾生 李澄之
穆 林 李予昂 余 修 苗海南 陈 雷
高启云

（以上人员 1963 年 12 月山东三届人大一次
会议选举）

副省长 王众音 杨介人

（以上二人 1965 年 12 月山东省三届人大三
次会议增选）

中国人民政治协商会议山东省委员会

第二届委员会

（1959 年 5 月—1963 年 12 月）

主 席 谭启龙

副主席

晁哲甫 马保三 刘仲益 刘民生 李澄之
陈梅川 张伯秋 邵德孚 苗海南 张 玺
丁履德 王林肯 周志俊 王祝晨

（1959 年 5 月政协第二届第一次会议选举）

第三届委员会

（1963 年 12 月—1977 年 12 月）

主 席 谭启龙

副主席

晁哲甫 张 晔 马保三 成仿吾 刘仲益
刘民生 李澄之 邵德孚 王 哲 冯 平
张伯秋 苗海南 丁履德 周志俊 王祝晨

（1963 年 12 月政协第三届第一次会议选举）

副主席 霍维德

（1965 年 12 月政协第三届第三次会议增选）

山东省军区

司令员

陈圻仁（1961 年 10 月—1965 年 1 月）
童国贵（1965 年 1 月—1975 年 6 月）

政治委员

周 兴（兼，第一，1961 年 10 月—1965 年 5
月）
刘秉琳（兼，1965 年 5 月—1967 年 5 月）

河 南 省

中国共产党河南省委员会
1958 年 5 月—1960 年 12 月

第一书记　吴芝圃
书　记　杨蔚萍　赵文甫　史向生
　　　　宋致和（1958 年 10 月—　）
　　　　李　立（1958 年 8 月—　）
　　　　吴　皓（1958 年 8 月—　）

1961 年 1 月—1965 年 7 月

第一书记　刘建勋
第二书记　吴芝圃（　—1962 年 3 月）
　　　　　何　伟（1962 年 4 月—　）
常务书记　文敏生（1961 年 2 月—　）
书　记　赵文甫　杨蔚屏
　　　　史向生（　—1962 年 4 月）
　　　　刘仰峤（1961 年 2 月—1963 年 3 月）
　　　　杨　珏（1961 年 11 月—　）
　　　　李　立　吴　皓　宋致和

第二届省委
（1965 年 7 月—1971 年 2 月）

1965 年 7 月—1966 年 5 月

第一书记　刘建勋
第二书记　文敏生
书　记　赵文甫　吴　皓　杨蔚屏
候补书记　纪登奎　戴苏理　王维群

1966 年 5 月—1966 年 12 月

第一书记　刘建勋（　—1966 年 9 月）
代理第一书记　文敏生（1966 年 9 月—　）
书　记　赵文甫　杨蔚屏　吴　皓

河南省人民委员会

1958 年 12 月—1964 年 9 月
（河南省第二届人大期间）

省　长　吴芝圃（　—1962 年）
副省长
　赵文甫　邢肇棠　嵇文甫　贾心斋　齐文俭
　李庆伟　王维群　张柏园　彭笑千　邵文杰
　（以上人员 1958 年 12 月河南省二届人大一
　次会议选举）
省　长　文敏生
　（1962 年 7 月河南省二届人大三次会议补
　选）

1964 年 9 月—1968 年 1 月
（河南省第三届人大期间）

省　长　文敏生
副省长
　赵文甫　王维群　李庆伟　齐文俭　张柏园
　彭笑千　邵文杰　杜孟模
　（以上人员 1964 年 9 月河南省三届人大一次
　会议选举）

中国人民政治协商会议
河南省委员会

第二届委员会
（1959 年 2 月—1964 年 9 月）

主　席　吴芝圃
副主席
　杨蔚屏　刘鸿文　刘晏春　王国华　田　丰
　高镇五　任芝铭　李赋都　杜孟模
　（1959 年 2 月政协第二届第一次会议选举）
主　席　刘建勋
　（1962 年 7 月政协第二届第三次会议选举）
副主席　刘仰峤
　（1962 年 7 月政协第二届第三次会议增选）

第三届委员会

（1964 年 9 月—1977 年 12 月）

主 席 刘建勋
副主席
杨蔚屏 刘鸿文 刘名榜 刘晏春 王国华
田 丰 高镇五 任芝铭 李赋都 杜孟模
（1964 年 9 月政协第三届第一次会议选举）

河南省军区

司令员
毕占云（1961 年 10 月—1963 年 7 月）
张树芝（1963 年 7 月— ）
张树芝（1966 年 5 月—1972 年 12 月）
政治委员
吴芝圃（1958 年 9 月— ）
刘建勋（第一）（1961 年 8 月—1978 年 10 月）
吴芝圃（第二）（1961 年 8 月— ）
何运洪（1963 年 7 月—1967 年 8 月）
王全国（1964 年 3 月—1969 年 12 月）

湖 北 省

中国共产党湖北省委员会

第二届省委

（1960 年 4 月—1966 年 5 月）

第一书记 王任重
第二书记 张体学（1960 年 5 月— ）
常务书记 张体学（1960 年 10 月— ）
书记处书记
张体学（1960 年 4 月—1960 年 10 月）
王延春（ —1965 年 5 月）
刘仰峤（1960 年 4 月—1961 年；1963 年—
1964 年）
赵辛初（ —1965 年 8 月）
许道琦 王树成 宋侃夫

杨 锐（1961 年— ）
王玉珍（1964 年— ）
候补书记 姜 一（1964 年— ）

湖北省人民委员会

1958 年 12 月—1964 年 9 月

（湖北省第二届人大期间）

省 长 张体学
副省长
赵辛初 刘济荪 李明灏 陈一新 陈经畬
孟夫唐 王海山 陈 离
（以上人员 1958 年 12 月湖北省二届人大一
次会议选举）
副省长 张旺午 韩克华
（以上二人 1960 年 6 月湖北省二届人大二次
会议增选）
副省长 麦世厚 陶述曾
（以上二人 1962 年 7 月湖北省二届人大三次
会议增选）

1964 年 9 月—1968 年 2 月

（湖北省第三届人大期间）

省 长 张体学
副省长
张旺午 韩宁夫 李明灏 陈一新
陈经畬（ —1967 年 5 月）
聂国青（ —1966 年 1 月）
孟夫唐 王海山 麦世厚 陶述曾 刘 晋
闰 钧 赵 修
（以上人员 1964 年 9 月湖北省三届人大一次
会议选举）

中国人民政治协商会议
湖北省委员会

第二届委员会

（1959 年 6 月—1964 年 9 月）

主　席　王任重
副主席

胡金魁　蔡书彬　周苍柏　陶述曾　何耀榜
李西屏　唐　哲　周　杰　姚克方

（1959年6月政协第二届第一次会议选举）

第三届委员会

（1964年9月—1978年1月）

主　席　王任重
副主席

胡金魁　徐觉非　周苍柏　何耀榜　唐　哲
江炳灵　周　杰　姚克方　刘济荪　余益庵
谢甫生　孙耀华

（1964年9月政协第三届第一次会议选举）

副主席　许金彪

（1965年4月政协第三届第二次会议增选）

湖北省军区

司令员

韩东山（1956年8月—1964年5月）
吴世忠（1964年5月—1969年10月）

政治委员

张树才（第二，1963年9月—1965年9月）
周志刚（第二，1965年8月—1970年1月）

湖　南　省

中国共产党湖南省委员会

第二届省委

（1960年3月—1970年10月）

第一书记　张平化
书记处书记

徐启文　张平化　于明涛　华国锋　周　礼
周　惠　胡继宗　谭余保　李瑞山

湖南省人民委员会

1958年7月—1964年9月

（湖南省第二届人大期间）

省　长　程　潜
副省长

周　礼　唐生智　谭余保　张孟旭　华国锋
章伯森　徐　明　尚子锦　周世钊

（以上人员1958年7月湖南省二届人大一次
会议选举）

1964年9月—1968年4月

（湖南省三届人大期间）

省　长　程　潜
副省长

唐生智　华国锋　章伯森　徐　明　尚子锦
周世钊　王含馥

（以上人员1964年9月湖南省二届人大一次
会议选举）

中国人民政治协商会议
湖南省委员会

第二届委员会

（1959年12月—1964年9月）

主　席　张平化
副主席

周　礼　唐生智　华国锋　谢　华　曹伯闻
曹　痴　方鼎英　郭　森　唐伯球　周世钊
何炳麟　袁福清　凌霞新

（1959年12月政协第二届第一次会议选举）

第三届委员会

（1964年9月—1977年11月）

主　席　张平化
副主席

周　礼　唐生智　华国锋　谢　华　曹伯闻
官健平　方鼎英　郭　森　周世钊　何炳麟
袁福清　凌霞新　文士桢　吴树基
（1964 年 9 月政协第三届第一次会议选举）

湖南省军区

司令员
　龙书金（1961 年 5 月—1968 年 9 月）
政治委员
　张平化（第二，兼，1960 年 2 月—　）
　晏福生（第二）
　张平化（第一，1961 年 5 月—1968 年 9 月）
　陈志彬（第二，1961 年 5 月—1964 年 9 月）
　谭文邦（第二，1964 年 6 月—1968 年）

广　东　省

中国共产党广东省委员会

第二届省委
（1961 年 12 月—"文化大革命"）

第一书记　陶　铸（　—1965 年 2 月）
　　　　　　赵紫阳（1965 年 2 月—　）
第二书记　赵紫阳（　—1965 年 2 月）
常务书记　区梦觉
书　记
　林李明　尹林平
　王　德（　—1965 年 3 月）
　李坚真
　赵武成（　—1963 年 9 月）
　刘田夫
　雍文涛（1965 年 2 月—1966 年 6 月）
候补书记
　曾　志（　—1966 年）
　张　云（　—1966 年 6 月）
　张根生（1961 年 12 月—1967 年 3 月）
　魏今非（　—1963 年 9 月）
　王　匡（　—1962 年 5 月）

李子元（1965 年 2 月—　）

广东省人民委员会

1958 年 9 月—1963 年 12 月
（广东省二届人大期间）

省　长　陈　郁
副省长
　陈汝棠　林锵云　朱　光　刘田夫　安平生
　魏今非　郭棣活　李嘉人　冯白驹
　（以上人员 1958 年 9 月广东省二届人大一次
　会议选举）
副省长　曾　生
　（1960 年 12 月广东省二届人大三次会议补
　选）
副省长
　林李明　许崇清　古大存　杨康华　罗范群
　罗　天　方　皋　邓文钊　黄　洁
　（以上人员广东省二届人大四次会议补选和
　增选，1961 年 11 月始任职）

1963 年 12 月—1968 年 2 月
（广东省三届人大期间）

省　长　陈　郁
代省长　林李明（1965 年 12 月—　）
副省长
　林李明　林锵云　李嘉人　曾　生　郭棣活
　许崇清　古大存　杨康华　罗范群　罗　天
　邓文钊　黄　洁　刘田夫
　（以上人员 1963 年 12 月广东省三届人大一
　次会议选举）
副省长　赵卓云
　（1964 年 9 月广东省三届人大二次会议增
　选）
副省长　庄　田　王阑田　寇庆延
　（以人三人，1965 年 12 月补选）
副省长　孟宪德（1966 年 7 月增选）

中国人民政治协商会议
广东省委员会

第二届委员会
（1959 年 2 月—1963 年 12 月）

主　席　陶　铸
副主席
　文敏生　王　德　张　文　杜国庠　张酝村
　罗范群　冯　桑　古大存　邓文钊　肖隽英
　李朗如　黄　洁　蚁美厚
（1959 年 2 月政协第二届第一次会议选举）
主　席　区梦觉
副主席　梁　广　黄友谋
（1960 年 12 月政协第二届第三次会议选举）
副主席　杨康华　冯乃超　罗　浚　罗　明
　　　　王　越
（1961 年 11 月政协第二届第四次会议增选）

第三届委员会
（1963 年 12 月—1977 年 12 月）

主　席　区梦觉
副主席
　王　德　张酝村　冯　燊　冯乃超　肖隽英
　蚁美厚　黄友谋　罗　明　罗　浚　王　越
（1963 年 12 月政协第三届第一次会议选举）
副主席　刘卓云　肖焕辉　谭天度
（1964 年 9 月政协第三届第二次会议增选）
副主席　雍文涛
（1965 年 12 月政协第三届第三次会议增选）

广东省军区

司令员
　龙书金（1957 年—1962 年）
　贺东生（1962 年—1964 年）
　黄荣海（1964 年—1969 年）
政治委员
　宋维栻（1957 年—1963 年）

陈　德（1963 年—1975 年）

广西壮族自治区

中国共产党广西壮族自治区委员会

第二届区委
（1962 年 10 月—1971 年 2 月）

第一书记　韦国清
常务书记　乔晓光
书　记　伍晋南　贺希明　覃应机　安平生

广西壮族自治区人民委员会
（1958 年 3 月—1965 年 10 月）

1958 年 3 月—1963 年 12 月
（广西壮族自治区第一届人大期间）

主　席　韦国清
副主席　贺希明　李任仁　覃应机　莫乃群
　　　　卢绍武
（以上人员 1958 年 3 月广西壮族自治区一届
人大一次会议选举）
副主席　傅雨田（1959 年 12 月补选）
　　　　李殷舟（1962 年 12 月增选）

1963 年 12 月—1965 年 10 月
（广西壮族自治区第二届人大期间）

主　席　韦国清
副主席
　贺希明　李任仁　覃应机　莫乃群　卢绍武
　傅雨田　李殷丹
（以上人员 1963 年 12 月广西壮族自治区二
届人大一次会议选举）
副主席　钟　枫　黄一平
（以上二人 1964 年 9 月广西壮族自治区二届
人大一次会议选举）

中国人民政治协商会议
广西壮族自治区委员会

第一届委员会
（1958 年 3 月—1963 年 12 月）

主　席　刘建勋
副主席　黄　荣　林　虎　雷沛鸿　丘　辰
（广西省改为广西壮族自治区后 1958 年 3 月
政协第一届第一次会议选举）
副主席　黄惠良　陆秀轩　石兆棠
（1959 年 12 月政协第一届第二次会议选举）
主　席　韦国清
副主席　黄松坚
（1962 年 12 月政协第一届第四次会议选举）

第二届委员会
（1963 年 12 月—　　）

主　席　韦国清
副主席
雷沛鸿　陆秀轩　黄松坚　黄惠良　石兆棠
黄　荣　丘　辰
（1963 年 12 月政协第二届第一次会议选举）

海 南 行 政 区

海 南 军 区

司令员
吴纯仁（1960 年—1963 年，代）
孙干卿（1963 年—1969 年）
政治委员
宋维栻（1963 年—1965 年）
魏佑铸（1965 年—1967 年）

四　川　省

中国共产党四川省委员会

第一届省委
（1956 年 7 月—1971 年 8 月）

第一书记
李井泉（　—1965 年 2 月）
廖志高（1965 年 12 月—1967 年 5 月）
书记处书记
李大章　廖志高　阎红彦　陈　刚　许梦侠
阎秀峰　杜心源　赵苍璧　贾启允　杨　超
杨万选　郭林祥　廖井丹　鲁大东
张力行（候补书记）
（未注任职时间者系指先后担任过而具体任
职起讫时间不详，下同）

1958 年 6 月—1963 年 8 月
（四川省第二届人大期间）

省　长　李大章
副省长
阎红彦　邓锡侯　赵苍璧　吴克坚　李　斌
桑吉悦希　　钟体乾　张秀熟　张韶方
康乃尔　童少生
（以上人员 1958 年 7 月四川省人大二届一次
　会议选举）
邓　华（1960 年 5 月四川省人大二届三次会
　议补选）

1963 年 8 月—1968 年 5 月
（四川省第三届人大期间）

省　长　李大章
副省长
赵苍璧　邓锡侯　杨　超　邓　华
桑吉悦希　　杨万选　张秀熟　童少生
（以上人员 1963 年 9 月四川省人大三届一次
　会议选举）
副省长　张为炯　张力行　张呼晨
（以上人员 1964 年 10 月四川省人大三届二
　次会议增、补选）
副省长　李林枝　秦传厚　孟东波

（以上人员 1965 年 12 月四川省人大三届三次会议增、补选）

中国人民政治协商会议
四川省委员会

第二届委员会

（1959 年 7 月—1963 年 9 月）

主　席　李井泉

副主席

廖志高　但懋辛　程子健　张曙时　李筱亭

徐崇林　彭劭农　果基木古　夏克刀登

龚逢春　余际唐　彭迪先　田一平

华尔功臣烈

（1959 年 7 月政协第二届第一次会议选举）

第三届委员会

（1963 年 9 月—1977 年 12 月）

主　席　李井泉

副主席

廖志高　杜心源　但懋辛　程子健　张曙时

彭迪先　徐崇林　彭劭农　阿旺嘉措

果基木古　　　余际唐　田一平

华尔功臣烈　刘星垣

（1963 年 9 月政协第三届第一次会议选举）

主　席　廖志高

（1965 年 9 月政协第三届第三次会议选举）

副主席　李宗林　谷志标　罗承烈

（1965 年 12 月政协第三届第三次会议增选）

贵 州 省

中国共产党贵州省委员会

第二届省委

（1960 年 4 月—1971 年 5 月）

第一书记　周　林

书　记　苗春亭　吴　肃　张海峰　李景膺

1964 年 10 月—

第一书记　李大章

第二书记　钱　英

第三书记　陈　钢

　　　　　贾启允（1965 年 12 月—　）

1965 年 4 月—

第一书记　贾启允

书记处书记

　　　李　立　吴　肃　程宏毅　苗春亭

1964 年 11 月—

书记处书记

　　　陈璞如　徐健生　张一樵　张健民

贵州省人民委员会
1958 年 9 月—1963 年 12 月
（贵州省二届人大期间）

省　长　周　林

副省长　吴　实　徐健生　陈璞如　赵欲樵

　　　　戴晓东

（以上人员 1958 年 9 月贵州省二届人大一次会议选举）

1963 年 12 月—1967 年 12 月
（贵州省第三届人大期间）

省　长　周　林（　—1965 年 7 月）

副省长

吴　实　徐健生　陈璞如　赵欲樵　戴晓东

田君亮　陈　铁

（以上人员 1963 年 12 月贵州省三届人大一次会议选举）

省 长 李 立
副省长 程宏毅
（以上人员 1965 年 7 月贵州省三届人大三次
会议补选）

中国人民政治协商会议
贵州省委员会

第二届委员会
（1959 年 12 月—1964 年 1 月）

主 席 苗春亭
副主席 田君亮 陈 铁 王家烈 双 清
（1959 年 12 月政协第二届第一次会议选举）

第三届委员会
（1964 年 1 月—1977 年 11 月）

主 席 苗春亭
副主席
田君亮 陈 铁 王家烈 双 清 罗登义
杨汉先
（1961 年 1 月政协第三届第一次会议选举）

贵州省军区

司令员
何光宇（1965 年 3 月—1975 年 6 月）
政治委员
李大章（1964 年 10 月—1965 年 4 月）
石新安（1963 年 10 月—1978 年 10 月）

云 南 省

中国共产党云南省委员会

第一届省委
（1956 年 6 月—1971 年 5 月）

第一书记 谢富治（ —1957 年 12 月）
第二书记 于一川（ —1957 年 12 月）
第一副书记 马继孔（ —1957 年 12 月）
第二副书记 郭影秋（ —1957 年 12 月）
第三副书记 刘明辉（ —1957 年 12 月）
书记处书记 谢富治（1957 年 12 月—1959 年
8 月）
第二书记 于一川（1957 年 12 月—1962 年）
书 记 马继孔（1957 年 12 月—1963 年）
刘明辉（1957 年 12 月—1959 年 8 月）
第一书记 阎红彦（1959 年 8 月—1967 年 1
月）

云南省人民委员会
（1955 年 4 月—1967 年 3 月）

1958 年 3 月—1958 年 11 月
（云南省第二届人大期间）

省 长 于一川
副省长
张 冲 刘岱峰 刘明辉 吴作民 刘卓甫
刘披云 郭 超
（以上人员 1958 年 3 月任职）

1958 年 11 月—1963 年 12 月
（云南省第二届人大期间）

省 长 于一川
副省长
刘明辉 张 冲 吴作民 郭 超 刘披云
刘林元 张天放 王少岩 史怀壁
（以上人员 1958 年 11 月云南省二届人大一
次会议选举）

1963 年 12 月—1967 年 3 月
（云南省第三届人大期间）

省 长 周 兴

副省长

刘明辉　张　冲　吴作民　郭　超　刘披云

刘林元　张天放　王少岩　史怀壁

（以上人员 1963 年 12 月云南省三届人大一
次会议选举）

中国人民政治协商会议
云南省委员会

第二届委员会

（1959 年 7 月—1964 年 1 月）

主　席　刘明辉

副主席

孙雨亭　刘林元　寸树声　王少岩　由云龙

张天放　刀京版

（1959 年 7 月政协第二届第一次会议选举）

第三届委员会

（1964 年 1 月—1977 年 12 月）

主　席　阎红彦

副主席

赵健民　孙雨亭　寸树声　刀京版　吴志渊

赵仲俞　龙泽汇　张子斋　曲仲湘　胡忠华

李握如

（1964 年 1 月政协第三届第一次会议选举）

云南省军区

司令员

陈　康（1957 年 9 月—1960 年 11 月）

黎锡福（1960 年 11 月—1975 年 6 月）

政治委员

孙克骥（1959 年 4 月—1962 年 3 月）

于一川（兼，1960 年 5 月—1965 年 5 月）

孔骏彪（1962 年 3 月—1965 年 8 月）

周　兴（兼，1965 年 5 月—1975 年 10 月）

张力雄（1965 年 8 月—1975 年 6 月）

西藏自治区

中国共产党西藏自治区委员会

中共西藏自治区工委

（1965 年 8 月以前）

第一书记　张经武

主要负责人

张国华　谭冠三　郭锡兰　夏辅仁　麻贵书

郝平南　王其梅　杨东生（藏族）

中共西藏自治区委员会

（1965 年 9 月 1 日）

第一书记　任　荣

书　记

陈明义　天　宝（藏族）　杨东山（藏族）

封克达　商圣轩　巴　桑（女，藏族）

西藏自治区人民政府

西藏地方政府（略）

西藏自治区筹备委员会

（1956 年 4 月—1965 年 9 月）

主任委员　达赖喇嘛·丹增加措（1956 年 4
月—1959 年 3 月）

副主任委员　班禅额尔德尼·确吉坚赞

代理主任委员　班禅额尔德尼·确吉坚赞
（1959 年 3 月—1964 年 12 月）

西藏自治区人民政府

（1965 年 9 月—1968 年 9 月）

主　席　阿沛·阿旺晋美（藏族）

副主席

周仁山　帕巴拉·格列朗杰（藏族）　郭锡兰

协饶顿珠(藏族)　朗顿·贡噶旺秋(藏族)

崔科·顿珠才仁(藏族)

生钦·洛桑坚赞(藏族)

(以上人员 1965 年 9 月西藏自治区人大一届
一次会议选举)

中国人民政治协商会议
西藏自治区委员会

第一届委员会

(1959 年 12 月—1965 年 9 月)

主　席　谭冠三

副主席

　　噶丹赤巴·土登滚噶(藏族)　周仁山

　　朗顿·滚噶旺秋(藏族)

　　桑顿·才旺仁增(藏族)

　　尧西·贡保才旦(藏族)

　　土丹尼玛(藏族)　邦达多吉(藏族)

　　桑顿·多吉帕姆(藏族)

(1959 年 12 月政协第一届第一次会议选举)

第二届委员会

(1965 年 9 月—1977 年 12 月)

主　席　张国华

副主席

　　周仁山　王其梅　协饶顿珠(藏族)

　　桑顿·才旺仁增(藏族)　扶廷修

　　江金·索朗杰布(藏族)

　　格桑旺堆(藏族)　邦达养壁(藏族)

　　邦达多吉(藏族)

　　加措林·土登格桑(藏族)

　　坚白赤刘(藏族)　桑顶·多吉帕姆(藏族)

　　拉姆·益西楚臣(藏族)

(1965 年 9 月政协第二届第一次会议选举)

陕　西　省

中国共产党陕西省委员会

第三届省委

(1960 年 11 月—1963 年 11 月)

第一书记　张德生

书记处书记

　　谢怀德　章　泽(1961 年 4 月—　)

第四届省委

(1963 年 11 月—1971 年 2 月)

第一书记　张德生(　—1965 年 3 月)

代理第一书记

　　胡耀邦(1964 年 11 月—1965 年 5 月)

第一书记

　　胡耀邦(1965 年 5 月—1965 年 10 月)

　　霍士廉(1965 年 10 月—1967 年 1 月)

陕西省人民委员会

1958 年 7 月—1963 年 12 月

(陕西省第二届人大期间)

省　长　赵寿山(1958 年 7 月—1959 年 7 月)

　　　　赵伯平(1959 年 7 月—1963 年 3 月)

代省长　李启明(1963 年 3 月—　)

副省长

　　赵伯平　时逸之　李启明　谢怀德　孙蔚如

　　景岩征　黄静波　杨拯民　任　谦

(以上人员 1958 年 7 月陕西省二届人大一次
会议选举和 1959 年 7 月二次会议增补)

1963 年 12 月—1968 年 4 月

(陕西省第三届人大期间)

省　长　李启明

副省长

　　谢怀德　孙蔚如　傅子和　惠世恭　苏资琛

　　刘邦显　林茵如　张毅忱　秦仲方

(以上人员，1963 年 12 月陕西省三届人大一

次会议选举,以及 1964 年 9 月三届二次会议
增选一人,1966 年 10 月上级委派二人)

中国人民政治协商会议
陕西省委员会

第二届委员会
（1959 年 7 月—1963 年 12 月）

主　席　张德生
副主席
　常黎夫　杨子廉　杨玉亭　黄子祥　党晴梵
　杨伯伦　高长久　王菊人　苏资琛　霍祝三
　韩望尘　陈雨皋　侯宗濂
　（1959 年 7 月政协第二届一次会议选举）
主　席　方仲如
　（1962 年政协第二届第三次会议选举）
副主席　霍子乐　张汉武　谈国帆
　（1962 年政协第二届第三次会议增选）

第三届委员会
（1963 年 12 月—1977 年 12 月）

主　席　赵守一
副主席
　杨玉亭　黄子祥　党晴梵　杨伯伦　高长久
　王菊人　霍祝三　韩望尘　陈雨皋　谈国帆
　侯宗濂　霍子乐　张汉武
　（1963 年 12 月政协第三届第一次会议选举）

陕西省军区

司令员
　胡炳云(兼,1963 年 9 月—1967 年 3 月)
　中书申(第二,1956 年 10 月—1963 年 4 月)
　高维嵩(第二)
　袁克服(第三,1957 年 8 月—1979 年 1 月)
　张德生(兼,第一)
　胡耀邦(兼,第一)
　霍士廉(兼,第一)

高维嵩(第二,1963 年 4 月—1966 年 5 月)
袁克服(第二,1965 年 5 月—　　)
李瑞山(兼,第一)
袁克服(第二)

甘 肃 省

中国共产党甘肃省委员会

第三届省委
1960 年 5 月—1962 年 12 月

第一书记
　汪　锋(1961 年 1 月—1962 年 12 月)
第二书记　高健君(1960 年 11 月—　　)
第三书记　张仲良(　—1962 年 12 月调离)
书记处书记　王世泰(1960 年 11 月—　　)
常务书记　裴孟飞(1962 年 10 月—　　)

1962 年 12 月—1964 年 8 月

第一书记　汪　锋
常务书记　裴孟飞
书记处书记
　高健君　陈曾固　焦善民　王世泰　李友九
　胡继宗

第四届省委
（1964 年 8 月—1971 年 2 月）

第一书记　汪　锋　胡继宗(代,1966 年 11
　　　　　　月—1967 年 1 月)
常务书记　裴孟飞
书　记
　高健君　王世泰　陈曾固　胡继宗　李友九
书记处书记
　马继孔(1965 年 5 月—1966 年 12 月)
　詹大南(1966 年 11 月—1967 年 1 月)
　刘昌汉(1966 年 11 月—1967 年 1 月)

甘肃省人民委员会

（1958 年 10 月—1968 年）

1958 年 10 月—1964 年 9 月

（甘肃省第二届人大期间）

省　长　邓宝珊（1958 年 10 月—1964 年 9 月）
副省长　马鸿宾　霍维德　黄正清　马青年
　　　　张鹏图　黄罗斌　刘培福　葛士英
（以上人员 1958 年 10 月甘肃省二届人大一
次会议选举）

1964 年 9 月—1968 年

（甘肃省第三届人大期间）

省　长　邓宝珊
副省长
　　胡继宗　杨一木　葛士英　李培福　王孝慈
　　韩练武　何成湘　王国瑞　赵文献
（以上人员 1964 年 9 月甘肃省三届人大一次
会议选举）

中国人民政治协商会议
甘肃省委员会

第二届委员会

（1959 年 12 月—1964 年 9 月）

主　席
　　张仲良（1959 年 12 月—1961 年 8 月）
　　王世泰
（1961 年 8 月政协第二届第三次会议选举）
副主席
　　高健君　马　靖　周祥初　吴鸿宾　黄正清
　　蒙定军　范振绪　赵元贞　郑重远
（1959 年 12 月政协第二届第一次会议选举）

第三届委员会

（1964 年 9 月—1966 年“文化大革命”
开始后停止活动）

主　席　高健君
副主席
　　孙殿才　马　靖　周祥初　吴鸿宾　蒙定军
　　赵元贞　杨澄中　黄正清
（1965 年 9 月政协第三届第二次会议选举）

甘肃省军区

司令员
　　徐国珍（1961 年 5 月—1965 年 5 月）
　　詹大南（1965 年 5 月—1969 年 8 月）
政治委员
　　龙炳初（1962 年 7 月—1975 年 12 月）

青　海　省

中国共产党青海省委员会

第三届省委

（1960 年 5 月—1963 年 11 月）

第一书记
　　高　峰（　—1961 年 8 月）
　　王　昭（代，1961 年 8 月—1962 年 11 月）
　　杨植霖（1962 年 11 月—　）
书记处书记
　　袁任远　朱侠夫　陈思恭　谭生彬　薛宏福

第四届省委

（1963 年 11 月—1971 年 3 月）

第一书记　杨植霖（　—1966 年 12 月）
第二书记　王　昭
副书记
　　高克亭　薛宏福　冀春光　韩洪宾　刘贤权

青海省人民委员会

1958 年 7 月—1963 年 8 月

（青海省第二届人大期间）

省　长　袁任远（　—1962 年 6 月）
副省长　喜饶嘉措（　—1963 年 12 月）
　　　　孙君一（　—1962 年 7 月）
　　　　薛克明（　—1962 年 7 月）
　　　　张国声（　—1959 年 8 月）
　　　　高克亭（　—1962 年 7 月）
　　　　张毅忱（　—1959 年 11 月）
　　　　李芹远
　　　　扎喜旺徐（　—1962 年 12 月）
　　　　马辅臣（　—1963 年 12 月）
（以上人员 1958 年 7 月青海省二届人大一次
会议选举）
副省长
　　　　孟昭亮（1959 年 11 月补选—1962 年 11 月）
代理省长
　　　　王　昭（1962 年 8 月—1963 年 12 月）

1963 年 12 月—1967 年 3 月

（青海省第三届人大期间）

省　长
　　　　王　昭（1963 年 12 月—1967 年 3 月）
副省长
　　　　喜饶嘉措（藏族）（　—1965 年 11 月）
　　　　高克亭　李芹远　冀春光　韩　明　张晓东
　　　　马辅臣
（以上人员 1963 年 12 月青海省三届人大一
次会议选举）
副省长　才　学（藏族）
（1965 年 11 月青海省三届人大三次会议补
选—1967 年 3 月）

中国人民政治协商会议青海省委员会

第二届委员会

（1959 年 12 月—1963 年 12 月）

主　席　高　峰
副主席　朱侠夫　丹德尔　马兴泰
（1959 年 2 月政协第二届第一次会议选举）
副主席　冀春光
（1960 年 4 月政协第二届第二次会议选举）

第三届委员会

（1963 年 12 月—1977 年 12 月）

主　席　杨植霖
副主席　冀春光　丹德尔
（1963 年 12 月政协第三届第一次会议选举）
副主席　松　布　聂茸尕布　马乐天
（1965 年 12 月政协第三届第三次会议增选）

青海省军区

司令员
　　　　孙　光（1960 年 7 月—1963 年 2 月）
　　　　刘贤权（1963 年 2 月—1968 年 3 月）
政治委员
　　　　高维嵩（1957 年 8 月~1962 年）
　　　　王　昭（1961 年 10 月—1967 年 5 月）

宁夏回族自治区

中国共产党宁夏回族自治区委员会

中共宁夏回族自治区工委

（1958 年 3 月—1959 年 2 月）

第一书记　汪　锋

第一届区委
（1959 年 2 月—1964 年 1 月）

第一书记
　汪　锋（ —1961 年 1 月）
　杨静仁（1961 年 1 月— ）
书记处书记
　刘格平（ —1960 年 11 月）

第二届区委
（1964 年 1 月— ）

第一书记　杨静仁

宁夏回族自治区人民政府

宁夏回族自治区筹备委员会
（1958 年 3 月—1958 年 10 月）

主　任　刘格平
副主任
　马玉槐　郝玉山　王金璋　吴生秀
　（以上人员 1958 年 3 月任职）

宁夏回族自治区人民委员会
（1958 年 10 月—1968 年 4 月）

1958 年 10 月—1964 年 9 月
（宁夏回族自治区第一届人大期间）

主　席　刘格平（ —1960 年 9 月）
副主席
　马玉槐　吴生秀　王金璋
　王志强（ —1960 年 9 月） 马滕霭
　郝玉山（ —1960 年 9 月） 黄执中
　（以上人员 1958 年 10 月宁夏回族自治区第
　一届人民代表大会第一次会议选举）
主　席　杨静仁（1960 年 9 月任职）
副主席　孙君一（1961 年 1 月增选）

1964 年 9 月—1968 年 4 月
（宁夏回族自治区第二届人大期间）

主　席　杨静仁
副主席
　马玉槐　吴生秀　王金璋　马滕霭　黄执中
　马　信
　（以上人员 1964 年 9 月宁夏回族自治区二届
　人大二次会议选举）
副主席　陈养山（1965 年增补）

中国人民政治协商会议
宁夏回族自治区委员会

第一届委员会
（1958 年 10 月—1964 年 9 月）

主　席　李景林
副主席
　马思义　袁金璋　李冲和　何义江
　洪清国
　（1958 年 10 月政协第一届第一次会议选举）
副主席　刘震寰
　（1960 年 3 月政协第一届第三次会议选举）
副主席　雷启霖
　（1961 年 5 月政协第一届第四次会议增选）

第二届委员会
（1964 年 9 月—1977 年 12 月）

主　席　李景林
副主席
　袁金璋　李冲和　刘震寰　刘继曾　雷启霖
　洪清国
　（1964 年 9 月政协第二届第一次会议选举）

宁 夏 军 区

司令员
　朱声达（1958 年 12 月—1968 年 9 月）

政治委员

汪　锋(1958 年 10 月—1961 年 5 月)

刘格平(1959 年 3 月—1961 年 1 月)

杨静仁(1961 年 5 月—　　)

新疆维吾尔自治区

中国共产党新疆维吾尔
自治区委员会

中共中央新疆分局
(1949 年 10 月 22 日成立)

书　记　王　震

副书记　徐立清

第一书记　王恩茂(1952 年—　　)

第二书记　徐立清(1952 年—　　)

第一届区委
(1956 年 5 月—1971 年 5 月)

第一书记　王恩茂

书　记

赛福鼎·艾则孜(维吾尔族)　武开章

吕剑人　曾　涤　赛甫拉也夫(维吾尔族)

新疆维吾尔自治区人民委员会

1959 年 1 月—1964 年 3 月
(新疆维吾尔自治区第二届人大期间)

主　席　赛福鼎·艾则孜(维吾尔族)

副主席

辛兰亭　伊敏诺夫(维吾尔族)

帕提汗·苏古尔巴也夫(哈萨克族)　杨如亭

艾斯海提(塔塔尔族)

扎克洛夫(维吾尔族)

(以上人员 1959 年 1 月新疆维吾尔自治区二

届人大一次会议选举)

副主席　武　光(1963 年 5 月—　　)

　　　　田　仲(1963 年 8 月—　　)

1964 年 3 月—1968 年 9 月
(新疆维吾尔自治区第三届人大期间)

主　席　赛福鼎·艾则孜

副主席

武　光　辛兰亭　伊敏诺夫(维吾尔族)

帕提汗·苏古尔巴也夫(哈萨克族)

艾斯海提(维吾尔族)　田　仲

铁木尔·达凡买提(维吾尔族)

(以上人员 1964 年 3 月新疆维吾尔自治区三

届人大一次会议选举)

中国人民政治协商会议
新疆维吾尔自治区委员会

第二届委员会
(1959 年 9 月—1964 年 3 月)

主　席　鲍尔汉

副主席

吕剑人　陶峙岳　禹占林　伊敏·马合苏木

买买提·艾沙　达夏甫　哈米·阿斯力汗

(1959 年 9 月政协第二届第一次会议选举)

第三届委员会
(1964 年 3 月—1978 年 2 月)

主　席　王恩茂

副主席

吕剑人　陶峙岳　禹占林　伊敏·马合苏木

买买提·艾沙　达夏甫　哈米·阿斯力汗

阿不都热衣木·哈山诺夫

买合苏德·铁衣波夫

(1964 年 3 月政协第三届第一次会议选举)

国史研究论著索引

一

论　文

"一五"期间苏联援建"156 项工程"探析/孙国梁/石家庄学院学报/2005.5

"二五"计划及调整时期物资管理体制的沿革/季体初/物资经济研究通讯/1981.8

"八大"的启示——试论"八大"路线未能全面贯彻的理论原因/洪小夏/党史研究与教学/1992.2

"八大"经济发展战略与新时期经济发展战略的创造性发展/吴志平/上海党史与党建/1996.5

"八大"路线中断带来的理论思考/黄萍华/集美大学学报(哲学社会科学版)/2003.4

"八大"精神与"四化"建设——略论"八大"精神的历史功绩和现实意义/后畏/芜湖师专学报/1983.2

"三个世界"战略与中国革命经验的内在逻辑/杨值珍/江汉论坛/2008.8

"三大政策"与独立自主的新中国外交/于化民/安徽史学/2007.5

"三分天灾,七分人祸"说考辨/韩亚光/当代中国史研究/2006.4

"三线建设"评析——学习毛泽东"三线建设"理论的体会/鲁礼华/军事经济研究/1993.11

"三面红旗"对革命经验的采借及评价/林志友/商丘师范学院学报/2007.8

"大跃进"口号提出时间辨析/李庆刚/上海党史与党建/2001.5

"大跃进"与传统经济发展模式/惠中/安徽教育学院学报(社科版)/1992.2

"大跃进"中几所高等院校的"拔白旗"运动/罗平汉/文史精华/2000.11

"大跃进"中广西的三大高产"卫星"/梁宝渭/广西党史/2002.2

"大跃进"中的亳县人大、人委、政协/梁志远/炎黄春秋/2006.3

"大跃进"——为独立行动作出的选择/(美)理查德·桑顿;唐秀兰译/中共党史研究/1988.5

"大跃进"之后的反思与总结——党的第一代领导集体对社会主义建设规律的探索/胡安全/历史教学问题/2003.5

"大跃进"发生的社会历史原因探析/王军正/西安联合大学学报/2001.3

"大跃进"发动的原因和理论探析/徐元凌/荆门大学学报(哲社版)/1991.4

"大跃进"发动原因探究/高兰波/牡丹江师院学报(哲社版)/1989.4

"大跃进"动因研究/王令金/枣庄师专学报/2000.3

"大跃进"后党对社会主义的认识/王人东/东北师大学报(哲社版)/1990.2

"大跃进"年代的一桩奇闻/夏隆德/纵横/2000.1

"大跃进"时期(1958—1965 年)扫盲识字运动研究/代天喜/兰台世界/2008.19

"大跃进"时期中国的技术观/黄英/辽宁师范大学学报(社会科学版)/2004.6

"大跃进"时期主观主义在河南泛滥的历史教训/尹书博/党史研究与教学/2002.1

"大跃进"时期左倾错误思想根源探析/康祥生/求实/1989.8

"大跃进"时期农村公共食堂兴衰之历史考察/陈仁涛/广西社会科学/2005.6

"大跃进"时期农村公共食堂兴衰之历史考察及其启示/陈仁涛/党史研究与教学/2005.2

"大跃进"时期扫除文盲运动述评/李庆刚/当代中国史研究/2003.3

"大跃进"时期国人社会心态探析/王章维/新视野/2000.2

"大跃进"时期河北公共食堂始末/李春峰/辽宁行政学院学报/2008.11

"大跃进"时期的"新民歌运动"/江波/党史纵览/2007.5

"大跃进"时期的医疗政策/大卫·M.兰普顿/科学文化评论/2006.1

"大跃进"时期的社会心理剖析/谢永川/重庆三峡学院学报/2001.4

"大跃进"时期的河南农村公共食堂/贾艳敏/南京大学学报(哲学·人文科学·社会科学版)/2003.6

"大跃进"时期的深翻土地运动述评/贾艳敏/河南师范大学学报(哲学社会科学版)/2003.5

"大跃进"时期浙江高等教育的历史考察/李涛/党史研究与教学/2007.2

"大跃进"运动与中苏关系/陈冬生/信阳师范学院学报(哲学社会科学版)/2001.4

"大跃进"运动开始时间新论/王治涛/河南师范大学学报(哲学社会科学版)/2004.6

"大跃进"运动发生原因之我见/贺俊/中国人民警官大学学报(哲社版)/1989.4

"大跃进"运动对中国工业化建设作用辨析/董志凯/中共党史研究/1996.2

"大跃进"运动对中国现代化的两重性影响/陈卫华/党史研究与教学/1998.1

"大跃进"运动的社会心理成因研究述评/姚桂荣/湘潭大学学报(哲学社会科学版)/2007.2

"大跃进"运动的国际动因及其教训/俞玲/武汉理工大学学报(社会科学版)/2004.4

"大跃进"运动的理性思考/虞文清/湖州职业技术学院学报/2003.2

"大跃进"运动研究述评/谢春涛/当代中国史研究/1995.2

"大跃进"运动悲剧命运探源/李付安/当代中国史研究/2003.3

"大跃进"运动期间新闻宣传产生的消极作用述评/宇文利/党史纵览/2000.6

"大跃进"和60年代初的经济调整及其经验教训/黄小虎/学术论坛/1992.4

"大跃进"的历史反思/黎鸣/北京观察/1999.2

"大跃进"起因新探/刘雪明/求实/1988.9

"大跃进"期间的十二次重要会议/苏东海/党史研究资料/1981.12

"大跃进"期间的资产阶级法权讨论及影响——试析毛泽东对社会主义社会的一些构想/高远戎/中共党史研究/2006.3

"小脚女人"——毛泽东对邓子恢的批判/罗平汉/文史精华/2006.5

"双百"方针与"不搞无谓的争论"/浩明/文艺理论与批评/1998.4

"双百"方针出台前后/肖干南/福建党史月刊/2001.8

"双百"方针的历史命运及其启示/包树森/党史研究与教学/1997.5

"双百"方针的历史演变与社会影响/戴韶华/文史博览/2006.6

"双百"方针的由来/党史纵览/2006.5

"双百"方针提出后的一年/罗平汉/文史精华/2005.6

"双百方针":从毛泽东到邓小平/曾永成/成都大学学报(社会科学版)/1995.1

"反右斗争"新析/胡连生/社会主义研究/1989.3

"反右派"和"反右倾":两种斗争的区别与联系/郑金环/中学历史教学参考/2004.11

"天人之际"的困惑(上)——从"毛罗对话"想到的一些问题/陈焜/社会科学论坛/2004.2

"天人之际"的困惑(下)——从"毛罗对话"想到的一些问题/陈焜/社会科学论坛/2004.3

"文化大革命"以前中国城市劳动就业问题/赵入坤/当代中国史研究/2008.4

"文化大革命"前十年史研究综述/何仲山/北京党史/2001.2

"文化大革命"前个人专断个人崇拜的发展及其危害浅谈/姚康乐等/黔东南社会科学/1989.1

"文化大革命"前高校历史系的青老教师矛盾分析——兼论"文化大革命"的社会根源/王元周/中共党史研究/2006.1

"文革"前17年与新时期反腐败的比较/汪谦干/安徽大学学报(哲学社会科学版)/2008.3

"文革"前十年我国政治体制演变的主要特点/韩钢/党史研究与教学/1989.2

"文革"前我国知识青年上山下乡的历史回顾/黄金平/当代青年研究/1991.1、2

"文革"前的文史专员室/沈美娟/纵横/1997.7

"以苏为鉴":毛泽东对社会主义时期问题的探索/孙秀林/通化师范学院学报/2006.5

"四清":"文革"的前奏与预演/翁笑冰/浙江学刊/1989.4

"四清"中的曾希圣/邓伟志/上海决策咨询/1997.8

"四清"运动的回顾与反思/李海红/西南交通大学学报(社会科学版)/2004.4

"四清"运动研究述评/林小波/党史研究与教学/2003.3

"对外经济技术援助的八项原则"决策的层次分析/伏霄汉/历史教学(高校版)/2008.1

"左"倾中国社会主义意识形态为什么会占上风?/杨发民/陕西师范大学学报(哲学社会科学版)/2005.2

"左"倾急性病、空想论与1958年我国社会主义建设/景化/湄州论坛/1990.1

"农业学大寨"运动中的政治传播及历史启示/张昭国/太原师范学院学报(社会科学版)/2008.4

"农业学大寨"运动发起经过/宋连生/文史博览/2006.3

"农业学大寨"运动研究:概况与评价/吴志军/山西师大学报(社会科学版)/2004.4

"农业学大寨"政策出台始末/赵转/新闻爱好者/1996.5

"刘少奇生平与思想研讨会"观点综述/刘晶芳/理论前沿/1999.2

"合二而一"批判的真相与教训/穆欣/中共党史研究/1992.1

"百花齐放,百家争鸣"方针的由来与发展/李捷/文艺理论与批评/1997.6

"纪念三大改造基本完成、《论十大关系》发表、党的八大召开40周年学术讨论会"综述/杜蒲/当代中国史研究/1996.6

"两年规划":中国特色的系统工程/李鹰翔/中国核工业/2008.3

"冷战转型:1960—80年代的中国与变化中的世界"国际学术讨论会综述/陈波/探索与争鸣/2007.2

"抓革命促生产"释义/王唤青/毛泽东思想研究/1991.1

"社教"运动再析/金怡顺/当代中国史研究/2002.3

"迎丰公社反革命事件"始末/戴安林/炎黄春秋/2008.5

"学习刘少奇《论共产党员的修养》研讨会"综述/杨志强/党的文献/2002.6

"知识青年上山下乡运动"兴起原因初探/柳建辉/中国青年研究/1991.4

"前十年"史研究的新开拓——推荐《中国社会主义时期史稿》第二卷/许法根等/探索/1989.2

"流而不盲":20世纪50年代"盲流"心态探析/李巧宁/广西社会科学/2006.4

"特种战争"与中国"援越抗美"的初步酝酿/吕桂霞/史学月刊/2007.4

"调整、巩固、充实、提高"八字方针的提出及执行情况/柳随年/党史研究/1980.6

"插红旗、拔白旗"运动始末及评价/王军/党史研究与教学/2002.5

《关于正确处理人民内部矛盾的问题》研究综述/王林育/中共党史研究/1997.1

《论十大关系》闪烁着社会主义现代化建设理论的光辉/郭瑞吉/法制与社会/2007.11

《金门协议》签订的台前幕后/乐美真/纵横/2007.4

《海瑞罢官》导演谈《海瑞罢官》/田耕/炎黄春秋/2006.5

156 项工程与新中国工业城市发展(1949—1957 年)/何一民、周明长/当代中国史研究/2007.2

1949—1959 年爱国卫生运动述论/肖爱树/当代中国史研究/2003.1

1949—1966 年中国成人扫盲教育的历史回顾/浅井加叶子、王国勋、刘岳兵/当代中国史研究/1997.2

1949—1976 年中共文化政策述评/蒋积伟/当代中国史研究/2007.3

1949—1978 年华侨华人对中国经济与社会发展的贡献/李树桥/华侨华人历史研究/2000.3

1949—1994 年中国科学技术发展战略研究/柯育芳/求索/2004.7

1949—2006 年城乡关系演变的历史分析/武力/当代中国史研究/2007.3

1953—1978 年国家工业化与农业政策选择/李成贵/教学与研究/1997.3

1956—1962 年期间陈云经济思想的发展/(美)戴维·M. 贝克曼/毛泽东思想研究/1990.1

1956—1976 年中国社会主义建设道路探索历程述论/谢春涛/山东师范大学学报(人文社会科学版)/2006.2

1956 年至 1966 年毛泽东对中国特色社会主义建设道路的探索/熊乐兰/社会科学战线/2006.5

1956 年前后国际形势对毛泽东的思想影响刍议/闵小芳/辽宁大学学报(哲学社会科学版)/2007.3

1956 年前后党对社会主义建设方略的探索/杨延虎/延安大学学报(社科版)/1990.3

1957 年"包产到户"在摇篮中被扼杀/高化民/炎黄春秋/2000.7

1957—1958 年的"红专"大辩论/李庆刚/零陵学院学报/2004.9

1957—1966 年中国共产党宗教政策的曲折发展/陈金龙/中共党史研究/2001.6

1957—1966 年党的个体私营经济政策述评/刘雪明/当代中国史研究/2001.2

1957—1976 年中国政治参与制度化偏轨原因的路径依赖理论解读/徐瑞祥/教书育人/2006.S2

1957 年毛泽东为什么发动反右派斗争/朱地/党史文汇/1993.8

1957 年良机与逆转/李华兴/复旦学报(社会科学版)/1999.5

1957 年"清理干部不纯"运动及其教训/林慧冬/党史研究与教学/2001.3

1957 年反右运动原因探析/伍小涛/学术论坛/2004.4

1957 年反右派斗争扩大化的后果及其经验教训/杨小进/黑龙江史志/2008.2

1957 年台湾反美风暴始末/村夫/武汉文史资料/2005.2

1957 年全党整风及其转向原因/季春芳/巢湖学院学报/2006.1

1957 年后毛泽东轻法制主人治之原因/赵增彦/烟台大学学报(哲学社会科学版)/2003.3

1957 年前后党对法制从扬到抑的转变——兼论毛泽东此间对法制的态度/陈策/理论界/2008.12

1957 年费孝通重建社会学的遭遇/李刚/江苏大学学报(社会科学版)/2007.2

1957 年整风运动的历史启示/朱地/党史研究与教学/1994.4

1957 年整风运动的两个指示及其反右派斗争发生的原因/齐卫平/北京党史/2003.2

1957 年整风运动提前发动的经过、原因及影响/张健/历史教学/2006.3

1958 年上海知青落户洪湖/杨觉/中国农垦/2003.10

1958 年关于共产主义公社的一次畅想/陈清泉/炎黄春秋/2000.4

1958 年变动中的人民公社分配制度以徐水共产主义试点为中心/吴志军/中共党史研究/2006.4

1958 年"大跃进"的沉思/虞宝棠/华东师范大学学报(哲社版)/1989.4

1958 年"公社"一词的由来/罗平汉/党的文献/2006.4

1958 年"反浪费反保守"运动述评/朱地/中共党史研究/1995.3

1958 年"浮夸风"的主要危害和历史教训/高其荣/云梦学刊/2001.2

1958年人民公社化运动中的"共产风"及初步纠正/罗平汉/九江学院学报/2007.5

1958年大炼钢铁运动述评/史柏年/中国经济史研究/1990.2

1958年中国改变户口自由迁移制度的历史原因/赵文远/史学月刊/2004.10

1958年毛泽东决策炮击金门的历史考察/廖心文/党的文献/1994.1

1958年台湾海峡紧张局势分析/范希周/台湾研究集刊/1990.4

1958年全国首例高产"卫星"放出经过/张永化/文史精华/2006.5

1958年技术革命运动的背景因素分析/邓进/传承/2008.18

1958年炮击金门与葛罗米柯秘密访华/阎明复/百年潮/2006.5

1958年炮击金门决策内幕/廖心文/瞭望/1994.5

1958年美术的大跃进运动/吴继金/美术学报/2006.4

1958年第一次郑州会议的历史地位/张宏义等/河南党史研究/1990.6

1959年中国拒绝呼啦圈/李巧宁/文史月刊/2007.1

1959年平息西藏叛乱的前前后后/陈固/四川统一战线/2006.1

1959年共和国主席发出特赦令/纪敏/纵横/1998.10

1959年庐山会议上周恩来的两难处境/于继增/党史博采/2006.3

1959—1961年湖北省对农村生产关系的调整及其意义/曾成贵/党史研究与教学/1994.4

1959年中印边界冲突起因及苏联反应探析/李华/党的文献/2002.2

1959年平定西藏武装叛乱内幕纪实/何立波/党史纵横/2007.10

1959年西藏反动上层的武装叛乱与美国、台湾当局的阴谋活动/胡岩/西藏民族学院学报(哲学社会科学版)/2008.1

1959年庐山会议及其历史教训/扈颖航等/求是学刊/1985.2

1959年庐山会议反倾向问题之我见/王德木/党史研究与教学/1997.1

1959年赫鲁晓夫访华的前前后后/阎明复、朱瑞真/中共党史资料/2006.4

1960年世界工联北京会议亲历记/阎明复/百年潮/2007.6

1960年代教育改革的个案反思——对"侯王建议"与"学校下放"关系的思考/王献玲/社会科学战线/2006.4

1961年的全党农村调查与"农业六十条"的制定/罗平汉/当代中国史研究/2007.1

1962年中国对外政策"左"转的前夜/牛军/历史研究/2003.3

1962年中印边境之战/李品松/贵阳文史/2007.5

1964—1978年的"三线建设"对贵州社会经济发展的重要意义/祝德桂/贵州文史丛刊/1995.3

1964年中法建交和美台交涉/陈长伟/百年潮/2006.12

1980年全国第一届县级直接选举工作/白益华/当代中国史研究/2005.5

20世纪50、60年代包产到户变迁的政治学意义/张海荣/邢台学院学报/2004.4

20世纪50年代中国对社会主义建设道路的初步探索/李占才/中国经济史研究/2006.3

20世纪50年代中国共产党对社会和谐的初步探索/黄宏/当代中国史研究/2007.3

20世纪50年代中国社会主义探索中的矛盾及其逆转之原因/林蕴晖/当代中国史研究/2003.4

20世纪50年代中美两国围绕台湾问题的博弈/周彦/中共党史资料/2006.4

20世纪50年代中期中国对日外交/林晓光、周彦/中共党史研究/2006.6

20世纪50年代后期的两次包产到户及其引起的争论/田锡全/信阳师范学院学报(哲学社会科学版)/2001.4

20世纪50年代陈云经济体制改革思想述论/杨永明/毛泽东思想研究/2006.1

20世纪60年代中国人口政策评价/汤兆云/江苏行政学院学报/2004.2

20 世纪 60 年代毛泽东对国民经济调整的若干探索/田新文/社会主义研究/2007.3

20 世纪 60 年代初农村人民公社退赔研究以苏州地区为考察对象/王玉贵/当代中国史研究/2003.1

20 世纪 60 年代初期安徽推行"责任田"述评/殷宗茂/历史教学/2002.9

20 世纪 60 年代初湖南知青上山下乡评述/朱钟颐/求索/2004.12

20 世纪 60 年代初福建前线紧急战备始末/钟兆云/福建党史月刊/2007.2

20 世纪 60 年代的世界与中国(上)/郑谦/百年潮/2004.6

20 世纪 60 年代经济调整的历史经验/董志凯/中共党史研究/2006.1

20 世纪 60 年代前期中国的思想革命化运动及其影响/陈祥生/湖北行政学院学报/2007.1

20 世纪 60 年代前期的"大兴调查研究之风"与国民经济调整/王频/当代中国史研究/2002.6

20 世纪五六十年代中苏双方对黑龙江流域的合作考察/张九辰/当代中国史研究/2006.5

20 世纪五六十年代中国农村社会经济思潮/李占才/安徽史学/2003.3

20 世纪五六十年代包产到户夭折原因再探/姜建芳/河南大学学报(社会科学版)/2006.5

20 世纪五六十年代我国社会主义民主政治建设的教训/张明军/北京党史/2003.2

20 世纪五六十年代我国的政治信息传输和交换体制与发动"文革"动机的形成/张明军/党史研究与教学/2003.4

50 年代中期毛泽东提出建立"科学中央"的构想/王玉贵/党史文苑/1995.6

50 年代中期我国对社会主义建设道路的探索/李柏田/黑龙江社会科学/2004.5

50 年代毛泽东对社会主义建设规律的探索/欧阳雪梅/求索/2006.10

50 年代末毛泽东、彭德怀在纠"左"问题上的认识分歧/赵金康/史学月刊/1996.6

50 年代美国的西藏政策及其秘密行动/程早霞/史林/2008.2

50 年来中国村治模式研究/关翠霞/石家庄师范专科学校学报/2004.4

57 年前中苏交锋的背后/李同成/新天地/2007.8

60 年代中印边境冲突与中国边防部队的自卫反击作战/王中兴/当代中国史研究/1997.5

60 年代长乐与连江的"四清"运动/成波平/党史研究与教学/1998.2

60 年代初邓小平经济调整思想简析/蒋永青/党的文献/2002.5

60 年代初刘少奇对群众路线的进一步总结/邓克金/长春大学学报/2004.3

60 年代初我党对民主问题的探索/刘济生/毛泽东思想研究/1990.1

60 年代初党对社会主义建设道路的探索/刘德喜等/唯实/1992.3

60 年代初精减职工、动员城市人口下乡决策的研究/陈理/当代中国史研究/1996.6

60 年代国民经济调整研究综述/刘友于/当代中国史研究/1996.1

60 年代的社会主义教育运动/张素华/当代中国史研究/2001.1

60 年代前后我国民主法制建设受阻的原因/厉有国/信阳师范学院学报(哲学社会科学版)/2001.1

60 年代前后我国民主法制建设遭受挫折的原因探析/周执前/长沙大学学报/2004.1

60 年代调整时期中央十人小组的保煤决策/马麟通、孙容/当代中国史研究/1996.1

SIOP 与美国对中国的全面核打击计划/张扬/历史研究/2006.5

一九五七——一九六七毛泽东与《光明日报》/穆欣/党史文汇/1994.3

一九五七年毛泽东心目中的主要矛盾/施肇域/中共党史研究/1991.2

一九五九年印尼排华事件与广东归侨安置/杨建/广东党史/2005.1

一九五九年庐山会议为什么由反"左"变成反右?/王年一/新时期/1981.2

一九五九年庐山会议前后/林天乙/福建党史月刊/1989.1

一九五九年的"反右倾"斗争/陈诗惠/党史研究/1986.3

一九五九年的农业生产责任制/商漪/党史研究/1983.1

一九五八年"左"倾冒进的国际根源初议/张秀英/史学月刊/1989.4

一九五八年北戴河会议述评/谢春涛/党史研究资料/1990.5

一九五八年成都会议述评/裴棣/中共党史研究/1988.5

一九五八年炮击金门及其对两岸关系的影响/何仲山/军事历史/1994.2

一九五八年肇源"大跃进"始末/曹平等/理论探讨/1989.5

一九五六年以来党的知识分子政策的回顾/裴棣等/党史研究/1984.2

一九六二年二月的中央政治局常委扩大会议/张弓/教学与研究/1983.6

一个决定性的转折——评党的八大二次会议/任万新/理论探讨/1989.2

一次空前规模的大会是如何召开的——忆"七千人大会"的筹备和保障工作(上)/张素华/秘书工作/2007.6

一篇科学名著形成纪实/齐得平/当代中国史研究/1997.3

"七千人大会"上党内领导层的意见分歧/何云峰/史学月刊/2005.9

"七千人大会"与中共对经济发展规律的探索/张曙明/安徽史学/2005.6

"七千人大会"为何不给彭德怀平反/历史教学/2004.1

"七千人大会"启示谈/陈晋/党的文献/2007.2

"七千人大会"始末/韩威/历史教学/2002.4

"七千人大会"的功绩及其局限性/李靖炎/炎黄春秋/2007.8

"七千人大会"的批评与自我批评/孙樵/中学历史教学参考/2000.9

"七千人大会"的现代启示录/李彦春/炎黄春秋/2006.11

二十五年后再公开(谈中苏分歧)/(苏)E.C.瓦尔加/国外中共党史研究动态/1991.6

二十世纪五六十年代中国共产党对非公有制经济政策之分析/李芬/党史研究与教学/2001.Z1

二十世纪五六十年代农民外流心态探微/陈海儒/唐都学刊/2006.3

二十世纪六十年代中国与加拿大粮食贸易及美国的干涉/中共党史研究/2003.4

二十世纪六十年代的世界与中国/郑谦/百年潮/2004.7

二十年来庐山会议研究综述/姬晓辉/历史教学/2000.1

人民公社公共食堂兴衰之历史演变/王逍/党史研究与教学/2001.1

人民公社化运动与中国农村社会基础再造/王立胜/中共党史研究/2007.3

人民公社化运动中毛泽东对瞒产的开明态度/唐正芒/河北学刊/2008.4

人民公社化运动中的"左"倾社会思潮问题/张桂华/北京科技大学学报(社会科学版)/2001.3

人民公社化运动及人民公社问题研究综述/张寿春/当代中国史研究/1996.3

人民公社化运动的历史回顾与反思/施凤堂/求实/1988.6

人民公社体制中的劳动过密集型技术初探/厉娜/党史研究与教学/2006.4

人民公社体制产生原因探析/陈英/理论界/2008.8

人民公社体制探析/罗平汉/当代中国史研究/2000.3

人民公社和社会主义建设中的空想论/周承恩/中共党史研究/1988.5

人民公社的历史地位/辛逸/石油政工研究/2002.1

人民公社的权力结构和乡村秩序/于建嵘/衡阳师范学院学报/2001.5

人民公社的起源初探/唐明勇/华中师范大学研究生学报/1989.2

人民公社研究状况述评/刘庆乐/海南师范大学学报(社会科学版)/2007.6

人民公社骤兴速散的内在原因分析/章征科/安徽师范大学学报(人文社会科学版)/2004.5

人民民主专政实现形式的历史考察/许庆朴/中共党史研究/1996.1

人民的愿望与建设速度的历史分析——林蕴晖《评社会主义建设总路线》/苏东海/党史通讯/1987.2

八大二次会议与"大跃进"的全面发动/罗平汉/文史精华/2004.2

八大二次会议述评/谢春涛/党史教学与研究/1989.5

八大不提"毛泽东思想"的原因探析/黄象品/湖湘论坛/1990.4

八大关于经济体制改革的思想及其实践/范守信/党史研究/1985.5

八大关于经济体制改革的探索/范守信/党史研究与教学/1988.1

八大的历史地位——读八大文件札记/丁蔚/淮北煤炭师院学报(社科版)/1986.2

八大的历史意义及八大路线未能坚持下去的原因/张弓/党史研究/1983.1

八大前后中共对苏联模式的思考与改革——兼论党对中国社会主义建设道路的有益探索/邢和明/当代中国史研究/2005.1

八大前后党对自由市场问题的初步探索/张神根/中共党史研究/1996.6

八大前后党对我国社会主义建设道路的初步探索/周承恩/党史研究/1986.2

八大党章未写"毛泽东思想"的历史原委/林蕴晖/中共党史研究/1991.6

八大路线中断的原因对建设社会主义新农村的现实启示/赵蓉/宁夏党校学报/2007.2

八届十中全会上"左"倾阶级斗争理论发展的原因探讨/丛进/党史研究/1984.3

八届三中全会述评/陈雪薇/党史研究/1986.2

十一届三中全会以来中共八大研究评述/张神根/中共党史研究/1996.4

十一届三中全会前党对社会主义建设道路探索的构成分析/占善钦/北京党史/2006.3

十年来"大跃进"研究若干问题综述/李庆刚/高校社科信息/2005.5

十年来中共八大研究综述/刘颖/毛泽东邓小平理论研究/2006.7

三年自然灾害——一九五九至一九六一年中国大饥荒/夏明方/中国减灾/2008.11

三年困难时期代食品运动探微/陈海儒/经济与社会发展/2007.2

三年困难时期的知识分子/罗平汉/炎黄春秋/2005.4

三次"台海危机"论述/李瑗/党史研究与教学/1994.4

三线建设内迁大移民/田姝/红岩春秋/2006.3

三线建设回顾/高扬文/百年潮/2006.6

三线建设的历史评价及其启示/张平/理论与当代/1991.9、10

三线建设的历史原因/杨兴英/铜仁师范高等专科学校学报/2005.1

三线建设述评/阎放鸣/党史研究/1987.4

三峡工程决议的前后四十年/林一山/武汉文史资料/2006.10

三峡工程规划、决策的由来——原长办主任林一山访谈录/刘思华/湖北文史/2006.2

三峡省筹建始末/张立先/湖北文史资料/1997.S1

三面红旗与"文化大革命"/乔桂银/克山师专学报/2004.1

三面红旗——毛泽东晚年问题的症结/林源/南京大学学报(哲学·人文科学·社会科学版)/1999.4

个体心理与群体心理的冲突:四清运动的发起/伍小涛/广西梧州师范高等专科学校学报/2006.4

也论"大跃进"的缘起——评《剑桥中华人民共和国史》的有关论述/朱地/中共党史研究/2001.1

也论一九五七年/胡为雄/青年论坛/1986.3

也评"苏联范式"之争/朱正国/荆州师范学院学报/1997.6

也谈1957年后的个人崇拜问题——兼与肖东波同志商榷/师吉金/毛泽东思想研究/1992.2

也谈1959年庐山会议纠"左"问题——与任全才同志商榷/李继华/滨州师专学报/1996.1

也谈八大路线未能坚持下去的原因/孙力/党史研究/1983.4

也谈"大跃进"运动的指导思想/熊光庭/福建党史月刊/1991.2

大办农村公共食堂的历史教训/梁淑珍/中共党史研究/2000.3

大学"炼钢铁"/史学集刊/2001.2

大跃进三十年祭/韩西林等/天府新论/1989.1

大跃进工作方法归谬/师连枝/社会主义研究/2007.3

大跃进民歌的历史主人翁意识/韩金玲/粤海风/2007.3

大跃进后山东省恢复农业的对策/李君/沧桑/2007.3

大跃进时期"左"的错误与干部素质的关系/胡国民/河南党史研究/1987.6

大跃进时期农田水利建设得失问题研究评述/王瑞芳/北京科技大学学报(社会科学版)/2008.4

大跃进时期的"左"倾思想探析/翁有为/河南大学学报(社会科学版)/1996.1

大跃进运动发生原因探析/曹学恩/陕西师范大学学报(哲学社会科学版)/2003.6

大跃进运动指导思想"不断革命"论评析/王治涛/洛阳理工学院学报(社会科学版)/2008.3

大跃进的社会基础/李若建/中山大学学报(社会科学版)/2000.4

大寨发展史略/温晋生/世纪桥/2002.6

山东"大跃进"运动述评/张业赏/理论学刊/1999.4

山西三线建设的研究/王子云/山西青年管理干部学院学报/2004.4

山西分社"清查"厄运追记/马明/炎黄春秋/2008.5

工分票:人民公社的缩影/段德兴/山西档案/2002.4

工业化视野中的人民公社新探/焦金波/河南师范大学学报(哲学社会科学版)/2005.3

工业学大庆运动史略/杜显斌/大庆社会科学/2006.2

工业学大庆运动概述/杜显斌/世纪桥/1996.Z1

不同的土地占有制对三农现代化进程产生的不同影响——中国和印度的比较/张新华/历史教学(高校版)/2007.3

不应否定庐山会议以前的纠"左"——与裴焕利商榷/李继华/中共党史研究/1989.4

不断革命论:"大跃进"运动的指导思想/王治涛/南都学坛/2006.5

中央领导人20世纪50年代末60年代前期来湘调研述评/戴安林/湖南社会科学/2008.4

中共八大与"以苏为鉴"/林蕴晖/中国社会科学文摘/2006.6

中共八大对执政党建设的探索/李大勇/党史文汇/2006.11

中共八大对执政党建设的探索/李捷/当代中国史研究/2006.5

中共八大关于中国社会主义建设的全方位思考/曹普/毛泽东邓小平理论研究/2006.11

中共八大前后毛泽东的执政党三大建设思想探析/王玉福/河南师范大学学报(哲学社会科学版)/2006.6

中共八大前后对社会主义建设道路的初步探索及其启示/陈金松/党史文苑(学术版)/2006.4

中共八大路线未能坚持下去的原因/张星星/中共党史研究/1988.5

中共对苏联三次出兵东欧国家的反应与认识/陈东林/中共党史研究/1998.4

中共对美苏冷战的认知与政策选择/赵红/河南师范大学学报(哲学社会科学版)/2005.3

中共在实现革命向建设转变过程中的探索/艾丹/北京党史/2007.1

中共第一代领导人对西方国家的外交战略/迟爱萍/党的文献/1999.6

中印边界西段的东半部分有条约根据吗?——试析20世纪五六十年代中印双方关于边界问题的一个分歧/康民军/中国边疆史地研究/2008.2

中苏关系中的台湾问题(1949—1959)/高新涛/广西社会科学/2002.1

中苏关系恶化的滥觞——评苏共二十大对中苏关系的影响/孙其明/党史研究与教学/1999.4

中苏关系破裂的深层原因探析/张留伟/哈尔滨学院学报/2007.4

中苏冲突中的信息沟通/王金辉/西伯利亚研究/2007.1

中苏同盟关系破裂原因之浅见/代素娟/绥化学院学报/2007.2

中苏论战"一万年"何以变成"八千年"/蒋本良/百年潮/2007.4

中苏论战与"反修防修"/李瑗/甘肃理论学刊/2007.2

中苏论战与中国社会主义建设道路的探索/高正礼/当代中国史研究/2004.2

中苏论战对中国社会主义建设曲折道路的影响/李明斌/河南师范大学学报(哲学社会科学版)/2004.6

中苏两党大论战始末/项东民/文史精华/2002.11

中国"两弹"上马的前前后后/聂荣臻/中国作家/2006.19

中国小城镇的曲折发展及其原因/邹远修/山东师范大学学报(人文社会科学版)/2003.3

中国工业化路径转换的历史分析/武力/中国社会科学文摘/2006.2

中国与越南战争(1961—1973)研究综述/张秀阁/历史教学(高校版)/2008.1

中国共产党对台湾政策的历史演变/张元勋/信阳师范学院学报(哲学社会科学版)/2001.2

中国共产党对农民问题的认识演进及其启示/许文兴/当代中国史研究/2008.6

中国共产党经济发展观的历史演进/武力/当代中国史研究/2005.6

中国农村经济变迁的基本规律与人民公社化运动受挫的原因/刘冲谦/北京大学研究生学刊/1990.4

中国地方政府与乡镇企业关系变化研究——以山东省文登地区为研究中心/李周炯/国家行政学院学报/2005.6

中国改革开放前的三次引进高潮/姜长青/党史文苑/2005.13

中国社会主义民主政治的滥觞与挫折——1950年代中期中国共产党关于社会主义民主政治建设的探索/谢世诚/中共南京市委党校南京市行政学院学报/2006.6

中国社会主义建设的历史背景/全慰天/中国人民大学学报/1989.2

中国社会主义建设逻辑的探索/霍树生/中国社会科学/1992.1

中国社会停滞和徘徊的二十年——1958年至1978年历史述评/张静如等/浙江学刊/1989.2

中国近现代史教学与大学生可持续发展意识的培育/杨军/黑龙江史志/2008.24

中国知识分子的厄运与中国球籍危机——关于1957年以来的"恐知病"的历史思考/赵荣/文史丛刊/1989.1

中国科技创新的奠基人毛泽东/栾雪飞/社会科学战线/2006.5

中国首次原子弹试验/张蕴钰/纵横/1997.9

中国第一个人民公社的大饥荒/任彦芳/炎黄春秋/2008.5

中国援越抗美支援部队出国40周年回眸/文庄/南洋问题研究/2005.3

中英关系正常化过程中的台湾因素/尹朝晖/西南交通大学学报(社会科学版)/2004.4

中美关系解冻过程中的巴基斯坦渠道/郑华/史学集刊/2008.3

中美缓和与援越抗美——中国外交战略调整中的越南因素/李丹慧/党的文献/2002.3

丰子恺卫护"双百"方针/王西彦/纵横/2006.10

为1958年中国的情感历史证伪/张育仁/粤海风/2007.3

为什么一九五七年是建国以来经济工作效果最好的年份之一/郭政平等/教学与研究/1982.3

乌托邦荒原:"三面红旗"剖析/胡长水/党史文汇/1989.1

云南三线建设与西部大开发/晁丽华/昆明大学学报/2006.1

云南三线建设调整改造的历史研究/晁丽华/红河学院学报/2007.4

五六十年代的知识分子政策/刘际钢/特区展望/1999.4

五十年代中期的一次国情大调查/贾俊民/北京党史/1999.4

五十年代末法制建设滑坡原因新探/徐付群/中共党史研究/1998.5

五十年代后期党在社会主义建设指导方针上的失误及其教训/黄鸿涛/党史研究与教学/1991.3

五十春秋风雨路——谭震林与毛泽东交往轶事/黄肇嵩/福建党史月刊/1993.2

五六十年代中国社会意识形态领域斗争性质嬗变原因论析/张广才/理论探讨/2000.2

五六十年代美国飞机侵入中国领空记录/张烨/军事历史/2001.3

介绍一九六二年五月中央工作会议/中央档案馆党史资料研究室/党史研究/1981.4

从"一五"时期的哈尔滨看工人阶级的主力军作用/董绍卿/世纪桥/1997.2

从"八大"《政治报告》看刘少奇同志的经济建设思想/海云/思想战线/1980.3

从"八大"到"十二大"——党对社会主义建设经验的全面总结/贺力思/党史研究/1982.6

从"双百"方针到"反右"——再论知识分子的改造/梁玉泉/理论界/2008.11

从"吃穿用计划"到"战备计划"——"三五"计划指导思想的转变过程/陈东林/当代中国史研究/1997.2

从"除旧布新"到"继续革命"——1956—1976年党在意识形态领域的斗争论略/王智/江汉论坛/2004.9

从《中国季刊》看西方学者对中华人民共和国史的研究/巫云仙/中共党史研究/2008.1

从1955—1965年授衔的鄂籍将军群体看鄂境内的革命根据地/金阿勇/湖北第二师范学院学报/2008.1

从一九五八年底到一九五九年庐山会议前期我们党在纠正左倾错误方面做了哪些工作？/闻延茂/解放军报/1981.10.22

从二次台海危机看美台军事合作困境/王帆/历史教学/2006.10

从人民公社到小康社会、和谐社会经验与建构的调适/徐锋/社会主义研究/2006.4

从大跃进到调整时期的历史看云南民族地区经济稳定发展的经验教训/李培林/经济问题探索/1987.12

从台湾史料看蒋介石"反攻大陆"政策之演变/王侃/史学月刊/2005.6

从阶级统治到阶层共治——新中国国家治理模式的历史考察/唐亚林/学术界/2006.4

从两次炮击金门看毛泽东对台政策的变化/李晓海/军事历史/2001.3

从克服三年困难的历史经验看榜样的力量/林克/党史文汇/1991.11

从我国实际出发组织社会主义经济——读陈云同志《社会主义改造基本完成以后的新问题》/周勤淑/光明日报/1981.3.21

从批反冒进到大跃进/胡惠强/党史研究资料/1982.9

从苏联的"一党制"到中国的"多党合作"/王庭科/党的文献/2002.6

从和平外交到革命外交——20世纪50年代中后期我国外交战略大转变国际原因探析/潘正祥/安徽史学/2003.5

从和平解放到自治区成立时期中国共产党西藏工作的基本经验总结/王小彬/西藏民族学院学报（哲学社会科学版）/2007.5

从炮击金门看毛泽东的军事思想/刘建民/高校社科信息/2005.1

从感知历史、感受历史到感悟历史——关于国史教学展开的思路/侯松涛/时代人物/2008.5

从整风转向反右原因何在——二论1957年的整风反右运动/孙其明/同济大学学报（社会科学版）/2004.3

公正评价 1957 年的章伯钧——兼与《毛泽东传（1949—1976）》作者商榷/宋霖/党史研究与教学/2005.1

公社化运动以来党和毛泽东关于人民公社内部所有制问题认识的演变/柳建辉/党史研究与教学/1993.2

六十年代中国试办托拉斯的尝试/肖祎/纵横/2004.11

六十年代初大兴调查研究之风记述/宋斌全/党史研究与教学/1994.4

六十年代初全党大兴调查研究之风及其作用/刘成荣/理论探讨/1987.6

六十年代初我国经济调整时期宏观经济政策运用的启示/剧锦文/经济科学/1990.5

六十年代初我国部分地区农村实行包产到户生产责任制的实践与经验/余展/党的文献/1992.4

六十年代初国民经济的调整与恢复/王均伟/宣传手册/1992.9

六十年代初的国民经济和政治关系的调整/丛进/党史研究资料/1986.6

六十年代初党纠正"左"倾错误中的曲折/裴棣/党史研究/1985.6

六十年代初期国民经济调整的历史局限/李大勇/中共党史研究/1989.5

六十年代初期通货膨胀的历史考察/陈兆坤/辽宁财专学报/1991.1

六十年代初期通货膨胀的回顾与反思/吴有必/中国经济史研究/1989.3

六十年代初稳定物价政策给我们的启示/贾克诚/价格月刊/1991.10

六十年代和八十年代我国两次国民经济调整的特点/陈雪薇/龙江党史/1990.6

六十年代前期物价的稳定与调整/薛暮桥等/经济研究/1985.3

六十年代城市人口上山下乡的回顾/汪明敏/武汉文史资料/2000.3

六十年代缩短基本建设战线的经验/程子华/党史文汇/1990.3

历史的曲折是这样发生的——人民公社在河南的发生和发展/杨洪涛/农村工作通讯/2002.12

"双百"方针与法制保障——为纪念毛泽东主席诞辰百周年/石赋/黑龙江农垦师专学报/1994.2

"双百"方针的历史回顾及其反思/郭国祥/理论月刊/2005.8

反"反冒进"——大跃进的前奏/熊华源/红岩春秋/1990.1

反右运动对人民代表大会建设和工作的损害/刘政/中国人大/2004.2

反右派斗争与反右派运动扩大化原因探讨/姚润田/安阳师范学院学报/2006.3

反右派斗争中的美术界/吴继金/武汉文史资料/2005.6

反右派斗争扩大化对社会主义事业的危害/宋荐戈/山西师大学报(社会科学版)/2002.1

反右派斗争严重扩大化原因初探/刘振义/淮北煤炭师院学报(社科版)/1986.4

反右派斗争和制乱平暴比较分析/张波/抚顺师专学报(社科版)/1991.3

反右派斗争研究综述/王素莉、刘志光/当代中国史研究/1997.6

反右派运动中的大字报/罗平汉/文史精华/2001.8

反右派运动的策略与方式探讨/姚润田/商丘师范学院学报/2005.3

反冒进过程中周恩来的坚持和抗争/汪浩/毛泽东思想研究/2006.3

少奇同志使我下决心跟党走/王光英/财贸战线/1980.3.11

忆"全球购棉"与"技术援外"/周永嘉/纵横/2005.3

忆 1958 年毛泽东与赫鲁晓夫的四次会谈/阎明复、朱瑞真/中共党史资料/2006.2

忆六十年代山东的甄别平反工作/周星夫/春秋/2003.1

忆毛泽东同志与农业学大寨/陶鲁笳/党史文汇/1992.11.2

忆毛泽东同志关于商品生产和价值法则的论述/陶鲁笳/中国农业合作史资料/1992.3

忆庐山会议前后的张闻天同志/肖扬/江海学刊(文史哲版)/1985.4

忆繁昌县三年困难时期的"左"倾错误及纠正过程/王昌举/江淮文史/1997.1

"文革"前党对知识分子政策变化的原因——社会学视角下的分析/路蓬蕊/山西高等学校社会科学学报/2008.9

日本学者评说中共十一届三中全会/韩凤琴/中共党史研究/1998.6

日本的中苏大论战研究综述/吉田阳介/商丘师范学院学报/2008.7

比较——写在纪念改革开放三十周年之际/庄振华/无锡南洋学院学报/2008.3

毛泽东、彭德怀庐山意见分歧与他们的故乡之乡/龙正才/争鸣/1990.1

毛泽东、赫鲁晓夫与一九五七年莫斯科会议/沈志华/历史研究/2007.6

毛泽东:创立建设有中国特色社会主义理论的先驱/范守信/党史文汇/1993.5

毛泽东"放权"改革的路径与特征分析/王明生/安徽史学/2004.3

毛泽东"赶超"思想与代表先进生产力发展要求/吴海红/党史纵览/2001.6

毛泽东"新民主主义的资本主义"思想述略/郑德荣/党的文献/2000.1

毛泽东《论十大关系》中对社会主义建设道路的探索/高靖/内蒙古社会科学/1993.5

毛泽东·中国农民·人民公社/郑晓国/教学与研究/1989.2

毛泽东1957年以后思想逐步"左"倾原因探析/朱莉涛/江西教育学院学报/2003.1

毛泽东一九五八年谈商品生产/党的文献/1993.5

毛泽东人民公社思想探源/韩曦/青海师范大学学报(哲学社会科学版)/2003.5

毛泽东十年探索的得失/余兆龙/党史研究与教学/2001.2

毛泽东三峡行/杜之祥/湖北文史资料/1997.S1

毛泽东与"双百方针"——纪念毛泽东同志诞辰110周年/孙代文/柳州职业技术学院学报/2004.2

毛泽东与1958年中央军委扩大会议/朱启友/党史研究与教学/2007.1

毛泽东与1959年平息西藏叛乱/文锋/党建/2008.8

毛泽东与一九六一年大兴调查研究之风/史略/党的文献/1992.6

毛泽东与人民公社体制的调整/焦金波/南都学坛/2005.4

毛泽东与三峡工程/梅雪/湘潮/2000.5

毛泽东与三峡宜昌/李啸海/湖北文史资料/1997.S1

毛泽东与大跃进运动中的"浮夸风"/高其荣/党史研究与教学/1999.5

毛泽东与中共八大路线的制定和扩大党内民主/沙健孙/当代中国史研究/2006.5

毛泽东与中印边界自卫反击战/胡哲峰/党史文汇/1999.2

毛泽东与中国工业化和现代化/车美萍/山东大学学报(哲学社会科学版)/2003.1

毛泽东与中国特色社会主义/秦正为/孝感学院学报/2007.2

毛泽东与中国特色社会主义/袁秉达/党政论坛/1993.6

毛泽东与计划生育/纪晓华/党的文献/2001.1

毛泽东与邓小平在中国外交上的共鸣(1974—1975)/益尾知佐子/中共党史研究/2007.3

毛泽东与安徽责任田/杨瑞毛/安徽党史研究/1992.5.18

毛泽东与当代新疆屯垦/王小平/广西社会科学/2006.5

毛泽东与西藏当代新闻事业的创建/周德仓/毛泽东思想研究/2007.3

毛泽东与两次台海危机——20世纪50年代中后期中国对美政策变动原因及趋向(续)/杨奎松/史学月刊/2003.12

毛泽东与两次台海危机——20世纪50年代中后期中国对美政策变动原因及趋向/杨奎松/史学月刊/2003.11

毛泽东与社会主义的中国/李捷/当代中国史研究/2003.4

毛泽东与炮击金门/戴尔济/福建党史月刊/2008.6

毛泽东与党的八大路线/梁柱/当代中国史研究/2006.5

毛泽东与高度集中的计划经济体制/许经勇/福建学刊/1993.4

毛泽东与赫鲁晓夫的交锋(上)/李同成/领导科学/2003.13

毛泽东与赫鲁晓夫的交锋(下)/李同成/领导科学/2003.14

毛泽东为什么要发动整风运动——一论1957年的整风反右运动/孙其明/同济大学学报(社会科学版)/2004.2

毛泽东反"和平演变"思想述评/郭根山/河南师范大学学报/1992.4.10

毛泽东主张中国不急于进入联合国原因探析/李才义/党史研究与教学/2001.6

毛泽东以苏为鉴改革经济体制的思想及其反复/牛桂云/党的文献/1993.1

毛泽东发动大跃进的国际动因/李晓勇/实事求是/2003.1

毛泽东发动工业学大庆运动原因探析/阳勇/毛泽东思想研究/2007.2

毛泽东号召"开展全国全面的阶级斗争"/阎长贵/炎黄春秋/2008.5

毛泽东对个人崇拜态度的变化/郭文亮/党史文汇/1994.6

毛泽东对中国工业化道路的整体构思/蒋孝山、白杨/社会科学战线/2006.2

毛泽东对中国式社会主义建设道路的伟大探索/张秀国/中国特色社会主义研究/2006.5

毛泽东对中国社会主义工业化的理论探索/栾雪飞/北京党史研究/1993.6

毛泽东对中国社会主义建设规律的探索/李捷/当代中国史研究/2006.6

毛泽东对中国社会主义现代化战略的思考与选择/郭根山/当代中国史研究/2004.5

毛泽东对计划经济的探索及其对社会主义市场经济的意义/朱佳木/中共党史研究/2007.2

毛泽东对计划经济的探索成果及其历史意义和现实意义/朱佳木/毛泽东邓小平理论研究/2006.11

毛泽东对台湾问题的历史决策/何立波/廉政瞭望/2008.7

毛泽东对民主集中制理论的重要贡献/刘顺亭/理论探讨/1993.3

毛泽东对苏共二十大的最初反应/沈志华/领导文萃/2005.2

毛泽东对知识分子阶级属性判断失误的原因/孙继虎/西北师大学报(社会科学版)/1998.2

毛泽东对探索具有中国特色的社会主义经济发展理论的贡献/姜怀洋/中国政法学院学报/1993.3

毛泽东生平研究综述/吴景平/历史教学/1993.6

毛泽东生前非常关注酒钢建设/王宗国/党史风华/1993.4

毛泽东节约思想与建设节约型社会/侯爱萍/山东社会科学/2006.4

毛泽东关于《红楼梦》的一组谈话(一九三八年——一九七三年)/党的文献/2002.4

毛泽东关于中共"八大"中心思想的变化/李雪亮/科教文汇(上旬刊)/2007.4

毛泽东关于中国工业化的理论与实践/陈福民/辽宁师范大学学报/1992.6.1

毛泽东关于正确处理人民内部矛盾问题的探索/杨清涛/毛泽东思想/2007.1

毛泽东关于行政体制改革的一段思絮/郭根山/福建党史月刊/2006.2

毛泽东关于社会主义改革的理论思考/方小年/当代世界与社会主义/2006.5

毛泽东农业机械化思想述论/王磊/当代中国史研究/1995.4

毛泽东农轻重思想的再认识/社会科学研究/1993.5

毛泽东刘少奇访苏及中苏两党关系中的一些问题——师哲访谈录/李海文/人物/1993.2

毛泽东创作《送瘟神二首》前后/万建强/党史博览/2002.9

毛泽东同志为雷锋题词经过/杜克/人民日报/1993.3.5

毛泽东同志对马克思主义辩证法的一个杰出贡献/宋一秀/社会科学战线/1979.4

毛泽东同志对探索中国式社会主义工业化道路的贡献/邓历志等/理论与实践/1982.5

毛泽东同志对辩证逻辑的论述/蔡灿津/新疆大学学报/1982.3

毛泽东同志关于工作方法的理论是对马克思主义哲学的重要贡献/薛克诚/杭州大学学报/1982.2

毛泽东同志研究社会主义社会矛盾问题的方法/高齐云、李尚德/中山大学学报/1983.4.1

毛泽东同志教我们要正确对待马克思主义/李玲/中国妇女/1979.12

毛泽东在"调查研究年"的多维角色述评/肖文学/辽宁工程技术大学学报(社会科学版)/2004.3

毛泽东在 1956—1966 年的探索和思路/金隆德/当代中国史研究/1994.2

毛泽东在 1958 年发动"大跃进"的国际因素分析/刘家钦/阜阳师范学院学报(社科版)/2004.2

毛泽东在 60 年代社教运动中的思路转变研究/王艳元/历史教学/2002.8

毛泽东在台湾问题上的"绞索政策"/郭希华/上海党史与党建/1996.2

毛泽东论中共党史研究/唐曼珍/教学与研究/1993.3

毛泽东抗灾防疫思想研究/褚亦农/临沂师范学院学报/2003.5

毛泽东改变"八大"关于国内主要矛盾提法的历史背景与历史后果/郭希华/上海党史与党建/1996.5

毛泽东社会主义观研究/金春明/陈述/教学与研究/1992.4

毛泽东周恩来与南水北调/曹应旺/湘潮/1993.1

毛泽东和他的秘书田家英/逄先知/求是/1990.1

毛泽东和刘少奇的分歧究竟始于何时/俞国/扬州教育学院学报/2005.2

毛泽东现代化思想述论/姚宏志/胜利油田党校学报/2004.6

毛泽东的工业化理论探析/李庆瑞/经济学动态/1993.12

毛泽东的反右策略与反右扩大化/周青山/湖北师范学院学报(哲社版)/1989.3

毛泽东的对外开放思想/唐振南/学术界/1993.2

毛泽东的对外开放思想及未能实施原因探析/李建宁/青海师范大学学报(哲学社会科学版)/2003.5

毛泽东的社会主义经济体制改革思想/聂月岩/东北师大学报/1993.5

毛泽东的科技现代化思想与实践/王林涛/浙江社会科学/1993.5

毛泽东经济改革思想在实践中的运用和发展/徐彬/沈阳党史/1993.3

毛泽东经济思想初探/陈贤昌/湖南师院学报/1982.1

毛泽东经济思想的特点和哲学基础/朱竞存/学术论坛/1993.5

毛泽东是如何发现人民公社问题的/罗平汉/百年潮/2006.8

毛泽东赶超战略与苏联赶超战略的比较/王克峰/广西社会科学/2004.11

毛泽东探索经济建设路/范济国/云南财贸学院学报/1993.3

毛泽东教育思想的科学体系/沧南/湘潭大学学报/1993.2

毛泽东第二次访苏与大跃进的发动/张勇/聊城大学学报(社会科学版)/2008.3

毛泽东第二次访苏和 1957 年莫斯科会议/阎明复、朱瑞真/中共党史资料/2006.1

毛泽东确立的"百花齐放、百家争鸣"方针与民主政治建设/梁柱/党的文献/2003.1

毛泽东辩证逻辑思想初探/孙显元/安徽师大学报/1982.3

王国权与"文革"前的中美会谈/张兵/纵横/2005.1

认真改善知识分子的工作生活条件——读《周恩来选集》下卷中有关知识分子问题的论述/叶公农/书刊导报/1985.3.21

邓子恢的农业生产责任制观点/苏明辉/中国经济问题(厦门大学)/1986.1

邓小平不寻常的三峡行/贺文喜/湖北文史资料/1997.S1

邓小平与中苏论战/高正礼/安徽师范大学学报(人文社会科学版)/2003.4

邓小平与五次莫斯科会谈/邢和明/党史纵横/2004.2

邓小平对人民公社的历史思考/刘金田/党的文献/1999.3

邓小平对毛泽东文艺思想的创新和发展/沈宝莲/青海民族学院学报/2006.1

邓小平的社会主义大教育观初探/刘家国/党的文献/2001.5

邓拓死后的命运/(苏)A. H. 热洛霍夫采夫,姜筱绿译/国外社会科学动态/1985.3

主要矛盾 综合平衡 集体领导——党在开始全面建设社会主义时期的历史经验/李新生/理论建设/1991.4

以国为怀——关于大寨典型的历史回眸/宋连生/党史文汇/2007.3

加强思想政治工作的锐利武器——重读《关于正确处理人民内部矛盾》/王雨/河南师大学报(社科版)/1981.3

去政治化的政治、霸权的多重构成与六十年代的消逝/汪晖/开放时代/2007.2

发生在四十五年前的"周鸿庆事件"/卫华/贵阳文史/2008.5

发生在社教运动中的一大涉税冤案/李百灵/税收与社会/2002.10

发扬邓子恢同志的实事求是精神/农牧渔业部/中国农村经济/1986.10.1

发展有利于人民的社会主义经济——重读陈云同志在中共八大的发言/董辅礽/人民日报/1981.1.29

发展繁荣社会主义文化的成功之路——"双百"方针、"二为"方向述论/夏杏珍/当代中国史研究/2006.3

只有社会主义能够救中国——学习《关于正确处理人民内部矛盾的问题》的一点体会/天津日报/1979.4.24

台北所藏大陆20世纪50—60年代资料过眼录/高华/华东师范大学学报(哲学社会科学版)/2007.2

叶剑英和平解决澳门关闸事件/芦荻/百年潮/2004.6

四川公共食堂的成立与解散初探/杨先茂/四川党史/2001.6

四清运动发生的社会心理分析/伍小涛/沧桑/2007.3

四清运动动员模式的政治社会学分析/王玉强/史学月刊/2006.6

四清运动述评/栗守廉等/黑龙江教育学院学报/1990.4

宁夏农村人民公社化运动始末/吴忠礼/共产党人/2006.21

对"八大"路线未能在实践中坚持下去的原因的探索/刘振义/淮北煤炭师院学报(社科版)/1989.4

对"三线"建设的历史分析/谷振华/军事经济研究/2006.6

对"三面红旗"形成和消失的历史考察/王学启/党史研究资料/1989.2

对"三面红旗"的再认识/贺文贞/党史研究/1986.2

对"大跃进"成因的系统论说/林蕴晖/中共党史研究/1997.5

对"大跃进"时期江苏省农业中学的宏观历史考察/李庆刚/当代中国史研究/2004.3

对"大跃进"期间"安县落后"的历史思考/陈兴荣/四川党史/2000.S1

对"双百"方针的全面阐释/文艺理论研究/1994.4

对《"三分天灾、七分人祸"说考辨》的质疑/姚宏志/当代中国史研究/2007.1

对1956—1966年"以经济建设为中心"及其逆转的历史考察/高志勇/宜春师专学报/1998.6

对1957年反右派的两个问题的再认识/胡尚元/党史研究与教学/2005.2

对1957年农村社会主义教育运动的历史考察/孙东方/当代中国史研究/2006.2

对1957年两条道路"大辩论"的历史考察/高化民、刘军/当代中国史研究/1998.3

对1957年我国农村两条道路大辩论的研究/吕刚等/党史研究资料/1990.7

对1957年的再认识/范守信/党史研究与教学/1988.4

对1958年早稻亩产放"卫星"的反思/阮银甫/党史研究与教学/1989.3

对 1958 年建设总路线的再认识/吴庆生/毛泽东思想研究/2001.1

对 60 年代社教运动的思考/陈世强/求知/1992.3

对一九五八年大跃进的再认识/杭国芳/镇江市高等专科学校学报/2000.4

对八大正确路线中断的再认识/田荣山/中共党史研究/1996.4

对八大前后党探索社会主义建设道路的思考/计志宏/曲靖师范学院学报/2007.2

对三年"大跃进"的再认识/金春明/党史通讯/1984.7

对于一九五九年庐山会议的评述/陈诗惠/党史研究与教学/1989.3

对大公社分配方式的历史反思/辛逸/河北学刊/2008.4

对六十年代中苏论战中若干问题的再思考/薛钰/中共党史研究/1996.2

对开始全面建设社会主义十年的认识/陈诗惠/党史研究/1984.6

对文艺界贯彻"双百"方针的历史回顾及认识/周承芳/山东省农业管理干部学院学报/2002.4

对毛泽东"总题目"问题的再反思/胡和勤、李曙新/当代世界与社会主义/2006.5

对四清运动三个文件的分析/肖德成/党史研究/1984.1

对正确处理人民内部矛盾与思想政治教育关系的现实研究/邓小明/宜宾学院学报/2005.2

对在华苏联专家问题的历史考察:基本状况及政策变化/沈志华/当代中国史研究/2002.1

对我国六十年代初期农业生产责任制的回顾与思考/刘畅然/长白学刊/1991.4

对国营经济在中国领导地位确立及作用的历史考察/陈士军/河南大学学报(社会科学版)/2006.1

对建国后阶级斗争经验的几点思考/孙瑞鸢/阵地与熔炉/1992.3

对金门战斗"三不打"的质疑与考证——兼论回忆录的史料价值及其考辨/洪小夏/近代史研究/2002.3

对城市人民公社历史的初步考察/王均伟/当代中国史研究/1997.2

对党在 1956—1966 年统战工作的历史回顾/胡之信/齐齐哈尔师范学院学报(哲社版)/1990.1

对新中国建立后的群众运动的几点思考——以"三反"运动和反右派运动为例/赵淑梅/世纪桥/2007.11

必须正确认识个体经济——学习陈云同志《社会主义改造基本完成以后的新问题》/魏先铭/学习与研究/1981 年创刊号

正确看待建国后对计划经济的探索 搞好社会主义市场经济条件下的宏观调控/朱佳木/当代中国史研究/2006.5

民以食为天——周恩来国民经济困难时期抓粮食工作纪实/刘武生/湘潮/2004.1

民族性突发事件的应对与处置——以新疆伊塔事件为例/侯松涛/北京科技大学学报(社会科学版)/2007.2

民粹主义与人民公社化运动/郭记中/党史研究与教学/2000.5

田家英与农村"六十条"/钱云祥/中国档案/1993.2

田家英社会主义建设思想初探/赵熙盛/成都党史/1993.2

田家英调查研究的特征分析/王茜/湘潮(下半月)(理论)/2007.10

目标·手段·自主需要——人民公社制度兴衰的思考/刘娅/当代中国史研究/2003.1

纠"左"的起步——从几次会议看毛泽东为纠正"左"倾错误提出的一些思想和主张/严文/河南党史研究/1990.6

记 1964 年毛泽东同周培源和我的一次谈话/于光远/北京党史/2004.1

记取历史经验,坚持稳步前进/房维中/当代中国史研究/2006.5

记徐水"共产主义"/孙志杰/纵横/2001.9

争夺同盟领导权——中苏、中越同盟反思之二/翟东升/IT 经理世界/2007.11

传统绘画艺术在新中国——国画和反右运动/(美)Julia F. Andrews/研究生文汇/1991.6

全国第一个人民公社的兴衰与变迁/王来青/党史文汇/2009.2

全面认识人民公社迅速兴起的历史原因/吴剑飞/法制与社会/2008.34

全面建设社会主义十年取得了很大成就——学习《关于建国以来若干重大历史问题的决议》第四部分"开始全面建设社会主义的十年"的体会/如言/安徽日报/1981.7.25

全盘否定不了的一九五七年反右派斗争/赵志明等/党史文汇/1989.4

共和国"三位一体"战略核力量的奠基/刘炳峰/纵横/2001.8

共和国"三线"建设的风风雨雨/刘炳峰/中国国情国力/2001.10

共和国决策者的自省——"七千人大会"纪事/古小丹/党史纵横/2002.4

共和国的"三线建设"/胡小平/兰台世界/2006.1

关于"十五年赶超英国"口号公布时间的辨析/刘家钦/阜阳师范学院学报(社会科学版)/2006.4

关于"又红又专"问题的历史评价/杨凤城/中共党史研究/1997.4

关于"大跃进"运动的历史反思/李付安/浙江万里学院学报/2003.3

关于"大跃进"的注解/李成贵/中国农史/2001.2

关于"中华人民共和国史"教材建设若干问题的再认识/张海星/北京党史/2008.5

关于"双百"方针的历史思考/曲青山/攀登/1998.4

关于"双百"方针受挫原因的思考/吴细平/咸宁学院学报/2003.5

关于"四面八方"经济政策的思考/宋杉岐/河北北方学院学报/2007.3

关于"国史"研究和"国史"学科建设若干问题的再认识/齐鹏飞/中共党史研究/2008.3

关于"党史"与"国史"关系的再认识/齐鹏飞/历史教学(高校版)/2008.10

关于《1958年军委扩大会议真相》一文的补正/迟泽厚/炎黄春秋/2004.5

关于《剑桥中华人民共和国史》中苏分裂问题正误/刘传利/江淮论坛/2000.6

关于1957年经济效益的研究/张寿春/党史研究与教学/1988.5

关于1958年中共批判南共联盟纲领草案问题/邢和明/党史研究与教学/2006.1

关于人民公社化运动/湖北文史资料/1999.S1

关于人民公社建立的几个问题/罗平汉/当代中国史研究/2006.1

关于人民公社的历史反思/李仕诏/东岳论丛/1988.6

关于三峡工程论争的历史回忆/洪庆余/湖北文史资料/1997.S1

关于大跃进和大办钢铁运动/湖北文史资料/1999.S1

关于中美合作开发平朔煤矿谈判的回顾/高扬文/当代中国史研究/1996.2

关于六十年代"清官"问题争论的思考/何理/中共党史研究/1999.5

关于反右斗争扩大化的几个问题/操国胜/池州师专学报/1999.1

关于开始全国建设社会主义时期党史研究综述/韩钢/中共党史研究/1988.5

关于开始全面建设社会主义时期研究综述/莫志斌/湖南师范大学社会科学学报/1995.1

关于江西共产主义劳动大学的回忆——兼忆毛主席对它的关怀/汪东兴/当代中国史研究/1997.1

关于庐山会议的"庐山真面目"——与权延赤同志就《彭德怀落难与林彪得势真相》商榷/党军/炎黄春秋/1993.8

关于建国以来急于求成倾向的探讨/孙剑纯/江西党史研究/1989.4

关于新民主主义社会与社会主义初级阶段的差异/罗平汉/当代中国史研究/2007.5

再论"大跃进"的历史成因/曾红路/南京大学学报(哲学·人文科学·社会科学版)/1998.4

再论中苏论战的历史原因/何一成/湖南师范大学社会科学学报/2006.4

再论毛泽东在社会主义建设史上失误原因/徐焕文/松辽学刊(人文社会科学版)/2001.6

农业"大跃进"运动的政治运作/丁银高/山东师范大学学报(人文社会科学版)/2008.4

农业学大寨运动始末/霞飞/党史天地/2005.2

农业学大寨运动研究述评/光梅红/古今农业/2008.3

农业学大寨运动研究综述/岳丛欣/中共党史资料/2008.4

农村"四清":"十年动乱"的前奏曲——一位老记者亲身经历的严酷现实/杨克现/炎黄春秋/1994.4

农村"四清"运动中写"四史"的成效和启示/赵有福/北京党史/2006.6

农村人民公社家庭副业研究/辛逸/中共党史研究/2000.5

农村公共食堂兴衰纪程/戴清亮/学术界/2007.1

农村公共食堂的解散/罗平汉/文史精华/2001.3

决策者失误与信息失真——关于"大跃进"时期的信息状况及其失真原因/高心湛/许昌学院学报/2007.6

刘少奇、毛泽东和四清运动——刘源、何家栋对一段历史公案的回忆、考证/高晓岩/领导文萃/1999.2

刘少奇、邓小平、邓子恢关于农业生产责任制的部分论述选载/中国农业合作史资料/1992.4

刘少奇三峡坝址踏勘记/李啸海/湖北文史资料/1997.S1

刘少奇与人民内部矛盾问题/吴小宝/上海党史与党建/1998.6

刘少奇与五六十年代中国共产党工业化理论的创新/郑崇玲/党史研究与教学/2006.1

刘少奇与六十年代初的国民经济调整/黄峥/党史研究/1986.1

刘少奇与六十年代的国民经济调整/马云飞/中共党史研究/1988.5

刘少奇对"大跃进"运动的反思/杜本礼/河南师范大学学报(哲学社会科学版)/2002.6

刘少奇对中国农村发展道路的探索/周以谟/党的文献/1992.6

刘少奇对我国社会主义建设道路探索的伟大贡献/刘金菊/江西教育学院学报/2003.5

刘少奇对经济管理体制改革的探索与贡献/田雪梅/四川师范大学学报(社会科学版)/2001.4

刘少奇对试办托拉斯的有益探索/吕小蓟/党史文汇/1994.5

刘少奇对搞活社会主义经济的一些思考/刘崇文/人民日报/1988.11.25

刘少奇对新中国民主政治建设的贡献/吴文泰/高校理论战线/1993.3

刘少奇对新中国教育事业的重要贡献/本刊编辑/人民教育/1980.3.3

刘少奇关于中国农村发展道路的思想研究述评/林蕴晖/党的文献/1996.5

刘少奇关于共产党员修养理论的研究述评/中共党史研究/1997.1

刘少奇关于走中国自己的社会主义建设道路的思考/裴明慧/北京教育学院学报/2006.4

刘少奇关于党的建设思想的基本特点/朱地/中共党史研究/1996.3

刘少奇关于群众观点的理论与实践/陈辉/上海党史与党建/1998.6

刘少奇同志对社会主义矛盾理论的贡献/张江明/理论月刊/1986.6

刘少奇在反冒进——反冒进中的态度探析/谭炳华/党史研究与教学/1999.5

刘少奇论中国工业化的道路/魏兴/青海师范大学学报/1993.2

刘少奇论社会主义经济建设的若干基本原则/魏兴/青海党史通讯/1993.1

刘少奇社会主义工业化思想探析/赵春生/党的文献/2000.1

刘少奇的北京调查/贾俊民/河北师范大学学报(哲学社会科学版)/1999.2

刘少奇经济思想研讨会述略/薛承/中共党史研究/1999.2

刘少奇促进民主法制建设二三事/公民导刊/2008.3

刘少奇研究述评学术讨论会综述/吕小蓟/党的文献/1997.1

刘庄成功抵制人民公社化初期失误的原因与启示/刘桂兰/学习论坛/2000.7

吉林省珲春"四清运动"探析/潘洪伟/长春工业大学学报(社会科学版)/2006.1

后统购统销时期我国二元社会结构的化解/黄金魁/十堰职业技术学院学报/2006.4

回忆"七千人大会"/李保文/党史天地/2006.8

回忆人民大会堂设计过程/赵冬日/纵横/1997.8

回忆少奇同志对人民大学的关怀/成仿吾口述,彭明整理/教学与研究/1980.2

回忆朱德同志对首钢建设的关怀/周冠五/北京日报/1991.12.13

回忆周总理领导我们建设档案事业/曾三/人民日报/1980.1.7

回忆南宁会议讨论三峡问题/李锐/湖北文史资料/1997.S1

回眸《论十大关系》光辉历程/纪国伟/党史天地/2006.5

在历史的另一面——大跃进的反思/宋连生/内部文稿/1991.3

在失误与挫折面前——60年代前期党内对社会主义的新认识/韩钢/党史文汇/1989.1

在村庄与国家之间——劳动模范李顺达的个人生活史/行龙/山西大学学报(哲学社会科学版)/2007.2

在客观规律的惩罚面前——学习刘少奇一九六二年关于对克服经济困难的论述/鲁宪新/毛泽东思想研究/1986.1

在科学与政治之间:1964年的北京科学讨论会——薛攀皋先生访谈录/熊卫民/科学文化评论/2008.2

如何正确认识"毛泽东时代"/马志赟/史学月刊/2005.4

安徽三年困难时期的严峻形势与为克服困难而作出的努力/朱来常/安徽史学/1996.1

安徽省一九六一年的"责任田"问题/刘以顺等/党史研究/1983.5

延伸与准备:1949年至1978年马克思主义中国化的曲折进程与原因/郑谦/中共党史研究/2007.4

当代中国社会救助史研究论略/李小尉/辽宁师范大学学报(社会科学版)/2006.5

当代中国逆城市化研究(1949—1978)/邱国盛/社会科学辑刊/2006.3

当代中国党和国家领导制度的演变(1959年9月—1976年10月)/陈雪薇/南京政治学院学报/1989.1

曲折和复苏——从"反右派"运动到调整时期的"双百"方针/夏杏珍/当代中国史研究/1998.3

有关中国1959—1961年饥荒的研究综述/范子英/中国农村观察/2005.1

有关社会主义建设总路线评价的几个问题/孙梁/党史研究/1983.3

朱德力主解散公共食堂/罗平汉/百年潮/2007.3

朱德五六十年代对我国经济管理体制改革的可贵探索/徐黎/党的文献/2000.1

朱德对我国社会主义经济建设的一些思考/李洪才/党的文献/1993.4

朱德对党的纪律检查工作的理论贡献/覃采萍/党史文苑(学术版)/2006.10

朱德关于社会主义经济建设思想初探/徐晓林/中南民族学院学报(社科版)/1987.4

朱德学术讨论会在仪陇举行/人民日报/1991.12.6

朱德研究中的几个热点问题述评/江泰然/江西大学学报/1993.1

江西共产主义劳动大学的创办、发展及更名/周海华/当代中国史研究/1997.1

江西省城乡社会主义教育运动始末/曹力铁/当代中国史研究/1998.5

百年少奇与中国社会主义二题/李向前/当代中国史研究/1999.2

红旗渠修建成功的社会背景/李海红/殷都学刊/2008.1

纪念《关于正确处理人民内部矛盾的问题》发表40周年学术讨论会述要/瑄伯/当代中国史研究/1997.3

自然灾害与自然条件对困难时期饥荒形成的影响/李若建/当代中国史研究/2000.5

论"八大"与执政党建设/高平/新视野/1991.9

论"文革"之前的知识青年上山下乡/崔禄春/党史研究与教学/1999.4

论1957年整风运动走向反面的两个关键因素/喻冰/党史纵横/2003.10

论1958年的中国空想共产主义运动/苏东海/党史研究资料/1988.12

论1961年的大兴调查研究之风/侯德础/四川师范大学学报(哲学社会科学版)/1998.2

论1962年以后人民公社的特征/焦金波/天中学刊/2005.1

论1962年以后人民公社的稳定/焦金波/信阳师范学院学报(哲学社会科学版)/2001.2

论20世纪五六十年代中国式"大科学"体制/段治文、钟学敏/中国社会科学文摘/2006.3

论20世纪五六十年代中国现代化发展机遇的展现/詹于虹/求索/2005.2

论一九五七年/沈扬/青年论坛/1985.2

论一九五八年/苏东海/团结报/1989.6.3

论二十世纪五十年代中国共产党人对建设社会主义的探索/周文锋/邵阳学院学报(社会科学版)/2006.6

论十年建设时期毛泽东建设社会主义思想的两个发展趋向/沈郑荣/南京政治学院学报/1992.2

论三线建设的功过是非/李晓慧/许昌学院学报/2003.4

论大跃进"浮夸风"的表现形式和基本特点/高其荣/云梦学刊/2002.2

论大跃进民歌运动与"五四"新村主义思潮的历史呼应/张育仁/重庆师范大学学报(哲学社会科学版)/2007.5

论中共领袖关于三线建设战略决策的得大于失/宋毅军/军事历史/2007.5

论中国共产党对中国现代化的历史贡献/申富强/传承/2007.5

论六十年代中期工业经济管理体制改革的尝试/赵凌云/经济问题探索/1988.1

论六十年代初毛泽东纠"左"不彻底的原因/胡国民/世纪桥/1997.2

论六十年代初调整政治关系的起因/刘庆旻/党史研究与教学/1996.4

论六十年代前半期文艺"批修"运动/彭礼贤/井冈山师范学院学报/1996.2

论反右派斗争对"大跃进"运动的影响/王玉贵/历史教学/2005.7

论毛泽东、刘少奇在五七整风运动中的认识分歧/申林/北京党史/2007.6

论毛泽东对列宁无产阶级文艺观的创造性运用/杜春海/毛泽东思想研究/2006.1

论毛泽东对社会主义理想政治秩序的探求/郭学旺、赵跃先/政治学研究/2006.2

论毛泽东关于"大跃进"的思想/王也扬/史学集刊/2002.4

论毛泽东的东方理论凯歌行进时期的"马克思主义东方学"/俞良早/理论探讨/2006.2

论毛泽东的社会主义商品生产思想及其实践教训/李晓勇/毛泽东思想/2007.1

论毛泽东探索中国社会主义经济建设道路的贡献/杨爱华/胜利油田师范专科学校学报/2004.3

论刘少奇对我国社会主义建设道路的探索/赵晖/党史研究与教学/2000.6

论刘少奇对我国社会主义现代化建设道路的探索/赵泉钧/党史研究与教学/2001.1

论刘少奇关于中国教育体制改革的思想/曾长秋/当代中国史研究/1998.5

论当年反"共产风"中毛泽东维护农民经济利益的思想/唐根华/湖南科技大学学报(社会科学版)/2007.2

论朱德关于世界大战打不起来和军工转民用的思想/江泰然/江西行政学院学报/2008.4

论庐山会议转向的国际因素/姜建芳/商丘师范学院学报/2005.3

论张闻天对建设中国社会主义问题的思考/白树震/通化师范学院学报/2006.3

论我党对社会主义建设规律的探索和发展/刘玉平/山东大学学报(社会科学版)/2000.1

论苏共二十大对中共八大的正面效应/俞玲/湖北行政学院学报/2004.4

论周恩来民主执政思想(笔谈)/孙云凤/淮阴师范学院学报(哲学社会科学版)/2005.3

论周恩来社会主义现代化战略思想/曾宪凯/党史研究与教学/1998.3

论周恩来的政策决策原则/冯静/中南财经大学学报/1998.2

论建国后第二次大调查/贾俊民/党的文献/1999.1

论城市人民公社化运动的历史必然性/李端祥/当代世界与社会主义/2007.2

论急于求成、盲目求纯的危害及历史教训/乔毅民等/毛泽东思想研究/1989.1

论政治传播与大跃进运动高潮的形成/黄宗华/成都大学学报(社会科学版)/2007.2

论党在社会主义时期处理阶级斗争问题的经验教训/新彦文/党建研究/1992.1

论赶超战略的本质与中国实施赶超战略的经验教训/郭根山/河南师范大学学报(哲学社会科学版)/2005.1

论新中国的农业机械化进程及经验教训/莫江平/湘潭师范学院学报(社会科学版)/2007.1

论新中国城乡二元社会制度的形成——从粮食计划供应制度的视角/汤水清/江西社会科学/2006.8

论新民主主义理论对中国社会主义革命与建设的影响/廖志成/嘉应大学学报/2003.2

达赖集团与美国国会之间的关系/王芳/国际资料信息/2006.12

阶级斗争认识上的失误是从知识分子问题开始的/宋仲福/党史研究/1984.2

两次"炮击金门"的历史审视/陆玮/衡阳师范学院学报/2001.2

作为"意识形态"化的生活方式——1949年到1978年中国社会生活史的总体特征/唐魁玉/理论界/2008.3

作为政治话语的1958年"新民歌运动"/赫牧寰/齐齐哈尔大学学报(哲学社会科学版)/2007.3

冷战中的中国与周边关系国际学术研讨会综述/戴超武/历史研究/2003.3

冷战以来中泰关系的巨大变化及其决定因素/石维有/玉林师范学院学报/2005.6

初级阶段理论与党的八大/李桂琴/成都市委党校学报/1988.5

坚持"二为"方向贯彻"双百"方针努力促进精品创作/杨牧之/党建研究/1996.12

坚持唯物史观/推动生产力发展——兼谈"大跃进"失误的教训/吴韵朗/江西社会科学/1988.5

宋庆龄为新中国奋斗的一生/黄华/光明日报/1993.1.20

宋庆龄对中国革命的特殊贡献/盛永华/光明日报/1993.1.18

庐山风云变幻新探/叶文琴等/山东医科大学学报(社科版)/1989.3

庐山会议:人生旅途的重大转折/万毅/纵横/1997.12

庐山会议与中国共产党党内民主的经验教训/李爽/新疆大学学报(哲学人文社会科学版)/2006.5

庐山会议从纠"左"转向反右的原因探析/于文湖/临沂师范学院学报/2002.1

庐山会议及其历史教训/张弓等/党史研究/1984.3

庐山会议对发展党内民主的几点启示/张恺/大连干部学刊/2006.6

庐山会议由纠"左"转为反右的原因/昝亚俊/理论学刊/1986.5

庐山会议后期反右倾悲剧的缘由/刘庆旻/档案与史学/1996.1

庐山会议何以由纠"左"转向反右/李乃义/史学月刊/1992.5

庐山会议前党和毛泽东在纠正"共产风"错误中"算旧账"问题上的演变及启示/柳建辉/党史研究与教学/1991.2

应肯定湖北"和平运动"有进步意义/张广应/中共党史研究/1990.2

张闻天关于"包产到户"的笔记/顾为铭/当代中国史研究/2006.1

张闻天农业合作化思想及其贡献/王进/中国现代史/2006.8

张闻天在庐山会议上对"大跃进"模式的反思/马冀/南都学坛/2002.2

张闻天社会主义经济理论之我见/张青叶/山西党史通讯/1992.3

我参与指挥了中国第一次核试验/张蕴钰/百年潮/2007.1

我国"大跃进"时期的宏观经济管理/王亚平/中国计划学会通讯/1986.3

我国"大跃进"时期基本建设的历史回顾与借鉴/耕之/经济研究参考资料/1989.10

我国 50 年代院系调整及其反思/曲铁华、梁清/邢台职业技术学院学报/2002.3

我国大三线建设的历史经验和教训/李彩华/东北师范大学学报(哲学社会科学版)/2005.4

我国五六十年代机构改革的历史回顾/杜新/河南大学学报(哲社版)/1987.6

我国文化建设上贯彻"双百"方针的历史经验/孙泽学/三峡大学学报(人文社会科学版)/2005.6

我国农村基础设施投资的变迁(1950—2006 年)/董志凯/当代中国史研究/2008.6

我国阶级斗争理论扩大化的历史演变/王力峰/新疆师范大学学报(哲社版)/1989.2

我国社会主义时期"左"倾错误原因论析/刘林元/扬州大学学报(人文社会科学版)/2008.4

我国社会主义时期的"左"倾错误与个人权力过分集中/戴孝庆/重庆社会科学/1988.2

我国社会主义建设中的"左"倾错误及其历史教训/蔺子荣/齐鲁学刊/1981.5

我国社会主义建设时期两次"左"倾错误的严重教训——学习《三中全会以来重要文献选编》一书的体会/苏国庆/兰州学刊/1984.1

我国城市人民公社化运动未造成巨大灾难的原因/郭秀平/党史研究与教学/2006.3

我国城市居民委员会的回顾和思考/陈辉/中共党史研究/1999.6

我国调整时期的宏观经济管理/王亚平/中国计划学会通讯/1986.4

我省第一个人民公社——东风人民公社成立经过/邵德龙/贵阳文史/2005.3

我党五十年代后期对台和平政策/朱诗柱/安庆师院学报(社科版)/1991.4

改造日本战犯十四年纪实/张仁寿/纵横/1997.6

时代的选择——青藏铁路决策的曲折历程/江世杰/时代潮/2003.18

社会主义改革的最初探索——中共"八大"述略/李秋/党史纵横/1996.9

社会主义时期党内"左"倾错误的特点/邵先崇/史学月刊/1989.6

社会主义时期党内长期存在"左"倾错误的原因试析/孙道同等/社会科学/1983.5

社会主义建设时期"左"倾错误的表现浅析/王玉卿/理论学刊/1988.6

社会主义建设前期"两个发展趋向"的现实启示/李曙新/甘肃社会科学/2007.6

社会主义建设前期失误的认识论根源/李曙新/西北师大学报(社会科学版)/2007.6

社会主义建设总路线初探/许建华/党史研究/1981.5

社会主义建设总路线述评/周承恩/党的文献/1992.2

社会主义建设总路线简析/索世晖/教学与研究/1982.4

社会主义探索史上有价值的一页——中共领导人 60 年代前期对社会主义认识的推进/鲁振祥/党的文献/2001.4

社会主义教育运动评述/魏维钧/党史研究/1984.6

社会主义教育运动的过程与体制性分析/郑谦/中共党史研究/2006.2

社会主义教育运动起源初探/王维佳/中共党史研究/1988.2

苏联对"大跃进"和人民公社的反应/沈志华/中国社会科学文摘/2006.4

苏联因素对毛泽东发动"大跃进"的影响/刘家钦/安徽史学/2005.5

苏联模式在中国是如何被强化的/孔寒冰/俄罗斯研究/2002.4

评社会主义建设总路线/林蕴晖/党史通讯/1986.6

走一条中国式的社会主义建设道路——学习陈云同志在五十和六十年代的几篇讲话/刘学愚/云南日报/1981.3.6

走向分裂:从暗中斗争到公开论战——1960 年代中苏关系研究之二/李丹慧/史学集刊/2006.6

近二十年来庐山会议研究述评/姬晓辉/北京党史/1999.4

近二十年来新中国国防建设史研究述评/张广宇/当代中国史研究/2007.4

近十年四清运动研究综述/王永华/重庆社会科学/2007.7

近十年农村人民公社研究综述/刘德军/毛泽东思想研究/2006.2

近十年来"大跃进"运动研究综述/许新年/四川师范大学学报(社会科学版)/2005.S1

近十年来人民公社问题研究的回顾与展望/王玉贵/盐城师范学院学报(人文社会科学版)/2007.3

近十年来刘少奇思想研究综述/王新元/历史教学/1998.11

近三十年来"大跃进"运动发生原因研究综述/齐霁/金卡工程(经济与法)/2008.12

近三十年来中共八大研究的回顾与思考/牛玉峰/南京社会科学/2006.12

近年来"大跃进"时期公共食堂研究综述/李春峰/高校社科动态/2007.2

近年来西方学术界关于毛泽东"一条线"外交战略的研究述评/陶季邑/史学集刊/2006.6

陆定一:对"百花齐放　百家争鸣"的执著追求/龚育之/炎黄春秋/2006.7

陆定一与"双百"方针/龚育之/纵横/2006.6

陈云与建国后第一次经济调整/朱地/马克思主义研究/1998.1

陈云对"大跃进"时期"左"的错误的思考/张凤翔/韶关学院学报/2004.10

陈云同志与中共"八大"前后的经济体制改革探索/高路/北京党史研究/1992.6

陈云的"综合平衡观"与中国的经济发展/姜建芳/商丘师范学院学报/2006.3

陈伯达与小站"四清"/刘晋峰/炎黄春秋/2000.1

使中国挺直腰板的战略性抉择——为纪念中国核武器的诞生而作/李俊亭/当代中国史研究/2005.2

供销合作社经营"官商化"问题研究/徐利容/首都师范大学学报(社会科学版)/2007.S1

具有历史意义的战略决策——关于从一九六三年到一九六五年继续贯彻执行"调整、巩固、充实、提高"方针的问题/王亚平/党史研究/1986.6

具有伟大历史意义的"八大"/武可贤/山东大学文科论文集刊/1980.2

制度"创新"与农村人民公社的缘起/辛逸/山东师范大学学报(人文社会科学版)/2003.6

参加炮击金门/江培明/福建党史月刊/2008.6

参加接待特赦人员工作的回忆/陈斐兰/中国统一战线/2005.5

周小舟庐山会议给毛泽东的信发出前后/禹丁华/湘潮/2004.1

周恩来与"反对经验主义"/王永钦/党史天地/2002.1

周恩来与"文化大革命"前期的国民经济/安建设/当代中国史研究/1998.1

周恩来与"两弹一星"/刘武生/湘潮/2002.5

周恩来与三线建设/宋毅军/红岩春秋/2008.4

周恩来与中央专门委员会/杨明伟/纵横/1997.12

周恩来与中国五六十年代的科技战略/刘霁堂/河南大学学报(社会科学版)/1999.1

周恩来与中国核工业/中国核工业总公司党组/中共党史研究/1998.1

周恩来与四个现代化/蔡娟/党史研究与教学/1998.1

周恩来与四个现代化目标的提出/韩亚光/当代中国史研究/2006.1

周恩来与四化建设:纪念中华人民共和国建国三十五周年/龙生/学术月刊/1984.10

周恩来与我军的正规化现代化建设/萧克/解放军报/1988.3.4

周恩来与我国的对藏政策/陈建伟/学术论坛/2008.5

周恩来与党的知识分子政策/徐美群/黑龙江社会科学/2005.3

周恩来与新中国外交/李文业/党史纵横/1993.2

周恩来与新中国经济建设/吴群敢/党的文献/1993.4

周恩来与新中国铁路事业/李哲/苏州科技学院学报(社会科学版)/1998.6

周恩来与精简机构/马红坤/毛泽东思想研究/2009.1

周恩来为知识分子"脱帽加冕"/廖心文/瞭望/1993.11

周恩来文物保护思想与西部大开发/曾自/党的文献/2002.1

周恩来计划赴藏未能成行的背后/宋月红/百年潮/2007.3

周恩来对西部少数民族地区经济发展的思考与探索/韩同友/党的文献/2007.3

周恩来对新中国工业化建设的重大贡献/曹晋杰/文史春秋/2006.12

周恩来对新中国国际事业的杰出贡献/周家鼎/国防大学学报/1988.5

周恩来对新中国科学技术事业的三大贡献/徐建刚/上海党史与党建/2008.3

周恩来关于中央与地方关系思想论析/吴志鸿/党的文献/1993.1

周恩来关于对外开放的理论述评/张田水/河南师大学报/1993.1

周恩来同志和知识分子工作/吴兴锦/创造/1998.4

周恩来在八大前后对改进我国经济管理体制的重要思想/熊华源/党史研究与教学/1989.2

周恩来在调整国民经济期间的贡献/吴群敢/党史研究与教学/1988.4

周恩来论体制问题的启示/殷翠恋/党史研究与教学/1998.3

周恩来论建国后人民民主统一战线的新变化新特点/陈国权/呼兰师专学报·社科版/1986.3

周恩来和建国以来党的知识分子政策/龚育之/中共党史研究/1998.2

周恩来宜昌中堡岛纪行/张三杰/湖北文史资料/1997.S1

周恩来的农业发展思想研究综述/蒋仲辉/当代中国史研究/1996.2

周恩来经济思想与西部开发的几点思考/曹应旺/当代中国史研究/2001.3

周恩来试办托拉斯思想探析/李广成/求索/2005.7

周恩来带队查勘三峡记/李锐/湖北文史资料/1997.S1

周恩来政治体制改革思想探析/蒋代谦/学习论坛/1998.3

周恩来哲学思想研究述评/杨明伟/党的文献/1996.4

周恩来探索中国社会主义建设的理论贡献/庹平/当代中国史研究/2008.2

周恩来慎重决策葛洲坝工程/谢兴发/湖北文史资料/1997.S1

和平解放台湾的尝试——五六十年代国共两党的几次秘密接触/王中人/党史纵横/1997.4

和谐社会的经济建设:毛泽东的初步探索纪念《论十大关系》发表50周年/孙金华/毛泽东思想研究/2006.2

国外关于中印领土争端的研究/马荣久/当代中国史研究/2007.2

国民经济调整时期的职工精简/罗平汉/史学月刊/2007.7

国民党大陆政策的演变与第三次国共合作的战略探讨/孙堂厚/延边大学学报(社会科学版)/1997.1

国际关系的演化变迁与中印"兄弟"情谊的大起大落/尚劝余/史学集刊/2007.4

国际冷战时局对中国政治经济政策的影响/苏雪芹/青海民族学院学报(社会科学版)/2002.1

国际局势对三线建设的影响/董颖/文史精华/2000.12

国际局势的变动和三线建设的决策与实施/董颖/广西党史/2000.5

国家干部援藏政策初探及实施若干问题研究/张涛/西藏发展论坛/2007.3

国家利益是中苏恩怨的死结/屈建军/西安航空技术高等专科学校学报/2005.2

国家形象的塑造——以1950年代的国家话语为中心/曹树基/上海交通大学学报(哲学社会科学

版)/2008.3

国家政权建设与乡村发展——对革命后中国乡村社会现代化进程的反思/龙太江/衡阳师范学院学报/2002.1

国情调研与国史理论建设/宋月红/当代中国史研究/2008.3

学习邓子恢同志关于实行农业生产责任制的观点/戴清祺等/人民日报/1982.2.23

学雷锋活动是怎样兴起的/彭定安/百年潮/2007.12

宝贵的历史经验——对"开始全面建设社会主义的十年"历史阶段重要转变的回顾及迅速实现转变原因的初探/丁惠希/武汉钢铁学院学报/1982年增刊

实事求是,按客观经济规律办事——刘少奇关于六十年代初期经济调整的若干重要论述/杨波/求是/1988.9

实事求是地总结"大跃进"和人民公社化运动的经验教训/杨富贵/黑龙江史志/1994.6

建国50年浙江农村社会变革与农民婚姻状况的历史变迁/钱文艳/安徽史学/2005.6

建国以来中央诸办事小组考述/方海兴/前沿/2008.7

建国以来中国共产党改进治国方式的历史考察/祝彦/党史研究与教学/2006.4

建国以来中国共产党的纪念活动探析/胡国胜/党史研究与教学/2008.1

建国以来主流意识形态的变迁及启示/张娟/求实/2006.6

建国以来关于"改土归流"问题研究综述/秦中应/边疆经济与文化/2005.6

建国以来关于"整理国故"问题的研究综述/王存奎/徐州师范大学学报(哲学社会科学版)/2008.2

建国以来农民非农化进程的历史考察/漆向东/江西社会科学/2007.3

建国以来我国社会运行激励机制的演变/谭桂娟/山西高等学校社会科学学报/2006.10

建国以来我国思想观念变革的价值及所反映出的基本特点/蒋菊琴/社会科学战线/2003.6

建国以来我国蝗灾防治工作的历史考察/高冬梅/河北师范大学学报(哲学社会科学版)/2005.1

建国以来我党对苏联社会主义发展模式的三次改革/任晓伟/信阳师范学院学报(哲学社会科学版)/1999.4

建国以来社会动员制度的变迁/夏少琼/唯实/2006.2

建国以来经济社会发展战略比较研究/刘明定/喀什师范学院学报/2006.1

建国以来淮河流域水患灾害及其治理/于文善/党史研究与教学/2005.6

建国后17年福建文艺工作的发展及其基本经验/王子韩/党史研究与教学/2006.5

建国后工资制度的建立及其沿革/张薇/贵阳文史/2008.5

建国后中国人观念现代化的发展/闫玉联/阜阳师范学院学报(社科版)/2003.4

建国后中国共产党的知识分子政策探析/李铁/新疆石油教育学院学报/2005.3

建国后毛泽东农业政策简析/东泽民/历史教学(高校版)/2007.3

建国后毛泽东的法制建设观论析/戴开柱/求索/2006.12

建国后毛泽东保障人民言论自由的实践述评/林育川/当代中国史研究/2006.2

建国后刘少奇对国有工业企业领导制度建设的初步探索/梅丽红/当代中国史研究/1998.5

建国后党对知识分子阶级属性认定的艰辛历程/徐庆全/湘潮/2007.5

建国后党的第一代领导集体的失误及其启示/孔德生/理论探讨/2000.6

武汉市反右倾斗争始末/涂天向/武汉文史资料/2007.4

河北省大办农村公共食堂的历史考察/李春峰/当代中国史研究/2008.5

波匈事件后毛泽东对国内阶级斗争局势判断变化的历史线索/王素莉/当代中国史研究/1999.1

浅议毛泽东发动"大跃进"的原因/李安增/四川党史/1991.1

浅议周恩来的依法治国思想/蔡放波/中南财经大学学报/1998.2

浅论"百花齐放、百家争鸣"方针/林丹力/重庆广播电视大学学报/2005.1

浅论反右运动——兼与胡连生同志商榷/李友刚/社会主义研究/1990.2

浅论彭德怀反个人崇拜思想/袁本文/北方工业大学学报/2004.2

浅析"八大"路线中断的主要因素/张倩/河南师范大学学报(哲学社会科学版)/2006.4

浅析"大跃进"发动之初的政治环境/罗重一/社会主义研究/1999.5

浅析20世纪50年代中后期我国的国民心态/薛德枢/胜利油田师范专科学校学报/2003.4

浅析20世纪60年代初期我国的试办托拉斯/李庆峰/山东省农业管理干部学院学报/2007.2

浅析毛泽东对恢复我国在联合国合法权利的思想变化/刘雄/党史研究与教学/2001.S1

浅析毛泽东关于中国社会主义社会建设的战略思想/韩梅/毛泽东思想研究/2006.6

浅析刘少奇关于过渡时期的构想/王武/党史研究与教学/1994.6

浅析克服三年经济困难的基本途径/陵伟中/求实/1989.8

浅析新中国以来党对私有制的政策及认识/尹业香/党史研究与教学/1999.5

浅析新疆"伊、塔事件"发生的原因/陈曦亮/中共伊犁州委党校学报/2006.1

浅谈"双百"方针的精神实质和现实意义/孙黎/党史文苑/2004.2

浅谈新时期坚持贯彻"双百"方针的重大意义/曾传梓/邵阳高等专科学校学报/1995.2

浅谈党的八大对执政党建设理论的重大贡献/高平/党史博采/1992.1

知识分子"尾巴论"探析/章牧/淮阴师范学院学报(哲学社会科学版)/2003.5

知识分子是何时戴上"资产阶级"帽子的/罗平汉/历史教学/2002.3

经济调整前夕党内外的政治生活/王正/内蒙古大学学报(人文社会科学版)/2007.3

肯尼迪政府与蒋介石"反攻大陆"/刘子奎/当代中国史研究/2009.1

艰辛的开拓:毛泽东在"文化大革命"以前对中国社会主义建设道路的探索/石仲泉/党史研究/1987

试从农民的务实性格探邓子恢的农业生产责任制思想/翁树杰/福建党史月刊/1991.1

试办托拉斯始末/吕伟俊/山东大学学报(哲学社会科学版)/2002.4

试论"大跃进"运动中的"全国一盘棋"思想/张俊华/河南师范大学学报(哲学社会科学版)/2007.3

试论"大跃进"运动的经济建设及其经验教训/邓兴华/四川党史/1991.3

试论"文革"前十年的逆转趋势/王祥光/党史文汇/1988.5

试论1962年中印边界冲突对中巴关系的影响/王琛/河南大学学报(社会科学版)/2005.5

试论20世纪50年代中国选择社会主义的必然性/詹于虹/杭州电子科技大学学报(社科版)/2007.S1

试论20世纪60年代初安徽"责任田"夭折的原因/先安顺/北京党史/2006.3

试论20世纪五六十年代我国政治监督制约机制的特征/张明军/河南师范大学学报(哲学社会科学版)/2006.1

试论20世纪六七十年代两次文化政策的调整/夏杏珍/当代中国史研究/2002.6

试论50年代中期的中国对日政策与中日关系/罗平汉/当代中国史研究/1997.5

试论人民公社兴起的动力与理论依据/熊启珍/党史研究与教学/1997.2

试论人民公社的历史地位/辛逸/当代中国史研究/2001.3

试论八大前后党对人民民主理论的贡献/裴青/思维与实践/1990.2

试论三年困难时期毛泽东的经济思想/刘菊素/常德师范学院学报(社会科学版)/2000.4

试论大公社所有制的变迁与特征/辛逸/史学月刊/2002.3

试论大生产运动和"大跃进"运动之历史分野/吴志军/党史文苑/2004.10

试论大跃进时期冒进思想产生的原因/朱冠艾/淮南师范学院学报/2006.6

试论中国当代社会史的研究对象和研究内容/张世飞/贵州社会科学/2008.5

试论六十年代初克服困难的历史经济/裘盛丁/上饶师专学报(社科版)/1990.1

试论毛泽东外交战略的历史特征/陈再生/漳州师范学院学报(哲学社会科学版)/2006.3

试论毛泽东对中国现代化的时间估计/李纳森/当代中国史研究/1999.5

试论毛泽东关于中国社会发展的宏伟蓝图/薛忠义/辽宁师范大学学报(社会科学版)/2002.1

试论毛泽东在二十世纪六十年代国民经济调整中的作用/鲁振祥/中共党史研究/2003.6

试论邓子恢的农业生产责任制思想/范志轩/自贡师专学报(综合版)/1990.2

试论刘少奇在六十年代初期国民经济调整中的贡献/王作坤/齐鲁学刊(曲阜师院学报)/1985.3

试论困难时期的职工精简与城镇居民压缩/郑美霞/怀化学院学报/2007.2

试论我国五六十年代空想共产主义的表现及其根源/王永康等/甘肃理论学刊/1989.4

试论我国社会主义时期的矛盾与阶级斗争/李若谷/河北大学学报/1982.4

试论周恩来1959—1961年应对粮食危机的举措/唐正芒/云梦学刊/2008.6

试论周恩来关于社会主义建设的渐进思想/郑庆荣/党史研究与教学/1998.2

试论和平发展时期的革命/陈紫云/黄石师院学报/1982.2

试论建国后党对工会工作方针的曲折认识过程/江柯林/党史研究资料/1992.11

试论党对我国主要矛盾的探索/王明有/洛阳师范学院学报/2002.3

试评反右派斗争中"引蛇出洞"的策略/曹屯裕/宁波师院学报(社科版)/1987.2

试析"八大"后不久党在指导方针上转向的原因/李乃义/河南大学学报(社科版)/1991.8

试析"大跃进"时期农村公共食堂的兴起——以徐水县为例/李海滨/河北大学学报(哲学社会科学版)/2007.3

试析"大跃进"运动的发动成因/邓兴华/江西党史资料/1989.1

试析"以问题为中心"的国史分期理论/张世飞/当代中国史研究/2008.3

试析"四清"运动中的清经济工作/阮晋柏/成都党史通讯/1990.2

试析20世纪60年代中国社会主义教育运动的起因/洪文杰/辽宁教育行政学院学报/2003.11

试析20世纪60年代初农村经济体制调整受挫的历史原因/范晓春/党史文苑(学术版)/2006.10

试析20世纪五六十年代中印关系恶化的原因——中印边界战争40周年回顾/康民军/当代中国史研究/2003.1

试析人民公社化运动中党对农民的思想教育/张齐学/当代中国史研究/2003.1

试析中苏关系破裂的原因/王珍愚/安徽史学/2004.3

试析中国处理中印边境武装冲突的斗争艺术/卓爱平/党史研究与教学/2000.4

试析毛泽东的现代化目标设计与政策选择/王明生/毛泽东思想/2006.3

试析庐山会议上彭德怀悲剧的必然性/李君/社会科学论坛(学术研究卷)/2006.12

试析庐山会议由纠"左"到反右的原因/冯松/湖南省社会主义学院学报/2007.2

试析庐山会议纠"左"中断的原因/曹顺霞/西江大学学报/2000.3

试析张闻天按劳分配理论及其现实意义/夏煜煜/毛泽东思想论坛/1990.3

试析党的八大未宣布过渡时期结束的缘由/黄景芳等/党的文献/1992.2

试析新中国对外关系中的和平共处五项原则/孙友葵、王玉贵/当代中国史研究/1996.3

试述我国农村人民公社整风整社运动/马英民/河北大学学报(哲社版)/1991.2

试述党的八大二次会议与大跃进运动的发展/赵勖进/长春工业大学学报(社会科学版)/2007.2

试述调整时期湖南的农业政策/罗彩云/农业考古/2007.3

话说1958年的科学"大跃进"/罗平汉/文史春秋/2001.1

亲历1959年西藏平叛/王起秀/百年潮/2008.10

亲历中国首次氢弹试验/张蕴钰/百年潮/2007.4

亲聆毛泽东在"七千人大会"上的讲话/李曦沐/纵横/2003.11

信息失真与决策失误——关于"大跃进"运动的再考察/杨俊/中国现代史/2006.8

南宁会议与"大跃进"/王东等/广西党史研究通讯/1992.1

变异与传承——建国十七年杂文理论管窥/袁勇麟/福建论坛(人文社会科学版)/1996.2

城市人民公社化运动的兴亡与历史教训/李端祥/求索/2004.7

城市人民公社成因探析/李端祥/广西社会科学/2005.2

城市人民公社社办工业研究/李端祥/湘潭大学学报(哲学社会科学版)/2005.1

威慑与谋略——炮击金门行动在维护"一个中国"中的军事价值/宋孝和/徐州师范大学学报(哲学社会科学版)/2005.3

战后社会主义的发展与毛泽东的探索/林蕴晖/当代中国史研究/1999.1

战后国际关系与我国建国初"一边倒"方针的形成/丁明/当代中国史研究/2003.2

按物资多少安排基建规模——六十年代压缩基建规模的一段回顾/程子华/经济日报/1988.9.23

炮击金门与领海权/申振华/湘潭师范学院学报(社会科学版)/2007.6

炮击金门的历史意义及其对海峡两岸关系的影响/林斌/历史教学/1998.5

炮击金门的国际较量/何春阳/文史精华/1999.5

炮击金门的前前后后/王爱东/当代海军/2000.2

炮击金门背后的文章——访北京和平与发展研究中心研究员沈卫平/何端端/华人时刊/1999.12

炮击金门背后的政治、外交斗争/王爱东/贵州文史天地/1999.1

科学的文艺管理方针——对"双百"方针的再认识/朱思勤/枣庄师范专科学校学报/1994.3

美国中央情报局对中国西藏的准军事行动(1949—1969)/郭永虎/史学集刊/2005.4

美海军三次介入台海危机/魏岳江/当代海军/2000.4

贵州"四清运动"的几个问题/周林/贵阳文史/2005.1

贵阳市的"四清"运动/叶江华/贵阳文史/2001.4

重工业优先发展战略对经济管理体制变迁的影响——以八大前后为缩影的研究/任志江/社会科学辑刊/2006.1

重读《论十大关系》/何炼成/陕西日报/1979.10.31

重新认识毛泽东对苏联模式的突破/邢和明/长白学刊/2003.2

除了大党主义、大国主义,就没有别的了吗? ——论20世纪60年代中苏大论战的背景/孔寒冰/忻州师范学院学报/2004.1

党纠正"大跃进"和公社化运动中错误的最初尝试/陈诗惠/党史研究/1983.5

党在八大前后关于利用非公有制经济形式的探索和局限/汪振华/中共党史研究/1996.6

党在社会主义阶段的历史经验/廖盖隆/党史研究/1980.6

党的八大与改革开放/林炎志/当代中国史研究/2006.5

党的八大对民主和法制建设的贡献/孟显才/信阳师范学院学报(哲学社会科学版)/2001.5

党的八大对社会主义改革的探索/胡火清/党史文苑(学术版)/2006.12

党的八大的历史功绩/张德成/社会科学研究/1981.6

党的八大前后开始的中国特色社会主义道路的探索与当今中国的发展壮大/李慎明/当代中国史研究/2006.5

党的八届十中全会评述/张弓/党史研究/1984.2

党的第八次全国代表大会的历史功绩/李竹雪/学习与实践/1984.5

准确把握陈云关于计划与市场关系的经济思想/卫兴华/当代中国史研究/2006.1

徐水共产主义试点始末/李春峰/党史博采(理论)/2006.2

彭德怀对社会主义经济建设问题的艰苦探索/龙正才/中共党史研究/1988.6

彭德怀生平与思想研讨会述评/马英民/中共党史研究/1999.2

彭德怀同志一九六一年回乡调查情况综述/刘景春/湘潭师专学报(社科版)/1984.4

援建中老友谊路的前前后后/江倜/纵横/2003.3

援越抗美述略/邓礼峰/当代中国史研究/2002.1

湖南三线建设与西部大开发/张学军/湘潮/2002.3

粟裕对金门战斗有过"三不打"指示吗？/戴尔济/党史研究与教学/1998.1

越南战争初期毛泽东处理中美关系危机的主要做法和历史经验/石恒骁/军事历史/2008.2

量生产力之"体"　裁生产关系之"衣"——读陈云同志《社会主义改造基本完成以后的新问题》/李振干/湖北日报/1981.6.4

新中国外交史若干史实考订/宗道一/当代中国史研究/1997.6

新中国农地政策的历史嬗变及逻辑启示/李岳云/南京农业大学学报(社会科学版)/2004.1

新中国成立以来中国共产党城乡政策的历史演变/张新华/历史教学问题/2007.3

新中国成立以来江浙两省行政区划沿革/郑定铨/经济研究参考/2007.51

新中国成立以来焦作地区水利建设的成败得失/田清春/焦作师范高等专科学校学报/2008.2

新中国成立后的第一场反侵略战争——上世纪60年代中印边境反击战决策始末/孙建琳/文史月刊/2008.9

新中国社会主义卫生事业和防疫体系的创立与发展/胡克夫/当代中国史研究/2003.5

新中国侨汇工作的历史考察(1949—1966年)/杨世红/当代中国史研究/2002.2

新中国的庆典活动与礼宾改革/欧阳凡/纵横/1997.6

新中国经济建设历程的回顾与联想/陈东林/当代中国史研究/2009.1

新中国前十七年毛泽东对农村社会分层问题的认识/席富群/福建党史月刊/2005.2

新中国是如何解决人民吃饭问题的/姜传岗/马克思主义研究/2006.11

新中国首次向美遣返战俘/张伟/百年潮/2004.12

新中国票证制度的确立/张学兵/首都师范大学学报(社会科学版)/2003.81

新疆三线建设初探/高新生/新疆大学学报(哲学社会科学版)/1999.1

新疆生产建设兵团和新疆军区隶属关系考/岳廷俊/石河子大学学报(哲学社会科学版)/2007.2

暖春是怎样变成严冬的:从知识分子问题会议到反右派运动/胡晓/安徽史学/2009.1

简论"大跃进"运动的几种关系/李知明/重庆三峡学院学报/2001.4

简论"大跃进"思潮的形成和产生条件/宋连科/长白学刊/1999.1

简论1957年农村两条道路的大辩论/罗平汉/史学月刊/2002.11

简论大公社的分配制度/辛逸/中共党史研究/2007.3

简论农村人民公社化运动的原因/宋银桂/湘潭大学学报(哲学社会科学版)/2008.5

解放后苏联援华的历史真相/徐焰/炎黄春秋/2008.2

解读《论十大关系》工业化思想及其发展以大庆石油会战为例/陈朝/毛泽东思想研究/2006.4

跨越两个时期三个阶段的中日关系/王少普/日本研究/1997.3

舆论导向与1958年的"大跃进"/陈述/党史文汇/1989.4

赫鲁晓夫对中国"大跃进"运动的反应/阎明复/百年潮/2007.8

影响三线建设决策相关因素的历史透析/董宝训/山东大学学报(哲学社会科学版)/2001.1

鞍钢宪法研究/戴茂林/中共党史研究/1999.6

二

著　作

红灯记的台前幕后/沈国凡著/当代中国出版社,2009.1

《新中国的光辉历程》辅导讲座/当代中国出版社,1992.7

三代领导集体与统一战线/王文、董志铭、齐彪著/华文出版社,1999.9

大跃进狂澜/谢春涛著/河南人民出版社,1990.6

山雨欲来风满楼/戴知贤著/河南人民出版社,1990.6

工读教育史/夏秀荣、兰宏生主编/海南出版社,2000.10

中小学教育史/卓晴君、李仲汉著/海南出版社,2000.9

中华人民共和国/刘国新编著/中国青年出版社,1995.8

中华人民共和国 1949—1999 事典/李学昌主编/上海人民出版社,1999.9

中华人民共和国 36 位军事家/陈宇编著/上海文艺出版社,2002.7

中华人民共和国 40 年/蒋辅义主编/四川人民出版社,1990.6

中华人民共和国 40 年大事记:1949—1989/中共中央宣传部编/光明日报出版社,1989.9

中华人民共和国 40 年大事记:1949—1989/黄道霞等主编/光明日报出版社,1989.9

中华人民共和国 50 年回顾与思考(上、下)/谢忱编著/新华出版社,1999.9

中华人民共和国 50 年成就大图典(上、下卷)/杨正泉主编/人民中国出版社,1999.11

中华人民共和国 50 年图集:1949—1999/方孔木、林谷良主编/上海人民出版社,1999.9

中华人民共和国 55 年要览:1949—2004/杨元华等主编/福建人民出版社,2006.1

中华人民共和国大事日志/王一华著/济南出版社,1992.8

中华人民共和国大事记(1949—1980)/新华通讯社国内资料组编/新华出版社,1982.6

中华人民共和国大事记(第三册:1956.9—1958.4)/南开大学历史系编/河北人民出版社,1959.12

中华人民共和国大事记·1949—2004(上、下)/新华日报社编/人民出版社,2004.8

中华人民共和国大事纪事本末/朱建华等主编/吉林教育出版社,1992.11

中华人民共和国大事评述/孙友葵等主编/黑龙江教育出版社,1989.4

中华人民共和国大事典(1949—1988)/张宏儒主编/东方出版社,1989.10

中华人民共和国大事典:1949—1989/段永林主编/吉林人民出版社,1991.2

中华人民共和国工业大事记/《人民日报》社国内资料组编/湖南出版社,1992.7

中华人民共和国广播电视简史:1949—2000/徐光春主编/中国广播电视出版社,2003.6

中华人民共和国专题史稿:卷二·曲折探索(1956—1966)/郭德宏、王海光、韩钢主编/四川人民出版社,2004.4

中华人民共和国专题史稿:卷五·世纪新篇(1990—2002)/郭德宏、王海光、韩钢主编/四川人民出版社,2004.4

中华人民共和国历史纪实·曲折发展:1958—1965/吕廷煜编/红旗出版社,1994.2

中华人民共和国历史纪实·艰苦探索:1956—1958/吕廷煜、韩莺红编/红旗出版社,1994.2

中华人民共和国历史知识问答/陈述主编/中共中央党校出版社,2004.10

中华人民共和国历史故事/国家教委基础教育司主编/中国少年儿童出版社,1994.1

中华人民共和国历史简编/陈述著/中共中央党校出版社,2004.10

中华人民共和国历史简编/谭双泉等主编/新疆大学出版社,1989.7

中华人民共和国日史:1957/许嘉璐等主编/四川人民出版社,2003.8

中华人民共和国日史:1958/许嘉璐等主编/四川人民出版社,2003.8

中华人民共和国日史:1959/许嘉璐等主编/四川人民出版社,2003.8

中华人民共和国日史:1960/许嘉璐等主编/四川人民出版社,2003.8

中华人民共和国日史:1961/许嘉璐等主编/四川人民出版社,2003.8

中华人民共和国日史:1962/许嘉璐等主编/四川人民出版社,2003.8

中华人民共和国日史:1963/许嘉璐等主编/四川人民出版社,2003.8

中华人民共和国日史:1964/许嘉璐等主编/四川人民出版社,2003.8

中华人民共和国日史:1965/许嘉璐等主编/四川人民出版社,2003.8

中华人民共和国日史:1966/许嘉璐等主编/四川人民出版社,2003.8

中华人民共和国计量工作大事记:1950—1987/国家计量局办公室编/中国计量出版社,1988.8

中华人民共和国风云实录/苏东海、方孔木主编/河北人民出版社,1994.8

中华人民共和国主席令(1—4册)/孙琬钟等/吉林人民出版社,2001.4

中华人民共和国史(2版)/何沁主编/高等教育出版社,1999.9

中华人民共和国史/何沁主编/高等教育出版社,1997.7

中华人民共和国史/何理主编/档案出版社,1989.11

中华人民共和国史/励维志主编/高等教育出版社,2001.12

中华人民共和国史/李茂盛主编/中国广播电视出版社,1990.10

中华人民共和国史/薛德行主编/河南大学出版社,1989.7

中华人民共和国史·增订本/何理主编、高化民等撰写/中国档案出版社,1995.4

中华人民共和国史专题研究/张广信主编/陕西人民教育出版社,1989.9

中华人民共和国史纲/杨勤为等主编/石油大学出版社,1990.2

中华人民共和国史纲/郭彬蔚著/河南教育出版社,1989.4

中华人民共和国史研究/焦春荣等主编/档案出版社,1989.7

中华人民共和国史简明教材/高平平主编/同济大学出版社,2005.9

中华人民共和国史稿/朱建华等主编/黑龙江人民出版社,1989.9

中华人民共和国史稿:序卷/邓力群主编/当代中国出版社,1996.6

中华人民共和国四十年/朱阳等编著/吉林人民出版社,1989.12

中华人民共和国四十年/肖效钦、王幼樵主编/北京师范学院出版社,1990.1

中华人民共和国外交大事记:1957年1月至1964年12月·第二卷/黎家松主编/世界知识出版社,2001.8

中华人民共和国外交大事记:1965年1月至1971年12月·第三卷/黎家松、廉正保主编/世界知识出版社,2002.10

中华人民共和国外交史:1957—1969/王泰平主编/世界知识出版社,1998.9

中华人民共和国对外关系史/外交学院中国对外关系史教研室编/外交学院出版社,1964.3

中华人民共和国对外经济贸易关系大事记(1949—1985)/王和英编/对外贸易教育出版社,1987.3

中华人民共和国民法史/何勤华、殷啸虎主编/复旦大学出版社,1999.12

中华人民共和国电影事业三十五年(1949—1984)/中国电影家协会电影史研究部编/中国电影出版社,1985.9

中华人民共和国全记录:1949.10—1999.7(1—5卷)/李罗力、张春雷主编/海天出版社,2000.1

中华人民共和国全国人民代表大会及其常务委员会大事记·1949—1993/全国人大常委会办公厅

研究室编/法律出版社,1994.3

中华人民共和国军事院校教育发展史·武警卷/张广平主编/军事科学出版社,2005.8

中华人民共和国农业史/陈守林等主编/黑龙江教育出版社,1989.12

中华人民共和国地方志:河南省志/中国大百科全书出版社,2003.1

中华人民共和国地质矿产史(1949—2000)/朱训、陈洲其主编/地质出版社,2003.8

中华人民共和国事典/陈明显、罗正楷主编/中国青年出版社,1994.9

中华人民共和国国史全鉴(1—15卷)/刘海藩主编、中共中央党校理论研究室编/中央文献出版社,2004.12

中华人民共和国国史全鉴:1949—1995(六卷)/本书编委会编/团结出版社,1996.4

中华人民共和国国史纪事/国际文化交流音像出版社,2004.1

中华人民共和国国民经济和社会发展计划大事辑要(1949—1985)/《当代中国的计划工作》办公室编/红旗出版社,1987.12

中华人民共和国国家机构通览/程湘清主编/中国民主法制出版社,1998.11

中华人民共和国国家机构概况/韩晓武编/中国展望出版社,1989.6

中华人民共和国实录(1—5卷)/刘国新等主编/吉林人民出版社,1994.6

中华人民共和国建国史手册/倪忠文主编/新华出版社,1989.6

中华人民共和国法制大事记(1949—1990)/钱辉等主编/吉林人民出版社,1992.2

中华人民共和国法制史/杨一凡、陈寒枫主编/黑龙江人民出版社,1996.11

中华人民共和国法制通史(1949—1995)/韩延龙主编/中共中央党校出版社,1998.11

中华人民共和国经济大事记:1949.10—1984.3/《中华人民共和国经济大事记》编选组编/北京出版社,1985.11

中华人民共和国经济专题大事记(1949—1966)/赵德馨主编/河南人民出版社,1989.3

中华人民共和国经济发展全史(1—12卷)/王博主编/中国经济文献出版社,2006.10

中华人民共和国经济史/武力主编/中国经济出版社,1999.10

中华人民共和国经济史/柏福临主编/黑龙江教育出版社,1989.12

中华人民共和国经济史/蒋家俊等编著/陕西人民出版社,1989.6

中华人民共和国经济史纲要/赵德馨主编/湖北人民出版社,1988.1

中华人民共和国经济史简明教程(1949—1985)/柳随年、吴群敢主编/高等教育出版社,1988.5

中华人民共和国经济史简编(1949—1985)/李德彬编/河南人民出版社,1987.6

中华人民共和国经济建设简史:1949—1994/陈国权等主编/中国物资出版社,1995

中华人民共和国经济简史/陈昌智主编/四川大学出版社,1990.4

中华人民共和国经济管理大事记/《当代中国的经济管理》编辑部编/中国经济出版社,1986.12

中华人民共和国政务工作全书/汪玉凯主编/研究出版社,2001.6

中华人民共和国政治体制沿革大事记(1949—1978)/洪承华、郭秀芝等编/春秋出版社,1987.12

中华人民共和国政治制度/浦兴祖主编/上海人民出版社,2005.2

中华人民共和国科技传播史/司有和主编/重庆出版社,2005.11

中华人民共和国科学技术大事记(1949—1988)/张应吾主编/科技文献出版社,1989.9

中华人民共和国统计大事记(1949—1991)/张塞主编/中国统计出版社,1992.8

中华人民共和国要事录:1949—1989/刘鲁风等主编/山东人民出版社,1989.8

中华人民共和国党政军群领导人名录/本书编辑组编/中共党史出版社,1990.12

中华人民共和国档案工作纪实(1949—1981)/吴宝康等编/青海人民出版社,1983.7

中华人民共和国通鉴/龙德等主编/学苑出版社,1994.5

中华人民共和国商业大事记(1958—1978)/《当代中国商业》编辑部编/中国商业出版社,1990.1

中华人民共和国教育大事记(1949—1982)/中央教育科学研究所编/教育科学出版社,1984.1

中华人民共和国教育历史传统与基础/王炳照等主编/海南出版社,2000.8

中华人民共和国教育史纲/方晓东等主编/海南出版社,2002.3

中华人民共和国新闻史/张涛著/经济日报出版社,1992.6

中华人民共和国简史（1949—2004）/金春明著/中共党史出版社,2004.10

中华人民共和国简史/尹风英主编/北京航空航天大学出版社,1991.8

中华人民共和国简史/庞松、陈述著/上海人民出版社,1999.9

中华人民共和国简史/郭彬蔚等编著/吉林文史出版社,1988.7

中华人民共和国简史/曾长秋、刘仲良编著/中国工业大学出版社,1991.1

中华人民共和简史/朱玉湘主编/福建人民出版社,1991.6

中国石油大会战/陈道阔著/八一出版社,1994.3

中国外交40年/中央人民广播电台国际部编/沈阳出版社,1989.8

中国外交史：中华人民共和国时期:1949—1979/谢益显主编/河南人民出版社,1988.7

中国共产党新时期历史大事记/中共中央党史研究室著/中共党史出版社,2009.1

中国共产党新时期简史/中共中央党史研究室著/中共党史出版社,2009.1

中国农业大事记(1949—1980)/农业出版社编/农业出版社,1982.3

中国农业四十年:1949—1989/中华人民共和国农业部编/农业出版社,1989.7

中国当代文学/邱岚主编/辽宁教育出版社,1986.6

中国当代文学史(1—3册)/二十二院校编写组编/福建人民出版社,1985.11

中国当代文学史/吉林省五院校编/吉林人民出版社,1984.12

中国当代文学史/江西大学中文系编/百花洲文艺出版社,1990.7

中国当代文学史简编/华南四学院现代文学教研室编/广东高等教育出版社,1987.7

中国当代文学思潮史/朱寨主编/人民文学出版社,1987.5

中国当代史问答一百题/沈渭滨主编/河南教育出版社,1987.10

中国当代哲学(1949—1990)/樊瑞平等著/石油大学出版社,1990.12

中国当代新闻事业史(1949—1988)/方汉奇等主编/新华出版社,1992.12

中国社会主义时期史稿(第二卷)/王学启等著/浙江人民出版社,1988.12

中国社会主义革命和建设史讲义/胡华主编/中国人民大学出版社,1985.4

中国社会主义革命和建设史纲/郭彬蔚等著/东北师范大学出版社,1986.6

中国社会主义革命和建设史研究荟萃/翟作君主编/华东师范大学出版社,1989.6

中国近现代史纲:1840—1989/上海外国语学院出国培训部编/上海外语教育出版社,1990.8

中国现代经济史/李宗植、张寿彭编/兰州大学出版社,1989.3

中国知青史——大潮/刘晓萌著/当代中国出版社,2009.1

中国知青史——初澜/定宜庄著/当代中国出版社,2009.1

中国经济发展40年/谢明干、罗元明主编/人民出版社,1990.3

中国革命史/张琦、刘国新等著/光明日报出版社,1992.8

中国革命史述论/孔令闻主编/北京航空航天大学出版社,1990.1

中国哲学四十年(1949—1989)/杨春贵主编/中共中央党校出版社,1989.9

中南海大事:建国以来重大政治事件全纪录·上/李健编著/中共党史出版社,2006.6

中南海大事:建国以来重大政治事件全纪录·下/李健编著/中共党史出版社,2006.6

中美关系/马耀邦著/当代中国出版社,2008.10

五星红旗下的大使们/沈建、沈力编著/江苏人民出版社,1993.8

元江哈尼族彝族傣族自治县志/云南省元江哈尼族彝族傣族自治县志编纂委员会编/中华书局,1993.6

历史的启示——十年(1957—1966)建设史研究/陈雪薇著/求实出版社,1989.2

历史的跨越:中华人民共和国国民经济和社会发展"一五"至"十一五"规划要览·1953—2010/郭德宏主编/中共党史出版社,2006.3

少年宫教育史/许德馨主编/海南出版社,2002.3

开国纪事/舒云著/中国华侨出版社,1991.10

毛泽东与蒋介石:1949—1976/陈敦德著/八一出版社,1993.10

毛泽东的中国及后毛泽东的中国——人民共和国史/(美)迈斯纳著,杜蒲译/四川人民出版社,1992.7

毛泽东的中国及其发展——中华人民共和国史/(美)迈斯纳著、张瑛译/社科文献出版社,1992.2

风云际会联合国/万经章、张兵主编/新华出版社,2008.1

归根:李宗仁与毛泽东、周恩来握手/陈敦德著/解放军文艺出版社,1991.6

民族教育史/朴胜一、程方平著/海南出版社,2001.8

亚非雄风:团结合作的亚非会议/夏仲成著/世界知识出版社,1998.1

伟大的十年(1949—1959)/上海人民出版社编/上海人民出版社,1960.4

共和国大审判/王文正口述/当代中国出版社,2006.1

共和国风云四十年/张伟埴等主编/中国政法大学出版社,1989.9

共和国四十年大事述评/翟作君等主编/档案出版社,1989.11

共和国的岁月/孙冰红编/陕西人民出版社,1991.12

师范教育史/金长泽、张贵新主编/海南出版社,2002.3

当代中国四十年纪事:1949—1989/虞宝棠、李学昌主编/上海人民出版社,1990.7

当代中国外交/《当代中国》丛书编辑部/中国社会科学出版社,1988.3

当代中国电影(上、下)/《当代中国》丛书编辑部编/中国社会科学出版社,1989.1

当代中国石油工业(上、下)/本书编委会/当代中国出版社,2009.1

当代中国军队的军事工作/《当代中国》丛书编辑部编/中国社会科学出版社,1989.6

当代中国军队的后勤工作/《当代中国》丛书编辑部编/中国社会科学出版社,1990.12

当代中国军队群众工作/颜金生等主编/中国社会科学出版社,1988.3

当代中国体育/荣高棠主编/中国社会科学出版社,1984.12

当代中国的人口/许涤新主编/中国社会科学出版社,1988.2

当代中国的乡村建设/《当代中国》丛书编辑部编/中国社会科学出版社,1987.1

当代中国的乡镇企业/《当代中国》丛书编辑部编/当代中国出版社,1991.8

当代中国的卫生事业(上、下)/《当代中国》丛书编辑部编/中国社会科学出版社,1986

当代中国的山西(上、下)/《当代中国》丛书编辑部编/中国社会科学出版社,1991.4

当代中国的工艺美术/季龙主编/中国社会科学出版社,1984.12

当代中国的工商行政管理/《当代中国》丛书编辑部编/当代中国出版社,1991.4

当代中国的广东(上、下)/《当代中国》丛书编辑部编/当代中国出版社,1991.12

当代中国的广西(上、下)/《当代中国》丛书编辑部编/当代中国出版社,1992.10

当代中国的云南(上、下)/《当代中国》丛书编辑部编/当代中国出版社,1991.3

当代中国的公安工作/《当代中国》丛书编辑部编/当代中国出版社,1992.2

当代中国的化学工业/《当代中国》丛书编辑部编/中国社会科学出版社,1986.6

当代中国的气象事业/《当代中国》丛书编辑部编/中国社会科学出版社,1984.8

当代中国的水产业/《当代中国》丛书编辑部编/当代中国出版社,1991.1

当代中国的水运事业/《当代中国》丛书编辑部编/中国社会科学出版社,1989.8

当代中国的计划生育事业/《当代中国》丛书编辑部编/当代中国出版社,1992.3

当代中国的计量事业/《当代中国》丛书编辑部编/中国社会科学出版社,1989.12

当代中国的北京/《当代中国》丛书编辑部编/中国社会科学出版社,1989.9

当代中国的四川(上、下)/《当代中国》丛书编辑部编/中国社会科学出版社,1990.12

当代中国的宁夏/李恽和主编/中国社会科学出版,1990.1

当代中国的对外经济合作/《当代中国》丛书编辑部编/中国社会科学出版社,1989.11

当代中国的对外贸易(上、下)/《当代中国》丛书编辑部编/当代中国出版社,1992.3

当代中国的民航事业/《当代中国》丛书编辑部编/中国社会科学出版社,1989.10

当代中国的电子工业/《当代中国》丛书编辑部编/中国社会科学出版社,1987.6

当代中国的石油化学工业/《当代中国》丛书编辑部编/中国社会科学出版社,1987.10

当代中国的农业机械化/《当代中国》丛书编辑部编/中国社会科学出版社,1991.2

当代中国的农垦事业/《当代中国》丛书编辑部编/中国社会科学出版社,1986.10

当代中国的吉林(上、下)/《当代中国》丛书编辑部编/当代中国出版社,1991.1

当代中国的地质事业/《当代中国》编辑部编/中国社会科学出版社,1990.3

当代中国的安徽(上、下)/《当代中国》丛书编辑部编/当代中国出版社,1992.3

当代中国的有色金属工业/《当代中国》丛书编辑部编/中国社会科学出版社,1990.2

当代中国的机械工业/《当代中国》丛书编辑部编/中国社会科学出版社,1990.10

当代中国的江西/傅雨田主编/中国社会科学出版社,1991.5

当代中国的江苏/《当代中国》丛书编辑部编/中国社会科学出版社,1989.9

当代中国的西藏(上、下)/《当代中国》丛书编辑部编/中国社会科学出版社,1991.4

当代中国的劳动力管理/《当代中国》丛书编辑部编/中国社会科学出版社,1990.7

当代中国的劳动保护/《当代中国》丛书编辑部编/当代中国出版社,1992.9

当代中国的医药事业/《当代中国》丛书编辑部编/中国社会科学出版社,1988.4

当代中国的纺织工业/《当代中国》丛书编辑部编/中国社会科学出版社,1984.11

当代中国的供销合作事业/《当代中国》丛书编辑部编/中国社会科学出版社,1990.1

当代中国的固定资产投资管理/《当代中国》丛书编辑部编/中国社会科学出版社,1989.9

当代中国的建筑业/《当代中国》丛书编辑部编/中国社会科学出版社,1988.2

当代中国的建筑材料工业/《当代中国》丛书编辑部编/中国社会科学出版社,1990.12

当代中国的林业/《当代中国》丛书编辑部编/中国社会科学出版社,1985.9

当代中国的河北/《当代中国》丛书编辑部编/中国社会科学出版社,1990.6

当代中国的空军/《当代中国》丛书编辑部编/中国社会科学出版社,1989.10

当代中国的经济管理/朱镕基主编/中国社会科学出版社,1985.8

当代中国的金融事业/《当代中国》丛书编辑部编/中国社会科学出版社,1989.3

当代中国的陕西/《当代中国》丛书编辑部编/当代中国出版社,1991.8

当代中国的青海(上、下)/《当代中国》丛书编辑部编/当代中国出版社,1991.2

当代中国的城市建设/《当代中国》丛书编辑部编/中国社会科学出版社,1990.3

当代中国的测绘事业/《当代中国》丛书编辑部编/中国社会科学出版社,1987.12

当代中国的科学技术事业/《当代中国》丛书编辑部编/当代中国出版社,1991.12

当代中国的贵州/《当代中国》丛书编辑部编/中国社会科学出版社,1989.10

当代中国的轻工业(上)/《当代中国》丛书编辑部编/中国社会科学出版社,1985.2

当代中国的轻工业(下)/《当代中国》丛书编辑部编/中国社会科学出版社,1986.11

当代中国的档案事业/《当代中国》丛书编辑部编/中国社会科学出版社,1988.4

当代中国的浙江(上、下)/《当代中国》丛书编辑部编/中国社会科学出版社,1988.12

当代中国的海洋事业/《当代中国》丛书编辑部编/中国社会科学出版社,1985.7

当代中国的畜牧业/《当代中国》丛书编辑部编/当代中国出版社,1991.12

当代中国的航空工业/《当代中国》丛书编辑部编/中国社会科学出版社,1988.12

当代中国的铁道事业(上、下)/《当代中国》丛书编辑部编/中国社会科学出版社,1990.5

当代中国的基本建设(上、下)/《当代中国》丛书编辑部编/中国社会科学出版社,1989.4

当代中国的检察制度/《当代中国》丛书编辑部编/中国社会科学出版社,1988.12

当代中国的船舶工业/《当代中国》丛书编辑部编/当代中国出版社,1992.2

当代中国的湖北(上、下)/《当代中国》丛书编辑部编/当代中国出版社,1991.9

当代中国的湖北/《当代中国》丛书编辑部编/当代中国出版社,1991.9

当代中国的湖南/《当代中国》丛书编辑部编/中国社会科学出版社,1990.10

当代中国的集体工业/《当代中国》丛书编辑部编/当代中国出版社,1991.12

当代中国的黑龙江(上、下)/《当代中国》丛书编辑部编/中国社会科学出版社,1991.1

当代中国的新疆/《当代中国》丛书编辑部编/当代中国出版社,1991.9

当代中国的煤炭工业/《当代中国》丛书编辑部编/中国社会科学出版社,1988.7

当代中国的福建(上、下)/《当代中国》丛书编辑部编/当代中国出版社,1991.6

当代中国经济/《当代中国》丛书编辑部编辑/中国社会科学出版社,1987.1

当代中国经济概述/张剑编著/广东人民出版社,1989.5

当代中国海洋石油工业/本书编委会编/当代中国出版社,2009.1

当代内蒙古简史:1949—1995/王铎主编/当代中国出版社,1998.5

当代宁夏简史/张远成著/当代中国出版社,2002.10

当代辽宁简史/朱川、沈显惠主编/当代中国出版社,1999.11

当代江西简史/本书编委会编/当代中国出版社,2002.4

当代江苏简史/刘定汉主编/当代中国出版社,1999.2

当代浙江简史:1949—1998/中共浙江省委党史研究室、当代浙江研究所编/当代中国出版社,2000.4

当代湖南简史:1949—1995/《当代湖南简史》编委会编/当代中国出版社,1997.12

当代新疆简史/党育林、张玉玺主编/当代中国出版社,2003.7

成人教育史/董明传等著/海南出版社,2002.3

曲折发展的岁月/丛进著/河南人民出版社,1989.12

庐山风云:1959年庐山会议简史/谢春涛著/中国青年出版社,1996.11

我国各民族的繁荣发展/戈柳、周竞红著/华文出版社,1999.9

我国多党合作的历程/张树桐著/华文出版社,1999.9

我国的宗教信仰自由/赵匡为著/华文出版社,1999.9

折冲与共处——新中国对外关系40年/谢益显著/河南人民出版社,1990.6

谷牧回忆录/谷牧著/中央文献出版社,2009.1

周恩来外交风云/杨明伟、陈扬勇著/解放军文艺出版社,1995.12

国防部长浮沉记/马辂等著/昆仑出版社,1989.8

学校艺术教育史/杨力、宋尽贤主编/海南出版社,2002.1

学校体育史/李晋裕等著/海南出版社,2000.12

建国以来十大经济成就/张衔、林静主编/中国经济出版社,1994.12

建国以来十大经济观/刘朝明、张衔编著/中国经济出版社,1995.1

建国以来十大经济热点/杨江著/中国经济出版社,1995.1

建国以来中国史学论文集篇目索引初编/张海惠、王玉芝编/中华书局,1992.5

建国以来中国共产党科技政策研究/崔禄春著/华夏出版社,2002.10

建国以来云南的禁毒斗争/中共云南省委党史研究室、中共云南省公安厅委员会编/云南民族出版社,1997.12

建国以来军史百桩大事/李澄、晓季、王立兵主编/知识出版社,1992.7

建国以来法制建设记事/俞建平等著/河北人民出版社,1986.10

建国以来党政干部违法违纪大案要案索引/《建国以来党政干部违法违纪大案要案索引》编写组编/法律出版社,2004.2

建国后三十三年/金春明著/上海人民出版社,1987.4

波澜起伏:中美关系演变的曲折历程/王立著/世界知识出版社,1998.1

剑桥中华人民共和国史(1949—1965)/(美)费正清主编/上海人民出版社,1990.6

剑桥中华人民共和国史——中国革命内部的革命(1960—1982)/(美)麦克法夸尔编/中国社会科学出版社,1992.8

党史札记末编/龚育之编/中共党史出版社,2008.1

高等教育史/郝维谦、龙正中主编/海南出版社,2000.7

教育国际交流与合作史/于富增等著/海南出版社,2001.8

旌勇里国史讲座(第二辑)/刘国新主编/当代中国出版社,2009.1

职业教育史/闻友信、杨金梅著/海南出版社,2000.9

辉煌的四十五年:中华人民共和国国史研究论文集/张启华主编/当代中国出版社,1995.1

辉煌的成就——新中国四十年/朱华布等主编/天津社会科学院出版社,1989.11

新中国 50 年(上、中、下卷)/韩泰华主编/红旗出版社,1999.12

新中国 50 年:1949—1999/闵凡路主编/湖北教育出版社,1999.8

新中国人口五十年/路遇主编/中国人口出版社,2004.8

新中国十年来经济建设的伟大成就/杨波编/上海人民出版社,1959.12

新中国万岁(1949—1999)/高凯、于玲、邱金利、申联彬主编/中国国际广播出版社,1999.4

新中国大事典/王永平主编/中国国际广播出版社,1992.11

新中国大事典:1949—1989/何彦才、高玉春主编/科学技术文献出版社,1990.9

新中国大事辑要/冯登岗、刘鲁风主编/山东人民出版社,1992.3

新中国大博览/李默主编/广东旅游出版社,1993.2

新中国工业经济史(1958—1965)/汪海波、董志凯等著/经济管理出版社,1995.9

新中国工业经济史/汪海波主编/经济管理出版社,1986.7

新中国马克思主义哲学 50 年/任俊明主编/人民出版社,2006.5

新中国五十年/陈明显编著/北京理工大学出版社,1999.5

新中国五十年大事记(上、下)/新华月报编辑部编/人民出版社,1999.9

新中国六次反侵略战争实录/李健编/中国广播电视出版社,1992.1

新中国反贪污贿赂理论与实践/钟澍钦主编/人民出版社,1995.8

新中国反腐败通鉴/李雪勤主编/天津人民出版社,1993.12

新中国文学发展史/李丛申主编/云南教育出版社,1988.7

新中国文学史(上、下)/张炯编著/海峡文艺出版社,2000.12

新中国水利 50 年/中华人民共和国水利部编/中国水利水电出版社,1999.11

新中国——东盟关系论/曹云华、唐翀著/世界知识出版社,2005.4

新中国出版五十年纪事/刘杲、石峰主编/新华出版社,1999.12

新中国史略/孙瑞鸢、滕文藻等著/陕西人民出版社,1991.9

新中国四十年研究/陈明显、张恒等编著/北京理工大学出版社,1989.5

新中国外交 50 年(上、中、下)/王泰平主编/北京出版社,1999.9

新中国外交大写意/《纵横》编辑部编/中国文史出版社,2001.1

新中国外交五十年/《新中国外交五十年》编委会编/世界知识出版社,1999.9

新中国外交风云/外交部外交史编辑室编/世界知识出版社,1990.5

新中国外交风云·第三辑/外交部外交史研究室编/世界知识出版社,1994.3

新中国外交风云·第五辑/《新中国外交风云》编委会编/世界知识出版社,1999.8

新中国外交四十年/裴坚章主编/世界知识出版社,1989.9

新中国外交思想:从毛泽东到邓小平——毛泽东、周恩来、邓小平外交思想比较研究/叶自成著/北京大学出版社,2001.6

新中国对外汉语教学发展史/程裕祯主编/北京大学出版社,2005.3

新中国民族工作十讲/国家民族事务委员会研究室编/民族出版社,2006.4

新中国电影史:1949－2000/尹鸿、凌燕著/湖南美术出版社,2002.11

新中国立法概述/顾昂然著/法律出版社,1995.10

新中国价格简史:1949—1978/叶善蓬编著/中国物价出版社,1993.6

新中国企业领导制度/张占斌等编著/春秋出版社,1988.9

新中国军事大事纪要/张驭涛主编/军事科学出版社,1998.2

新中国军事活动纪实(1949—1959)/邓礼峰编著/中共党史出版社,1989.7

新中国农田水利史略:1949－1998/丁泽民主编/中国水利水电出版社,1999.3

新中国农村经济大事记:1949.10—1984.9/李德彬等编/北京大学出版社,1989.1

新中国刑法科学简史/高铭暄等撰/中国人民公安大学出版社,1993.5

新中国戏剧史:1949－2000/傅谨著/湖南美术出版社,2002.11

新中国成人高等教育发展研究/何红玲著/中国社会科学出版社,2004.5

新中国纪事:1949—1984/郑德荣等主编/东北师范大学出版社,1986.7

新中国行政管理简史:1949－2000/中国行政管理学会编/人民出版社,2002.2

新中国劳动保障史话:1949－2003/刘贯学著/中国劳动社会保障出版社,2004.11

新中国社会科学五十年/中国社会科学院科研局编/中国社会科学出版社,2000.5

新中国国防科技体系的形成与发展研究/吴远平、赵新力、赵俊杰著/国防工业出版社,2006.1

新中国宗教工作大事概览:1949－1999/罗广武编著/华文出版社,2001.1

新中国往事/邓力群主编/中央文献出版社,2006.1

新中国法制建设四十年要览:1949—1988/周振想、邵景春主编/群众出版社,1990.8

新中国法制建设的回顾与反思/李龙主编/中国社会科学出版社,2004.4

新中国的历程:1949 年 10 月 1 日—1989 年 10 月 1 日/高凯、熊光甲主编/中国人民大学出版社,1989.10

新中国的疫病流行与社会应对:1949—1959/李洪河著/中共党史出版社,2007.11

新中国的原点/刘建平著/西苑出版社,1999.3

新中国经济史/苏星著/中共中央党校出版社,1999.9

新中国经济史:1949—1989/曾璧钧、林木西主编/经济日报出版社,1990.3

新中国经济建设评析/张寿春、金鑫著/东南大学出版社,1996.10

新中国经济理论史/赵晓雷著/上海财经大学出版社,1999.9

新中国诞生实录/庞松著/浙江人民出版社,2001.12

新中国城市五十年/国家统计局城市社会经济调查总队编/新华出版社,1999.12

新中国宪政之路:1949－1999/殷啸虎著/上海交通大学出版社,2000.7

新中国思想理论教育史/张雷声、郑吉伟、李玉峰编著/高等教育出版社,2005.4

新中国政治学的回顾与展望/杨海蛟主编/世界知识出版社,2000.7

新中国统一战线五十年大事年表:(1949－1999)/中共中央统战部研究室编著/华文出版社,2000.6

新中国美术史:1949－2000/邹跃进著/湖南美术出版社,2002.11

新中国要事述评/林志坚主编/中共党史出版社,1994.7

新中国轻工业三十年:1949－1979·上册/轻工业部政策研究室编/轻工业出版社,1981.8

新中国轻工业三十年:1949－1979·下册/轻工业部政策研究室编/轻工业出版社,1981.2

新中国轻工业三十年:1949－1979·中册/轻工业部政策研究室编/轻工业出版社,1980.12

新中国重大决策纪实/中共中央文献研究室等编/中国文联出版社,1999.10

新中国音乐史:1949－2000/居其宏著/湖南美术出版社,2002.11

新中国哲学研究 50 年:中国社会科学院哲学研究所 50 周年学术文集·上/李景源主编/人民出版社,2005.9

新中国哲学研究 50 年:中国社会科学院哲学研究所 50 周年学术文集·中/李景源主编/人民出版社,2005.9

新中国哲学研究 50 年:中国社会科学院哲学研究所 50 周年学术文集·下/李景源主编/人民出版社,2005.9

新中国海战档案/崔京生著/中国青年出版社,2007.7

新中国留学归国学人大词典/中华人民共和国人事部主编/湖北教育出版社,1993.7

新中国探索"三农"问题的历史经验/张新华主编/中共党史出版社,2007.6

新中国教育历程/高奇著/河北教育出版社,1999.1

新中国第一代·开国五大书记/文辉抗、叶健君主编/湖南出版社,2006.1

新中国第一志/《新中国第一志》编写组编/河南人民出版社,1986.6

新中国领事实践/《新中国领事实践》编写组编/世界知识出版社,1991.3

新中国编年史(1949—1989)/廖盖隆等主编/人民出版社,1989.7

新中国舞蹈史:1949－2000/冯双白著/湖南美术出版社,2002.11

福建省志·总概述/福建省地方志编纂委员会编/方志出版社,2002.1

解放西藏史/《解放西藏史》编委会/中共党史出版社,2008.8

襄樊市志/湖北省襄樊市地方志编纂委员会编纂/中国城市出版社,1994.12

工具书

"四大"以来妇女运动文选(1979—1983 年)/中华全国妇女联合会编/中国妇女出版社,1983.9

土地改革重要文献汇集/人民出版社编/人民出版社,1951.3

土地政策法令汇编/东北人民政府农林部编/东北农业出版社,1950.12

广东五十年1949－1999/广东省人民政府办公厅广东省统计局合编/中国统计出版社,1999.9

中华人民共和国人民代表大会文献资料汇编(1949—1990)/全国人大常委会办公厅编/中国民主法制出版社,1991.3

中华人民共和国人事制度概要/曹志主编/北京大学出版社,1985.9

中华人民共和国大词典/本词典编写组编/中国国际广播出版社,1991.2

中华人民共和国大典/《中华人民共和大典》编委会编/中国经济出版社,1994.6

中华人民共和国大辞典/张克明主编/中国国际广播出版社,1989.1

中华人民共和国工业企业基本概况·电力工业卷/第三次全国工业普查办公室电力工业部普查领导小组办公室编/中国电力出版社,1996.10

中华人民共和国工业企业基本概况·纺织工业卷(上、下册)/中国纺织总会第三次全国工业普查办公室编/中国统计出版社,1996.12

中华人民共和国开国文选/中共中央文献研究室编/中央文献出版社,1999.10

中华人民共和国史词典/李宇铭主编/中国国际广播出版社,1989.6

中华人民共和国史词典(修订版)/黄文安主编/中国档案出版社,1994.6

中华人民共和国史辞典/朱建华、郭彬蔚主编/吉林文史出版社,1989.6

中华人民共和国史辞典/黄文安主编/档案出版社,1989.11

中华人民共和国外汇管理法规汇编(1949.10.1—1997.10.31)/国家外汇管理局编/中国民主法制出版社,1998.1

中华人民共和国对外关系文件集(第五集:1958)/世界知识出版社编/世界知识出版社,1959.7

中华人民共和国对外关系文件集(第四集:1956—1957)/世界知识出版社编/世界知识出版社,1958.7

中华人民共和国幼儿教育重要文献汇编/中国学前教育研究会编/北京师范大学出版社,1999.10

中华人民共和国民事诉讼法/国务院法制办公室编/中国法制出版社,2006.7

中华人民共和国边界事务条约集·中印、中不卷/中华人民共和国外交部条约法律司编/世界知识出版社,2004.11

中华人民共和国边界事务条约集·中吉卷/中华人民共和国外交部条约法律司编/世界知识出版社,2005.5

中华人民共和国边界事务条约集·中老卷/中华人民共和国外交部条约法律司编/世界知识出版社,2004.7

中华人民共和国边界事务条约集·中阿、中巴卷/中华人民共和国外交部条约法律司编/世界知识出版社,2004.11

中华人民共和国边界事务条约集·中俄卷/中华人民共和国外交部条约法律司编/世界知识出版社,2005.7

中华人民共和国边界事务条约集·中哈卷/中华人民共和国外交部条约法律司编/世界知识出版社,2005.5

中华人民共和国边界事务条约集·中塔卷/中华人民共和国外交部条约法律司编/世界知识出版社,2005.5

中华人民共和国边界事务条约集·中朝卷/中华人民共和国外交部条约法律司编/世界知识出版社,2004.11

中华人民共和国边界事务条约集·中缅卷/中华人民共和国外交部条约法律司编/世界知识出版社,2004.7

中华人民共和国边界事务条约集·中越卷/中华人民共和国外交部条约法律司编/世界知识出版社,2004.7

中华人民共和国边界事务条约集·中蒙卷/中华人民共和国外交部条约法律司编/世界知识出版社,2004.11

中华人民共和国地名录/中国地名委员会编/中国社会科学出版社,1994.3

中华人民共和国地图集/中国地图出版社,1994.6

中华人民共和国地图集/总参谋部测绘局编制/星球地图出版社,2000.5

中华人民共和国百科之最大辞典/张守强、于华夫主编/哈尔滨出版社,1993.1

中华人民共和国自然地图集/中国科学院编制/中国科学院出版社,1965.10

中华人民共和国行政区划沿革地图集/陈潮主编/中国地图出版社,2003.10

中华人民共和国行政区划简册2000/中华人民共和国民政部编/中国地图出版社,2000.4

中华人民共和国体育文件汇编(第二辑)/人民体育出版社编/人民体育出版社,1957.4

中华人民共和国体育运动文件汇编(第三辑)/人民体育出版社编/人民体育出版社,1958.4

中华人民共和国投资法规文件汇编(上、下)/全国人大内务司法委员会内务室编/地震出版社,2001.5

中华人民共和国典章制度全书(1—6卷)/中华人民共和国典章制度编委会编/中国民主法制出版社,1999.7

中华人民共和国国务院令(全四卷)/全国人民代表大会常务委员会法制工作委员会审定/吉林人民出版社,2001.4

中华人民共和国国史大辞典/张晋藩等主编/黑龙江人民出版社,1992.10

中华人民共和国国史百科全书/邓力群主编/中国大百科全书出版社,1999.7

中华人民共和国国家普通地图集/国家地图集编纂委员会编/中国地图出版社,1995.1

中华人民共和国知识辞典/侯雄飞等主编/西南师范大学出版社,1990.6

中华人民共和国重要教育文献(1949—1975)/何东昌主编/海南出版社,1998.9

中华人民共和国第一届全国人民代表大会第三次会议汇刊/中华人民共和国第一届全国人民代表大会第三次会议秘书处编/人民出版社,1957.1

中华人民共和国第一届全国人民代表大会第五次会议汇刊/人民出版社编/人民出版社,1958.5

中华人民共和国第一届全国人民代表大会第四次会议汇刊/人民出版社编/人民出版社,1957.10

中华全国工商业联合会第二届会员代表大会主要文件汇编/中华全国工商业联合会编/财政经济出版社,1957.1

中国工会历次全国代表大会文件汇编/中华全国总工会中国职工运动史研究室编/工人出版社,1957.12

中国共产主义青年团第三届中央委员会第二次全体会议扩大会议文件汇编/共青团中央办公厅编/中国青年出版社,1958.8

中国现代史词典/李盛平主编/中国国际广播出版社,1987.12

中国现代史辞典/王宗华等主编/河南人民出版社,1991.6

中国政治制度辞典/刘国新主编/中国社会出版社,1990.3

民族政策文件汇编(第一编)/人民出版社,1958.7

民族政策文件汇编(第二编)/人民出版社,1958.4

民族政策文献汇编/人民出版社/人民出版社,1953.1

甘孜州志(上)/甘孜州志编纂委员会编/四川人民出版社,1997.10

甘孜州志(中)/甘孜州志编纂委员会编/四川人民出版社,1997.10

甘孜州志(下)/甘孜州志编纂委员会编/四川人民出版社,1997.10

全国人民代表大会第二届首次会议重要文件汇编/保定人民出版社,1959.4

机构编制体制文件选编(上)/劳动人事部编制局/劳动人事出版社,1986.2

机构编制体制文件选编(下)/劳动人事部编制局编/劳动人事出版社,1986.7

西藏工作文献选编(1949—2005)/中共中央文献研究室、西藏自治区委员会编/中央文献出版社,2005.9

建国以来毛泽东文稿(第八册):1959年1月—1959年12月/毛泽东著/中央文献出版社,1993.1

建国以来毛泽东文稿(第九册):1960年1月—1961年12月/毛泽东著/中央文献出版社,1996.1

建国以来毛泽东文稿(第十一册):1964年1月—1965年12月/毛泽东著/中央文献出版社,1996.8

建国以来刘少奇文稿(第一册)/刘少奇著/中央文献出版社,2005.4

建国以来刘少奇文稿(第二册)/刘少奇著/中央文献出版社,2005.4

建国以来刘少奇文稿(第三册)/刘少奇著/中央文献出版社,2005.4

建国以来刘少奇文稿(第四册)/刘少奇著/中央文献出版社,2005.4

建国以来刘少奇文稿(第五册)/刘少奇著/中央文献出版社,2008.4

建国以来刘少奇文稿(第六册)/刘少奇著/中央文献出版社,2008.4

建国以来刘少奇文稿(第七册)/刘少奇著/中央文献出版社,2008.4

建国以来周恩来文稿(第一册)/中共中央文献研究室编/中央文献出版社 ,2008.4

建国以来周恩来文稿(第二册)/中共中央文献研究室编/中央文献出版社 ,2008.4

建国以来周恩来文稿(第三册)/中共中央文献研究室编/中央文献出版社 ,2008.4

建国以来重要文献选编(第十四册)/中共中央文献研究室编/中央文献出版社,1997.1

建国以来重要文献选编(第十五册)/中共中央文献研究室编/中央文献出版社,1997.1

建国以来重要文献选编(第十六册)/中共中央文献研究室编/中央文献出版社,1997.7

建国以来重要文献选编(第十七册)/中共中央文献研究室编/中央文献出版社,1997.8

建国以来重要文献选编(第十八册)/中共中央文献研究室编/中央文献出版社,1998.2

建国以来重要文献选编(第十九册)/中共中央文献研究室编/中央文献出版社,1998.3

建国以来重要文献选编(第二十册)/中共中央文献研究室编/中央文献出版社,1998.5

知识分子问题文选/中共中央组织部研究室编/湖南人民出版社,1983.5

知识分子问题文献选编/中共中央组织部、中共中央文献研究室编/人民出版社,1983.5

金昌市志/甘肃省金昌市地方志编纂委员会编纂/中国城市出版社,1995.2

南漳县志/湖北省南漳县地方志编纂委员会编纂/中国城市经济社会出版社,1990.8

哈尔滨年鉴(1987)/《哈尔滨年鉴》编辑部编/黑龙江人民出版社,1987.12

政府工作报告汇编(1950)/人民出版社编/人民出版社,1951.9

科学发展观重要论述摘编/中共中央文献研究室编/中央文献出版社 ,2008.9

香港经济年鉴1997/经济导报社编辑/中国经济出版社,1997.10

香港经济年鉴1998/经济导报社编辑/中国经济出版社,1998.11

香港经济年鉴1999/经济导报社编辑/中国经济出版社,1999.11

香港经济年鉴2001/经济导报社编辑/中国经济出版社,2001.10

浙江年鉴(1992)/中国共产党浙江省委员会政策研究室、浙江省人民政府经济技术社会发展研究中心编/浙江人民出版社,1992.9

浙江年鉴(1993)/中国共产党浙江省委员会政策研究室、浙江省人民政府经济技术社会发展研究中心编/浙江人民出版社,1993.8

浙江经济年鉴(1989)/中国共产党浙江省委员会政策研究室、浙江省人民政府经济技术社会发展研

究中心编/浙江人民出版社,1990.11

浙江经济年鉴(1991)/中国共产党浙江省委员会政策研究室、浙江省人民政府经济技术社会发展研究中心编/浙江人民出版社,1991.7

海南年鉴:2005/王一新主编/海南年鉴社,2005.12

盐城市建设志/《盐城市建设志》编纂委员会编纂/中国城市出版社,1994.12

深圳证券交易所市场统计年鉴(1997)/桂敏杰主编/中国统计出版社,1998.2

第一次全国文字改革会议文件汇编/全国文字改革会议秘书处编/文字改革出版社,1957.10

第二次全国民政会议文件汇编/中央人民政府内务部编/人民出版社,1954.6

黑龙江年鉴(1991)/《黑龙江年鉴》编辑部编/黑龙江人民出版社,1991.12

黑龙江省农业年鉴(1986)/《黑龙江省农业年鉴》编辑委员会编/黑龙江人民出版社,1988.5

新中国五十年农业统计资料/国家统计局农村社会经济调查总队编/中国统计出版社,2000.12

新中国五十年统计资料汇编/国家统计局国民经济综合统计司编/中国统计出版社,1999.11

新中国建设大辞典/范茂发、朱元珍主编/中国轻工业出版社,1994.3

新中国法制研究史料通鉴(第一卷 军管法制篇)/张培田主编/中国政法大学出版社,2003.9

新中国法制研究史料通鉴(第二卷 镇反肃反法制篇)/张培田主编/中国政法大学出版社,2003.9

新中国法制研究史料通鉴(第三卷 民主建设法制篇)/张培田主编/中国政法大学出版社,2003.9

新中国法制研究史料通鉴(第四卷 经济法制篇)/张培田主编/中国政法大学出版社,2003.9

新中国法制研究史料通鉴(第五卷 农业法制篇)/张培田主编/中国政法大学出版社,2003.9

新中国法制研究史料通鉴(第六卷 工业法制篇)/张培田主编/中国政法大学出版社,2003.9

新中国法制研究史料通鉴(第七卷 民政法制篇)/张培田主编/中国政法大学出版社,2003.9

新中国法制研究史料通鉴(第八卷 商业法制篇)/张培田主编/中国政法大学出版社,2003.9

新中国法制研究史料通鉴(第九卷 文化教育法制篇)/张培田主编/中国政法大学出版社,2003.9

新中国法制研究史料通鉴(第十卷 外交法制篇)/张培田主编/中国政法大学出版社,2003.9

新中国法制研究史料通鉴(第十一卷 综合篇)/张培田主编/中国政法大学出版社,2003.9

新时期民族工作文献选编/中共中央文献研究室、国家民委编/中央文献出版社,1990.9

新时期农业和农村工作重要文献选编/中共中央文献研究室编/中央文献出版社,1996.3

新时期环境保护工作文献选编/国家环境保护局、中共中央文献研究室编/中央文献出版社、中国环境科学出版社,2001.5

新时期经济体制改革重要文献选编/中共中央文献研究室编/中央文献出版社,1998.11

新时期科学技术工作重要文献选编/中共中央文献研究室、国务院发展研究中心编/中央文献出版社,1995.5

新时期统一战线文献选编/中共中央统一战线工作部中共中央文献研究室编/中共中央党校出版社,1985.11